Liebes Lesering-Mitglied!

Ein Jahrzehnt hindurch haben Sie uns die Treue gehalten, und zehn Jahre sind auch in unserer schnellebigen Zeit ein beträchtlicher Abschnitt.

Wer es fertiggebracht hat, zehn Jahre lang zu einer Sache zu stehen, der hat schon allein dadurch ein Werk der Beständigkeit in einer unbeständigen, auf steten Wechsel bedachten Welt vollbracht.

Sie, die Treuen, haben es uns in erster Linie ermöglicht, eine Gemeinschaft von Lesern aufzubauen, die heute mehr als zweieinhalb Millionen Menschen in aller Welt umfaßt.

Nehmen Sie daher als unseren Dank für Ihre zehnjährige Mitgliedschaft die Gabe entgegen, die Ihnen persönlich zugeeignet ist: Das Deutschland-Hausbuch.

Auf weitere langjährige Freundschaft!

Ihr dankbarer
Bertelsmann Lesering
und Ihre Betreuungsfirma

DEUTSCHLAND

DEUTSCHLAND

EIN HAUSBUCH

Mit einem Essay von THEODOR HEUSS

und Beiträgen von

Waldemar Augustiny, Anton Betzner, Friedrich Bischoff, Klaus von Bismarck, Heinrich Böll, Willi Fehse, Hans Franck, Rudolf Hagelstange, Manfred Hausmann, Walther von Hollander, Hermann Kasack, Rudolf Krämer=Badoni, Ernst Krienitz, Hanns Clemens Lang, Hans Leicht, Hans Leip, Friedrich Luft, Hanns Meyer, Agnes Miegel, Her=mann Missenharter, Gerhart Pohl, Karl Rauch, Alma Rogge, Otto Rombach, Eugen Roth, Hans Scholz, Ulrich Stille, Walter Vollmer, Bruno Werner, Carl Zuckmayer

IM BERTELSMANN LESERING

Die Bildkarten zeichneten Wolfgang Felten, Kurt Führer, Heinrich Pauser, Karl Peschke, Willi Probst, Hans Peter Renner, Werner Roll, die Übersichtskarte Paul Pott. Umschlag und Einband von Siegfried Kortemeier

14. Auflage, 531.–570. Tausend 1967
 · Gesamtherstellung Mohn & Co GmbH, Gütersloh · · Printed in Germany · Bestell-Nr. 2612

INHALT

THEODOR HEUSS

Wanderung durch deutsches Schicksal

Wenn man beginnt, die deutschen Dinge zu überdenken, die volkhaften Voraussetzungen in dem Stammesreichtum, die wechselvolle Dehnung der Außengrenzen, die immerhin, wenn auch mit ungleicher Kraft und Wirkung, einen gemeinsamen geschichtlichen Rechtsanspruch umschloß, die vielfarbige innere Aufgliederung in »ständische« Autonomien, von den Kurfürstentümern bis zu Reichsstädten, Reichsdörfern, Reichsabteien, dann ist es wohlgetan, Putzgers alten redlichen »historischen Schulatlas« sich an die Seite zu holen. Er stand immer, durch ein langes Leben, erwartungsvoll zum Dienst bereit, im benachbarten Büchergestell. Er erzählt so gern. Doch dies besorgte er, wenigstens in den alten Auflagen meiner Kindheit, auf eine ganz einfache Weise, indem er statisch gewordene Tatbestände, in den gemäßen Zeitabschnitten, aufzeigt.
Natürlich wird das Ergebnis in der Beurteilung des Betrachters höchst verschieden sein. So viel in dem europäischen Bereich gehörte also dann und dann, von den Karolingern über die Sachsen, von den Staufern bis zu den Luxemburgern und Habsburgern zum Herrschaftsbereich oder doch -anspruch deutscher Kaiser — daß solche Ausweitung in den wesentlichen Elementen aus Heirat und Erbrecht folgte und kriegerischer Einsatz nicht so sehr der Eroberung als der Verteidigung von Erbgut galt, wird im Bewußtsein nicht, heute nicht mehr veranschlagt. Immerhin hat es für den Besucher etwas Ergreifendes, in Italien, in Rom, Palermo, Pisa, vor den Grabstätten von vier deutschen Kaisern zu stehen.

Entscheidung zwischen Glaube und Heimat

Es ist jetzt bald hundert Jahre her, da zwei in ihrer Zeit führende Historiker, Julius von Ficker und Heinrich von Sybel, einen sozusagen wissenschaftlichen Streit ausfochten, ob der »Universalismus« des mittelalterlichen Kaisertums die Bekrönung einer deutschen Aufgabe darstellte, ob er ein Kräfte verschwendender Irrweg war: Was hatten denn die Deutschen am Mittelmeer verloren, da ihre Aufgabe, wenn sie schon eine vor sich sahen, nördlich der Alpen, zumal an den östlichen Grenzen, zu suchen war?
Das Wort von der »unbewältigten Vergangenheit«, das unsere Gegenwart bedrängt, im Blick auf die Bismarcksche, die Wilhelminische, die Hitlerische Epoche und ihre Bewertung, war damals noch nicht erfunden, aber offenbar für das Bedürfnis der Geschichtsklärung vorhanden, auch wenn man die Vergangenheit in die Unverbindlichkeit alter Jahrhunderte zurückverlegte. Das ist Romantik, im einzelnen geistreich und anregend. Aber kaum etwas ist unserer Gegenwart weniger erlaubt als romantisches Herumschweifen, um längst verjährte Geschichtsdaten zu aktueller Feierlichkeit zu beschwören. Denn dieser Gegenwart ist Nüchternheit gemäß.
Wozu aber dann die Berufung auf solche wechselreiche politische Geographie, die, auch wenn sie nicht zu solchem Zweck, sondern zur einfachen Unterweisung gezeichnet und vielfarbig bemalt wurde, doch offenbar die Phantasie anregt. Die historischen Kartenbilder geben uns »Glanz und

Elend der Deutschen«, wenn man diese in der Quadratkilometerzahl des staatlichen Beherrschungsraumes (und nicht bloß der ja auch schwankenden Besiedlungsfläche) finden will. Jetzt Ausdehnung, wenn auch zum Teil, Begleiterscheinung einer sonderlichen Machtlage und eines eingegrenzten rein staatlichen Denkens: Warschau — eine sächsische Nebenresidenz, später gar eine preußische Provinzstadt. Jetzt Schrumpfung, zumal an den Randbezirken des alten Reichsgebietes — Unabhängigkeit der schweizerischen Eidgenossenschaft, der Niederlande. Daran ist nur zu erinnern. Es handelt sich um in der Geschichte abgeschlossene und durch die internationalen Rechtsordnungen gefestigte Tatbestände.

Wo, wann wird unser gegenwärtiges Geschichtsbewußtsein noch unmittelbar berührt? Mir persönlich erscheint das sogenannte »Mittelalter« als ein großartiges Museum, dessen Zeugnisse man bewundert, von deren geschlossener Kraft man sich seelisch bewegen läßt. Aber sie neigen dazu, Elemente der »Bildung« zu werden, geworden zu sein. Der ungeheure Vorgang in der deutschen Geschichte, der seine immerwährende Aktualität, quälend und fruchtbar in einem, besitzt, ist Martin Luthers Reformation. Der Augustinermönch, der am 31. Oktober 1517, aus religiösen und theologischen Skrupeln heraus, seine fünfundneunzig Thesen an die Schloßkirche zu Wittenberg heftete, hat mit dieser Tat *politische* Weltgeschichte gewirkt, weit über den deutschen Raum hinaus, im Siegen wie im Unterliegen.

Das war in seinem Unterfangen nicht angelegt, das man nach seiner kirchlichen Zeitbedingtheit, nach einer urtümlichen menschlichen Quellkraft bewerten mag — Kriege, Kriege, in Deutschland, um Deutschland, kamen in ihrer Folge, da gewiß die religiöse Ursprünglichkeit dort und dort von sehr kompakten und sehr weltlichen staatlichen Machtinteressen verschlungen wurde. Der Augsburger »Religionsfriede« von 1555, ein Zwischenstück der Ermattung, die Verträge von Münster und Osnabrück, 1648, nach dreißig Jahren schweifender Ungewißheiten des Vernichtungs- und des Rettungswillens — war nun die Wirrung zwischen den Deutschen zur Ruhe gekommen? Das »cuius regio, eius religio« — auf einfaches Deutsch gebracht: Wem das Land zum Regiment gehört, ob fürstlich, ob reichsstädtisch, der bestimmt den Glauben der Untertanen und Bürger — hat ganz offenkundig wenig spezifisches Gewicht auf der Waage individueller Glaubensart. Jene Zeit erlebte dann, wenn auch begrenzt, die Fragestellung: Was ist dir wichtiger, die Heimat der Väter oder die gedachte Gewißheit der Seligkeit. Salzburger wandern nach Ostpreußen; französische Hugenotten kommen in die Mark Brandenburg, ins Hessische und Schwäbische — sie werden dort gewiß, in einigen Generationen, von ihrer Umwelt »eingedeutscht«. Aber es ist, wenn »Wanderung durch deutsches Schicksal« ein richtiges Wandern wird, rührend, etwa in Schwedt an der Oder, in Carlshafen an der Weser, den Nachhall solchen Geschehens zu spüren.

»Flurbereinigung« in der Ära Napoleons

Der strenge Ernst der staatlichen Konfessionsproblematik hat theoretisch und praktisch bis in unser Gegenwartsbewußtsein gedauert: ein evangelischer Landesfürst war nun eben »summus episcopus«, der Oberhirte, das Haupt der Kirche, gleichgültig, wie er zu den religiösen Dingen stand. Das konnte seltsame Folgen haben. Bis 1918 durfte in dem sehr lutherischen Mecklenburg meines Wissens kein katholisches Gotteshaus repräsentativ in einer Straßenflucht stehen — für »Sekten« gibt es Hinterhäuser. Anderwärts verschoben sich die Dinge: Als August der Starke von Sachsen, Nachfolger des Schutzherren von Luther, die polnische Königskrone erstrebte, wechselte er seine Konfession. Als Friedrich II. in zwei Kriegen Schlesien gegen Habsburg eroberte und in dem siebenjährigen zu behaupten wußte, konnte ihn, den Sohn der »Aufklärung«, der jedermann anheimgab, »nach seiner Façon selig zu werden«, die Konfessionsstruktur der neuen Untertanen wenig interessieren. Die »Neutralität« des Staates in Glaubensdingen war durch diesen Akt wesenhaft eingeleitet.

Die Dinge scheiden sich, entscheiden sich mit dem »Reichsdeputationshauptschluß« von 1803, da der Kaiser des »Heiligen Römischen Reiches Deutscher Nation« in Wien resigniert und sich auf eine Kaiserwürde seiner österreichischen Erblande zurückzieht. Sie bestätigen sich auf dem

SANKT BARTHOLOMÄ AM KÖNIGSSEE war vor dreihundert Jahren ein weltferner Wallfahrtsort der Hirten, Jäger und Fischer; heute ist das wunderlich gebuckelte Kirchlein ein Ziel der Welt. Es steht vor der riesigen, wildzerworfenen Ostwand des Watzmanns auf einer weit vorgeschobenen Trümmerhalde, die von prachtvollen Ahornbäumen bewachsen ist. Der Königssee ist im Mai wie im Oktober einsam und gar an einem Wintertag bezaubernd. Felsstürze haben die südlichste Bucht, den vom Steinernen Meer umschlossenen Obersee, abgetrennt. Den großartigsten Blick auf den See und die vielgestaltige Bergwelt des Berchtesgadener Landes bietet der Jenner.

10 COCHEM AN DER MOSEL · Rhein, Main und Mosel wurden zum Inbegriff deutscher Romantik. Burgen, alte Städtchen, die sich ihren Zauber früherer Jahrhunderte erhalten konnten, köstliche Tropfen gesegneter Weingärten und ein südlich heiterer, lachender Himmel über Tal und Reben überschütten das Land mit jubelnder Freude. Nimmt es wunder, daß einst König Wenzeslaus Reich und Krone um ein paar Fuder Weines verkaufte? Wie hundert andere Städtchen hat sich auch Cochem mit seiner das Tal beherrschenden Burg zu einem regen Weinhandelsplatz entwickelt, der in der Reisezeit und zur Weinlese von Tausenden besucht wird.

PORTA WESTFALICA · Die letzten Erhebungen des deutschen Mittelgebirges vor der weiten Tiefebene durchbricht die Weser südlich von Minden an der Westfälischen Pforte. Vom Kaiser-Wilhelm-Denkmal auf dem Wittekindsberg hat man einen großartigen Rundblick hinaus ins Flachland, auf das Wiehen- und Wesergebirge und in den Teutoburger Wald. Die nie versiegende Wittekindsquelle auf dem Berge selbst ist zu einem bekannten und beliebten Ausflugsort geworden. Im ganzen Weserbergland reihen sich altertümliche Städtchen und Schlösser aneinander wie die Perlen einer Kette. Hinter der Porta liegt die alte Stadt Minden.

12 HELGOLAND · Wo die Stürme des Atlantiks durch die Nordsee in die Deutsche Bucht hereinbrausen, steht wie eine Trutzburg das Felseneiland. Einem Wachtturm gleich ragt der »Hengst« vor den roten Klippen auf. Das bis zu 58 Meter über der Brandung liegende Oberland trägt Äcker und Wiesen, während auf dem Unterland nach den schweren Zerstörungen im Krieg und in der Nachkriegszeit eine völlig moderne Stadt für die Einwohner und die vielen Erholungssuchenden entstanden ist. Die der Insel vorgelagerte Düne, der »Lido« Helgolands, ist in Sommerszeiten das Ziel vieler Badegäste und Freunde der See.

Wiener Kongreß, der über die »Flurbereinigung« verhandeln mußte, die Napoleons Machtwille und die konkrete Empfänglichkeit seiner Mitarbeiter inzwischen vollzogen hatten: Dem wird die Legitimität rechtlich gesichert, der nützlich und an der Macht ist.
Ach, wie lehrreich, fast lustig ist es, im Geschichtsatlas die vielfarbig gesprenkelten Karten zu betrachten, die den Herrschaftsbestand im Ausgang des 18. Jahrhunderts aufzeigen. Auch da gibt es, wenn man sich dem lokalhistorischen Detail nähert, eine Anzahl interner Grenzverschiebungen, die man zunächst nicht recht begreift: kleinfürstliche Familien hatten Erbverträge statuiert, waren aber ehedem katholisch geblieben oder evangelisch geworden. Zu den liebenswürdigen persönlichen Erinnerungen solcher »Wanderung« gehörte etwa, daß ein katholischer Fürst, bis 1803 reichsunmittelbar, in der Folge alter familiärer Erbverträge »Patron« bei der Besetzung der evangelischen Pfarre seiner Gemeinde geworden ist. Und es geht, es geht gut, und es soll und es *muß* an vielen Stellen einfach gut gehen, wenn der staatliche Bestand, vom Volksgefühl her, haltbar bleiben soll.
Diese napoleonische »Flurbereinigung« der deutschen Herrschaftsräume, die 1815 zu Wien von den beatis possidentibus, den vergnügt Besitzenden, im Wesentlichen bestätigt wurde – Denkschriften und staatshistorische Rechtsgutachten haben vor den »facts« die Eigentümlichkeit, unwirksam zu bleiben –, hat die eigentümlichste Wirkung gehabt. Das gilt vor allem für den südlichen, den südwestlichen Raum mit seinen auch geographisch bestimmten souveränen Hoheiten. Im Norden hatten sich schon zuvor mit dem Hohenzollernstaat, mit dem Welfengeschlecht, auch mit den sächsischen Wettinern Staatsgebilde von einigem Rang gebildet. Das Haus Wittelsbach hatte sich, der reformatorischen Bewegung ablehnend gegenüberstehend, einen eigenen Rhythmus bewahrt. Wenn man im 18. Jahrhundert auf Reisen ging und den Südwesten aufsuchte, sagte man wohl, man fahre »ins Reich«. Dort war in der Kleinmacht der Glieder ein überstaatlicher Reichspatriotismus in der Bevölkerung nicht ausgestorben.
Jetzt erwuchs etwas Neues: In den jungen Staatsgebilden, die von Frankreichs Kaiser in dem »Rheinbund« zu einer Art von föderativer Einheit gezwungen waren, erwuchs ein mittelstaatlicher Patriotismus, der in manchen Zügen bis in unsere Gegenwart wirksam blieb. Das war nicht einfach gegeben. Der württembergische König Friedrich mußte von den Bauern, die mit dem etwas lässigen Regiment in dem fränkischen Deutsch-Ordensgebiet um Mergentheim zufrieden waren, zehn oder zwölf aufhängen lassen, damit die übrigen begreifen sollten, welche Vorteile es haben könnte, dem protestantischen Stuttgart unterstellt zu werden. Das kurmainzische Aschaffenburg hat weder mit dem altbayrischen Passau noch mit dem schwäbischen Kempten stammesmäßig oder im engeren Rahmen geschichtlich je etwas zu tun gehabt. Jetzt wurden sie alle »bayrisch«, Hall, Rottweil, Ravensburg »württembergisch« und so fort. Wie das mit Napoleons Sonderbeauftragten im einzelnen »ausgehandelt« wurde, war gewiß nicht immer schön. Es wäre zudem die fragwürdigste Legende, anzunehmen, daß die Dynastien bei ihren neuen Untertanen rasch volkstümlich geworden wären, sicher nicht bei ihren ehedem auch »reichsunmittelbaren«, jetzt »mediatisierten« Fürstenkollegen des mittleren Umfanges. Aber sie sahen sich gezwungen – das war eine Folge liberaler Gesinnungen, die in den vorgegangenen Jahrzehnten auch in Deutschland einiges Heimatrecht gewonnen hatten –, Verfassungen, Landtage mit einem Wählerhintergrund zuzugestehen, und diese Gebilde wurden der Fruchtboden für ein neues, befriedigtes und schließlich auch zufriedenes Land. Die ehedem für die deutsche Territorialgeschichte so wesenhafte konfessionelle Strukturierung schien in den Entscheidungen der Gebietszugehörigkeit völlig ausgelöscht. Daß dies doch nur in begrenztem Maße der Fall war, sollte sich ein paar Jahrzehnte später, zumal in dem norddeutschen Raum, in argen Gegensätzen erweisen.

Alle wollten größer werden

Einige der Dinge waren schon in dem Abschluß der napoleonischen Ära angelegt: Preußen, das aus Erbverträgen im rheinisch-westfälischen Raum über einigen territorialen Besitz verfügte, wird Herrschaftsträger in Köln, Koblenz, Trier. Viele Deutsche wissen nicht, daß es gar nicht dorthin

wollte, vielen Fremden aber, die das vermutlich auch nicht wissen, dient der Vorgang als Erweis für das imperialistische Streben dieses Staates. Es liegt aber nun so: »Größer« werden wollten sie alle, warum sollten es nur die geworden sein, denen Napoleon Gebiete zugeschlagen hatte! Preußen wollte sich durch Sachsen abrunden, dessen König am »treuesten« die Sache des Franzosenkaisers geführt hatte. Für den katholischen Wettiner war ein wesentlich katholisches rheinisches Königtum gedacht — mit dem revolutionären »Entthronen« sollte Schluß gemacht werden. Die Idee einer dynastischen Legitimität war in dem letzten Vierteljahrhundert zu arg ramponiert worden. Preußen erhielt nur Torgau und sein Umland, erhielt daneben, wenn man so sagen darf, den europäischen Schutzauftrag, an den linken Rhein zu gehen. Damals standen die Franzosen unter dem Vorwurf, seit 1789, dann seit Napoleons Feldzügen und politischen Kombinationen, *die* Ruhestörer Europas zu sein, ein Vorwurf, der hundert Jahre später gegen die Deutschen zum Weltempfinden oder doch zum Weltvorwurf gemacht wurde. Als man in Wien 1815 die »Vereinigten Niederlande« schuf (bis 1830), als man Preußen an den Rhein, über den Rhein sandte, war dies der Sinn, eine »Barriere«-Funktion gegen den Westen zu übernehmen.
Warum wird dies erzählt? Um ganz nüchtern das staatlich Unstabile in der deutschen Vergangenheit darzutun, um aber zugleich daran zu erinnern, daß in unter tagespolitischen Zwängen fabrizierten Friedenskompromissen die Unruhe, gar die Explosion schon eingeschlossen ist. Flandern und Brabant, das durch ein paar Jahrhunderte, Erbschaft der Maria von Burgund, eine Art von Dependance der habsburgischen Dynastie gewesen, mußte aus dem Staatsverband endgültig ausscheiden. Habsburg erhielt sozusagen aus Europas Hand die Lombardei, erhielt Venedig — Dalmatien, nur in ein paar Städten italienisches Wesen tragend, mochte als Dreingabe gelten.
Der Krieg, den das Königreich Piemont-Savoyen 1859 an Frankreichs Seite, 1866 mit Preußen durch ein Militärbündnis vereinigt, zum Gewinn der Lombardei, dann Venetiens siegreich führte, war in der arithmetisch, aber nicht volkspsychologisch bestimmten »Staatsräson« des Wiener Kongresses angelegt. Die überall in der Welt durch die Französische Revolution seelisch erweckten nationalpolitischen Impulse waren in den Staatskanzleien nicht als unabweisbare Geschichtskräfte einer seelisch verwandelten Weltlage erkannt, sondern nur als wühlerische Peinlichkeiten einer Handvoll von Demagogen betrachtet.

Vom Zollverein zum Deutschen Reich

Mit der Lage der Habsburger Monarchie nach 1815 ist natürlich der Stand der Dinge im norddeutschen Raum nicht vergleichbar. Das durch drei Teilungen verletzte Nationalgefühl der Polen erhielt dadurch keine lindernde Salbe, daß Warschau endgültig aufhörte, eine preußische Stadt zu sein, um sozusagen eine russische zu werden. Dieses neue preußische Staatsterritorium war in einen östlichen und westlichen Teil getrennt, zwischen denen es wohl unterschiedliche Traditionen in der Volksart, in dem Vorrat an landschaftlichem und landsmannschaftlichem Geschichtbewußtsein, im ökonomischen Status, in dem sozialen Strukturwandel gab, doch keinerlei betont nationalpolitische Gegensätze. (Die polnischen Rebellen um 1830 standen gegen Rußland auf und wurden in Deutschland bedichtet und gefeiert.) Aber es waren nun eben *zwei* territorial getrennte, ein östliches und ein westliches, zu dem ja nicht nur das eigentliche Rheingebiet gehörte, sondern in Erbverträgen gewonnene Stücke im Bergischen Land, auch in Ostfriesland.
Die Geschichtskarte belehrt uns, daß eine dünne »Landbrücke« die zwei Teile verband, und als der »Deutsche Zollverein« nach 1830 unter Preußens Führung die Handelsbeschränkungen zuerst im Norden, dann auch zu den Gliedstaaten des Deutschen Bundes (außer Österreich) niederlegte, als die ersten Eisenbahnen in den dreißiger und vierziger Jahren dem innerdeutschen Menschen- und Warenverkehr eine völlige Änderung brachten, geriet das Bild in eine Wandlung.
Bismarcks großpreußische Politik setzt ein, sie schafft einen neuen staatsgeographischen Staatsbestand, aus dem alles weitere folgt: die durch ein Militärbündnis mit den 1866 besiegten Südstaaten gewonnene Hegemonialstellung Preußens im neugegründeten »Deutschen Reich« — statt neugegründet kann man auch sagen: in München, in Stuttgart mehr oder weniger abgezwungen.

Folgen und »Erfolg« der Reichsgründung

Ich glaube nicht recht, daß es die Aufgabe dieser Bemerkungen ist, die neuerliche Kontrovers-Literatur in Preis oder Tadel zu vermehren. Aber eine »Wanderung durch deutsches Schicksal« mußte, muß hier eine kleine Pause eintreten lassen, um über »die Folgen« zu reflektieren. Der »Erfolg« steht außer Frage — aber der Erfolg ist eine von jeglicher Zukunft höchst verletzbare Sache. Die »Erfolge« des ersten Napoleon waren nach Marschkilometern seiner Soldaten, nach Schlachtensiegen und nach der rationalen Energie seiner Rechtsreformen bewunderswert — aber er ist für jene Franzosen, die mit der Raison leben und die Gloire nicht zum Konsumartikel des Alltags gemacht haben, eine Verlegenheit geworden. Kein gelassen überprüfendes Urteil wird dem politischen Akteur Hitler den terminierten, wenn auch ichbezogenen »Erfolg« absprechen können. (Die Sache mit dem »größten Feldherrn aller Zeiten« hat sich inzwischen vor dem katastrophalen Ausgang seines Krieges und dem Millionentod deutscher Soldaten verflüchtigt.) Aber er hat das deutsche Schicksal moralisch, nationalpolitisch und staatlich verspielt, weil ihm, dem mangelhaft gebildeten, ruhmsüchtigen und zynisch kalten Weltabenteurer der Sinn für das Maß fehlte. Darüber aber verfügte etwa der Mann, der für ein früheres Geschlecht als Bismarcks Gegenpartner erscheinen mag, Metternich, darüber verfügte Bismarck selber, aus dem Emotionalen seines Beginns heraustretend, in souveräner Art.
Dieser scheinbar im Historisierenden sich verspielende Gedankengang hat eine höchst aktuelle Bezüglichkeit, gerade auch für das neuere Bewußtsein. Das Geleistete imponiert. Der reichsstädtische Bürgersohn Goethe teilt mit, daß er als junger Mensch »fritzisch« gewesen sei, was hundert Jahre später seine Frankfurter Mitbürger, als sie 1886 »fritzisch«, d. h. preußisch wurden, nicht als Gefühlsanreicherung empfanden.

»Ära Bismarck«

Aber es ist dann doch so: Der seelische Status des durchschnittlichen Deutschen paßte sich der »Reichs«-Tatsache nach 1870 einfach an. Die Bismarcksche Zeit, bis 1890, hat diese Gefühlslage mehrere Male in starker Gefährdung gesehen. Der märkisch-protestantische Edelmann, wiewohl er, und nicht ohne Freuden, Teile seiner jugendlichen Referendarszeit in Aachen verbracht hatte, ahnte zuwenig von der gesammelten oder doch sammlungsfähigen Kraft des deutschen Katholizismus. Der sogenannte »Kulturkampf«, den er 1872 gegen institutionelle Regelungen der katholischen Kirche begonnen hatte, endet mit einer politischen Niederlage, die immerhin für den Gegner von damals eine Anzahl auch institutioneller »Fortschritte« brachte. Und das zweite Versagen: der Glaube, die damals chiliastischen Erwartungen der sozialistischen Bewegung durch herbe Polizeigesetze abbremsen zu können, aber die deutlich sichtbaren Nöte des jungen Industrialismus durch gesetzlich angeordnete Versicherung gegen Krankheit, Unfall, Alter und Invalidität abfangen zu können. Immerhin: diese »Ära Bismarck«, von großartigen Leistungen der inneren Rechtsreform begleitet, die in die Folgezeit übergingen, hat die Vorstellung von der deutschen Situation, ihrer politischen *und* geistigen, bestimmt; Historiker und Schulbuchproduzenten sorgten für ihre Typisierung.
Die nachfolgende »Wilhelminische Epoche«, die in der Temperatur wechselte, doch glaubte, Bismarcks »Vermächtnis« zu entsprechen, machte dann die fremde Welt weithin besorgt: Deutschland versuchte, in die Reihe der »Kolonialmächte« zu treten, was im Grunde dem Bismarckischen kontinentalen Denken fremd, leicht unheimlich war. Trotz allerlei Bedenken gegenüber der persönlich romantischen Attitude des Kaisers Wilhelm II., die manchen erschrecken mochte, war hier, in über vierzig Friedensjahren ein unverbindliches Maß von nationalem Glücksgefühl, ja Stolz entstanden, was heute noch Maßstäbe für Unvergleichbares zur Verfügung stellt. Dessen mag man vor allem auch inne werden, wenn man im Ausland an Veranstaltungen deutscher Vereinigungen teilnimmt, die so Großartiges für die Heimat ihrer Väter und Großväter geleistet haben, als diese in arge Not kam: die geistige Atmosphäre, die dort gepflegt wird, auch mit Schmuckbildern und

Emblemen, entspricht noch vielfach einer Tradition, die ihre Gewöhnungen dem ausgehenden 19. Jahrhundert entnimmt.

Ein Volk auf Wanderschaft

Mancher Leser mag schon ein paarmal vor der Frage gestockt haben: Ja, handelt es sich denn bei diesem Buch um ein »politisches« Werk? Ganz gewiß liegt seine Sinngebung in anderem. Aber wenn wir als Volk und wenn wir als Staatsgebilde, das diesem *ganzen* Volk als Herberge seiner Zukunft dienen soll, bestehen wollen, ist es notwendig, scheint mir, nun eben einige historisch-politische Tatbestände im Bewußtsein zu halten: was ist vergangen und in jeglicher Verbindlichkeit verjährt, was verfügt noch, aus der Vergangenheit, über eine still wirksame Kraft — ich denke dabei an jene Partikulargefühle für die deutschen Sonderstaatlichkeiten —, wo setzt der Bruch ein, der uns Älteren immer gegenwärtig bleibt, der aber für die junge Generation ganz natürlich mit den Jahren fremd werden mußte?
Was war denn nun für die deutsche Geschichte der letzten hundert Jahre, neben jenen kurz angedeuteten Auseinandersetzungen über die staatsrechtlich-politische Gestaltung, das eigentlich Wesenhafte? Ganz einfach: die ungeheure Binnenwanderung, die im Nebenher auch die Konfessionsstruktur der wachsenden Industriestädte, hier mit Reibung, dort fast lautlos, vielfach veränderte. Die märkisch-brandenburgische Stadt Berlin etwa hat nicht bloß aus Schlesien, sondern aus ganz Deutschland ihren Zuwachs bezogen und an ihm ihre Typen gestaltende Kraft erprobt und erwiesen. Gut, auch in dieser Stadt, in den hansischen Städten und sonstwo gab es und gibt es schwäbische, pfälzische Heimatvereine. Doch die Menschen, die ihr Wesen tragen, pflegen sich in jeglicher deutschen »Fremde« recht wohl zu fühlen. Dabei ist dies vielleicht der Anmerkung wert, weil es, zumeist in seiner vereinheitlichenden Wichtigkeit kaum beachtet, nun eben im Rückblick als Selbstverständlichkeit hingenommen wird. Als Bismarck in einigen Etappen während der achtziger Jahre die vorhin erwähnte staatliche Sozialversicherung als gesetzliche Zwangsveranstaltung einführte, war, ohne vertiefte Diskussion über föderative Sonderrechte, eine in das Einzelleben der Industriemassen, wenn nicht im zentralisierenden, doch im unitarischen Sinn wirkende Ordnung durchgeführt. Da galten in dem Bereich, der den Einzelmenschen unmittelbar anging, die gleichen ihn tragenden Maßnahmen in Tilsit und in Konstanz, in Emden und in Augsburg.

Aspekte für die ganze Welt

Die »Binnenwanderung« als das große Geschehen der zweiten Hälfte des 19. Jahrhunderts hatte eine volkserhaltende Wirkung. Bis 1890 war, neben den Emigranten, die nach dem Mißlingen der 48er Erhebung ihren Idealen vorab drüben in den Vereinigten Staaten leben konnten, Deutschland das große Auswandererland aus den Bezirken der freien Teilbarkeit des bäuerlichen Grund und Bodens gewesen, etwa Schwaben, Rhein-Pfalz. Nach 1890 sank die in die Hunderttausend gehende Ziffer rapide ab. Man brauchte nicht mehr nachzurechnen, was Deutschland an Schulungskosten aufgebracht hatte, damit seine Kinder anderwärts brauchbare Steuerzahler werden.
Es würde den Rahmen dieses Versuches sprengen, wollte ich eine technisch-wirtschaftliche Chronik niederschreiben. Aber einige kurze Hinweise mögen die Sach- und Zeitlage charakterisieren: die Automobile, von Daimler, von Benz, unabhängig voneinander, treten aus dem Stand des bloß Spektakulösen zu einer breit und breiter werdenden Bewährung. Die Übertragung elektrischer Kräfte von Lauffen am Neckar nach Frankfurt (1891) gibt für die *ganze* Welt neue Aspekte, die chemische Industrie, der Justus Liebig nicht nur die Technik des Laboratoriums, sondern die Phantasie für praktisches Unternehmen hinterlassen hatte, begann sich auf das Außerordentliche vorzubereiten. Gut, es gab in der Gefolgschaft von Nietzsche, von Stefan George und anderen Denkern und Literaten, die als »Kulturkritiker« ihren Abscheu vor dem »materialistischen« Geist vortrugen, der damit in die deutsche Tradition eingebrochen sei. Das mag auf sich beruhen. Die Lebensnotwendigkeiten und Mühseligkeiten derer, die nun eben auch Deutschlands Volk darstellten, waren auch ehedem nicht auf Lyrik und esoterisches Mißbehagen eingestellt gewesen ...

Weltfiguren Kant und Hegel

Wir haben vorhin von der Binnenwanderung als einem Prozeß der Volkserhaltung gesprochen, nicht als Wertung, sondern als Feststellung. Es war für uns immer eine fragwürdige Seligkeit, mit der Oberbürgermeister darauf warteten, den hunderttausendsten Bürger oder fünfhunderttausendsten von ihrem statistischen Büro gemeldet zu erhalten. (Die Sache mit den Straßenbau- und Schulbaukosten pflegte sie zumeist erst hinterher zu bedrängen.)
Aber wenn man heute diesen Begriff der Binnenwanderung aus einer Epoche wohl unzählbarer lautloser Einzelentscheidungen gebraucht, erschrickt man. Denn nun umschreibt diese nüchterne statistische Feststellung nicht, nicht mehr den freien Weg zu neuer Wohn- und Berufsstätte, sondern den Zwang fremder, unfreier Entscheidung, lies »Vertriebene«, oder von Menschen, »die es nicht mehr aushielten«, lies »Flüchtlinge«. Das kann und soll in einer tagespolitischen Zuspitzung hier nicht breiter behandelt werden — nur sehr unbefangene Leute wagen, die Zukunft in ihrem Ablauf und wieder einmal auf ein gedachtes Ende abgerichteten Sinn darzutun.
Mir scheint, daß der ganz einfache und selbstverständliche Entschluß des Verlages, das Deutschland von 1937 zum Gegenstand der Veranschaulichung und der landsmannschaftlichen Auslegung zu machen, ein genügend deutlicher Kommentar ist. Immanuel Kant, der in Königsberg, nicht in Kaliningrad, geboren war und wirkte, ist kein rühmenswertes Besitzstück des sich »Deutschdemokratische Republik« nennenden deutschen Siedlungslandes, so wenig wie der Schwabe G. W. F. Hegel etwa für die Bundesrepublik beansprucht werden darf — beide waren oder wurden geistige Weltfiguren. Und nur alberne Propaganda-Ideologen, die es freilich gibt, könnten Bach und Beethoven, könnten Eichendorff und Mörike den staatlichen Zwischengebilden dieser Gegenwart zuteilen, die ihre erste Grenzen-Formgebung der sehr wenig rationalen, vom Haß gegen das Hitler-Unheil bestimmten Kriegsverwirrung der Sieger zu danken haben.

Verlust gemeinsamer Opfertradition?

Es geht jetzt nicht darum, einen Blick auf die verzweifelte Not der Jahre 1945, 1946, 1947 zu werfen, zuerst der ungeregelten Fluchtbewegung vor den vordringenden Truppen des Kriegsgegners, dann das mit geringster Habe »Abgeschoben«-Werden der Millionen — wie viele auf dem schauerlichen Weg um ihr Leben kamen, ist in keinen Standesämtern statistisch verzeichnet und errechenbar.
Auch davon soll nicht gehandelt werden, wie die Intensität der wirtschaftlichen Erholung, die kein »Wunder« war, sondern eine Folge unverdrossenen Fleißes, der aus der deutschen Artung wieder heraustrat, als der Ertrag der Arbeit irgendwie wieder sinnvoll und angemessen wurde, zur beruflichen »Eingliederung« von Millionen führte. Das »Familiäre« durch zahllose Eheschließungen zwischen Zugewanderten und »Eingesessenen« schuf neue Bande — diese Bindung brachte zugleich vielfach Lockerung in mißtrauischen, abweisenden Gefühlsbeständen, die auf den herben Beginn oft genug schmerzhaft drückten.
Ein weiteres: Es wurde in dieser Betrachtung einige Male von der territorialen Konfessionsproblematik gesprochen: aus den Herrschaftszufälligkeiten der abgestorbenen Vergangenheit war diese Gemeinde, dieser Gemeindeverband »Diaspora«, Gruppe in der »Zerstreuung«, geworden und geblieben — der Begriff verlor jetzt fast ganz seinen geschichtlichen Sinn. Und seelisch dies: Die Hitlerzeit, die wahllos —oder sehr »gezielt« — Geistliche beider christlichen Konfessionen ins Konzentrationslager, an den Galgen gebracht hatte, schuf ein Gefühl *gemeinsamer* Opfertradition. Ich weiß, das ist nicht mehr überall vorhanden. Denn das Vergessen, das Vergessenkönnen ist eine so angenehme Beschäftigung. Aber wenn ein Wissen davon lebendig bleibt, auch gelegentlich ein öffentliches Bezeugen, so ist damit volkspolitisch viel gewonnen. Es sind, da die Siedelung der einströmenden Massen nicht mit einem konfessionellen Sonderverfahren besorgt werden konnte, überall kirchliche »Minderheiten« entstanden, die ihre Bedürfnisse meldeten. Und siehe da: die »Andersgläubigen« waren in ihrer Art auch »Gläubige«. Ich bin froh, gewiß auch neben unsiche-

rem Mißbehagen, an vielen Stellen einem wechselseitigen Helfen-Wollen und Verstehen-Können begegnet zu sein — es geht dabei nicht nur um ein dürftiges Gelten-Lassen, sondern um ein hilfreiches und achtungsvolles Gelten-Lassen-*Wollen*. Bei der staatlich-konfessionellen Geschichtsgestaltung der deutschen Vergangenheit, von der wir sprachen, hängt Entscheidendes davon ab, ob die Zukunft *dieses* Erbe aufsaugt oder doch neutralisiert.

Recht auf Heimat

Ich halte diese konfessionellen Fragen, aus der Natur des deutschen Wesens und der Überlieferungen heraus, für sehr gewichtig, doch ich weiß auch, daß unabhängig davon das überkonfessionelle Element des »Heimatrechtes« die Menschen bewegt. Dieses »Recht« ist moralischer, menschlicher, doch nicht »juristischer« Art. Ob das stimmt, daß das Wort »Heimweh« nur in der deutschen Sprache vorhanden ist mit dieser so eingehenden und sinnvollen Formulierung, weiß ich nicht. Doch wir wissen uns von ihm unmittelbar angerührt, von Landschaft, Menschentum, Erinnerung an die Jugend, an den Familienkreis, an das Grab der Eltern, das wir besuchen. Natürlich ist solche Gebundenheit an seelisch umgrenzte Voraussetzung keine deutsche Spezialität. Der Schotte teilt gerne mit, daß er weder aus England noch aus Wales stammt. Der Mann aus Turin in Piemont distanziert sich ziemlich unbefangen — das habe ich vor einem halben Jahrhundert zu meiner Verblüffung erlebt — von seinen Con-Nationalen in Syrakus und Messina. Und daß die Bretonen von anderer Artung sind als die Menschen des Midi, in der Provence, weiß ja schließlich jedermann. Aber ein immerhin einheitliches Staatsbewußtsein hat sich bei ihnen, Ergebnis der Geschichtstatsachen, früher ergeben als bei den Deutschen, und jene zum Teil rührenden, zum Teil völlig albernen Versuche der deutschen Politik, den französischen Kultur-»Regionalismus« zu einer politisch wesenhaften Kraft zu aktivieren, sind eine bloß peinliche Erinnerung. Bei den Deutschen blieb die Entwicklung, auf das Ganze gesehen, gerade auch im staatlichen Wesen partikular eingeklemmt.

Keine Heimkehr über neue Gräber

Das ist nun — und nicht nur in dem Zeitpunkt, da diese Zeilen geschrieben werden — die große Schwierigkeit, in der wir stehen. Dies Buch hat ja nicht den Sinn einer politischen Aktualität, sondern das Ethos, ein überzeitlich Währendes ins Bewußtsein zu tragen. Als ich vor Jahren einmal die ostdeutsche Gedenkstätte auf »Schloß Burg« in Westfalen mit Begleitsätzen zu weihen hatte, sagte ich vor den aus dem Osten Deutschlands Vertriebenen, die Heimkehr zu den alten Gräbern der Eltern dürfe nicht an frischen Soldatengräbern vorbeiführen. Und die Deklaration der »landsmannschaftlichen Verbände« hat den verwandten Grundton zum Ausdruck gebracht.
Jeglicher denkbare Weg zu einer rechten Lösung ist seelisch in das Gesetz der Geduld eingezwängt, da er mehr als europäische politische Entscheidung mit sich bringen wird oder von solcher getragen sein muß — ach, auf dem Erdglobus sind die umzeichneten Landflächen nur schier winzige Stücke. Es ist, etwa bei den großräumigen Staatsgebilden, in denen erst seit hundert, hundertachtzig Jahren »Nationen« werden, schwer, einen Gefühlsgehalt zu wecken; sie wissen, zumindest in der zweiten, in der dritten Generation gemeinhin nur von ihrer Herkunft — natürlich gibt es da, aus *allen* Volksquellen mit Lied und Sprache, mit Spiel und Fest und Familiengewöhnung gespeist, rührende Ausnahmen. Aber Heimat und Herkunft sind schon im Wortsinn, mehr noch in der Gefühlslage geschieden.

Geschenk der Wanderung

Dieses Sammelwerk mit Bildern und voll von landschaftlichen, landsmannschaftlichen Deutungen nennt sich ein »Hausbuch«. Der Deutsche soll, indem er betrachtet und liest, die deutsche Vielfältigkeit zum Besitz in seinem Haus, in seiner Behausung gewinnen, ihren Reichtum vor seinem Wissen, vor seinem Erleben mit Dankbarkeit, gewiß auch vor vielen Zeugnissen mit freudigem Stolz sich bestätigen. Aber der Dank ist die schöne Tugend; er weiß sich von den Leistungen des Volkes beschenkt.

Über den Einführungsaufsatz habe ich das Wort »Wanderung« gestellt; obwohl ich mir klar darüber war, daß es sich nicht um einen »Führer« im bekannten alten Wortsinn für Reiselustige handle. Der muß aufpassen, daß er »präzise« und möglichst vollständig ist — davon hängt sein Ruf ab. Meine »Wanderung« war nur eine Beschäftigung mit historischen Reflexionen, die gewiß einen sehr persönlichen Charakter hatten und haben möchten; ich wollte seelische Haltungen zu zeigen versuchen, die aus diesen oder jenen Formulierungen für unsere Gegenwart noch eine gewisse bestimmende Verbindlichkeit besitzen. Also kein Arminius, kein Theoderich! Deren Bewertung war ehedem Sache der Dichter, ist heute die der Fachhistoriker.
»Wandern« aber ist nun im einfachen Wortbegriff nicht eigentlich eine Auswahl von Daten des Gewesenen, sondern »Bewegung« über ein Land hin, sozusagen eine horizontale Beschäftigung. Ich glaube, ihr in meinem Leben einigermaßen genügt zu haben. Das darf ich so verdeutlichen: Bei einem festlichen Anlaß, Jubiläum des schönen Jugendherbergswerkes, wagte ich die Formulierung: der Zweck des »Reisens« sei, »zum Ziel zu kommen«, der Sinn des »Wanderns«, »unterwegs zu sein«. Dies Wort, sinnenhaft für das eigentliche Erleben genommen, möchte auch Geltung beanspruchen für die Betrachtungen über die Vergangenheiten. Durch die Geschichte eines Staates, eines Volkes »reist« man nicht; wo wäre ein Ziel, wo »das Ziel«?

Kleiner Umweg zu großem Gewinn

Mit vollkommener Unbefangenheit möchte ich mich als ein »Experte« in beiden Formen der ambulanten Existenz bezeichnen, gerade in dem deutschen Raum. Ich bin viel »gereist«, oft genug mit dem bedenklichen Gefühl, ob das »Ziel«, dem ein termingebundener Zweck verknüpft war, rechtzeitig erreicht werde. Aber das Wandern, eben das »Unterwegs-Sein« schenkt die rechten Beglückungen, den Besitz der dauernden Erinnerung, auch die einen Volksschlag bezeichende Anekdote in den zufälligen Gesprächen mit den »Einheimischen« (vorausgesetzt, daß man sie versteht). Dabei will ich ein Mißverständnis, das manchen unwillig stimmen könnte, der seinem Auto soviel an Begegnungen mit schönen Dingen dankt, wegschieben: man kann auch im Kraftwagen »wandern«, wenn man zu improvisieren wagt, wenn man aus dem Gedächtnis etwas an »Bildung« herauszukramen weiß: ach, in dieser Gegend muß ja wohl der Altar stehen, dessen Wiedergabe du einmal gesehen, oder das Rathaus mit seinem pompösen Fachwerkgiebel oder der Stausee, der einer Hügel-Landschaft einen neuen, großartigen, leicht melancholischen Zug gegeben hat. Es sind ja nur dreißig, vierzig Kilometer Abweg, Umweg . . . Derlei mag köstlichen Gewinn bringen. So habe ich als alter Mann einige Städtebilder mir angeeignet, weil ich sie als Bub vor der Jahrhundertwende in einer durchaus kitschigen Ansichtspostkarten-Sammlung bewundert hatte! Es gibt wenige Landschaften und größere Städte in Deutschland, die ich *nicht* kenne — zum Teil ist dies gewiß eine Folge der eifrigen Politisiererei, die mich hierhin und dorthin führte. Vielleicht klingt es vor dem gediegenen Sinn, der Parteiveranstaltungen oder »staatsbürgerlichen Kursen« zugewandt war, nicht ernsthaft genug, daß mich dabei nie ein mit brauchbaren Zahlen ausgestattetes »Wahlhandbuch« oder ein Verfassungstext begleitete, aber immer der »einschlägige« Band von Georg Dehios »Handbuch der deutschen Kunstdenkmäler«. Denn wenn auch das Ergebnis der Parteibemühung oder der staatspolitischen Unterrichtung fragwürdig oder doch offen bleiben mochte, hier war immer die Chance des persönlichen Gewinns gesichert.

Spione in der vierten Klasse

Aber sehr, sehr viel habe ich ganz einfach »erwandert«. Das begann sehr frühe in der Bubenzeit, da der Vater mit seinen drei Söhnen, fast systematisch, Jahr um Jahr die Berge, Täler, Städtchen, Schlösser, Klöster, nachdem er seinen eigenen, doch nicht vererbten alpinistischen Leidenschaften gefrönt hatte, auf Wanderschaft ging, mit einem schönen Bedürfnis nach geologischer *und* historischer Unterrichtung. Als halber Knabe bin ich mit dem älteren Bruder den Rhein von Mainz bis Koblenz, in die Eifel und das Ahrtal gewandert, dann allein, Abschluß der Schulzeit, durch Thüringen und den Harz. Und das ging in den jungen Tagen so fort: auf Fontanes Spuren

in der Mark Brandenburg, am Niederrhein, durch ganz Mecklenburg, im Glatzer Land — in Ostpreußen bin ich nicht »gewandert«, aber im Januar 1923, unvergeßlich durch die Begegnung mit Menschen und Städten, im offenen Schlitten »von Ort zu Ort« gefahren, für das süddeutsche Auge ein neues Erlebnis der ganz leicht gewellten weißen Weite — bei den »Vorwerken«, der für unser Begreifen riesigen Güter Beginn von »Siedelungen«.
Die Versuchung liegt nahe, die Fülle der Eindrücke und Erfahrungen zu konkretisieren: die Lehrstunde in Preußisch-Eylau, da dem Sohn eines Weinlandes, nach einer großartigen Versammlung, mit entgegenkommender und sachverständiger Freundlichkeit die Anmut und Kraft der ostpreußischen Schnäpse zelebriert wurde oder jene heitere Sache, da die Polizei in Cleve am Niederrhein in Großaufgebot bereitstand, meinen Bruder und mich als Spione zu verhaften. Die Mitreisenden der damals existierenden »vierten Klasse« — wir fuhren nach Cleve, nachdem wir von Geldern bis Gooch »gewandert« waren — hatten offenbar kein Wort von dem in einem gemäßigten Schwäbisch geführten Brudergespräch verstanden und waren den harmlos kunstbeflissenen Leuten zum Polizeibüro vorangeeilt, damit dies einen »Fang« machen könne. Die Sache endete, vor einem gedrängten Volkshaufen, in Entschuldigungen und Fröhlichkeit. Gehört solche Geschichte in einen Aufsatz, der sich »Wanderung durch deutsche Schicksale« nennt? Ich glaube, diese Anekdote ist gestattet. Denn sie führt zu einem, nicht nur in Kriegszeiten gegebenen Problem: der Reizbarkeit des Grenzernationalismus, der immer ein Politikum war, hier ausgeglichen, dort, wenn auch vielleicht dem äußeren Auge verborgen, lebendig und keimkräftig. Das ist eines der staatspolitischen und volkspolitischen Probleme, psychologisch hintergründig bei den vielen Gesprächen, die über »Europa« geführt werden.

Vielfalt und Einheit

Doch soll davon nicht breiter gehandelt werden. Ich darf und will nicht die persönlichen Eindrücke und Meinungen über dieses, über jenes Stück Deutschland darstellen wollen, denn dann greife ich in den Bereich der im umgrenzten Bezirk sachverständigen Mitarbeiter an diesem Buch, die in ihrem schriftstellerischen Rang zu schätzen ich allen Anlaß habe. Doch darf eine kleine Geschichte meine Lage, meine Aufgabe erhellen. Als ich, wohl 1950, das mir von früheren Jahren bereits bekannte Münstereifel aufsuchte, um meiner Frau die schöne Stadt und ihr Münster zu zeigen, hatte sich das schnell herumgesprochen. Und als wir die so interessante Kirche verließen, war nicht nur der Platz voll von Menschen — ein Feiertag —, sondern auch der interviewtüchtige Redakteur des Ortsblattes hatte sich eingefunden, der mitgeteilt wissen wollte, wie mir diese Stadt gefallen habe. Ich antwortete ihm, vom Wagen her, daß es zu den Berufsfunktionen eines Bundespräsidenten gehöre, daß es ihm *überall* gut gefalle. Was er aus dieser etwas schnöd klingenden Eröffnung gemacht hat, weiß ich nicht — es war nun eben die Form der Abwehr.
Das war so im raschen Scherz hingesprochen; ein folgendes Gespräch führte in die Reflexionen über die Vielfalt der deutschen Landschaft und ihres die Siedelungsart von Dorf und Stadt bestimmenden Charakters. Es kommen ganz primitive Selbstverständlichkeiten in die Erörterung: da ist also der Baustoff, den die Nähe lieferte, Holz in der waldreichen Gegend, Sandstein, Schiefer, Ziegel in wechselnder Größe, und es wird deutlich: Man ist diesem dort und dort begegnet, aber immer wieder, auch wenn die gleiche »Stilperiode«, wenn die gleiche Bauzeit gelten mag, mit einem leisen Wandel der Melodie, gar der schmückenden Formenwelt.

Nord und Süd

Spürsinn und Aufnahmewilligkeit sind natürlich bei den Einzelmenschen verschieden angelegt, auch das Gewicht der Gewöhnung und die Leichtigkeit der suchenden Neugier. Wir suchen das Ganze und können sinnenhaft nur an den Stücken teilhaben — gelingt es, sie zu einer überfassenden Einheit zu sammeln? Deutlicher gesagt: Ein zwanzigjähriger Berliner Student bekommt, Pfingsten 1904, leichtes Herzklopfen, als er zum erstenmal das Meer sieht, und wenn es »nur« die Ostsee bei Caspar David Friedrichs Eldena ist. Die Weite mit dem nicht recht greifbaren glat-

ten Horizont und liebenswürdigem Spiel der Wolken; danach versucht er, in Flut und Brandung der Nordsee zu singen. Doch deren Gewalt lacht ihn höhnend aus. Es währt manche Jahre häufiger Besuche, bis auch dies für ihn »Besitz« wurde. Ach, solche Erfahrung wird ja gewiß von allen »Binnenländern« vielmillionenfach »erlebt«; es ist die Stelle, wo die Heimat sich sichert und in die Fremde sich streckt. Denn *»das Meer«*, auch wenn Völkerrechtsverträge die dann umstrittenen Meilen der das Festland anstreifenden »Hoheitsgewässer« statuiert haben, *gehört allen.*
Aber dem Menschen, der in der gleichmäßigen, durch vorsichtige Erdwellen freundlich unterbrochenen niederdeutschen Ebene großgeworden ist — ich vergesse nicht, daß es in der Mark, in Mecklenburg, in Holstein Seen mit dunklen und lichten Waldufern, daß es gar eine »Pommersche Schweiz« gibt, »Alpen« wagt man die Hügelwelt doch nicht zu nennen, mag es ähnlich ergehen. Jene »Norddeutschen«, gar wenn die Großstädte ihre Heimat wurden, zieht es nach Thüringen mit seiner entgegenkommenden Landschaftsgliederung, mehr noch vielleicht in das Voralpenland mit seiner majestätischen Bergfront, in den Schwarzwald mit seinen tiefen Tälern und heilenden Quellen. Die Leute, die da wohnen, sind so nett, gar nicht ss-teif, sehr »gemütlich« — als ob man in Niedersachsen und in Mecklenburg nicht auch »sehr« gemütlich sein könne. Rat: Zu diesen »Leuten«, Bayern, Schwaben, auch Teilen der Franken, ja nicht »leutselig« sein. Denn dann werden sie grob, wofür eine ordentliche Substanz vorhanden ist. Darf ich diese sozusagen seelischen Wechselbeziehungen »innerhalb Etters«, d. h. in unserem deutschen Gesamtbereich, durch eine kleine Geschichte verdeutlichen. Vor vielen, vielen Jahren, in einem Gespräch über Erfahrungen bei politischen Versammlungen in den verschiedenen Teilen Deutschlands, meinte ein geliebter, jungverstorbener Reichstagskollege aus Oldenburg: »Ja, Sie, Heuss, haben es mit Ihrem Sommerfrischendialekt viel leichter als ich.« Das verschmitzte Wort, Huldigung und Spott in einem, scheint mir so gut geformt, daß ich keck genug bin, ihm an dieser Stelle einen Platz zu geben.

Suche nach dem *Deutschen?*

Wie in Grabbes skurrilem Drama »Scherz, Satire, Ironie und tiefere Bedeutung« bedürfen die drei letzten Worte ihrer eigenen Betonung.
Man hat mich einmal gefragt, es war auch auf einem »Berge der Versuchung«, ob ich denn auf meinen vielen Wanderungen und in meinen zahllosen Gesprächen *»dem Deutschen«* begegnet sei. Ich mußte nach knapper Überlegung antworten: »Nein, er ist mir nicht vorgestellt worden.« Dieser Satz mag gewiß manchen Leser verletzen. Aber es gibt ihn nur in der romantischen Vereinfachung, die immer eine Erhöhung wird, oder in der polemischen Verzeichnung, von draußen wie auch im Innern besorgt. Natürlich ist das etwas grob ausgedrückt. Um zu zeigen, wie relativ tugendhaft wir einmal waren, hat Tacitus seine »Germania« geschrieben — er wollte das aber nicht *uns* zeigen, sondern mahnend und warnend seinen zeitgenössischen Römern. Und die Schrift der Madame de Staël »De l'Allemagne« ist nun eben auch, in eine knappe Epoche eingesenkt, geschichtsgebundenes Dokument.
Wir müssen uns, wenn wir nicht der Phrase huldigen wollen, der *Vielfalt* des deutschen Wesens in Stammesartung und Geschichte bewußt bleiben und uns an ihr freuen können, gerade sie lieben lernen, um aus solcher Liebe die Pflicht einer gemeinsamen Verantwortung zu gewinnen. Solche Liebe ist unserer Generation nicht immer leicht gemacht worden, seit der deutsche Mensch gesinnungsmäßig in seinem »bürgerlichen« wie in seinem privaten Leben »genormt« werden sollte und der Begriff aus der Mechanik der Elektrizitäts-Technik, »Gleichschaltung«, zu dem Rang eines staatspolitischen Ordnungsprinzips aufstieg, das dem Gewordenen wie dem Wachstümlichen in allen Lebensbereichen die Eigenkraft nahm, vielmehr in der Tiefe des Volksbewußtseins, trotz Plakaten, Beteuerungen und Rundfunk-Propaganda, nicht rauben konnte.

»Schlechte« Grenzen im Niederdeutschen

Natürlich gibt es die landsmannschaftlichen Unterschiede auch anderwärts. Doch sind die werdenden Gesamtgenerationen früher zu einem einheitlichen Staatsbewußtsein gekommen. Der Deutsche,

der »wandernde« Deutsche, mußte eben lange genug immer einen Sprung über den Schlagbaum eines Hoheitsbezirkes machen, dem er sich, als Durchschnitt genommen, eigentlich zugehörig fühlte. So mußte der deutsche Gesamtpatriotismus eine leidvolle Geschichte erhalten. Das geht in den Bewertungen ziemlich durcheinander. Die Bodengestaltung hat es mit sich gebracht, daß der weite niederdeutsche Raum ohne sonderliche Markierung nach Osten wie nach Westen einfach weitergeht. Das ist für die Spanier, die Italiener, die Engländer immer eine einfachere Gegebenheit gewesen. Nicht so für die deutsch-französische Situation, die in der Erbteilung des Karolingers Ludwig des Frommen unter seinen drei Söhnen eben auch die geschichtskräftige Verzahnung in dem Gebilde Lotharingien erfuhr, die aber doch in dem Weg der Geschichte zerbrach, zerbrechen mußte. Man kann auch von »schlechten Grenzen« dieses niederdeutschen Raumes sprechen; Flüsse und Ströme, von der Staatspolitik in dem Ablauf staatlicher Entscheidungen als einfache, schier bequeme Grenzzweckmäßigkeiten beansprucht und dann auch als solche anerkannt und rechtlich deklariert. Der verwandte Siedlungscharakter der zwei Ufer mußte dabei, zumal in den technisch primitiven Vergangenheiten, hingenommen werden. Wohin ist heute, in der ganzen Welt, die schier banale Einsicht entflohen: »Grenzen« trennen nicht nur, sie verbinden auch.
»Schlechte« Grenzen werden zu besseren, wenn auch gewiß nicht immer zu guten, durch Soldaten gemacht. Die deutsche Mittellage, bei den volkspsychologischen Ungewißheiten der Nachbarstaaten, forderte ganz einfach militärische Abwehrbereitschaft. Im Elementaren waren sich die Deutschen darin einig, mochten sie auch über den Charakter der Organisation — sogar gelegentlich mit wohltätigem Erfolg — streiten. Die politisch unangenehme Wirkung dieser geopolitischen Gesamtlage war das Gerede, man kann schon sagen, das Geschwätz von dem deutschen »Militarismus«. Wer etwas Geschichte kennt und sich nicht mit sentimentalen oder renommistischen Geschichtsbedürfnissen vergnügt, weiß, daß sich der Tatbestand, wenn auch nicht der zeitübliche Begriff des »Militarismus« durch die Jahrhunderte immer wieder auf Wanderschaft befand: aufleuchtend bei der militärischen Technisierung der eroberungsfreudigen Spanier des 15. und 16. Jahrhunderts; bei den Franzosen beheimatet in der Ära Ludwigs XIV. und wiederkehrend unter Napoleon; vorher einmal auf Urlaub bei dem russischen ersten Peter und dem schwedischen Karl XII., der aus dem Krieg ein Balladenabenteuer machte; den Habsburgern zugewandt, die von dem wunderbaren italienischen Franzosen Eugen von Savoyen Rettung und Ruhm ihres Reiches bezogen. »Die Deutschen« traten eigentlich erst mit dem zweiten Friedrich von Preußen, dem Großen, in die Reihe, der wacker auch Deutsche besiegte und im Wesenhaften den als Kraftmöglichkeit hinschwindenden »Reichsgedanken« dem Sterbebett zuleitete (ungeachtet, daß später politische Versuche wie der »Fürstenbund« als Gegenarznei gedeutet werden können).

Die militärische und politische Niederlage

Dieses militärgeschichtliche Paraphrasieren hat zunächst lediglich einen abwehrenden Sinn gegenüber der gängigen Weltpublizistik, die das Ende der beiden Weltkriege begleitet hat. Sie durfte damit rechnen, daß sie auch in Deutschland selber willig gestimmte Gläubige finden werde. Ich sehe die Dinge so: Nachdem das Genie von Gneisenau die beiden Weltgeschichte entscheidenden Schlachten gegen Napoleon, bei Leipzig 1813 und bei Waterloo 1815, gewonnen hatte, nachdem der in Bildung, Phantasie und verhaltener Willenskraft große Moltke in den rasch sich folgenden Kriegen von 1864, 1866 und 1870 den deutschen Waffen den Sieg gesichert hatte, Voraussetzung für Bismarcks Diplomatie und Politik, waren die Deutschen gemeinhin nicht nur »stolz«, worauf sie ein Recht hatten, sondern sie schmeichelten sich, sozusagen ein Monopol des militärischen Siegens im europäischen Raum zu besitzen.
Das aber war ein Irrtum. Was ich jetzt sage, mag Dumme und Böswillige ärgern. Wer im ersten und im zweiten Weltkrieg über so viele Freunde und Verwandte die Botschaft empfing: »Gefallen«, wird keinen Augenblick dem Soldatentod Trauer und Ehrfurcht weigern. Und er wird auch den strategischen Leistungen einzelner Feldherrn, auch wenn das Gelingen in dem Ende der Niederlage wesenhaft nur Notiz für den Kriegshistoriker blieb, nicht den Respekt versagen. Aber in erfolg-

reichen Feldzügen für sich und seine Mannschaft Ruhm zu ernten, ist etwas anderes, als einen Weltkrieg, den Krieg einer Welt, ganz einfach zu verlieren. In der Geschichte so ziemlich aller Völker sind die Daten von Schlachtensiegen und Schlachtenniederlagen eingetragen — es kommt darauf an, wie ein Volk die politischen Verursachungen und die politischen Folgen zu verarbeiten versteht.

Laster des Hochmuts und des Neides

Das wird niedergeschrieben aus keinem anderen Grund, als um einen Beitrag zu versuchen, daß der Deutsche eine moralische, politische Gemeinsamkeit finde für diese auch langhin gefährdete staatliche Gegenwart und für ihr im Da-Sein und im So-Sein gesicherte Zukunft, die zweier Tugenden bedarf: der Nüchternheit und des Glaubens, die zwei Laster von sich werfen muß: den Hochmut, sich als Glied eines »auserwählten« Volkes zu fühlen (und danach Tarife der Würdigung zu entwerfen), und den — Neid. Der ist, soweit ich derlei übersehe, eine der peinlichen Eigenschaften unseres Volkes. Karl Marx hat ihn nicht erfunden, er hat wissenschaftlich und politisch auch anderes geliefert, nicht bloß für die Deutschen. Doch hat sein Denkertum im Schatten des Ressentiments gestanden.

Die Überspitzung eines natürlich gegebenen Vaterlandsgefühls in ein staatlich-nationales Sendungsgefühl ist natürlich nicht bloß bei den Deutschen zu finden: die Franzosen haben ihre »Chauvins«, die Briten ihre »Jingoes«; Karl Schurz führte um die Jahrhundertwende seinen persönlichen Kampf gegen Theodore Roosevelt, daß die Grundhaltung der USA-Politik nicht ihren geschichtlichen Sinn verliere, indem sie in einen beherrschungslustigen »Imperialismus« abrutschte.

Bei den Deutschen sind diese Dinge schwieriger. Sie sind ein altes Volk, an das sich in großen europäischen Jahrhunderten eine sakral getönte »Reichsidee« anschloß; sie sind ein junges Volk, das mit Menschenzuwachs, mit rasch entwickelter Kraft gewisse romantische Vorstellungen, die in der Bewußtseinslage der breiten Schichten nicht mehr vorhanden, bestenfalls Schul-Lehrstoff geworden waren, in eine stolz gedachte Zukunft trugen. Und sich dabei innerlich auseinanderlebten — jetzt gar nicht »stammesmäßig«, gar nicht »gliedstaatlich« gedacht, sondern in dem inneren Anspruch eines Steigerungsverfahrens für Nationalgesinnung und Patriotismus; also: »deutsch, deutscher, am deutschesten«. Ich glaube nicht recht, daß man für ein anderes Volk einen wohl seit den neunziger Jahren sich entwickelnden Tatbestand mit so tragischer Selbstironie bezeichnen könnte. Als ob es nicht vielfältige, individuell gegebene oder in einer Gruppentradition gegründete Form der Vaterlandsliebe gäbe.

Wir merkten vorhin an, daß die geographische Situation einer für die staatliche Herrschaft (zumal im Stand der alten Waffentechnik) »ungesicherte« Grenze im niederdeutschen Raum bestimmende Gegebenheit sei mit den notwendigen Folgerungen: hier also ein Staat, immerhin ein Staat, der wie *jeder* Staat eigenständiger Machtmöglichkeiten bedarf. Aber nun eben auch ein »Volk der Mitte«. Und damit vielleicht eines des Mittlertums? Warum das Fragezeichen? Weil ein bestimmter Typus jener in die Steigerungsformel gesetzten Deutschen hier seinen Ansatz findet, um darzulegen, daß das »Nationalgefühl« der Deutschen im Elementaren schwächer sei als das ihrer Nachbarn. Aus dieser, wie sie glauben, geschichtlich gegebenen Tatsache bezogen sie, beziehen sie vielleicht heute noch ihre Meinung, die vor »fremden Einflüssen« so »weichen« Deutschen »hart« zu machen.

Aus Fremdem reich werden

Das ist natürlich der banalste Unsinn und Unfug. Die Deutschen, und eben dies gerade auch im Geistigen und Gestalterischen, sind die Nation mit den lebendigsten Bedürfnissen und der stärksten Kraft, das Fremde sich anzueignen, damit selber reicher zu werden und in eingeborener Art Zeugnisse des Eigenen zu gebären. Kein Mißverständnis, es gibt frühe und späte Werke genug, bei denen niemand daran denkt: das ist der Einfluß von dort und dort, etwa die Skulpturen in Bamberg und in Naumburg oder die große deutsche »romanische« Bauleistung, die ihre volkstümliche Benennung sprachlich ebenso zu Unrecht trägt wie die »gotische«, die doch wohl auf der »Ile de France«, im Herzen Frankreichs, wo »die Goten«, Richtung Spanien, höchstens »Durchmarschierer« und noch nicht Stilbegründer gewesen waren. Das ist alles etwas spielerisch gesagt, aber es möchte im rechten Sinn verstanden werden. Es gibt, in der bildenden Kunst etwa, Bilder, die einen territorial autonomen und epochal gemeinsamen Zug haben — frühe kölnische und sienesische Tafelbilder. Doch etwa Gotik, wenn sie die Wanderschaft von der Mitte Frankreichs nach England, aber gar vorher nach Wismar und Danzig zurückgelegt hat, hat völlig andere Züge erhalten. Und zur Veranschaulichung ein weiteres. Da gilt für die Kunstgeschichte wohl die römische Kirche »Il Gesu« als das Vorspiel des Barock. Was haben B. Neumann und die Asam, was die Fischer von Erlach und Zimmermann daraus entwickelt, um die Anregung weit zu übertreffen, indem sie, jetzt vom Süden her, das Prunkvolle in das Heiter-Bedeutende einer kaum mehr erreichten deutschen Melodie umwandelten — die deutsche Musik hatte sich gleichzeitig auf den Weg gemacht. Das Barock, das in den schwäbischen und bayrischen Klöstern und Kirchen, das in den Schlössern und Stiften des Habsburger Reiches seine glanzvollen Dokumente errichtet und auch in den schlesischen Raum hinüberwallt, ist in der Freiheit eines erfinderischen Gestaltungswillens die völlig eigenwertige Neuprägung fremder Form-Anregung. Pöppelmann gibt für Dresden, Schlaun für Münster die liebenswürdigen, Schlüter für Berlin die machtvollen Variationen. Gerade sein Name darf auch daran erinnern, wie in dieser deutschen Periode die Begegnung von Architektur und Plastik in einem Range gelöst wurde, wie nach der Antike, vergleichbar, nur noch ganz selten oder gar nie.

Martin Luther und Karl Marx

Vor Jahren habe ich einmal das kecke Wort gewagt, daß vom deutschen Boden aus zwei Männer, sozusagen »Privatleute« ohne irgendeinen Auftrag und ohne ein »Amt«, dem Zwang ihres Temperaments, ihres Gewissens folgend, ihre Zeitgebundenheit von sich werfend, Weltgeschichte eingeleitet und in ihren Folgen mitbewirkt haben: Martin Luther und Karl Marx. Ob »man«, ob der einzelne sie liebe oder hasse, sie verehre oder verdamme, ist gegenüber dem einfachen Tatbestand der tiefen, über die Kontinente hingehenden Kämpfe und Krämpfe, die sich auf diese beiden Männer berufen, ziemlich gleichgültig.
Es wäre aber natürlich absurd, hier einen Sonderanspruch zu melden. Weltgestalter mit einer bleibenden Gegenwärtigkeit waren nicht nur die großen persönlich noch greifbaren Religionsstifter, Buddha, Jesus, Mohammed, nicht nur, zumal für den europäischen Raum immer wieder verlebendigten Erscheinungen wie Aristoteles, Augustinus, Thomas. Davon, was in anderer Ebene auch Cäsars »Bellum Gallicum« mit noch heute nachwirkenden Bezüglichkeiten, gerade auch geistigen, einleitete, was es bedeutet hat, daß Columbus, indem er entdeckend und Eroberer nach sich ziehend, die alte europäische »Welt« durch eine »neue« ergänzte, soll und kann gewiß nicht gehandelt werden — deutsches »Schicksal« war an beiden nicht oder doch nur am Rande beteiligt. Rand: das heißt römische Besatzungszone in der Antike, römische Stadtgründungen auf germanischem Boden. Gibt es den »Limes-Deutschen«, das heißt den Bürger, dessen Urahnen durch Jahrhunderte die castra Romana, befestigte römische Feldlager, als Mitte einer Nähe besaßen, mit ihren Beherrschern gemeinsam beschützt durch die riesige Wallanlage, die beiden dienlich sein sollte, gegenüber der Unruhe im Norden und im Osten. Es scheint, daß man sich einigermaßen vertragen hat — connubium, Ehe-Beziehung, mag dazu geholfen haben und die »Überlegenheit« lateinischer Zivilisation. Bis jene »Unruhe« zur »Völkerwanderung« wurde, der Limes, so etwas wie eine »Maginot-Linie« oder der »Westwall« unserer Generation, gleichfalls eingedrückt wurde und die deutschen »Stämme«, die auch vorhandenen »Kelten« gar nicht gerechnet, die Franken, die Schwaben-Alemannen, die Baiern, die Chance fanden, untereinander Kriege um eine Vorherrschaft zu führen. Und dann, an des Columbus Entdeckung anschließend: Das Augsburger Handelshaus der Welser hatte von Karl V. die »Lizenz« erhalten, wenn man so sagen darf, Venezuela zu erschließen und zu nutzen — marxistisch gesprochen: »auszubeuten«; ein Ulmer Bürger war dort im jungen sechzehnten Jahrhundert Feld- und Landeshauptmann. Der Vertrag für die Welser dauerte

knapp drei Jahrzehnte, 1528 bis 1556 — diese vergessene Geschichtsanekdote wird hier nur erwähnt, um an die anekdotische Farbigkeit des frühen »Imperialismus« zu erinnern, bei dem sehr viel später, so nach 1900, die Anklagebank des Weltgewissens zierend, die Deutschen fast überraschend zentrale Figuren geworden waren.

»Stille Einfalt und edle Größe«

Wenn ich nun aber auf Überlegungen zurückgreifen darf, die vorhin vorgetragen wurden, einmal die Aneignung und Verselbständigung der architektonischen barocken Formenwelt durch die Deutschen, zum anderen die Fernwirkung zweier Männer, des Luther und des Marx, in Gesinnungstemperaturen verschieden genug, so scheint mir, kann gerade im Blick auf das Formgefühl, als über die Nationen hinweg wesentlich zu nennen, der Name Johann Joachim Winckelmann nicht fehlen. Vielleicht ist es etwas übertrieben, daß er es war, der für das Barock und seine in allen Völkern sich reizvoll anbietende, zärtliche Nachblüte des Rokoko das Sterbeglöcklein läutete. Die Sache ist von einer faszinierenden Paradoxie. Der Mann stammt aus Stendal in der Mark, das wunderbare Backsteintore der späten Gotik und eine schöne Kirche aus dem 15. Jahrhundert besitzt, aber dessenungeachtet märkisch-protestantisch wirkt. Der Sohn dieser Stadt konvertiert zum Katholizismus, geht nach Rom, um dort, Bibliothekar von Kardinälen, das schöpferische Vermögen des vorchristlichen »Heidentums« zu finden. Er wird der Lobpreiser der antiken Formkraft, zumal der griechischen, die er in Rom selber wesentlich nur in Kopien kennt; an das Hellenische, das Hellenistische kommt er nur durch die Reste der Magna Graecia in Sizilien. Winckelmann war nie in Griechenland, auch sein Schüler Goethe hat nicht Mykene oder Tyrins gesehen. Man weiß, daß Schliemanns Ausgrabungen fast hundert Jahre später liegen und gar Kreta seinen Reichtum den Ausgräbern noch nicht mitgeteilt hatte. Aber diese Wortdeutung des Hellenischen, daß es »stille Einfalt und edle Größe« ausspreche, wäre in seiner großartigen Einfachheit wohl nicht möglich gewesen. Hätte Goethe seine Iphigenie so schreiben können, wenn er einmal durch das Löwentor von Mykene, Iphigenies Heimat, geschritten wäre; wenn ihm die ungeschlachten Trümmer von Tyrins einiges von dem frühen Griechentum hätten erzählen können?

Neues aus Altem

Vielleicht ist derlei nur Gedankenspiel, vielleicht ist es auch mehr. Die Rezeption der Antike hat gewiß ihre mannigfachen Stufen. Sie ist auf eigentümliche Weise, indem sie stoffliche Gegenstände und Motive aus der griechischen oder römischen Überlieferung holte, von den großen französischen Dramatikern, den Racine und Corneille, vorweggenommen worden — aber das empfinden wir doch durchaus dem Barock zugehörig. Hier aber wird ein Neues aus dem Alten. Gewiß auch in der Literatur: Schiller rhapsodiert gedankenbelastet über die »Götter Griechenlands«, und in seinem Briefwechsel mit Wilhelm von Humboldt findet sich die ergreifende Stelle: der Freund möge ihn doch beraten, auf welche Weise er die Kenntnis der griechischen Sprache erwerben könne. Denn die »hohe Karlsschule« hatte ihn nur zum Lateiner gemacht.
Es war das Glück der Deutschen, daß sie damals eine Anzahl von jungen Architekten besaßen, Gilly, Langhans, dann Schinkel, die in dieser von der »Bildung« angebotenen Formenwelt keine Kopisten waren, sondern Männer mit einem eigenständigen Proportionsgefühl; dazu Klenzes fruchtbares Wirken im Bayrischen, Weinbrenners originelle Kraft mit ihren Dokumenten im Badischen. Selbst Gottfried Semper, der später dem feierlich schweren Charakter der italienischen Renaissance auf deutschem Boden die große Chance gab, hat in seinen jungen Jahren der griechischen Plastik und Architektur — waren sie bemalt? — sein heftiges Interesse zugewandt.

Das »Naturgefühl« der Romantik

Aber das Seltsame: während nun eben geistige Fernwirkung jenes Winckelmann der »Klassizismus«, wesentlich auf dem Umweg über Deutschland, das neue »Maß« gegen den Überschwang des Barock und die farbige Spielfreude des Rokoko setzte, hatte sich eine neue Gefühlsmacht auf

den Weg begeben: die Romantik. Mancher mag erschrecken vor der Behauptung, daß sie in dem Land geboren wurde, da Adam Smith eine rational-moralische Lehre für den ökonomischen Fortschritt entwickelte und James Watt die Dampfmaschine, später Stevenson die Lokomotive erfand und Spinnen wie Weben aus dem sozusagen privaten Bereich der Hauswirtschaft mit allerhand peinlicher Sozialnot in den maschinellen, die Ware verbilligenden Fabrikbetrieb auswanderte. Jedes Land ist doch so stolz auf *seine* Romantik, die Deutschen, die Franzosen, die Russen usf. — bei allen ein Durchbruch des Irrationalen, des Gemütvollen, auch der Verliebtheit in die Vergangenheit, des Phantasierens, dies zumal bei den Franzosen.
Aber da entstand nun, vielleicht aus einer ahnenden Bedrängtheit durch die kommenden städtisch-industriellen Gegebenheiten, ein neues »Naturgefühl«, der »Englische Garten«. Die große Anlage in München, mit ihrer Weite und ihrem schönen Baumbestand, trägt geradezu diesen Namen, während doch ihr »Blickfang«, der »Monopteros«, ganz und gar nicht »englisch«, sondern beiläufig »antikisch« ist. Die »Natur« soll in ihren Eigenwerten gesichert, ja erhöht sein—der in der Flächenordnung streng bemessene, der Architektur zugehörige Garten, für den Deutschland etwa in Sanssouci, in Schloß Brühl bei Köln, in Ludwigsburg seine charakteristischen Beispiele besitzt, wird verdächtig. Doch soll dieser »englische« Park nicht nur »geschönte« Natur sein, wenn man das sagen darf; es tritt hinzu, dem Wanderer etwas wie Bildungsgefühl zu schenken. Ich glaube mich nicht zu irren, daß man zuerst in England, in einer vollkommen »ungotischen« Zeit, gotisierende Architekturpunkte in die hügelige »Landschaft« stellte. Deutschland hat seine großartigen Dokumente, soweit ich sie kenne, (es gibt gewiß noch manche andere), in Muskau, in Wörlitz und in Schwetzingen, wo sich die ursprüngliche axiale Anlage in vielerlei skurril-amüsante, antikische Ruineneffekte verläuft. Sollte, halb bewußt, mitgeteilt werden und damit für die bildungsdurstigen Zeitgenossen ein Spezialinteresse erweckt werden, daß dieses Land einmal durch Jahrhunderte römisches Herrengebiet gewesen? Daß also der naiv pathetische Schwindel den Anspruch einer möglichen Echtheit besäße?

Musik und Rheinwein

Bei meinen Reisen in fremde Länder ist mir, dies auch bei offiziellen Gelegenheiten, wiederholt begegnet, daß in konventionell abgetönten Freundlichkeiten der Preis der deutschen Musik eine individuelle Note des liebenden Bekennens fand; in der Guildhall zu London feierte der damalige Lord-Mayor in verbindlicher Nachbarschaft die deutsche Musik und den Rheinwein als die wesentlichen und immer willkommenen Sozusagen-Exportartikel der Deutschen. Und es ist wohl so, daß, wenn man solche Dinge mit der Arithmetik angeht, aus dem deutschen Denk- und Gefühlsraum die im Ziffernverhältnis größte Zahl von Musik-Komponisten hervorging, die übernational Geltung und Pflege fanden und auch in herben Zeiten politischer Gegensätzlichkeit behielten. Vielleicht liegt das ein bißchen daran, daß Orgel, Flöte oder Cello keine Instrumente für Militärmärsche sind, die »den anderen«, wenn sie sie hören mußten, so peinlich waren — ihre eigenen pflegten ihnen zu gefallen, so daß sie sogar zu Nationalhymnen avancierten.
Eine Zeitlang durften die Deutschen wohl »stolz« darauf sein, daß aus ihrem Volksraum eine solche Fülle großer, ja genialer Begabungen aufstand, wechselnd in der Bewertung, der eigenen wie der fremden (etwa Schütz, Bach). Ich muß hier behutsam schreiben, denn ich weiß mich in der fachlichen Musikgeschichte unzuständig. In meiner Werdezeit sahen wir, hörten wir auch Mascagni und Verdi, Bizet und Saint-Saëns, Chopin und Tschaikowsky, zu denen aus dem slawischen Raum noch Smetana und Strawinsky traten — die Norweger stellten noch Grieg zur Verfügung. Aber das war wohl für das durchschnittliche Wissen alles. Doch hier hat sich viel geändert und nicht zuletzt dadurch, daß Schallplatten dazu halfen, große Musik der Vergangenheit und der Fremde dem dankbaren Genießer zu vergegenwärtigen.
Das »deutsche Lied«, das seine Festigung durch Goethes Freund Zelter in Berlin mit der Begründung der »Singakademie« gefunden hatte und wesentlich seit den vierziger Jahren des alten Jahrhunderts in unzähligen Vereinen seine Grundkraft besaß und besitzt, war in solchem organi-

satorischem Sinne zunächst eine deutsche Eigentümlichkeit gewesen, in mannigfachen, z. T. kirchlich betreuten Vereinigungen sich bewährend. Dieser deutsche »Liederkranz«, oder wie immer er, Kind der auslaufenden Romantik, sich benennen wollte, ist auch ein »Auswanderer« geworden. Er existiert in der halben Welt. Seltsames Phänomen: sie »sprechen« in den USA, gewiß auch in Ibero-Amerika selbstverständlich die Sprache des Landes. Aber sie »singen« ihrer oder ihrer Eltern Heimatlieder.

Vielleicht haben wir zu lange geglaubt, daß das eine deutsche Sonderheit sei. Aber dann kamen aus dem slawischen Raum die Kosaken, die Ukrainer, auch die Polen und der Hintergrund einer anderen, aber tiefgegründeten Volksmusikalität trat, höchst anregend, ins Bewußtsein.

Ich werde mich hüten, Zensuren über schöpferische musikalische Qualität der Deutschen zu geben. Doch eines ist ziemlich deutlich: Es gibt drei Räume«: den bayrisch-österreichischen, den sächsisch-thüringischen, den rheinischen, dem die Träger der großen deutschen Musiktradition entstammen — Hamburg mit Brahms, der ja dann auch in Wien wirkte, erscheint als Sonderfall. Und das andere: Schwaben, das sich nicht zurückhielt, den Deutschen große Dichter, der Welt große Denker zu schenken, ist in diesem Bereich der Welteroberung durch Noten, Musiknoten, bei mannigfacher musikintellektueller Begabung und sehr intensiver volkstümlicher Musikpflege, so ziemlich alles schuldig geblieben. Aber es hat, sozusagen im Nebenher, den Deutschen als Einzelfall den Komponisten geliefert, dessen Namen, wie ich in musikalisch trainierten Kreisen erfuhr, die wenigsten kennen. Er hat für Heinrich Heines »Loreley« und für Ludwig Uhlands »Guten Kameraden« — und sonst noch für allerhand, was »Volkslied« wurde, — die Melodien niedergeschrieben. Er hat gar keinen »Namen« in der großen, gar in der internationalen Musikgeschichte. Aber wenn man durch »Deutsches Schicksal« wandert — Verbot des einen, Mißbrauch des anderen Liedes —, darf man an ihm nicht vorbeigehen, ohne den Hut abzunehmen. Er heißt ganz einfach Friedrich Silcher.

Indien kennt nur deutsche Musik

Die deutsche Dichtung konnte im Bewußtsein der Fremde nicht einen der Bewunderung für unsere Musik vergleichbaren Rang gewinnen. Das ist mir persönlich einmal sehr deutlich geworden. Bei einem Gespräch mit führenden Männern der indischen Presse, die nun spürbar ihre geistige Erziehung im britischen Raum genossen hatten, kam die unerwartete Frage, ob ich erklären könne, daß England wohl eine große Literatur, aber keine große Musik der Welt geschenkt habe, und in Deutschland sei es gerade umgekehrt. Eine heitere Antwort half zunächst: das liege vermutlich daran, daß die Volksstämme der Angeln und der Sachsen, die unter den legendären Herzögen Hengist und Horsa die englische Insel eroberten und im Süden besiedelten, nun eben zu den musikalisch wenig schöpferischen Gliedern der deutschen Vielheit gehörten. Das Plädoyer für die große deutsche Literatur, das der verwunderlichen Anfrage folgte, konnte aber nur ein wenig befriedigendes Echo finden: waren die Namen der Komponisten, auch ihre Art, ihre geistige Gemeinschaft oder Sonderheit vertraut, so stießen die von mir genannten und erläuterten Namen auf eine nur geringe Kenntnis.

Deutsch war nie »Weltsprache«

Ob das wesentlich an den zarten Tönungen, an eigentümlichen Schwierigkeiten der so reichen poetischen Sprache liegt? Wohl kaum. Derlei steckt auch in den großen Werken der anderen. Man muß sich ganz einfach darüber klar sein: Deutsch ist nie eine »Weltsprache« gewesen, wie es Spanisch für den Großteil des südlichen und völlig für den mittleren Teil des amerikanischen Kontinents wurde, Englisch für die mannigfachen Herrschaftsgebiete seiner kolonialen Entfaltung — die Sprache blieb auch nach der politischen Trennung — und die französische Sprache besaß, wohl Folge der Machtstellung des Staates im Zeitalter Richelieus, dann des vierzehnten Ludwig, eine höchst eindringende Kraft in den Sphären der Diplomatie und der politischen Bildungsschichten. Es ist nicht an den großen Friedrich von Preußen zu denken, dem »man« schließlich »verziehen« hat, daß er der Freund von Voltaire und d'Alembert war und wenig von dem Sprach- und Dichtvermögen seiner deutschen Landsleute hielt. Seltsamer dies: Der Freiherr vom Stein, den keiner für einen »Französling« halten wird, was dem alten Fritz wohl passierte, hat sich in seiner Familienkorrespondenz weithin der französischen Sprache bedient, und dabei meisterte er selber in seinen Denkschriften ein klares, starkes Deutsch, er, der im Grunde auch die stärkste Figur war, ein an sich gegebenes Nationalgefühl zu einem politischen Willen zu aktivieren.

In Weimar schuf man die Nation

An sich gegeben? Das ist schon zuviel gesagt. Aber doch: In den vorangegangenen Jahrzehnten geschaffen. Denn das ist die eigentümliche und wohl kaum mit einem anderen Geschichtsvorgang vergleichbare Leistung und Wirkung der Blütezeit Weimars unter dem Herzog Carl August. Natürlich ist, von der Festigung im Sprachlichen her betrachtet, die Lutherische Bibelübersetzung auch ein entscheidender Vorgang gewesen und geblieben, und als die nachfolgende Romantik die gewaltigen alt- oder mittelhochdeutschen Epen und die fast vergessenen Proben des deutschen Minnesangs dem lediglich musealen oder archivalischen Dasein entriß, war für das Wissen der Deutschen selber die Kontinuität zu einer sehr wesentlichen künstlerischen Vergangenheit wiederhergestellt.
Aber ich glaube, für diesen Vorgang, daß vom Geistigen her eine Nation zum Eigengefühl erzogen wurde, ist das Weimar des Carl August schlechthin entscheidend. Das Nebeneinander und das menschlich seltsam getönte, gelegentlich auch distanzierte Miteinander des Frankfurters Goethe, des Ostpreußen Herder, der beiden Schwaben Wieland und Schiller schuf in einer politisch sehr zerbrechlichen Zeit die deutsche Nation; man mag die so höchst verschiedenen Erscheinungen wie den niederdeutschen Klopstock in dem seltsamen Wechsel der originalen Sprachgewalt und der leicht angestrengten Pedanterie, den Sachsen Lessing in seiner rationalen Geistigkeit und seiner herrlichen Unbefangenheit nicht als Vorläufer oder »Wegbereiter« würdigen. Doch sie gehören mit zu jenen vieren, weil sie halfen, den Deutschen nach einer Zeit, die sie trotz mannigfacher ursprünglicher Einzelleistungen, die erst eine spätere Rückschau recht zu würdigen lernte (Grimmelshausen, Gryphius, Bürger), ein Selbstgefühl zurückzugeben.

Zu Menschen bildet euch aus

Die Nation wurde und war im Geistigen geschaffen, als ihr politisch-rechtliches Gefüge im Sturm der Zeit und durch die einzelnen dynastischen Bedürfnisse der Besitz-Sicherungen zerbrach. Die Männer in Weimar waren, scheint mir, sich ihrer eigenen Geschichtswirkungen in dieser Lage, wenn gewiß auch mit Stufungen, einigermaßen bewußt, zum Teil in der Spannung einer skeptisch oder tragisch getönten Resignation vor dem weltpolitischen Geschehen:

»Zur Nation euch zu bilden, ihr hoffet, Deutsche, vergebens.
Bildet, ihr könnt es, dafür freier zu Menschen euch aus.«

Prosastücken, mit Versfetzen: »Stürzte auch in Kriegesflammen deutsches Kaiserreich zusammen, deutsche Größe bleibt bestehen.« Der Darsteller großer »Staatsaktionen« und Erzähler bewegter Abschnitte der europäischen, der vaterländischen Geschichte wird für die Deutschen eine zentrale Figur kommender politischer Gesinnungsbildung werden, aber Friedrich Schiller zweifelt, er verzweifelt schlechthin gar in der Not der Zeit, die ihn so tief bewegt, an einer politisch-staatlichen Fähigkeit der Deutschen.

Das Werden des »Volks«-Gedankens

Herders Wirkung ist anderer Art und in gewissem Sinne folgenreicher, wenn man auch solches Urteil mit Vorsicht niederschreibt. Der »Staat« als Bauform jeglichen entwickelten Seins einer größeren Gemeinschaft scheint ihn wenig zu interessieren, aber dessen Bewohner, ihre Art, sich zu geben, die Ausdrucksformen, die sie für ihr Erinnern, für ihre Sehnsucht sich geschaffen haben, etwa »die Stimmen der Völker in Liedern«, das ist der Durchbruch zu einer vergleichenden, aber

auch von gleicher Liebe getragenen Vertrautheit mit »dem Volk« — hier natürlich kein »soziologischer«, sondern ein ethnischer Begriff. Ja, strömt die Quelle, die vom Geistigen her der Vielfalt der »Romantik« in allen Ländern die Nahrung gab, mochten wir auch in einer früheren Bemerkung das sich industrialisierende England als Ausgangspunkt einer der Gegenwart zu der mittelalterlichen Formwelt entfliehenden Sinnenhaftigkeit genannt haben.
Herder ist kein zum Gewesenen fluchtsüchtiger »Romantiker«, er will tapfer zu einem wohlproportionierten Menschen- und Menschheitsgefühl erziehen. Aber er gibt den intellektuellen Untergrund für die Eigenständigkeit des Volkhaften, das dann zunächst in Europa, schließlich in der ganzen Welt ein Politikum wird, um zuerst sprachliche, etymologische, rassische Gegebenheiten festzustellen und die Feststellungen zu Forderungen voranzutragen. Das ist ein schweres, schweres Stück unserer gegenwärtigen, unserer künftigen Weltproblematik. Und es wäre natürlich sinnlos, den Sohn des ostpreußischen Mohrungen, den Hofprediger des herzoglichen Weimar als den bewegenden Verursacher von soviel großem und soviel leidvollem Weltgeschehen vor die Schranken zu fordern. Doch war es erlaubt, nachdem Luther, Marx, Winckelmann in ihrer unmittelbaren Weltwirkung genannt wurden, auch die subtilen Denk-Einflüsse zu erwähnen, die mit diesem Namen zusammenhängen.

Mißbrauch eines Begriffes

Dabei ist im deutschen Sprachraum einiges mit dem Volks-Begriff passiert. Der »Turnvater« Jahn, diese seltsam umwitterte Erscheinung, die von der »Restauration« der Metternichschen Epoche in die Tragik eines Märtyrertums eingesperrt war, hatte, wohl im Erbe von Herder, das schöne Wort »Volkstum« gefunden — darin stecken die Sach- und Gefühlswerte, für die später H. W. Riehl in der Deutung landsmannschaftlicher Wesenheit so Schönes darbot; auch für die moderne, leicht ins Breite theoretisierende »Soziologie« bleiben durch diese Vorspiele Grenzen gezogen. Aber als man dies Wort dann in dem Adjektivum »volkstümlich« gebrauchte, glitt es ins leicht Banalisierende ab, in das »Populäre«, und verlor darüber, auf Personen der mannigfachsten Kategorien des öffentlichen Daseins angewandt, einen Teil seiner Würde. Gar als man das Wort »völkisch« erfand und gebrauchte, um den rechten Standpunkt zum Beobachten des vaterländischen Geschehens zu besitzen, war die Erkenntnis eines Erbes und einer still währenden Verpflichtung in die Anmaßung eines agressiven Monopols der Deutung des »Volkes« verdorben.
Deshalb haben wir vorhin das gewiß etwas künstliche Wort vom »Volkhaften« benutzt. Denn in ihm scheint uns etwas von dem geistigen und seelischen Rang bewahrt, der dauernden Werten der Eigentümlichkeit und der Eigenkraft eines »Volkes« in der Einheit der sprachlichen Gegebenheit und eines geschichtlichen Gemeingefühls sein Recht zugesteht, gleichviel, wie Herkünfte sich gemischt und vereinigt haben. Wunderbarstes Beispiel die Mark Brandenburg mit dem »Preußen« Heinrich von Kleist und dem Hugenottensprößling Theodor Fontane!
Doch eben dies, daß das Wort »volkhaft« völlig frei ist von einer staatlich politischen Aura, daß man fast sagen mag, jegliche »quantitative« Vorstellung, wie sie, sehr verständlich aus der Zeitlage heraus, die Stammesadditionen als Antwort auf Ernst Moritz Arndts Frage folgen ließen, was denn »das Deutschen Vaterland sei«, sinke weg, um einer »qualitativen« Deutung zu weichen — dies erlaubt, ja fordert eine Anmerkung beizufügen.

»Grenzübergang« zu Deutschen

Dieses »Hausbuch«, gerade auch in seinen landschaftlichen, landsmannschaftlichen Sonderbeiträgen, umgreift das Hoheitsgebiet, das, nach einigen Einbußen, aus der Katastrophe von 1918, aus dem Vertrag von Versailles hervorging. Es ist jetzt nicht historisch-politisch davon zu handeln, wie hybride Fehlbetrachtungen und Fehlentscheidungen, denen die Gefährdung des deutschen Schicksals schlechthin ins Gesicht geschrieben war, zu einer opferreichen und tragisch endenden Geschichtsimprovisation führte, die sich »Großdeutsches Reich« nannte und in dem Elend von Millionen Vertriebener ihr schauderhaftes Erbe fand. Bismarck hatte 1866 in dem »Kampf um die Vorherrschaft« in Deutschland zwischen dem Haus Hohenzollern und dem Haus Habsburg die alten Kron- und Erblande der österreichischen Dynastie aus dem von ihm geplanten und geschaffenen neuen »Deutschen Reich« hinausgesiegt. Politisch, in Beurteilung der europäischen Lage, hat er zwölf Jahre später eine neue Bindung gesucht und gefunden, die 1914 ihre argen Folgen durch die Wirkung leichtfertiger Politik in Wien und Budapest fand. Aber das wird alles nur kurz erwähnt, um etwas ganz Einfaches zu sagen: Wenn man in dem bayrischen Freilassing die »Bundesrepublik Deutschland« verläßt und nach Salzburg kommt, kommt man in »deutsches Land« und weiß, daß hier Mozart geboren ist. Fährt oder wandert man die Donau abwärts und macht in Linz einen Abstecher nach dem herrlichen Stift St. Florian, so steht man vor Anton Bruckners Grab. Und da ist Wien, in seinem Ursprung Außenposten des römischen Reiches, Grenzposten gegenüber dem osmanischen Herrschaftstrieb und doch auch Mitte, Mitte bildend, sicher kein anderer Ort, der eine vergleichbare Aneignungskraft besaß für deutsche »Kultur«, von vielen Volksgruppen aus dem vielsprachigen Habsburgerreich »kolonisiert«. Man spürt das ja noch heute ganz primitiv an den Ladenschildern der Verkaufsgeschäfte. Aber nun doch die Heimat oder doch die Stätte der Entfaltung von Grillparzer und Hofmannsthal, von Franz Schubert, Hugo Wolf und Gustav Mahler. Und dazu dies: Der Rheinländer Beethoven, die Niederdeutschen Hebbel und Brahms fanden hier Herberge ihres Menschentums und Werkstatt ihres Schöpfertums. Und es mag, mit einer leichten Wendung des Blickes, angemerkt werden, daß der Züricher Gottfried Keller seinen »Grünen Heinrich« in Berlin geschrieben hat und daß der Berner Ferdinand Hodler seine wohl großartigsten öffentlichen Aufträge in den monumentalen Bild-Aufträgen für Jena und für Hannover erhalten hat. Es bleibt eine der erstaunlichen Paradoxien, die von der Geschichte so geliebt werden, daß, neben dem Sohn eines französischen Beamten, Alfred Rethel, der ihnen den großen Karl darstellte, und neben Menzel, der dem großen preußischen Friedrich recht eigentlich sein »Gesicht« gab, dieser Schweizer den Deutschen die gerade auch »patriotisch« wirksamen Gemälde schenkte; so vieles, vieles, was die Werner und Kampf in diesem Bericht leisteten, ist darüber ganz schlicht in Vergessenheit geraten.

Radetzky-Marsch und Hohenfriedberger

Dieser Exkurs war gewiß eine »Grenz«-Überschreitung im banalen Sinn des Wortes, und ich weiß mich schutzlos, wenn das dort oder dort mißfällt und als Restbestand eines atavistischen Deutschen, vielleicht auch als bundesrepublikanischer »Imperialismus« gedeutet wird. Aber es würde einfach eine Lüge, eine Fälschung sein, wollte eine »Wanderung durch deutsches Schicksal« vor den Farben und den Wappenschildern von Grenzpfählen scheu und schüchtern werden. Das Gebot der geistigen, der geistesgeschichtlichen Wahrhaftigkeit ist, will mir scheinen, stärker als ein »taktisches« Schweigen, Verschweigen von seelischen Tatbeständen, die etwa meiner Jugend undiskutierte, außerhalb jeder politischen Reflexion liegende Selbstverständlichkeiten waren. Bodmer und Breitinger sind nun eben wie Albrecht von Haller starke Anreger für die Entwicklung der deutschen Dichtung gewesen, auch wenn — endlich — im Westfälischen Frieden 1648 nach anderthalb Jahrhunderten die völkerrechtliche Eigenfigur der Eidgenossenschaft formal anerkannt war. Und die Militärmusiker haben in meiner Kindheit mit schöner politischer Unbefangenheit nach dem, neben dem »Hohenfriedberger« auch den — Radetzky-Marsch intoniert.

Deutsches Schicksal wandert

Das Schicksal der Deutschen ist selber auf »Wanderung« gegangen. Dabei ist nicht an militante Feldzüge gedacht, die wohl große und erinnerungsstarke Geschichtslegenden schufen, doch für unsere Betrachtung etwas sehr Unverbindliches besitzen. Goten auf dem Balkan und in Spanien, deutsche Ritter, doch nicht nur deutsche, im heiligen Lande. Das ist verweht oder doch nur Balladenstoff. Aber es gab schon im hohen Mittelalter Siedlungsbewegungen, die bis an unsere Zeit heran geistige und volkhaft wichtige »Außenposten« bildeten: die feudale und städtische Oberschicht im Baltikum, die eigentümlich reiche Kulturprovinz der »Siebenbürger« (die stammesmäßig

ja gar keine »Sachsen« waren, sondern ihr Geschichtsabenteuer wesentlich aus dem mosselländischen Raum begonnen hatten). Man darf nicht übersehen, daß das »Magdeburger Stadtrecht« bis tief in die westslawischen Siedlungsbereiche Geltung gewonnen hatte. Maria Theresia und Josef II. begünstigten, um der Verödung des Landes nach den Türkenkriegen entgegenzuwirken, die Zuwanderung von Deutschen aus dem »Reich«, zumal aus dem südwestdeutschen Raum, in die südlichen Grenzländer ihres Reiches, die Banater »Schwaben«. Und auch Rußland hieß, an der Wolga, in Bessarabien, deutsche Bauern und Handwerker willkommen. Über all dieser Schicksalswanderung liegt heute ein trüber Schatten — was konnte sich halten? Es stehen, nachdem die Menschen verjagt oder vernichtet waren, nur noch die Baumonumente einer, wenn auch opfervollen, so doch starken Vergangenheit.
Das neunzehnte Jahrhundert bringt eine neue, doch in sich sehr wechselreiche Typik. Es erscheint der private Organisator für Gruppenauswanderung, von fremdstaatlichen Lizenzen getragen. Jahre der ökonomischen Depression stehen in ihrem Hintergrund. So kann Blumenau, in dem brasilischen Südstaat Santa Katherina, einen fest geschlossenen deutschen Bezirk begründen, dessen Hauptort seinen dafür so liebenswürdig geeigneten Familiennamen als Benennung erhalten wird, so Philippi im chilenischen Araucanien ein bislang ziemlich europafremdes Gebiet dem deutschen Fleiß erschließen.

Drang nach Religionsfreiheit

Eine andere Motivreihe ist die religiöse und konfessionelle, wenn sie auch in der Größenordnung zunächst geringer erscheinen mag. Aus dem Gegensatz gegen das Staatskirchentum führt der sektiererische Georg Rapp seine Gruppe aus Schwaben nach den Vereinigten Staaten, ein paar Jahrzehnte ziehen aus der gleichen Landschaft Bauern und Weingärtner nach Palästina, um den heiligen Stätten am Tage der Erfüllung nahe zu sein. Der überraschendste Vorgang in dieser Reihe ist dies, daß in dem Streit gegen die »Union« der evangelischen Kirchen in den altpreußischen Provinzen, die dem König Friedrich Wilhelm III. so sehr am Herzen lag, einer der renitenten schlesischen »altlutherischen« Geistlichen zahlreiche Glieder seiner Gemeinde und solche der Nachbarschaft gewann, mit ihm ein Land der Freiheit aufzusuchen. Das war für ihn Australien, das eigentlich noch etwas in der bösen Lage war, britische Sträflingskolonie zu sein. Solches geschah im Ausgang der dreißiger Jahre, und das Unternehmen hat sich bewährt und gehalten.
Auch das politische Mißbehagen an der politischen Entwicklung in der Heimat hat Menschen gezwungen, in die Fremde zu gehen, im Vormärz etwa Friedrich List oder August Follen, im Nachmärz viele, viele Tausende, darunter einen Mann wie Carl Schurz — die Vereinigten Staaten von Amerika haben von *diesem* Typ auch in ihrer Gesinnungsgeschichte Nutzen gezogen.

»Gastland« wird neue Heimat

Diese knappen Notizen haben nur einen illustrativen Sinn; sie sollen ein paar umgrenzte Vorgänge, die sich z. T. an Persönlichkeiten heften, im Bewußtsein halten. Dort, wo durch anderthalb Jahrhunderte im östlichen Europa einigermaßen geschlossene Gruppen mit ihrer Selbstverwaltung, ihrem eigenständigen Kirchen- und Schulwesen saßen, sprach man von »Volksdeutschen«; für Übersee benutzte man wohl die Bezeichnung »deutschstämmig«. Für sie galt und gilt als Selbstverständlichkeit, daß sie oder doch ihre Kinder in die Staatstradition ihrer neuen Umwelt hineinwachsen, das für sie mehr als »Gastland« ist und sein soll. Gäste reisen ja wieder ab.
Das trifft auch zu für die Zahllosen, die nach 1933 gezwungen waren, das Land ihrer Eltern, von dem sie selber geprägt waren, zu verlassen — in seelisch anderer Weise auch für jene Auswanderer, die nach ihrer Vertreibung aus dem deutschen, aus dem südosteuropäischen Raum in Kanada, in den USA, auch in einigen ibero-amerikanischen Staaten neue Berufsmöglichkeiten suchten und nach oft sehr schwerem Beginn fanden. Dazu mag dann noch der soziologisch schwerer zu umschreibende Typ gerechnet werden, der sich in seiner Rechtszugehörigkeit von der Heimat nicht trennen wollte und nicht mußte: Ingenieure, Ärzte, Gelehrte, auch Geschäftsleute, denen keine

neue »Staatsbürgerschaft« abverlangt wurde. Für die übergroße Anzahl derer, die Deutschland vorab auch in der zweiten Hälfte des 19. Jahrhunderts verließen, bis der industrielle Aufschwung, der etwa 1890 spürbar wurde, die Zahl der Arbeitsplätze zu Hause mehrte, gilt natürlich das primitiv-ökonomische Motiv: Wo erwarten den Wagenden neue, von ihm erwartungsvoll hochgeschätze Berufsmöglichkeiten?

Wandertrieb und Heimweh

Der Leser und Betrachter dieses Buches ist mit vollem Bedacht eingeladen worden, den Reisen über die Grenzen Deutschlands hinaus zu folgen, auch den Reisen in die Vergangenheit. Ob der Wandertrieb eine deutsche Eigentümlichkeit ist, der das »Heimweh« dann doch beigesellt zu sein scheint? Der rheinländische Dichter Josef Ponten hat eine historisierende Erzählungsreihe, die durch den Tod des Dichters Fragment blieb, unter die Thematik gestellt: »Volk unterwegs«, Hans Grimm hat für die Erscheinung das Motto »Volk ohne Raum« gewählt, um wesentlich eine soziologische Deutung zu finden.
Daß es sich dabei nicht um etwas spezifisch Deutsches handelt, ergibt eine rasche Überlegung, was das irische, das polnische, auch das italienische Volk ja nun überwiegend aus heimischer Existenzarmut, aus dem Streben nach wirtschaftlichem Fortkommen, an Volkssubstanz in die jungen Staatsgebilde, etwa in die Vereinigten Staaten, nach Kanada, auch zumal die Iren nach Australien abgaben. Der Blick auf Spanien und Portugal, auf England, auch auf Frankreich würde leicht zu Mißverständnissen führen. Denn dort vollzog sich die Population eines fremden Gebietes in einer Zeitlage, da solches Land Herrschaftsbezirk und »Kolonisations«-Ziel des Mutterlandes gewesen war; das gilt auch etwa für den in dem Gesicht der Kultur noch durchaus französisch anmutenden Teil von Kanada. Für Deutschland ist dies nur ein vom Geschichtsablauf ausgelöschtes Experiment weniger Jahrzehnte gewesen und war bevölkerungspolitisch fast gänzlich ohne Gewicht geblieben. Die deutsche Sonderlage scheint mir in der schwer vergleichbaren Farbigkeit der Geschichtssituationen und der individuellen Motivreihe zu ruhen.

Doppelsprache aus Familientradition

Deshalb ist diese Überlegung hier eingeschaltet. Ich habe schon vor Jahrzehnten deutsche Vereinigungen, Schulen, Kirchen auf Reisen in Europa besucht und bin später in Übersee Gast von solchen Gruppen und Anstalten gewesen, mit zum Teil rührenden Bezeugungen der Anhänglichkeit an das Land der eigenen Herkunft oder der Eltern, der Vorfahren schlechthin. In einer Großstadt Kanadas, mit Liederdarbietungen und turnerischen Leistungen, wie man sie, vereinstechnisch natürlich getrennt, ebensogut in Ulm oder Krefeld hätte genießen können, wurde ich von einem Vorsitzenden durch eine Ansprache in gutem Deutsch begrüßt, dessen Urgroßeltern ausgewandert waren, der selber nie Europa besucht hatte — doch die Familientradition forderte die Doppelsprachigkeit, und man durfte den Eindruck gewinnen, daß es ihr nicht schlecht bekommen ist. Derlei ist gewiß nicht der verbindliche Typus. Die Not, in die fast überall in der Welt die von solchen Gruppen getragene deutschsprachige Presse gerät, Folge der beiden Weltkriege mit so mancherlei Krampf und innerpolitischer Unsicherheit in diesen »Kolonien«, hat hier vielfach zu einer Entkräftung geführt. Das gilt auch für das Theaterwesen — Milwaukee hatte bis 1918 zwei deutsche Bühnen. Man darf dabei nicht verniedlichen mit pathetischen Beteuerungen, die im politischen Raum nur Geschwätz mit falschem Pathos wären.
Doch ich glaube, dieses Buch sucht auch die Deutschen, die Deutsch-Sprachigen, die Noch-Deutsch-Sprachigen außerhalb der alten vaterländischen Grenzen. Nicht um ihnen Sentimentalität zu vermitteln, die zwar recht liebenswürdig sein kann, aber nicht recht zu einer Zeitlage paßt, die mit sehr herben Wirklichkeiten fertig werden soll. Nicht um sie »stolz« zu machen, daß sie »Deutsche« sind oder doch deutscher Herkunft — es kommt meist wenig Gutes heraus, wenn der einzelne, wenn die Völker am Selbstlob sich steigern. Es ist kein »Verdienst«, in welches Volk man hineingeboren wurde — es mag für die rechten Menschen zu einer stillen Pflicht werden, der Mitgabe

von Vater und Mutter dankbar zu bleiben. Aber man wird im Menschlichen bewußter, vielleicht seelisch freier, sicher aber reicher, wenn man mit Art — und Unart —, wenn man mit den zarten und mit den starken Zeugnissen seiner Herkünfte sich vertraut macht, sich vertraut erhält. So will auch dieses Werk in der Vielfältigkeit der Fremde ganz einfach durch sein Da-Sein Heimat finden oder Heimat stiften.

Wandler des Weltbildes

Natürlich gibt es, von den erwähnten sonderlichen Anlässen abgesehen, auch in der Verstreuung der Deutschen in der Welt mancherlei Varianten. Die Anwohner der Meerküste, seefahrende Leute, haben ein wesentliches Kontingent gestellt. Von den »Auswanderern«, die im 18. Jahrhundert von Duodez-Fürsten als Soldaten an die britische Krone verkauft wurden, redet man lieber nicht, obwohl sie, Dünger für werdendes Volkstum, in das deutsche Schicksal gehören. Daß Schwaben und die Pfalz, wegen der freien Teilbarkeit des bäuerlichen Bodens, ein Großteil der Auswanderer stellten, ist schon erwähnt worden. Unter den überkommenen Anekdoten spielt eine Rolle, daß unter der Besatzung des Columbus ein Schwabe gewesen sei, der nach der Landung zu den Eingeborenen gerufen habe, ob nicht ein Landsmann da sei. Es war einer da, sogar aus der Nachbargemeinde. Das ist ein recht beiläufiger »Witz«, der seinen Reiz dadurch erhält, daß er schon wenige Jahrzehnte nach der Columbus-Fahrt in heiterer Selbstironie vermerkt wurde.
Aber es gibt auch die andere Weltbeeinflussung. Ich denke jetzt nicht daran, die großen naturwissenschaftlichen Denker, Forscher, Erfinder aufzuzählen, die geholfen haben, das Bild der Welt zu verwandeln, etwa Männer vom Rang des Liebig und seiner Schule, des Werner Siemens, des Daimler und Benz, des Einstein und Planck und Otto Hahn. Denn da müßten aus vielen national begrenzten Böden andere große Namen aufsprießen — es handelt sich aber nicht um einen Katalog des Wettbewerbs zwischen den Völkern. Doch einiges darf angemerkt werden: In einem mittelamerikanischen Staat fand in unseren fünfziger Jahren ein Kongreß statt, der nur das eine Thema hatte: Immanuel Kant. Und mit dem Obersachsen Leibniz und dem Stuttgarter Hegel ist »die Welt« bis heute nicht fertig geworden — der moselländische Nikolaus von Cues (Cusanus) und der schwäbische Albrecht von Bollstädt (Albertus Magnus) stehen, was die europäische Breitenwirkung ihrer Existenz betrifft, noch in der wissenschaftlichen Fachdiskussion.

Formung aus dem Religiösen

Diese Namen, in denen sich die Bemühung um rationale Klarheit oder unmittelbare Erkenntnis mit einem Wissen um Sein und Gewicht der Transzendenz verbindet, sind als stellvertretend genannt. Gewiß sind sie Einzelfiguren, die »bildungsmäßig« ergänzt werden könnten. Und es wäre reizvoll, zu versuchen, was in ihrem Wesen heimatlich gebunden ist. Aber das gerät in die Gefahr des spekulativ Verspielten — mit Ausnahme von Kant haben sie ja auch Entfaltung und Wirkung vom fremden Ort aus gefunden. Wie auch etwa der Danziger Schopenhauer in Frankfurt am Main, der Thüringer Nietzsche im schweizerischen Basel.
Doch es gibt geistige Formungen, die einen landschaftlich gebundenen Charakter besaßen und behielten, aber doch für die Gesamtentwicklung der deutschen Dinge einen überbezirklichen Rang gewannen. Das gilt vor allem mit nachwirkender Art in der Sphäre des Religiösen. Natürlich kannten auch andere Völker ihre Gruppensonderungen von einer kirchlichen Autorität, der sich die staatliche Macht zur Verfügung stellte — etwa die südfranzösischen Albigenser und später die Hugenotten, die schottischen und englischen »Nonconformisten«, deren Kraft das werdende Amerika mit ernährte, um diesem Lande bis in unsere Zeit die Chance zur Entwicklung schier unübersehbarer »denominations« zu geben. Im Grunde geht es dabei immer, um ein Lutherwort zu gebrauchen, um »die Freiheit eines Christenmenschen«, die dann doch durch eine volkspolitische Ermattung, die zugleich eine zeitbedingte staatspolitische Stärkung bedeutete, gefährdet blieb, und schließlich der Kirchendiener zum Staatsbeamten wurde.
Nicht so sehr gegen »den Staat« als gegen Formen und Ansprüche einer staatlichen Theologie

hat es, von Einzelpersönlichkeiten ins Leben gesetzt, umgrenzte »Erweckungsbewegungen« gegeben, in Pommern, in Kurhessen, im Wuppertal. Die Renitenz schlesischer evangelischer Geistlicher gegen die »altpreußische Union«, von der oben ein Wort gesagt war, hatte, wie ich glaube, einen anders gefärbten Charakter. Aber es bleibt doch der Beitrag dieses Landes in der Mischung von spekulativer Mystik und zum Teil musischer Formgebung für eine Geschichte der deutschen Frömmigkeit, wenn man sich eine solche vorstellen mag, so wichtig wie das, was aus dem Spintisieren des schwäbischen Pietismus herausquoll. Das Eigentümliche und wohl eben schlesisch-landsmannschaftlich Bedingte: Hier versinkt die konfessionelle Sonderung, ob man an Jakob Böhme oder an Johann Scheffler, den Angelus Silesius, denkt, oder, um in unsere Zeit zu greifen, an Gerhart Hauptmanns »Emanuel Quint« oder Josef Wittigs »Leben Jesu in Palästina, Schlesien und anderwärts«.
Die »Schwabenväter«, die Bengel, Oetinger, Hahn, sind anderer Art, intellektueller, wenn man so will, auch robuster in ihrer theologischen Ansage, nebenher wie die beiden letzten naturwissenschaftlich und technisch spekulativ, in umstreitbarer Dogmatik. Erst das 19. Jahrhundert hat dann in den großartigen Figuren des Johann Hinrich Wichern zu Hamburg und des Gustav Werner zu Reutlingen, auf der katholischen Seite mit dem Gesellenvater Kolping und dem Mainzer Bischof von Ketteler über das Dogmatische hinaus durch die Instrumentierung der christlichen Ethik in einer zum Industrialismus sich wendenden Welt, die neuen Akzente für das kirchliche und damit zugleich für das »volkhafte« Leben gebracht.

Vergangenheit wirkt in die Moderne hinein

Derlei mag dieser oder jener Leser für »verjährte« Dinge halten. Sie sind für die Deutschen in einer intimen Weise wirksam geblieben und, wie mir scheinen will, auch in sonderlicher Art. Gewiß werden sie von dem Lärm des »modernen« Lebens überrauscht und man muß vielleicht gute Ohren haben, sicherlich guten Willen, ihre Regungen nicht zu überhören. Dieses »moderne Leben« wird durch Akte des technisch-zivilisatorischen »Fortschritts« bewegt, und viele meinen, daß er eine Bedrohung des »echten« Lebens sei. Aber worin denn dann solches »echte« Leben sich verbindlich darstelle, weiß keiner recht zu sagen. Das Malaise, das Mißbehagen, das Unbehagen an Formen der gesellschaftlichen Wertung zeitgenössischer Erscheinungen, etwa mancher Erscheinungen eines kommerzialisierten Sportbetriebes und der aufdringlichen Trivialität einer bilderreichen Tages- und Wortpublizistik, steht sehr unvermittelt neben der Begeisterungsfähigkeit für das Neue, das noch Neue in dem Fertig-Werden von Raum und Zeit. Das Zeit-Haben wird ausgelöscht durch das »Tempo«, in dem die Zeit hinter sich gebracht wird, etwa im Fernsehen oder im Rundfunk, der neben der Mitteilung von Geschehnissen und Darbietung der Unterhaltung oder Belehrung für Millionen die inhaltliche Vergegenwärtigung wichtiger Akte des politischen oder geistigen Lebens bringt.

Entwicklung und Mode

Es ist für den einzelnen von uns, die wir älter sind, das immer Verblüffende, daß dies, was uns einmal erregende Sensation gewesen war, der jungen Generation zu der banalsten Selbstverständlichkeit wurde. Wir blieben als junge Burschen nicht gerade ehrfurchtsvoll, doch erstaunt am Wegrand stehen, wenn ein Automobil durch starkes Hupen sein bedrohliches Nahen meldete; die heutigen Knirpse geraten bestenfalls in einen sachkundigen Streit, welche »Marke« da vorbeigesaust sei. Was bedeutete vor mehr als einem halben Jahrhundert der menschlich so großartige, als technisch nach wenigen Jahrzehnten deutschen gläubigen Stolzes zu den Geschichtsromanzen verabschiedete Versuch des Grafen Zeppelin mit dem starren Luftschiff! Das technische Wunder, in dem wissenschaftliche Spezialforschung des Erkennenden und kombinierende Phantasie des Wollenden sich mischen, scheint sein Gesetz nicht aus den entwickelten Erfahrungen einer Vergangenheit, sondern aus den Erwartungen einer Zukunft zu beziehen. Und dies in allen Ländern, bei allen Völkern, die mit dem alten Laboratorium der Ratio, Europa, geschichtlich zusammenhängen oder frühe, wie Japan, in eine lernende und dann sich befreiende Mitwirkung traten. Und das ist nun ein übernationaler Vorgang—Chemie, Physik und Mechanik haben in ihrer Gesetzlichkeit keine volkhafte Begrenzung. Wie aber ist es mit der Kunst der Töne, der Farben, der Skulptur, des Bauens? Sie bilden für unser geschichtliches Wissen das Reich der »nationalen« Gebundenheit, wiewohl wir wissen, daß die Berührung mit »dem anderen« oft genug zur eigenen Gestaltung den Weg bildete — italienische Opernmusik als Vorspiel deutscher Leistung, flämische und niederländische Malerei, französischer Impressionismus als starke Anregung auch für die deutsche Entwicklung, die unabhängig davon freilich ihre eigenen Meister produzierte. Ob im Zusammenhang mit der großartigen akustischen und optischen Reproduktionsfähigkeit auch dieses Reich der Zukunft eingeebnet wird, daß man nun in Korea halt auch »abstrakt« malt wie in Düsseldorf und von der erweiterten Technik der instrumentalen Klangführung das Individuell-Schöpferische, das in aller Frühe der Entwicklung an ein Geschichtsbewußtsein geknüpft ist, einem »gekonnten« Allerweltstyp vererbt, anvertraut, geschenkt wurde — ich wage es nicht, hier »Entwicklung« und »Mode« zu unterscheiden — Mode pflegt immer »gemacht« zu werden.

Glied eines Volkes

Was aber haben denn solche Bemerkungen mit einer »Wanderung durch deutsches Schicksal« zu tun? Ich würde sie nicht machen, würde ich nicht glauben, daß sie ziemlich viel damit zu tun haben. Denn Deutschland ist in diese breite Entwicklung gestellt, ihr verpflichtet, sie selber sich verpflichtend. Aber es soll, ihr zugehörig, sich nicht verlieren. Und auch der einzelne soll es nicht, darf es nicht tun. Die großen Schriftsteller, die gegenüber der geistigen Lage ihrer Gegenwart die »Kulturkritik« in Schwung brachten, wenn man das, etwas ehrfurchtslos, so sagen darf, Ruskin für England, Nietzsche für Deutschland (und Frankreich), sind inzwischen Stoff geistesgeschichtlicher Zeit-Deutungen geworden, *ihrer* Zeit.
Aber es ist, ohne daß hier eine Auseinandersetzung mit ihren Thesen eingeschaltet werden könnte, etwas zurückgeblieben: die schier suggestiv wirkende Aussage von der »Vermassung«, der dieses kommende Geschlecht ausgeliefert sei. Die Sorge darf man nicht überhören oder gar bagatellisieren, seitdem die technische Möglichkeit der von staatlicher Macht genormten Faktoren auch einer geistigen, nicht bloß politischen exklusiven Dauerbeträufelung gegeben ist. Bei den Deutschen ist das scheußliche Wort von der Vermassung in Umlauf gesetzt worden, das bestimmte Gegebenheiten eines sozusagen »genormten« sozialen Lebens fast als politische Gefährdung interpretiert. (Dabei sind die mit zwei bis drei luft- und lichtlosen Hinterhäusern ausgestatteten Wohnbezirke der norddeutschen Großstädte in einer Zeit entstanden, die jenes Wort noch nicht kannte, jedoch die Chance der Grundstücksspekulation.)
Der Sinn dieses Hausbuches ist, denke ich, auch der: Dem, der es in die Hand nimmt und mit seiner Vielfaltigkeit vertraut werden will, deutlich zu machen, daß er nicht »Teil einer Masse« ist, die man Deutsche nennt, sondern »Glied eines Volkes«, das deutsch heißt. Dazu bedarf es dann keiner soziologischen Auslegungen: wieso?, noch schmetternder Fanfaren, daß es so ist. Der deutsche Name war groß in der Welt und war klein — wir selber waren und sind froh, diesem Volk so starker historischer und geistiger Leistungen zuzugehören, ohne je landläufige Überheblichkeiten gegenüber anderen Völkern mitzumachen. Dies Werk soll helfen, dem »Vermassungs«-Gerede entgegenzuwirken, dem einzelnen, mag er ein »großes«, mag er ein kleines Leben führen, die ganz bewußte, ganz persönliche Zugehörigkeit zu diesem Volk zu bestätigen. Das mag ihn »stolz« machen, wenn ihn solches Gefühl beglückt, gewiß reicher, wenn er sich gern durch Lebensräume führen läßt, aber auch dankbar für ein großes und vielfarbiges Erbe von abgesunkenen Jahrhunderten, wenn er im Danken eine Verpflichtung erkennt.

EUGEN ROTH Bayern

Wer an Bayern denkt, meint gemeinhin Oberbayern, ja, enger noch, das Land der Berge, das mächtig lockt mit steingrauen Gipfeln, mit wiegenden Wäldern, klaren, schnellen Flüssen, tosenden Klammen, blauen Seen und grünen Triften; er meint vielleicht noch München, die Stadt der Kunst und des bunteren Lebens.

Aber Bayern ist größer; und wenn es auch nicht die Welt ist, so gibt es doch kein deutsches Land, das sich an Vielfältigkeit mit ihm vergleichen ließe. Da ist, von den Alpen und ihrem Vorland hinausgestreckt, die bald wellige, bald flache Hochebene, gar im Winter von tiefverschneiter Einsamkeit, da ist der mächtige Donaustrom, zu dem alle Bergwasser fließen; Niederbayerns goldne Kornböden liegen vor den tiefen, blauenden Wogen des Bayerischen Waldes, die Moore, Seenplatten und rot brennenden Heiden der Oberpfalz schließen sich an, die kahlen Karstklüfte und heißen Höhen des Jura verlieren sich gegen den Main zu, der mit hundert wechselnden Landschaften sich hinauswindet durch reiches Rebengelände in die Wälder des Spessart, und selbst am lieblichen Odenwald und an den Kuppen der Rhön hat Bayern noch seinen Anteil.

Und nicht minder reich ist die Fülle, wenn wir der Menschen und Märkte gedenken, der Städte und Dörfer, der Burgen und Schlösser: welche Gegensätze zwischen der düstern Frömmigkeit Altöttings und dem Jubel der Wieskirche, zwischen der breiten Pracht fränkischer Schlösser und der finstern Wucht oberpfälzischer Wehrbauten, zwischen der Verlassenheit hinterwäldlerischer Dörfer und der munteren Frische eines Gebirgsorts, blumengeschmückt, maibaumüberragt und voller Geläut. Welche Melodie des Lebens umgreift dieses »Bayern«: der Bergsteiger im gefährlichen Kampf mit dem Fels, der Skiläufer, von Sonne umlodert, im stäubenden Schnee, der Wildwasserfahrer im wirbelnden Fluß, der ehrfürchtige Betrachter eines beispiellosen Kunstbesitzes in Kirchen, Residenzen, Museen, der einsame Wanderer in unendlichem, schweigendem Winterwald, der heitere Biertrinker in lärmfrohen Kellern und Festzelten, der schwermütige Zecher in fränkischen Weinstuben, am mondbeglänzten Main, der Gast der Musikfeste in München, in Bayreuth, in Würzburg – sie alle erleben Bayern, einen farbigen Abglanz nur, einen einzigen von der funkelnden Pracht oder dem ahnungsvollen Schatten dieses leuchtenden Landes.

Und dieses *ganze* Bayern wollen wir schildern; wir wollen trinken, was die Wimper hält, von seinem goldnen Überfluß – und nicht drüber hadern, daß bei einem einzigen kurzen Griff so vieles ungehoben bleiben muß, so vieles kaum aufleuchten kann von dem allzu großen Reichtum. Achthundert Schlösser, ebenso viele Burgen und fünfzehntausend Kirchen und Kapellen: das sind die Sorgenkinder des Landesamts für Denkmalpflege, von den Häusern, Toren und Stadtmauern nicht zu reden, die von vielen Zeitgenossen nur mehr als Verkehrshindernisse verwünscht werden. Unermeßliche Werte der Vorgeschichte sind durch Wohn- und Industrieplanungen gefährdet, historische Bauten werden rücksichtslos ausgeweidet und durch Riesenschaufenster verschandelt.

Auch wer sein Land preist, darf die Maßstäbe nicht verlieren, er muß zum mindesten an ganz Deutschland denken, an seine Städte und Landschaften, von den Wundern des Abendlandes oder gar der Welt zu schweigen. Dann aber darf er liebenden Herzens doch die Heimat rühmen, getrost sich wieder aller Vergleiche entschlagen. Denn, was schön ist, »selig scheint es in ihm selbst«, und eine Margeritenwiese kann so unvergeßlich sein wie das Meer, wie ein Kaiserdom, eine Weltstadt.

Die *Urlandschaft* blickt, mehr als in anderen Gebieten, den, der zu schauen versteht, noch überall an. Mag der gelehrte Geologe über die kecke Vereinfachung zürnen, wir wagen den schöpferischen Blick über Jahrmillionen und Jahrtausende hin: die Alpen brachen auf; der Wettersteinkalk stieß empor, ein Flyschgürtel bildete sich, Hauptdolomit wechselte mit weicherem, viel jüngerem Plattenkalk – nur der Fachmann könnte all das erklären. Die Eiszeiten – wunderlicherweise oft nach heute bescheidenen Wasserläufen benannt, Würm oder Mindel – schoben ihre unvorstellbaren Schuttmassen hinaus nach Norden. Diese Moränen bildeten die Voralpenlandschaft mit ihren kleinen und großen Seen (die vor unsern Augen sozusagen immer mehr verlanden!), ihren Mooren (Dachauer Moos) und dem vielfachen Gürtel von Hügeln und Rampen, die immer wieder die herrlichsten Blicke auf das Hochgebirge freigeben. Die riesigen Schotterströme der schwäbisch-bayerischen Hochebene stießen an den Jura, der weither von der Schweiz und von Schwaben kommt; und hier suchte die Donau ihren Lauf. Der Jura wiederum war bei seinem Vordringen nach Osten an das Urgestein des Böhmerwaldes gestoßen, er bog darum selbst, auf der Höhe von Regensburg, nach Norden aus und bedeckte große Teile von Franken.

Die Donau entwässert zwei Drittel des Landes nach Osten. »Iller, Lech, Isar, Inn fließen zu der Donau hin« – so haben wir's in der Schule gelernt – »Wörnitz, Altmühl, Naab und Regen kommen leise ihr entgegen.« Ja, leise, fast schwermütig sind diese Flüsse aus dem Norden, die Altmühl durch den Jura sich schlängelnd, die Naab, aus dem Fichtelgebirge kommend, in der Senke zwischen Jura und Böhmerwald.

Im Fichtelgebirge entspringt auch der Main, der in weit ausholenden Bögen am Steigerwald und am Spessart vorbei nach Westen in die Rheinebene strömt. Regnitz und Tauber von Süden, die fränkische Saale von Norden sind seine bescheidenen Nebenflüsse.

So mannigfaltig wie der Boden sind auch das *Klima,* die Tier- und Pflanzenwelt. Über die Hochebenen ziehen die wolkenschweren Weststürme, der Nordost bringt frisches, ja hartes Wetter. Aber oft genug weht bis an die Donau von den Alpen her der Föhn, geliebt wegen der klaren, weichlüftigen Tage, die er schenkt, im März oder im November gefürchtet wegen des nervenspannenden Druckes, den er auf empfindliche Menschen ausübt.

In Oberbayern und im Wald sind die Winter kalt, die Sommer heiß und voller Gewitter; die Hagelschläge sind oft schwer.

Die Niederungen des Mains sind von linderen Lüften durchströmt – und wäre nicht noch einmal der Riegel der Waldberge, so verfinge sich überhaupt kein bayerisches Lüfterl mehr in dieser Gegend. Nebenbei: drückende Schwüle und sandführende Winde können auch das paradiesische Franken mitunter verleiden.

Bayern hat natürlich keine ihm allein eigene *Pflanzenwelt,* sondern nimmt an drei weitverbreiteten Gebieten Anteil. Die Alpenflora, die durch Flüsse bis an die Donau getragen wird, die besonderen Gewächse des Urgesteines vom Fränkischen bis zum Bayerischen Wald und die vielfältige, dem Rhein zugewandte Vegetation, die freilich im Jura, im Spessart und in der Rhön mehr Ausnahmen als Regeln hat.

Gelehrte Männer und botanisierende Naturfreunde können die wunderlichsten Entdeckungen machen, etwa, daß die »Schneerose nicht über den Bach springt«, also hüben blüht und zehn Schritte überm Wasser nicht in einem Stück zu finden ist. Wollten wir für derlei Leute schreiben, brauchten wir ein Buch. Daß aber in den bayerischen Ostalpen oft andre Blumen wachsen als in den Westalpen, wie etwa die Bergzyklamen in Berchtesgaden, ist auch für den Laien wissenswert.

Wer ins Gebirge kommt, möchte das Edelweiß sehen, die Alpenrose und den Enzian; um die Wissenschaft, die überdies recht verwickelt ist, wird er sich wenig kümmern. Das Edelweiß, die romantischste aller Blumen der Berge, blüht reich und großsternig im Allgäu wie im Berchtesgadner Land. Auf der Zugspitze würde man's vergebens suchen. Viele Menschen sind beim Edelweißpflücken schon zu Tode gestürzt, aber immer wieder treibt es Einheimische und Fremde in die steilen Grashänge; die Bergwacht schützt es streng, gleichwohl ist es vielerorts fast ausgerottet.

Von den Alpenrosen gibt es die »echte«, rostblättrige und den bewimperten »Almrausch«. Im Juni und Juli glühen Kare und Hänge von ihrer Blüte.

Der Enzian hat in den Bergen mehr als fünfzig Spielarten. Gesucht ist der stengellose, mit dem tiefblauen, großen Kelch, auf feuchten Wiesen zu finden, auch in den Mösern des Flachlandes. Der als »bayerischer Enzian« bezeichnete ist viel kleiner, hochgestielt; ihm wieder verwandter der Frühlingsenzian, auch »Schusternagerl« genannt. Merke: der Enzian, aus dem der berühmte Schnaps gemacht wird, aus der zerhackten Wurzel, daher »Stockwurz«, hat nur in der Blüte, gelb oder violett, Ähnlichkeit mit dem »blauen«. Er ist eine zwei- bis dreistöckige, mächtige Pflanze, die bis anderthalb Meter hoch werden kann.

Hochberühmte Bergblumen sind noch das auf steilen Grasschrofen herrlich gelb blühende »Gamsbleami«, eine Aurikel, viele Orchideen, wie der fast ausgeplünderte »Frauenschuh«, das duftende Kohlröschen und andere Knabenkräuter.

Tausend und eine Blume wollen wir noch nennen: eine Bergwiese, die im Juni tausendblütig den Hügel herabfließt, und eine Krokuswiese, Kelch an Kelch, erster Bote des Frühlings in den Alpen.

Als eine der schönsten Blüten, auch des Jura, möchten wir die Osterblume, Küchenschelle, gelten lassen, die grau behaarte, tief violette Anemone.

Die Gärten wären ein Reich für sich; wir müßten, von Mainfranken abgesehen, rühmen, was die Kunst der rauhen Natur abgerungen hat – aber mit milderen Landstrichen können wir uns dann doch nicht messen. Immerhin ist Münchens Botanischer Garten der schönste des Abendlandes.

»Wer hat dich, du schöner Wald, aufgebaut so hoch da droben?« In vielen Fällen wird es der Staat gewesen sein, der aufgeforstet hat. Von den Fichtenfabriken wollen wir aber weniger sprechen als vom Hochwald, obgleich beide, wie überall, ineinander übergehen.

Der Bergwald ist der reichste; von den Nadelhölzern sind Arve, Lärche und Eibe die seltensten, die Legföhre (Latsche) steigt am höchsten hinauf; die edle Weißtanne findet sich nicht überall; auch im Gebirge überwiegt die Fichte. Die weitläufigen, aber etwa in Mittelfranken oft recht kümmerlichen Föhrenwälder sind bekannt. Der Wacholder findet sich im Jura und im Norden Bayerns häufiger als im Süden.

Der erste Baum, der auf Goethe Eindruck machte, war ein Ahorn; und wirklich bestimmt dieses herrliche Gewächs oft das Bild der Landschaft, in Berchtesgaden etwa oder mit ganzen Ahornböden. Die Buche ist vielleicht mehr noch als die Eiche für Bayerns Wälder und Auen bestimmend, doch großartig stehen oft Eichengruppen im freien Felde. Die Esche gedeiht zu mächtigen Gewächsen, ebenso die Linde; doch ist diese, als Dorflinde etwa, andernorts nicht weniger beliebt, Oberbayerns Nußbäume sind berühmt. Die Hochmoore sind reich an Birken, die Flußauen an Erlen und Weiden.

Bayerisches Land

Der Frühlingshimmel hängt übern Zaun
Ein weiß-blau gewürfeltes Bauernbett.

Alter Filzschuh, vertreten, faserbraun
Steht der Torfstich. Ein morsches Brett
Wackelt über den schwarzen Tümpel.
Drin blühen Dotterblumen, drallgrün, gelbfett
Neben zerbrochenem Geschirr und Gerümpel.

Die Benediktenwand schwimmt karpfenblau
Hochbucklig über dem Wälderspiegel.
Ein Hügel, noch unbegrünt und fichtenrauh,
Rollt sich zusammen, ein listiger Igel.
Am Dorfrand arbeiten Maurer am Bau.
Rot glänzen mitten im Vorfrühlingsgrau
Im Abendlichte die frischen Ziegel.

Im mürben Gärtlein bewacht ein Spitz
Lautkläffend die ersten Aurikeln.
Hoch in des Kirchturmknaufs Funkelblitz
Nahm sich den goldenen Gockelhahn
Der zugereiste Star zum Sitz.
Der läßt wie betrunken jetzt himmelan
Die süßen Töne prickeln.

Eine wahre Geschichte – kein Jägerlatein! – voraus: Nicht viel mehr als zweihundert Jahre mag es her sein, daß der Kurfürst in der Theatinerkirche die Messe hörte; der Leibjäger machte ihm ein Zeichen, der Kurfürst eilte im Wagen gegen die Isarauen zu – wo heute das Nationalmuseum steht –, schoß glücklich seinen Vierundzwanziger, auf den er schon lang scharf gewesen war, und kehrte in den Gottesdienst zurück.

So beispiellosen *Tierreichtum* findet man heute nur noch im Zoologischen Garten. Aber Hirsche kann man im Spätwinter an vielen Plätzen bei der Wildfütterung sehen; und die scheue Gemse, die noch in Rudeln zieht, steigt, etwa im Allgäu, gelegentlich weit ins Tal herab, erschöpft vor Hunger. An wenigen Stellen der Bayerischen Alpen hören wir den Pfiff des Murmeltieres. Der Dachs lebt auch sonst in deutschen Landen noch, Fuchs und Has' sagen sich überall gute Nacht.

Der Steinbock wird in einigen Gebieten wieder eingesetzt, das Wildschwein ist in Gehegen bei München, aber auch oft, da es allenthalben wieder zunimmt, etwa im Spessart, im Freien zu treffen.

Den Reichtum an sonstigem Wild gegen andere Landstriche abzuwägen, wäre müßig; »das jagerische Leben« (einschließlich der Wildschützen) ist jedenfalls dem Bayern, auch im flachen Land, wichtiger als manch anderen Stämmen.

Störche und Reiher sind selten geworden; die Nachtigall ist nur in Mainfranken heimisch.

Steinadler und Uhu sind fast ausgerottet, aber Eulen, Käuze, Spechte, Bussarde, Falken und Möwen sind noch allenthalben zu beobachten.

Von den Fischen müssen der Huchen (Lech, Isar, Inn), der Waller (Donau, Chiemsee) und die Renke (Starnberger See) genannt werden; das sportliche Fischen ist ein Hauptvergnügen der Einheimischen und der Sommerfrischler.

Moore und Möser

Daß es in den Alpen selbst viele *Hochmoore* und *Sumpfwiesen* gibt, muß nicht eigens gesagt werden; aber der breite Moorgürtel, der sich über das ganze Alpenvorland hinzieht und in dem unsere Seen liegen, soll besonders erwähnt sein; er reicht von der Salzach bis zum Allgäu, hat im Chiemgau, bei Bad Aibling, zwischen den Seen (Würm-, Kochel-, Staffel- und Ammersee) seine größte Ausdehnung. Von Murnau bis nahe an Garmisch fahren wir auf altem Seegrund; Schilf und Torf finden sich in unabsehbaren Flächen; am Peissenberg, bei Penzberg und in Hausham gräbt man sogar Braun- und Steinkohle.

Freilich sprechen wir mehr von der Ur-Landschaft, die großenteils durch die jetzige Bewirtschaftung stark verwischt worden ist. So bekommen wir kaum

BERCHTESGADEN überblickt man hier vom Nonntal aus mit der Pfarrkirche und der zwiegetürmten Stiftskirche, deren gotischer Chor wie ein Schiff über dem Berghang steht. Der Watzmann, der sich oft geisterweiß über den Nebeln erhebt, ist wie in der Sage der steinerne König des Landes, weithin sein Reich der Felsen und Gipfel beherrschend.

noch einen Begriff von den Steppen im Norden Münchens, und das gewaltige, vom Isarkies getrennte Sumpfgelände des Dachauer und Erdinger Mooses ist weitgehend Kulturland geworden, hat seine Schrecken, aber auch die meisten seiner Schönheiten verloren.

Das gleiche gilt vom riesigen Donauried von Ulm bis Donauwörth und vom Donaumoos südwestlich von Neuburg.

EIN BAUERNHAUS, wie dies hier bei Garmisch, darf dem Laien als das oberbayerische Haus schlechthin gelten — der Fachmann kennt zahlreiche Abwandlungen, die sich nicht nur in den einzelnen Gauen, sondern auch im selben Tal feststellen lassen, so etwa der Winkel des Daches oder die Breite des Balkons.

Drei bedeutende, an Seen und Weihern reiche Moorgebiete hat auch die Oberpfalz: bei Schwandorf, bei Vilseck und bei Tirschenreuth. Hingegen ist in ganz Franken kein zusammenhängendes Moor zu finden; die Hochmoore des Fichtelgebirges und der Rhön sind nur Einsprengsel.
Die *Flüsse* und *Bäche,* die *Seen* und *Weiher* des Landes wollen wir nicht alle herzählen; Seen sind es allein im Alpenvorland mehr als hundert. Wir möchten nur die Wasserlust des Lesers wecken: Was nämlich klare, lebendige Flut ist, welche Kräfte aus ungeschändeten Quellen strömen, wissen viele Menschen, gar in den großen Städten, nicht mehr. Wohlige Wellen, wie sie der Staffelsee bietet, eisklare Kraft, wie sie dem Eibsee entsteigt, selige Verträumtheit, wie sie die Altmühl begleitet, oder herrliche Wildheit, wie Isar und Inn sie verströmen, das ist bayerisches Erbe; aber vergessen wir nicht, wie bedroht es ist: auch Bayern ist kein unzerreißbares Bilderbuch, und alle Schönrederei kann uns nicht über die Gefahr täuschen.

Die Besiedlung

Altbayern ist ein Bauernland, heute noch arm an Städten, während drüben in Schwaben oder gar droben in Franken Stadt an Stadt sich reiht, richtige Reichsstädte darunter, nicht wie die altbayerischen, wo man sogar der Millionenstadt München die bäuerische Herkunft noch ansieht.
Der uralte Boden hat auch das Gesicht der *Siedlungen* geprägt, unschwer erkennen wir, etwa vom Flugzeug aus, wie der Wald oft kreisrund gerodet ist oder wie der Zug der Flüsse, aber auch der jahrtausendalten Straßen die Lage der Städte bestimmt und vorgeschrieben hat.
Die Natur lieferte den Baustoff: in den Alpen das Holz und den groben Rundstein aus dem Schotter, auch den Nagelfluh; in München, Landshut oder Ingolstadt den Lehm; in Franken den roten und gelben Sandstein. Der aufmerksame Wanderer bemerkt den Wechsel der Dächer an bodenständigen Häusern: Schindel im Waldgebiet, Ziegel überall vorwiegend, Schiefer in Oberfranken oder gar Steinplatten im Jura.
Viel müßten wir über das *Bauernhaus* schreiben, vom oberbayerischen, wo Mensch und Vieh unter einem Dach hausen, bis zum Vierkanthof an der Donau, zum Oberpfälzer Einhaus, zum fränkischen Hof, im reichsten Wechsel und in vielfacher Überlagerung.

Das bayerische Fünfeck

Wir leben in einer Zeit der Abkehr vom Vergangenen; und doch ist es erst die Geschichte, die einem Land das unverwechselbare Gesicht gibt. Wir werden ihr auf Schritt und Tritt begegnen und können es hier beim Wichtigsten bewenden lassen.
Kelten saßen zuerst allenthalben. Das Erbe der Römer ist, in Augsburg etwa oder in den alten Donaustädten, noch lebendig; nicht nur im Stein, auch in den Menschen: manchem südlichen Gesicht begegnet man in Regensburg oder Passau. Die *Bajuwaren* besiedelten nach 500 jenes altbayerische Fünfeck, wie es Johann Lachner so klar gezeichnet hat, den Alpenkamm und den Lech entlang, der Donau folgend bis Regensburg und dann, jenseits des Stromes, bis an den Böhmerwald. Dieses Fünfeck ist, bald schrumpfend, bald sich weitend, durch anderthalb Jahrtausende geblieben, während ringsum die deutschen Lande in Teilungen und Fehden zersplitterten; es hat sogar als einziges Land die Neuaufteilung nach dem Krieg überstanden.

BLICK VOM JOCHBERG · Wer Oberbayern wirklich erleben will, muß auch einmal von den großen Straßen und Bergbahnen fort in die unberühmte und daher noch unberührte Wildnis wandern, dann erst erfährt er, was Bergeinsamkeit sein kann.

Um das Wesen eines Landes, eines Volkes zu begreifen, müßte man einen Atlas aufschlagen, der, zum mindesten vor der Verlagerung der Schwerpunkte durch Eisenbahn und Industrie, die ursprüngliche Lage wenigstens noch ahnen läßt. Und niemand glaube, über eine Landschaft, geschweige denn über ihre Kunst urteilen zu können, ohne die Triebkräfte zu verfolgen, die Städte, Burgen und Klöster gestaltet haben.
Unter den *Agilolfingern* war Bayern ein blühendes Land, in einem Frühling der Klöster, im Wirken der drei großen Heiligen, Emmeran, Rupert und Korbinian, dem Bonifatius ebenbürtig, kraftvoll nach Osten und Süden gerichtet. Karl, den sie den Großen nennen, hat die Selbständigkeit gebrochen – heute noch, halb im Scherz, reiben es die Altbayern den Franken hin, daß sie seit tausend Jahren Bayern beherrschen; immerhin hat Karl dann die Avaren von der bayerischen Ostgrenze abgedrängt.

Die Wittelsbacher

Rund anderthalb Jahrhunderte später hat Otto der Große die Ungarn auf dem Lechfeld vernichtend geschlagen, auf bayerischem Boden das Abendland gerettet.
Nach einem machtvollen welfischen Jahrhundert wurden die *Wittelsbacher* Herzöge in Bayern; sie blieben, später als Kurfürsten und Könige, bis 1918 die Herren des Landes, von dem freilich Österreich abgebröckelt war, um durch Jahrhunderte, unter den Habsburgern gar, zum feindlichen Bruder zu werden, dessen Hausmachtpolitik Bayern immer wieder an die Seite der Gegner, ja selbst Frankreichs trieb, zum Unheil des Landes und der ganzen deutschen Geschichte; wer gerecht ist, wird aber die vielgeschmähte »Verschlagenheit« der bayerischen Politik (bis zu Montgelas, 1806) der schwierigen Lage zugute halten; das kleine Land mußte sich immer nach den Großen richten.
Ludwig der Bayer, aus der Zersplitterung der Wittelsbacher Linien noch einmal die Kraft Bayerns ballend, wurde deutscher König, schlug 1322 die letzte Ritterschlacht auf deutschem Boden bei Mühldorf, besiegte den Habsburger Friedrich den Schönen. Wir können uns den Kaiser, inmitten verworrener Zeit, in der Gegnerschaft zum Papst und zu Habsburg, gar nicht bedeutend genug vorstellen. Ein großes Reich war im Wachsen, Brandenburg, Tirol, die Niederlande wurden wittelsbachisch. Aber wie früher schon und nochmals so oft, blieb es bei einem verhängnisvollen »beinahe« – nach Ludwigs Tod zersplitterte der Besitz in vier Linien, ewige Vetternstreitigkeiten huben an – man haßte einander wie den Erbfeind –, bis Albrecht der Weise nach zweieinhalb Jahrhunderten 1506 Ober- und Niederbayern wieder vereinigen konnte: München wurde zur ersten Stadt des Landes.

MÜNCHEN hat viele Gesichter. Hier blickt man aus der Ludwigsstraße auf den Odeonsplatz mit dem Standbild Ludwigs I. Die barocke Theatinerkirche beherrscht den Raum, hinter ihrer Kuppel das riesige Dach der Frauenkirche, links die Feldherrnhalle, vom neugotischen Rathaus überragt.

Glanz und tiefes Elend

»Eine Tatsache von europäischer Auswirkung: die Welle der Reformation brach sich an den altbayerischen Grenzen« – schreibt Benno Hubensteiner in seiner »Bayerischen Geschichte«. Und Kurfürst Maximilian, der sich 150 Jahre vor dem Alten Fritz den ersten Diener des Staats nennen durfte, gab im wechselvollen großen Krieg den letzten Mann und den letzten Gulden hin für die katholische Sache. In dreißigjährigem Einsatz hatte er die Reichsverfassung gerettet und von Westfalen bis Franken die geistlichen Fürstentümer vor der Vernichtung bewahrt, »eine Tat, deren Rückwirkung auf die deutsche Kulturentwicklung wir nicht einmal annähernd abschätzen können«.
Die nun folgende, für die Kunst so entscheidende Zeit des Barocks vereinigt höchsten Glanz und tiefstes Elend; da läßt Ferdinand Maria Nymphenburg bauen und die wundervolle Theatinerkirche, zum Dank für die Geburt Max Emanuels – und dieser, erst an Habsburgs Seite der Türkensieger, verlor bei dem Griff nach dem spanischen Erbe (1701) sein Bayern, in das er erst spät und ungern zurückkehrte. Karl Albrecht, ein kranker Mann, bezahlte sein ruhmloses Kaisertum mit dem Glück seines Landes. Mit dem friedlichen, vielgeliebten Max III. Joseph starb die alte Linie aus; Karl Theodor vertauschte widerwillig seine pfälzische Residenz in Mannheim mit München. Nach einem halben Jahrtausend waren Bayern und die Pfalz wieder vereinigt – aber Karl Theodor wäre bereit gewesen, ganz Altbayern an Habsburg zu verschachern. Sein Tod (1799) war eine Erlösung – für die Stadt München.

DIE STREICHENKAPELLE im Chiemgau, von dem häuserbunten Schleching aus zu erreichen, ist mehr als ein idyllisch vor dem wilden Zackengrat des Kaisergebirges liegendes Kirchlein. Der von außen so schlichte Bau birgt großartige Malereien und Altäre, er zählt neben dem nahen Urschalling, dem Petersberg bei Dachau und dem berühmten Pürgg in der Steiermark zu den bedeutendsten Zeugen früher Kunst in ländlichen Gotteshäusern Altbayerns. Auch die kleine Kirche von Rabenden mit ihren herrlichen Altarfiguren müßte hier noch genannt werden.

Max Joseph, von der Nebenlinie Zweibrücken-Birkenfeld, war französischer Oberst und hatte kaum daran gedacht, mehr zu werden. Und wurde dann doch, wenn auch von Napoleons Gnaden, der »gute König Max«, der in den schwierigsten Zeiten, von Graf Montgelas geführt, zwischen Habsburg und Napoleon geschickt genug spielte, um schließlich nach des letzteren Sturz einen neuen, um viele Kirchengüter, um schwäbische und fränkische Gebiete erweiterten Staat zu gewinnen.

Märchenschlösser und Freistaat

Diese barbarisch kurze Darstellung kann nur ein Merkzettel für die ganz Unwissenden sein – die leider immer mehr werden. Ludwig I. (1825–1848) muß freilich nicht besonders gerühmt werden, sein Wirken ist jedem Deutschen bekannt. Ihm folgte sein Sohn Maximilian II., der Freund der Wissenschaft; 1864 bestieg der junge, strahlende Ludwig II. den Thron, es kamen die Kriege von 1866 und 1870/71, Richard Wagner, die Märchenschlösser und das düstere Ende im Starnberger See. Ein schon alter Onkel, Luitpold, übernahm die Regierung, zuerst gehaßt, dann, als hoher Greis, der beliebte Prinzregent. Sein Sohn Ludwig III. setzte sich 1913 die Krone auf, aber er trug sie nur bis 1918. Kronprinz Rupprecht blieb auch ein wahrhafter Fürst in seinem Land, als Bayern ein Freistaat geworden war, 1919 die Räterepublik niederwarf und 1933 in die Gewalt Hitlers geriet, der ausgerechnet die Grüß-Gott-Stadt München zur »Hauptstadt der Bewegung« machen konnte.

Weitaus schwieriger ist die hundertfach zersplitterte Geschichte *Schwabens* und *Frankens*, bevor die einzelnen Gebiete mit Bayern vereinigt wurden. Die katholischen Bistümer und die evangelischen Reichsstädte, die hohenzollerischen Einsprengsel, die Ritterschaften und Deutschordensbesitzungen, die französischen Emigranten – welch eine Vielfalt! Fünfmal wechselten manche Gegenden ihre Religion, heute noch sehen wir Pfarrer und Pastoren dorfnah beieinander. Der furchtbare Bauernkrieg, die Ständefehden haben ihre Spuren hinterlassen – kurz, es ist eine andere Geschichte als die altbayerische – und, von wenigen Ausnahmen abgesehen, ohne besondere Berührungspunkte; denn das alte Herzogs- und Kurfürstentum war nach Osten ausgerichtet, und erst der König wandte sich dem Norden und Westen zu.

ROTTACH-EGERN, zu einem Fremdenort zusammengewachsen, hat doch im Ganzen noch vieles bewahrt: die spitztürmige Kirche, zu deren Füßen Ganghofer und Thoma begraben liegen, behäbige Häuser. Den See, den verschneiten Wallberg, das Kreuther Tal kann der Mensch mit seiner ganzen Technik nicht umbringen: hier ist bayerische Heimat.

Lebensart und Humor

»Das bairische Volk ist geistlich, schlecht und gerecht, läuft gern kirchfahrten, legt sich mehr auf den ackerpau und das viech, dan auf die krieg, denen es nit fast nachläuft; pleipt gern daheim, reist nit fort in fremde land; trinkt ser, hat viel kinder; ist etwas unfreuntlicher und ainmütiger als die nit viel auskommen.« So schildert Aventinus um 1500 die Altbayern, und es hat sich manches noch wenig geändert; nur gastlicher zu sein, hat sie der Fremdenverkehr gelehrt. »Der gemain Mann ist sunst

frei, dient seinem Herrn, tuet sunst, was er will, sitzt tag und nacht bei dem Wein, schreit, singt, tanzt, kart, spilt. Große und überflüssige hochzeit, totenmahl und kirchtag haben ist unsträflich . . .«
Da haben wir den Bauern, der neben dem Adel, dem Bürger, dem Kleriker – die ja auch großenteils seines Blutes waren –, durch Jahrhunderte das Leben des Landes bestimmte. Er war freier als in anderen Gegenden, daher sein Selbstbewußtsein. Beim Wein sitzt er nicht mehr, sondern beim Bier, aber beileibe nicht Tag und Nacht. Das Kartenspiel liebt er noch, Schafkopf und Tarock, aber die Kegelbahnen veröden allenthalben; leider verstummen auch, vom Oberland abgesehen, Zitherklang und Volkslied, worüber die den Fremden gebotene »Gaudi« nicht wegtäuschen kann.

BEI OHLSTADT, im hundertblumigen Moos, auf altem Seegrund, einen föhnklaren Frühlingstag mit dem Blick auf den verschneiten Wetterstein zu genießen, ist ein Glück, das sich auch der eiligste Kraftfahrer gönnen sollte. Freilich, tausend solcher Punkte gibt es, um ins Herz von Oberbayern schauen zu können.

Von den Schwaben und Franken werden wir noch hören. Grundsätzlich ist zu sagen, daß die Bauern eine große Verwandtschaft sind, in Bayern, in Deutschland, ja auf der Welt, und daß sich unter den Arbeitern eine ähnliche Gemeinsamkeit herauszubilden beginnt, dergestalt, daß wir nur noch die eingesessene Bürgerschaft als Träger besonderer Eigentümlichkeiten finden. Und das wäre ein zu weites Feld.
Da Herr Walther von der Vogelweide ein Bayer war, werden wir seinen Schwur, daß »hie diu wip bezz sint danne ander Frouwen«, besonders auf die bayerischen beziehen dürfen; und sechshundert Jahre später behauptet Hebbel, der das Glück eines echten »G'spusis« hier genossen hatte, daß München unter allen deutschen Städten den schönsten Mädchenflor hat. Anderen galt Passau als eine der »schönweibigsten« Städte. Stendhal sah 1809 in Landshut gleich in der ersten halben Stunde sechs Frauengesichter, viel zu schön, als daß sie nach Deutschland gehörten.
Damit dürfte Altbayerns Ruhm Genüge getan sein, auch wenn man Bücher über Bürger- und Künstlerfrauen, Sennerinnen und Kellnerinnen (ihnen müßte ein besonderes Ehrenkapitel gelten!), Dirndeln und Bäuerinnen, Ladnerinnen und Marktweiber, Schauspielerinnen, Sängerinnen, Kabarettistinnen, deren Ruhm durch die ganze Welt ging – und heute verschollen ist, schreiben könnte.
Augsburg war wegen seiner Frauen berühmt, der Baderstochter Agnes Bernauer ist ihre Schönheit zum Verhängnis geworden. Die Schwabenmädle »send bekanntli alle schö', ausg'nomme die wüeschte«; und die Fränkinnen? Da muß ich gestehen, daß ich sie zu wenig kenne, denn etwa eine Bamberger Gärtnerin, auch wenn es nicht die gröbste war, ist kein Maßstab. Und hier sei gleich noch was Allgemeines gesagt: Landschaften und Bauten kann jedermann anschauen, aber bis er ein Urteil über die Menschen – vor allem die wirkliche »Gesellschaft« abgeben kann, das dauert lang.

»Gaudi« ist nicht echt

Die *Witze* wandern, heute schneller denn je. Man muß scharf aufpassen und ein feines Gespür haben, um aus ihnen den echten, stammesgebundenen Humor herauszufinden. Ein Kölner, gar ein Berliner Witz wirkt falsch, auch wenn er in bayerischer Mundart erzählt wird. Darüber hat Wilhelm Pinder ausführlich geschrieben und eine »Landkarte des Humors« entworfen.
Den bayerischen Humor nennt er »aktiv«, und wirklich ist in der Lustigkeit des Oberländlers eine hinreißende Kraft, die nur leider unter bösen Einflüssen leicht zum »Krachledernen« und zum »Gaudiburschentum« verführt. Der Münchner und mehr noch der eigentliche Altbayer gegen Norden zu ist mehr »stadlustig«.
Der Bayer ist witzig-auftrumpfend in seinen Schnaderhüpferln, das »Derblecken« (Spotten) ist seine Lust; aber er ist nicht nur derb, sondern auch fein und wehmütig; der Niederbayer, der Oberpfälzer ist abgründiger und stiller, der Waldler, bei aller Armut, wieder munterer.
Landschaft und Lebensverhältnisse spielen auch innerhalb eines Stammes eine große Rolle; Gebirgler werden sich immer vom Flachländer unterscheiden, Biertrinker von Weintrinkern – und, um es in zwei äußersten Gegensätzen zu sagen, der Heidnisch-Katholische vom evangelischen Pietisten.
So ist es schon schwer, das kleine Stück Schwaben eindeutig zu erfassen, über das allgemeine hinaus, daß die Schwaben, die nur ungern zugeben, daß »andre Leut au Leut send«, heller, pfiffiger, wohl auch liebenswürdiger seien als die Altbayern; und natürlich sind auch hier etwa die Augsburger von

LANDSHUT · Die Stadt an der Isar war die Residenz der niederbayerischen »reichen« Wittelsbacher. Die Hochzeit Herzog Georgs mit der polnischen Prinzessin Hedwig, 1475, lebt in einem prunkvollen Festzug bis in die Gegenwart nach. Die geschmückten Straßen überragt der Turm von St. Martin.

den Münchnern mehr unterschieden als die Nachbarn im Gebirge.

Omnis Franco nobilis

Wie es gar mit Stammesart und Humor bei den *Franken* stehe, ist in der Kürze schwer zu sagen. Schon vor hundert Jahren stand in der »Bavaria« zu lesen, daß man es hier nicht wie in Altbayern und Schwaben, wohl auch in der Oberpfalz, mit einem Volk aus einem Gusse zu tun habe, sondern mit verschiedenen Stämmen.
Hart und stark, so werden die Fichtelgebirgler genannt – die armen Weber aber ausgenommen. Die »Sechsämterer« sind geistig frischer, am heitersten und höflichsten sind die Bayreuther Unterländler. Nicht so geschmeidig und weltläufig sollen wieder die Bamberger sein, »obwohl die Frauen in Zungenfertigkeit sich nichts vorgeben lassen«.
»Wenn Nürnberg mein wäre, wollt' ich es in Bamberg verzehren!« sagen die Oberfranken; aber die Mittelfranken, auch sie wieder in viele Spielarten vom Groben bis zum Feinen aufgeteilt, gelten dafür, daß selbst der derbe Steigerwäldler den Bamberger an Höflichkeit übertrifft. Den Nürnberger heißt man gern regsam, aber auch neugierig, geschwätzig und leichtgläubig.
Omnis Franco nobilis – dieses Wort Ulrichs von Hutten halten sich vor allem die Unterfranken zugute –, ein zweites Würzburg trägt die Erde nicht. Am Main ist das Volk lebenslustig, heiter, jovial – und doch muß sich auch der Franke einen Prozeßhansl schelten lassen – schier wie der Altbayer, der auch gern alles »advikatisch« macht. Eine besondere Rasse müssen die Häcker sein, die Weinbauern. »Grob wie ein Häckerweib« ist eine Redensart in Franken. Gerät der Wein gut, sagt der Häcker stolz: »Den hab' ich gebaut!« Ist ein schlechtes Jahr, sagt er patzig: »So hat ihn unser Herrgott lass' wachs'!«
Schließlich müßten wir noch der Bewohner des Spessarts und der Rhön gedenken, deren Lebensart bis in die jüngste Zeit von einer oft drückenden Armut bestimmt war. Wunderlicherweise gibt's viele Zeugnisse dafür, daß Bayern, Franken und Schwaben sich geradezu brüsten, wie »g'schert«, saugrob und derb sie sein können. Zum Glück sind sie aber alle liebenswürdiger.

Die Volkssänger

An stammesgebundenen Spaßmachern ist gewiß kein Mangel, auch Schwaben und Franken liebt sie – aber der *Volkssänger* von München und Altbayern soll doch besonders gedacht sein.
Die meisten Geschichtln, die je über einen einzelnen Menschen im Umlauf waren, zielen auf den Karl Valentin, der nicht wie sein Gegenspieler, der Weiß-Ferdl, ein Münchner von Herkunft, sondern vom Vater her ein Darmstädter, von der Mutter her ein Zittauer war: so »eingemünchnert« hat sich

WALLERSTEIN liegt im Ries, unweit von Nördlingen. Natürlich »muß man es nicht gesehen haben«. Wer aber der ganzen Gegend ein paar Tage widmet, wird viele hübsche Plätze finden, im Land der Öttingen, Fugger und Waldburg — winzige Residenzen mitunter, träumend von fürstlichen Zeiten.

KLOSTER ETTAL, 1330 von Kaiser Ludwig gegründet, wirkt am malerischsten von Nordwesten, mit dem weiten Geviert des Instituts und der Kirchenfront. Im Hintergrund der waldige Fuß des Ettaler Mandls, jenseits des tiefgelegenen Loisachtals steht das breitstirnige Estergebirge.

noch keiner wie dieser Ritter von der traurigen Gestalt; freilich, »gemütlich« war er nie, sondern unnachahmlich verbohrt und aufsässig. Buch, Film und Schallplatte geben nur einen schwachen Abglanz seiner umwerfenden Wirkung; er war nicht nur auf der Bühne, sondern auch im Leben von schlagendem Witz, etwa wenn er seine Besucher empfing: »Jetz' kommas' zu viert daher, und i hab bloß für zwoa eing'heizt!« Uns fehlt der Raum, denn wir müssen auch noch der vielen andern Volkssänger gedenken, vom Papa Geis bis zu den Brüdern Albrecht. Im »Platzl«, im »Apollo« und in mehreren Wirtschaften können wir heute noch die Nachblüte dieser großen Kunst im Kleinen belachen und bewundern.

Noch um die Jahrhundertwende war vor allem Südbayern reich an *Brauchtum, Trachten* und eigenwüchsigen *Volksfesten.* Heute muß einer, gar als Zugereister, schon Glück haben, wenn er ein unverfälschtes, nicht auf die Fremden abgezieltes Stück davon erleben darf – von einer geschlossenen Überlieferung kann leider fast nirgendwo mehr die Rede sein.

Das *Kirchenjahr* ist immer noch der Hauptträger des Brauchtums; Sitte hält sich länger als Glaube, heißt eine alte Weisheit. Die Kirche hat viel vom germanischen Heidentum übernommen und abgewandelt; und oft sind die Beziehungen zu anderen, evangelischen Volksstämmen nicht so eng wie die zu fremden, katholischen Ländern.

Das gilt etwa von den großen *Wallfahrten,* von denen in Bayern heute noch die nach Altötting zur Schwarzen Muttergottes die berühmteste und lebendigste ist. Wer eine solche Wallfahrt nicht miterlebt hat, der hat das letzte Geheimnis der altbayerischen Seele nicht erfahren.

Die *Umgänge,* wie die von einem großartigen Schaugepränge überglänzte, aber auch von wahrer Andacht erfüllte Münchner Fronleichnamsprozession, sind ein Kernstück des bayerischen Brauchtums. Die berühmte Schiffsprozession auf dem Chiemsee und viele, zum Teil noch mit Darstellungen des Leidens Christi verknüpfte Bittgänge, auch die Palmsonntagskirchgänge, bei denen die Burschen riesige Gebinde von »Palmkatzln« weihen lassen, gehören hierher, ebenso die Leonhardifahrten, hoch zu Roß die Männer und in bunt geschmückten Wagen die Dirndln; die von Tölz ist die berühmteste.

Ein noch lebendiges Volkserlebnis ist der *Schäfflertanz* in München, alle sieben Jahre: und wenn die Rotröcke im Straßenbild auftauchen, läuft wirklich noch die ganze Stadt zusammen, um sie zu sehen. Auf die rein kirchlichen Weihen und Bräuche können wir so wenig eingehen wie auf die vielen Arten von Aberglauben. Der fromme Bauer schreibt noch immer C + M + B am Dreikönigstag mit Kreide an alle Türen, die Bäuerin zündet die Wetterkerze an, und in entlegenen Gegenden ist noch manches in Schwang, was wir in diesem Jahrhundert nicht mehr vermuten würden.

Das größte Ereignis christlich-bäuerlichen Brauchtums sind die alle zehn Jahre in Oberammergau aufgeführten *Passionsspiele,* wohl das letzte und ergreifendste Zeugnis des einst so vielfältigen Theaterlebens im Gebirge.

Abgeschliffene Welt von heute

Denken wir, an wie viele, klar in ihren Trachten abgegrenzte Volksschläge etwa Goethe auf seiner Reise gekommen ist, so sehen wir erst, wie abgeschliffen die Welt von heute ist. Die »Kurze Wichs« freilich, eine späte Abwandlung des Jägerischen, hat er so kaum gesehen; kein gestandner Mann hat sie als »Tracht« getragen. Die zentnerschweren Röcke der Dachauerinnen, die bunten Keulenärmel der Fränkinnen, die Riegelhauben der Münchnerinnen sind verschwunden, zum Teil freilich nur in die Schränke und Truhen, daraus sie zu seltner Gelegenheit wieder auftauchen. Noch aber sieht auch

HERRENCHIEMSEE · Ludwig Thoma schreibt, vielleicht sei noch kein Platz unpassender gewählt worden für eine Geschmacklosigkeit als der einstmals wunderschöne Hochwald auf Herrenwörth. Seither denkt man milder über dieses Bauwerk. Hier die Gartenfront des Versailles nachgebildeten Schlosses, das Ludwig II. ein einziges Mal bewohnt hat.

MITTENWALD · Die zweitgrößte Gemeinde des Landkreises Garmisch-Partenkirchen ist heute eines der beliebten Reiseziele in den deutschen Alpen. Es steht mit seiner freundlich-bunten Barockkirche und seinen Straßenzeilen mit den vorspringenden Häusern dicht am Absturz des Karwendels. Die riesige Felswand im Osten steigt, je nach Stimmung, jubelnd empor oder lastet drohend herab. Die Viererspitze (rechts neben dem Kirchturm) wurde zum Wahrzeichen Mittenwalds. Der Ort, Heimat der Geigenbauer, ist als ein menschliches Maß mitten in die gewaltige Natur gesetzt. Zwischen Karwendel und Wetterstein fließt die Isar hindurch. Von hier führt durch die Porta Claudia vor dem österreichischen Nachbarort Scharnitz und über den Zirler Berg die uralte Handelsstraße nach Italien, die Mittenwald einst Reichtum brachte. Noch ist es nicht allzu lange her, daß von hier aus starke und mutige Männer ihre Flöße auf der reißenden Isar talwärts über Fall und Lenggries in das bayerische Land hinausführten, so wie es in vielen Heimatromanen beschrieben ist.

LINDERHOF ist das früheste, im Jahre 1878 erbaute und kleinste der zahlreichen Schlösser Ludwigs II. Selbst wer die prunküberladene Nachahmung des Prachtbaues von Versailles ablehnt, ist beeindruckt von der Lage und der Innenausstattung. Das Schloß liegt inmitten gepflegter Parkanlagen mit großartigen Baumgruppen, Wasserspielen, Kaskaden und Grotten. Im wildreichen Ammerwald gelegen, bildet Linderhof mit Kloster Ettal und dem Passionsspielort Oberammergau ein viel besuchtes Dreieck, in dem die Bergwelt wie die kunstreichen Anlagen gleichermaßen anziehend wirken.

SCHLOSS NEUSCHWANSTEIN wurde von König Ludwig II. an einem der schönsten Punkte der Voralpen errichtet. Es ist eine romantische Nachbildung mittelalterlicher Ritterburgen.

PFRONTEN, ein Kurort und Wintersportplatz im Allgäu, ist noch eine rechte Bauernheimat. Die Waldberge wechseln mit Wiesenhügeln, die Viehzucht steht an erster Stelle. Der Lech trennt Altbayern und Schwaben. KEMPTEN, am linken Ufer der Iller, ist eine der ältesten Städte Deutschlands mit keltisch-römischem Ursprung. Ihre »Neustadt« mit der Residenz wurde im 17. Jahrhundert unter fürstäbtlichem Zepter am rechten Flußufer gegründet. Benediktiner (seit 752) und Reichsstädter (seit 1289) haben die Stadt geprägt. Das Bild zeigt den bürgerlich-schwäbischen Anblick des lebhaften Handelsplatzes, dessen Markt vom Rathaus beherrscht wird.

der Fremde einen Bauern aus dem Ries im blauen Leinenkittel, eine Tegernseerin im seidnen Spenzer, eine Inntalerin im goldgeborteten Hut. Eine reiche Hochzeit oder ein großes Bauernbegräbnis, eine »schöne Leich«, mag auch der Zaungast gelegentlich erleben.
Das berüchtigte »Haberfeldtreiben«, eine Abart der Feme, ist längst abgeschafft, die gewaltigen Raufereien sind selten geworden, das »Fensterln«, der heimliche Besuch in der Frauenkammer, wird mehr und mehr zur Legende, bayerischer »Heimgarten« und fränkische »Kommstunde« sind nicht mehr so häufig, aber die Heiratsvermittlung, man könnte schon sagen der Brautkauf durch den »Schmuser«, ist noch im Schwange.
Was sieht der Städter noch wirklich? Die Aufrichtung eines riesigen Maibaums, den Almabtrieb im Herbst mit herrlich geschmückten Kühen, den Nikolaus mit dem Krampus, die Weihnachtsschützen in Berchtesgaden und, wenn er Glück hat, die Holzmaskenträger und wunderlichen Zwerge im Werdenfelserland am »narrischen Donnerstag«.
Auch im Münchner *Faschingstreiben* sind, im Gegensatz zur »rheinischen Verfremdung« der Bälle, Spuren altbayerischen Humors zu entdecken. Über den eigentlichen Münchner Karneval und seine Künstlerfeste, deren Dekorationen immer wieder bezaubernd sind, müßte man ein Buch schreiben, genauso über das *Oktoberfest*, die »Wiesn«, die freilich – nicht an Größe, wohl aber an echtem Gehalt – von manchem Jahrmarkt und Volksfest, wie vom »Gillamoos« in Abensberg, übertroffen wird.

Viecherei in Viechtach

Niederbayern und Oberpfalz sind noch heute reich an kunstvollen Tänzen, die allerdings nicht so bekannt geworden sind wie der oberbayerische Schuhplattler. Auf die ausgezeichneten Blaskapellen und auf die »Schrammeln« in ganz Bayern muß hingewiesen werden.
Kirchweih wird gefeiert wie überall; aber besondere *Volksfeste*, von der schlichten Gaudi bis an die Grenze der hohen Kunst, haben sich da und dort erhalten, der Traunsteiner Georgiritt wie der Kötztinger Pfingstlauf, das Further Drachenstechen, die prunkvolle Landshuter Hochzeit wie die große »Viecherei« des Doktor-Eisenbarth-Spiels in – ja eben in Viechtach, dem Geburtsort. In Franken sind die berühmtesten Feste wohl die *Kinderzeche* in Dinkelsbühl und der *Meistertrunk* von Rothenburg, beide ein Gedächtnis der Nöte des Dreißigjährigen Krieges, vielleicht auch der Schäferlauf in Hersbruck. Eine Reihe von Freilichtspielen ist, wie die der Luisenburg, dem Volkstümlichen längst entwachsen und gehört schon der hohen Kunst an.

STRAUBING wird beherrscht von dem Stadtturm aus dem 14. Jahrhundert, aber das bedeutendste Bauwerk ist die von außen so unscheinbare Kirche St. Jakob, eine der größten Hallen Altbayerns, von schlanken Säulen getragen. Wer Niederbayern kennenlernen will, muß wenigstens einen Tag hier weilen.

BAD TÖLZ ist ganz gewiß die »oberbayrischste« Stadt, die sich denken läßt, wenn auch kein einzelnes Bauwerk großen Rühmens wert ist, verglichen mit anderen Orten — den Zusammenklang von Stadt und Landschaft erreicht keine zweite. Und unvergleichlich sind alle Wege, die nach Tölz führen.

Echtes und »Gschnas«

Viel wäre zu sagen über bayerisch-schwäbische wie auch fränkische *Volkskunst*, die allerdings zum größeren Teil auch bereits der Geschichte angehört und mehr in Museen oder im Kunsthandel als an Ort und Stelle zu suchen ist. Eine Ausnahme machen die schlichten Totenbretter des Bayerischen Waldes und des Rupertiwinkels, die »Marterln« für Verunglückte und die Wegkreuze, in Altbayern überwiegend aus Holz, in Franken aus Stein. Auch unter den Votivbildern an Wallfahrtsorten, treuherzigen Darstellungen schrecklicher Ereignisse, finden wir noch Begebnisse unserer Zeit, Eisenbahn- und Kraftwagenunfälle, Danksagungen für die Heimkehr aus Kriegsgefangenschaft.
Oberammergaus Schnitzereien und Berchtesgadens Spanschachteln haben sich erhalten, auch ein bunter Tölzer Schrank, eine Bettstatt oder Truhe wird wohl noch neu gefertigt. Anderes, wie die Hinterglasbildmalerei, ist bewußtes Kunstgewerbe geworden, die berühmte Keramik von »Hafnerzell« an

BAYERN
BAD KISSINGEN
COBURG
HOF
ASCHAFFENBURG
SELB
VIERZEHNHEILIGEN
FICHTELGEBIRGE
MARIENBAD
SCHWEINFURT
Main
BAYREUTH
PILSEN
MESPELBRUNN
BAMBERG
STEIGERWALD
FRÄNKISCHE SCHWEIZ
WÜRZBURG
POMMERSFELDEN
Rednitz
AMBERG
Ostmarkstraße
BAYRISCHER
Naab
NÜRNBERG
ROTHENBURG
Burgenstraße
ANSBACH
Regen
REGENSBURG

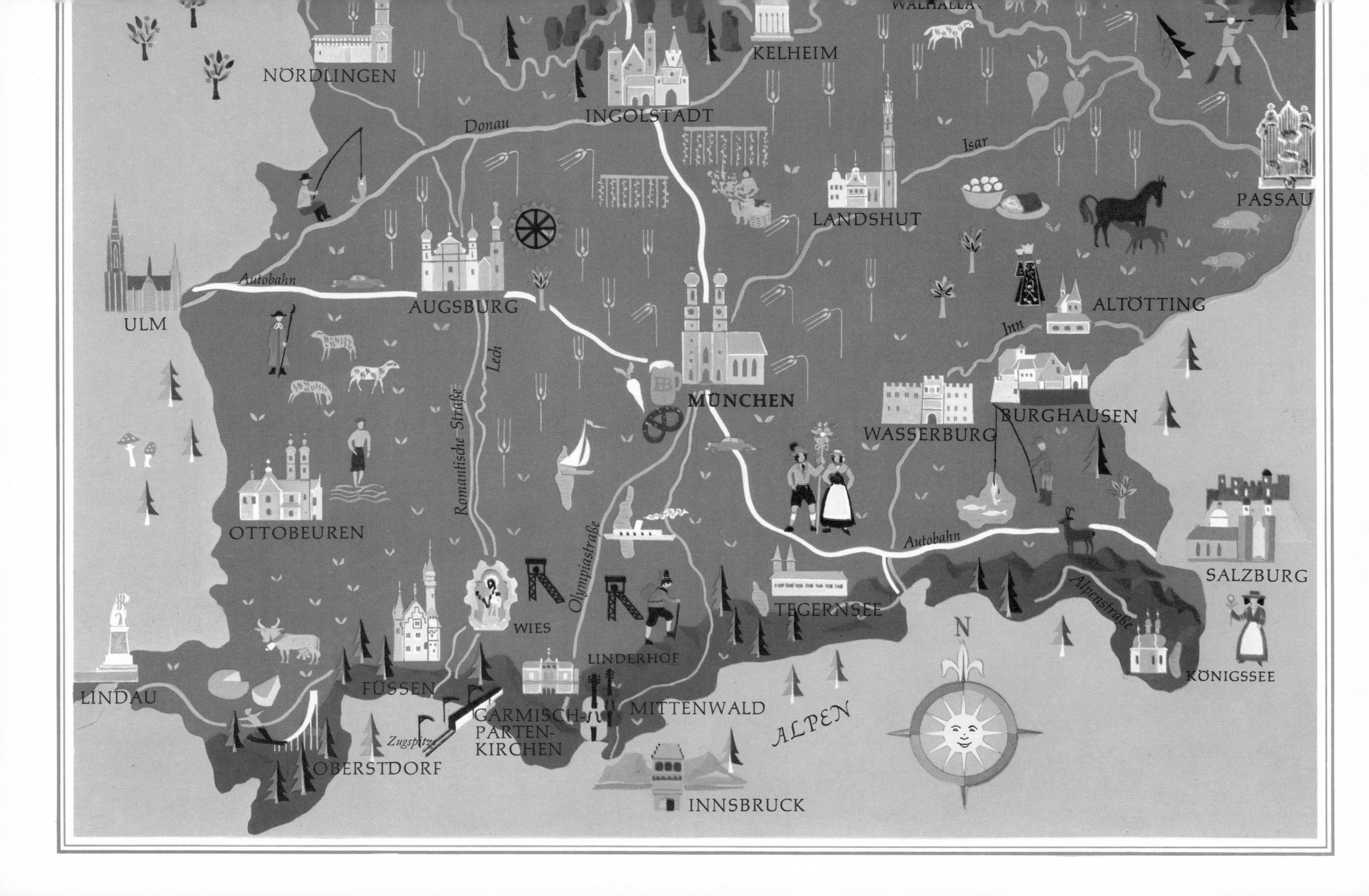
NÖRDLINGEN
INGOLSTADT
KELHEIM
Donau
Isar
LANDSHUT
PASSAU
ULM
Autobahn
AUGSBURG
ALTÖTTING
Inn
Lech
Romantische Straße
MÜNCHEN
BURGHAUSEN
WASSERBURG
OTTOBEUREN
Olympiastraße
Autobahn
SALZBURG
Alpenstraße
TEGERNSEE
WIES
LINDERHOF
N
KÖNIGSSEE
LINDAU
FÜSSEN
GARMISCH-
PARTEN-
KIRCHEN
MITTENWALD
ALPEN
Zugspitze
OBERSTDORF
INNSBRUCK

GÖSSWEINSTEIN ist nur eines der Wanderziele, an denen die »Fränkische Schweiz« so reich ist. Das grüne Tal der Wiesent liegt zwischen Laub- und Nadelwäldern in die steile Kalkfelsenrinne gebettet, die zwiegetürmte Wallfahrtskirche Balthasar Neumanns setzt den Akzent der großen Kunst in die romantische Landschaft, und hoch darüber, 170 m über dem Wasser, schaut die Burg der Bamberger Bischöfe weit ins Land hinaus. Vom Frühjahr bis zum Herbst ist die »Fränkische Schweiz« ein vielbesuchtes Ausflugsgebiet.

der Donau oder aus dem Chiemgau hat ihre Blüte längst hinter sich. Auch die schönen fränkischen Krüge sind allmählich schon als Altertümer anzusehen. Allerlei Kleinkram in Glas »im Wald« und Zinn in Diessen wird noch in volkstümlicher Überlieferung hergestellt, Lebzelter und Wachszieher betreiben da und dort ihr Handwerk wie je.

Grundsätzlich mag gesagt werden: Wer als Altbayer oder Franke den Niedergang der letzten fünfzig Jahre miterlebt hat, findet das Land aufs betrüblichste verarmt; wer aber aus völlig entleerten Gebieten kommt – und auch häufig das Echte vom »G'schnas« nicht unterscheiden kann –, rühmt noch heute die Fülle, zumal ja wirklich wieder Ansätze zu echter Erneuerung zu beobachten sind: Hausmalerei im Oberland, Trachtenbemühungen, hoch über der Dirndl- und Lederhosenromantik, ja, sogar ehrliche Anstrengungen, den grauenvollen Andenkenschund auszumerzen.

Riesenfisch im Walchensee

Über bayerische *Sagen* sind schon dreibändige Bücher geschrieben worden, und doch möchten wir behaupten, daß es sich überwiegend um örtliche Abwandlungen allgemein deutschen Gutes handelt; so sitzt etwa statt Barbarossas im Kyffhäuser Kaiser Karl im Untersberg, die betrügerischen Bierbrauer, die in Stockenfels in der Oberpfalz von Teufeln geplagt werden, ähneln andern Verwunschenen, und die Perchten, die Hoymänner, die Schrazen und Fankerln gibt's andernorts auch.

Wo noch das Heidnische ins Christliche hereinspielt, Glaube sich mit Aberglauben mischt, Weltabgeschlossenheit vor Aufklärung bewahrt, da sind – und also auch in vielen Gegenden Bayerns – Sagen und Märchen noch lebendig; wir könnten viele Spuk-, Teufels- oder Christkindlgeschichten erzählen; wir wollen aber nur darauf hinweisen, daß Rauhnächte, Frühlingsanfang oder Sommersonnwende – aber auch andere Kalendertage – gerade mehr im Bild und Brauch als im Wort lebendig geblieben sind.

Selbst die düstere Weissagung, der Riesenfisch, der im Walchensee hause, könnte eines Tages die Felsen mit einem einzigen Schlag seines Schwanzes zertrümmern, und eine zweite Sündflut ergösse sich übers Land, findet sich in Franken und vermutlich auch sonst in Deutschland wiederholt; ebenso die Sage vom steingewordenen »König Watzmann«, dem viele, wenn auch nicht so großartige Deutungen von Felsbildern ähneln.

Schließlich ist noch unter den bedeutendsten deutschen Weissagungen die jenes Mühl-Hiasl aus dem »Wald« von Gewicht; seine Ankündigung des »großen Abräumens« ist durch die halbe Welt getragen worden.

IPHOFEN, abseits vom Main, berühmt durch sein Stadtbild (hier das Rödelseer Tor) und seine Weinlage — an den heißen Hügeln reifen mit die edelsten Tropfen. Das Bild könnte für hundert andere stehen, von Dörfern und Kleinstädten, von Fachwerkhäusern, Türmchen und Dächern: so reich ist Franken!

SANKT KOLOMAN BEI FÜSSEN · Die in Würzburg am Main beginnende »Romantische Straße« wird begleitet von alten Städtchen, historischen Gebäuden und lieblichen Landschaftsbildern. Ihren krönenden Abschluß findet sie bei Füssen im östlichen Allgäu. Wer aus dem Voralpenland bei Steingaden und Trauchgau kommt, ist nach einer kurzen Fahrt am Ufer des Bannwaldsees entlang plötzlich überrascht, wenn er kurz vor Schwangau, dem Ort der Königsschlösser in einer Wiese die Kirche von St. Koloman erblickt. Im freundlichen Weiß bayerischer Barockkirchen steht sie vor der dunklen Kulisse des fast 1900 Meter hohen Brandschrofens und des Tegelberges. Von einer Gratwanderung über diese Höhen, die auch für Ungeübte gangbar ist, hat man einen herrlichen Blick nach Norden in das weite Land hinaus und nach Süden auf die steil aufragenden Tiroler Berge bis weit in die Gletscherwelt der Hochalpen hinein.

BURGHAUSEN · Auf halbem Wege zwischen Salzburg und Passau, kurz vor der Einmündung der Salzach in den Inn, liegt die 1025 erstmalig erwähnte Stadt, überragt von der größten Burg Deutschlands, die 250 Jahre lang Residenz der Herzöge von Niederbayern war. Das geschlossene, mittelalterliche Bild der Stadt, fast ein in den Norden verpflanztes Stück Italien, hat seinen alten Charakter bewahrt. Napoleon gab Burghausen wegen seiner tiefen Lage gegenüber dem österreichischen Hochufer der Salzach den Namen »die Stadt unter der Erde«. Die Burg beherbergt ein Museum und eine Gemäldegalerie mit Werken aus vier Jahrhunderten.

DIE RAMSAU MIT DER REITERALPE bietet ein Bild, das Lieblichkeit mit Größe vereint: das Kirchlein, das Wiesengrün, das Forellenwasser, die grauen Riesen Watzmann, Hochkalter und Mühlsturzhörner. Es verdient mehr als den raschen Blick auf dem Weg zum Hintersee oder von der Deutschen Alpenstraße aus. BÄUERINNEN AUS DEM ISARWINKEL kann einer, der Glück hat, noch genau so sehen, wie Wilhelm Leibl sie in dem berühmten Bild in der Hamburger Kunsthalle gemalt hat. Der Fremde richte einen freundlichen Blick auf sie und nicht gleich das harte Auge seiner Kamera: das Echte will geschont sein!

DIE QUENGERALM AM BRAUNECK ist nur eine der vielen, die es noch gibt; Liftfahrer, die keine Alm im Betrieb gesehen haben, kennen die Alpen nicht. Das Idyll mit der schönen Sennerin ist ein Märchen — entbehrungsreiches Leben und harte Arbeit sind das Los der Bergbauern. Der herbstliche Almabtrieb ist immer ein festlicher Tag. DAS LOISACHTAL MIT DER ZUGSPITZE ist im Sommer wie im Winter gleich überwältigend, besonders durch die jähe Wucht, mit der das Wettersteingebirge emporschießt — bald lodernd im Licht, bald geisterhaft in Schnee und Nebel, bald rosenfarben im Alpenglühen. Hier wurde Garmisch-Partenkirchen zum führenden Wintersportplatz.

SCHLOSS BANZ, von Johann Dientzenhofer rund fünfzig Jahre vor dem gegenüberliegenden Vierzehnheiligen Balthasar Neumanns vollendet, zeigt noch die ungebrochene Wucht des barocken Baukörpers. Für den weiten Gottesgarten hat Scheffel das Lied geschrieben: ». . . ins Land der Franken fahren!«

Keine Sage, wohl aber zur Legende gewordene Wirklichkeit ist die Geschichte des »bairischen Hiasl«, eines verwegenen Räubers; und die Verherrlichung des Wildschützen Jennerwein.

Die Museen Bayerns

Weh dir, daß du ein Enkel bist! So sagen die einen, die es beklagen, daß, was einst weit und breit als lebendiges Kunstgut in Schlössern und Kirchen, aber auch in jedem Bürger- und Bauernhaus zu finden war, heute als ein toter, von seiner Umwelt abgezogener und bestenfalls künstlich wieder gruppierter Schatz in den *Museen* aufgestellt ist. Wohl dir – so meinen die andern, froh darüber, daß das Zerstreute, Unzugängliche der privaten Sphäre entrissen, so bequem und wohlfeil in einem Punkte vereinigt ist.
Jedenfalls müssen wir uns damit abfinden und aus der Not eine Tugend machen: Wir müssen die Museen besuchen, weil sie fast allein uns helfen können, das Land, das Volkstum in seiner Mannigfaltigkeit wiederherzustellen.
Wir denken dabei weniger an die eigentlichen Galerien, wenn auch etwa in der Alten Pinakothek so manches Altarblatt hängt, das einst der Ruhm einer bayerischen oder fränkischen Kirche war; wir meinen vielmehr Stätten wie das Germanische Nationalmuseum in Nürnberg, das Bayerische Nationalmuseum in München, die Würzburger Sammlungen auf der Marienburg, den herrlichen Hort Regensburgs, die Stadtmuseen in München oder Augsburg, ja, noch die vielen Heimatmuseen im Lande, all die Märchenschätze bayerischer Vergangenheit; wo sonst sähen wir die Trachten und Möbel, die glücklich bewahrten Bürger- und Bauernstuben, das Kunstgewerbe und das Spielzeug, all das, was vielleicht gestern noch da draußen seine Heimat hatte und das, im Geiste wenigstens, wieder einbezogen gehört in den Lebenskreis des Volkes, eines Stammes, einer Landschaft. Sogar das Deutsche Museum zählt hierher, vermeintlich nur der Technik dienstbar: Es zeigt die erdgeschichtlichen Zusammenhänge so gut wie eine alte Schmiede, eine Weberstube oder ein Mühlrad.

Leberkäs und Kalbshaxen

»Alles, was zu der Schnabelwaide gehört, ist allda übrigs genug« – so meinte schon Aventinus vor fast fünfhundert Jahren –, und natürlich hat er da nicht die bitterarmen Gegenden gemeint, wo es früher kaum zur Hirse und später grad noch zu den Erdäpfeln reichte, sondern das ergiebige Bauernland, die wildreichen Wälder, die fischvollen Gewässer – und die wohllebigen Städte.
Altbayern ist nicht von Natur aus ein gastliches Land gewesen. Die Bajuwaren, vom Alpenland bis ins niederbayerische Donaugebiet und zur Oberpfalz seßhaft, sind selbst wenig gereist, sie haben daheim ihr Schweinernes mit Sauerkraut, ihre Leber- und Semmelknödel, ihre Würste, Leberkäs, Blutwürste, Preßsack, Regensburger und die berühmten Weißwürscht gegessen. Die Bauern gar haben sich von groben Mehlspeisen ernährt, Schmarren, Dampfnudeln und Käsnocken, der bohnenarme Milchkaffee ist noch heute die Abendkost vieler Gegenden. In den Wirtshäusern hat es die berühmten Kalbshaxen gegeben. In den guten Bürgerkreisen hat man immer schon eine feinere Küche gekannt; Österreich, von Bayern aus besiedelt, hat seine Kochkunst wieder ins Stammland zurückstrahlen lassen – und so sind nicht nur Schnitzel und Rostbraten, sondern auch die schmackhaften Mehlspeisen, wie Salzburger Nockerl, Kaiserschmarrn und Pfannkuchen, hier heimisch geworden. Alles, was der Norddeutsche als Innereien bezeichnet, Leber, Lunge, Herz, Nieren und Milz, ist bayerisches Nationalgericht, dazu Sulzen jeder Art, Kalbsfüße und Ochsenmaul. Nur die eigentlichen »Kutteln« gelten als Armenessen, die westlichen Nachbarn verspeisen sie mit Wonne.
Das Hochgebirge spendet auch seltenere *Wildarten*, Hirsch- und Gemsbraten findet man auf den Speisenkarten, um München herum gibt es viele Fasanen, besonders Niederbayern ist reich an Rebhühnern. Der Bayer geht vor allem selbst auf die »Schwammerljagd« – da ist er als Kenner unübertroffen. Die Gans zur Kirchweih oder zu Weihnachten leistet sich auch der einfachere Mann, zumal das »Jung« – anderswo Weiß- oder Schwarzsauer genannt – seine Leibspeise ist. Soßen tunkt er überhaupt gern mit dem Brot heraus, das »Büfflamott« (Bœuf à la mode) und das Gulasch liebte er aus diesem Grund.

HOF, die Grenzstadt zu Thüringen, ist eine schöne, alte Stadt gewesen, ehe es 1823 einem verheerenden Brand zum Opfer fiel. Der biedermeierlich-neugotische Stil, in dem auch das Rathaus (Bild) wiederaufgebaut wurde, ist später auch unter König Maximilian II. in München angewandt worden. Hof ist das Zentrum der oberfränkischen Industrie.

Die karge Oberpfalz ist ein Kartoffelland, das vielleicht von Oberfranken die rohen Kartoffelklöße eingeführt hat. »Kloß« ist freilich ein Fremdwort in Altbayern, da spricht man nur von Knödeln. Unendlich ist die Zahl der einheimischen Suppen, während die eigentümlichen Gemüse rasch aufgeführt sind: die Rüben, süßlich gekocht, wären da zu nennen. Die Sprüche, daß die Kartoffeln in den Keller gehören und daß, wo im Magen Gemüs Platz hätte, Fleisch auch Platz hat, zeigen, daß die Bayern keine geborenen Vegetarier sind. Wer Glück hat, bekommt in Bayern die besten Fische; freilich, der »Steckerlfisch« vom Oktoberfest lebt mehr vom alten Ruhm als vom gegenwärtigen Verzehr, die teueren »Hendln« haben ihn überflügelt. Auch der am Spieß gebratene Ochse kann da nicht mehr Schritt halten. Die Schweinswürstl, vermutlich aus Franken gekommen, haben längst volles Bürgerrecht in Altbayern erworben.

Bier ist flüssiges Brot

Vom *Bier* zu erzählen, können wir gar nicht anfangen. Das »Helle«, um das wir noch als Buben für den Vater zehn Wirtschaften weit laufen mußten, hat das früher allgemein gültige »Dunkle« übertrumpft. Auf dem Lande wird der Gast noch immer von der Kellnerin mit der Frage »a Maß oder a Halbe?« empfangen, in der Großstadt drohen die »preußischen« Unsitten unkontrollierbarer Gefäße einzureißen, schon das »kleine Bier« ist ein Zeichen von Entartung.

Bier gilt dem Bayern als flüssiges Brot, die »Brotzeit« ist sein eigentliches Essen – notfalls wirklich mit einem trockenen Stück Brot oder einer Laugenbretzen, die besten hat allerdings Franken, lieber freilich mit einem Radi, einem »Kas«, wie dem Limburger, oder einem schwärzlichen »G'selchten« aus Niederbayern.

Der Anstich der Starkbiere, Salvator, Maibock, Oktoberfestbier, wird Anlaß zu urwüchsigen Festen. Echten Durst löscht eine »Radlermaß«, halb Bier, halb »Kracherl«. Ein Schnapsrausch war seit je eine Schande; auch zum Bier trinkt der Bayer keinen Schnaps, das ist eine nordgermanische Neuerung; bessere Damen lieben ein Gläschen »Süßen«, etwa Ettaler Klosterlikör.

Hingegen ist nicht nur der Franke, sondern auch der gehobenere Münchner ein gewiegter Weinkenner; aber das ist ein weites Feld.

In Bayern raucht man wie in Österreich noch die Virginier, eine lange Zigarre mit einem Strohhalm, die halblange Pfeife mit dem Porzellankopf wird seltener, und das Brasiltabakschnupfen hat sich fast ganz auf Niederbayern und die Oberpfalz zurückgezogen: »Mir hamm scho Weiber g'habt, die hamm uns gar net mög'n, weil mir um d'Nasen rum so voll Tabak san g'wen.« – Und ein echter Waldler hat da lieber auf die Weiber verzichtet.

Bei den Knöpflesschwaben

Da von den sieben *Schwaben* nur einer ein Bayer ist, können wir uns kurz fassen. Das wichtigste Erzeugnis des Allgäus sind Butter und Käse; aber genauso weltberühmt sind die Augsburger Zwetschgendatschi, manchmal so riesig, daß sie mit dem Handwagen zum Bäcker gefahren werden. Daß es auf den schwäbischen Eisenbahna viele »Restauratiana« gibt, »wo ma fressa, saufe ka, alles, was der Mage ma«, sagte ein altes, leider nicht mehr ganz zeitgemäßes Scherzgedicht. Das von Mörike besungene Hutzelbrot ist auch in ganz Altbayern bekannt; das schwäbische Leibgericht schlechthin sind aber die Spätzle, neben den guten Suppen. Und einen Knöpfles- oder Suppenschwaben läßt sich auch ein bayerischer Landsmann gern nennen. Alles andere aber weist mehr nach Württemberg.

Ein Bocksbeutel vom Main

Franken haben wir als die Heimat der Kartoffelklöße und der Bratwürste schon genannt; auch der Ochsenmaulsalat ist in Nürnberg am besten. Und was das Bier anbelangt, kann sich Kulmbach getrost mit München messen; die obergärigen Weißbiere sind auch weithin verbreitet. Die besonderen Tropfen, wie das Bamberger Rauchbier, können wir nicht alle nennen.

Eine Welt für sich ist das eigentliche *Mainfranken*, reich an Gemüsen (Bamberg) und Wein (Würzburg). Und während in Altbayern und sonst meistens der Metzger den Wirt macht, begegnen wir in Franken mehr und mehr dem Bäckerwirt, bei dem man herrliche, oft auf riesigen Blechen gebakkene Kuchen essen kann, aber auch die knusprigen

»Mainfischle« oder die in ganz Franken berühmten Karpfen.
Im Julius- oder im Bürgerspital zu Würzburg muß man einen *»Bocksbeutel«* getrunken haben, sonst ist man nicht in Franken gewesen. Stein und Leisten, die edelsten Weine, wachsen gleich um die alte Festung Marienberg; und den Strom hinauf, hinunter reihen sich die herrlichen Weinorte, wer einen nennen wollte, müßte sie alle nennen. Eins aber sei einmal gesagt: Vergeßt nie, wie viele Glückstöne zusammenklingen müssen, um das wirklich unvergeßliche Erlebnis zu bringen. Mancher hat schon das Beste mißmutig in sich hineingefressen – und an einen mittelguten Schmaus erinnert er sich dankbar sein Leben lang, weil alle Begleitumstände jenen freudigen Zusammenklang brachten, die auch der Gaumen und der Magen braucht, nicht nur das Herz.
»Fränkische Wurstwaren« steht einladend an vielen Feinkostgeschäften, und nicht nur die Altbayern, die ganze Welt weiß sie zu schätzen: die riesigen Preßsäcke (Schwartenmagen) vor allem, die aus Mittelfranken auf den Tisch des Münchner Bierkellers kommen. Nürnbergs Reichswald hilft auch mit den Steinpilzen aus, die in Oberbayern fast ausgerottet sind, und die Beeren sind nördlich der Donau daheim, im »Wald« und in Oberfranken. Und fränkische Kren-Weiberln tragen heute noch den beliebten Meerrettich in ganz Bayern von Haus zu Haus, in ihrer alten Tracht, den Korb auf dem Rücken.

GÜNZBURG zeigt auch dem Eisenbahnreisenden ein schönes Bild; aber erst wenn man durch den kleinen Einschlupf unter dem mächtigen Torturm gegangen ist, erlebt man den vollen Reiz dieses Donaustädtchens, Schloß, Bürgerhäuser und eine hübsche Kirche aus Dominikus Zimmermanns Lehrjahren, eine Vorgängerin der berühmten Wieskirche.

LINDAU darf auch heute noch als Hafenstadt ernst genommen werden, das Schwäbische Meer soll keiner unterschätzen. Schiffsplanken betreten, gibt auch hier den Hauch der Freiheit und Weltoffenheit. Der alte Mang-Turm könnte von Zeiten erzählen, in denen die Seefahrt noch eine gefährliche Arbeit war. Leuchtturm und bayerischer Löwe flankieren die Hafeneinfahrt.

Die Mundarten

Wer vom Norden nach München oder ins Gebirge fährt, möchte gar zu gerne das *Bayerische* lernen – aber meist bleibt es bei den kläglichen Versuchen vom »Loawidoag« und »Oachkatzlschwoaf«. Dabei hat dieser Stamm in Andreas Schmellers Bayerischem Wörterbuch ein wissenschaftliches Grundwerk – daneben aber, in Johann Lachners »999 Worte bayerisch« (das tausendste, das bekannte Kernwort, ist ausgespart), einen vergnüglichen Lehrmeister, der freilich davon überzeugt, daß es sich auch bei einer Mundart um genaue Regeln handelt.
Bayerisch (oder vielmehr bairisch, das y hat erst Ludwig I. für den Staatsbegriff eingeführt) ist natürlich nur eine Art Eintopf: zwischen dem Berchtesgadner und dem Oberpfälzer, oft aber auch zwischen den Nachbarn im selben Tal, bestehen unüberhörbare Abweichungen – freilich schmilzt allmählich alles ineinander (der Wortschatz schrumpft, die Konjunktive gehen verloren: »Bal' mir an Schnupf-Tabak hätt'n, schnupfat'n ma'n!« – jetzt: »taten ma'n schnupf'n«). Die Mundarten sind, wie in ganz Europa, im Schwinden.
»I mau ma mei' Schauh doppeln laun«, sagt etwa der Oberpfälzer, wo der Isarwinkler sein Schnadahüpfl singt:

»Und a lustiga Bua,
Der braucht leicht neiche Schuah;
Und a trauriga Narr,
Der g'langt lang mi oan Paar!«

Von zünftigen Wissenschaftlern wird das Bairische in Süd-, Mittel- und Nordbairisch aufgeteilt und sogar Nürnberg ins Nordbairische eingegliedert, obwohl dort »die Hasen Hosen und die Hosen Husen haaßen«, was in der Tat eine Mischung von Oberpfälzisch und Fränkisch ist.
Vom Schwäbischen, einem Teil des Alemannischen, wird wohl bei Württemberg die Rede sein – obgleich wir allein über die Mannigfaltigkeit des Allgäuischen viele Seiten schreiben könnten (zum Beispiel die Grenze von »g'wea« und »g'si«). Hingegen wollen wir vom Oberfränkischen, aus der Gegend von Bayreuth, eine kleine Probe geben:
A Student hot inaran Gasthaus viel von sein vieln Kenntnissn grett, so daß endli an Gast die Gadult ausganga is und er ziemli barsch sogt: »Ez hamm mer wärkli gnug von den ghert, wos Sa kenna. Sogn Sa a amol ugheiglt, was Sa net kenna, und i steh gut defier, des ka-n-i.« – »Ihch«, sogt der Student, »no i ka mei Zäch nit zohln, und es frait mi, daß Sie des kenna.« Alles hot g'lacht, un der Gast hot bazohlt.

Fränkisch und Oberpfälzisch

Das *Fränkische* ist eine Sprachgruppe des Westmitteldeutschen; das vom Erzgebirge bis zur Rhön gesprochene Ostfränkisch hat begreiflicherweise auch so viele Abwandlungen, daß sich ein Bauer aus dem Taubergrund mit einem aus dem Vogtland nur mühsam verständigen könnte. Wie bei allen Dingen auf der Welt, ist es auch bei der Mundart: Erst durch gründliches Studium erfahren wir die wahren Wunder, die darin verborgen sind. Irgendwo bei Würzburg etwa ist eine Grenze, wo der Main nicht mehr Mâ, sondern Mê heißt; die Verkleinerungssilben wechseln vom a zum i, und der »Fremde«, der noch eben gemeint hatte, ein bißchen was verstehe er doch, ist plötzlich hoffnungslos einem vermeintlichen Kauderwelsch preisgegeben; ob in Altbayern oder Franken oder wo immer: Eine schimpfende Bauernfrau wird sogar der einheimische Städter kaum verstehen: »Mei Bu geit euän Bum kan Bum net o!« Und daß etwa »Käsga« Kissingen heißen soll, ist so schwer zu entziffern, wie wenn im Oberland der Bauer das von den Sommerfrischlern so seelenvoll-falsch ausgesprochene Ruhpólding »Ruápading« heißt.
Von den vielen oberpfälzischen Spielarten sei das Amberger Beispiel vom Ursprung des Namens Pfalz erzählt:
Wei une Harget d' landa ve'n ganzn Eiabud'n votalt haut, is'n af d' liezt no an oinziga kloina Winkl iba blibm. Wal den gaua nemeds g'mügt haut, se haut ea-n-en Teufl a-tragn. Oder a den is a z'schlet gwestn un haut frei ze-r-unen Harget gsagt: Pfalt's! Dest wegng hoisst me's bis heinti's Tags de Pfalz.
Vom Fränkischen erwähnen wir den schweigsamen Postkutschenreisenden, der nur sagte: »Ehzetla – hoppala – sodala!« (Beim Einsteigen, bei einem Rumpler, der schier den Wagen umgeworfen hätte, und beim Aussteigen.)
Die bedeutendsten *Mundartdichter* sind im bairischen Raum Franz Kobell und Ludwig Thoma, im Fränkischen der Nürnberger Stadtflaschner Johann Konrad Grübel (um 1800), dessen Gedichte selbst auf Goethe großen Eindruck machten.

Das Allgäu

»Oberbayern« ist durch die Fremdenwerbung verwirrt worden; die nämlich meint die Alpen und ihr Vorland – und unversehens hat sie auch das bayerische Schwaben in zwei Teile zerschnitten: in das fruchtbare, aber weniger »gefragte« nördliche Land und in das *Allgäu,* das mehr und mehr mit »Oberbayern« verschmolzen wird, von Füssen mit den Königsschlössern bis zum Oberstdorfer Tal, ja, noch den schmalen Zipfel hinaus an den Bodensee, wo in Lindau der bayerische Löwe, wolkenüberflaggt, weiß und blau ins schwäbische Meer hinausblickt.
Schon bald nach dem Jahre 800 finden wir den »Albgau« in den Urkunden, aber ein deutlicher Begriff und ein geschlossenes Gebiet ist das Allgäu nie gewesen – auch heute noch ist es zwischen Bayern, Württemberg und Österreich aufgeteilt. Das herrliche Kleine Walsertal nämlich, südwestlich von Oberstdorf, wird zwar von Bayern versorgt, liegt aber hinter den Grenzpfählen.
Breitach, Stillach und Trettach fließen zur Iller zusammen, und hier, in dem grünen Talkessel, von teils wildzerklüfteten hohen Gipfeln (»Mädelegabel«, 2645 m), teils sanfteren, grasreichen und oft waldarmen Bergen (Nebelhorn) umschlossen, breitet sich *Oberstdorf,* neben Garmisch und Berchtes-

OBERSTDORF, von leichtem Dunst verschleiert, liegt weitläufig in dem Talkessel, darin Stillach, Trettach und Breitach sich zur Iller vereinigen. Der Brand von 1865 hat den Ortskern vernichtet, geblieben ist die großartige Landschaft, die im Winter und Sommer gleichen Reichtum besitzt.

EINÖDSBACH ist von den vielen Seitentälern des Oberstdorfer Beckens das gewaltigste, gar im starren Winterharnisch. Da ist noch unbezwungene Natur, die auch den Kühnsten schaudern läßt. Und doch hat der Mensch seine Behausung bis dicht an diese urtümliche Welt der Berge gerückt.

gaden der berühmteste Platz in den deutschen Alpen, aus. An der Ostrach liegt das stillere Hindelang; und wer das Tal hinaufwandert, kommt in die wilde Bergwelt des Hochvogel, die wiederum durch berühmte Steige mit Oberstdorf verbunden ist, Jubiläums- und Heilbronner Weg.
Füssen, am Lech herrlich aufgebaut, ist durch die Stauung des Flusses noch um einen See reicher geworden; die altertümliche Stadt, die tiefgegliederten, oft in hundert Farben spielenden Bergkulissen und, für die »Fremden« gar, die Königsschlösser, machen diese Landschaft berühmt, in deren Vorfeld *Schongau* liegt, nett wie aus der Spielzeugschachtel, der *Peissenberg,* der großartigste Aussichtspunkt. Näher den Bergen aber führt der Weg über Steingaden und die Wieskirche an die Ammer und ins Werdenfelser Land.

Vom Lech zum Inn

Die Klöster des Pfaffenwinkels und die große Heer- und Handelsstraße von Augsburg nach Mittenwald bestimmen das historische Gesicht vom Lech bis zur Loisach. Eine Million Dukaten Gewinn warf diese Straße vor 1500 im Jahr ab; später traten Kesselbergstraße und Fernpaß in Wettbewerb, der Handel verfiel, und zuletzt standen die mächtigen Wirtshäuser verödet.

Isar und *Inn* verdanken den alten Reichtum der Wasserrott, der Flößerei und Schiffahrt bis nach Wien und Ungarn hinein. Das sind freilich verschollene Zeiten; heute werden die Flöße der Lustfahrten an der Lände in München auseinandergenommen und auf Lastwagen wieder nach Tölz gebracht.
Mannigfaltig sind die Landschaften dieses Bereichs: das tief eingegrabene, wäldergrüne Isartal, der in allen Stimmungen des Jahres bezaubernde *Starnberger See* mit all seinen Schlößchen an den Ufern, der zartere *Ammersee* mit dem heiligen Berg Andechs und der Kirche von Diessen, die gleich einer Arche auf dem Hügel steht, der entzückende, leider schon allzu verbaute *Tegernsee,* der *Schliersee,* eine »Freudenträne der Natur«, der abgründige *Walchensee* und sein lieblicherer Bruder, der *Kochelsee* – der kraftvolle *Isarwinkel,* das bauernstolze *Loisachtal* und das *Werdenfelser Land.*

Das Werdenfelser Land

Der letzte Graf von Werdenfels soll – dergleichen Anekdoten laufen auch sonst um – seinen reichen Länderbesitz im Loisachtal samt dem Stammschloß gegen eine Rente von Wein dem Bischof von Freising verkauft haben; jedenfalls war den Wittelsbachern dies Stück geistlicher Herrschaft mitten in Altbayern: von Mittenwald bis über Garmisch hinaus – ein harter Stein vor der Tür; und auch uns will es verwunderlich scheinen, daß dieses bairischste Land erst 1803 bayerisch geworden ist.
Heute fassen wir den Begriff weiter, zählen das hübsche *Murnau* und das einzigartige *Oberammergau* dazu – sehen im Werdenfelser Land das Hauptziel der »Fremden« – in der Zeit des Kraftverkehrs mit dem weiten Umgriff vom Walchensee bis Tirol und zu den Königsschlössern.
Garmisch-Partenkirchen, die seit 1935 versöhnten feindlichen Brüder, sind eine moderne Gemeinde

PARTENKIRCHEN hat auch heute noch stillere Winkel, wie den Floriansplatz, der von der Straße der Römer abzweigt. Freilich, so leer wird man die schönste Stelle des Ortes selten finden. Hier stehen Häuser, die ihre Bauform aus Bauern- und Bürgerhäusern herausgebildet haben. Vom Floriansplatz hat man einen schönen Blick auf die Zugspitze.

von 25 000 Seelen geworden, in der sommerlichen und winterlichen Hochsaison wohl der volkreichste Platz in den Ostalpen. Das uralte, römische Parthanum hat noch seinen schönen Straßenzug, das jüngere Garmisch zwei gute Kirchen, eine reizende Apotheke im Zopfstil und die bäuerliche Frühlingsstraße. Der Reichtum an Ausflügen, von der Wanderung zum Wallfahrtskirchlein Sankt Anton zur besonders im starren Eispanzer unbeschreiblich großartigen Partnachklamm bis zur Fahrt auf die Zugspitze und zu schwierigsten Klettereien im Wetterstein, ist unerschöpflich.

Mittenwald, unter den jähen Abstürzen des Karwendels, war, als Goethe 1786 hier beim Posthalter übernachtete, noch die Station der Italienreisenden schlechthin; heute braust der Kraftwagenverkehr durch, erst in Bozen oder gar in Verona sucht er sein Quartier. Und doch ist Mittenwald, am grüngeschliffenen Isarfluß, unter den beingrauen Felsen, mit dem zarten Rosa seines Rokoko-Kirchturms und der behäbigen Hauptstraße, einer der schönsten Plätze überhaupt. Gestaffelte, weit überdachte Häuser, zum Teil von Franz Karner und Franz Zwink reizend bemalt, freuen den Gast; und wie in Oberammergau die Schnitzer, so geben hier die von Matthias Klotz geschulten Geigenbauer der Bevölkerung ihre besondere Note.

Chiemgau und Rupertiwinkel

Wo die Grenzen des *Chiemgaus* zu suchen sind, ist gar nicht so leicht auszumachen; ist doch der Name »Chiemgau« erst vor hundert Jahren wieder seiner Verschollenheit entrissen worden. Seinen nördlichsten Punkt bezeichnet die Gegend um Trostberg, während im Osten der Rupertigau Anrainer ist.

DER CHIEMSEE · »Wenn ich die Augen schließe und, sei es wo immer, Wasser an Schiffsplanken plätschern höre, erwacht in mir die Erinnerung an Stunden, die ich im Kahn verträumte, den See rundum und den Himmel über mir.« Ludwig Thoma meint, nirgendwo in der Welt senke sich Friede so tief ins Herz wie hier. Und wer den Frieden der Landschaft liebt, wird ihm zustimmen.

In einem riesigen Bogen, von Rosenheim bis Mühldorf am Inn und der Salzach entlang wieder bis Salzburg, ist das ganze Land von den Städten der sogenannten »Innstadt-Bauweise« eingeschlossen, mit Häusern und Straßenfronten von klotziger Wucht, mit hochgezogenen Blendmauern, die die Grabendächer überragen, mit Laubengängen, die wie in die Dunkelheit des Steins geschnitten scheinen und mit saalartigen Plätzen. Zum dritten aber sind die Burgen und Herrensitze, die Klöster zu nennen, die über das ganze Land verteilt sind.

Dem Kenner fällt freilich viel mehr noch auf, etwa der Wechsel des Bauernhauses; bei den Dorfkirchen ist der Sattelturm am seltensten, und auch der Zwiebelturm ist kaum so häufig wie der Spitzturm, der mitunter wirklich wie eine Nadel in den Himmel sticht.

Reicher als sonstwo im Gebirge oder vor den Bergen ist im Chiemgau das Spiel der Farben. Die grüne Frische Oberbayerns finden wir in den Tälern und auf den Almen so kräftig wie überall; aber der weite See und vor allem die Moore erzeugen jene bis ins Unglaubwürdige gehenden Brechungen der Töne, dergestalt, daß die schwersten wie die leichtesten Stimmungen miteinander abwechseln, Frühsommertage, ganz aus Duft gewebt, Sonnenuntergänge, gleißend und brennend, bis sie in Rauch und Asche zerfallen, Sommernächte, schwarz und sternennah, vom Duft des Heus und der Linden voll, und vor allem Gewitter, drohend verhalten und dann im Nu losbrechend, in den drei Farben Weiß, Schwarz und Grün – und nicht ein Schauspiel nur, sondern wütende Wucht der Natur, mit zündendem Blitzschlag und Sturmesnot. Von Osten her aber strömt jener seltsam weiche, wunderbare Schimmer herüber, der das Salzkammergut so zauberisch erfüllt.

Noch wäre auf das Salz hinzuweisen, das ehedem eine große Rolle spielte. In *Traunstein* und *Rosenheim* stehen die Pfannhäuser so gut wie in *Hallein* und *Reichenhall*, die Soleleitungswege bis *Berchtesgaden* sind noch erhalten, und die Männer vom Samerberg haben jahrhundertelang auf ihren Saumrossen das Salz verfrachtet.

Hundert Seen und Weiher

Daß der Chiemsee, selbst die vielen kleineren Seen und Flüsse ringsum, ein besonderes Volk von Fischern und die beiden einschließenden Ströme Inn und Salzach eine bedeutende Flößer- und Schifferzunft haben wachsen lassen, gehört auch zu den Eigentümlichkeiten des Chiemgaus.

Noch ein paar Lieblingspunkte zu erwähnen, sei uns gestattet; und es ist ja leider heute so, daß die Chiemseebesucher sich mit Prien und den beiden Inseln zufriedengeben (der Herreninsel mit dem alten Augustinerchorherrenstift und dem neuen Schloß, der Fraueninsel mit der sagenumwobenen Kirche und den riesigen Bäumen), oder, von Ruh-

MÜNCHEN · Von den Märkten rund um den Alten Peter (Getreideschranne und Eiermarkt auf dem Marienplatz, Rindermarkt, Weinmarkt) ist nur der Kräutlmarkt geblieben, der freilich auf alle »Viktualien« ausgedehnt ist, daher der Name des Platzes. Hier schlägt das Herz Altmünchens, bunt und genußfroh, wie es der Freund dieser Stadt liebt.

polding aus, mit dem Omnibus eher bis an die Adria fahren als an den zärtlichen Waginger See, zum schilfumflüsterten, uralten *Kloster Seeon,* in das unscheinbare, aber köstlichstes Schnitzwerk bergende Rabenden und in das hoch über der Alz prangende Kloster Baumburg. Rosenheim, das Tor des Chiemgaus, den Simssee mit dem reizenden Hirnsberg kennen viele nur vom Vorüberfahren; wer hat schon, wenn wir weiter greifen wollen, im »schönsten bayerischen« Dorf *Anger* oder beim Inselkloster Höglwörth Rast gemacht, die so dicht an der Autobahn liegen? Urschalling bei Prien, mit seinen in ganz Bayern einmaligen Wandmalereien, ist ja inzwischen »Mode« geworden. Daß in dem Schloß Amerang (bei Obing) die Herren von der Leiter, Nachfahren der Skaliger, lebten, daß Falkenstein am linken Innufer der Sitz der alten Chiemgaugrafen aus dem Geschlecht der Aribonen war, mag man als Schmökerei abtun; aber das Raubritternest Stein an der Traun bei Trostberg sowie weiter flußaufwärts die Wasserburg Pertenstein sind wichtig. Und wer nichts übersehen will, keinen der hundert Seen und Weiher, kein Kapellchen und keinen Burgstall, der steige an einem klaren Nachmittag von Siegsdorf oder Adelholzen aus zum Wallfahrtsort Maria Eck empor: dann sieht er den See und weite Flächen des Gaues vor sich, kann manchen Punkt ausmachen und erlebt einen gewaltigen Sonnenuntergang.

Und daß zum Schluß der Spaß nicht fehle: dort in der Gegend, wo ich manchen Sommer verbrachte, lebt eine alte Bäuerin, krumm vor Gicht und Arbeit. Beim Reden sagt sie alles doppelt und macht dazu Armbewegungen, als wolle sie Fliegen fangen: »Der Chiemsee«, weiß sie ganz genau, »ist zwölf Kilometer lang und elf Kilometer breit. Er heißt auch das Bayerische Meer und hat drei Inseln, Herrenwörth, Frauenwörth und die Krautinsel. In der Schul' hamma's g'lernt, in der Schul', selber bin i nie dort g'wesen, nie dort g'wesen!«
Der allzu eilige Fremde aber möge darüber nicht lächeln – vielleicht erzählt er einmal den Enkeln: »Am Chiemsee bin ich auf der Autobahn vorbeigefahren – eigentlich bin ich nie dort gewesen . . .«

Solang der Alte Peter . . .

München steht wie alles Gewachsene heute auf der bayerischen Hochebene am Ufer der Isar, als könnte es nirgendwo anders stehen – und doch hat des welfischen Herzogs Heinrich des Löwen Willkür 1158 die gemütliche, im Grund immer friedfertige Stadt hierhergestellt, keineswegs an einen Platz, der, wie Goethe von Regensburg sagt, eine Stadt herbeilocken mußte. Um die Salzstraße nebst Münze und Zoll dem Freisinger Bischof zu entreißen, hat der Herzog die Brücke bei Föhring zerstören und wenige Meilen weiter südlich bei einer Siedlung »zu den Mönchen« eine neue schlagen lassen. Wohl wurde seine erste Trutzburg auf Kaiser Barbarossas Befehl geschleift, aber die Stadt, alsogleich ein Umschlagplatz des ganzen Landes, wuchs »schier maßlos« auf dem bescheidenen Hochuferhügel, auf den die Andacht bald ihr Haus stellte – heute noch als der »Alte Peter« das Herzstück Münchens.
Die Wittelsbacher, die 1180 mit Bayern belehnt wurden, wählten die Stadt zu ihrem Sitz. Ludwig der Bayer brachte ihr den Glanz der deutschen Kaiserkrone. 1319 schuf er den Mauerring, von dem einige Tore noch stehen und der bis zum Ausgang des achtzehnten Jahrhunderts weit genug war, München zu umschließen. Drei große Kräfte bauten gemeinsam die Stadt auf: der Hof, dessen Residenz abendländischen Rang gewinnen sollte, die Kirche, die München zu einem deutschen Rom machte, und das Bürgertum, das seine stolzen Häuserzeilen am Markt und die Handelsstraßen entlang reihte. Das alte Rathaus ist heute noch die glanzvolle Erinnerung an das gotische München. Im 17. und 18. Jahrhundert kamen dazu die Adelspaläste, deren vornehme Pracht noch die älteren von uns fast unzerstört gesehen haben. In Kriegen, aber mehr noch im Frieden, wurde vieles vernichtet; aber gleichwohl ist an glücklichen Fügungen kaum eine andere Stadt reicher gewesen, alles schlug ihr zum Guten aus, und wäre es nur, daß das Notdach der Frauentürme – die Hauben – zu ihrem Wahrzeichen geworden ist.

Stadt mit unbändiger Kraft

München überflügelte die um tausend Jahre älteren weit berühmteren Reichsstädte wie Augsburg oder

Nürnberg. Immer schon war eine unbändige, nicht zuletzt eine bäuerische Kraft in dieser Stadt; der Zünftestreit lief glimpflich ab, Glaubenshader erschütterte sie nur wenig. Um 1500 schon war sie ein Hauptort der Kunst, eine Stadt der Feste und der Gastfreiheit. In mehreren Wellen kam Italiens Kultur über die Alpen, zuletzt gipfelte in der französischen Leichtigkeit von Cuvilliés, dem Schöpfer der Amalienburg und des Residenztheaters, die unermüdliche Bautätigkeit der Kurfürsten. Kaum eine andere Stadt hat sich so großartig Fremdes zu eigen gemacht; und immer wieder waren es Einheimische, altbayerische Grundkräfte, die – wie etwa Effner – dieses Fremde durchdrangen, der Stadt ihr Gepräge gaben und zuletzt das Zaubernetz des Rokoko über das ganze Land warfen.

König Ludwig I., schon als närrischer Kronprinz verspottet, stellte kühn seine Bauten vor die Tore der Altstadt ins freie Feld; es darf hier wohl gesagt werden, daß manches in München trotz den Münchnern geschehen ist, gestern wie heute, freilich nicht immer so zum Segen der Stadt wie unter Ludwigs beharrlichem Willen. Er schuf jene Stadt, die gesehen haben mußte, wer sich rühmen wollte, Deutschland gesehen zu haben. Nicht als ob München vor ihm – wie so viele flüchtige Beschreiber glauben machen wollen – ein Dorf gewesen wäre: aber er hat erst, der Freund der Griechen, der Kenner Italiens, München zum Isar-Athen gemacht; die Ludwigstraße, der Königsplatz brachten jenen Hauch der Freiheit, der Geheimnis und Ruhm Münchens geblieben ist.

Heimat um die Frauentürme

Unter Maximilian II. und noch einmal unter dem Prinzregenten stieß München in zwei Prachtstraßen bis an die Isar vor und eroberte sich so seine eigentliche Landschaft, als wäre erst durch seine Bindung an das hartklare, grüne Alpenwasser das ganze München von heute geworden. Die Stadt wuchs und griff um sich – und doch ist es gut, sich einmal zu vergegenwärtigen, daß sie noch vor hundert Jahren nur den zehnten Teil des heutigen Umfangs besaß; ja, noch um die Jahrhundertwende, als sie eine halbe Million Einwohner fast bestürzend rasch erreicht hatte, gingen wir Kinder an Gärten und Wiesen entlang, wo nun längst eine steinerne Welt steht. München blieb vom schlimmsten Unheil fast verschont, ja, es hat noch mit den Justizpalästen, dem Nationalmuseum, einigen Kirchen und Schulen, zuletzt mit dem Deutschen Museum, bedeutende Bauten in sein engeres Stadtbild gefügt.

»Stadt von Volk und Jugend« hat der Dichter Stefan George München in seiner leuchtendsten Zeit um die Jahrhundertwende genannt und hat gerühmt, daß Heimat nur dort sei, wo unsere Frauentürme ragen. Eine so mütterliche Heimat für eine Jugend aus ganz Deutschland, ja aus der Welt, hätte München ohne die altbayerische Geschlossenheit seines historischen Wachstums nie werden können. Eine unanfechtbare Kraft des Gemüts, eine viel verkannte, ja geschmähte Beständigkeit der Anschauung haben sich in dieser Stadt oft genug als ihr guter Geist erwiesen.

Eine Stadt hat viele Gesichter. Mag es Leute geben, denen auch München nicht schnell, nicht groß, nicht modern genug sein kann – alle Guten sind sich darüber einig, daß München in seinem Kern münchnerisch bleiben muß, wenn es seinen Rang behaupten will. Die Gefahren sind groß, von der Weltstadt zur Allerweltstadt ist es nur ein Schritt.

Das Herz der Stadt

Von einem Turm aus, wie es schon Goethe geraten hat, kann der Betrachter in einem einzigen Augen-Blick, in mächtigem Überraschen, das ganze München umfassen, wie es wurde und wie es ist; denn die jüngste Gegenwart, ja noch die Zukunft ist in geheimer Weise an die älteste Vergangenheit geknüpft.

Da schlägt nun tief unter uns das achthundertjährige Herz der Stadt: Die alte Salzhandelsstraße kommt von Osten herein über die Isarbrücke, weitet sich zum Tal aus, der beneidenswerten »Großgarage« des Mittelalters, wo die Bauern- und Botenfuhrwerke abgestellt wurden. Fromm verhält die Straße zu unseren Füßen an der Mariensäule, auch wenn wir dem ameisenwimmelnden, verkehrsumtosten Marienplatz kaum mehr anmerken, daß er einst der behäbige Markt und der ruhige, geschlossene Festsaal der Stadt war.

Nach Westen zieht die Straße wieder zum Tor hinaus, Schlagader der Stadt eh und je, heute gar, wo sie im »Stachus« den brennendsten Punkt des abendländischen Verkehrs zu überwinden hat.

Wie friedsam dagegen bei allem Gewühl der »Alte Peter« uns gegenüber, hoch überm Viktualienmarkt, einem der nahrhaftesten und blumenbuntesten Märkte der Welt. Da kann einer noch die echten Münchnerinnen erleben, Gärtnerinnen und Bauernfrauen der Umgebung darunter, Weiber vom gesunden altbayerischen Schlag, bieder und herzhaft zugleich, und da liegen auch die Heimstätten und Wirtshäuser der gestandenen Münchner unter uns im Altstadtgewirr, (der) Donisl, der Franziskaner, das Hofbräuhaus drüben am Platzl. Über alle Dächer und Türme aber schaut mächtig die Frauenkirche, über Wälder und Seen bis zum föhnblauen Alpenwall, wo die erregende Luft herkommt und das Isarwasser – zwei Dinge, ohne die München nicht wäre, was es ist: eine männliche Stadt.

Schwabing und Englischer Garten

Nach Norden aber rollt in breiter Pracht, mit dem wuchtigen Akzent der Residenz und dem stürmischen Auftakt der Theatinerkirche, die Ludwigsstraße aus der Enge in die Freiheit, in ein neues, an die Stelle des versunkenen »Wahnmoching« getretenes Schwabing, das, sich selbst zur Lust, die Leopoldstraße in die heitere Farbigkeit eines Pariser Boulevards verzaubert hat. Da stehen die Hochburgen der Kunst und Wissenschaft überall in den weiten Häusergevierten, vom Königsplatz bis zur Universität, von der Pinakothek bis zur Akademie,

SCHLOSS NYMPHENBURG, nach 1700 erbaut, ist von einem weiträumigen Park umgeben, wie ihn kaum eine zweite Großstadt besitzt. Die Porzellanmanufaktur gehört zu den bedeutendsten Unternehmen dieser Art.

MÜNCHEN ist eine vieldeutige Stadt. Am Sendlinger Torplatz sind alt und neu zusammengerafft: das Wahrzeichen, die Frauentürme, links die spätgotische Kreuzkirche, vorne die kühlgeformte neue evangelische Matthäuskirche — auch sie ist schon fast »eingemünchnert«. In den bayerischen Farben Weiß und Blau die Straßenbahn der Landeshauptstadt. BERCHING · Zwischen Beilngries und Neumarkt in der Oberpfalz liegt das Städtchen Berching, mit Toren und einer fast ganz erhaltenen Stadtbefestigung. Mehr als ein Dutzend Türme bewehren die Ringmauer. Alte Giebelhäuser und Fachwerkbauten bewahren den mittelalterlichen Charakter.

PASSAU ist eine der Urstädte des Landes, erst keltisch, dann römisch, seit 739 Bischofssitz, bis nach Ungarn ausstrahlend, heute Grenzstadt am Zusammenfluß von Donau, Inn und Ilz, überragt von der Veste »Oberhaus«.

DER DONAUDURCHBRUCH bei Weltenburg ist heute noch eine Urlandschaft. Um so nachhaltiger ist die Überraschung beim Anblick des einsamen Klosters und gar beim Eintritt in die lichtdurchflutete, formgewaltige Barockkirche der Brüder Asam. Stromabwärts liegt das alte Kelheim, das von der unter Ludwig I. durch Klenze erbauten Befreiungshalle überragt wird. Hier münden die Altmühl und der Ludwig-Donau-Main-Kanal in die Donau. Das reizvolle Altmühltal, ebenfalls ein Jura-Durchbruch, ist reich an Schlössern, wie die von Prunn und von Riedenburg, und alten Städten bis nach Pappenheim und Eichstätt hinauf.

von der Technischen Hochschule bis zur Staatsbibliothek. Da wallt auch die grüne Woge des Englischen Gartens herein, die heute noch den vertrauten Heuduft in die Schluchten der Großstadt trägt. Nach Osten, über das Haus der Kunst und das Nationalmuseum hinweg, schweift der Blick in die Isaranlagen, auf schlanker Säule steht der goldene »Friedensengel« überm Fluß, und es ist, als grüßten die Festfanfaren des Prinzregententheaters über die Wipfel. Und im Westen, wo sich über das verträumte Schloß Nymphenburg hinaus die Stadt in neuen Städten fortsetzt, erhebt sich die eherne Bavaria über der »Wies'n«.

Nicht nur Mißgunst, die München seine Beliebtheit neidet, auch ehrliche Teilnahme hat oft gefragt, was nun eigentlich schön sei und einmalig an dieser Stadt, die gewiß in manchen Einzelheiten von anderen Städten übertroffen wird. Es ist aber immer noch und immer wieder München selbst, das ganze München, der oft beschworene genius loci, der gute Geist der Stadt: eine noch klar geprägte Gegenwart, die lebend sich entwickelt, Heimat auch für viele, die nicht in seinen Mauern wohnen. Suche jeder, was er will: die Kunst, die Bauten, die Landschaft; die Freiheit des Lebens, die Heiterkeit des Lebenlassens; er wird auf zauberische Weise eines im andern und in jedem einzelnen das Ganze finden. Weil eben, von den Hochschulen bis zum Bierkeller, vom Deutschen Museum bis zur Amalienburg, noch ein allumgreifender, großer Atem geht.

Ins einzelne aufgefächert, zeigt die Kunst- und Bildungsstadt einen schier bestürzenden Reichtum: kein Bewohner, geschweige denn ein Gast, kann solche Fülle bewältigen; mehr als ein halbes Jahrhundert kann einer bewußt hier gelebt haben – und doch hat er nicht alle Museen und Bibliotheken ausgeschöpft, nicht alle großen Bühnen- und

DONAUWÖRTH kann in einem einzigen Bild nur angedeutet werden. Das Riedertor an der Wörnitz zeigt das doppelte Gesicht der Stadt: die Wucht der Befestigung ist im Biedermeier zur Idylle von sauberer Gemütlichkeit gewandelt worden. Der Blick von der Donaubrücke ist heute noch schön.

LANDSBERG AM LECH · Wer in den heißen Gassen und kühlen Kirchen genug umherspaziert ist, der mag sich am Abend an den Rand des Marienbrunnens setzen, das Schmalztor mit dem Schönen Turm vor sich — und sich über die achthundertjährige Stadt Heinrichs des Löwen Gedanken machen.

Musikereignisse wahrgenommen. Immer noch wird man die Weltstädte an den Fingern herzählen können, die es mit der Kunststadt München aufnehmen.

Vor den Toren Münchens

Der malerische Markt *Dachau*, auf steilem Moränenhügel über der Amper und dem weiten Moos, verdient eine Ehrenrettung um seines geschändeten Namens willen. Mächtig war einst das Geschlecht der Grafen, das schon im frühen Mittelalter ausstarb. Von dem riesigen Schloß des 16. Jahrhunderts steht nur noch ein Flügel, der Schloßgarten und der Alpenblick sind berühmt. Das weite ackerschwere Moränenland gegen Nordwesten, die Heimat der meisten Romane Ludwig Thomas, ist reich an Köstlichkeiten: der Petersberg mit seiner romanischen Kirche, Kloster *Indersdorf*, wiesenstill, und vor allem *Altomünster*, mit J. M. Fischers steil ragender, schier raketenhafter Kirche; *Aichach*, schon von schwäbischer Straßen-Beweglichkeit, zuletzt *Friedberg*, von dessen Rampe die bayerische Besatzung den Augsburgern in die Fenster schauen konnte.

Im Osten aber, jenseits des Mooses, liegt *Schleißheim*, das weitläufige, schier unbegreifliche Schloß, der versunkene Kaisertraum des Kurfürsten Max Emanuel: unendliche Alleen, träge Wasser der Kanäle, riesige Bäume, bunte Zinnien-Rabatten.

Die Bischöfe von *Freising* sind längst in die Landeshauptstadt München gezogen, als Erzbischöfe und Kardinäle regieren sie dort ihr geistliches Reich

WASSERBURG muß der Besucher eigentlich erst vom rechten Innufer aus betrachten. Er kann die gedrungene Wucht seiner Laubengassen nicht begreifen, wenn er nicht die gegen das Wasser gerichtete Schauseite der Stadt kennt; nach ihr und der (hier nicht sichtbaren) Brücke ist alles ausgerichtet. Sie kann man als eine »Art von Ponte Vecchio« bezeichnen, südlich-italienisch in Bau und Umgebung.

– das weltliche, das den Bayernherrschern so oft ein Dorn im Auge war, besitzen sie nicht mehr. Freising ist, neben der alten Bauernstadt und der neuen Industriebesiedlung, ein leeres Haus geworden – natürlich, es hat noch seine prunkenden Hochämter, seine geistlichen Schulen: aber welche Vergangenheit wird beim Anblick des Domberges heraufbeschworen! Da steht er, steil über dem Isar-Fluß, mit dem mächtig überraschenden Blick über die sumpfige Ebene auf die Stadt München und das Gewimmel der Alpen, so recht der Platz für eine Burg der Agilolfinger. Als der heilige Korbinian mit seinem Bären 720 in das wilde Land kam, fand er schon eine Marienkirche. Aus der wurde der Dom, immer wieder nach Bränden und Plünderungen. Der jetzige steht gewaltig da, zwiegetürmt, von Plätzen, Kirchen und Residenz umgeben, ein riesiger Baukörper. Um 1200 wurde der Dom eingeweiht, 1725 warfen die Brüder Asam das bunte Gewand des Rokoko über seine Strenge. Älter noch ist die romanische Krypta mit der berühmten Bestiensäule, von uralter, heidnischer Mythengewalt. Bis ins 14. Jahrhundert war Freising nicht nur die geistliche, sondern auch die geistige Mitte Oberbayerns. Viel Kunstgut ist dahin, aber was noch geblieben ist, können wir hier nicht aufzählen – ein berühmter Künstlername reiht sich an den andern, alle wirkten mit an Freisings Glanz – den Kennern bewußt, der Menge kaum mehr ein Begriff.

Moosburg, ein Grafensitz, ganz früh, um 750, ein Kloster, in das die Reliquien des römischen Märtyrers Castulus gebracht wurden. Und dann stellte der Bischof von Freising um 1200 einen Kirchenklotz hin, der heute in der kleinen Landstadt verwunderlich ist, einer der größten und ältesten Backsteinbauten Altbayerns, mit einem Sandsteinportal von verschollener Zauberkraft: da muß ein Mensch des zwanzigsten Jahrhunderts hinstehen und an der Turmmauer emporblicken! Drinnen ein riesiger Hochaltar und herrliche Plastiken von Hans Leinberger, Chorgestühl und Grabsteine, Wunder über Wunder – das lieblichste das »Ursulaschifflein«.

Der »allerschönste Marktplatz in Südbayern« steht in *Landsberg:* ein Brunnen in der Mitte, ein herbgotisches Turmtor im Hintergrund, barocke, rokokoleichte, biedermeierschlichte Wohnhausfronten allenthalben. Darüber, zweitürmig, die Maltheserkirche. Häuserzeilen enden an Toren oder an der Brücke, der Lech springt übers Wehr, drüben liegt die neue Stadt, liegt Schwaben. Eine Grenzfestung der Welfen war Landsberg, man meint noch die Soldaten durchs mächtige Bayertor ziehen zu sehen. Von Osten müßte man kommen, am besten zu Fuß, vom Ammersee her, über die große Wälder- und Felderebene. Und dann sähe man richtig die Mauern und Wehrtürme und drunten, tief eingeschnitten, den grünen Lech.

Dominikus Zimmermann war hier fünf Jahre Bürgermeister, er konnte sein eigenes Rathaus im zierlichsten Rokoko schmücken. Die Kirchen: Sankt Veit, Heiligkreuz und Johannikirche – jede reich in ihrer Art, mit Altären und Epitaphen, fromme Freude für den Besucher.

Jedem Bayern lacht das Herz

Durchs obere Tor schlüpfen wir nach *Tölz* hinein – dann wallt die Straße, der Straßenplatz, den Berg hinunter, leicht gekrümmt, Dach neben Dach vorstreckend, Stirn an Stirn, zartfarbig oder weiß; viele Türen und Tore und Läden und Wirtshausschilder. So geht es zum grünen Isarfluß hinunter: das ist der Markt Tölz, der bayerischste von allen, auch heute noch als Stadt; mitten drin liegt sie im Isarwinkel, Heimat der Bürger, Ziel der Bauern, der Flößer, der Jäger – und der Fremden, die zum Glück noch alle Platz haben in den gemütlichen Gaststuben und auf dem Sommerkeller. Die Badegäste wohnen ja drüben im modernen »Krankenheil«.

Armlange Huchen sieht man ja nicht mehr an den Brückenpfeilern stehen, aber der Fluß ist schön wie eh und je, freilich so wasserreich ist er seit der Abzapfung nicht mehr. Hoch droben steht über den Wipfeln der Kalvarienberg. Am 6. November ist hier der große Leonhardiritt. Und wenn die Wakkersberger und Gaissacher Schützen aufziehen in ihren moosgrünen Röcken, beim Klang des »Tölzer Schützenmarsches«, dann lacht jedem Bayern das Herz im Leibe.

Urtümlich-leibliches Behagen

Nach *Wasserburg* fürchtete der postkutschenreisende Mozart seinen Hintern nicht mehr ganz zu bringen – dann aber saß er im »Stern« wie ein

Prinz, in der stolzesten der altbayerischen Städte. Die Hochebene weht drüber hin, an einem Wintertag kann man bis dicht an die sandigen Abstürze zum Inn wandern, und dann schlägt plötzlich, stromumflossen, die Stadt drunten die Lichteraugen auf. Aber schöner noch ist der Eindruck im Sommer, wenn wir über die Brücke kommen, »eine Art von Ponte Vecchio«. Dann steht vor uns die breite, gedrungene Front der Stadt, wie schimmelig von Alter und vielen Hochwässern, und durch ein Tor schlüpfen wir hinein in den massigen Kern der Stadt mit den klotzig schweren Lauben, mit dem gelassenen Platz und dem stillen Kirchwinkel, mit schwingend gebogenen Gassen und finstern Schluchten. Schmal und tief, wie so oft in Altbayern, sind die Wohnanlagen. Wasserburg ist eine gotische Stadt, aber von der schwersten Art (das rokokoleichte Gewand, das Zimmermann dem Kernhaus umgehängt hat, wirkt hier ganz fremd): in eins der ehrenfesten Wirtshäuser muß man gehen, man braucht nicht wie mein alter Freund gleich zwanzig Weißwürste auf einen Sitz zu essen, aber das urtümlich-leibliche Behagen gehört zu der Stadt. Die Sankt-Jakobs-Kirche, von Stethaimer und Krummenauer erbaut (1450), muß man freilich auch anschauen.

Der mächtige Inn ist oberhalb der Stadt mit einem Wehr verbaut, er strömt nicht mehr so frei durch die Auen; Altenhohenau, mit weißen Dominikanerinnen aus Kalifornien neu besiedelt, liegt unten am Fluß, Attel und Rott, dieses vor allem mit der berühmten Kirche Johann Michael Fischers

INGOLSTADT ist ein Platz, wo, wer will, abendländische Geschichte lernen kann — aber auch, wer nur durchs Kreuztor zur Frauenkirche (Bild) und zum Herzogsschloß wandert, die schönen Anlagen an der Donau aufsucht, die einmal Festungswälle waren. In ein bayerisches Wirtshaus sollte er hier auch gehen.

(darin die schönsten Figuren Ignaz Günthers), stehen hoch auf den Hügelwellen, die eine zauberische Landschaft von Westen heranträgt und die sich jenseits des Inns in unendlichen Wiesen und Wäldern verlieren.

Stromabwärts aber liegt Haag mit dem vierzig Meter hohen, wuchtigen Bergfried des alten Schlosses, liegen die Augustinerchorherrenstifte Gars und Au, das eine baulich schöner, das andere reizvoller gelegen, beide bis ins 8. Jahrhundert zurückreichend.

Aber das herrlichste ist hier doch der Inn selber, bald gewaltig strömend, bald zu Seen gestaut, eine Urlandschaft.

Stadt in der Schlucht

Adalbert Stifter kam im Postwagen vom Norden her, von der Hochebene, nach *Burghausen;* er sah aber nur die gewaltige Burg und war schon bang, ob er in diesem Gemäuer Herberge fände. Da legte der Schwager den Radschuh ein, der Reisende erblickte eine Kirchturmkuppel, die auf dem Felde stand. Und jetzt ging es steil hinunter, das Rätsel löste sich plötzlich: die Stadt lag in der Schlucht zu Stifters Füßen.

Burghausen ist zuallererst eine Festung, härteste Gewalt ist ihr Sinn; wer Phantasie hat, wandert heute noch mit Grausen durch diese Mauerklötze und Verliese, auch wenn der Hauptbau der 1100 m langen Anlage (13. bis 15. Jahrhundert) wohnlich zu einem Museum gewandelt ist. Den Herzögen von Niederbayern durfte kein Oberbayer in die Hände fallen.

Ganz anders wirkt, auf schmalstem Streifen Lands, aber breit genug für Hauptplatz und gotische St.-Jakobs-Kirche, die Schifferstadt an der Salzach, dem »jüngeren, schlankeren Geschwisterkind des Inns, blitzend, unbändig, morgenschön«.

Von Burghausen aus mag man ins Österreichische hinübergehen, gleich über die Brücke, zum Wein; man mag aber auch die Salzachufer entlang wandern, die »an die edelsteinleuchtenden Hintergründe altdeutscher Bildtafeln gemahnen«. Flußaufwärts liegt, mit unvergleichlicher Aussicht auf Auenwälder und Alpen, die Wallfahrtskirche Marienberg, drunten am Wasser, die traumversunkene Zisterzienser-Abtei Raitenhaslach, romanisch, aber im Prunkgewand des Rokoko.

Die nächste Stadt, *Tittmoning,* wohl auch mit festlichem Stadtplatz und bescheidnerer Burg, hat schon weniger altbayerisches als Salzburger Gepräge; *Laufen,* ähnlich wie Wasserburg in einer Flußschleife, ist berühmt wegen seiner gewaltigen frühgotischen Hallenkirche.

Rundum Bergriesen

Über dem herrlichen Land und auch über den oft so häßlichen Hotelbauten des 19. Jahrhunderts wird die ehrwürdige Schönheit *Berchtesgadens* oft vergessen. Im 11. Jahrhundert zogen die Augustiner-Chorherren in das wilde Waldtal, machten es urbar und wurden zu den reichen Herren des Salzes. Die Stiftskirche, deren romanischer Kreuzgang einer der urtümlichsten der Welt ist, zeugt noch von je-

DER PFAHL ist eine bis zu hundert Meter breite und hohe Quarzeinsprengung quer durch den Wald – nur mit Mühe vor Ausbeutungsgelüsten geschützt. Das Bild zeigt die Ruine Weißenstein vor den weiten Höhen des Hinteren Waldes, der sich nach rechts gegen den Arber hinzieht. Aus Gneis und Granit ist der 140 km lange Pfahl herausgewittert, der von Roding bis Regen und weiter parallel der Donau verläuft und bei Viechtach im »Hohen Pfahl« eine zweite bedeutende Erhebung aufweist.

ner mittelalterlichen Einsamkeit des heute so überlaufenen Marktes; das Stift selbst, auf weitem Viereck in schöner Gelassenheit stehend, wurde nach 1810 zum Schloß der Wittelsbacher und ist heute ein Museum von hohem Rang. Allein das Dormitorium der einstigen Mönche ist eine Verzauberung. Aber auch die behäbige Marktgasse, mit bunten Rokoko- und Empire-Häusern und breiten Dächern, verdient, daß wir sie aufmerksam betrachten; sie sind nicht so fröhlich wie in Tölz, nicht bäuerlich, sondern bürgerlich, der geistlichen Residenz verpflichtet. Stimmungsvoll ist die Franziskanerkirche mit ihrem Friedhof. Dann erst beginnt die steile Rampe, auf der die Menschen sich versammeln, um die Bergriesenwelt zu bewundern.
Ein Zweig der Queralpenstraße führt nach Reichenhall, aber nur wenige Fahrer besuchen Sankt Zeno mit seiner romanischen Kirche.

Bollwerk der katholischen Welt

Gleich mit *Ingolstadt* und seiner Umgebung – weite Ebenen, von der Donau und ihren bald baumgewaltigen, bald gänsereichen Auen durchzogen – beginnt für den, der aus dem Jura kommt, mit Macht das Oberbayerische. Die alte »Schanz«, die Soldatenstadt, in der Tilly starb, hat erst jetzt ihren Festungsgürtel abgelegt und sich tatkräftig erneuert. Düster steht am Strom die Burg, der Herzogskasten, mächtig ragt die dunkle, an München erinnernde Frauenkirche empor, gedrungen, unvollendet der Turm. Und um so mehr überrascht es dann, im Bürgersaal die Heiterkeit der Brüder Asam zu finden. Türme, Tore und Mauern rufen dann wieder in den Ernst dieser Stadt zurück, die mit Waffen der Gewalt wie des Geistes (Universität) das wichtigste Bollwerk der römisch-katholischen Welt war; Wilhelm Hausenstein hat aus dem Stadtbild das Niederländisch-Spanische des Herzogs Alba herausgelesen, mitten im kraftvollen, landverbundenen Oberbayern.

Niederbayerns Hauptstadt

Der Gäuboden an der Donau und ein Teil vom Bayerischen Wald drüben – das sind die zwei verschiedensten Landschaften *Niederbayerns.* Die hopfenreiche Hallertau und das pferdefrohe, ernteschwere Rottal sind die bekanntesten Gegenden, wieder wären Städte und Märkte genug zu nennen, Dingolfing, Landau an der Isar und Plattling, Abensberg im Westen, Eggenfelden oder Pfarrkirchen im Osten; Bogen mit dem Bogener Berg, Deggendorf mit seinen Kirchen, Vilshofen mit dem Kachlet-Kraftwerk; aber mehr noch zu rühmen sind die Klöster Metten (770), Osterhofen, Aldersbach, Niederaltaich (731), alle mit barocken Kirchen von großer Pracht.
Die Landschaften sind nicht aufregend, aber doch schön in ihrem Bauernreichtum; und gar wo der Strom dahinzieht, flutet mit ihm mächtige Kraft.
Der berühmte Stendhal kam 1809 mitten durch die Schlachtfelder nach *Landshut;* die Straße von Pfaffenhofen her fand er überaus schön und sehr malerisch; die Stadt machte auf ihn einen italienischen Eindruck; eines der drei Gesichter, die Landshut hat, ist gewiß vom Süden beeinflußt: die Residenz der »reichen« Herzöge und, mehr noch, das Stadthaus Wilhelms IV. Nicht so tief ist die Spur der Universitätsstadt geblieben: Landshut war nur ein Sprungbrett zwischen Ingolstadt und München. Am deutlichsten ist heute noch die spätgotische Bürgerstadt mit dem breiten Bauernmarkt; wer von der Isar her die leicht gekrümmte Hauptstraße mit den Giebeln und den Laubengängen entlang geht, sieht, wie einmalig schön – selbst vom 19. kaum gestört – sich die Jahrhunderte zusammengewachsen haben: Ziegelbau schlägt noch durch den barocken Verputz, Gotik durch das Biedermeier. Und

dann der herrliche Blick: Sankt Martins Turm, schlank und hoch (133 m), schaut der Herzogsburg Trausnitz noch in die Fenster. Stethaimers Meisterwerk, die prächtige Halle, birgt Leinbergers wunderbare Schöpfungen.
Neben dieser Hauptstraße läuft, stiller, aber nicht minder eindrucksvoll, eine zweite, durch schmale Gassen mit ihr verbunden.
Die Kirchen, Jodok, Martin und Heiliggeist, Türme und Rampen der Burg zeigen noch die schlichte Schönheit der Ziegelwände, wie sie ja auch die Münchner Frauenkirche und Ingolstadt haben. Ungeschulten Auges könnte man sich vor solchem Gemäuer in nordöstlichere Breiten versetzt fühlen.
Daß hier das Ganze noch erhalten ist, eine Schönheit die andere stützt, macht Landshuts Größe aus. Und auch das Leben drin, Wirtshaus bei Wirtshaus, Bürgerwohnung neben Bürgerwohnung – sogar mit Kraftwagen und Stoßverkehr kann es die innere Stille und Geschlossenheit nicht zerstören. Um Mitternacht, gar im Winterschnee, wird Landshut zu einem Märchen.
Wo die Welt am katholischsten ist, da ist sie zugleich oft am heidnischsten. Der Gäuboden, die Kornkammer Bayerns, ist ein Beweis dafür.
Straubing, westlich vom keltischen Sorviodurum, vom Strupinga der Urkunde von 898, liegt als »Neustadt« Ludwigs des Kelheimers (1218) in einem Viereck da, eine bewußte Gründung, nicht anders als spätere »Städte auf Befehl«. Die Mittelstraße ist »altbayerisch und langsam fließend: Markt, Viehstand und Versammlungsplatz. Mitten drin das Rathaus mit dem Straubinger Wahrzeichen, dem fünfspitzigen Stadtturm, der so keck und derb in den Himmel hineinschaut wie seine Umwohner« (Hans Karlinger).
Ja, diese Umwohner muß man erleben wenn Ferkelmarkt ist, an einem knisternd heißen Sommervormittag, der schon den gewaltigen, heidnischen Durst kommen sieht in einem der schmalfrontigen, aber tief in Höfe und Gäßchen gekeilten altbayerischen Wirtshäuser. Noch geruhsamer, noch raumstiller ist alles als an der Isar oder am Lech. An den mächtigen Kirchen hat Stethaimer mitgebaut, eine Dreifaltigkeitssäule steht da wie in Linz oder in Wien.
Und seitab am Fluß steht düster die Herzogsburg, gleich bei der Brücke, über die Anno 1435 die Henker die »Zauberin« Agnes Bernauer in die Donau stießen. Auf dem alten Peterskirchhof ist ihr Grabstein.

LEUCHTENBERG in der Oberpfalz ist eine der gewaltigsten Burganlagen, man muß sie im Ganzen betrachten, etwa vom Osten aus, oder zwischen den Türmen umhergehen. Hier ist nur ein Blick unter vielen. König Max I. gab seinem Schwiegersohn Eugen Beauharnais den Titel eines Herzogs von Leuchtenberg.

KALLMÜNZ · Reizvoll wäre es, das Städtlein an der Naab zu zeigen, wie es M. J. Wagenbauer vor hundertfünfzig Jahren aquarelliert hat, mit Brücke, Felsen und Burgruine. Dieses Bild ist fast eine »Standard"-Aufnahme mit dem Blick von oben auf Kirche, Rathaus, Fluß und Talhang. Bei Kallmünz mündet das Flüßchen Vils in die Naab.

Lateinisch-südliche Gelassenheit

Weither aus Schwaben kommt die Donau, weiter noch, bis von der Wasserscheide des Südens, Italiens, braust der Inn; sie vermählen sich bedeutungsvoll bei *Passau;* und die schwarze Ilz mischt sich drein aus dem nahen Wald. Passau, auf der Landzunge von den Kelten gegründet und von den

Römern spät, um 200 als Castra Batavia befestigt, von Kriegen verschont, aber von Bränden, zuletzt 1680, schwer mitgenommen, hat ein doppeltes Gesicht: die Donau- und die Innseite. Auf dem beherrschenden Hügel steht der Dom, dessen schweres italienisches Barock ein wenig fremd wirkt, liegt der Residenzplatz mit dem gotischen Domchor, der barocken bischöflichen Residenz und den Häusern verschollener Bürgerherrlichkeit.
Wie ein Fisch, möchten wir sagen, liegt Passau da, und die engen Gassen und Treppen, oft von

AMBERG wäre es wohl wert, erobert zu werden, friedlich natürlich. Wer durch das Nabburger Tor in die Altstadt eindringt, findet Schönes in Fülle, Kirchen, Schlösser, Rathaus, Klöster und Bürgerhäuser — nichts im einzelnen hochbedeutend, aber im Einklang doch die Erinnerung an die wahre Hauptstadt der Oberpfalz.

Schwibbögen überklammert, wären dann die Gräten dieses verwunderlichen Leibes. Zur Donau gehen sie hinab, wo das gotische Rathaus steht, und die Lände liegt für die Fahrten hinaus in die Wachau und in die Kaiserstadt Wien. Hier war die betriebsame Mitte der Handelsstadt. Aber auch zum Inn steigen die Stufen hinunter, dem reißenden Fluß, der keine Lände duldet, der die mächtigen Flanken reibt an der steinernen Kraft des Kais, über dem sich breitgemauert, mit lateinisch-südlicher Gelassenheit, schier dächerlos wie die andern Innstädte auch, das geistliche Passau aufbaut.
Vom Inn her muß man nach Passau kommen, zu Fuß, von der Neuburg etwa, der wieder wohnlich gemachten Ritterburg, vom Kloster Vormbach durch die Innschlucht – an einem Feiertag, wenn alle kirchliche Pracht sich entfaltet und die Orgel ihren brausenden Lobgesang hinüberschickt bis Mariahilf überm Inn und nach Oberhaus jenseits der Donau. Und die Donau entlang muß man weiterwandern bis Obernzell, wo der letzte Zipfel Bayerns sich verliert im Österreichischen, in Stifters stillem Reich . . .

Erhabenheit durch Würde

Der *Bayerische Wald,* oder auch nur kurz »der Wald« genannt, ist vielen von uns bekannt durch Adalbert Stifters eindringliche Beschreibungen; denn auch was er über den Böhmerwald sagt, gilt für dieses ganze weite Gebiet, das nördlich der Donau und jenseits des reichsten Bauernlandes sich ausbreitet; der untere Wald ist noch von Siedlungen durchsetzt, im mittleren und oberen, jenseits des Pfahls, einer hundert Meilen langen Quarzrippe von großartigen Schönheiten, nimmt die Geschlossenheit des (überwiegend Nadel-) Waldes zu; Urwildnis und Einsamkeit ist auch heute noch zu finden, die weitgeschwungenen Granit- und Gneiswellen wogen in den Böhmerwald hinüber oder verlieren sich im Oberpfälzer Wald.
Der Arber mit seinem dunklen See, der Rachel, Osser, Lusen und der Dreisessel sind berühmt, *Rinchnach* ist des Waldes schönster Kirchenbau, Glas und Holz sind Zwiesels Stolz, Städtlein und Märkte, wer zählte sie alle auf – Regen und Cham, Viechtach und Furth: sie bleiben klein vor der Majestät des Waldes, die auch heute noch nirgends gebrochen ist. Denn, so sagt Stifter: »Überall, wo man in den verschiedenen Gefilden herumgeht, und es sind der Waldwege unzählige, einer lieblicher als der andere, zieht die Würde des Waldes den Blick an sich; und die Gegend, deren Anmut man vielleicht auch andernwärts anträfe, erhält durch diese Würde erst ihre Erhabenheit.«
Im Winter freilich ist die Herrschaft des Waldes oft von einer grimmigen Gewalt, die den »Waldlern« die letzten Kräfte abverlangt.

Finstere Burgentrümmer

Nicht Regensburg, sondern *Amberg,* die turm- und torereiche Stadt an der Vils, ist der historische Mittelpunkt der *Oberpfalz:* einst Sitz des ersten »Eisenkartells« der Welt. Eine andere Luft weht hier als im Süden, auch als am Main: strenger und kühler, die Fernen mehr schwärzend als blauend. Alte Hammerhäuser träumen an dunklen Wassern von großer Vergangenheit und Reichtum, vom Osten her kommt der große Wald, die Naab entlang und gegen die Grenze vorgeschoben stehen die finsteren Burgentrümmer, Flossenbürg, die wuchtigste, Leuchtenberg die weitläufigste. Städte begleiten den dunklen Fluß, das Ackerbürgerhaus mit dem breiten Durchfahrtstor ist bezeichnend, aber auch manch schönes Rathaus steht da, manch alter, ja tausendjähriger Stadtkern ist geblieben; neben Amberg wären zu rühmen *Burglengenfeld, Sulzbach-Rosenberg* (heute das Kraftfeld des Eisens), *Weiden* (die lebendigste Stadt weitum).
Es wäre falsch, nur die Düsternis und die Armut zu sehen; freilich tritt in der Steinpfalz der Kalk dreist aus der dürftigen Krume, und weite Flächen, voll Landschaftsreiz, gelbsandig, föhrenbestanden,

REGENSBURG · Der gültigste Blick auf die uralte Reichsstadt römischen Ursprungs ist der vom obern Wöhrd auf die Steinerne Brücke mit ihrem Torturm, das Steildach des Salzstadels und auf den Dom, dessen Türme erst im 19. Jahrhundert ausgebaut worden sind. Rechts das mittelalterliche Kaufherrnviertel.

geben dem Landwirt kargen Lohn; doch gibt es auch fruchtbare Ackerbreiten.
Am Gegenspiel fehlt es keineswegs, das dem herben und schwermütigen Land das Gesicht überraschend verwandelt. Da ist ganz droben an der böhmischen Grenze das prunkvolle Kloster Waldsassen, sind die Klöster Speinshart und Plankstetten, Frauenzell und Bettbrunn, immer mehr ins heitere Rokoko hinübergehend, und schließlich hat Georg Dientzenhofer mit der Wallfahrtskirche Kappel beinah ein Vorbild für Balthasar Neumanns Käppele in Würzburg hingestellt, schlichter, aber nicht minder reizvoll.
Was ist noch unerwähnt? Vieles, unendlich vieles. Die Trausnitz im Tal, wo Friedrich der Schöne gefangen saß, Kastl mit seiner Klosterburg aus dem 11. Jahrhundert, Parsberg über dem Tal der Schwarzen Laaber, Kallmünz mit seiner Burg und Kirche am Zusammenfluß von Naab und Vils. So ist auch die Oberpfalz ein vielfältiger Begriff, des Versuches einer Beschreibung um so mehr spottend, als sie vereinfachen möchte.

Im Banne großer Vergangenheit

Regensburg ist an einem Punkt gelegen, der eine Stadt herbeizwingen mußte (Goethe); es kann gar nicht hoch genug gerühmt werden. Das hat schon um 1620 Mathäus Merian getan: »Es ist unlaugbar, daß die Römer solche Statt lang innegehabt, bis sie, etwan umbs Jahr Christi 508 der Bojer Hauptstatt und eine Wohnung der alten bayrischen Fürsten worden, auch in solchem Stande bis uff Kayser Friedrichen den Ersten verblieben ist; und noch heutigs Tags für die ältiste Statt in Bayern und an der Thonaw gehalten wird. Über die Thonaw gehet eine steinerne Brück, sie ist under den drey fürnemsten in Teutschland eine, die vor die stärckste derselben gehalten wird.«
Kaiser Marc Aurel hat hier eine feste Stadt gegründet, die nach dem Regen, der in die Donau mündet, Castra Regina geheißen wurde. Die Römer gingen, das Heilige Römische Reich erwuchs – und um diese Stadt rangen Agilolfinger und Karolinger. Sie wurde 1245 Freie Reichsstadt, sie war damals die volkreichste und wohlhäbigste Stadt des südlichen Deutschland, ehe Augsburg, Nürnberg und Wien es überflügelten. Die düstere Größe Regensburgs lesen wir an seinen frühesten Bauten ab, an der Porta Praetoria, an Sankt Ulrich, am Niedermünster, an der Stephanskapelle, an der Schottenkirche Sankt Jakob, vor allem jedoch an Sankt Emmeram, das im 7. Jahrhundert gegründet wurde. Uralte, enge Gassen mit wunderlichen Namen, von den Wehrtürmen der Geschlechter überragt, standen hier schon, ehe München gegründet wurde. Der Dom zu Sankt Peter entstand vielleicht vor der Zeit Karls des Großen, aber erst in Jahrhunderten ist er eine der bedeutendsten gotischen

KAPPEL bei Waldsassen an der böhmischen Grenze: Wer erriete den Standort dieses wunderlichen Baues? Die Dreifaltigkeit war 1686 Dientzenhofers Grundrißgedanke. Hundert Jahre später fuhr Goethe vorüber »an den köstlichen Besitztümern geistlicher Herren, die früher als andere Menschen klug waren«.

KARLSTADT AM MAIN · Welch ein Glück, daß die wehrhaften Bürger ihren Mauergürtel so dicht an das Wasser gezogen haben. Wir verdanken dieser kriegerischen Notwendigkeit den unverstellten Blick auf das prächtige Städtchen, das seinen Namen von Karl Martell herleitet, dem Frankenfürsten, der 732 die Mauren besiegte und hier die Karlsburg erbaut haben soll. Den Riemenschneider in der Stadtkirche anzuschauen, ist eine Lust.

Kirchen Deutschlands geworden: 1275 wurde er neu gegründet, 1530, schon unter den Schauern der Reformation, war er vollendet – bis auf die Türme, die, wie in Köln oder Ulm, erst in der Mitte des 19. Jahrhunderts ausgebaut wurden. Die Familie der Roitzer hat im wesentlichen dieses gewaltige Gotteshaus erbaut, durch dessen Halle heute der berühmte Chor der »Domspatzen« erklingt. – All den Glanz auch nur anzudeuten, der Regensburg durch die Jahrhunderte begleitet hat, wer vermöchte es; viele Städte müßten wir verschweigen, um Raum zu schaffen für diesen Kronzeugen deutscher Geschichte. Der »immerwährende Reichstag« ward hier abgehalten, von 1663 bis 1806, die längst verarmte Stadt mußte um diesen späten Glanz noch froh sein; 1748 zogen die Postmeister Europas, die Fürsten von Thurn und Taxis, hierher, sie residieren heute noch da. Gewiß, Regensburg ist eine Großstadt geworden, aber im Kern ist sie, wie wenige Punkte des Abendlandes, ein Zeuge des frühen Mittelalters geblieben; und wenn wir auf der steinernen Brücke stehen, in der Stille einer nebligen Mondnacht, oder im Vorhof der Emeranskirche, dann brauchte es nur ein wenig mehr Einbildungskraft, und viele Jahrhunderte stiegen aus den Gräbern auf.

Franken, Sinnbild deutscher Romantik

Was die Welt unter deutscher Romantik begreift, hat vorzüglich in *Franken* seine Heimat; genauer gesagt, im Nürnberg der Meistersinger, Dürers und der Maler des frühen 19. Jahrhunderts, im Rothenburg des Märchens schlechthin, im prunkenden Bamberg, im auflodernden Vierzehnheiligen, im ganzen weinfrohen, kraftvoll-zarten Mainfranken. Es ist das Land der Tore und Türme, der verwitternden Stadtmauern, der hellen Schlösser und finstern Burgtrümmer, der steilen Fachwerkgiebel, der breiten Dorflinden, der rieselnden Marktbrunnen, das Land der heißen Weinberge und betäubenden Gärten, der wohlbestellten Fluren, aber auch der rauschenden Eichen und Buchen. Klöster und Kirchen überall, Kapellen und Wegkreuze, stille Schenken und uralte Wirtshäuser . . .

Und doch könnten wir neben dieses herkömmliche Bild von Franken ein anderes, weniger sonniges stellen, weite Gegenden ohne besonderen Reiz, wie sie der Schnellzugreisende manchmal zu durchfahren hat, Feld, Wald, Wiesen wie irgendwo, wasserarme, dürftige Platten oder von Industrie und Übervölkerung verschandelte Gegenden: aber das wäre ungerecht; denn nach seinen Höhepunkten will alles beurteilt sein. Und die können sich leicht mit dem Schönsten messen, was Deutschland zu bieten hat.

MARKTBREIT ist eines der vielen fränkischen Städtchen, wo der Besucher schon mit wenigen Schritten im 19., ja im 18. Jahrhundert ist. Er soll einen Tag und länger davon träumen, wie schön es wäre, in solchem Idyll zu leben — bald genug wird er erkennen, daß er auf die Dauer doch nicht mehr hineinpaßt. Denn der Neuzeit kann sich niemand verschließen.

Landverliebter Fluß

So, wie man als Bayern zuerst einen Gebirgler oder einen Münchner anspricht, so meint man als Franken schlechthin zuerst einen Mainfranken, vorzüglich einen Würzburger. Der Main selbst ist verliebt in das Land, das er mit geschaffen hat, er will und will nicht hinaus, er windet sich, ehe er dann doch zu der bekannten Mainlinie werden muß, die zu so vielen Ungereimtheiten der deutschen Geschichte geführt hat.
Auf Würzburg und Aschaffenburg wollen wir einen eigenen Blick werfen; aber noch manche von den Städten und Städtchen am Main wären zu preisen: Schweinfurt mit seinem Renaissance-Rathaus, Marktbreit, mauern- und türmebewehrt, Iphofen, berühmt wegen seines Weines auf den Hügeln, weit abseits des Flusses, von manchen selbst mit Rothenburg verglichen, Dettelbach mit seinem Rathaus und der schier spanischen Gotik seiner Wallfahrtskirche, Ochsenfurt mit seinen Giebeln und der Stadtmauer, Sulzfeld, das kleine, malerische Nest mit dem prächtigen Rathaus und den halb verfallenen Türmen, Frickenhausen, still am stillen Strom, Karlstadt mit seiner Hallenkirche, seinem Rathaus und der uralten, zerstörten Karlsburg, vom Main her gesehen vielleicht das schönste der Stadtbilder. Wertheim mit seiner herrlichen Burgruine dürften wir nicht nennen, denn es ist 1806 badisch geworden; aber Miltenberg kam 1816 wieder zu Bayern; sein Marktplatz ist wohl der Inbegriff des Wohlgefälligen, fast schon ein Bühnenbild des Altfränkischen. Wenn es nicht doch der »Bären« in Freiburg sein sollte, ist der »Gasthof zum Riesen« das ältestbezeugte (1504) deutsche Wirtshaus, Martin Luther, Götz von Berlichingen und mehrere deutsche Kaiser sind dort abgestiegen.
Ein wunderschönes Stück Odenwald hat hier Bayern noch ergattert, mit dem Kleinod Amorbach darin; die Abteikirche, von Maximilian Welsch aus romanischer Wucht ins barocke Licht erhoben, ist gewiß das Bedeutendste, aber den vollen Zauber bringt erst der ganze Ort, in der innigen Verschmelzung von Natur und Kunst; Eichendorff hätte ihn bedichten können – Wolfram von Eschenbach, auf der nahen Wildenburg, hat ihn in die Märchenwelt seines Parzival verwoben.

FRICKENHAUSEN ist, bis auf das moderne Ochsenfurter Zuckerwerk im Hintergrund, von so entzückendem mittelalterlichem Reiz, daß jeder die Kamera zückt. Berühmt ist die Ansicht des Tores am Main und des alten Dorfbildes. In der Umgebung der Valentinskapelle wächst ein vorzüglicher Wein, blumig und herb vom Duft der fränkischen Erde.

MILTENBERG so mittelalterlich zu sehen, mit einem einzigen (Stahl-)Roß auf dem Marktplatz, dem »Schnatterloch", dürfte zur Reisezeit kaum gelingen. Der Betrachter in unseren Tagen muß in der Kunst des »Wegdenkens« geübt sein, um die Vielfalt der Stimmungen einfangen zu können. Mit dem »Riesen« besitzt Miltenberg eines der ältesten deutschen Gasthäuser.

Bei Kerzenlicht und Steinwein

Wollten wir nichts sonst melden von der einzig schönen Bischofsstadt am Main, nichts von Brücke und Burg, Dom und Kirchen, Stiften und Bürgerhäusern, Weinbergen und Gärten: Die Residenz allein und in ihr Treppenhaus und Kaisersaal wären höchsten Ruhmes wert. *Würzburg* – das ist die Fülle und Überfülle schlechthin, heute noch und heute wieder, trotz jenem schrecklichen 16. März 1945, wo in einer Viertelstunde die Altstadt in Trümmer sank. Was sind Namen? Schall und Rauch, wenn wir sie nicht mit lebendiger Anschauung, mit Herzensgedächtnis festhalten können – anderer Städte mag man sich mit Achtung erinnern, zu Würzburg gehört die Liebe. Als junger Mensch muß man es erlebt haben – am besten als Student: und leicht kann es sich dann mit Heidelberg messen.
Aber als älterer Mann erst kommt man so ganz auf den Geschmack, auf den Duft dieses Würz-

WÜRZBURG ist nicht auszuschöpfen, und wenn man hundertmal so viel darüber schriebe. Der hinreißendste Satz mozartischer Musik ist ja doch wohl dieses Treppenhaus der Residenz mit den Deckenmalereien Tiepolos. Der Betrachter bemühe sich, dieses Wunder an der Grenze menschlicher Möglichkeit zu begreifen.

burg. Herbipolis heißt es auf lateinisch, wundervoll sind die Würzkräuter, die sein Aroma ausmachen: romanisch der Dom mit den herrlichen Grabmälern der Bischöfe, romanisch der Grafen-Eckarts-Turm des alten Rathauses, darin der Wenzelsaal: ein Bankett der Stadt in dem uralten Gewölbe, bei Kerzenlicht und Steinwein – unvergeßliche Beschwörung mittelalterlichen Glanzes. Gotisch die Marienkapelle, Renaissance da und dorten und dann Barock und Rokoko, überall, gar nicht aufzuzählen. Und immer wieder die Residenz, Tiepolos bezaubernde Malerei, Eisengitter von schwelgerischer Phantasie, üppige Gärten – Balthasar Neumann hat ein halbes Jahrhundert daran hingebaut, zu höchster Meisterschaft wachsend mit seinem Werk. Die Schönborn, die Fürstbischöfe, waren die Bauherren. Was für Zeiten, in denen solche Entfaltung möglich war!

Und drüben, über der herrlich geschwungenen Brücke, steht droben das Käppele, steht die Marienburg, die eine Welt für sich ist, eines vollen Tages wert, mit Toren und Türmen, Brunnen und Fürstengarten, Museum und Marienkirche, der ältesten diesseits des Rheins, noch aus der Merowingerzeit. Draußen vor den Toren aber liegt das Lustschlößchen Veitshöchheim, mit Lauben und Hekken der Hofgarten, mit dem kein zweiter sich messen kann. Eine leise, versponnene Wehmut liegt über allem, und nur der Pegasus bäumt sich mutig auf über den bleichen Wassern des karpfenwimmelnden Sees.

Verhandelte Grünewald-Madonna

Um das Jahr tausend baute bei *Aschaffenburg* der Mainzer Erzbischof Willigis die erste Brücke über den Main – viele Städtenamen bezeugen, daß es sonst nur die Furt gab –, sechshundert Jahre später wurde das Schloß Johannisburg errichtet, viertürmig, aus rotem Sandstein, eins der größten und schätzebergendsten in deutschen Landen. Der ewige Ruhm der Stadt wird das Wirken Meister Mathis des Malers sein, Grünewald genannt, auch wenn die »Ascheberger« von seinem reichen Werk nur noch die kleine »Beweinung Christi« in der Stiftskirche besitzen. Die Madonna gefiel ihnen nicht, die verhandelten sie schon 1577 an das Dorf Stuppach bei Mergentheim. Doch sind Schloß, Kirche und Museum auch heute noch voller Kostbarkeiten, darunter die berühmte graphische Sammlung. Wer mehr für die Natur schwärmt, fahre in einer Sommernacht mit einem »Schelch« auf dem Strom dahin, im Gärtenduft, unterm weichen Sternenhimmel, oder wandere durch den entzückenden, englisch mit gewaltigen Bäumen angelegten Park zum Lustschlößchen Schönbusch hinaus.

Spessart und Rhön

Die weiß-blauen Grenzpfähle reichen höher hinauf, als man es gemeinhin im Gefühl hat. Das Wirtshaus im Spessart, durch Hauffs Erzählung welt-

ASCHAFFENBURG sollte man vom Main aus betrachten, wo Schloß Johannisburg aufragt und üppige Gärten bezaubern. Aber auch die romanisch-gotische Stiftskirche ist ein bedeutender Zeuge einer großen Blüte, die freilich schon im Dreißigjährigen Krieg so bedroht wurde wie im letzten Weltkrieg.

BAD KISSINGEN dürfte nach Karlsbad die bedeutendste Heilquelle Europas besitzen. Das Kurhaus, die reichen gärtnerischen Anlagen, die gepflegten Spaziergänge behagen dem Gast, der sich rasch an die »edle Langeweile« des Kurbetriebes gewöhnt. Ins Saaletal herein blicken die Ausläufer der Rhönberge.

berühmt, stand bis in unsere Tage auf bayerischem Boden. Der Bestand an vielhundertjährigen, gewaltigen Eichen ist in ganz Deutschland einmalig; tiefgründige Erde über dem Urgestein gab den besten Boden, der Buntsandstein speicherte die Feuchtigkeit. Im Spessart liegt auch das herrliche, waldverzauberte Wasserschloß Mespelbrunn.
In nördlichen Gebieten des Spessarts herrschen die Nadelbäume vor. Aber ganz anders ist das Bild der vulkanischen Rhön, deren zum Teil kahle Kuppen gar nicht so dumm mit riesigen Maulwurfshaufen verglichen worden sind. Doch sind die zu Bayern gehörigen Südostabhänge gegen die fränkische Saale waldreicher und stärker gegliedert; der Kreuzberg (932 m) erreicht fast die Höhe der in Hessen liegenden Wasserkuppe. In seinem Bereich liegt das reizende Bad Brückenau, das biedermeierliche Bad Bocklet, Bad Neustadt mit der gewaltigen Ruine der Salzburg und schließlich das Weltbad Kissingen: all diese Heilquellen entspringen der Rhön oder ihrem Vorland.

Pommersfelden und Ebrach

Das Märchen von der wundersamen Familie derer von Schönborn müßte der kennen, der diesen prunkvollen Riesenbau, sozusagen auf freiem Felde, begreifen will. Erzbischöfe und Kardinäle, Reichskanzler und Kurfürsten: Onkel und Neffen stellten Bauten über Bauten hin – die Residenzen von Bamberg und Würzburg, Schlösser und Kirchen.
Pommersfelden, auch Weißenstein genannt, hat Lothar Franz 1718 vornehmlich von Johann Dientzenhofer erbauen lassen; ehe das berühmter gewordene Treppenhaus der Würzburger Residenz entstand, war das von Pommersfelden ohne Beispiel. Großartig ist heute noch die Bildergalerie, auch wenn unser Geschmack sich gewandelt hat. Die Krönung der ganzen Anlage ist aber das Marstallgebäude oder vielmehr die schöne Abgewogenheit, die erst durch ihn der riesigen Baumasse gegeben wurde. Wer durch den laubgrünen Steigerwald fährt, in dem sich die drei Franken ein Stelldichein geben, wird auch die herrliche Zisterzienserabtei *Ebrach* besuchen und in der Kirche – einst die ruhmreichste der frühen Gotik –, im Kaisersaal und im Treppenhaus Balthasar Neumanns Meisterhand bewundern. Freilich, wer länger dort verweilt, tut es ungern: der prachtvolle Bau ist eine Strafanstalt.

Schönheit durch Menschenhand

Die Grenzen von *Mittelfranken* sind so recht von amtlichen Erwägungen bestimmt. Nicht allzu übertrieben könnten wir sagen, es habe keine. Denn im Osten dringt das Oberpfälzische herein, im Westen das Schwäbische.
Stärker als in den beiden andern Franken wird hier der Eindruck von den Städten bestimmt. Nicht, daß es keine anmutigen Landschaften gäbe, wie die waldreiche Frankenhöhe mit dem Schloß Schillingsfürst oder so manches stille Tal eines kleinen Flusses; aber wirklich schön hat diesen Bereich erst der Mensch gemacht – soweit er nicht wieder, seiner Würde uneingedenk, die Bildkraft seiner Ahnen vermindert hat.

Großstadt des Mittelalters

Nürnberg war »als Ganzes ein Denkmal«, schrieb Dehio; und daß sie »als Ganzes« zerstört worden ist, als mittelalterliche Großstadt schlechthin, das macht den Verlust so unersetzlich, wie großartig auch die erhaltenen oder wiederaufgerichteten Bauten im einzelnen sein mögen. Sankt Lorenz, um 1300, ist in all ihrem Reichtum wiedererstanden, Sankt Sebald, fünfzig Jahre älter – auf die Baugeschichte müssen wir verzichten –, birgt Peter Vischers Sebaldusgrab, das wir getrost zu den sieben Wundern deutscher Kunst zählen dürfen; beide Kirchen sind Schatzkammern ohnegleichen, von Bildern und Plastiken bis zu den Glasfenstern. Da hilft kein Beschreibenwollen, da können wir nur sagen: geht hin und sucht zu begreifen! Wandert umher in der Altstadt, Mauern entlang, wie ihr selten sie saht, unter Wehrtürmen, von Dürer ent-

POMMERSFELDEN · Von dem berühmten Schloß bei Bamberg ist hier die Südfront mit dem westlichen Flügel zu sehen. Erst die gesamte Anlage mit dem Marstall freilich vermittelt den großartigen Eindruck. Im Gegensatz zu den vielen »leeren Schneckenhäusern« musealer Art ist der gewaltige Bau noch bewohnt.

worfen, auf die gewaltige Burg, die von ihrem Felsen weithin über die Stadt blickt, tretet in die Frauenkirche ein, schöpft euch einen Trunk Wassers am Schönen Brunnen und sucht, was ihr immer noch finden werdet, überall: ein unauslöschliches Erlebnis deutscher Vergangenheit, das Unmenschen – sie gab es hüben und drüben – austilgen wollten wie »Ansichtskartenkitsch«.

Landsknecht im Eisenhut

Wer den Zauber *Rothenburgs* wirklich erfassen will, darf nicht in den Wochen kommen, wo sich die motorisierten »Kunstüberfallkommandos« auf das »Schatzkästlein« stürzen und es samt Creglingen und Dinkelsbühl an einem einzigen Tag, ja in ein paar Stunden ausplündern. Im Winter müßte einer kommen, wie ein Landsknecht die Füße untern Wirtstisch des »Eisenhuts« strecken, die Basteien und Türme ablaufen, ins Taubertal hinabspähen – bis ihm der Zauber wieder ganz natürlich vorkäme. Und dann gingen ihm auch all die Schönheiten heimlich auf, Rathaus und Plönlein, Sankt Jakob mit der Brauttür, dem Hochaltar und dem Heiligblutaltar des Tilman Riemenschneider.

Die Willibaldsburg beherrscht *Eichstätt* als gewaltiger Renaissance-Bauklotz – Elias Holl hat ihn hingestellt. Wir aber bleiben in der geistlichen Stadt, der Dom, zwischen romanisch und gotisch (mit herrlicher Barockfassade), ist uns wichtiger,

ERLANGEN ist geprägt von den Markgrafen von Bayreuth, von den 1686 eingewanderten Hugenotten und von der 1743 hierher verlegten Universität, die zum Teil in den Schloßgebäuden untergebracht ist. Wer das Kollegienhaus (Bild) flüchtig betrachtet, könnte es ums Jahr 1900 ansetzen, bis er die edleren Maße erkennt.

ANSBACH, als Stadt gleichermaßen von Hof, Adel und Bürgertum geprägt, gilt schlechthin als die Stadt des fränkischen Rokoko. Neben dem Markgrafenschloß ist die St.-Gumbertus-Kirche eine besondere Sehenswürdigkeit, ein bis ins Romanische zurückreichender Bau mit der Schwanenritterkapelle.

noch mehr der Kreuzgang; wer Eichstätt gesehen zu haben behauptet, der muß die zwei Säulen des Mortuariums (gegen 1500) rühmen, gedrehte, rankenverzierte Schäfte, Meisterstücke der Steinmetzkunst. Aber auch der Blick vom Marienbrunnen auf den Dom ist schön, viele barocke Häuser sind edel geblieben, und uralte Bäume stehen im Hofgarten.

Ellingen und Ansbach

Man muß am Abend aus der wehrhaften kleinen Reichsstadt Weißenburg durch das prächtige Ellinger Tor über Felder gegangen sein, im »Römischen Kaiser« übernachtet haben, um mit einem frischen Morgenblick das entzückende Städtchen Ellingen, das weitläufige Schloß und Busch und Tal zu umfassen. Die Deutschordensherren saßen hier lange, nach 1700 ließen sie das Riesenhaus errichten, mit eigenwilliger Südfront und noblem Treppenhaus – die Nachfahren konnten kaum noch die unabsehbaren Dächer erneuern lassen. Auch wir sind froh, sie nicht zahlen zu müssen, schauen den Schwalben und Mauerseglern zu und grübeln ein wenig über die Vergänglichkeit des Menschenwerks und die dauernde Kraft der Natur.

Selten treffen wir Schönheit und Verfall so melancholisch verbunden wie im alten »preußischen« *Ansbach.* Wohl ist das Markgrafenschloß, nach Würzburg das bedeutendste in Franken, mit seinen Prunkräumen (Fayencen und Porzellan) ein

ALTESSING im Altmühltal sieht in solcher Begrenzung nur die Linse des Lichtbildners — das menschliche Auge schweift weiter, vom stillen Wasser zum rauschenden Waldhang, zu den kahlen Höhen mit den Kalkfelsen und den Burgen – Randeck über Neu-Essing, Prunn und den drei Ruinen über Riedenburg, eine noch wenig berührte Welt.

Juwel des Ansbacher Rokoko, wohl klingt die ganze Stadt von Musik an ihren festlichen Tagen, und die Sankt-Gumbertus-Kirche mit ihrer Schwanenritterkapelle ist ein edler Zeuge des geistlichen Franken. Aber die Altstadt wie die Markgrafenstadt, von einmaliger höfischer Eleganz, werden mehr und mehr zum Traum einer wohlhäbigeren Vergangenheit. In Ansbach wurde August Graf von Platen geboren, der rätselhafte Findling Kaspar Hauser ermordet – Geschichte überall in dieser Stadt.
Wer von Nürnberg kommt, soll *Heilsbronn* mit den Gräbern der fränkischen Hohenzollern in der Münsterkirche nicht versäumen, wer nach *Dinkelsbühl* fährt, besuche *Feuchtwangen* mit dem durch seine Freilichtspiele berühmten Kreuzgang und dem bäuerlichen Heimatmuseum.

Freundliche Langeweile

Seit Dehio gilt *Erlangen* als eine Stadt freundlicher Langeweile. Aber diese saubere, freilich heute vom altersgeschwärzten Sandstein verdüsterte Siedlung der französischen Kalvinisten (1686) hat ihre eigenen Reize. Die Schloßbauten der Markgrafen von Bayreuth beherbergen die berühmte Universität, das Theater ist als eines der schönsten in Deutschland wiederhergestellt worden. Die geraden Straßen mit den meist zweistöckigen, mansardenbedachten Häusern sind von einer »finstern Heiterkeit« – würde Ernst Penzoldt sagen, der ein gebürtiger Erlanger und ein etwas streitbarer Schilderer seiner Heimat war. Heute ist das stille Erlangen von neuem Leben erfüllt: Elektrowerke haben die Stadt Simon Ohms zu ihrem Sitz gemacht. Auch hat der alte Studentenwitz: »Erlangen – fünfzig Minuten Aufenthalt für Doktoranden!« keine rechte Heimat, die Universität war und ist in mehreren Disziplinen bedeutend.
Ein Kreuz für jeden Schilderer ist das schöne *Altmühltal* – denn nicht nur in der Natur, auch unter seiner Feder windet sich dieser wunderliche Fluß wie ein Wurm. Auf der Frankenhöhe entspringt er, durch den Jura schlängelt er sich, ein Stück – und wohl das schönste – schlendert er durch die Oberpfalz, bis er sich endlich bei Kelheim in Niederbayern entschließt, in die Donau zu münden, die schon lang auf ihn gewartet hat.
Das entzückende Pappenheim bei den Durchbrüchen von Solnhofen, Eichstätt, Kipfenberg mit seinem Schloß, Beilngries mit seiner Stadtmauer liegen an der Altmühl, dem Wiesenfluß mit den kahlen Kalkfelsenflanken, den oft dichten Wäldern hoch droben. Und dann, von Riedenburg mit seinen drei Burgen über Schloß Prunn und Randeck bis zu der weithin schauenden Befreiungshalle, ist die volle Romantik einer deutschen Landschaft zusammengedrängt.

Ins Land der Franken fahren

Bayreuth, die alte Bayernrodung, liegt nicht nur, dürr ausgedrückt, als Hauptstadt, sondern wirklich als Herzstück *Oberfrankens* da, im Quellgebiet des roten Mains, zwischen Jura und Fichtelgebirge. Von den Klippen der Fränkischen Schweiz schwingt sich der Bogen an den Main hinauf, still strömt der Fluß, bei *Kulmbach* mit seiner Plassenburg – der reichste Bildhauerschmuck der Renaissance ziert die Arkaden des »Schönen Hofes« – vereinigen sich roter und weißer Main, an dessen Ufern sich nun mit Orgelgewalt das große deutsche Barock erhebt. Der rauschend inbrünstige Jubel von *Vierzehnheiligen* wirft sich zum Himmel auf, wie ein

VIERZEHNHEILIGEN · Die Wallfahrtskirche ist zusammen mit Schloß Banz die eigentliche Pforte Mainfrankens. Die Meisterschaft dieser Fassade zu begreifen, muß der Betrachter ein Fachmann hohen Grades — oder ein Laie von wahrer Herzensandacht sein. Der Innenraum ist schlechthin das Wunder fränkischen Barocks, ein Meisterwerk Balthasar Neumanns.

COBURG hat Glück gehabt, daß es sich nach dem ersten Weltkrieg zu Bayern geschlagen hat. Die Veste, hoch über der Stadt, ist schon wegen ihrer Kunstsammlungen berühmt, das Stadtschloß Ehrenburg (Bild), von Schinkel neugotisch verwandelt, ist ein Renaissancebau wie das meiste, was dort sehenswert ist.

gewaltiges Schiff steht Balthasar Neumanns großartige Wallfahrtskirche da, und gegenüber, getrennt durch grüngeschliffene Wiesen und das schwarze Wasser, steigt der waldweite Berg auf, von *Schloß Banz* bekrönt, hoch über den schlanken Buchen. Der andere große Franke, Johann Dientzenhofer, hat es gebaut, nach 1700; aber nicht die Schönheit seines Werkes wollen wir preisen, sondern nur hinaustreten auf die Terrasse, um einen Blick zu tun ins fränkische Land, das weit her wogt in grünen, in blauen, leicht verschwimmenden Wellen. Drüben der Staffelberg, den Scheffel besungen hat, drunten Lichtenfels und fern in der Ebene Bamberg, das wiederum ein Tor zum Westen ist.

Ganz anders das Bild, wenn wir nach Nordosten wandern, wo uns mit weiten Wäldern das schwermütige *Fichtelgebirge* entgegenatmet, wuchtig von den grauen und rötlichen Felsen seines Urgesteins, das sich im Schneeberg, in der Kösseine und im Ochsenkopf bis auf rund tausend Meter erhebt. Es ist die bedeutendste Wasserscheide Europas, dem Rhein, der Donau und der Elbe strömen seine Quellen zu. Arzberg und Selb, die Porzellanstädte, liegen an seinem Ostabhang, an Böhmens Grenze in der Mitte aber steht das freundliche Wunsiedel, ganz nah bei der berühmten Luisenburg, dem vielleicht wunderlichsten Felsengebilde des Abendlandes. Goethe, der 1820 von dem reizenden Alexandersbad herüberkam, war als leidenschaftlicher Geologe entzückt von diesen verwitterten Granitgruppen.

Das nordöstlichste Bayern, der *Frankenwald,* sei hier angefügt, stiefmütterlich behandelt wie immer; die schwer ringende Grenzstadt Hof, 1823 abgebrannt, ist später biedermeierlich wiederaufgebaut, Kronach hat seine gewaltige Rosenburg, Lauenstein ist eine der herrlichsten Burgen überhaupt, und bei Bad Steben tut sich das Höllental auf.

Nach Süden aber ist die Landschaft nicht minder reizvoll. Der Kulm oder der Parkstein, steile Basaltkegel, bieten sich als Aussichtsturm an zu einem unendlichen Blick über Felder und Wiesen, einsame, brennend rote Heiden und träumend dunkle Wasser. Der weite, schier jedem alten bayerischen Soldaten geläufige Übungsplatz Grafenwöhr verliert sich buchstäblich im Sande.

Kaiser- und Bischofsstadt

Bei einer Umfrage würden die meisten nicht viel, aber die wenigen den »Bamberger Reiter« benennen – und wirklich ist dieser steinerne Ritter im Ostchor des Domes der Inbegriff von deutscher Größe in der Zeit der Hohenstaufen und das Wahrzeichen der herrlichen Kaiserstadt zugleich. *Bamberg* ist aber nicht minder Bischofsstadt, und stilgeschichtlich fällt das dem Besucher alsbald auf; wenngleich es nicht an Bauten der Gotik und der Renaissance fehlt: Das Romanische von harter Größe und das Barocke, von weichem Flusse, bestimmen das Bild von Bamberg.

Wieder begegnen wir dem Namen Schönborn: Der Fürstbischof und Mainzer Kurfürst Lothar Franz ließ um 1700 von dem Meister Johann Leonhard Dientzenhofer die Neue Residenz errichten, die den Domplatz aufs glücklichste abschließt. Zu diesem edlen Gebäude treten das Alte Rathaus, mitten auf der Regnitzbrücke, und einzigartig schöne Bürgerhäuser, von denen die des bischöflichen Hofrats Ignaz Böttinger, das in die Enge der Judenstraße gedrängte Böttingerhaus und die am stillen Fluß gelegene Concordia mit die großartigsten Schöpfungen Dientzenhofers sind, Zeugnisse eines Bürgerreichtums, den wir uns heute kaum noch vorstellen können.

Wir mögen die Altstadt durchwandern, von den Domherrenhöfen bis zu Sankt Martin und zur gotischen Liebfrauenkirche, wir mögen auf den ragenden Michaelsberg mit seinem uralten Benediktinerkloster steigen oder auf die Altenburg mit

KULMBACH mag durch sein Bier, seine Bauten, seine Kunstsammlungen bekannt sein — der Ruhm der Stadt ist die Plassenburg, und hier wieder der »Schöne Hof« (Bild), das wunderbarste Zeugnis deutscher Renaissance, eine Steinmetzleistung ohnegleichen, wie man sie sonst nirgends findet. In der Burg ist ein sehenswertes Zinnfigurenmuseum untergebracht.

ihrem weiten Rundblick: immer wieder wird es uns zum Dom, um 1200 über der verbrannten Basilika Heinrichs II. erbaut, ziehen, dessen Herrlichkeiten nicht auszuschöpfen sind, nicht mit der Andacht des Herzens und der Augen und schon gar nicht mit wenigen Worten. Hundert Meter lang, schier dreißig breit und dreiundzwanzig hoch, doppelchörig, von zwei Turmpaaren überragt, ist er den Kaiserdomen am Rhein ebenbürtig. Marien-, Adams- und Fürstenpforte, Kaiser Heinrichs Grab von Riemenschneider (um 1500), der Flügelaltar des Veit Stoß, Maria und Elisabeth, der lachende Engel, die Schatzkammer – solchen Reichtum übertrifft kaum ein Gotteshaus auf deutschem Boden.
Und doch hätte der Bamberg nicht ganz erlebt, der nicht auch von der Fülle fränkischen Lebens in dieser Stadt gekostet hätte, neben dem Prunk und der Schwermut der Vergangenheit. Die Stadt der Gärtner ist so wichtig wie die der Gottesgelahrtheit, die berühmten Spargel und ein Trunk Rauchbiers gehören auch zu Bamberg, das wohl oberfränkisch ist, aber schon ganz dem Main verschworen, von dem es nur wenige Meilen abliegt, im Kranz seiner sieben Hügel, seiner Gassen und Gärten, die Stadt der Musik, von E. T. A. Hoffmann bis zu den Bamberger Symphonikern.

DER BAMBERGER REITER ist neben den Gestalten von Naumburg oder Straßburg das Wahrzeichen deutschen Wesens schlechthin. Wer als abendländischer Mensch unserer Tage dieses Standbild wahrhaft zu betrachten sucht, dem gehen viele Gedanken durch Kopf und Herz: auch hier ist Schweigen der Rest.

Ein deutscher Begriff

Bayreuth ist ein deutscher Begriff, ist durch Richard Wagners Erwählung ein abendländischer Hort geworden; und mancher Gast, der dem berühmten »grünen Hügel« zustrebt, vergißt darüber, daß das nur einer ist von vielen, in einer von Tälern und Höhen romantisch klingenden und schwingenden Landschaft.
Die Stadt, im Stein ergraut, hat eigenen Glanz ausgestrahlt, seit Jahrhunderten – freilich nicht so weltweit, wie heute, wo die leuchtenden Fanfaren zum festlichen Spiele rufen.
Die brandenburgischen Markgrafen haben Gestalt und Geist dieser Stadt am roten Main geprägt – wie auch den von Ansbach: denn preußisches Einsprengsel ist Ansbach-Bayreuth bis an die Schwelle des 19. Jahrhunderts gewesen. Christian und Friedrich, dessen Gemahlin Wilhelmine († 1758) war, die Lieblingsschwester des Alten Fritz, haben ihre eigenen Baumeister, Franzosen, hier beschäftigt, am alten wie am neuen Schloß. Das Opernhaus ist durch die Zauberhand Galli da Bibienas, des berühmtesten Bühnenmannes seiner Zeit, zum wahren Juwel Bayreuths geworden, dem späteren Münchner Residenztheater schier ebenbürtig. Daß die – 1810 bayerisch gewordene – Stadt von ihrer Bedeutung abdanken mußte, geriet ihr, mit heutigen Augen gesehen, zum Heile: ärmer und abseits gestellt, aber lebendig genug, um nicht zu welken, blieb sie ein gewachsenes Gebilde, bis auf den Tag, 1835, da der junge Kapellmeister sie leuchten sah im Hochsommerabendlicht, ja, bis zur Stunde, da er, dreiundvierzig Jahre später, seinen Kindern diese Stelle der ersten Begegnung zeigte, mit den Worten: »Nicht zehn Pferde bringen mich von hier weg!«
Zwei Menschenalter früher hat der andere große Bayreuther, der aus dem nahen Wunsiedel gebürtige Dichter Jean Paul, dieser Stadt, »auf einem grünen Teller von Gegend dargeboten«, seine Liebe erklärt, dieser gärtenreichen Stadt, deren zwiegetürmte Kirche über gemütliche Erkerhäuser blickt, wo heute noch, seltsam vermischt, ein französisches Menuett, eine italienische Arie zu klingen scheint und der friderizianische Marsch: »Hoch

BAYREUTH ist durch Richard Wagner mitten in dem sonst so unbekannten Oberfranken ein Treffpunkt der Welt geworden. Das war in gewissem Sinne schon einmal so, als Wilhelmine, die Schwester Friedrichs des Großen, hier hofhielt und 1754 im Geist der Zeit das Neue Schloß errichten ließ.

Ansbach-Bayreuth«. Darüber aber, als eine heutige Wirklichkeit, Richard Wagners mächtige Musik.

Schwaben

Der Lech wäre, von Füssen bis zur Mündung in die Donau, die natürliche Grenze *Schwabens* gegen Altbayern, wenn sie nicht, bald hinter Augsburg, nach Osten sich ausbuchtete, mitten durchs Donaumoos ginge, um Neuburg noch einzufangen. Aber selbst den Lech entlang oder vielmehr darüber hinaus ist das Schwäbische oft weit ins Altbayerische eingesickert.

Noch verwickelter ist es, die Schwaben von den Franken zu trennen, nachdem sie sich vorwiegend im Ries und die Wörnitz hinauf so freundlich durchdrungen haben, daß weite Gebiete als »fränkisch-schwäbisch« bezeichnet werden.

Das Kernland, sozusagen, ist die von Wertach, Mindel und Günz durchflossene Hochebene zwischen Lech und Iller, eine nördliche Fortsetzung des Allgäus, wenn wir so wollen. Zwischen Wertach und Lech breitet sich das Lechfeld aus, in dem der Charakter der Schotterebene am deutlichsten erhalten ist.

Reichste Stadt des Abendlandes

Mitten in *Augsburg* steht, von Hubert Gerhard erzgegossen, der römische Kaiser Augustus, ihm zu Füßen die Brunnenfiguren, deren schönster, der ährenhaltenden Sommerfrau, der jung gefallene Ernst Kammerer ein Loblied gesungen hat: das schlanke, geschmeidige Wesen ihres Leibes sei städtisch, die Heiterkeit ihres Gesichtes sei die Heiterkeit hoher urbaner Bildung und Sitte. In der Tat ist es das Urbane, das weltläufige, was der Gast in Augsburg heute noch zuerst spürt, zwei Jahrtausende, seit die Römer Augusta Vindelicorum gründeten, eins seit Bischof Ulrich die Ungarn zurückschlug und ein halbes, seit Augsburg die reichste Stadt des Abendlandes war.

Die Bronzetüren am Dom (um 1000) müssen schon der Weltstadt der Fugger eine uralte Sprache gesprochen haben, schier verschollener als die römischen Steine. Das Herz Augsburgs ist das Rathaus des Elias Holl mit dem Perlachturm (1620), aber die Schlagader ist die Maximilianstraße, breitströmend – großzügiger Bauwille hat kurzerhand eine ganze Häuserzeile herausgebrochen – mit dem Fuggerhaus (1515), dem Schäzlerhaus (1770) am Herkulesbrunnen und dem einzigartigen Abschluß durch die riesige, fensterhelle Klosterkirche Sankt Ulrich und Sankt Afra; auch sie trägt eine der für das Stadtbild so bezeichnenden Turmhauben. Auf die Fugger stoßen wir überall, hier in der Kirche steht das Hochgrab des Hans Fugger, Sankt Anna zeigt die Grabkapelle der Familie und schließlich ist die Fuggerei Deutschlands älteste Wohnsiedlung, die das mittelalterliche Armenhaus überwand.

Daß Augsburg auch eine wehrhafte Stadt war, zeigen manche Mauer und Bastei, am schönsten das

AUGSBURG ist heute noch die Stadt des Elias Holl, Jahrhunderte, nachdem der Glanz der Fugger verblaßt ist. Die Ostfassade des Rathauses ragt über die alten Dächer, keck steht die Zwiebelnuß, das Wahrzeichen Augsburgs, auf den Giebeln und vor dem rechten Turm. Auch der Perlach gehört zu den Wahrzeichen.

AUGSBURG, FUGGEREI · Für jeden, der aus der Großstadt in diese abgeschlossene Kleinstadt tritt, ist es ein Märchen — und doch ist es heute noch eine Wirklichkeit: arme Menschen wohnen, schier umsonst, behaglich in den sauberen Häusern, wie es die Fugger vor Jahrhunderten sich gedacht haben.

NÜRNBERG · Henkersteg und Burg. Die Altstadt ist dahin; St. Sebald, St. Lorenz, die Marienkirche, Dürers Haus und die Burg sind geblieben oder wiederauferstanden und schenken etwas mittelalterliche Heimlichkeit.

ROTHENBURG OB DER TAUBER · Nicht ohne tiefere Bedeutung reimt sich das Wort »Zauber« darauf: Nicht nur in einzelnen edlen Resten, als ganze Stadt ist Rothenburg ein Märchen aus dem Mittelalter geblieben; Rathaus, Bürgerhäuser und Wehrbauten, Riemenschneiders herrlicher Altar; wie im Traum wandert man in den Straßen umher. – DINKELSBÜHL · Das Reichsstädtchen ist die stillere Schwester des laut gerühmten Rothenburg, reich an stolzen Bürgerhäusern, aber auch an vielen und versteckten, malerischen Winkeln. Die um 1500 erbaute Georgskirche zählt zu den schönsten Hallenbauten Deutschlands. Noch überall findet man solche romantischen Winkel.

BAMBERG liegt im häuslichen Gartenland. Das Rathaus, auf der Regnitzbrücke, verbindet die bürgerliche Talstadt mit der geistlichen, die im fast tausendjährigen, romanischen Dom mit dem »Reiter« ihren Höhepunkt hat.

WÜRZBURG · Einer der großen Blicke, die das Wesen einer ganzen Landschaft umgreifen: uralten Stromübergang, beherrschende Festung und die berühmten Lagen des Frankenweins, Stein und Leisten. Auf der alten Mainbrücke steht über jedem Pfeiler eine Heiligenfigur, darunter auch St. Kilian, der Apostel Frankens. SCHLOSS MESPELBRUNN · Im Spessart, dem durch die Erzählung von Hauff berühmt gewordenen größten zusammenhängenden Buchenwald Deutschlands, liegt das Wasserschloß Mespelbrunn. Julius Echter von Mespelbrunn war als Fürstbischof Gründer der Würzburger Universität, einer der Größten in Frankens Vergangenheit.

NÖRDLINGEN schiebt noch die unverfälschten Ziegeldächer um den »Daniel« zusammen, den 90 m hohen Turm der St.-Georgs-Kirche. Die Mühe, ihn zu ersteigen, lohnt ein weiter Blick übers ganze Ries. Aber nicht minder wichtig ist es, die Stadt zu durchwandern, die Wehrgänge und die Tore.

von Elias Holl erbaute Rote Tor. Wer alles angesehen hat – und es ist ja noch viel mehr zu sehen! –, der darf sich in der »Weiberschule« einen guten Trunk gönnen und über die Schicksale der Stadt nachsinnen, sei's über die Agnes Bernauer und die Philippine Welser, sei's über Karl V., die Augsburgische Konfession, über Holbein und Burgkmair oder die Goldschmiede, die mit den Ruhm der glänzenden Stadt in die Welt getragen haben.

Nördlingen und die Harburg

Vom »Daniel«, dem Turm der Sankt-Georgs-Kirche, hat einer, neunzig Meter hoch, den schönsten und lehrreichsten Ausblick auf die kreisrunde Stadt und das gleichfalls runde Einsturzbecken des Ries. Die Kirchenhalle, spätgotisch, ist weiträumig, schlanksäulig, nobel. Die Rathaustreppe, gleich nebenan, bezeugt in ihrer überraschenden Pracht die Zeit des großen Reichtums; aber die Hauptsache ist doch die Stadtmauer mit ihren Wehrgängen, ihren sechzehn Türmen und Toren, von denen das eine oder andere fast chinesisch anmutet.
Eine Brücke über die Wörnitz, ein paar gemütvolle Häuser, die auch einmal eine deutsche Reichsstadt dargestellt haben – und droben auf dem Kalkfelsen eine Ritterburg, die *Harburg*, wie sie ein Bub sich träumen könnte. Der vielschichtige Bau – seit 1200 tat jeder Fürst Öttingen-Wallerstein etwas dazu und niemand etwas weg – ist überragt vom behelmten Bergfried: und der hat wirklich allerhand Schätze zu bewachen, 140 000 Bücher, eine graphische Sammlung und hundert Kostbarkeiten.

Neuburg an der Donau und Dillingen

»Schwaben und Neuburg« heißt der bayerische Kreis, aber die Geschichte der wohl schon römischen Befestigung mit dem Flußübergang ist zu weitläufig, als daß sie hier erzählt werden könnte. Eine Zeitlang (1505 bis 1777) war das Schloß in *Neuburg* Sitz der »Jungen Pfalz« innerhalb der Wittelsbacher Teilungen. Ottheinrich, der berühmte Kurfürst von Heidelberg, hat auch, um 1530, das Schloß errichtet; was aber wirklich »sehenswert« ist, das ist die gesamte Oberstadt mit ihren stillen, vornehmen Gassen und Plätzen, der Hofkirche und der weiten Aussicht über die Donauebene.
Die Augsburgische Residenz- und Universitätsstadt *Dillingen* kam 1802 an Bayern, das freilich ihre große Überlieferung nicht fortsetzen konnte. Das alte Grafenschloß (um 1250), die Universität mit dem goldenen Saal, das Jesuitenkollegium und die Kirche Mariae Himmelfahrt (1610), Bürgerhäuser und Tore stehen noch da, in einer stillen Vornehmheit, abgerückt von der geschäftigen Welt.
Westlich liegt das Nachbarstädtchen *Lauingen*, der Geburtsort des Albertus Magnus (1193); durch

DIE HARBURG auf dem umbuschten Berg über der stillen Wörnitz — Fischer werden zuerst aufs Wasser schauen und von Hechten träumen — ist für die Frankenfahrer, mitten im Reichtum von Rothenburg, Dinkelsbühl und Nördlingen noch einmal eine Überraschung. In einem Tunnel windet sich die »Romantische Straße« unter der Burg durch den Berg.

LAUINGEN ist heute ein Landstädtchen, aber lange war es Residenz der Pfalz-Neuburger Wittelsbacher. So verschieben sich die Akzente der Geschichte. Albertus Magnus wurde hier 1193 geboren. Der spätgotische, schlanke Turm zeigt im dritten Geschoß einen Schimmel — daher sein Name.

die Gassen sollte man gemächlich wandern, am kerzenschlanken Schimmelturm vorbei – und auch in die berühmte Schmiede, eine der letzten in Deutschland, sollte man einen Blick werfen. Auf dem Wege nach Ulm müßte man auch durch das enge Tor von *Günzburg* schlüpfen, um Zimmermanns schöne Frauenkirche zu besuchen. Was viele nicht wissen werden: Günzburg war bis 1805 österreichisch.

Forellen in der Stadt

Daß man mitten in einer Stadt in klaren Bächen Forellen stehen sieht, ist gewiß selten; aber es ist nicht die einzige Merkwürdigkeit von *Memmingen,* der vielleicht schwäbischsten der Reichsstädte, die 1802 an Bayern gekommen sind. Wie nobel steht Sankt Martin auf seinem stillen Platz, mit dem nächst dem Ulmer und Konstanzer reichsten gotischen Chorgestühl Süddeutschlands. Die Frauenkirche hat gar die bedeutendsten gotischen Wandmalereien, zumindest von Schwaben. Und zahlreiche Zunft- und Bürgerhäuser scharen sich um den Rathausplatz der Stadt, die noch von Toren und Mauern der alten Zeit umschlossen ist.
Besonders reich ist der Umgriff Memmingens an großartigen Denkmälern der Vergangenheit, Schlössern, Klöstern und Kirchen; eine der vornehmsten Bauten der Welt ist *Ottobeuren:* ein riesiger Raum, in der Kreuzung von einer Kuppel bekrönt, in Form, Licht und Farbe wechselnd, zuletzt von Johann Michael Fischer bis 1766 vollendet.

Das heute so gut katholische *Donauwörth* war als Reichsstadt (seit 1301) eine Hochburg der Reformation, und der Kampf um sie wurde der eigentliche Auftakt zum Dreißigjährigen Krieg. Auch 1704, nach der unglücklichen Schlacht bei Höchstädt, mußte die Stadt schwer leiden; aber besonders übel wurde ihr 1945 mitgespielt. Trotzdem steht sie noch prächtig genug über dem Fluß, die schwäbischbreiten Giebelhäuser der Reichsstraße sind eindrucksvoll, wie auch die Stadtpfarrkirche Mariae Himmelfahrt und das einstige Benediktinerkloster zum Heiligen Kreuz; in dessen bedeutender Kirche finden wir das Grabmal jener Maria von Brabant, die der Münchner Herzog Ludwig der Strenge 1256 auf einen kleinlichen Verdacht hin auf der Stelle hinrichten ließ.

Deutschlands größte Burgen

Die mächtigen Herrensitze, etwa der Grafen von Dachau oder Andechs, sind nach dem Aussterben dieser Geschlechter zerfallen oder zu Klöstern und neueren Schlössern geworden. Sonst war und ist Altbayern und das bayerische Schwaben arm an *Burgen,* gemessen an dem vielfältigen Reichtum etwa der fränkischen Ritterschaft. Nur die Ostgrenze mit ihren gewaltigen Befestigungen macht eine Ausnahme; in der Oberpfalz stehen Deutschlands wuchtigste Burgen, in Trümmern.

MEMMINGEN müßte man wegen seines Rathauses allein nicht besuchen, auch wenn seine Fassade eine reizende Mischung aus Renaissance und Rokoko ist. Aber schon der Marktplatz als solcher und erst die Kirchen, Häuser, Tore und Mauern bringen den vollen Zusammenklang: schwäbische Reichsstadt, in der noch vieles Geschichte ist!

Nur die Landesfürsten, Herzöge wie Bischöfe, haben wirklich feste Plätze errichtet. Der Alte Hof in München oder die Trausnitz in Landshut, die Marienburg in Würzburg oder die Veste Coburg geben davon Zeugnis.
Vergebens würden wir auch, von Nymphenburg und Schleißheim abgesehen, in Altbayern Schloßanlagen von der Größe und Pracht der fränkischen suchen, Pommersfelden, Ellingen oder Aschaffenburg, um nur drei zu nennen; neben dem Landesherrn kam kein Adel auf.
Hingegen gehören die meist im 12. Jahrhundert entstandenen Burgen und die Schlösser des 18. Jahrhunderts unzertrennlich zum Bilde Unterfrankens, auch wenn diese Burgen ohne Zahl schon verhältnismäßig bald zu zerfallen begannen, als die Ritter zu Lehensleuten, etwa des Würzburger Bischofs, herabsanken. All diese riesigen Burgentrümmer am Main, an der Saale – ja, auch an der fränkischen Saale stehen Burgen, stolz und kühn – nur mit Namen aufzuzählen, wäre vermessen; die Salzburg, Trimberg und Hammelburg an der Saale, Wildenberg, Prozelten: viele von ihnen sind – gleich denen der Oberpfalz – wuchtiger als die am Rhein, großartiger; aber unbekannt sind sie, unbesungen – und erst in jüngster Zeit werden sie dem Vergessen enthoben.
Genannt sein soll auch die durch Jahrhunderte bedeutsame, erst jetzt geschleifte Festung Ingolstadt und die Wülzburg bei Weißenburg mit ihrem großartigen Torbau.

Bayerische Liberalität

Stärker und früher als Fürstensitze und Städte haben *Klostergründungen,* vor allem des achten Jahrhunderts, das südliche Bayern erschlossen, wobei wir immer das heutige Österreich mit einbeziehen müssen; ja, eine frühe christliche Einheit ist überhaupt nicht in Länder auseinanderzureißen, ohne daß das Bild der Geschichte gefälscht würde. Sankt Gallen und die Reichenau gehören, um nur die Nachbarn zu nennen, in denselben Kulturkreis wie Tegernsee, Benediktbeuren, Polling, Chiemsee, Ottobeuren im Oberland, St. Emmeran, Weltenburg oder Niederaltaich an der Donau. Eine zweite Klosterwelle ums Jahr 1000 brachte u. a. Scheyern (Benediktiner), Berchtesgaden, Diessen, Rottenbuch (Augustiner), Ebrach in Franken (Zisterzienser) oder Steingaden (Prämonstratenser).
Wo die Klöster heute noch, etwa ihrer Kirchen wegen, im lebendigen Bild der Landschaft wirken, mögen sie an ihrer Stelle eigens erwähnt werden; solche Schönheit – denken wir an Rott am Inn – deckt sich keineswegs immer mit der weiten Ausstrahlung in der Vergangenheit. Vom mächtigen Wessobrunn (753) etwa steht nur wenig noch, aber eins der ältesten deutschen Sprachzeugnisse, das »Wessobrunner Gebet«, ist aus seinen Morgentagen überliefert, und im 18. Jahrhundert haben die von Mönchen ausgebildeten »Wessobrunner« die bunte Leichtigkeit ihres Stucks über die halbe Welt gestreut. Das uralte Polling (757) besuchen nur wenige Kenner, und wär es nur, um

REGEN, im Bayerischen Wald, am Schwarzen Regen, gehört natürlich nicht zu den Plätzen, die man »gesehen haben muß«. Aber ohne die stille Beschaulichkeit solcher Landschaften verlören die »Brennpunkte des Fremdenverkehrs« ihren natürlichen Hintergrund. Dennoch wird der »Wald« mehr und mehr zu einem beliebten Urlaubsgebiet.

dort die herrliche Inschrift von der »Liberalitas Bavariae« zu lesen, von der bayerischen Liberalität, die sich so oft bewährt hat. Die Bibliothek war berühmt, aber berühmter noch war die (um 1500 die größte der Welt) von Tegernsee, wo der Ruodlieb entstand, der erste deutsche Roman – Walther von der Vogelweide freilich hat man dort nur Wasser gereicht, statt Wein –, und die von Benediktbeuren, wo Schmeller die »Carmina burana« entdeckte. Verhältnismäßig spät, 1330, wurde Ettal gegründet. Den »Pfaffenwinkel« hat der Volksmund die Gegend zwischen Lech und Loisach getauft.

Jubel des Lichts

Vergessen wir nie, daß Jahrhunderte, ja oft ein halbes Jahrtausend zwischen den Wirkungszeiten von Stätten liegen, die wir heute »zusammenzusehen« gewohnt sind; der höchste Ruhm gebührt immer noch jenen frühen Benediktinern, Pionieren des »ora et labora«; sie haben mehr getan, als ihrem Umkreis einen gehobenen Lebensstil zu schenken, sie waren maßgebend für Bildung und Kunst, sie waren, neben den Residenzen der Fürsten und Bischöfe, die Pfeiler jener gewaltigen Brücken, die das Abendland und somit die Welt verbanden.
Die meisten Klosterkirchen, ursprünglich romanisch oder gotisch, wurden »barockisiert«, Barock sagen die einen, Rokoko die andern; sie meinen die gleiche stürmische, farbenschwelgende, formauflösende Inbrunst, den gleichen Jubel des Lichts, der bald nach 1700 just dieses schwerfällige, oft so strenge und grantige Bayern ergriffen hat; und das mit seinen letzten, reifsten Schöpfungen bis in

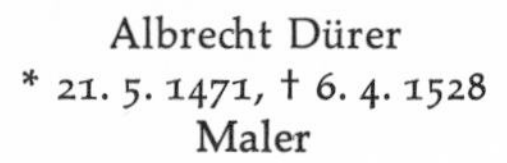

Albrecht Dürer
* 21. 5. 1471, † 6. 4. 1528
Maler

Lucas Cranach d. Ä.
* 1472, † 16. 10. 1553
Maler

Matthias Grünewald
* um 1460, † 31. 8. 1528
Maler

Albrecht Altdorfer
* um 1480, † 12. 2. 1538
Maler

die siebziger Jahre reicht, in Kirchen und Schloßbauten noch prangend und sonnentrunken, als die nüchternste Aufklärung bereits die dürre Hand nach all dem Überschwang ausstreckte, bis sie, 1803, übel zugriff und in der Säkularisation die Wunder zum Plunder zu werfen gewillt war.

Es hat sich aber noch vieles, oft im letzten Augenblick und nur dank einiger herzhafter Männer, erhalten, die Wies und Rott, Weltenburg und Rohr, Diessen und Fürstenfeld, und zahlreiche Kirchen, die schon zum Abbruch bestimmt waren.

Ein großes, freudiges Orchester

Wenn die Ausflucht des »Unbeschreiblichen« je Geltung haben darf, dann bei dem übermächtigen Ansturm der Formen und Farben, die den Besucher einer solchen Kirche überwältigen. Gewiß, der langjährige Kenner wird das Besondere sich bewahren, den lichtumflossenen Georg in Weltenburg, die aufjauchzende Himmelfahrt Mariä in Rohr. Aber dem gelegentlichen Besucher werden alle diese Räume nach kurzer Zeit schon wieder ineinander verschwimmen, und so können wir nicht mehr bieten als eine Stimmung, in die alle Kirchen eingeschlossen sind.

Es ist wie das Schwirren eines großen, freudigen Orchesters, das den umfängt, der durch die meist unscheinbare Pforte tritt. Ohr wird in Auge verwandelt und das Auge vermag zu lauschen; wohin es blickt, springen die Töne auf, jubelnd, in goldnen Kanten steigend, in eigenwilligen Schnörkeln entflatternd, zu starken Bögen gebunden. Sie springen über das hundertfarbige Gewölbe der Heiligen: blasse Büßerinnen singen und durchscheinend Verklärte; und bärtige Bässe mischen sich in die Lobpreisung; und der Klang fährt wieder herab, in den fleischernen Jubel der Engel und Putten, in den schweren Prunk der gebauschten Baldachine, in die goldnen Strahlenblitze der Verzükkung. Zimbeln, Flöten und Trompeten, in Bündeln in die Chorbrüstung geschnitzt, wie Spielzeug an Altar und Kanzel aufgehängt, fallen silbernen Klanges mit ein, und von den Lippen der Märtyrer brausen fast frohe Lieder und des Dankes Verkündigung.

Und nun erst mag der Besucher, schier überfordert von so mächtigem Anruf, sich jeweils in die besonders gerühmten Einzelheiten ergehen und noch Entdeckung über Entdeckung machen.

Fürsten und Dichter

Dürften wir als *Landsleute* alle ansprechen, die bayerischen Stammes sind, die Liste der Namen würde groß; wollten wir gar alle einbeziehen, die, etwa als Wahlmünchner, in Bayern gelebt oder hier ihre entscheidenden Anregungen erhalten haben, die Reihe würde unabsehbar. Wir lassen jedoch, bescheidenerweise, sowohl die Österreicher, wie Haydn oder Mozart, die vorübergehenden Wahlmünchner, wie Busch oder Leibl, fort, obgleich ihr Werk ohne den Einfluß dieser Stadt kaum zu denken wäre.

Einige der großen *Wittelsbacher* seien genannt, Ludwig der Bayer, der heute noch unterschätzte Kaiser (um 1300); Kurfürst Maximilian I., der in den Stürmen des Dreißigjährigen Krieges fast allein das wankende Reich zusammenhielt; König Ludwig I., der große Mäzen, sie haben abendländischen Rang.

Von den Politikern wäre höchstens Kanzler Leonhard von Eck zu erwähnen (nicht zu verwechseln mit dem Widerpart Luthers, Dr. Johann Eck von Ingolstadt); an großen, der Allgemeinheit bekannten Staatsmännern hat es dem Land von je gefehlt, unbeschadet der klugen Köpfe, die mehr im stillen gewirkt haben.

Daß das gewaltigste deutsche Epos, das Nibelungenlied, von einem Bayern in seine endgültige Form gebracht wurde, ist so gut wie erwiesen. Der *Kürenberger* und *Walther von der Vogelweide* (* 1179, † 1239) waren bayerischen, *Wolfram von Eschenbach* (* 1170, † 1220) war bayerisch-fränkischen Stammes – um nur drei Dichter zu nennen, höchsten Ruhmes. Dafür lassen wir alle weg, bis zu Ludwig Thoma, dem schlechthin gültigen Vertreter heimischer Dichtung. Hans Carossa und Georg Britting sind Altbayern, aber auch Morgenstern ist gebürtiger Münchner. Wie aber steht es mit all den Wahlmünchnern: Rilke, George, Thomas Mann? Georg Hirth, dem Vater des »Jugend«-Stils, Albert Langen, dem Gründer des »Simplicissimus«, und allen Zeichnern dieses weltberühmten

DIE WIES ist die schönste und einheitlichste Rokokokirche in Bayern und wohl in der Welt überhaupt. Sie ist das Meisterwerk des Dominikus Zimmermann, das kostbarste Denkmal barocker Volksfrömmigkeit. Vor wenig mehr als zweihundert Jahren ist sie gebaut worden, vor rund hundertfünfzig Jahren sollte sie, im Zuge der Säkularisation, abgebrochen werden, vor fünfzig Jahren wußten selbst Kenner Bayerns, wie Josef Hofmiller, nur vom Hörensagen von dem Wunderbau – und heute kann, im Sommer gar, kaum mehr ein Mensch in stiller Andacht dort weilen, so beispiellos ist der Andrang der »Kraftpilger« aus allen Teilen der Welt: fürwahr ein wechselvolles Schicksal! Schier bestürzend und überwältigend tut sich die weiße, goldene und hundertbunte Pracht des Innenraumes auf! Musik der Seligkeit auf den Schwingen des Lichts, ein einziges jubilierendes Orchester zum Lobe Gottes und zur andächtigen Freude der Menschen.

Carl Spitzweg
* 4. 2. 1808, † 23. 9. 1885
Maler

Franz von Lenbach
* 13. 12. 1836, † 6. 5. 1904
Maler

Peter Vischer d. Ä.
* um 1460, † 7. 1. 1529
Bildhauer

Veit Stoß
* um 1445, † 1533
Bildhauer und Maler

Blattes? Sie fühlten sich in München beheimatet. Noch unmittelbar zur Literatur zählt Andreas Schmeller, der Schöpfer des bayerischen Wörterbuchs. Den gewaltigen Prediger Berthold von Regensburg dürfen wir für uns beanspruchen.
Franken – *Hans Sachs* war auch einer – glänzt durch *Jean Paul, Friedrich Rückert* und *August Graf von Platen.*
Die Musiker könnten wir mit Orlando di Lasso beginnen, einem der frühesten Wahlmünchner. Wir beschränken uns aber auf die Altbayern *Gluck, Reger, Strauß,* die alle drei aus der Oberpfalz stammen.

Maler und Baumeister

Die bildende Kunst ist schon in früher Zeit mit *Altdorfer* und der Donauschule gültig vertreten; ein »Zeitschnitzer« wäre es, wenn wir die edlen Nürnberger mit *Dürer* (* 1471, † 1528) an der Spitze (ebenso den Drucker *Koberger* oder den Uhrmacher *Henlein*) »Bayern« nennen wollten, sie sind Franken wie *Lucas Cranach* (* 1472, † 1553 aus Kronach. Auch *Riemenschneider* (* 1460 † 1531), der Franke, konnte sich noch nicht als Bayer gefühlt haben – aber wer sonst möchte sie alle heute beanspruchen? Die großen Baumeister, die Altbayern Egckl, Effner, Stethaimer, Jörg von Haslach, Fischer und die Brüder Asam, der Schwabe Zimmermann, die Franken Dientzenhofer und Neumann, sind an ihrem Ort erwähnt; die Bildhauer Leinberger, Grasser, Günther und Straub, die Erzgießer Hubert Gerhard und Krumpper sind hohe Meister altbayerischer Kunst.
Unabsehbar wäre die Zahl der Italiener, Niederländer und Franzosen, die in bayerischen Diensten standen, von Sustris bis Cuvilliés – und eigentlich dürften wir sie getrost als Münchner ansprechen. Peter Cornelius, Klenze und alle, die Ludwig I. berief, wurden hier heimisch. Der Maler *Spitzweg* (* 1808, † 1885) ist gebürtiger Münchner, ebenso Franz Marc (* 1880, † 1916), Dillis, *Lenbach* (* 1836, † 1904), Slevogt und Stuck stammen aus dem tiefsten Altbayern; aber auch die Pfälzer Kobell und Rottmann wie den Wiener Schwind stecken wir ohne viel Umstände in unseren Sack.
In der Wissenschaft beschränken wir uns auf die Geschichtsschreiber Aventinus aus Abensberg (um 1500) und Lorenz Westerieder, auf die Naturwissenschaftler, wie Pettenkofer, Martius, Ohm, Heisenberg, Erfinder, wie *Gabelsberger* (* 1789, † 1849) (Kurzschrift) oder *Senefelder* (Steindruck). *Adam Riese* (* 1492, † 1559), der sprichwörtliche Rechenmeister, ist vermutlich ein Franke; aber wieder erhebt sich die Frage, inwieweit Schelling, Liebig, Röntgen, Diesel und hundert andere, die lange in München wirkten, zu den Bayern gerechnet werden dürfen. Immerhin haben diese Männer oft viele Jahre ihres Lebens hier verbracht und Entscheidendes geleistet.
Volkstümlicher als diese Gelehrten ist der schwäbi-

HOPFEN wächst in Bayern an vielen Stellen. Die sprichwörtlich langen Hopfenstangen werden mehr und mehr durch Draht ersetzt, aber immer noch ist es eigenartig, durch solche »künstlichen Wälder« zu streifen, die Zuflucht der Hasen und Rebhühner. Zur Hopfenernte, wenn die Zupfer von überallher kommen, ist die Gegend von Leben und Hopfenduft erfüllt.

Peter Henlein
* 1480, † 14. 11. 1542
Uhrmacher

Jakob Fugger
* 6. 3. 1459, † 30. 1. 1525
Kaufmann und Bankier

Sebastian Kneipp
* 17. 5. 1821, † 17. 6. 1897
Pfarrer und Naturarzt

Ludwig Thoma
* 21. 1. 1867, † 26. 8. 1921
Schriftsteller

sche Pfarrer *Kneipp* (* 1821, † 1897) geworden, schon zu Lebzeiten fast so berühmt wie Bismarck. Und vielleicht der bedeutendste Münchner der jüngeren Zeit ist *Oskar von Miller* (* 1855, † 1934), der Begründer des Deutschen Museums.

Freilich, ein Industrieland ist Bayern auch jetzt noch nicht, und die großen Unternehmen, die hier zumindest ihr Schwergewicht haben, sind an den Fingern aufzuzählen: Siemens, Maschinenfabrik Augsburg-Nürnberg (MAN), Süddeutsche Zukker, Linde, Maximilianshütte, Bayernwerke, BMW, Aschaffenburger Zellstoffwerke, Kugellagerfabriken in Schweinfurt.

Die chemische Industrie hat vor allem am Inn gewaltige Anlagen, Augsburg, Franken und Aschaffenburg sind bedeutende Mittelpunkte der Textilverarbeitung. Die bayerische Warenvermittlung landwirtschaftlicher Genossenschaften steht an 31., ein Großversandhaus in Fürth an 59. Stelle unter den hundert größten Unternehmen der Bundesrepublik.

Die Oberpfalz war mit tausend Hammerwerken einst die Waffenschmiede des Reiches, das Salz der Reichenhaller Gegend war von europäischer Wichtigkeit; aber selbst das Bier, in München wie in Kulmbach, hat nicht mehr seinen ausschließlichen Vorrang: die Welt rühmt es wohl noch, trinkt aber jeweils heimisches Gebräu.

Mainfrankens Wein in den wunderlichen Bocksbeuteln, die schon Goethe so sehr schätzte, behauptet sich neben dem Rhein und der Bayern verlorengegangenen Pfalz durchaus. Der Hallertauer Hopfen wie auch der mittelfränkische (Spalt) bringen Deutschland an die dritte Stelle der Welt. Mögen auch sonst Bayerns Bodenschätze kaum der Rede wert sein, seine *Heilquellen* sind bedeutende Gaben der Mutter Erde. Bad Kissingen in Franken mit seinen kohlensauren Kochsalzquellen ist auch heute wieder ein Weltbad, ebenso sind es die oberbayerischen Jodbäder Tölz und Wiessee – wenn auch das Jod zum Teil aus dem Allgäu bezogen wird. Als Solbad ist Reichenhall am berühmtesten, als Moorbad Aibling. Das kleine Füssing ist »im Kommen«. Daß man auch mit gewöhnlichem Wasser heilen kann, hat Pfarrer Kneipp im schwäbischen, reizlos gelegenen Wörishofen bewiesen, seine Kur hat sich über die Erde verbreitet. Und die Luftkurorte sind überhaupt nicht zu zählen. Nürnberger Tand (einschließlich der Bleistifte) geht noch immer durch alle Land, Gablonz, ein Weltbegriff, hat sich überwiegend nach Bayern verlagert, München ist eine bedeutende Stadt des Buches geworden.

Die Landwirtschaft, obgleich auf rund 20 Prozent gesunken, ist noch immer das Rückgrat Bayerns; ein Drittel des Bodens ist auch heute noch mit Wald bedeckt, so daß die Holzverwertung entscheidend ins Gewicht fällt. Der Ausbau der Wasserkraftwerke bringt erhebliche Vorteile; 70 Prozent des Stromes werden durch sie erzeugt.

Der Bayerische Wald ist reich an Glashütten. Das Porzellan hat in Nymphenburg seine künstlerische Spitze, aber in Oberfranken seine wirtschaftliche Bedeutung; bei einer Ausfuhr von 50 Prozent versorgt Bayern fast die ganze Bundesrepublik mit Geschirr. Die Korbwaren um Lichtenfels sind berühmt. Bayern ist reich an Gesteinen, Marmor in Oberbayern, Basalt in der Oberpfalz, Sandstein und Kalke in Franken. Die Platten von Solnhofen (Lithographiesteine) sind einzigartig. Zement wird in bedeutenden Mengen hergestellt. Schiefer wird, gegen Thüringen zu, abgebaut.

Humor in Bayern

Den hat's g'rissn

Eine Reihe von Anekdoten um den alten Prinzregenten ist bekannt. So die Geschichte, wie der Leibjäger dazu ausersehen wurde, dem greisen Jagdherrn den Tod des Großherzogs von Baden schonend mitzuteilen. Der Regent schießt auf einen Gemsbock, trifft und der Leibjäger jubelt: »Schön hat 's 'n g'rissn, wieran Großherzog von Baden!«

Bauernschläue

Zwei Bauern eines kleinen bayrischen Dorfes wandern gemeinsam zum wöchentlichen Viehmarkt. Der eine, der Franzl, führt ein Pferd zum Verkauf mit sich. Die guten Geschäfte bleiben aber aus, und beide ziehen abends unzufrieden und enttäuscht heimwärts. Da kommt dem Franzl der Gedanke, das Pferd seinem Begleiter zu verkaufen, und nach einer Weile werden sie sich auch einig. – Doch bald schon ärgert sich der Franzl über den niedrigen Kaufpreis und will dem andern das Pferd wieder abhandeln. Als der am Wegrand eine dicke Schnecke sitzen sieht, sagt er schlau zu seinem Begleiter: »Wennst gleich den Schneck auffrißt, kannst's Pferd wieder hoam!« – Der Franzl sieht leichten Gewinn und fängt mit dem Mahl an. Als er zur Hälfte damit fertig ist, streikt aber sein Magen, und er sagt zum Nachbarn: »Wennst nun du den Rest auffrißt, soll's wieder dir g'hörn!« Der läßt sich das nicht zweimal sagen. – Als die Schnecke ganz verspeist ist, sehen sich beide verdutzt an, und der Franzl meint: »Kannst mir sog'n, warum mir jetzt den Schneck g'fress'n hoam?«

Fast zoologisch

Ein Sommerfrischler kommt im Bergwirtshaus an, erhitzt und schnaufend. »No!« sagt die Kellnerin. »Sie müassn ja g'rennt sei', wia-r-a gstutzter Hund!« — »Na, hören Sie mal!?« entrüstet sich der Gast. »No ja«, beschwichtigt ihn die Kellnerin, »i hab ja bloß g'moant, weil S' schwitz'n wia-r-a Sau!«

Bayerische Belange

»Was i scho allweil sag, Vadern, laß da doch dein Kropf operiern!« — »Ja, freili', daß i ausschaug wia-r-a Preiß!«

Verfolgung

Ein an Leibesumfang stattlicher Polizist verfolgt einen Dieb, den er auf frischer Tat ertappt hat. Nach einer Weile hat sich der Abstand zwischen den beiden immer noch nicht verringert; schwitzend und außer Atem läßt sich der Gendarm auf einem Meilenstein am Rande der Straße nieder, um sich eine kurze Verschnaufpause zu gönnen. Der Übeltäter folgt in angemessener Entfernung seinem Beispiel. Nach einigen Minuten schallt es von dort herüber: »Wie steht's, Herr Gendarm, können ma wieder?«

Ein feuchter Betrieb

Abendlicher Stoßbetrieb auf einem Sommerkeller. Die Kellnerinnen, darunter gewaltige Weiber, schleppen die Maßkrüge herbei, suchen den Hagel von Bestellungen (»Mir bringen S' an Leberkas!« — »Und mir an Nierenbraten!« — »Vier G'schwollne!« — »An Radi, Zenzl, aber daß er ja net pelzi' is!«) zu bewältigen. Sie haben alle Hände voll zu tun, ja, mehr noch, die Hände reichen gar nicht aus. Ein Zugereister hat sich nach einer Semmel heiser geschrien, aber wie er sie jetzt kriegt, ruft er entrüstet: »Na, hörn Sie, Frollein, das Brötchen ist ja ganz feucht!« Die Kellnerin blickt ihn innig an, deutet unschuldsvoll auf ihre oberen Rundungen und sagt: »Dees glaub i schon, schaugn S' nur amal her, wie r i schwitz!«

Bloß mal blasen

Eine Bauersfrau verlangt am Schalter: »Zwa Kartn nach Werzberch.«
Der Beamte: »Bloß hin?«
Die Bäuerin, ganz verdattert: »Wo soll i denn hiblosn?«

Die bayerische Uhr

Ein Norddeutscher fragt, ziemlich von oben herab, einen Münchner Grantelhauer: »Sie, sagen Sie mal, wie spät ist es denn eigentlich?« Sagt der Münchner: »Ja moana S' vielleicht, i hab mei Uhr für d' Preißen kaaft?«

Staatsdienst

»Selten kemmas mehr auf d' Jagd, Herr Rat!« — »Ich möchte schon, aber ich habe schrecklich viel zu tun!« — »Was? Ja, san S' denn nimmer beim Ministerium?«

Wie man alt wird

Der berühmte Psychiater Kraepelin war ein scharfer Alkoholgegner. Eines Tages stellt er seinen Studenten einen achtzigjährigen rüstigen Greis vor: der Mann hat sein Leben lang keinen Tropfen getrunken! »Herr Geheimrat«, sagt der Alte bescheiden, »an Bruadern hätt i no, der is scho neunadachzge!« — »Ist ja großartig, den müssen Sie nächstens mitbringen!« — »O mei, Herr Geheimrat, mit dem is nix z'macha, der is an ganzen Tag b'soffen!«

Der Mückenstich

In München am Stachus, dem verkehrsreichsten Platz Deutschlands, steigen zwei Damen in eine Straßenbahn. Beide erwarten sichtlich in nächster Zeit einen neuen Erdenbürger. Die Straßenbahn ist überfüllt; der Schaffner kann schließlich für eine der beiden Damen einen Platz besorgen, scheint aber die andere zu übersehen und auch beim Kassieren nicht weiter zu beachten. Darauf die sich vernachlässigt fühlende Dame in vorwurfsvollem Ton: »Na, meinen's mi hot a Mück' g'stochen?«

Königliche Hosen

Ludwig III. von Bayern hieß, als er noch Prinzregent war, wegen seiner ausgesprochenen Harmonikahosen, die er besonders gern trug: »Ludwig der Vielfältige«. – Als er König geworden war, bemerkte der Kammerdiener: »Eure Majestät können jetzt als König die alten Hos'n nur noch tragen, wenn sie täglich aufg'bügelt wird!« – Der König genehmigte huldvoll die vorgeschlagene Maßnahme. Von da ab hieß er nur noch: »Ludwig der Einfältige«.

Ein unsicheres Geschäft

Der Vertreter einer Versicherungsgesellschaft hatte bei einem Bauern im Ochsenfurter Gau eine Brandversicherung abgeschlossen. Nun bemühte er sich, den Landwirt auch noch für eine Hagelversicherung zu gewinnen. Als er die Gefahr eines sommerlichen Hagelschlags recht ausführlich erklärt hatte, antwortete ihm der Bauer: »Nä, aus dem Geschäft werd nix.«
»Ja, aber warum denn nicht? Sehen Sie . . .«
»Nix, gornet nix«, winkte der Bauer ab, »Feuer, des geht scho, awer hageln kann i 's net lassn!«

Bayrisch gedolmetscht

Auf einer internationalen Ausstellung in Moskau übersetzt der Dolmetscher die Ansprachen der englischen, der französischen, der italienischen und schließlich der chinesischen Delegation. »Woher können Sie Chinesisch?« wird er gefragt. Worauf er antwortet: »No, was werden's schon g'sagt hob'n?«

Otto Rombach *Land an Neckar und Oberrhein*

Auch bei der neuen Art, vom Himmel herab in die Länder hineinzublicken, wird über dem schwäbischbadischen Land bald die Verlockung erwachen, da oder dort aussteigen zu können, wo der Schatten des Flugzeugs über die Giebelflur seiner altertümlichen Städte und Dörfer huscht. Noch stärker mag die Versuchung seiner Einsamkeiten sein, der bewaldeten Höhen und Heiden, seiner grün ausgebetteten Täler und der stufenreichen Weinlandschaften.

Denn der Gast mag etwa über dem mittleren Main, wo sein Flugzeug mit einer Schleife ins Land einfliegt, die farbigen Madonnen in den Weindörfern ahnen, die dort von Erkern und Hauswänden aus in das fränkische Himmelblau lächeln. Er mag auch wissen, daß andere, mit kunsthistorisch hohem Rang gekrönt wie jene des Meisters Tilman, in den ländlichen Kirchen der weithin gewellten Ebene von Hohenlohe stehen, in die sich ihre vielgekrümmten Flüsse eingegraben haben.

Dort, wo manche Städtchen wie ein ergebener Hofstaat um ihre Schlösser mit den Renaissance-Fassaden hingewachsen sind, liegen Dörfer und Mühlen und mit Holz verschalte alte Brücken wie Volksliedmotive im Talgrund, hier mit dem Gänsegarten und rauschendem Wehr und mit Brückenheiligen; dort entdeckt man Reiherhalden am Waldrand, wo die grauen Vögel zeitlos in ihren Horstbäumen stehen, scheu wie in jenen Zeiten, als die hiesigen Herren mit ihren staufischen Kaisern hier wie in den italienischen Provinzen, deren Gouverneure sie waren, zur Falkenjagd ritten.

So bieten sich überall, wohin der Blick sich wendet, Idyllen und Zeugen der Geschichte an. Wir überfliegen vielleicht das gelassen heitere Tal des Berlichingen mit der Ortschaft seines Namens und der unfernen Grablege, aber auch sein Schloß, in dessen Hof das Goethesche Spiel um den Ritter an Sommerabenden so verzaubernd wie bleibend vorüberzieht.

Denn hier wirkt die Landschaft mit, wie in Schwäbisch-Hall vor der gewaltigen Treppe die ganze altertümliche Stadt zu den Freilichtspielen gehört, die uns im Dichterwort in eine andere Wirklichkeit entführen. Dabei schwingt viel vom Unwägbaren des geschichtlich Vergangenen mit in unsere Zeit hinein.

Denn überdies fliegen wir hier und über dem Schwäbischen Wald über Schneisen hinweg, die genau dem Verlauf des römischen Limes folgen, und wir sehen vielleicht die Kilianskirche von Heilbronn am Neckar, wo der irische Apostel auf dem Weg ins schwäbische Land sein Kreuz niedersetzte.

Beim weiten Rundblick oder Rundflug wird uns nämlich nicht nur die Vielfalt der Landschaft bewußt, wo aus jedem Tal Dichter und Philosophen ihren Beitrag zum inneren Bild der Welt gegeben, wo Entdecker, Erfinder und Forscher, auch im Pfarrersrock oder als Ärzte, ihre Zeit überraschten. Wir entdecken vielmehr im geographischen Bild mit dem Geflecht seiner Wasserläufe und Straßen auch das geschichtliche Strömen, und wir lernen begreifen, daß von den kargen Jurahöhen der Rauhen Alb, wo heute noch Schafherden neben der Autobahn grasen, und daß aus den Dörfern der Schindelmacher im Schwarzwald mancher Auswandererzug aus der engen Armut zu fernen Hoffnungen aufbrechen mußte.

Aber neuerdings wachsen die Orte am Bahnstrang, der ein Teil der Strecke von Paris ans Goldene Horn ist, immer rascher durch ausgedehnte Industrien und Wohngebiete zusammen. Auch werden die Ufer des Neckars, der noch vor sechzig Jahren ein Weg der Flößer war, noch immer von den geliebten Pappeln Hölderlins besäumt, und die Weinbauerndörfer sitzen in alter Gedrängtheit unter den steilen Terrassen aus Kalk und Keuper an ihrem Fluß. Dort steuern jedoch seit kurzem die mit den Flaggen vieler Nationen bewimpelten Lastkähne bis in den Hafen von Stuttgart hinein.

Denn seitdem im vorigen Jahrhundert ein Grundplan der industriellen Entwicklung des Landes erdacht worden war, ist das Neckarland um Stuttgart herum mit seinen Nebentälern, das historisch zur politischen Mitte wurde, wo im quellengesegneten Cannstatt schon ein Römerkastell bestand, auch zum wirtschaftlich regsam belebten Herzland geworden. Die stärkeren Schicksalslinien, auf die das Abendland jeweils blickte, waren freilich die Donau und der Oberrhein, aus dessen Auenwäldern, zu allen Zeiten von Heeren durchstampft, vielleicht aber auch die Reben stammen, die dort noch wild und mit holzigen Beeren bis in die Wipfel der Bäume wachsen. Sie mögen es sein, die veredelt zum Ruhm der Sonnenhänge in den Tälern von Rhein und Neckar und bis zur Tauber wurden.

So offenbart das Land, in dem sich der dunkle Gebirgsstock des Schwarzwaldes in die Flanken des Jura drängte, wo in der »Verwerfung« romantische Täler entstanden und das südwärts von den Gipfeln der Alpen umstellt ist, schon beim Blick vom Himmel herunter die ordnende und auf ergiebige

Nutzung bedachte Hand seiner Bewohner. Überall zeugen Gärten und Obstbaumwälder, deren blühende Pracht ihre Orte wie weißes Gewölk umhüllt, von ländlichem Fleiß, und am lieblichsten scheint der Frühling am Bodensee oder am Neckar, im Bühler Tal und weiterhin unter den dunklen Schwarzwaldhöhen bis zum Odenwald. Dort bückt sich im Dünensand am Rhein der Spargelbauer über seine schnurgeraden, rundlich aufgewölbten Beete. Aber vor allem hat der Mensch im Weinland das Gesicht seiner Landschaft geformt, als hätte er sie mit dem Richtscheit geschaffen. Indessen rang er nur den oft verwinkelten Hängen jeden Sonnenplatz ab, indem er seit Jahrhunderten Steine und Erde, aber auch nahrhaften Mist auf die hoch hinauf gestuften Weinterrassen trug.

Doch nun wurden und werden dem Land, das zu Schillers Zeit rings um die Städte noch die dürftige Heimat von Bauern und Waldbauern war, seine neuen Zeichen der Rührigkeit eingeprägt, Fabrikanlagen, Schleusen und Häfen, Hochhäuser, Siedlungen und der Fernsehturm über Stuttgart, Schnellstraßen mit ihren geschnörkelten Rampen samt den Pisten der Sportler und Flugplätze. Fast alles, was es zu konstruieren oder zu bauen gibt, zumal da hierzulande das Sinnen und Trachten des Menschen besonders dazu geneigt ist, alles, was man verfertigen kann, Autos und ihre Einzelteile, Präzisionsarbeiten für viele Zwecke, Apparate, Optisches, Bücher, wohl alles zur Wohnlichkeit und zum Leben, aber auch Kreatürliches, das man züchten kann, Pferde und Blumen und Reben, dies alles und noch viel mehr gehört zum heutigen Bild des wohl biederen, aber stets ernsthaft tätigen Menschen zwischen dem Oberrhein und dem bayerischen Ries.

So scheinen zwar die Idyllen verdrängt, die man nach den Gedichten Mörikes oder nach den Gemälden Hans Thomas zu finden vermeint. Aber sie haben sich dennoch für den, der sie sucht, oft unweit von den belebtesten Städten und mitten in ihnen erhalten, nicht nur in ländlichen Gastwirtschaften, wo im Badischen das alte Zinngeschirr die getäfelten Stuben ziert und wo im Schwäbischen jetzt noch die Laugenbrezel zum Vesper gehört.

Auch entstanden ja meistens Idyllik oder Romantik, die wir so häufig mißverstehen, aus der Nötigung, auf sich selbst verwiesen zu sein und die innerlich wichtigen Dinge, die Freiheit hinter bewehrten Mauern oder das Schöne hinter dem schützenden Gartenzaun, pflegen zu müssen. Denn draußen drohte und lockte die Weite. Man wohnte ja hier seit jeher im eng geflochtenen Netz der von der Natur gebildeten Wege, die wir beim Kreisen in der Vogelschau erkennen. So bringen die Forscher auch für die ewige Wanderung, die hier vor sich ging, Beweise aus ältesten Zeiten in den Tropfsteinhöhlen der Alb oder am Neckar zutage, wo der Auerochs und das Mammut zogen und wo sich der Homo Steinheimensis, der ein zwanzigjähriges Mädchen vor zwanzigtausend Jahren gewesen sein soll, oder der Homo Heidelbergensis im lehmigen oder sandigen Schwemmland betten ließen.

Aber näher liegt es uns wohl, wenn wir geschichtlich wirkenden Kräften nachspüren wollen, an den Habsburger Weg zu denken, der sich von Wien aus durch das Oberland mit seinen Mooren und Seen bis nach Flandern dehnte und auf dem einst auch die Braut Marie Louise mit ihrem vergoldeten Wagen durch den Schwarzwald an die Seine reiste. Er war auch der Weg zur Wärme des Mittelmeeres, auf dem zu allen Zeiten kriegerische Völker hinüber und herüber zogen.

Unauffälliger machten die Mönche aus Hirsau im Nagoldtal in der Zeit, in der sich das christliche Abendland mit romanischen Kirchen schmückte, ihren Pilgerweg nach Cluny, um nachher die neuen Ideen von dort tief nach Deutschland hinein weiterzutragen.

Uns dürfte jedoch auch der Aufbruch der Leinewandhändler in Oberschwaben fesseln, weil diese Männer aus Ravensburg, Konstanz und vielen anderen Orten am Bodensee durch ihren Handel nach Spanien, Italien und in die Niederlande am Anfang der Geschichte des deutschen Bürgertums stehen. Denn mit ähnlichem Welt- und Selbstbewußtsein haben gewichtige, aber auch kleinste Städte im deutschen Südwesten den Ehrentitel, Freie Reichsstadt zu sein, durch zähes Verhandeln, manchmal durch Geld, aber auch Trotz an sich gebracht, und in mancher von ihnen ist jetzt noch ein Hauch dieser alten Herrlichkeit spürbar. Aus einer von ihnen, aus Schwäbisch-Gmünd, wurden die Brüder Parler auf den Nürnberger Weg gerufen, die später auch ihre Steinmetzkunst am Veitsdom in Prag bewiesen. In einer anderen, in Biberach, erklang zum erstenmal von der Bühne her – durch Wieland – ein Stück von Shakespeare in der deutschen Sprache. Es gab noch keine Provinz, wie es auch heute keine mehr gibt.

Während jedoch der Reutlinger Friedrich List die notwendigen Bahnen des modernen Verkehrs voraussah und – vor hundert Jahren – noch heute gültige Pläne vorschlug, während ein anderer Reichsstädter, Robert Mayer aus Heilbronn, das Gesetz von der Erhaltung der Kraft im physikalischen Sinn entdeckte, schweiften noch die Samenhändler vom Fuß der Alb bis ins Türkenland und die Männer mit ihren Uhrenkiepen aus dem Furtwangener Tal, die bald auch Maultrommeln vertrieben, in alle Welt.

Denn im frei übertragenen Sinne hat sich die Kraft, die bleibend aus dieser Landschaft kommt, nur insofern gewandelt, als der Mensch sich neuerer Formen oder Mittel bedient, und so bietet sich das kühne Beispiel an, daß unfern vom Geburtsort des Johann Faust, in Karlsruhe, bald ein Kernreaktor stehen wird. So wird die innere Folgerichtigkeit erkennbar, mit der in Tübingen, in Heidelberg und Freiburg die modernsten Forschungsinstitute den humanistischen Ruhm, den ihre bedeutendsten Geister auf sich vereinten, trotz den vorwärts hastenden Sprüngen der Gegenwart zu erhalten bemüht sind. Aber überdies tat auch schon Kepler, aus einer Landstadt im Gäu gebürtig, den seine Zeit erregenden Blick in den Kosmos, und es gehört zum neueren Ruhm von Ulm, daß dort Albert Einstein geboren wurde.

Mit solchen Gedanken mag der Gast aus Wolkenhöhen, der hinter dem Gegenwartsbild die geistige Chronik sieht, bei Echterdingen über Stuttgart landen, wo die ruhig erprobte Vision vom Fliegen des Grafen Zeppelin einmal durch einen Sturm unterbrochen wurde, der sein Luftschiff zerstörte. Auch der Schneider von Ulm hatte ja, einer der Grübler in engen Gassen, das Fliegen probiert, und man kann ihn wohl als Beispiel nehmen für jeden, den es hier inwendig umtreibt. Denn ihrer sind jederzeit viele gewesen, auch ganz einfache Leute, scheinbare Sonderlinge, doch sie sind manchmal die tüfteligsten Präzisionsarbeiter, die am feinsten Gerät noch etwas zu verbessern finden.

So gibt es auch immer noch Dichter und Maler, die wie ehedem, als die frühen mystischen Meister am Bodensee noch mit der Mönchskapuze liefen, das Bewegende oder Bleibende in den Bereich der Kunst zu erheben bemüht sind. Nahe dabei regen sich auch die inneren Quellen der Heimatliebe, aus der die schönsten Heimwehlieder entsprangen. Denn trotz einer beweglichen Fortschrittsgesinnung braucht man hierzulande zum ganzen Behagen das eigene Häusle mit einem Garten und Blumen, pflegt man das liebenswert Alte, Bewährte. So baute man Freudenstadt und die Schlösser von Mannheim, Karlsruhe und Stuttgart wieder auf, und man ist sich bewußt, etwa in Wimpfen oder in Schwäbisch-Hall mit seiner Comburg und gar in Heidelberg, aber auch abseits, in Isny im Allgäu oder im oberschwäbischen Ravensburg mit seinen Türmen würdige Zeugen einer Vergangenheit zu besitzen, die aller Ehren wert ist, weil ohne sie das Heutige nicht denkbar wäre.

So verleihen die Reisemarschälle von heute zwar manche Sterne; aber die wirklichen Werte liegen hinter den Dingen wie immer. Und freilich wären noch viele bedeutsame Ziele zu nennen, Kunstwerke und Bauten, wie die Altäre von Tiefenbronn bei Pforzheim und nahe dabei das Kloster Maulbronn und der Ruinenbezirk von Hirsau, die Schnitzaltäre von Creglingen, Besigheim und Blaubeuren oder das Chorgestühl des Meisters Syrlin im Ulmer Münster, dazu die Münster von Konstanz, Überlingen und Freiburg, Marktplätze, Rathäuser, Brunnen, und überall die Idylle in altertümlichen Gassen und auf dem Land.

Aber den lebensfreudig verführbaren Gast verlokken wohl eher die barocken Kuppeln und Zwiebeltürme, aus denen die Glocken in Neresheim über die einsame Ostalb läuten, wo Balthasar Neumann am Werk war. In Zwiefalten erhebt sich ähnliche Festlichkeit der Formen und Farben, die sich in Obermarchthal und Schussenried oder Weingarten fortsetzt, bis sie in anmutiger Verspieltheit in Birnau, am Wiesenhang überm Bodensee, zum heiteren frommen Gedicht wird.

So fährt der Finger auf der Karte manchen Wegen nach, die geistige Straßen sind, wobei die Burgenstraße, die von Mannheim aus durch Hohenlohe bis nach Nürnberg führt, eine neue Entdeckung bedeutet. Doch dem anderen tut es das Durchbruchstal der Donau mit ihren Felsbastionen und hoch gelegenen Schlössern an, vielleicht zur Fastnachtszeit das Treiben der manchmal packend dämonischen Narren. Den dritten zieht es unter das Vordach einsamer Schwarzwaldhäuser, den vierten in die seltsam erfüllende Einsamkeit der kahlen Alb. Der eine rastet am Neckar und in seinen weinreichen Nebentälern, der andere in den Winzerdörfern unter den Schwarzwaldkämmen, je nachdem, wo er in seiner Weise das Natürliche, Bleibende in diesem Lande sucht. Aber außerdem gibt es die Unberührtheit der Natur auch noch dort, wo sie nur der Einheimische kennt.

H. MISSENHARTER Baden-Württemberg

Zuvörderst muß man sich darüber klarwerden, wer und was die Baden-Württemberger eigentlich sind. Beide staatlichen Gebilde mit den alten dynastischen Namen, die zu Beginn der fünfziger Jahre nach sehr gründlichen, oft erbitterten verfassungsrechtlichen Kämpfen durch Volksabstimmung zum drittgrößten deutschen Bundesland vereinigt wurden, waren durch Mediatisierungen vergrößerte Pufferstaaten in dem von Napoleon selbstherrlich dekretierten Rheinbund aus dem Jahre 1806, dessen einziger Zweck die Sicherung der französischen Grenze war. Schon wenige Jahre später ging der Napoleonische Spuk vorüber. Aber die Mehrzahl der von ihm geschaffenen Staaten, so das Großherzogtum Baden und das Königreich Württemberg, erfreuten sich weiterhin unangefochten ihrer freilich teuer erkauften oder ungern erheirateten Souveränitäten.

SINGEN AM HOHENTWIEL · Vom Hohentwiel, der größten Burgruine Deutschlands (im Vordergrund), die besonders durch Scheffel, der sie zum Schauplatz seines »Ekkehard« gemacht hat, überall bekannt geworden ist, blickt man auf Singen herab, das als aufstrebende Industriestadt das Zentrum des Hegaues ist.

Man darf daran heute ohne Groll oder Spott erinnern. Napoleon war in jenem chaotischen Jahrzehnt das Schicksal so manches deutschen Fürsten, der, nachdem Kaiser Franz abgedankt hatte, nur noch an seine Hausmacht und nicht mehr ans einstige Reich dachte. Die »Untertanen« von damals und auch später hatten jedenfalls stets volles Verständnis für die Nöte und realpolitischen Profitlichkeiten ihrer »Herren von Gottes Gnaden«. Sie begriffen schließlich aber auch nach 1945, daß jene willkürlichen Grenzziehungen nicht von Ewigkeit sein könnten und daß eine radikal verwandelte neue Zeit für die moderne Wirtschaft größere Räume zur wirksamen Entfaltung benötige. So gaben denn die zwei Kleinstaaten im Südwesten das Vorbild für ein Europa der Zukunft.
Man hat klugerweise die alten dynastischen Namen für den neuen Bundesstaat beibehalten und dem kleineren Baden mit kluger Höflichkeit den Vortritt gelassen. Von einem Land »Schwaben« zu reden, hat man wohlweislich gar nicht in Betracht gezogen. Denn wer weiß schon heute noch, daß es einstmals vor mehr als sieben Jahrhunderten ein »Herzogtum Schwaben« gab, das vom Main bis zum Sankt Gotthard reichte und also die deutsche Schweiz mit Graubünden, das Elsaß, das südliche Baden, das heutige Württemberg und das heute bayerische Schwaben mit dem Bodensee als Mittelpunkt umfaßte und nicht weniger als 350 Burgen auf seinen Bergen stehen hatte?
Erwähnt darf aber doch wohl werden, daß nicht nur das berühmte Herrschergeschlecht der Staufer, die mit jenem Herzogtum belehnt waren, ihre Heimat in Schwaben hatte, wo noch immer der majestätische Kegel des Hohenstaufen im Zug der Schwäbischen Alb emporragt. Auch die anderen Adelsgeschlechter, die dann jahrhundertelang, nach allen Himmelsrichtungen ins Weltweite ausschreitend, das Abendland durch schöpferische, staatsbildende Ideen befruchteten und verwandelten, lösten sich der Reihe nach vom verhältnismäßig engen Raum des Stammesherzogtums Schwaben los: die Welfen, die auf dem Burgberg bei Ravensburg, dem Geburtsort Heinrichs des Löwen, ihren Stammsitz hatten, die Habsburger, deren bescheidene Burg mit dem gewaltigen viereckigen Turm noch heute im schweizerischen Kanton Aargau auf einem Ausläufer des Jura liegt, und die Hohenzollern, die ebenfalls einstmals von einem der stolzesten Bergkegel der südlichen Alb aus die deutsche Welt unsicher machten – große Namen der abendländischen

Geschichte, die unvergeßbar bleiben. Sie waren nach ihren Ursprüngen allesamt schwäbische Ritter, wohl auch Raubritter, die ihre hochgelegenen Burgen als Sprungbrett in die Weltpolitik zu nützen wußten.
Damals, in der freilich nur kurzen Blütezeit staufischer Königs- und Kaiserherrlichkeit, gab es keinen stolzeren Namen in der deutschen Welt als »Schwabe«. Wie es dann kam, daß kaum zwei Jahrhunderte später dieses Wort zum Schimpf- und Spottwort bei allen deutschen Stämmen geworden ist, bleibt für Volkskundler und Historiker ein seltsames Rätsel. Da geht beispielsweise in einem mittelalterlichen Schwänklein der Herrgott an einem schönen Maientag durch die Felder spazieren und begegnet einem Bauern, der lauthals heult. Was ihm fehle, will der Herrgott wissen. Der Bauer schüttelt den Kopf: Ihm könne niemand helfen, nicht einmal der Herrgott selber, er sei nämlich ein Schwob. Worauf der Herrgott sich traurig wegwandte und ebenfalls zu weinen begann.
Seit dem 16. Jahrhundert wurde so der Schwabe zum Sündenbock für alles, was im Reich lächerlich schien. Alle die vielen Schwanksammlungen häufen ihre oft genug witzigen, nicht immer sehr feinen, aber allgemein belachten Spöttereien auf das dumme, einfältige, vor allem auch feige Schwäblein mit der schweren, langsamen Zunge. Der einst so hochgerühmte Schwabe ist der einzige Deutsche, von dem man bald schon nur noch in der drolligen Verkleinerungsform zu sprechen sich erlaubt. Die berühmten »Sieben Schwaben« die mit ihrem langen Spieß vor dem kleinen, verschüchterten Häslein mit den langen Ohren davonlaufen, die erst mit vierzig Jahren, wenn überhaupt, gescheit werden, die dreimal am Tag ihre inzwischen weltberühmt gewordenen »Spätzle« und »Knöpfle« vespern – es war schon so: Wenn die anderen Dreck am Stekken hatten, so putzten sie ihn ganz bestimmt am Schwaben ab.
Das Fegfeuer des Spotts, durch das die Schwaben hindurch mußten, hat sie auch geläutert. Der ursprünglich so aggressive und streitlustige Stammescharakter hat sich, ohne daß wir deshalb kleinmütig geworden wären, unter der Wirkung von Luthertum und Pietismus gewandelt. Hat noch Tacitus uns als »forcissima natio« gerühmt, so ist allmählich der Drang nach Ausgleich, Versöhnung, Harmonie mehr und mehr der Grundzug des schwäbischen Wesens geworden. Wir mißtrauen denen, die bombastisch und stur das hochmütige »Entweder-Oder« als ihre Maxime verkünden. Unsere Weltanschauung ist, wofür Schiller und Hegel die klassische philosophische Begründung geben, das »Sowohl-Als-auch«, nämlich die Toleranz gegen Andersdenkende, Andersgläubige, Andershandelnde. Wir machen nicht viel Aufhebens von unsrer demokratischen Tradition, sie ist sozusagen allgegenwärtig. Hochmütige, protzige, angeberische Leute werden bei uns nicht ernst genommen. Zuerst gilt immer der Mensch; die Frage wes Standes er ist, kommt erst in zweiter Linie. Von Klassenkampf war hierzulande nie viel zu spüren, und als Proletarier hat sich kaum einer gefühlt, der in der Industrie sein Brot verdiente. Mehr oder weniger nahrhafte, verwandtschaftliche Beziehungen zu dem Dorf, aus dem sie stammen, haben noch immer die meisten, die es in die Stadt und hinter die Maschinen verschlagen hat, wenn sie nicht gar noch ein eigenes »Stückle«, ein »Äckerle« oder ein »Obstgütle« irgendwo neben draußen ihr eigen nennen können.

WERTHEIM · Bis an das Mainviereck, an die Ausläufer des Spessarts, reicht Baden-Württemberg. Wo die Tauber in den Main mündet, liegt das an alten Fachwerkhäusern reiche Städtchen Wertheim. Das enge Tal der beiden Flüsse, überragt von der alten Schloßruine, gehört zu den schönsten Landschaftsbildern am Main.

STUTTGART · Im Herzen des Landes liegt Stuttgart, die Stadt zwischen Wäldern und Reben, eine der schönsten Deutschlands. Vom Hauptbahnhof, der mit seiner sachlichen und klaren Form ganz in die moderne Umgebung paßt, verlaufen die Hauptverkehrs- und Geschäftsstraßen in die Stadtmitte.

Kunst der Selbstverspottung

So allmählich, nicht erst seit Schiller, der den Bann am überlegensten gebrochen hat, obgleich er selbst arg »schwäbelte«, ist den andern die Lust, uns zu verspotten, vergangen. Daß dahinter ein durchaus verständlicher Neid und ein großer Respekt sich verbargen, war unseren dafür besonders empfindlichen Ohren sowieso nicht entgangen. Aber in einem sind jene anderen den Schwaben alle miteinander unterlegen: in der Selbstverspottung. Darin sind wir die unbestrittenen Meister. Und wenn einem Berliner, Sachsen oder Rheinländer ein Witz über uns einfällt, dann fallen uns selbst noch zwei viel schlechtere ein. Jedenfalls sind alle guten Witze, die je über uns gemacht worden sind, hausgemacht, und das heißt in unsrer Sprache, daß sie besser sind als alles, was man im Laden kaufen kann. Unsere Selbstverspottungsliteratur rückt uns gleichrangig neben die Iren und Schotten, mit denen wir zusammen den europäischen Humor in seiner souveränsten Form repräsentieren. Der deutsche Maßstab reicht allein hier nicht zu. Andere deutsche Stämme können zwar auch lachen, aber nicht so frei und herzlich wie die Schwaben.

»Es ist, als hätte der Schöpfer, bevor er die Erde entwarf, ein Modell im kleinen hergestellt, worauf er jede Form andeutete, die er hernach im großen ausführen wollte: Berge, Flußläufe, Ebenen, Wasserflächen – alles ist vorhanden, aber in kleinem Maßstab und in stetem Wechsel.« So schilderte die Dichterin Isolde Kurz ihre Heimat im deutschen Südwesten, diese »Welt im kleinen, die gemütlichste und gemütvollste aller deutschen Landschaften«. Zuletzt aber habe dem Schöpfer das Modell so wohl gefallen, daß er es in den größeren Plan unverändert an bevorzugter Stelle einsetzte.

LICHTENSTEIN · Hoch über dem Ort Honau liegt das durch Wilhelm Hauffs Erzählung berühmt gewordene Schlößchen auf einem Bergvorsprung der Schwäbischen Alb. Die alte, weit romantischere Anlage mit einer kühn über die Schlucht führenden Zugbrücke ist erst zwanzig Jahre nach Hauffs Tod durch den Neubau ersetzt worden.

Wir haben also alles, was das Herz begehrt und die Sinne froh macht, nur eben nichts Großes, nichts Gewaltiges, nichts Majestätisches. Wir sind das *Land der Idyllen*, der überraschenden Gegensätze, der immer wieder wechselnden Kulissen. Wir sehen aus der Ferne im Süden die eisstarrenden Zacken der Alpen, aber unsere eigenen Berge im Schwarzwald, im Allgäu oder im Zug der Alb ragen nur vereinzelt ein wenig über die 1000-Meter-Grenze hinaus. Wir sind zwar weitab von allen Meeren, aber wir haben den Bodensee, den manche Optimisten das »Schwäbische Meer« nennen. Auch hier gibt es bei Gewitterstürmen haushohe Wellen, aber daß einer der hübschen kleinen Dampfer in Seenot gerät und die Fahrgäste seekrank werden, ist eine martialische Fabel. Auch unser größtes Gewässer ist eine gemütliche Oase.

Fangen wir beim Kargsten an: beim Gebirgszug der *Schwäbischen Alb*, die quer durch das ganze Württemberger Land einen schroff aufgerichteten Riegel schiebt. Sie ist kein schwäbisches Privileg, nur der Name ist eigener Besitz. Anderwärts heißt das Gebirge, dessen mittleren Teil unsere Alb darstellt, der Jura, so in Frankreich, wo er am Rhonefluß östlich von Lyon beginnt, um dann die Westschweiz zu durchqueren und durch das südliche Baden hinweg bei Tuttlingen das württembergische Gebiet zu erreichen; im Ries bei Nördlingen geht er in den Fränkischen Jura über, wo er am oberen Main vor Bayreuth endet. Es ist also ein fast europäisch zu nennendes Gebirge, dessen schwäbischer Teil rund 200 Kilometer lang und 15 bis 40 Kilometer breit ist.

Die Alb ist ein Hochflächengebirge, dessen Nordrand gegen den Neckar zu manchmal hundert Meter steil abstürzt, so daß sich dem Beschauer von dorther ein fast senkrechter Mauerwall mit weißen Felsenriffen darbietet, während es sich gegen Süden, der Donau zu, allmählich abflacht. Als verhältnismäßig schmales Tafelgebirge gibt es hier überall unvergleichlich herrliche Gelegenheiten zu lang hin sich erstreckenden Hochwanderungen. Phantastisch genug sind die Formen der Berge: Da ragen kühne Kegel unvermittelt aus der Talsohle auf, da lagern lange Särge wie auf mächtigen Piedestalen, und breite Kasten sind wie von Riesenhänden auf die Gebirgsrücken gestellt. Der Hohenzollern, die Achalm, der Rechberg, der Hohenstaufen sind wie Wächter vor dem Festungswall aufgerichtet, während beispielsweise der Neuffen und die Teck durch eine schmale Brücke mit dem Hauptstock verbunden bleiben.

Etwas Urtümliches und Grandioses hat dieses deutsche Mittelgebirge allenthalben. Es gehört nicht viel Einbildungskraft dazu, sich hier das einstige Jurameer vorzustellen, das südlich bis zu den Alpen und nordwestlich bis zum Rhein, ja, bis nach England sich dehnte. Die helle Stirnseite des Walls ist ja nichts anderes als der verkalkte Überrest von Schwamm- und Korallenbänken jenes Mee-

res, dessen Wasserfluten die tiefen Kluften und Täler durch Erosion bewirkten; Meereswasser und Flüsse haben die Mulden gehöhlt und die verebbenden Hügelwellen so weich geformt.
Steht man im Morgendämmer eines herbstlichen Tages auf einer dieser hochragenden Felsenkanzeln, so bekommt man wohl Lust, im wogenden und wallenden Nebelmeer durch einen Kopfsprung unterzutauchen und mit den Plesiosauriern und Ichthyosauriern um die Wette nach Belemniten und Ammoniten schwimmend zu jagen. Oder man glaubt einen dieser grotesken Flugsaurier daherrauschen zu hören, die wie riesenhafte Fledermäuse mit langen Schnäbeln zwischen den monumentalen Wedeln der Farne und Zykadeen und in den Wipfeln der Araukarien ihre Horste hatten. Die Vorgeschichte mit ihren Fabelwesen und Fabelformen, die man auf Schritt und Tritt versteinert antrifft, steht uns in dieser urweltlichen Landschaft immerzu leibhaftig vor der ahnungsvollen Seele.
Hier ist das Dorado der Geologen, seitdem der berühmte Quenstedt als Tübinger Ordinarius in der Erforschung der Juraformation seine Lebensarbeit erblickte. Besonders interessant wird die Geschichte an drei Stellen: im Hegau, in der Uracher Alb und im Ries, wo vulkanische Gewalten bei der Gebirgsgestaltung mit im Spiel waren, elementare Kräfte, die auch jetzt noch nicht ganz erstorben sind. Die Gegend bei Urach ist die an »Maaren«, also an vulkanischen Trichtern, reichste Stelle unserer Erde. Darunter befinden sich ausgedehnte Tropfsteinhöhlen, etwa neunzig an der Zahl, eine unterirdische Märchenwelt voller Rätsel und Wunder und Tücken, die früh schon die Volksphantasie mächtig anregte. Millionen von Jahren ist diese Unterwelt alt mit ihren bizarren Säulen, ihren erstarrten Wasserfällen, ihren Grotten und Palästen und Seen, die bei Fackelschein in zauberhafter Pracht erstrahlen. Knochenreste sind hier aufgehäuft, Bärenskelette, daneben die Überreste von Höhlenlöwen und auch Menschenschädel. Fledermäuse, die durch kaum wahrnehmbare Spalten in den Felsen verschwanden, haben die Wege in dieses Inferno gewiesen, das jetzt fast allenthalben für Besucher erschlossen ist. Aber immerzu gibt es neue, grausig großartige Entdeckungen.

URACH · Im Tal der Erms liegt am Fuße der Schwäbischen Alb das Städtchen Urach. Es zeichnet sich nicht nur durch eine reizvolle Umgebung aus, sondern weist ein noch echtes mittelalterliches Stadtbild auf. Neben der Burgruine Hohen-Urach besitzt es ein Schloß aus dem fünfzehnten Jahrhundert, in dem der Graf Eberhard im Barte geboren wurde.

BÄRENHÖHLE · Das Juragestein der Schwäbischen Alb ist reich an Tropfsteinhöhlen. In vorgeschichtlicher Zeit dienten sie Menschen und Tieren als Wohnstätten. Aus vielen Funden konnte die Lebensweise jener Bewohner rekonstruiert werden. Die Bärenhöhle bei Erpfingen wird im Sommer von Tausenden besucht.

Entlang dem altberühmten *Schwarzwald*, diesem größten deutschen Mittelgebirge, verlief einst die Grenze zwischen Baden und Württemberg. Der 160 Kilometer lange Gebirgsstock, der im Durchschnitt 45 Kilometer breit ist und sich nach Norden zu verengend abflacht, türmt sich auf dem Urgestein Granit und Gneis und trägt auf seiner Kuppe den Buntsandstein, der, im Gegensatz zum Kalkstein der Alb, das Regenwasser nicht so rasch versickern läßt und daher den einzigartig schönen Wuchs der so stolz und kerzengerade wachsenden Tannen ermöglicht.
Das nördliche Drittel des Waldgebirges hat in der

SÜDSCHWARZWALD · Mit seiner höchsten Erhebung, dem fast 1500 m hohen Feldberg, ist der Schwarzwald das bedeutendste Mittelgebirge Süddeutschlands. Kontrastreiche Landschaftsbilder und alle Vorzüge einer wald- und bergreichen Gegend, die dem Menschen Ruhe und Erholung bieten können, ließen den Schwarzwald schon immer zu beliebtem Aufenthalt werden. Seine Weltbäder, kleinen Kurorte und verträumten Täler sind überall bekannt.

Hornisgrinde und den Kniebishöhen seine bedeutendsten Kuppen. Im Süden ragen die Gipfel höher: der Belchen, der Blauen, das Herzogenhorn und der König des Schwarzwalds, der Feldberg mit seinen fast 1500 Metern, erreichen voralpinen Charakter. Hier in dem Dreieck zwischen Basel, Waldshut und Freiburg sind auch die so malerisch an den Hang gelehnten Bauernhöfe zu finden, die mit ihren uralten, immer wieder geflickten, tief herabgezogenen Strohdächern so herrisch und trutzig in ihre erhabene Einsamkeit schauen. In den obersten Stock unter dem Dach fahren die Bauern auf Hangbrücken ebenerdig ihre Erntewagen ein.
Drei Höhenzüge führen in genauer Nord-Süd-Richtung über den Wald in seiner ganzen Länge und verlocken zu herrlichen einsamen Wanderungen an altmodischen Rasthäusern entlang durch die majestätischen Wälder, an Kahlschlägen vorbei, die weite Fernblicke in die tief eingeschnittenen Täler und auf die tafelförmig sich schichtenden Höhen bieten; da und dort blickt auch das rätselhafte Auge eines kleinen, weltvergessenen Sees aus der dunklen Tiefe herauf.

Mineralquellen und Schwarzwaldluft

Von den Querverbindungen, die teilweise durch tief eingeschnittene Täler sich hinziehen und zu kunstvoll angelegten, uralten Paßstraßen sich hinaufwinden, ist die abenteuerlichste und kühnste die 1873 eröffnete Schwarzwaldbahn von Offenburg nach Singen am Hohentwiel, die zwischen Hornberg und Sankt Georgen in vielen Kehren und nicht weniger als 39 Tunnels aus dem Kinzigtal zur Wasserscheide zwischen Rhein und Donau bei dem 834 Meter hohen Sommerau emporklettert – ein technisches Kunstwerk von höchster Kühnheit der Planung. Höchst romantisch auch die Fahrt vom Hochschwarzwald bei Titisee durchs »Höllental« zuerst und dann durch »Himmelreich« hinab ins freundliche Markgräfler Land mit dem so wuchtig aus der Ebene sich emporreckenden, weingesegneten Kaiserstuhl, der weithin nach Süden und Norden den Lauf des Rheins beherrscht. Nach tiefen, finsteren Schluchten, in die nie ein Strahl der Sonne dringt, tut sich unversehens der Himmel auf.
Schon zur Römerzeit waren die *Thermalquellen* des Schwarzwalds bekannt, von denen die im milden Tal der Oos in Baden-Baden im vorigen Jahrhundert weltberühmt geworden sind. Hier wie in dem idyllischeren und intimeren Badenweiler im südlichen Schwarzwald kehrt der Frühling mit fast tropischer Pracht zuerst in deutschen Landen ein. Neben den Mineralquellen ist aber auch Schwarz-

SCHWARZWALDHAUS · Zu den schönsten und eindrucksvollsten deutschen Bauernhäusern gehört das Schwarzwaldhaus. Fast immer liegt die Scheune in dem weit ausladenden Dachraum, der im allgemeinen von der Bergseite her durch eine Brücke mit den Wagen zu erreichen ist. Vielfach ist der Haupteingang an der Langseite des Hauses angebracht. Dieses massige, schwere Haus ist Inbegriff der ganzen Landschaft und ihres selbstbewußten Bauerntums.

HÖLLENTAL MIT RAVENNAVIADUKT · Durch das zuerst liebliche und friedliche Tal der Dreisam geht die Fahrt von Freiburg aus am Weiler Himmelreich vorbei ins immer tiefer eingeschnittene, sich mehr und mehr verdüsternde Höllental, dessen romantischste Felsenszenerie in der Ravennaschlucht ihren dramatischen Höhepunkt erreicht. Ein gewaltiger, trotzdem eleganter Viadukt überspannt die Schlucht. Durch ein schmales Waldtal, in das nie ein Strahl der Sonne dringt, gelangt man an steilen Felsenmauern entlang zum Titisee, dem schönsten aller Schwarzwaldseen, überragt vom König des Schwarzwaldes, dem Feldberg.

KLOSTERBIBLIOTHEK WIBLINGEN · Nur fünf Kilometer südlich von Ulm, auf dem linken Ufer der Iller, liegt Wiblingen, das mit der ehemaligen Benediktinerabtei ein Juwel des oberschwäbischen Barocks, der jubilierenden Seligkeit, die man »Oberschwäbisches Himmelreich« genannt hat, besitzt. Die Klosterbibliothek ist in einem weiten Saal untergebracht, doppelt so lang wie breit, mit großen Fenstern auf beiden Seiten und vielen Säulen aus prachtvollem grünem Marmor, die eine Galerie mit Balustraden tragen. Die ganze Stimmung und der lebensbejahende Schmuck des Saales beweisen, daß die Wiblinger Benediktiner den Umgang mit Büchern als ein Fest, als eine frohe Andacht betrachteten. Zwischen den Säulenpaaren stehen die allegorischen Gestalten der Wissenschaft und der Tugend. Zierliche Putten, die kaum in die klösterliche Strenge passen, klettern wie muntere, übermütige Knaben durch die Blumenranken und das Muschelwerk der Decke, tollen gleichsam durch den Himmel dieses beschwingten Raumes. Die ehemalige Klosterkirche ist eine Meisterschöpfung des Spätbarocks mit wunderbaren Deckengemälden von Jan Zick. Kloster Wiblingen aber ist nur eines der vielen Beispiele schwäbischen Barocks. Zwischen Ulm und Bodensee reiht sich eine dieser prachtvollen Kostbarkeiten an die andere, die man frohen Herzens genießen und nicht mit dem Tempo unserer Zeit durchrasen sollte.

HEGAU MIT HOHENTWIEL · Vulkanische Bergkegel von manchmal bizarren Formen wölben sich aus der Ebene wie geballte Fäuste empor. Nicht weniger als 91 feste Burgen standen einst auf ihren Gipfeln. Der Hohentwiel bewährte sich während des Dreißigjährigen Krieges als uneinnehmbare Bergfestung. MÄDCHEN IN SCHWARZWALDTRACHT · Fesch und unternehmungslustig sieht sie aus, die blauäugige Jungfer aus dem Gutachtal mit ihrem breitrandigen Strohhut, auf dem sich die dicken, roten, wie Knödel geformten Wollballen so malerisch aneinander schmiegen. Reich und bunt bestickt ist auch ihr Mieder.

BAD RIPPOLDSAU · Seine Entstehung verdankt der Ort der Benediktiner-Abtei St. Georgen im Jahre 1140. Er wurde im Laufe der Jahrhunderte mehrmals zerstört und wiederaufgebaut. Im 19. Jahrhundert erlebte Rippoldsau seine Blütezeit. Das romantisch gelegene kleine Heilbad am Südhang des Kniebismassivs im mittleren Schwarzwald ist eine Oase für den Ruhesuchenden, der den großen Touristenverkehr und eleganten Badebetrieb scheut. Aus dem Granitgestein entspringen mehrere Quellen, deren heilkräftige Wirkung schon vor 700 Jahren bekannt war. Heute wird es hauptsächlich von Herz- und Kreislaufkranken aufgesucht. Das Bad liegt inmitten weiter Tannenwälder und hat trotz einiger neuerer Hotels seinen dörflichen Charakter bewahren können. Sommer und Winter bieten dem Erholungsuchenden gleich gute Möglichkeiten: ein weitverzweigtes Netz von schattigen Wanderwegen und für den Sportlustigen günstig gelegene Schihänge. Die benachbarte Kurstadt Freudenstadt sorgt für kulturelle Abwechslung.

waldluft für erholungsbedüftige Menschen eine wahre Wohltat. Die Freude am Schisport hat die früher im Winter völlig vereinsamten Täler und Höhen aus ihrer Verwunschenheit aufgeweckt und landschaftliche Wunder entdecken lassen, wo unsere Großväter, hinter dem Ofen sitzend, nur feindliche Naturgewalten schaudernd ahnten.

Durchbruch der jungen Donau

Die junge *Donau* hat sozusagen eine harte Kindheit. Kaum hat sie nach ihrem Ursprung bei Donaueschingen die Hochfläche der Baar durchschwommen, versickert sie im klüftigen Kalkgestein bei Geisingen, muß sich einen kräftigen Aderlaß gefallen lassen und viel von ihrem Gewässer unter dem fremden Namen »Aach« bei Radolfzell in den Untersee ergießen, wo dann die große Konkurrenz, der Rhein, die Treulose entführt. Derart geschwächt hat das Donaukind sogleich hinter Geisingen, nämlich bei Immendingen, den schwersten Kampf seines Laufs zu bestehen: den Durchbruch durch das harte Gestein der Schwäbischen Alb.

Dramatischer ist keine landschaftliche Szenerie. Da ragen unbesteigbar scheinende Bergklötze steil in die Höhe, und immer thront hoch oben, wie von einer Riesenhand als Spielzeug hingesetzt, eine Burg, eine Ruine, ein Schloß oder eine Kapelle: Schloß Werenwag, Burg Wildenstein, die Ruinen Hausen, Falkenstein, gebrochen Gutenstein, dem eine neue Burg Gutenstein auf dem gegenüberliegenden Ufer ebenso hochgetürmt entgegentrotzt. Wie viele der Bauern, die hier fronen mußten, mögen, vom Schwindel gepackt, in der gähnenden Tiefe zerschellt sein! Aber danach fragte in jener robusten Zeit vor bald tausend Jahren keiner aus den schwäbischen Adelsgeschlechtern, die von diesen Bergnestern aus ihre durchaus ritterlichen Raubzüge unternahmen. Durch waghalsige Zugbrücken von einem Felsenriff zum andern waren sie gegen Überfälle geschützt. Die Burgfeste Wildenstein mit mächtigem Rundturm auf allseitig isoliertem Bergkegel ist heute Deutschlands romantischste Jugendherberge.

Bis nahe vor Sigmaringen, dessen Hohenzollernschloß ebenfalls auf einem nackten Felsmassiv gebaut ist, dehnt sich die Durchbruchsschlacht der jungen Donau gegen das Kalkgebirge der Alb. Dann ist ihr Sieg entschieden.

Land in strahlender Weite

Es sind zwei sehr verschiedene Welten, die durch die junge Donau voneinander getrennt sind. Vom

Norden her flacht sich der Gebirgszug der Alb allmählich nach dem Fluß zu ab; südlich davon dehnt sich in sanft bewegten Hügelwellen eine freundliche Hochebene, aus der in einsamer Größe der Bussen, der heilige Berg Oberschwabens, emporragt. Ist nördlich der Donau, wenn man etwa durch das Filstal und über die Geislinger Steige sich der alten Reichsstadt Ulm nähert, der Blick über die tiefen Taleinschnitte stets eng begrenzt, so entfaltet sich nun überraschend, sobald wir das silberne Band der Donau vor uns sehen, das Land in strahlender Weite, an hellsichtigen Tagen im Süden durch die in kühlstem, zartestem Blau schimmernde Kette der Alpen gesäumt.

Bis hierher drangen die Gletschermassen der Alpen in der Eiszeit; drunten beim Bodensee lagerten sich die Schuttmassen der Moränen, die jetzt von Waldschöpfen und grünen Matten in lebhaftem Rhythmus bekrönt sind. Hier ist überall viel Wasser, Flüsse, die zur Donau oder zum See wandern, Weiher, Teiche und Tümpel, die langsam durch Verlandung erblinden, Moore, Riede, aus denen an den Abenden die dicken weißen Nebel steigen. Es ist zugleich aber auch ein schwermütiges Stück Natur, wenn die trägen schwarzbraunen Gewässer, mit Röhricht bestanden, durch die Torfbrüche und die stillen, trügerischen Moore streichen, seltsames Wassergeflügel seine klagenden, schrill warnenden Rufe ertönen läßt und Erlkönige mit wunderschönen Töchtern tanzend über dem Wasser zu schweben scheinen.

In den vielen Mooren und an den sumpfigen Ufern findet man noch so manche seltene Pflanze, und auch die Fauna ist einzigartig. Im Sommer blühen allüberall auf blauem Grunde die weißen Bälle der Seerosen. Der fleischfressende Sonnentau und das Fettkraut gedeihen hier, der rosa blühende Froschlöffel wiegt seine hübschen Blätter, grüne Wasserlinsen schwimmen auf dem kaffeebraunen Brackwasser, weiße Studentenröschen schaukeln ihre

DONAU BEI BEURON · Das Tal der jungen Donau zwischen Donaueschingen und Sigmaringen gehört zu den schönsten Landschaften Deutschlands. Unzählige Windungen und bizarre Felstürme zeigen dem verständigen Betrachter, welch harten Lebenskampf der kleine Fluß in Urzeiten der Erde durchzustehen hatte. Mit zäher Beharrlichkeit hat er sich durch das Gestein des Juras genagt, an Bergnasen vorbeigefressen und in unterirdischen Höhlen einen Teil seines Wassers an den entfernten Bodensee abgegeben. So schuf er ein Tal, das zu den unvergeßlichen landschaftlichen Erscheinungen Mitteleuropas gehört. Gerade bei der im Jahre 1075 gegründeten Benediktinererzabtei Beuron offenbart das Donautal seine besondere Schönheit. Dieses auf halbem Weg zwischen Tuttlingen und Sigmaringen liegende Kloster ist Mittelpunkt der liturgischen Bewegung und Ausgangsort der seit der Jahrhundertwende berühmten Beuroner Schule, die, an vormittelalterliche Stilstufen anschließend, eine neue, feierlich strenge kirchliche Kunst anstrebt. Auf hohen Felsen in der nächsten Umgebung liegen die beiden vielbesuchten Schlösser Bronnen und Wildenstein.

HORNEGG · Auf einem vorspringenden Talrand erhebt sich über dem Neckarstädtchen Gundelsheim das aus dem 16. Jahrhundert stammende ehemalige Deutschordensschloß Hornegg, in dem heute ein Sanatorium untergebracht ist. Weinberge umgeben die Anlage, die von einem 35 Meter hohen Bergfried gekrönt wird.

zarten Kelche, und das meterhohe Pfeilkraut, im Volksmund auch »Hasenohr« genannt, gibt mit seinen verschiedenförmigen Blättern und den oben weißen, unten purpurroten Blüten immer neue Rätsel auf.
Im Frühling brüten in dieser verwunschenen Gegend die Möwen, die große Rohrdommel versteckt sich im Schilf, Eisvögel kokettieren mit ihrer silbernen Galauniform, Tauchenten, Bläßhühner, Rohrsperlinge, Kiebitze und Schnepfen tummeln sich im Bereich dieser Gewässer, in deren Tiefe auch noch der riesige, bärtige Weller auf Beute ausgeht. Größtes aller oberschwäbischen Gewässer ist der Federsee, der einstmals die Freie Reichsstadt Buchau vollkommen umspülte, aber jahraus, jahrein langsam, aber stetig verlandet und immer seichter wird. Das ist der melancholische Reiz dieser Seelandschaft.

Württembergs Schicksalsfluß

Der *Neckar* ist der Schicksalsfluß des alten Württemberg. Es ist kein majestätischer Strom wie Rhein und Donau, er ist nur ein Nebenfluß. Lieblich nannte Hölderlin, der in Lauffen am Neckar Geborene, in Nürtingen und in Tübingen, ebenfalls am Neckar, Beheimatete, seine Wiesen und Uferweiden, und hold erschienen ihm die Hügel, die seinen Lauf säumen. Bei Schwenningen, auf der Hochfläche der Baar zwischen Schwarzwald und Alb, entspringt er. Zieht man seinen Lauf auf der Landkarte nach, so ergibt sich eine wunderhübsche, sozusagen konziliante Kurve. Sie ist zuerst, bis Horb, ziemlich genau nördlich gerichtet und wegen des bequemsten Wegs durch die Schichten des Lias, des Keupers und Muschelkalks vielfach gewunden. Wo sich ihm bei Plochingen in den Höhen des Schurwalds ein ernsthaftes Hindernis entgegentürmt, läßt er sich nicht wie die junge Donau auf einen harten Durchbruchskampf ein, sondern weicht höflich in scharfem rechtem Winkel nach Nordwesten aus, in eleganten Schnörkeln alle Hügel und felsigen Partien munter umspülend.

Die neuere Zeit hat den einst so lieblichen Fluß in harte Fron genommen. Vorbei ist's mit der Sorglosigkeit und Nutzlosigkeit seiner idyllischen Kindheit. Heute muß er arbeiten und schuften wie wir alle. Der schon vor drei Jahrhunderten erwogene Plan, den Neckar zu kanalisieren, ist nach dem ersten Weltkrieg verwirklicht worden. Von der Mündung bei Mannheim über Heilbronn und jetzt bis Stuttgart mußte der Neckar fast durchweg sein altes, selbstgewähltes Bett verlassen. Statt dessen hat er jetzt eine Kette von Stauseen mit Staustufen und Wehren, und wo einstmals Pappeln den Lauf säumten, da stehen nun fast zwei Dutzend Kraftwerke, die rund 500 Millionen Kilowattstunden liefern. Riesige fahrbare elektrische Kräne, gewaltige Lagerhäuser und Tanklager sind charakteristisch für den Geist einer neuen, unsagbar emsigen, Tag und Nacht ruhelos vorwärts drängenden Zeit. Bald schon wird auch das letzte Teilstück bis Plochingen kanalisiert sein, dann Durchstich bis Ulm, wo die Donau erreicht und damit die Verbindung zum Südosten geschaffen wird.

»Schaffe, spare, Häusle baue«

Was dem Nicht-Schwaben, wenn er in dieses Land kommt, zuerst am meisten auffällt, ist die »Schaffigkeit« der hier ansässigen Menschen. Unsere baye-

BAD WIMPFEN · Ganz nahe bei der Mündung der beiden größten Nebenflüsse des Neckars, Jagst und Kocher, liegt Bad Wimpfen am Berg. Die steile Salzgasse mit dem berühmten »Blauen Turm«, der zur einstigen Kaiserpfalz gehört, die gotische Stiftskirche und viele Fachwerkhäuser sind Zeugen großer Vergangenheit.

RUINE HORNBERG · Mit Götz von Berlichingen, dem »Manne mit der eisernen Faust«, hat das Land einen der prominentesten Männer an der Wende zwischen Mittelalter und Neuzeit. Dreißig Jahre seines Lebens, bis zu seinem Ende im Jahre 1562, wurde der Hauptmann der fränkischen Bauern und Aufständischen auf Burg Hornberg in Haft gehalten.

rischen Nachbarn beispielsweise blicken aus diesem Grund mit gemischten Gefühlen herüber. Teils imponiert ihnen das hier landesübliche Arbeitstempo und was dabei an Steuerkraft herauskommt, teils bedauern sie uns auch insgeheim, weil uns die ihnen im Blut liegende Lebenskunst, die rechte Lebensfreude, wie sie meinen, so ziemlich abgeht. Das »Cannstatter Volksfest«, von einem König vor rund 150 Jahren allergnädigst dekretiert, dauerte ursprünglich nur einen einzigen Tag; mehr glaubte jener Landesvater seinen fleißigen Bauern nicht zumuten zu dürfen. Das fast gleichzeitig, ebenfalls von einem König gestiftete »Münchner Oktoberfest« dehnte sich von allem Anfang an über zwei volle Wochen aus. Hier war der Anlaß eine Hochzeit im Königshaus; bei uns war es ein Erntedankfest nach glücklich beendeter Hungersnot. Wir hungerten, die Bayern festeten.

»Schaffe, spare, Häusle baue«, ist seit alters die Devise der Schwaben. Nicht zufällig wurde die erste und älteste Bausparkasse in Deutschland in einem hinterwäldlerischen Dorf von einem praktisch denkenden schwäbischen Idealisten gegründet; auch heute noch steht das Land mit der Gesamtsumme seiner Bausparverträge im Bund an erster Stelle. Das eigene Dach überm Kopf und ein Stück eigenen Lands drum herum sind das Ideal, für das man viele Jahre lang jedes Opfer zu bringen bereit ist. Man hat ganz allgemein keinen Ehrgeiz, sich als Großstädter, als Mensch in der Masse zu fühlen, nicht einmal in Stuttgart, das mit seinen über 600 000 Einwohnern auch jetzt noch um seinen historischen Kern, die Residenz, im Talkessel herum sich aus lauter Kleinstädten und vielen Dörfern zusammensetzt, die sich über Wälder und Hügel und weite Talgründe hinweg mit eifersüchtig bewahrtem Eigencharakter ausbreiten. Noch ist diese »Großstadt« mit ihren 36 000 landwirtschaftlichen Betrieben die größte Bauerngemeinde des Landes und überdies die zweitgrößte Weinbaugemeinde der Bundesrepublik. Von den 21 000 Hektar der Markung ist nur ein Viertel bebaut. Über die Hälfte besteht aus Feldern, Wiesen, Weinbergen, Obstgärten und ausgedehnten Waldungen, die von überallher in weniger als einer Viertelstunde mit der Straßenbahn erreichbar sind.

Das Schwäbische ist ansteckend

Daran hat sich auch seit 1945, als die alteingesessenen Badener und Württemberger fast »unterwandert« wurden, kaum etwas geändert. Denn das Schwäbische ist ansteckend und beweist eine geradezu erstaunliche Assimilationskraft. Auch ein bequemer oder gar fauler Einwanderer wird unversehens, kaum hat er, wie man sagt, hier »reingeschmeckt«, so schaffig, so ehrgeizig und so pflichteifrig wie die Einheimischen. Und sein »Häusle«, das gar nicht groß zu sein braucht, will er auch bald bauen können.

Daß seine Kinder, die hier heranwachsen, auch schon unverkennbar zu »schwäbeln« beginnen, was deren Eltern, auch wenn sie wollten, niemals ge-

UHRENMALER · Seit langer Zeit verbindet sich der Begriff Schwarzwald mit dem Gedanken an die berühmten Schwarzwälder Uhren. Das Zifferblatt kunstvoll zu bemalen, war schon immer ein angesehenes Handwerk in vielen Orten. Die Meister dieser Kunst werden jedoch mehr und mehr von den Maschinen verdrängt.

lingt, aber oftmals Kummer bereitet, weil der Dialekt angeblich nicht gerade fein klingt, ist eine landauf, landab schmunzelnd beobachtete Erfahrung. Ja, dieser belächelte und viel geschmähte, auch nach Jahrzehnten im Ausland nie völlig zu verleugnende Dialekt, den auch Schiller, trotz eifrigem Bemühen um seine endgültige »Entschwäbelung«, nach Goethes Urteil nie ganz losgeworden sein soll! Es ist bekannt, daß man an jedes Wort, sei es Hauptwort oder bloßes Umstandswort, mit Vorliebe das verkleinernde »-le« anhängt. Das klingt traulich, gemütlich, verniedlichend, rückt auch die entferntesten Dinge in die Sphäre des Intimen und erlaubt, auch mit Gevatter Tod ein Gespräch auf du und du zu führen. Ein Schlaganfall, ein Herzkollaps ist gewiß kein angenehmes Ereignis. Wenn ein Schwabe aber sagt, daß sein Nachbar ein »Schlägle« bekommen hat, so ist auch der Tod, falls er eintritt, kein gar zu grausamer Geselle. Berühmt ist der kleine Dialog zwischen Stammgast und Kellnerin in einer der netten »Weinbeizen«, wie man hierzulande die meist in Seitengassen versteckten Weinwirtschäftle zu nennen beliebt:

Gast: »Rickele!«
Rickele: »Wasele?«
Gast: »E Viertele!«
Rickele: »Sodele.«

In der lakonischen Knappheit und maulfaulen Gemütlichkeit ist das nicht zu übertreffen. So zu hören noch heute in jeder Dämmerstunde in gewiß tausend schwäbischen, fränkischen, hohenlohischen oder Markgräfler Weinbeizle.

WILDBAD · Zu den berühmtesten deutschen Heilbädern zählt das württembergische Staatsbad mit seinen radiumhaltigen Thermen. Es liegt im lieblichen Tal der jungen Enz. Aus der Stadt heraus führt eine Bergbahn auf den steilen Sommerberg, von wo man einen umfassenden Blick auf Tal und Schwarzwaldberge hat.

BALINGEN · An der Eyach, einem Nebenflüßchen des Neckars, vor der Bergkulisse der Schwäbischen Alb, liegt die kleine Kreisstadt Balingen. Der Wasserturm des malerischen Zollernschlößchens wurde im 16. Jahrhundert auf die alte Stadtmauer, die in vielen Teilen noch erhalten ist, aufgesetzt. Balingen besitzt heute eine rege und vielfältige Industrie.

Hier spricht man Schwäbisch

Auf unsere *Mundart* dürfen wir trotz allem stolz sein. Einstmals, vor zweieinhalb Jahrhunderten, erklang echtestes, kernigstes Schwäbisch von den Kanzeln Wiens, wohin Kaiser Leopold den Augustinermönch Abraham a Santa Clara als Hofprediger berufen hatte. Hinter diesem wohltönenden, humanistischen Pseudonym verbarg sich der aus Kreenheinstetten bei Sigmaringen als Sohn eines Schankwirts gebürtige Ulrich Megerle (1644 bis 1709), dessen Bußpredigten in der Pestzeit und während der Türkenkriege wegen ihrer spaßigen und derben Wortspiele und witzigen Anekdoten ungeheuren Zulauf hatten und alsbald auch gedruckt überall im Reich kursierten. Die Kapuzinerpredigt in »Wallensteins Lager« hat Schiller fast wörtlich diesem Ulrich Megerle entnommen, der ein Volksredner und Demagoge von wahrhaft genialer Sprachgewalt war. Er hatte wie kaum ein anderer in seiner Jugend, in der väterlichen Wirtsstube, wo Bauern, Händler, Soldaten und fahrende Leute sich trafen, »dem Volk aufs Maul geschaut«. Auf der gleichen Kanzel in der Wiener Hofkirche stand ein halbes Jahrhundert nach ihm wieder ein Oberschwabe. Es war der Prämonstratenser Sebastian Sailer (1714 bis 1777), gebürtig aus Wei-

RHEIN BEI MANNHEIM · Vom Bodensee bis zum rechten Ufer bei Worms bildet der Rhein die Grenze des Landes Baden-Württemberg. Von Konstanz bis Basel ist dieser bekannteste Strom Europas noch ein recht unruhiger Geselle, dem man seinen Geburtsort in den Alpen anmerkt. Wo er sich aber in der weit ausholenden Biegung bei Lörrach nach Norden wendet, wird er gelassen. Jetzt ist er eine der wichtigsten Verkehrsadern des Kontinents geworden, dessen Flaggen die vielen Schiffe schmücken.

ßenhorn bei Ulm, Kapitular des Klosters Obermarchtal. Er war nicht nur ein gefeierter Prediger, sondern dichtete so nebenbei schwäbische Komödien, die er an den Sonntagnachmittagen den Bauern oder seinen Amtsbrüdern in den Klöstern selbst vorzutragen oder zur Laute vorzusingen pflegte. Er hat »Die Schöpfung, den Sündenfall und dessen Strafe« und »Die schwäbischen Heiligen Drei Könige« in breitestem, diphthongreichem Oberschwäbisch dramatisiert, wobei der verschwäbelte und verbauerte Gottvater sich über seine eigene Schöpfung und über das Menschenpaar, das dazu gehört, geradezu lästerlich lustig macht und die heiligen Könige von der Frau Herodes als »Lumpabagasch« nur einen »Salot ohne oigschlagate Oyer« aufgewartet bekommen.

Die »Weiber«

Auch aus den Sprichwörtern, die sich mit der Frau befassen, ist etliches von dieser »rauhen und spröden Zärtlichkeit und Herzlichkeit« herauszuhören:

E bravs Weib, e gueter Nachbar ond 's täglich Brot send de drei best Deng uf der Welt.
Gang mr weg: onser Herrgott ist halt au e Mannsbild, saget d'Weiber.
Katze ond Weiber ghöret ens Haus.
Wo d'Weiber Moister send, geht oser Herrgott henterm Haus vorbei.
Wer aus Liebe heiratet, hot scheene Nächt ond harte Täg.

Für so manchen schwäbischen Leser und erst recht natürlich für alle Nichtschwaben mutet dieser urkräftige, großartig ungenierte Dialekt, der heute noch genauso in Oberschwaben gesprochen wird, stellenweise geradezu chinesisch an. Nicht wohl zu verschweigen ist, daß die Frauen oder richtiger die »Weiber«, wie schon bei Megerle so auch bei Sailer, herzlich schlecht wegkommen. Von dem liebevollen »-le« ist hier nichts mehr zu spüren. »Polierte Rabenäser« ist noch eine der höflicheren Bezeichnungen. »Auhrfeiga« (Ohrfeigen) darf die Gattin dem Dutzend nach von ihrem »Moister« bei ehelichen Disputen zuletzt einstecken.

Von einer solchen handgreiflichen Herzlichkeit wird übrigens fast gleichzeitig aus dem nördlichen Teil des Landes berichtet, und zwar von dem wegen seines praktischen Christentums hochberühmten protestantischen Pfarrer Johann Friedrich Flattich, der seiner jungen Frau, einer Pfarrerstochter, sogleich nach der Trauung eine kräftige Ohrfeige versetzt haben soll, »um ihre Demut auf die Probe zu stellen«. Die Frau hat sich in einer langen, durchaus glücklichen Ehe als demütig genug erwiesen, ihrem Gatten vierzehn Kinder zu schenken, zu denen jeweils noch ein Dutzend schwer erziehbarer Buben kam, denen der Magister in seinem Münchinger Pfarrhaus ebenfalls Kost und Logis bot, so

BREISACH · Die Stadt, der »Schlüssel Deutschlands«, hat eine reiche Vergangenheit. Auf einem Felsen am rechten Ufer des Rheins erhebt sich das Stephansmünster, eine kreuzförmige Basilika mit gotischem Langschiff, dem berühmten Breisacher Altar und Fresken von Schongauer. Fünf Tore umgeben die Altstadt.

daß die Frau Pfarrer zumeist dreißig hungrige Mäuler mit ihrem bißchen Haushaltsgeld zu stopfen hatte. Altschwäbische Häuslichkeit und Sparsamkeit und ein gerüttelt Maß weiblicher Demut.

Seewein, Schiller und Zuckerle

In den gemütlichen *Weinstuben* sitzen auch heute noch alle Stände friedlich beisammen: Handwerker, Arbeiter, Industrielle, Pfarrer, Apotheker, der Studienrat und wohl auch ein Herr Minister im Ruhestand. Sie alle schwätzen mehr oder weniger unverfälschtes Schwäbisch, Honoratioren-Schwäbisch genannt. Kein Stand will mehr sein als der andere.

Eigentümlich ist allen den verschiedenen Kreszenzen das sogenannte »Bodeng'fährtle«, auch »Schwänzle« genannt. Da ist der Seewein, vorzüglich gedeihend im idyllischen Hagnau, auf den steilen Hügeln der romantischen Meersburg, in Überlingen und auf der Sonneninsel Reichenau. Das sind typische, hellrötliche »Schiller«, die eine Forelle oder ein Felchen als Grundlage benötigen. Dann geht es dem Rhein folgend ins Markgräfler Land um den vulkanischen Kaiserstuhl herum, wo im Glottertal, nördlich von Freiburg, unter dem Schutz des 1250 Meter hohen Kandel die schwersten, rassigsten Weine Süddeutschlands wachsen. In der Ortenau findet man die Weinberge in die steilen Hänge des Gebirgs verpflanzt, so beispielsweise abseits des Bühler Tals den berühmten Affentaler, den fruchtigsten der deutschen Rotweine.

WANGEN · Auf halbem Weg zwischen Friedrichshafen und Kempten liegt die Allgäustadt Wangen. Ihr viel bestauntes Wahrzeichen ist das aus der Renaissancezeit stammende, bunt bemalte Ravensburger Tor. Kunstvoll geschmiedete Wirtshausschilder künden von alter, gastlicher Kultur, die hier sehr hoch gehalten wird.

ISNY · Von 1365 bis 1803 war Isny am Fuß des »Schwarzen Grats« im württembergischen Allgäu eine Freie Reichsstadt. Heute ist der Ort eine beliebte Sommerfrische und ein bekannter Wintersportplatz. In Isny ist man stolz auf den schlanken Blaserturm mit seiner elegant geschwungenen Zwiebelhaube.

Noch reicher an edlen Tropfen sind die Täler des Neckars und seiner vielen Nebenflüsse, von Jagst und Kocher im Hohenlohischen über Heilbronn und Besigheim bis Stuttgart und Eßlingen hinüber ins Remstal, wo über den Wäldern der Kirschbäume sich die sanften Rebenhügel wölben. Der Kriegsberger, der Uhlbacher, der Cannstatter »Zuckerle« sind die pikanten, mit Bedacht zu »beißenden« und zu schlürfenden Stuttgarter Spitzenweine.

Nie ganz zahmer Schwab

Wie der Wein, der hier wächst, so auch der Mensch, der hier beheimatet ist. Was in Baden-Württemberg nach der alljährlich mit humoriger Würde gefeierten Weinlese gekeltert wird, macht die Geister ebenso gesellig wie kritisch und auch streitbar. Die löblichen und auch die weniger löblichen Eigenschaften, die der Wein gesteigert hervortreten läßt, hat keiner vorsichtiger und gewiß auch schonungsloser gerühmt als der einst berühmte Ästhetiker Friedrich Th. Vischer, der ja selbst ein erquickliches Stück von einem echt schwäbisch raunzigen Dichter war (Der Roman »Auch einer« mit der drollig unphilosophischen Polemik gegen die Tücke des Objekts): »Die Schwaben meinen, ihre Eigenheiten seien bessere, eigenere Eigenheiten als die Eigenheiten anderer Stämme. Nachdenklichen Wesens, viel Talent. Sind so gescheit wie nur irgend jemand, haben aber wie die Schildbürger beschlossen, heimlich gescheit zu sein. Das viele Talent sichtbar in viel Humor. Man meint oft, diese Leute müßten ja Fischblut haben, wird aber irre, wenn man wieder den nachhaltigen Zorn sieht. Die Schwaben sind nämlich zornig. Muß vom Neckarwein kommen, der bös macht. Was ein rechter Schwab ist, wird nie ganz zahm ... Summa: Völklein, schwer zu begreifen. Gutes und Schlimmes verknäult wie kaum irgendwo. Überrascht aus seiner engen Existenz die Welt auf einmal mit einem Schiller, Schelling, Hegel und Hölderlin ... Das ist übrigens auch wahr: keinen einzigen blasierten Menschen habe ich gefunden und bin doch mit vielen umgegangen. Dies besagt nicht wenig.«

Ob sie sich durch dieses Urteils Vischers, der ja selbst gewiß nicht ohne Talent, nicht ohne Humor und obendrein oft genug ein arger Zornickel war, geschmeichelt oder veräppelt fühlen, darüber sind sich seine Landsleute bis heute nicht einig. Porträtiert hat er nur die Männer. Über die Frauen hat er wohlweislich kein Wort verloren: Er lebte in einer kreuzunglücklichen Ehe mit einer Nicht-Schwäbin, einer Österreicherin, vor der er jeden Abend wütig an seinen Stammtisch zum »bösen« Neckarwein geflohen ist und dort seinen Kummer hinuntergespült hat.

Die Dummen

Daß wir »heimlich gescheit« seien, hat uns also der gute Vischer, der sich selbst für den gescheitesten hielt, ausdrücklich bestätigt. Die Dummen sind auch seit alters unseres Volkshumors liebste Kinder, wie

MAINAU IM BODENSEE · Gegenüber von Meersburg, nahe bei Konstanz, liegt die meistbesuchte Insel im »Schwäbischen Meer«. Eine südliche Vegetation zaubert in den Frühlings- und Sommermonaten einen Paradiesgarten hervor, an dessen Ufer die weißen Schiffe über die weite Fläche des Sees ziehen, umschwirrt von flinken Möwen.

WALDSEE · In Oberschwaben, an der alten Straße zwischen der Reichsstadt Ulm und dem Bodensee, liegt das Moorbad Waldsee, umgeben von zwei stillen Seen. Die Kirche reckt ihre beiden im Jahre 1760 errichteten Barocktürme mit zierlichen Konturen in die hier besonders helle und weite Sicht schenkende Luft.

schon eine kleine Auslese an Sprichwörtern aus dem »Schwäbischen Wörterbuch« beweisen mag:

Du hast e Gnad bei Gott: du bist dumm und weißt's net, und wenn ma dir's sagt, no glaubst's net.
Du siehst dumm aus vo weitem, aber wenn ma näher kommt, so ist's so.
Du bisch net dumm, aber der di für g'scheit hält, der isch dumm.
Der isch net ganz dumm, bloß stark dreiviertel.
Du bisch net dumm, aber stark oifältig — ond des isch neun Lot über Dummheit.

Volkstrachten und Bräuche

Die schönen, alten, meist aus dem 18. Jahrhundert stammenden bäurischen *Volkstrachten,* die man noch um die Jahrhundertwende auf allen kleinstädtischen Märkten antraf, sind allmählich fast allesamt ins Museum gewandert. Eine vereinfachte, trachtenähnliche Gewandung wie die Lodenjacken und kurzen Lederhosen in Bayern, die auch die Fremden in der Sommerfrische sich mit Vorliebe zulegen, hat es hierzulande nie gegeben. Nur vereinzelt da und dort, besonders im Schwarzwald, so im Tal der Gutach und der Kinzig, begegnet man noch den ungemein kleidsamen, aber kostspieligen Kopfbedeckungen der Frauen und Mädchen, den breitrandigen Strohhüten mit den lustigen roten Wollbällchen, den wie glitzernde Krönlein anmutenden, kokett in die Stirn gezogenen »Schappeln«, den neckischen Rad-, Band- und Spitzhauben, den zierlich bestickten, seidenen Schulterschals und den wohl geschnürten, kleidsamen Miedern, an denen der seit Generationen erworbene Familienschmuck stolz und selbstbewußt zur Schau getragen wird. Man wird auch auf der Alb keinem Bauern mehr mit dem gravitätischen Dreispitz und der mit schweren silbernen Kugeln zugeknöpften roten Weste unter dem langen, weißleinenen Bratenrock staunend nachblicken können, es sei denn, daß

LANDSCHAFT AM BODENSEE · Das größte Binnengewässer, an dem Deutschland Anteil hat, ist der Bodensee. Im Osten und im Süden liegen die österreichischen und Schweizer Ufer. Der 539 qkm, bis zu 252 m tiefe See ist ein Zungenbecken des eiszeitlichen Rheingletschers. Ein sehr günstiges Klima ließ den Menschen sich hier schon in vorgeschichtlicher Zeit ansiedeln, wie zahlreiche Pfahlbaufunde am Überlinger See beweisen.

ein Verkehrsverein eine für die Fremden bestimmte Trachtenschau veranstaltet.
Dagegen hat sich die noch aus vorchristlichen Zeiten stammende *»Fasnet«*, wie der bayerische Fasching und der rheinische Karneval in diesem Raum heißen, in einigen uralten Narrenstädten und Narrenzünften Oberschwabens, am Oberlauf des Nekkars, der Donau, in den westlichen Bodenseestädtchen und im südlichen Schwarzwald im strengen Ritus der traditionellen Bräuche noch so dämonisch ausgelassen erhalten wie in jenen sagenhaften Zeiten, da das vom Bodensee her vordringende Christentum nicht umhin konnte, diese ursprünglich heidnische »verkehrte Welt« der »Narros«, der Hexen und Madonnen ihren eigenen Festen großzügig anzupassen.
Alljährlich im frühen Frühjahr, zwischen dem »schmotzigen« Donnerstag, an dem die rhombisch geformten Fasnetsküchlein im Schmalz brotzeln, und dem Aschermittwoch werden aus den alten Kästen und Truhen die grotesken, aus Lindenholz kunstvoll geschnitzten Masken, »Schemen« genannt, und die »Häs«, die Kostüme, hervorgeholt, die von Ort zu Ort wechseln. Da gibt es »G'schellnarren« mit bronzenen Glocken am Gürtel, Federhannes, Fransenwämser, »Schuddig« im feuerroten »Zottelhäs«, »Schantles« mit Karbatschen und »Hemdglonker« in Nachthemden und Zipfelmützen. Narrenbäume werden aufgepflanzt, und Narrengerichte übernehmen nach Absetzung des Bürgermeisters das Stadtregiment. Gerichtstag wird gehalten über Obrigkeit und alle Mitbürger, die sich das Jahr über unliebsam bemerkbar gemacht haben. Dazu Sprungtänze zu ohrenbetäubender »Musik« mit Pritschen, Klappern, Schellen und Rätschen versetzen ganze Ortschaften in wilden Taumel, der trotzdem nie zu Exzessen führt, denn das Reglement der »Narros« ist streng und von einer »höheren Gerechtigkeit« diktiert. Es ist kein Spaß, von diesen Spaßmachern ausgelacht zu werden.
Um Mitternacht wird dann die »Fasnet« in Gestalt einer riesigen Strohpuppe verbrannt, es ist die altheidnische Austreibung des Winters.

Schäferlauf in Markgröningen

Was lebendige Tradition heißt, kann man in kaum frischeren, lustigeren Bildern erleben, als wenn man zum altberühmten Schäferlauf nach *Markgröningen* ins Glemstal fährt. Das uralte Reichsstädtchen, das einst die Ehre hatte, die den tapferen Schwaben vom Kaiser verliehene Reichssturmfahne zu bewahren, war seit dem 14. Jahrhundert der Gerichtsort für die schwäbischen Schäfer, die als Beherrscher des Wollmarkts eine mächtige Zunft repräsentierten. Im alten Rathaus mit dem pittoresken Erker und dem lustigen Glockentürmchen am hohen Giebel hatte auch jene Truhe ihren Platz, in der die Schäferkronen und die Urkunden ihrer Zunftprivilegien deponiert waren. Alljährlich am Bartholomäustag, dem 26. August, treffen sich

Baden-
Württemberg
N
Main
GAMBURG
Romantische Straße
Tauber
WALLDÜRN
BAD MERGENTHEIM
CREGLINGEN
HOHENLOHE
Jagst
BERLICHINGEN
Burgenstraße
Kocher
NECKARSULM
WEINSBERG
SCHWÄB.
HALL
CRAILS-
HEIM
MANNHEIM
LUDWIGSHAFEN
WEINHEIM
Bergstraße
HEIDELBERG
SCHWETZINGEN
Rhein
HEILBRONN
KARLSRUHE
MAULBRONN
MARBACH
LUDWIGSBURG
RASTATT
PFORZHEIM
LEONBERG
STUTTGART
AALEN
Spätzle

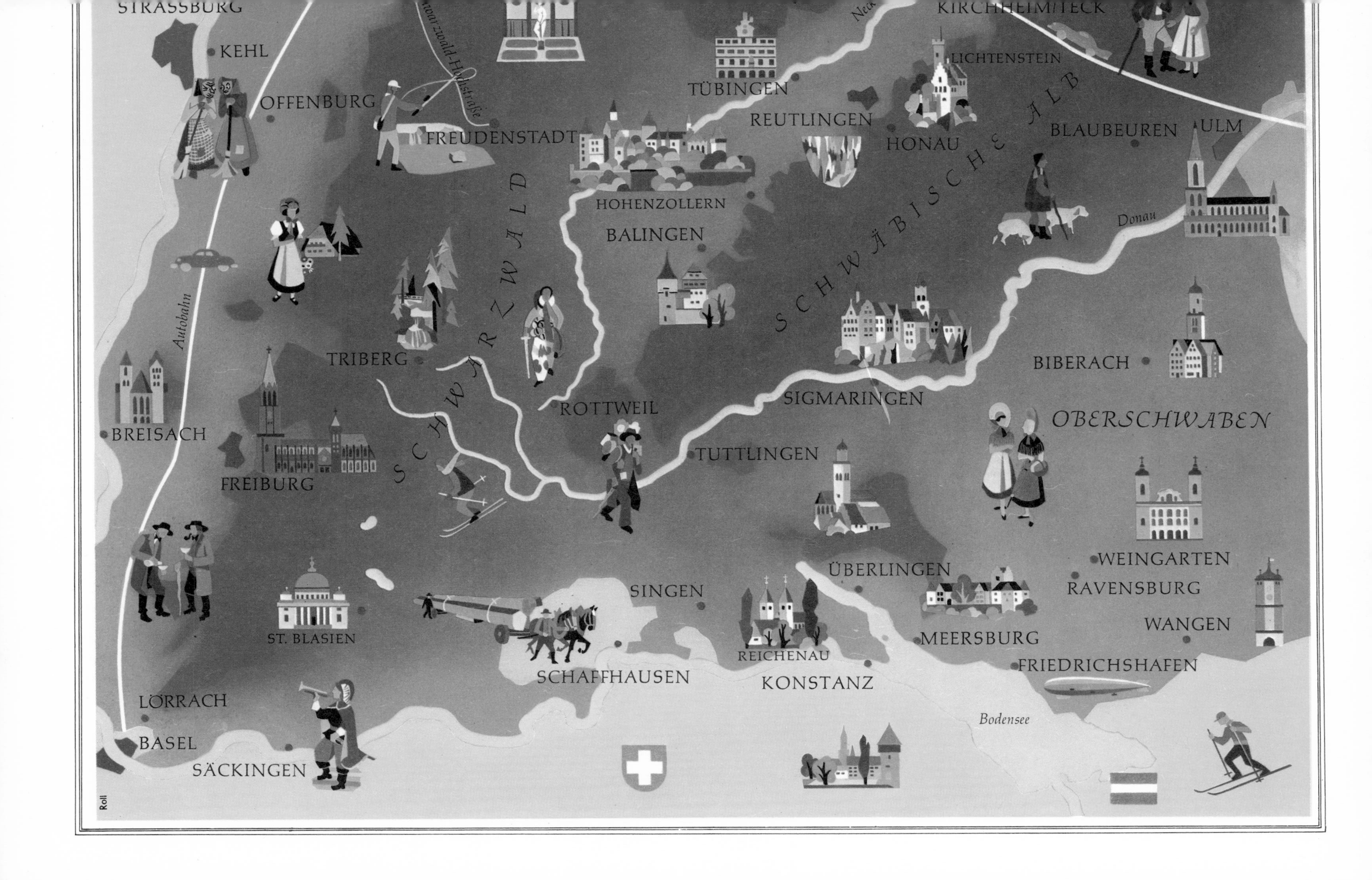

STRASSBURG
KEHL
OFFENBURG
FREUDENSTADT
TÜBINGEN
REUTLINGEN
KIRCHHEIM/TECK
LICHTENSTEIN
HONAU
BLAUBEUREN
ULM
HOHENZOLLERN
BALINGEN
SCHWÄBISCHE ALB
Donau
SCHWARZWALD
Autobahn
TRIBERG
ROTTWEIL
SIGMARINGEN
BIBERACH
OBERSCHWABEN
BREISACH
FREIBURG
TUTTLINGEN
WEINGARTEN
RAVENSBURG
WANGEN
ÜBERLINGEN
SINGEN
MEERSBURG
FRIEDRICHSHAFEN
ST. BLASIEN
REICHENAU
KONSTANZ
SCHAFFHAUSEN
LÖRRACH
BASEL
SÄCKINGEN
Bodensee
Roll

KONSTANZ · Der Rheintorturm und das Münster im Hintergrund sind die Wahrzeichen der Stadt, die als ehemaliger Bischofssitz vor allem durch das bekannte Konstanzer Konzil mit der Verbrennung von Hus im Jahre 1415 große geschichtliche Bedeutung erlangt hat.

hier noch jetzt die Schäfer von nah und fern und feiern ihr Fest streng nach den alten Ordnungen und in den alten Trachten mit den schwarzen Dreispitzen, den rot gefütterten Radmänteln, den mit Silberkugeln verzierten roten Westen und den Schäferschippen, an denen beim Tanz bunte Bänder flattern.
Dann folgen sportliche Wettkämpfe wie bei einer mittelalterlichen Olympiade: Wettläufe barfüßig über Stoppelfelder oder mit Wasserbütten auf dem Kopf, wobei den Siegern ein fetter Hammel und ein Mutterschaf nebst den Schäferkronen winken. Dazu die alte Schäfermusik mit Fiedel, Klarinette, Querpfeife und Dudelsack. Bauersleut, viele zum Fest noch in den alten Trachten, Amtspersonen, Minister und Stadtleute sitzen in gut demokratischer Gemeinschaft auf den Tribünen oder hinterher in den Wirtschaften und feiern fröhlich mit.

Siedertanz in Schwäbisch-Hall

Die einst mächtige Freie Reichsstadt *Schwäbisch-Hall,* die freilich nicht im Schwäbischen, sondern im Fränkischen liegt, war schon bei den Römern durch ihre Salzstätte wohl bekannt. Die kaiserlichen Privilegien, deren sie sich im wohl verstandenen Interesse des Kaisers selbst erfreute, sollten durch Adelsnester auf den umliegenden Hügeln geschützt werden. Das aber paßte den freiheitsliebenden Hallern nicht. Sie vertrieben die Adligen. Und als 1376 ein großes Feuer in der Stadt wütete, retteten die Sieder die Dorfmühle, und seither – so geht die Sage – ist der Besitzer der Mühle verpflichtet, den Siedern einen riesigen Kuchen zum Dank zu backen.
Ob das stimmt oder nicht: Jedenfalls feiern die Haller noch immer alljährlich an Pfingsten ihre Sieder, wobei die Stadt einen hundertpfündigen Kuchen zu spenden hat. Dann treten die ledigen Siederssöhne in ihren traditionellen roten Kitteln, grünen Strümpfen, den Degen umgeschnallt, mit ihren rotberockten Mädeln auf dem »Grasbödele« zum Tanz an, bei dem es nach strengen Regeln hochanständig zuging: Es durfte nicht gesprochen, nicht gelacht und nicht gejauchzt werden; nur mit dem kleinen Finger durften die Tanzenden sich berühren. Die Musik, Trommler und Pfeifer, hatte auf einer umgestürzten Kufe inmitten der Paare ihren Platz. Dieser fünfhundert Jahre alte Brauch lebt auch heute noch fort und bildet ein festliches Ereignis für die Stadt und ihre Umgebung.

RASTATT · Die ehemalige Residenz der Markgrafen von Baden-Baden erinnert in ihrem über zweihundert Jahre alten Schloß an den hier im Jahre 1714 zwischen Österreich und Frankreich geschlossenen Frieden, der den Spanischen Erbfolgekrieg beendete.

SÄCKINGEN · Über den Rhein hinweg verbindet eine aus dem 15. Jahrhundert stammende überdachte Holzbrücke die Stadt mit dem schweizerischen Ort Stein. Das vom St.-Fridolins-Münster überragte Städtchen ist besonders durch den »Trompeter« bekanntgeworden.

Blutritt in Weingarten

Im Kloster *Weingarten,* der gewaltigsten kirchlichen Anlage im barocken Oberschwaben, wird angeblich seit dem Jahr 1090 eine Heilig-Blut-Reliquie aufbewahrt. Nach der Legende soll der römische Kriegsknecht Longinus bei der Kreuzigung einen Blutstropfen Christi aufgefangen und in seine Heimatstadt Mantua gebracht haben, von wo ihn einer der Welfenherzöge nach Deutschland geholt und dem von ihm bei Ravensburg gegründeten Kloster geschenkt habe. Alljährlich am Freitag nach dem Himmelfahrtsfest, dem sogenannten Blutfreitag, wird die Reliquie in feierlicher Prozession von den Mönchen hoch zu Roß um die Gemarkung getragen. Tausende von Bauern aus ganz Oberschwaben, dazwischen Bürgerwehren und Musikkapellen, ebenfalls auf blumengeschmückten Pferden, reiten hinterdrein, den Schutz des Höchsten für die Felder erflehend vor Mißwachs und Hagelschlag –

WEINHEIM · Einen gesegneten Landstrich durchzieht die vielbesuchte Bergstraße, die vor den Hügeln des Odenwaldes von Darmstadt bis Heidelberg verläuft. Schon Wochen vor dem allgemeinen Frühjahrsbeginn in Deutschland überdecken hier ganze Wolken von Blüten das Land, ein Anblick, den jährlich Abertausende genießen. Die aus dem zwöften Jahrhundert stammende Burg Windeck überragt Weinheim, die durch Wein- und Obstbau und den größten Exotenwald Mitteleuropas bekannte Stadt an der Bergstraße. Im von Berckheimschen Schloßpark steht die älteste und größte Zeder Europas, deren Krone 325 qm überdeckt.

ein frühlingshaft farbenprächtiges Bild mit tief religiösem Hintergrund. Es ist der höchste Volksfeiertag Oberschwabens und der Bodenseegegend.

Kraut füllt die Haut

Der Schwabe ist kein Feinschmecker. Was es so an schwäbischen *Spezialitäten* gibt, beweist weniger einen verwöhnten Gaumen als einen guten Magen; je schwerer verdaulich ein Gericht ist, um so besser schmeckt's dem Schwaben. Geschätzt ist nur, was im eigenen Stall, auf den eigenen Feldern und Äckern wächst und in der eigenen Küche nach altbewährten Rezepten zubereitet wird. »Hausgemacht« bezeichnet die höchste Qualität, die der Schwabe bei Eß- und Trinkbarem wie auch bei Leinwand und wollgestrickten Strümpfen kennt. Dem Wirtshausessen mißtraut er im allgemeinen und mag früher auch Grund dazu gehabt haben. Ein rechter Bauer, wenn er über Land geht, nimmt sein Vesper mit und läßt sich in der Wirtschaft nur das Bier oder den Wein und den Senf dazu auftragen. Er ist Selbstversorger und bemitleidet die Schreiber und Lehrer, die auf fremde Kost angewiesen sind, als arme Schlucker.
Berühmt ist seit alters das schwäbische *Kraut*, insonderheit das Filderkraut, das sogar zu einem überseeischen Exportartikel geworden ist. Es gedeiht aber nicht nur auf der Hochfläche der Fildern bei Stuttgart, sondern überall in Schwaben. Der alte Biedermeiermaler Johann Baptist Pflug unterrichtet uns darüber: »Das Kraut ist eine uralte Leibspeise der Schwaben; wir essen es gesotten, gebraten, geröstet, gedünstet und nicht selten roh aus der Stande. Es ist ein so vortreffliches Mittel gegen die Eingeweidewürmer, mit denen die Volksmedizin ohnehin zu schaffen hat. Das Sprichwort ›Kraut füllt den Buben die Haut‹, ist allen Schwaben gemein. Man sagt ihm nach, daß es rote Backen mache. Schweigend und unter stillen Tränen setzt noch da und dort die Mutter am Hochzeitsmorgen ihrer Tochter ein Kächele Kraut als Ehrenspeise vor, angeblich, daß sie die Säure des ehelichen Lebens figürlich koste ...«
Neben dem Kraut sind es die *Spätzle*, die als die Leibspeise der Schwaben sozusagen weltberühmt geworden sind. Wenn ein Schwabe originell sein

BEBENHAUSEN · Unweit von Tübingen, am Rande des Schönbuchs, liegt Bebenhausen. Das schon im Jahre 1190 gegründete Zisterzienserkloster wurde in der Neuzeit wieder aufgehoben. Es wurde renoviert, in verschiedenen Teilen umgebaut und diente dem letzten württembergischen König als Jagdschloß für seine weidmännischen Ausflüge in das obere Neckartal.

will, dann behauptet er, daß ihm Kartoffeln besser schmecken als Spätzle; er läuft aber Gefahr, daß man ihn um seines verdorbenen preußischen Geschmacks willen nur bedauert. Doch solche Degenerationserscheinungen sind bis jetzt gottlob selten. Spätzle sind eine Mehl- und Eierspeise, sonst braucht man nur noch Wasser und Salz dazu. Liest man das Rezept, so scheint die Spätzlebereitung die einfachste Sache von der Welt zu sein. Und doch behaupten alle, die es wissen müssen, daß Nichtschwäbinnen diese Schabekunst mit dem Spätzlebrett und dem Holzmesser niemals lernen; sie muß angeboren sein. Gegessen werden die Spätzle frisch aus der Brühe geschöpft zu Schlachtbraten, zu Hasen- und Rehbraten, zu eingemachtem Kalbfleisch, wo immer eben eine kräftige Soße den etwas faden und pappigen Geschmack würzt. »Spätzle machen gescheit«, pflegt die nicht seltene Spezies von Schwaben zu sagen, die grundsätzlich zu jedem Fleischgericht auch noch Spätzle bestellt. Und niemand wagt, diesem Hauptsatz ihrer Gaumenweisheit zu widersprechen.

Aus alledem geht schon hervor, daß der Schwabe im allgemeinen kein großer Freund von Gemüsen ist; ohne eine Mehlspeise mundet ihm das grüne Zeug nicht, und Vegetarier oder gar Rohköstler werden als magen- und vermutlich auch geisteskranke Zeitgenossen nicht für voll genommen. Gemüse ist auf der schwäbischen Tafel nie Selbstzweck. Die raffinierteste Kombination von Mehlspeise und

SIGMARINGEN · Auf einem steilen Felsen über der Donau erhebt sich das wuchtige, an Türmchen reiche Schloß, das der Sitz der katholischen Linie von Hohenzollern-Sigmaringen war, deren langgestrecktes, schmales Herrschaftsgebiet vom Neckar über die Alb bis in die Nähe des Bodensees bei Stockach reichte. Die Stadt selbst hat sich den Charakter einer kleinen Residenz bewahrt.

BEIM VIERTELE · Baden-Württemberg gehört zu den bedeutendsten deutschen Weinbaugebieten. Typisch für das Land sind die vielen anheimelnden Weinstuben, wo man bei einer kräftigen Brotzeit den Wein in den charakteristischen Kruggläsern trinkt. Den alten Herren scheint er besonders gut zu munden.

jungen Gemüsen sind die sogenannten Maultaschen, ein dünner Nudelteig, in den eine Füllung von aufgeweichten Wecken, Eiern, Schweine- und Kalbfleisch und jungem, gehacktem Spinat nebst Petersilie gewickelt wird. Es ist eine altüberlieferte Gründonnerstag-Fastenspeise, in die das fein gehackte Fleisch mit schwäbischer Schläue nicht sichtbar, aber um so pikanter schmeckbar eingeschmuggelt wird.

Laugenbrezel und Metzelsuppe

Als schwäbisches Charakteristikum ist festzuhalten, daß auch die Protestanten den alten katholischen Fastengebräuchen treu geblieben sind, sofern sie nur etwas Leckeres boten. So sind die fleischlosen Spezialitäten wie Ofenschlupfer, Pfitzauf, Schupfnudeln, Eierhaber, Stierum, Dampfnudeln, zu denen »Gesälz« (eingekochte Früchte) oder Schnitz und Zwetschgen (Dörrobst) an den Feiertagen gegessen werden, landauf, landab hochgeschätzt.

Uralter kultischer Sinn noch aus heidnischen Zeiten liegt der aparten Form unserer Laugenbrezeln zugrunde, die, mit Butter gut bestrichen, so etwas wie den Gipfel schwäbischen Genießens darstellen. Sie schmecken zu Kaffee ebenso gut wie zu Würsten, an denen die schwäbische Speisekarte eine reiche Auswahl bietet. Bei den Metzelsuppen, die der sonst so trockene Uhland schwungvoll besungen hat, gibt es Leber- und Griebenwürste, die man besonders

OFFENBURG · Aus seiner Zeit als Freie Reichsstadt hat sich Offenburg manche Denkmäler in die Gegenwart erhalten. Zu diesen Kostbarkeiten gehört auch die Hirschapotheke mit ihrem hübschen Staffelgiebel. Bei Offenburg tritt die aus dem Schwarzwald kommende Kinzig in die Oberrheinische Tiefebene hinaus.

schmackhaft findet, wenn sie aus einer Hausschlachtung stammen. Eine mit Luft gefüllte Schweinsblase am Wirtsschild zeigt an, daß hier ein Schlachtfest begangen wird. Es soll in der guten alten Zeit wackere Männer gegeben haben, die es dank ihrer Witterung fertigbrachten, tagtäglich an einer Metzelsuppe im näheren oder weiteren Umkreis ihrer Behausung teilzunehmen. Um eine solche Passion richtig zu verstehen, muß man wissen, daß es außer den Würsten und dem Kesselfleisch bei einer Metzelsuppe für den Kenner auch noch andere delikate Sachen gibt, wie Rüssele, Öhrle, Schwänzle, Ripple und Knöchle, die auch weite Wanderungen verlohnen.

Briesle, Leberle, Nierle, Züngle

Einen andern, mehr geistigen Typ von Genießern stellen die Familienväter dar, die an dem altehrwürdigen Brauch des täglichen Früh- und Dämmerschoppens mit löblicher Konsequenz festhalten. Sie lassen sich zu ihren Viertele als Auftakt zu den Hauptmahlzeiten in der Familie kleine Spezialgerichte wie Briesle, Leberle, Nierle, Züngle oder warmen Leberkäs schmecken; hier werden im Frühjahr auch die ersten zarten Radieschen und die hartgesottenen, in Zwiebelbrühe gefärbten Ostereier nebenbei gevespert, Kleinigkeiten, die einem gestandenen schwäbischen Mann den Appetit auf das Mittag- und Abendessen nicht verschlagen können.
Wenn im Herbst der neue Wein noch als räser Most ausgeschenkt wird, gibt's für einen schwäbischen Gaumen keinen größeren Genuß, als wenn auch noch heißer Zwiebelkuchen direkt aus dem Backofen dazu aufgetragen wird. Dabei entwickeln sich dann Dünste, die der so hoch gelobten schwäbischen Gemütlichkeit wunderbar zustatten kommen. Solch ein Zwiebelkuchen ist männliches Reservatrecht; die Frauen und Kinder halten sich an die süßen Apfel-, Zwetschgen- und Käseplätz, die rechtwinklig wie das Kuchenblech um diese Zeit der Kirchweihfeiern in gewaltigen Mengen von fleißigen Hausfrauen gebacken und aufs gastfreundlichste allen Bekannten und Verwandten angeboten werden. Tee ist nach der schwäbischen Weltanschauung nur für die Krankenstube probat, und auch da nur für Frauen und kleine Kinder.

Im Kranz der Rebhügel

Nach dem zweiten Weltkrieg sah man von *Stuttgart,* gerade was den historischen Kern der alten Residenz betraf, ein Tal der Ruinen, denn die Bomben hatten in der noch altertümlichen Altstadt so ziemlich reinen Tisch gemacht. Als Trost war nur geblieben: daß diese Lage im Kranz der Wälder, der Berge, der Rebhügel, dieses Gebettetsein in die zärtliche, warme Mulde einer halb geöffneten Hand, die eine gütige Natur uns noch immer darreicht, nicht zerstört werden konnte. Wir sahen den Weg vor uns in eine harte und kahle Zukunft, den wir zurücklegen müßten mit all der Tragik, die den Mann ohne Schatten verfolgt.
Es ist gottlob anders gekommen. Die Schwaben sind zähe Arbeiter, wie nicht nur die Stuttgarter und die Mannheimer, sondern ebenso die armen Heilbronner, die Ulmer, die Löwensteiner und mehr oder weniger imponierend viele andere unserer schwer angeschlagenen Städte und Dörfer mittlerweile deutlich bewiesen haben.
Stuttgart und alle jene anderen Leidensgenossen sind wiedererstanden, vielleicht nicht immer schöner, aber gewiß moderner, großzügiger, selbstbewußter. Idyllen sind verschwunden, denen viele zuerst nachgetrauert haben. Ein Schweizer Städteplaner war es, der uns nach dem Krieg mitten im Wiederaufbau naiv versichert hat: um eine solche Möglichkeit, sich zu verjüngen und neu zu beginnen, seien wir wahrhaft zu beneiden. Nun, die Stuttgarter haben die ihnen vom Schicksal aufgezwungene Gelegenheit wacker genützt. Restaurativ oder museal war die Stadt ja sowieso nie gewesen. Sie war von allen süddeutschen Großstädten stets die an historischen Bauwerken, Kirchen und Klöstern ärmste gewesen. Wie kam es, daß Stuttgart damit nicht aufwarten konnte? Waren die alten Stuttgarter weniger fromm als die Ulmer, die Augsburger, die Münchner? Wie oft mußten die Päpste Sündennachlaß gewähren, um die offenbar wenig bußfertigen Bürger zum Weiterbau ihrer einzigen repräsentativen Stiftskirche zu ermuntern! Sogar »unrecht erworbenes Gut« sollte dankbar entgegengenommen werden, sofern die Spender nur Reue zeigten. Denn irgendwie mußte das Werk zu einem Abschluß kommen.
Als während des Baus am Chor das Schiff der alten Kreuzkirche über Nacht einstürzte, nahmen die Stuttgarter das so gelassen hin, daß sie anderthalb Jahrzehnte lang keinen Finger rührten, um auch nur die Trümmer zu beseitigen. Es hat dann noch 75 Jahre gebraucht, bis die neue Kirche vollendet und das erste Hochamt gehalten werden

STUTTGART · Die Landeshauptstadt ist nicht reich an kunsthistorisch wichtigen Bauten. Und was über den letzten Krieg hinaus gerettet oder wiederhergestellt werden konnte, ist sehr wenig. Aber der schönste Platz mit der wiederaufgebauten Stiftskirche und Thorwaldsens Schiller-Denkmal erfreut wieder im alten Glanz.

konnte (1495). Aber noch fehlten die beiden Türme – auf den ursprünglich geplanten dritten Turm hatte man beizeiten ganz verzichtet –, und nur mit Ach und Krach und jahrelangen Pausen war es schließlich 1531 gelungen, den mächtigen Westturm bis zum dritten Steinkranz ums Achteck hinaufzutreiben. Dann hatten die mittlerweile auf Befehl ihres Fürsten protestantisch gewordenen Bürger keine Lust zu weiteren, Gott wohlgefälligen Opfern. So setzten sie kurzerhand ein provisorisches Zeltdächlein obendrauf, damit es nicht hineinregnen könne, und hingen die Glocken an ein Gerüst darüber in die freie Luft. So unvollendet steht der in seiner Stumpfheit höchst unkonventionelle Geselle auch jetzt wieder da. Auch aus Faulheit wird manchmal, wie man sieht, Schönes geschaffen.

Das Alte Schloß

Das Imponierendste ist das *Alte Schloß*, der einstige Herrensitz der württembergischen Grafen und Herzöge. Sieben Jahrhunderte haben daran gebaut. Diese Burg, die nur auf Zugbrücken über tiefe Wassergräben hinweg betreten werden konnte, war ein riesiger, schmuckloser Wohnkasten unter gewaltigem Walmdach, dem im 16. Jahrhundert an der westlichen Längsseite ein niedrigerer Flügelbau mit dem berühmten rechteckigen Hof angegliedert worden war. Dreigeschossige Laubengänge mit runden Treppentürmchen in den Ecken und eine famose Reittreppe, die Besuche hoch zu Roß bis ins dritte Stockwerk gestattete, machten den Hof zu einem Schmuckstück. Mächtige runde Ecktürme, als Widerlager den Außenwänden vorgesetzt, bestimmen den trotzigen Charakter des Schlosses, das eine ganze Stadt für sich war.

Als Herzog Ulrich sein »Beilager« mit der bayerischen Prinzessin Sabine hielt, jener berüchtigten Sabine, die ihm dann prompt Hörner mit seinem Stallmeister Hutten aufsetzte, wurde für nicht weniger als 7000 Gäste und 800 Bediente die folgende respektable Menagerie nach den Regeln einer fürstlichen Kochkunst traktiert: 136 Ochsen, 1800 Kälber, 570 Kapaune, 1200 Hennen und Gockel, 2750 Krammetsvögel, 11 Tonnen Salmen, 90 Tonnen Heringe. Außerdem wurden verzehrt: 200 000 Eier, 3000 Säcke Mehl, 130 Pfund Nelken, 40 Pfund Safran; von den 15 000 Eimern Wein, die während der festlichen Tage gratis aus allen Brunnenröhren flossen, ganz zu schweigen. Bald nach dieser Hochzeit stand im Remstal der »Arme Konrad« auf, frühester Vorläufer des großen Bauernkriegs: Der gemeine Mann, der diese Völlerei bezahlen und sich dafür wie ein Hund behandeln lassen mußte.

Das Neue Schloß

Als Herzog Karl sechzehnjährig auf den Thron kam, verlangte er »eine Seiner fürstlichen Dignität konvenable Wohnung nach dem neueren Gout der Architektur«. Das bedeutete: Nur wenn ihm in Stuttgart ein Schloß so schön und so groß wie in Ludwigsburg gebaut würde, erklärte der junge Herr sich bereit, die Hofhaltung von Ludwigsburg, wo sein Vorgänger Eberhard Ludwig residiert hatte, nach der alten Residenz Stuttgart zu verlegen. Der Vorschlag eines alten, sparsamen Geheimrats in der Regierung, man solle doch das Alte Schloß modernisieren und vergrößern, denn noch seien die für den Ludwigsburger Schloßbau angehäuften Schulden

STUTTGART · Die Stadt bemühte sich schon immer, ihrem Gesicht ein modernes Gepräge zu geben. Mit dem Konzerthaus »Liederhalle« hat Stuttgart eine kühne architektonische Schöpfung erhalten. Rechts der Fünfecksaal, links der Kleine Saal, im Hintergrund der Rundbau des Großen Saals, in dem laufend bedeutende Aufführungen veranstaltet werden.

nicht bezahlt, wurde höhnisch zurückgewiesen. Die »Landschaft«, wie der Landtag genannt wurde, mußte also wohl oder übel in Stuttgart ein neues Schloß bauen. 365 Räume sollte es enthalten. Leopold Retti, zuvor schon in Ludwigsburg beschäftigt, fertigte den Plan: ein offenes Hufeisen mit drei gleich langen und hohen Flügeln, eine sehr ruhig und vornehm, aber auch ein wenig langweilig wirkende Riesenfassade, die im Mittelteil durch einen vorgebauten Portikus und eine kronengeschmückte Kuppel ihren einzigen Akzent erhielt.
Im Jahr 1746 wurde der Grundstein gelegt. Fünfzehn Jahre später, als das Schloß im Rohbau stand, brach im Gartenflügel Feuer aus, das die dort bereits vorhandene, besonders kostbare Innenausstattung radikal vernichtete. Fünf Jahre danach, 1762, befahl der Herzog, den halbfertigen Bau einzustellen. Es hatte Krach mit der »Landschaft« gegeben, die des Herzogs Schulden – sie gingen in die Millionen – zu bezahlen sich weigerte. Der Herzog verlegte die Hofhaltung nach Ludwigsburg. Stuttgart verödete.
Das ist nur eine der zahlreichen traurigen Episoden aus der Geschichte der Residenz Stuttgart, gegen die immer wieder die vor ihren Toren liegende zweite Residenz Ludwigsburg erpresserisch ausgespielt wurde! Dem Widerstand gegen die fürstliche Verschwendungssucht verdankten wir eine Landesverfassung, die, von den europäischen Großmächten garantiert, uns als Vorkämpfer von Demokratie und Freiheit noch heute hohes Ansehen verschafft. Daher nichts gegen die oft genug skandalöse Herzogszeit! Sie hat uns Unsummen gekostet, aber hinterher noch mehr eingetragen. Sieger und Nutznießer sind jedenfalls wir, die Überlebenden.

Das neue Stuttgart

Am Marktplatz, wo es am traurigsten ausgesehen hatte, wurde zuerst wieder gebaut. Nicht restaurativ mit den alten, trauten Giebeln, sondern flachdachig mit lustigen Loggien und farbenfrohen Fassaden. Auch das Rathaus, das um 1900 herum gebaut worden und völlig ausgebrannt und ausgeglüht war, ist mit wesentlich verbreiterter Front und einem neuen, wuchtigen, oben gespaltenen Turm wieder aufgebaut, und auch unsere ehrwürdige Stiftskirche ist in alter Schönheit wiedererstanden. Alles, was den Stuttgartern in ihrer alten Stadt einst lieb und teuer war, die Schlösser, der Königsbau mit seiner Säulenfront, die ehemalige »Schloßfreiheit« mit Stiftsfruchtkasten, Prinzenbau, der »Alten Kanzlei« und dem »König von England« sind pietätvoll restauriert wieder da, in den Lücken aber stehen modernste Verwaltungs- und Geschäftshäuser.
Auf zwei Bauten, die in unserer Bundesrepublik als einzigartig gelten dürfen, ist das neue Stuttgart besonders stolz: das ist der radikal unkonventionelle Komplex des Konzerthauses »Liederhalle«, der, nach dem musikalischen Gesetz des Kontrapunkts gestaltet, in drei phantastischen Raumgebilden mit gemeinsamem, zweistöckigem Foyer bewußt jede Symmetrie, jede Bezogenheit auf eine Achse vermissen läßt. Eine Fassade gibt es nicht; der Bau steht mit dem Rücken gegen den Beschauer. Der große Saal besonders, in einen fensterlosen Rundbau eingebettet, gibt dem Besucher ein Gefühl festlicher Gelöstheit, wenn nicht gar Berauschtheit.

ESSLINGEN · Vor den Toren der Landeshauptstadt liegt die industriereiche Stadt Eßlingen. Von der Burgsteige bietet sich ein umfassender Blick auf die Dächer und die doppeltürmige Stadtkirche zum heiligen Dionys mit der Verbindungsbrücke zwischen den Türmen. Im Hintergrund die gotische Frauenkirche.

Und dann der rasch berühmt gewordene Fernsehturm, der mit seinen 211 Metern wie ein himmlisches Ausrufezeichen vom Tal und von allen Höhen aus Tag und Nacht zu erblicken ist. Eine Art Mastkorb, der auf der schlanken, nach oben sich verjüngenden Betonröhre kühn genug balanciert, birgt ein durch Schnellaufzüge erreichbares dreistöckiges Restaurant und eine Aussichtsplatte, von wo aus man staunend erkennt, wie schön, wie romantisch auch heute noch dieses Stuttgart gelegen ist und mit welcher Anmut, ohne gewalttätige Eingriffe, sich die Stadt, über Hügel hinwegkletternd, hinter Wäldern sich verbergend, behaglich streckt und dehnt. Die City mit ihren Hochhäusern ist großstädtisch. Ringsum aber sind lauter Kleinstädte angesiedelt.

Denkmal bürgerlicher Macht

Ulm ist unter den alten Städten des Schwabenlands die an stolzen und widrigen Schicksalen reichste, die sich mit zähem Willen nach katastrophalen Abstürzen immer wieder zu Wohlstand und Geltung emporgerungen hat. Im späten 12. Jahrhundert wurde die einstige Königspfalz zur Reichsstadt erhoben und war dann mit dem Brückenkopf auf der Donauinsel das stärkste Bollwerk des staufi-

HEILBRONN · Im zweiten Weltkrieg wurde die malerische Altstadt größtenteils zerstört. Die frühgotische Kilianskirche, die Nikolaikirche und das Rathaus gehören zu den bekanntesten alten Gebäuden der Stadt des »Käthchens von Heilbronn«. Ein Wunderwerk früher Handwerkskunst ist die astronomische Uhr am Rathaus.

schen Herzogtums gegen die Welfen, Zähringer und Bayern. In den Städtekriegen mit hohem Waffenruhm unbesiegt und im Besitz einer viele Städte und Dörfer umfassenden territorialen Hausmacht, war Ulm in der zweiten Hälfte des 14. Jahrhunderts die unbestritten reichste und auch kultivierteste Stadt in deutschen Gauen. In jener Zeit begannen die Ulmer ihr schönes und überaus stattliches Rathaus zu bauen, dessen gotischer Teil noch heute erhalten oder restauriert ist: ein stolzes Denkmal bürgerlicher Macht und geradezu grenzenloser Unternehmungslust. Damals reifte auch der Plan zum Bau der größten Kirche, die die abendländische Christenheit des Mittelalters kannte. Welch ein Hochgefühl muß die Bürgerschaft beseelt und für wie festgegründet muß sie ihre weltlichen Mittel gehalten haben, daß sie auch die kommenden Generationen auf ein solches Bauwerk als das Sinnbild ihrer Ehrfurcht vor dem Ewigen zu verpflichten wagte! 20 000 Einwohner zählte die Stadt, die Kirche aber, eine schlichte »Pfarrkirche«, bot Raum für 30 000!

Generationen schwäbischer Baukünstler haben an dem Münster geplant und gebaut. Die ersten Entwürfe gehen auf Glieder der damals weltberühmten Gmünder Architektenfamilie der Parler zurück. Nach ihnen ist die Sippe des Ulrich von Ensingen, der gleichzeitig auch als Nachfolger Erwin von Steinbachs die Fassade des Straßburger Münsters gestaltete, in drei Generationen entscheidend am Werk beteiligt gewesen. Ihr Ziel war: der Ulmer Bau sollte zum »Futteral« des Straßburger Münsters erweitert werden. 1454 wurden unter ihrer Leitung die Glocken in den Westturm gehängt, 1471 die Gewölbe des Mittelschiffs geschlossen. Vollendet wurde das Turm-Viereck und das darüber sich erhebende Achteck von Matthäus Böblinger, von dem auch der ein halbes Jahrtausend später ausgeführte Entwurf für den Turmhelm stammt.

Während des Baus am Achteck zeigten sich aber dann plötzlich Brüche und Risse im Mittelschiff, wodurch der ganze, gar zu kühn in die Höhe gereckte Westturm bedroht schien. Man berief in der Not eine Kommission von 28 Sachverständigen, die eine Teilung der Seitenschiffe und eine Verstärkung der Turmbasis veranlaßten. Nach Erledigung dieser schwierigen Sicherungsarbeiten wurde der Bau 1539 eingestellt. Nur ein innerlich geeintes Bürgertum hatte das kolossale Werk schaffen, ein durch die Reformation weltanschaulich gespaltenes es nicht vollenden können.

Mit frischem Wagemut

Von diesem Zeitpunkt an ging es mit Handel und Finanzen der einst reichen Stadt bergab. Mit Karl V. war, wenn es um den alten Glauben ging, nicht zu spaßen. Er zwang der auf ihre alte, demokratische Verfassung von 1397 stolzen Stadt eine aristokratische Verfassung auf. Schlimm erging es ihr im Dreißigjährigen Krieg, als während einer zehnmonatigen Belagerung nach der Nördlinger Schlacht 14 000 Bürger an Seuchen und Hunger starben. Die immer wieder erneuerten und modernisierten Befestigungsanlagen konnten auch im Spanischen Erbfolgekrieg nicht verhindern, daß die Stadt 1702 von den Bayern aufs brutalste gebrandschatzt und während der Franzosenkriege abwechslungsweise durch Kaiserliche und durch Franzosen terrorisiert wurde. So kam es schließlich 1805 zur kampflosen Übergabe der »Bundesfestung«, in der 30 000 Österreicher zerniert waren, an Napoleon, der sogleich die Fortifikationen gründlich demolieren ließ. Mit einer Schuldenlast von 15 Millionen Gulden kam die verarmte und entvölkerte Stadt durch einen Machtspruch Napoleons 1810 schließlich an Württemberg und führt seither das Leben einer ruhigen, aber überaus fleißigen Landstadt, die sich ihrer großen Vergangenheit im Bild des Münsters und der vielen herrlichen städtischen Baudenkmäler mit frischem Wagemut erfreut.

Halls silberner Pfennig

Die einst mächtige und sehr reiche Freie Reichsstadt *Schwäbisch-Hall* verdankt ihre Entstehung einer schon den Römern bekannten Salzstätte. Sieben Burgen, mit Adligen besetzt, sollten in frühmittelalterlicher Zeit diese höchst wertvolle Fundstätte schützen. Die Bürgerlichen brachen aber bald schon die feudalen Vorrechte und verjagten die Adligen. Am zähesten ging der Kampf mit den auf der Limpurg über Hall sitzenden Schenken von Limpurg, sie mauerten sogar das einzige zur Schen-

kenburg führende Tor zu und sperrten mit dieser drastischen Maßnahme den Grafen von jedem Verkehr ab. Dieser leidenschaftliche Kleinkrieg dauerte ein ganzes Jahrhundert, und kein Kaiser war mächtig genug, den Schenken zu ihrem verbrieften Recht zu verhelfen. Schließlich gaben die Grafen klein bei, verkauften ihre Burg an die Haller und übersiedelten nach dem benachbarten Gaildorf, wo weniger rabiate Städter wohnten. Die Haller öffneten ihr Tor wieder und zerstörten sogleich die Burg gründlich und für alle Zeiten, damit keiner mehr Lust verspüre, sich als Herrn über sie aufzuspielen.
Die Haller sind lustige Leute, aber es ist mit ihnen nicht zu spaßen, wenn es um ihre Freiheit geht. Sie haben eine ruhmvolle Geschichte hinter sich und sind sich ihrer Würde wohl bewußt. Ursprünglich eine Gründung der Staufer, erhielt die Stadt um ihrer Salzsiederei willen schon im 13. Jahrhundert das Recht zu eigener Münzprägung: der »Heller«, zuletzt noch in Österreich als Währungsbezeichnung gebräuchlich, geht auf den Haller silbernen Pfennig zurück, der in ganz Deutschland kursierte. Im Jahr 1382 mit der Reichsfreiheit ausgestattet, brachte die Stadt durch Kauf ein beträchtliches Territorium unter ihre Oberhoheit und versah sich und ihre beiden Vorstädte mit starken Befestigungsanlagen, von denen noch mehrere Türme und Tore erhalten geblieben sind. Der gewaltige Kasten des Neuen Baues, der am Hang hinter der Kirche das Stadtbild überragt, war einst das Zeughaus und gibt einen Begriff, wie wohlgerüstet die Stadt im 16. Jahrhundert war. Als die Glaubensspaltung geschah, war Hall unter den ersten Städten, die sich für Luther entschieden. 1802 ist auch diese Reichsstadt ungern genug württembergisch geworden.

Ein origineller Marktplatz

Die Lage der Stadt am Hang über dem Kocher ist einzigartig schön. Es hat Zeiten gegeben, die eine »bucklige« Stadt häßlich fanden und nur was topfeben war für rationell hielten. Die Haller waren gottlob immer der Meinung, daß nur, wenn es auf und ab geht, das Leben seinen rechten Rhythmus hat. Und die Folge dieser gesunden Erkenntnis ist, daß Hall den feinsten und originellsten Marktplatz in ganz Schwaben und Franken sein eigen nennt. Man kann eben auch eine schiefe Ebene reizvoll bebauen; man muß es nur verstehen. Und die Haller haben das glänzend verstanden. Sie haben ihre stolze Michaelskirche auf eine beherrschende Terrasse auf halbem Hang gesetzt und darunter trotz dem starken Gefälle ihren Markt etabliert. Als es aber auf die Dauer doch zu unbequem war, so steil zur Kirche hinansteigen zu müssen, legten sie im 18. Jahrhundert vor die Kirche eine im Segmentausschnitt leicht gerundete, wahrhaft monumentale Treppe von 54 Stufen, die beiderseits von Stützmauern eingefaßt ist. Vergleichbar mit dieser zum romanischen Turmportal gleitenden herrlichen Treppe, die seit Jahren den geschickt genützten szenischen Raum für Freilichtspiele bildet, ist nur die weltberühmte Spanische Treppe in Rom.

SCHWÄBISCH-HALL · Schon im frühen Mittelalter waren die Salzlager der Stadt am Kocher bekannt. Zu den Denkmälern einer reichen Vergangenheit gehört auch die Michaeliskirche, von der eine monumentale Treppe mit 54 Stufen auf den Marktplatz herabführt. Seit Jahren ist diese Treppe Schauplatz von Freilichtspielen.

Die Kirche selbst ist viel älter als die Treppe: der aus der Front herausgerückte Turm stammt in seinem Rumpf bis zum Achteck aus dem 12. Jahrhundert, das Achteck selbst mit dem Umgang und der putzigen Laterne obendrauf ist Zutat vom Jahr 1573. Das Schiff mit überaus breiten Seitenschiffen, die die Front so wuchtig erscheinen lassen, und der um sechs Meter erhöhte Chor wurden zu Beginn und am Ende des 15. Jahrhunderts an Stelle der alten Kirche erbaut.
Gegenüber der Kirche, an der tiefsten Stelle des Marktplatzes, steht das Rathaus. Es wurde wie die meisten umliegenden Häuser im 18. Jahrhundert erbaut, denn 1728 hatte eine Feuersbrunst die halbe Stadt zerstört. Ein Rathaus im traditionellen Stil ist es freilich ganz und gar nicht, es ist vielmehr, wie Dehio feststellte, eine fürstliche Prunkarchitektur des frühen Rokoko. Man kann sich denken, daß die Regierungs- und Verwaltungsgeschäfte in einem so adretten und eleganten Palazzo mit Grandezza besorgt werden.

Ritterstift Hoch-Comburg

Auf einer kunstvollen Straße, der Halsteig, die auf Stützmauern und durch Gewölbe hindurch am Steilufer des mäandergeschlungenen Flusses entlangführt, gelangt man nach Hoch-Comburg. Ursprünglich ein Benediktinerkloster, wurde es um 1500 in ein adliges Chorherrnstift umgewandelt. Die drei

Türme der Stiftskirche mit ihren kunstreichen steinernen Helmen stammen von der alten romanischen Klosterkirche, während Schiff und Chor schönstes Frührokoko repräsentieren. Nicht weniger als ein halbes Jahrtausend liegt also zwischen dem Portal des Westturms und dem Kirchenraum. Die ganze Anlage mit Dutzenden von Gebäuden ist von einer noch völlig erhaltenen Ringmauer mit Türmchen und Rondellen umschlossen.
Von der strengen benediktinischen Regel, die soviel ernste Arbeit forderte, war bei den Chorherren freilich nicht mehr die Rede. Das waren reiche Ritter mit mindestens vierzehn nachweisbaren Ahnen, die hier im eigenen Haushalt lebten; da im allgemeinen nur zehn gleichzeitig Aufnahme fanden, waren diese Junggesellenhaushalte von wahrhaft fürstlichem Zuschnitt. Man merkt denn auch an allem, was je hier gebaut und eingerichtet wurde, daß das Teuerste gerade gut genug war. Die meisten Kirchengeräte waren aus massivem Silber und nicht weniges auch aus purem Gold. Das Merkwürdige ist dabei nur, daß mit dem Reichtum auch stets ein ungewöhnlich sicherer Geschmack verbunden war.
Das berühmteste Stück auf der Comburg ist der noch aus dem alten Münster stammende romanische Kronleuchter aus vergoldetem Kupferblech, der einen Umfang von fast sechzehn Metern hat. Das kunstgeschichtlich einzigartige Werk ist ein an Ketten aufgehängter Riesenreif, an dem zwölf fast meterhohe Laternchen mit wechselnden Turmformen das himmlische Jerusalem symbolisieren. In den Vorder- und Hintertüren dieser Laternen und in ihrem Oberstock stehen Figürchen in geistlicher und weltlicher Tracht und Engelsgestalten, insgesamt nicht weniger als 412, die freilich mit dem bloßen Auge nicht zu erkennen sind. Ein unvorstellbares Maß von kunstfertiger Kleinarbeit und ein Reichtum an gestaltender Phantasie sind hier an ein monumentales Dekorationsstück verschwendet worden. Wir wissen zwar, wer es gestiftet hat – es war der Abt Hartwig, der 1140 gestorben ist –, aber von den Meistern, die es entworfen und geschaffen haben, ist uns kein Name berichtet.

COMBURG · Unweit von Schwäbisch-Hall erhebt sich auf einem Bergkegel die Comburg. Acht Jahrhunderte haben an dieser Klosteranlage, die zu den großartigsten des Mittelalters zählt, gebaut. Die Stiftskirche aus dem 12. Jahrhundert bietet einen der schönsten Außenanblicke romanischer Kunst.

Die Besten unseres Geistes

In *Tübingen,* am Steilufer des oberen Neckars, da, wo vom Nordwesten die Ammer und vom Süden die Steinlach münden, befand sich Jahrhunderte hindurch die einzige württembergische Landesuniversität. Das war eine hohe Ehre und ein Vorrang vor allen anderen Städten. Wie oft in der Geschichte, hat auch bei der Gründung dieser hohen Schule der Zufall mitgespielt: Wäre damals das Land Württemberg nicht das einzige Mal in seiner Geschichte zwischen zwei Brüdern geteilt gewesen, so wäre sie zweifellos nach Stuttgart gekommen. Aber der Uracher Teil, der jenem Gründer Eberhard gehörte, hatte als Hauptstadt Tübingen; eine bessere Stadt besaß er nicht.
Man kann es zwar nicht beweisen und nicht mit den Händen greifen und muß es doch für wahr halten: Was den Ruhm der bald fünfhundertjährigen Alma mater ausmacht, hätte anderswo und auch in Stuttgart nicht ebenso gedeihen können. Jedenfalls ist das evangelisch-theologische Stift, diese reichste Pflanzstätte des schwäbischen Geistes, nirgend sonstwo denkbar als in dem lieben alten Tübingen und in diesem ehemaligen Augustinerkloster am hohen Ufer des Flusses, von wo auch die herrlichen alten Alleen und darüber die Berge der Alb zu sehen sind. Hier haben die Besten unseres Geistes ihre entscheidenden Jugendjahre erlebt, hier haben sie geschwärmt und geliebt, gedichtet und spintisiert und fleißig gelernt: der große Johannes Kepler, dann Hedinger, Bengel, Ötinger, die frommen Schwabenväter, ferner Schelling, Hegel, Hölderlin, Mörike, Strauß und Hermann Kurz.
Und wie die protestantische Theologie ihre »Tübinger Schule« und in Ferdinand Bauer ihren Meister hatte, so auch die von Johann Adam Möhler befruchtete katholische Theologie, die seit 1817 im ehemaligen Collegium illustre, nicht gar weit vom evangelischen Stift entfernt, ihre Fakultät und ihr Seminar besitzt.

Mittelalterliches Gassenbild

Tübingen hat das seltene Glück, von verheerenden Bränden und kriegerischen Verwüstungen verschont geblieben zu sein. So ist heute noch das alte Universitätsviertel, wie es sich bald nach der Gründungszeit (1477) herausbildete, im wesentlichen erhalten. Das akademische Leben spielte sich

SCHLOSS WERENWAG · Der Durchbruch der jungen Donau durch den Jura gehört zu den schönsten Landschaften Deutschlands. Wie hier bei Schloß Werenwag türmen sich Kalkfelsen, auf denen die Ritter ihre Burgnester errichteten. MEERSBURG · Der romantischste Ort am Bodensee ist die hochgebaute Stadt Meersburg. Über den alten Gebäuden am Hafen eine uralte Burg, in der Annette von Droste-Hülshoff lange gelebt und gedichtet hat.

ZWIEFALTEN · Man sieht es der bescheidenen Klosterkirche, die ihre zwei schlanken Türmchen mit den graziös geschweiften Hauben im Quelltopf der Aach spiegelt, von außen nicht an, daß sie eine der heitersten und festlichsten Raumschöpfungen des schwäbischen Hochbarocks umschließt. ULM · Majestätisch strebt der Westturm des Münsters himmelwärts über die alten Giebelhäuser hinweg, die, rechts flankiert vom trotzigen Metzgerturm, hinter der noch erhaltenen Stadtmauer auf die Donau hinausschauen. Diese Flußpartie zählt zu den eindrucksvollsten Bildern deutscher Städte.

BESIGHEIM · Auf einem Felsrücken zwischen Neckar und Enz liegt die malerische Stadt mit ihren vielen Sehenswürdigkeiten. Die Cyriakuskirche besitzt einen der schönsten Altäre niederschwäbischer Bildnerei.

SCHLOSS SOLITUDE · Tief im Wald versteckt, aber auf beherrschender Kuppe mit Blick auf den Hohen-Asperg und hinüber ins Neckartal liegt das 1763 erbaute Lustschloß Solitude, das einst der Mittelpunkt eines üppigen Parks und der Schauplatz großartiger Festivitäten und Monstrejagden gewesen ist. Auch die Hohe Karlsschule, in der der junge Schiller erzogen wurde, war hier einige Jahre untergebracht. Jetzt stehen außer dem wahrhaft adligen Rokokoschlößchen mit seinen schön geschwungenen Freitreppen, einer Schöpfung de la Guepières, nur noch einige der putzigen Kavalierspavillons und das ehemalige Gästehaus, in dessen Räumen ein Hotel betrieben wird.

TÜBINGEN · Die romantische Neckarpartie in der Universitätsstadt vermittelt einen Blick auf den Turm der Stiftskirche, auf die Alte Aula und den runden Hölderlin-Turm, in dem der geisteskranke Dichter die letzten vierzig Jahre seines Lebens von einem biederen Tischlermeister gepflegt wurde.

um die 1480 vollendete Bursa ab und in den Kollegiengebäuden, die zwischen Klinikum und Münzgasse lagen. Die Stiftskirche zum St. Georg war noch im Bau begriffen; noch fehlte das Schiff, und der Turm stand frei hervortretend selbständig da, mit einer offenen Halle im Erdgeschoß. Das Schönste an dieser Kirche ist ihre Lage auf beherrschender Terrasse über den steilen, vom Neckar heraufführenden Gassen mit ihren verschachtelten, spitzen Giebeln. Fast bis auf die mit Balustraden geschmückte Mauer vorgerückt, ragt der schlanke Chor mit seinen hohen Maßwerkfenstern über die Neckarsteige empor: ein kostbares, in seiner Planung ungewöhnlich kühnes, mittelalterliches Bild. Das Schloß Hohentübingen wirkt in der Silhouette, vom Tal aus gesehen, vor allem durch eine gewaltige Baumasse, die durch die überaus wuchtigen Ecktürme und eine vorgeschobene Bastei, das sogenannte »Schänzle«, ihre architektonische Gliederung erfährt. Das Schönste sind die beiden pompösen Portale, das äußere mit seinen über Eck gestellten Erkern schon in die bizarre Formenwelt des Barocks weisend, das innere mit seinem reichen ornamentalen Detail ein Steinmetzwerk phantasievoller Renaissance.
Längst schon ist die Universität über die Altstadt hinausgeflutet, weg vom Neckar ins Tal der Ammer und auf die benachbarten Höhen, wo sich die neuen Aulen, die Bibliothek, die Institute und Kliniken angesiedelt haben. Ein neues, drittes Universitätsviertel ist im Werden, hoch über den beiden alten Vierteln im Norden über der Stadt.

Schon immer etwas Besonderes

Die günstigste Entwicklung nach dem letzten Krieg im Raum zwischen Schwarzwald und Rhein hat unbestreitbar die einstige badische Residenz und Landeshauptstadt *Karlsruhe* genommen, die neuerdings nicht mehr wie ehemals eine ruhige und ein wenig schläfrige Beamten- und Pensionärsstadt ist, die sich vielmehr durch Ansiedlung vieler neuer Industriefirmen wirtschaftlich mächtig herausgemacht hat und durch den Bau des Atomreaktors zum Zentrum der deutschen Atomforschung geworden ist. Aber nicht nur dieses Projekt zieht alljährlich immer mehr Fremde an. Als »Residenz des Rechts«, die den zwei höchsten richterlichen Instanzen, dem Bundesgerichtshof und dem Bundesverfassungsgericht, ihr vornehmes Barockschloß zur Verfügung stellte, wird jetzt Karlsruhes Name in aller Welt häufiger zitiert als jemals früher.
Etwas Besonderes ist dieses Karlsruhe ja schon immer gewesen. Von einem kleinen Markgrafen, dem seine Residenz in Durlach nicht mehr behagte, 1715 aus einer feudalen Laune heraus gegründet und nach dem Strahlenbild der Sonne fächerartig mit kerzengeraden, radial auf das Schloß ausgerichteten Straßen geplant, hatte die Stadt das große Glück, um 1800 herum, als das neugebackene Großherzogtum die wichtigsten Straßen und Plätze zu gestalten hatte, einen genialen Baumeister zu be-

TÜBINGEN · Einen der am besten erhaltenen Marktplätze früherer Zeit findet man in Tübingen. Zwar ist er bucklig und für den modernen Verkehr nicht geeignet, doch versöhnt er mit dem bunt bemalten Rathaus von 1435, dem kecken Glockentürmchen und dem Neptunsbrunnen des Renaissancebaumeisters Schickhardt. Tübingen konnte sein mittelalterliches Bild bis heute bewahren.

KARLSRUHE · Auf Anordnung des Markgrafen von Baden-Durlach wurde 1715 hier eine neue Residenz gegründet. Während man das Schloß noch baute, wurde bereits die Stadt angelegt, deren Straßen strahlenförmig in einem Halbkreisbogen nach dem gräflichen Sitz ausgerichtet sind.

sitzen, der den Stil seiner Epoche zu gestalten verstand: Friedrich Weinbrenner, der vielleicht in Deutschland stärkste, feinfühligste Repräsentant des Klassizismus.
Ein Verehrer und Kenner der Antike wie kein anderer, baute er den Karlsruhern ihren Marktplatz und ihr Rondell mit den wichtigsten staatlichen und städtischen Ämtern, dem Rathaus, den zwei Kirchen, der Synagoge, dem Landtag und mehreren Palais ganz im Stil eines römischen Forums mit Rotunden, vielen Säulen, feierlichen Arkaden und einer drolligen Miniaturpyramide als Grabmal des Stadtgründers. Aber merkwürdig: diese von weit her entlehnten strengen Formen, die das »launige Rokoko« drastisch genug ablösten, wirken unter dem badischen Himmel keineswegs wie exotische, historisierende Theaterkulissen, sondern bei aller Kühle doch edel proportioniert und sehr maßvoll. Es ist eine durchaus eigenständige, badisch temperierte, fast möchte man sagen mozartisch inspirierte Klassizität.

Eine Stadt für das Herz

Wer in *Heidelberg* auf der Alten Brücke steht und den jetzt so brav regulierten Neckar gemächlich unter den wunderschön geschwungenen Bögen hindurchziehen sieht, wer dann durch das Tor mit den welschen Hauben, durch der Gassen Gewimmel zum Schloß emporsteigt, den packt, ob er will oder nicht, ein seltsames Rühren. Wer jung ist, beginnt zu schwärmen und alle Mädchen anzulächeln, und wer alt ist, fühlt sich nicht zu alt, um sich noch ein letztes Mal, wie weiland Goethe, zu verlieben.
Heidelbergs Universität, die berühmte Ruperta Carola, wurde 1386 begründet, sie ist von den süddeutschen Hochschulen die älteste. Das ist der eine Ruhm, dessen sie sich erfreut. Der andere ist das über der Stadt auf halber Höhe zwischen Wäldern verborgene ruinenhafte Pfalzgrafenschloß. Glückliche Jugendjahre hatte hier noch jene Liselotte erlebt, die ihr Vater, der Kurfürst Karl Ludwig, um die Freundschaft des mächtigen Frankreichs bemüht, an den Bruder des Sonnenkönigs verkuppelt hatte. Da begann das Unglück. Nach dem Tod seiner derbfröhlichen Schwägerin verlangte der französische König kurzweg die ganze Kurpfalz als Erbgut. Es kam zum Krieg, in dessen Verlauf (1689 bis 1693) das prächtige, gewaltig ausgedehnte Schloß systematisch zerstört wurde.

KARLSRUHE · Friedrich Weinbrenner war es, der im achtzehnten Jahrhundert dieser Stadt einen neoklassizistischen Stil aufdrückte. Es bedeutete für Karlsruhe keinen Rückschritt, daß es in der Nachkriegszeit die Rolle als Hauptstadt Badens abgeben mußte, als das gemeinsame Bundesland Baden-Württemberg geschaffen wurde. Vielmehr entwickelte es sich zu einer modernen Stadt. Neubauten, wie dieses Hochhaus einer Versicherungsgesellschaft, stehen am Anfang einer großen, betriebsamen Zukunft, wo einst der Markgraf Karl seine Ruhe suchte. Immer aber bleibt Karlsruhe eine Stadt gepflegter Anlagen und stiller Plätze abseits vom Verkehr.

Noch einmal, für kurze Jahre, wurden Teile des Schlosses wiederaufgebaut und glanzvolle Feste mit Musik, Feuerwerk und solennen Trinkgelagen gefeiert. Kurfürst Karl Philipp hieß dieser letzte Heidelberger Pfälzer, und sein lustigster Trinkkumpan war jener Zwerg Perkeo, der das noch heute erhaltene Riesenfaß mit 221 726 Litern als seine eigenste Domäne betrachtete. Als aber jener Karl Philipp mit den Heidelbergern wegen der Heiliggeistkirche, die er wieder katholisch machen wollte, Krach bekam, entdeckte er plötzlich, daß das Bergschloß seinem Geschmack nicht mehr entsprach. Er ließ es also im Stich und baute sich in der Ebene beim heutigen Mannheim ein barockes Domizil nach Versailler Vorbild.
Das war 1720. Ein halbes Jahrhundert später schlugen Blitze in das verlassene und zerfallende Gemäuer, das zur Ruine ausbrannte.
Die romantischen Dichter kamen und entdeckten hier die süße Melancholie über die Vergänglichkeit alles Irdischen. Arnim und Brentano, die »Liederbrüder«, ließen von hier aus »Des Knaben Wunderhorn« ertönen.

HEIDELBERG · Inbegriff der Romantik und des studentischen Lebens ist die alte Stadt am Neckar. Von der Terrasse der Schloßruine überblickt man die Dächer und Türme und den gemächlichen Fluß, der hier aus der Enge seines windungsreichen Tales in die Ebene hinausströmt, um sich bald mit dem Rhein zu vereinigen.

Schachbrett als Stadtplan

Von allen größeren Städten Süddeutschlands hatte *Mannheim* im letzten Weltkrieg am schwersten zu leiden. Dieses wichtige Industriezentrum, zugleich Binnenhafen und Handelsmetropole, das mit dem benachbarten Ludwigshafen zusammen viele Firmen von Weltgeltung beherbergt, galt neben dem Ruhrgebiet den feindlichen Bombengeschwadern als besonders verlockendes Ziel. Aber hier hat man einen Menschenschlag, der nicht unterzukriegen ist. Heute leben in dieser so günstig zwischen zwei schiffbaren Flüssen gelegenen Stadt mehr als 300 000 Menschen, darunter etwa 50 000 Flüchtlinge. Es ist also Baden-Württembergs zweitgrößte Stadt. Unter den 200 000 Beschäftigten, die hier ihr Brot verdienen, sind 60 000 »Pendler«, die aus der Pfalz, aus Nordbaden und dem hessischen Grenzgebiet täglich hier einströmen. Annähernd 300 Industriebetriebe sind in dem Raum versammelt. Mit 45 Kilometern Uferstrecke besitzt Mannheim, das durch den Neckarkanal jetzt direkt mit Stuttgart verbunden ist, den zweitgrößten Binnenhafen Europas, mit einem Güterumschlag, der dem der Seestadt Bremen nicht nachsteht.

MANNHEIM · Das neu erbaute Mannheimer Nationaltheater, das Oper und Schauspielhaus mit gemeinsamem Foyer unter einem Dach vereinigt, hat eine große Tradition. Ihr fühlt sich Mannheim, das sich an der Neckarmündung zu einer der bedeutendsten Industriestädte Süddeutschlands entwickelt hat, immer verpflichtet. Dies beweist der repräsentative Bau.

Das alles hat die Bürgerschaft Mannheims aus eigener Initiative geschaffen. Es war ja schon das zweite Mal, daß die Stadt sozusagen vor dem Nichts stand. Ursprünglich gleich wie Karlsruhe eine Schöpfung des absolutistischen Barocks (Gründungsjahr 1720), ist hier zur Abwechslung wie in Freudenstadt ein Schachbrett als Grundkonzeption gewählt, dessen quadratische Felder der Einfachheit mit Buchstaben und Ziffern bezeichnet werden. Ein kolossales Barockschloß nahe dem Rheinufer war der beherrschende Orientierungspunkt. Als Residenz der kunstliebenden Kurfürsten von der Pfalz galt dieses Mannheim mit seinen uniformen Straßen und den schönen Palazzos in der Nähe des Schlosses als Deutschlands modernste Stadt und zugleich als die bedeutendste Pflegestätte aller schönen Künste, wo ja bekanntlich auch der aus Württemberg geflohene Regimentsmedikus Friedrich Schiller mit seinen genialen Erstlingswerken Zuflucht und Resonanz gefunden hat. Fünfzig Jahre nur hat diese residenzliche Herrlichkeit gedauert. Dann erbte Karl Theodor die bayrische Kurwürde, der Hof wurde nach München verlegt, und alles, was Geld und Glanz und Macht besaß, zog isarwärts.
Was noch an die einst kurfürstliche Zeit erinnerte, Schloß, Nationaltheater, die prächtigen Adels- und Patrizierhäuser, ist im Weltkrieg buchstäblich »ausradiert« worden. Das moderne Mannheim ist eine Stadt ohne Vergangenheit. Aber die Tradition einer im Südwesten fast einzigartigen Kunstliebe ist auch in der heutigen Generation lebendig geblieben. Ein größeres, moderneres Nationaltheater ist mit beispielloser Opferwilligkeit der Bürger-

SCHWETZINGEN · Etwas abseits der Autobahn von Mannheim nach Heidelberg liegt Schwetzingen mit dem wohl schönsten und reichsten Schloßgarten Deutschlands. In dem 1752 von Pigage erbauten Rokokotheater finden jährlich Festspiele statt. Schwetzingen ist Mittelpunkt eines großen Anbaugebietes köstlichen Spargels.

schaft gebaut und mit den »Räubern« glorreichen Andenkens festlich eingeweiht worden. »Aus eigener Kraft« steht als Devise über dieser ewig jungen Stadt am Rhein.

Kurfürstliches Spielzeug im Park

Wenn die Mannheimer heute noch kurfürstliche Luft atmen wollen, müssen sie nach dem nur wenige Kilometer südlich gelegenen *Schwetzingen* wallfahrten. Dort hatte jener Karl Theodor, bevor er nach München entwich, im Winkel zwischen Rhein und Neckar sich eine Sommerresidenz inmitten eines weitgedehnten Parks errichtet, der noch so ziemlich erhalten ist. Was barocke Gartenkünstler mit ihrer ausschweifenden Phantasie sich nur auszudenken vermochten, ohne daß die Kosten eine Rolle spielten, war hier in wenigen Jahren hervorgezaubert worden. Der schwäbische Dichter und Chronist Schubart, der von Ludwigsburg her an extravagante Feste wahrlich gewöhnt war, hat einiges davon aufgezählt: »Chinesische Wildnisse, englische Einsiedeleien, französische Rosenlauben, welsche Orangerien, Springbrunnen und Wasserbecken mit Statuen von Göttern und Nymphen, wasserspeienden Hirschen und Vögeln geschmückt, Wälder, dicke Gebüsche, Grotten und Tempel und manche schöne Bildsäule aus Marmor, Stein oder Bronze ... Man glaubt durch Zauberei auf eine Insel versetzt zu sein, wo alles Klang ist, wo Nixen, Sylphen, Gnomen und Salamander Wasser-, Luft- und Feuermelodien durcheinander jagen und eine wundervolle Symphonie bilden.«
Hinter dem Schloß verborgen steht das reizende Rokokotheaterchen, wo italienische Opern und Singspiele und französische Schauspiele, vor allem Voltaire, auf dem Programm standen. Mozart, der aus Mannheim seine Frau Konstanze holte, hat sich hier als Wunderkind und später auch als Komponist hören lassen, und auch der große Gluck war oftmals gefeierter Gast.
Knapp ein Vierteljahrhundert lang war diese kleine, für den Geist und die Kultur des Ancien Régime so charakteristische Feudalität im Schwang. Dann ließ der nach Bayern berufene Kurfürst das alles, wie ein Kind sein Spielzeug, einfach liegen. Aus dem zweihundertjährigen Dornröschenschlaf hat erst die Nachkriegszeit diese Kostbarkeiten zu neuem Leben wiedererweckt. Der Rundfunk lädt jetzt alljährlich zu »Festlichen Operntagen« seine Gäste nach Schwetzingen ein, das jetzt endlich wieder nicht nur wegen seiner wunderbar zarten »Spargel« von Tausenden im frühen Sommer aufgesucht und geliebt wird.

Heiße Quellen an der Oos

Eines der bescheidensten Bächlein im nördlichsten Zipfel des Schwarzwalds ist die Oos. Sie hütet ein Geheimnis, das schon die Römer kannten: in ihrem Tal sprudeln heiße Quellen. Das ist bekanntlich für viele Menschen wichtiger als der edelste Wein, wie er gleich nebenan in Affental gedeiht. Wenn zwischen hochedlen Tropfen und den körperlichen Beschwerden, denen die Thermen abhelfen sollen, ein ursächlicher Zusammenhang besteht, dann spricht die Nachbarschaft der Reben und der Quellen für die Weisheit des Weltenplans.
In *Baden-Baden* vergessen auch schwerkranke Leute rasch, weshalb sie eigentlich hergekommen sind, und gesunde ertappen sich bei dem geradezu sündhaften Gedanken, daß es doch wohl recht angenehm sein müsse, hier ein bißchen krank zu sein. Denn in diesem freundlichen Tal, wo die Blumen früher blühen als in Lugano, ist alles beisammen, was eine Kur nicht nur körperlich, sondern auch seelisch zu einem Vergnügen machen kann: die Natur ist bis hinauf zu den Ruinen und Aussichtstürmen

BADEN-BADEN · Das internationale Bad im Tal der Oos ist durch seine heißen Quellen berühmt geworden, die bereits den Römern bekannt waren. Mit ihnen wird im Winter auch die spätgotische Stiftskirche geheizt. Neben der Kirche erhebt sich der Renaissancebau des Friedrichsbades. Die Quellen liefern täglich 800 000 Liter Wasser, zum Wohle der vielen Heilungsuchenden.

FREIBURG · Die Schwarzwald-Hauptstadt nennt sich Freiburg. Und der Wald kommt auch bis an die Stadt heran. Der Turm des gotischen Münsters, den Jacob Burckhardt den »schönsten Turm der Christenheit« nennt, überragt eine an historischen Schätzen, Kirchen, Museen, Toren und Bürgerhäusern reiche Altstadt, die wieder aus der Zerstörung erstanden ist.

im Hochwald zu einem Park im besten englischen Stil domestiziert. Hier geht man nicht, hier wandelt man; man spricht nicht, sondern plaudert.

Weltgefühl der Gotik

Freiburg – nach tiefen, finsteren Schluchten, in die nie ein Strahl der Sonne dringt, tut sich unversehens der Himmel auf. Steht man dann auf der so gastfreundlich sich darbietenden Terrasse des Schloßberges, so erblickt man aus der Vogelperspektive das rötliche Freiburger Münster mit seinem elegant himmelan strebenden Turm, mit dem so spielerisch wirkenden Zierat der Strebepfeiler und Schwibbögen, dahinter das glitzernde Band des Rheins und den imposanten Kegelstumpf des Kaiserstuhls.
Das Lob des Freiburger Münsters ist in allen Sprachen schon gesungen worden. Meister der Bauhütten von Straßburg und Reims haben auch hier gearbeitet. Die Gotik kannte keine nationalen Grenzen, sie war ein Weltgefühl. Aber auf dem Freiburger Werk ruhte doch ein besonderer Segen: es ist das einzige Münster, das noch in der Gotik, zu Beginn des 14. Jahrhunderts, vollendet werden konnte. Darin liegt auch das Geheimnis der so beruhigenden Harmonie des Turms: die Meister selbst, nicht spätere Epigonen, haben ihn zu Ende gebaut. Das war möglich, weil hier im Gegensatz zu vielen anderen Kathedralen von Anfang an in der Gesamtplanung Maß gehalten war. Dieses Maßhalten, dieses bescheidene Wissen um die Grenze auch im Streben nach dem Ewigen, nach dem Unendlichen muß doch wohl hier in der Luft liegen.
In Freiburg also hat man sich, im Gegensatz zu den französischen Kathedralen, für die Einturmfront entschieden. Das bedeutete freilich Verzicht auf ein großes Rosenfenster über dem Portal, dieses innigste Herzstück der gotischen Meister. Freiburg hat statt dessen ein angenehm rationell wirkendes Uhrenzifferblatt. Aber der Straßburger Meister hat auf seine »Rosen« doch nicht ganz verzichten wollen: in den Westwänden der Seitenschiffe erblüht das Motiv gleich zweimal.

Bäche in den Straßen

Dom-Freiheit: respektvoller, disziplinierter sind die Häuser um kein großes Gotteshaus geschart als in Freiburg. Aber es ist keine Zone scheuer Ehrfurcht. Man muß es sehen und hören, wie munter und lebensfroh es an Markttagen zugeht. Inmitten der Städter, die hier kaufen, und der Bauern, die ihr Gemüse, ihre Eier, ihren Käse feilbieten, stehen auf einer Säule vor dem Portal Maria mit dem Kind, und zu ihren Seiten die Stadtheiligen Lambert und Alexander. Und an allen Strebepfeilern, in der Vorhalle des Turms, in den Nischen sind die Gestalten der Bibel und der Legende in einem verschwenderisch reichen Zyklus monumentaler Plastiken versammelt, die ganze Schöpfungs- und Heilsgeschichte bis zum Jüngsten Tag demonstrierend, faßbar auch für das schlichte Gemüt, das nicht schriftgelehrt ist.
In den alten Gassen um das Münster herum ist Schritt für Schritt allerhand Nettes zu entdecken. Da gibt es noch einige Tore, die sich bis heute standhaft geweigert haben, als Verkehrshindernisse diffamiert zu werden, da gibt es Brückchen über die Dreisam, der es gar nicht rasch genug gehen kann, bis der Vater Rhein sie verschluckt, da sprudeln aber auch abseits mitten in den Gassen lebendige Gewässer, und wer nicht so recht weiß, wo dieses Freiburg am gemütlichsten ist, der braucht in der Dämmerstunde nur einem der gesetzten Bürger zu folgen, die nach des Tages Mühe zielbewußt aus den Häusern treten: sie wissen, wo man den hellen, süffigen Markgräfler an der reinsten Quelle genießen kann.

Klugheit der Biberacher

Das munterste und freundlichste Städtchen Oberschwabens ist *Biberach* im flachen Tal der Riß. Das schon von den Hohenstaufen mit der Reichsfreiheit ausgestattete Biberach hat sich im Mittelalter durch seine Leinwandweberei, deren Erzeugnisse über Venedig und Genua in alle Welt gingen und später besonders durch seine Goldschmiede, die an den Adelshöfen, den Klöstern und Patriziern eine verständnisvolle und großzügige Kundschaft hatten, einen sicheren Wohlstand verschafft. Im übrigen waren die Biberacher stets maßvolle Leute, die auch in florierenden Zeitläufen nie zu hoch hinauswollten und daher auch nie sehr tief stürzen konnten. Schwere Krisen blieben ihnen also erspart.

Die Klugheit der Biberacher zeigte sich besonders während der Reformation. Zwar gab es zunächst auch hier heftige konfessionelle Händel, als sich die Bürgerschaft in zwei Parteien spaltete und besonders das Patriziat für den alten Glauben sich einsetzte. Der Dreißigjährige Krieg hat denn auch dieser Stadt durch Einquartierungen und Kontributionen, bald von den Schwedischen, bald von den Österreichern, viele Sorgen gebracht. Nach dem Westfälischen Frieden aber einigten sich die beiden Parteien, die sich ungefähr die Waage hielten, auf eine völlige Parität, die zwar im Friedensvertrag auch anderen, konfessionell gemischten Gemeinwesen zur Pflicht gemacht worden war, aber nur in Biberach auch tatsächlich in der Praxis verwirklicht worden ist.

Diese vorbildliche Parität erstreckt sich auf sämtliche Ämter und Ämtchen und auch alle Gewerbe:

BIBERACH · Christoph Martin Wieland wurde in dem alten Reichsstädtchen Biberach an der Riß geboren. Auf dem Marktplatz standen zu seiner Zeit noch zwei Galgen und der Pranger für die Übeltäter. Inzwischen hat sich Biberach mit modernen Hochhäusern im Außenbezirk der neuen Zeit erschlossen und eine fleißige Industrie angesiedelt.

Bürgermeister, Arzt, Apotheker, Hochzeitlader, Büttel und Scharfrichter mußten stets doppelt vorhanden sein, und auch die Büchsenmacher, Glokkengießer, Seifensieder und die anderen ehrlichen Gewerbe waren immer in beiden Konfessionen vertreten, damit kein Katholik in Gefahr käme, eine protestantische Büchse zu spannen, und kein Protestant seiner Kuh eine katholische Schelle umhängen oder sich gar mit einer katholischen Seife waschen mußte. Nur der Totengräber war nach einem tiefsinnigen Ratsschluß immer protestantisch und der Stadtuhrmacher immer katholisch, wohl weil vor Zeit und Ewigkeit die gespaltene Biberacher Christenheit sich wieder einig fühlte.

Im Großen und Kleinen Rat hielten sich selbstverständlich die beiden Bekenntnisse genau die Waage, und wenn ein Amt oder ein Gewerbe nur einen Mann ernährte, wie beim Stadtschreiber oder Stadtbaumeister, wurde beim Todesfall jeweils abgewechselt. Die spätgotische Stadtkirche, eine flachgedeckte Basilika, die im 18. Jahrhundert verzopft worden ist, wurde selbstverständlich Simultankirche: sie dient seither beiden Konfessionen, wodurch bewiesen sein dürfte, daß die Protestanten durch den Weihrauch und die Katholischen durch das Bibelbuch in ihrer Andacht und bei ihrem Gottesdienst nicht behindert werden.

Ehepaar und ein Stuhl

Originell, probat und witzig war es auch, wie die Strafprozeßordnung in der alten Reichsstadt gegehandhabt wurde. Zwei Galgen, ausnahmsweise nicht nach den Konfessionen, sondern nach den Ständen geschieden (hie Bürger, hie Soldat), und ein Pranger, »Lastersaul« genannt, standen in einem Winkel des noch heute mit stattlichen, hochgiebligen Patrizierhäusern umstandenen Marktplatzes. Raubmörder wurden zum Unterschied von anderen Sündern in eine Kuhhaut eingenäht, aus der nur der Kopf und die Arme herausschauten, und so vom Büttel zur Richtstätte geschleift. Pasquillanten wurden an den Pranger gestellt, wo der Scharfrichter das Pasquill in ihrer Hand öffentlich verbrannte. Zänkische Eheleute wurden so lange nur mit einem Stuhl, einem Bett, einem Löffel, einem Teller und einem Krug in den Turm gesperrt, bis sie sich wieder zu vertragen gelobten. Streitsüchtige Weiber wurden miteinander in der »Geige« öffentlich zur Schau gestellt, wobei sie sich aus nächster Nähe begaffen, beschimpfen und begeifern, aber nicht tätlich erreichen konnten. Ehebrecher bekamen im Turm vier Wochen lang nichts als ungesalzenen Brei vorgesetzt, damit ihre Lüste abgetötet und ihr Appetit auf die eigene Frau oder den eigenen Mann wieder geweckt würden. Dem üblen Nachredner wurde am Pranger ein langer eiserner Schnabel vor den Mund geschnallt, an dem eine kleine Glocke bei jeder Bewegung klingelte. Felddiebe wurden in einem käfigartigen Korb am Rathaus hochgezogen, damit jeder sie genau betrachten konnte.

Einstmals hatte die wehrhafte Reichsstadt nicht weniger als zwanzig Türme, von denen zwei Stadt-

GAMBURG · In seinem nordöstlichen Teil greift das Land nach Franken hinein. Das liebliche Taubertal zwischen Creglingen und Wertheim trägt ganz fränkische Charakterzüge: sanfte Hügel zu beiden Seiten des Flusses, Weinberge auf kalkigen Hängen und romantische Orte. Nicht umsonst hat man die »Romantische Straße« durch dieses Tal gelegt. Gamburg bei Tauberbischofsheim wird überragt von einem alten Schloß, von wo man einen eindrucksvollen Blick auf diese Welt hat, die einem vergangenen Jahrhundert anzugehören scheint.

tore und ein zylindrischer Festungsturm mit Zeltdach auf dem Gigelberg noch erhalten sind. Im ehemaligen Spital, einem Stiftungsbau aus dem 14. Jahrhundert, sind jetzt die stadtgeschichtlichen Sammlungen untergebracht, unter denen die reizenden biedermeierlichen Genrebildchen des Johann Baptist Pflug und die liebevoll gemalten Tierbilder von Braith und Mali (zweite Hälfte des 19. Jahrhunderts) vortrefflich die heimatstolze Idyllik des Städtchens illustrieren. Im ehemaligen Gartenhaus des Dichters Christoph Martin Wieland ist das Wielandmuseum untergebracht. Wieland war hier in seiner Jugend als Stadtschreiber tätig, wo er erstmals Shakespeare übersetzte und auf die Bühne brachte.

Im Hohenlohischen

Nordöstlich von Heilbronn zieht sich, von den beiden Neckarnebenflüssen Kocher und Jagst durchflossen, die *Hohenloher Ebene hin.* Der Name rührt von dem uralten fränkischen edelfreien Geschlecht der Hohenlohe her, das seit dem 13. Jahrhundert in dieser Gegend begütert war und später in eine Vielzahl von Haupt- und Nebenlinien sich aufspaltete, unterschieden nach den netten kleinen Residenzen, von denen aus sie ihre Duodez-Städtchen regierten. Seit 1806 durch die Rheinbundakte mediatisiert, kamen die hohenlohischen Städtchen und Grafschäftchen fast allesamt unter württembergische Landeshoheit.

Öhringen und Neuenstein

Hinter Weinsberg treten wir ins ehemalige hohenlohische Territorium, eine verwunschene Gegend. Hier scheint die Zeit seit Jahrhunderten stillzustehen. Was altfränkisch eigentlich bedeutet: In diesen kleinen Residenzen mit den großmächtigen Schlössern und den verwilderten Parks kann man es leibhaftig erfahren. Durch dieses freundliche und waldreiche Hügelland führen keine großen Durchgangsstraßen, es gibt keine Verkehrszentren, keine Industriewerke von mehr als regionaler Bedeutung; wohl aber die alteingesessene Behäbigkeit und zeremonielle Schrulligkeit der idyllischen Leutchen, die in »Hermann und Dorothea« ihr Wesen haben und auch deren Biedersinn und Herzensklugheit. Das Musterstädtchen ist *Öhringen,* das eine noch mit Mauern und Toren bewehrte Altstadt mit

BAD MERGENTHEIM · Das Deutschordensschloß war von 1526 bis 1809 Residenz des Deutsch- und Hochmeisters. Es ist ein umfangreicher Komplex von Renaissance- und Barockbauten mit einer Kirche von Balthasar Neumann, dem berühmten Baumeister seiner Zeit. Mergentheim ist als Bad besonders für Leber und Galle bekannt.

WEIKERSHEIM · Vom hohenlohischen Schloß führt eine Grabenbrücke direkt auf den Marktplatz, wo mehrere Amtshäuser aus der Barockzeit mit hübschen Brunnen stehen. Die Domestikenhäuschen mit Wachstuben und Arkaden des Schlosses sind eine einzige Spitzweg-Idylle voller Behagen und feiner Ausgewogenheit.

wunderhübschem Marktplatz und spätgotischer Stiftskirche besitzt, und eine Vorstadt, zu der ein interessantes Kolonnadentor aus dem 18. Jahrhundert fast wie unter einem Triumphbogen hindurch führt. Im Mittelpunkt steht natürlich das große hohenlohische Schloß, ein ziemlich finsterer Renaissancebau mit Schnörkelgiebeln und breiten Altanen und dahinter einem alten, von der kleinen Ohrn durchflossenen Park, der jetzt auf höchst romantische Art verwildert ist.

Etwa eine Wegstunde entfernt liegt im Wald das Jagdschloß Friedrichsruh aus dem Anfang des 17. Jahrhunderts, ebenfalls inmitten eines Parks, der schon 1613 als Tiergarten angelegt war. Das wunderbar einsame Schloß ist neuerdings innen modernisiert und als Hotel eingerichtet worden: eine herrliche Zufluchtsstätte für nervöse Menschen aus der Großstadt.

Das größte Schloß liegt in dem kleinen Städtchen *Neuenstein,* im Jahr 1568 an Stelle einer mittelalterlichen Wasserburg errichtet, von der noch der Bergfried und die Ringmauer erhalten geblieben sind. Das riesige, in regelmäßigem Viereck erbaute Schloß erinnert mit seinen vier Ecktürmen an das Alte Schloß in Stuttgart, diesem an Größe und Wucht kaum nachstehend, es aber an malerischer Wirkung übertreffend. Besonders imponierend das große Brückentor, das von zwei Rundtürmen mit offenen Laubenaufsätzen flankiert ist. Das Innere zeigt manche gewölbte Säulenhalle, darunter den zweischiffigen »Kaisersaal« und die ebenfalls mit Netzgewölbe versehene großräumige Küche. Der See, der das Schloß zu einer regelrechten Inselburg macht, ist durch eine künstliche Aufstauung des kleinen Eybaches entstanden.

Vollsaftige Kerle in Weikersheim

Noch ein gutes Dutzend wohlerhaltene Burgen und Schlösser sind in der weiteren Nachbarschaft versteckt. Das schönste von allen, *Weikersheim,* will droben im Taubergrund aufgesucht sein. Im Mittelalter ebenfalls eine Wasserburg, deren Bergfried mit später aufgestülpter Schieferhaube noch unerschüttert steht, ist das Schloß in der Renaissancezeit als unregelmäßiges Dreieck mit kultivierter Pracht erbaut worden. Die Hauptfront, die über einen sehr breiten Graben hinweg nach dem zwar ebenfalls verwilderten, aber im Grundriß noch wohl erkennbaren Park schaut, ist dreigeschossig, nach dem Hof zu mit einer Altane auf Rustika-Arkaden ausgestattet, und reckt aus dem Dach fünf symmetrisch angeordnete Zwerchgiebel heraus. Hier befindet sich der große Saal, der von Dehio als der prächtigste der Epoche gerühmt wird.

Als Portalumrahmung und über dem Kamin sieht man pompöse plastische Dekorationen, über den Fenstern Flachreliefs mit ruhenden Hirschen, deren vorgestreckte Köpfe in Vollplastik natürliche Geweihe tragen. Die schwere Felderdecke, eine Hängekonstruktion kühnster Art, zeigt gemalte Jagdszenen, wobei auch das Derbste vom Derben nicht verschmäht wird. Es müssen schon vollsaftige Kerle gewesen sein, die in diesem übermütig phantasievollen und fröhlichen Saal becherten und renommierten, tanzten und sangen. Schon 1768 ist die Weikersheimer Linie der Hohenloher ausgestorben; seitdem ist alles geblieben, wie es war.

Im Schloßpark, einer Schöpfung der Barockzeit, kann man auf Schritt und Tritt anmutige und frivole Statuen, Obelisken, reizende steinerne Bänke, vertrocknete Wasserspiele und eine säulenreiche, figurengeschmückte Orangerie entdecken, die von den Sträuchern und Kräutern immer mehr überwachsen wird.

Schönste geistliche Residenz

Im stillen Jagsttal, abseits der großen Durchgangsstraßen, liegt die schönste geistliche Residenz der Barockzeit, die das Schwabenland besitzt: Es ist die uralte Zisterzienser-Reichsabtei *Schöntal,* um 1150 als Tochter Maulbronns gegründet. Aus der mittelalterlichen Zeit stammen noch die Ringmauern mit dem Torturm und den Ecktürmen, die alte, reizende Steinbrücke und die frühgotische Torkapelle; aus der Renaissance die vielen, malerisch in die Gesamtanlage hineingestreuten Wirtschaftsgebäude und die behäbige alte Abtei mit ihren hübschen verschnörkelten Ziergiebeln, die ganz im Stil der hohenlohischen Schlösser gehalten ist.

Um 1700 kam die vordem tief verschuldete Abtei offenbar zu bedeutenden Einkünften, und da der regierende Abt Knittel von Lauda ein überaus baulustiger Herr war, so wurde in wenigen Jahrzehnten

an Stelle des alten Münsters eine weiträumige und hochragende neue Kirche und unmittelbar daran anschließend eine wahrhaft fürstliche Abtei errichtet, und zwar nach den einheitlichen Plänen Dientzenhofers, dem Balthasar Neumann beratend zur Seite stand; das phantastisch elegante, in leichten Kurven schwingende Treppenhaus konnte doch nur der Würzburger Großmeister konzipieren.
Ernst und feierlich und fast streng ist der Gesamteindruck dieser neuen Bauten; vom spielerischen Elan und der Grazie des Rokoko ist hier nichts zu spüren. Die Schaufassade der Kirche wirkt mit ihren drei stark betonten Horizontalen, über denen sich nur ein flachgedrückter, balustradengeschmückter Giebel und die zwei Türme fast wie Dachaufsätze erheben, mehr wie ein Palast als wie ein Gotteshaus. Das Innere birgt an Herrlichem wie auch an Merkwürdigem gar vieles, so ein höchst kunstvolles Chorgitter und blinde Galerien mit schmiedeeisernen Brüstungen als verblüffende optische Täuschungen.
Die Mönche konnten auch hier sich ihres Besitzes nicht lange erfreuen: 1805 wurde das Kloster säkularisiert und bald danach für die Zwecke eines evangelisch-theologischen Seminars eingerichtet. Auf dem Hügel hinter dem Kloster steht weithin sichtbar die wunderschöne Kreuzkapelle, ein schlankes, kuppelgekröntes Oktogon mit drei Rängen von Galerien und Balkonen, das man sich auch von keinem andern als von dem großen Neumann entworfen denken kann.

Still wie vor achthundert Jahren

Zwischen dem unteren Neckar und dem Schwarzwald, westlich der Strecke Lauffen-Heilbronn, dehnt sich das Zabergäu. Hier liegt in stiller, waldreicher Landschaft das Zisterzienserkloster *Maulbronn.* Die nach der Ordensregel turmlose Kirche, eine dreischiffige Pfeilerbasilika, und die an die Längsseite quadratisch sich anschließenden Räume der Mönche und Laienbrüder stammen aus dem späten 12. und frühen 13. Jahrhundert. In dem der kirchlichen Westfassade vorgelegten »Paradies« geschah es zum erstenmal, daß gotische Konstruktionsgedanken in Deutschland an einem noch durchaus romanischen Bauwerk angewandt wurden: Hier ist der Geburtsort des Spitzbogens. Ein kundiger Gang durch die organisch an die Kirche sich angliedernden Räume des Kapitelhauses, die Refektorien, den Kreuzgang, das Kalefaktorium und Parlatorium bis zum Abtshaus und Gästehaus und den nach Westen vorgeschobenen Wirtschaftsgebäuden zeigt den Wandel der sublimen Formen durch die größten Jahrhunderte der abendländischen Architekturgeschichte. Unvergeßlich bleibt jedem Besucher dieser schönsten und besterhaltenen, rein mittelalterlichen Klosteranlage Deutschlands der wunderbare, vom Kreuzgang im Viereck umhegte Friede des Gartens mit der achteckigen Brunnenkapelle, in der aus drei übereinander angeordneten steinernen Schalen das Wasser melodisch plätschert.
Sagenumwoben ist der auf der Ringmauer aufgesetzte sogenannte Faust-Turm, in dem der aus dem

WURZACH · Oberschwaben hat man ein barockes »Himmelreich« genannt. Nirgendwo mehr finden sich Denkmäler dieses jubelnden Stils in gleicher Menge wie hier. Das Treppenhaus im Fürstlich Waldburgischen Schloß gilt als das schönste in dem an barocker Pracht so reichen Gebiete zwischen Zwiefalten am Rand der Alb und dem Bodensee.

benachbarten Knittlingen stammende Doktor Johannes Faust alchimistische Experimente angestellt haben soll. Bezeichnend ist es immerhin, daß die Volksphantasie dem Erzzauberer gerade in diesem stillen und heiligen Winkel Schwabens eine Heimstatt bereitet hat.
Schon im Jahr 1558 wurde das Kloster aufgehoben und in ein protestantisches Seminar verwandelt, dem auferlegt worden ist, daß an den Baulichkeiten nicht das geringste geändert werden dürfe. So liegt das Kloster auch heute noch fast ebenso still und verwunschen da wie vor achthundert Jahren.

Barockes Oberschwaben

Im freundlichen Tal der jungen Donau südwestlich von Ulm liegen einige schmucke Städtlein, die allesamt viele Kirchen und Klöster und zumeist auch ein stattliches Schloß aufzuweisen haben. Es waren fromme, kleine Residenzen, seit alters zum habsburgischen Vorderösterreich gehörig, in denen man traditionell ein gutes Leben führte und ohne große Kämpfe oder soziale Nöte einen behäbigen Unterhalt in anspruchslosem, bürgerlichem Stil gesichert wußte. In die Welthändel waren sie nie verwickelt, und auch in die Wirrnis der Glaubensspaltung wurden sie nicht hineingerissen: sie blieben der alten Kirche ohne Wanken treu. Zum Lohn dafür wurden in der Zeit nach dem Dreißigjährigen Krieg, als die Gegenreformation über reiche Mittel verfügte, die düsteren Gotteshäuser im daseinsfrohen Barockstil neu aufgebaut oder modernisiert.
Nirgends in Deutschland entfaltet sich der Barock

glanzvoller, heiterer, geistreicher als in diesen weltabgeschiedenen, ehemals reichsfreien Klöstern Oberschwabens. Die Namen der Orte sind nicht weltberühmt, den Kennern unter den Kunsthistorikern aber geht das Herz auf, wenn sie von Wiblingen, von Schussenried, von Steinhausen, dieser »schönsten Dorfkirche Deutschlands«, von Obermarchtal oder Ochsenhausen, von Salem oder Birnau, die beide im Bodensee sich spiegeln, wie von seligen Geheimnissen reden hören.

Fünfzehn Jahre Orgelbau

Auf beherrschender Anhöhe über dem Schussental in nächster Nachbarschaft von Ravensburg liegt das Benediktinerkloster *Weingarten*, dessen Münster in seinen inneren Ausmaßen mit dem Kölner Dom wetteiferte. Begründet im späten 11. Jahrhundert, war es einstmals neben Hirsau die größte romanische Klosteranlage auf deutschem Boden. Im frühen 18. Jahrhundert mit gewaltigem Kostenaufwand barockisiert, bietet die in Kreuzform gebaute Kirche eine interessante Kombination von Hallenkirche und Zentralbau, einen elliptisch vorspringenden Schaugiebel dar, der auf beiden Seiten von nicht sonderlich hohen, aber wunderschön profilierten Türmen flankiert ist. Über dem Schnittpunkt der Kreuzlinien ist auf hohem, mit Rundbogen versehenem Tambour eine mächtige Kuppel gewölbt, auf die der Blick über den Giebel hin freigegeben ist.

WEINGARTEN · Die Basilika des Benediktinerklosters Weingarten ist nicht nur für Kunstfreunde, sondern für viele Besucher zu einem Begriff geworden. Ihre pompöse Schaufassade, 1715—1724 erneuert, erhebt sich vor dem mächtigsten Barockmünster nördlich der Alpen, um den sich jährlich der berühmte Blutritt bewegt.

Im Innern breitet sich ein festlicher Raum, der um so gewaltiger wirkt, als die Emporen weit zurückgeschwungen sind. Hier ist nichts von barocker Raumverflüchtigung zu spüren, die architektonischen Formen sind streng und fast schon klassizistisch gebunden. Der Plan geht auf den Vorarlberger Franz Beer zurück, während bei der Ausführung der auch beim Ludwigsburger Schloßbau maßgeblich beteiligte Frisoni die Hauptrolle gespielt zu haben scheint. Ein Wunderwerk ist die große Orgel, an der zwölf Gesellen fünfzehn Jahre lang unter Leitung des berühmtesten Orgelmeisters seiner Zeit, Joseph Gabler, eines gebürtigen Ochsenhauseners, gearbeitet haben; das Werk hat 76 Register mit zusammen 6666 Pfeifen, eine kleinere Orgel im Chor weist genau die Hälfte, nämlich 3333 Pfeifen, auf.

Die zur Kirche gehörigen Klosterbauten, schlicht in der äußeren Form, aber monumental in den Ausmaßen, entstanden ebenfalls nach den Plänen Beers, doch wurde nur die nördliche Hälfte der Prälatur ausgeführt. Der Gesamtplan, der noch vorliegt, wird von einem Kenner wie Dehio als der einheitlichste und großartigste, den wir überhaupt von einer Klosteranlage jener Zeit besitzen, bezeichnet.

Theatrum Caeli

Das zauberhafteste Juwel unter allen schwäbischen Barockkirchen ist aber unbestreitbar das alte Kloster *Zwiefalten* im Seitental der Aach. Jahrhundertelang war das in friedlicher Verborgenheit liegende Kloster eine der reichsten Benediktinerabteien im deutschen Süden. Die Klosterkirche mit ihren zwei schlanken Türmen, auf die ausnehmend elegant geschweifte Hauben gestülpt sind, gehört zu den prunkvollsten Kirchenschöpfungen des 18. Jahrhunderts. Berauschender, betäubender ist die Symphonie von Licht und Farbe und Linie, musikalischer ein Raum nie komponiert worden. Es ist ein Werk des berühmten Münchners J. M. Fischer, dem wir ja auch die Wunderwerke von Ottobeuren und Diessen verdanken und der, wie seine Münchner Grabtafel ausweist, in bayerischen und schwäbischen Landen nicht weniger als 32 Kirchen und 23 Klöster gebaut hat. Der Zwiefaltener Kirchenraum, der uns schon hier auf Erden den Himmel der Seligen hervorzuzaubern bestimmt ist und dieses phantastische Programm in einem alle irdische Schwere überwindenden Gesamtkunstwerk auch mit genialer Virtuosität verwirklicht, ist nicht so sehr ein Ort der Andacht und der Gottversunkenheit als vielmehr eine himmlische Schaubühne, ein Theatrum Caeli: die roten Säulengruppen, aus vergoldeten Basen aufsteigend und in goldenen Kapitälen endigend, schieben sich gegen den Chor kulissenartig zusammen, alle Blicke auf den Hochaltar in zwingender Perspektive hinlenkend. Darüber tut sich das Himmelsgewölbe auf und läßt einen Blick werfen in das gnadenvolle Reich über allen Wolken: Maria als Königin, von ihren Engeln und ihren Heiligen umgeben, schaut hoheitsvoll, von Glanz umflossen, von dort oben herab. Blickt man genauer hin, so konstatiert man, daß der Maler sich manchmal den Spaß erlaubt, aus der Fläche der Illusion auszubrechen und etwa einem gemalten Engel ein plastisch in den Raum ragendes Bein anzuhängen: eine Souveränität des Bildens und Gestaltens, die jeder Gesetzlichkeit spottet und auch scherzhafte Tricks optischer Täuschung zum Gaudium der Betrachter für erlaubt hält. Es ist der heiterste, festlichste, alles Statische in schwingende Bewegung verzaubernde Raum, der je geschaffen wurde, um Gott zu dienen.

Reichenau und Hirsau

Oberdeutschlands Blütezeit der bildenden und baulichen Künste liegt weit zurück. Im 8. Jahrhundert wurde das Benediktinerkloster auf der Insel *Reichenau* bei Konstanz gegründet, wo bald schon die erste und bedeutendste Kunstschule auf deutschem Boden alle Wissenschaften und Künste zu befruchten begann: die frühromanische Wandmalerei fand hier ihre ersten Meister, und Goldschmiede waren an der Arbeit, deren in kaiserlichem Auftrag geschaffene Werke der Stolz so mancher mittelalterlicher Kirchen und Klöster waren.
Für das ganze Abendland bedeutsam war zwei Jahrhunderte später das Benediktinerkloster *Hirsau* im Nagoldtal, von wo in der ersten Hälfte des 12. Jahrhunderts die auf den Reformideen von Cluny beruhende »Hirsauer Schule« ihren Ausgang nahm. Zwei Kirchen über den steilen Ufern des Flüßchens und ein herzogliches Jagdschloß mit Doppelgiebel bildeten in diesem verwunschenen Schwarzwaldtal einst eine architektonische Herrlichkeit, wie sie in so idealem Nebeneinander von mönchischem und fürstlichem Anspruch ein zweites Mal nicht zu finden war. Heute ist das alles nur noch ein großer Ruinenkomplex in schönstem landschaftlichem Rahmen.
Mit dem Ende der Staufer faßte auch die Gotik in Schwaben Fuß. Jetzt zum erstenmal treten die Künstler, Baumeister, Maler und Bildhauer aus der Anonymität der Werkhütten hervor. Aber auch, soweit die Namen bekannt sind: über ihr Leben, ihre persönlichen Schicksale wissen wir so gut wie nichts. Nur dem Kunsthistoriker sind die Dynastien der Parler aus Schwäbisch-Gmünd, der Strigel aus Memmingen, der Syrlin aus Ulm und Maler wie Konrad Witz, Hans Multscher, Martin Schongauer, Bartholomäus Zeitblom, Lukas Moser oder Hans Baldung lebendige Begriffe. Wie so oft im frühen Bereich der Künste erfahren wir Persönliches nur, wenn Schlimmes, Beschämendes sich ereignet. Dafür ein Beispiel.

Vision des eigenen Todes

Jerg Ratgeb (* 1480, † 1526) war einer der seltsamsten und unheimlichsten Maler des ausgehenden Mittelalters. In dem Kirchlein von Schwaigern bei Heilbronn ist heute noch ein wunderschönes, farbig leuchtendes Triptychon von seiner Hand zu sehen, das den Bildersturm überlebte. Sein Hauptwerk ist der jetzt im Stuttgarter Museum befindliche Altar für die Stiftskirche in Herrenberg, dessen Schrein die Bilderstürmer zerstörten. Einige Jahre

BIRNAU · Den südlichen Abschluß des oberschwäbischen Barocks bildet der festliche Ausklang in der Wallfahrtskirche Birnau zwischen Überlingen und Meersburg am Bodensee. Peter Thumb und Joseph Anton Feuchtmayer, die Erbauer dieser Klosterkirche, haben hier ein Juwel barocker Raumschöpfung vollendet.

später, als die Bauern in allen Teilen des Landes den »Bundschuh« auf die Stange setzten und vom Truchsessen von Waldburg, dem berüchtigten »Bauernjörg«, bei Böblingen wie Tiere niedergemetzelt wurden, da wurde Ratgeb von städtischen Räten, die ein schlechtes Gewissen hatten, als Verräter denunziert: Er habe mit den Bäurischen sympathisiert. Zweifellos schlug sein Herz für die Unterdrückten und Entrechteten. Aber ein Verräter war er nicht, wie man noch jetzt aus den Prozeßakten ersehen kann. Trotzdem wurde dem Maler, dem Nachbarn bestätigten, daß er »kein Huhn je erschreckt« habe, der hochnotpeinliche Prozeß gemacht, der mit dem gräßlichen Schuldspruch endete: Vierteilung!
Das war die grausamste und schmählichste Art von Hinrichtung. Hände und Füße des Delinquenten wurden an Pferde gefesselt, die nach den vier Himmelsrichtungen auseinandergetrieben wurden. Wir wissen zufällig auch sehr genau, wie die Denunzianten, die Folterknechte, Richter und Henker ausgeschaut haben, die ihm das antaten. In einer grauenhaften Vision hatte der Maler sie schon sieben Jahre zuvor abkonterfeit, und zwar in der Geißelung seines Herrenberger Altars: hämisch verzerrte Grimassen voll sadistischer Lust; einer mit einer Vogelvisage speit dem Heiland ins Gesicht, ein anderer mit feistem Wanst peitscht ihn mit der Rute, ein dritter, mit federgeschmückter Stirnhaube, haut ihm die Dornen der Krone mit der Feldflasche in die Hirnschale.

Friedrich von Schiller
* 10. 11. 1759, † 9. 5. 1805
Dichter

Ludwig Uhland
* 26. 4. 1787, † 13. 11. 1862
Dichter

Wilhelm Hauff
* 29. 11. 1802, † 18. 11. 1827
Dichter

Eduard Mörike
* 8. 9. 1804, † 4. 6. 1875
Dichter

Fürst der Sternkunde

Tragisch war auch der Lebenslauf *Johann Keplers,* des »Fürsten der Sternkunde«. Geboren 1571 in dem alten schwäbischen Reichsstädtchen Weil der Stadt als Sproß einer völlig verarmten, früher adligen Familie, kam er achtzehnjährig ins Tübinger Stift, wo bald schon seine ungewöhnliche mathematische Begabung Staunen erregte. Auf Empfehlung seines Lehrers Mästlin wurde er 23jährig als Mathematiklehrer nach Graz berufen, wo sein erstes Werk, »Weltgeheimnis«, das den Abstand der Gestirne von der Sonne zum Gegenstand hatte, entstand. Während der Gegenreformation aus Österreich ausgewiesen, holte ihn der berühmte Schwede Tycho de Brahe nach Prag, dessen Stelle als Kaiserlicher Mathematikus und Hofastronom ihm nach Brahes Tod durch Rudolf II. übertragen wurde. In Fortführung von Brahes Forschungen fand Kepler hier die grundlegenden Gesetze der Planetenbewegungen mit der Sonne und ihren Trabanten als dynamisches System, in dem alle Maße geometrischen, harmonischen Verhältnissen unterworfen sind, die ihrerseits in Gott selbst ihren Ursprung haben.

Da geschah 1620 das Unglück, daß Keplers hochbetagte Mutter in Leonberg, wohin die Familie verzogen war, als Hexe angeklagt wurde. Um sie vor dem Scheiterhaufen zu retten, eilte der Sohn, mittlerweile zu hohem Ansehen gelangt, nach der Heimat. Fast zwei Jahre dauerten die peinlichen Verhöre, nur seiner Autorität war es zu verdanken, daß es nicht zu den üblichen Folterungen kam und daß die alte Frau schließlich die Freiheit und ihren guten Ruf wiedergewann.

Dann noch der letzte Kampf um die eigene Existenz. Weder Kaiser Rudolf, dessen Kassen stets leer waren, noch Wallenstein, an den er verwiesen worden war, konnten die 12 000 Gulden bezahlen, die sie ihrem Hofastronomen im Lauf der Jahrzehnte schuldig geworden waren. Auf dem Reichstag in Regensburg hoffte er endlich zu seinem Recht zu kommen. Nach beschwerlichem, wochenlangem Ritt, fieberkrank und völlig erschöpft, traf er in Regensburg ein. Bevor noch seine Forderungen bewilligt waren, starb er dort am 15. November 1630 und wurde, da er Protestant war, zwar ehrenvoll, aber außerhalb der Stadtmauern begraben.

MARBACH · In der kleinen Neckarstadt erblickte am 10. November 1759 Friedrich Schiller das Licht der Welt. Sein Geburtshaus, schlicht und einfach, ist mit Butzenscheiben und Fensterblumen pietätvoll geschmückt. Außerhalb des Ortes liegt auf einer Anhöhe das im Jahre 1903 erbaute Schiller-Nationalmuseum.

Dichter in Schwaben

Lassen wir die in unserem Lande einst zahlreich auftretenden ritterschaftlichen Minnesänger getrost beiseite, von deren geziertem, süßem Singsang Schiller später gestand, daß ihm in der Literatur nichts Langweiligeres bekannt geworden sei. Nennen wir *Hans Jakob Christoffel von Grimmelshausen,* dessen »abenteuerlicher Simplizissimus« und dessen »Landstörtzerin Courasche« längst Volksbesitz geworden sind. In Gelnhausen in Hessen geboren, wird auf dem Schwarzwaldberg Moos zwischen Kinzig- und Renchtal der weltverdrossene Aben-

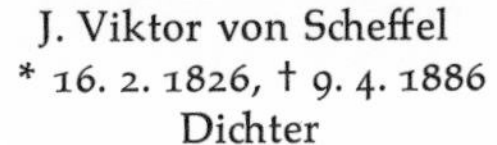

J. Viktor von Scheffel
* 16. 2. 1826, † 9. 4. 1886
Dichter

G. W. Friedrich Hegel
* 27. 8. 1770, † 14. 11. 1831
Philosoph

Friedrich Hölderlin
* 20. 2. 1770, † 7. 6. 1843
Dichter

Albert Einstein
* 14. 3. 1879, † 18. 4. 1955
Physiker

teurer zum Einsiedler und hat seine grandiosen Traumvisionen von der Hölle. Regimentsschreiber, Gastwirt, zuletzt Schultheiß in Renchen, ein rätselhaftes, sprachschöpferisches Genie. Er starb 1676.

Um die Mitte des 18. Jahrhunderts beginnt, wie im übrigen Deutschland, so auch in Schwaben, eine neue Zeit der Dichtung. Neben Klopstock und Lessing hat keiner wirkungsvoller und, möchte man sagen, diplomatischer gegen die Abhängigkeit vom Romanentum sich gewehrt als *Christoph Martin Wieland* (* 1733, † 1813). Dieser protestantische Pfarrerssohn aus der Biberacher Gegend war schon einer der merkwürdigsten Schwaben aller Zeiten. Es wohnten der Seelen nicht nur zwei in der Brust des heiteren Weltkinds, das die deutsche Dichtung aus den wolkigen Höhen schwülstig verstiegener Gefühle wieder in irdische Bezirke herunterholte. Als der geistreichste Verskünstler seiner Tage hat er auch den damals noch allmächtigen Teil der gebildeten deutschen Leser, die mit Friedrich von Preußen nur die französische Literatur schätzten, allmählich davon überzeugt, daß auch die deutsche Sprache als Instrument für den Ausdruck zartester Empfindungen tauglich sei, wenn nur ein Meister sie zu handhaben verstehe. Er hat, nach Goethes schönem Wort, dem gesamten südlichen Deutschland und besonders Wien seine eigentliche poetische und prosaische Literatur geschaffen. Und er hat, was kein kleineres Verdienst war, durch seine mit so natürlicher Grazie und so unbekümmert frivolem Spott vorgetragenen erotischen Keckheiten die muffige Prüderie überwunden, durch die das geistige Leben vielerorts so sehr stagnierte. Er war der früheste der großen Weimaraner.

Man darf hier gleich jenes andern Schwaben gedenken, der für jeden Deutschen mit dem geheiligten Namen Weimar zusammenhängt: *Friedrich Schiller* (* 1759, † 1805). Auf ihn hat freilich die schwäbische Literaturgeschichte nur für die kurzen Jahre bis zu jener Septembernacht 1782 Anspruch, da der herzoglich-württembergische Regimentsmedikus mit seinem Freund, dem Musikus Streicher, aus der Heimat floh; von dem Tag an gehört er Deutschland und der Welt. »Die Räuber« sind, mit Ausnahme seiner lyrischen Anfänge, das einzige Werk, das ihm in der Heimat gereift ist.

Ein Jahr nach Schiller wurde in Basel, wo seine Eltern während der Sommer Taglöhnerdienste verrichteten, *Johann Peter Hebel* (* 1760, † 1826) geboren. Die Winter verbrachten sie in der südbadischen Heimat der Mutter, dem Dorf Hausen bei Schopfheim. Der Vater starb ein Jahr nach der Geburt des Sohnes, die Mutter 1773. Der verwaiste Knabe fand Gönner, die ihm den Besuch einer höheren Schule und der Universität Erlangen ermöglichten, wo er evangelische Theologie studierte. Seine Versetzung aus dem Breisgau nach der Residenz Karlsruhe, wo er es schließlich zum Prälaten und Heidelberger Ehrendoktor brachte, ließ ihn seine glückliche Jugend im Tal der Wiese nie vergessen. Aus Heimweh nach dem südlichen Breisgau, den er nie mehr zu besuchen wagte – es lebte dort seine Jugendgeliebte, der der ehescheue Herr Kirchenrat nicht unter die Augen zu treten wagte –, sind seine 1803 erschienenen »Alemannischen Gedichte« entstanden, die den Lauf des Flüßchens »Wiese« von der Quelle bis zur Mündung in der Gestalt eines »Maidlis« und den ganzen dörflichen Alltag in einen echt bäuerlichen Mythus von großartiger sprachlicher Ursprünglichkeit faßten. In Karlsruhe schrieb er dann ein Jahrzehnt lang für den althergebrachten Gymnasiumskalender die Schwänke, Schnurren und lehrhaften Betrachtungen zum Weltenlauf des »Rheinischen Hausfreunds«, die er gesammelt in seinem bei Cotta erschienenen »Schatzkästlein« herausgab. Es sind darunter herrliche Stücke heiterster Volkskunst.

Von Hölderlin bis Mörike

Den größten Ruhm haben neben Schiller in der schwäbischen Dichtung die *Lyriker* gefunden. Gleich am Beginn dieser Reihe adligster Gestalten ragt der unvergleichliche und unglückselige *Friedrich Hölderlin* (* 1770, † 1843) empor, der von 73 Jahren seines Lebens nur einige wenige als Dichter sich der Sonne erfreuen durfte. Er steht als einsamer Gast dieser Erde, die ihm nichts zu schenken hatte als die Sehnsucht nach einer fernen Heimat, die ihm Griechenland hieß, im zauberhaften Kreise, in dem Goethe und Schiller wirkten. In seinem Werk, das Torso bleiben sollte und dessen Ergründung erst unserer Zeit vorbehalten blieb, finden sich Stücke, die die Vollendung deutschen Dichtens und Schwärmens schon in sich selber tragen.

Philipp Melanchthon
* 16. 2. 1497, † 19. 4. 1560
Reformator

Johannes Kepler
* 27. 12. 1571, † 15. 11. 1630
Astronom

Friedrich List
* 6. 8. 1789, † 30. 11. 1846
Nationalökonom

Ferd. Graf v. Zeppelin
* 8. 7. 1838, † 8. 3. 1917
Luftschiff-Konstrukteur

Der Romantik erwuchsen in Schwaben frühzeitig zwei gewichtige Vorkämpfer in *Justinus Kerner* (* 1786, † 1862), dem Weinsberger Arzt, den hauptsächlich seine Beschäftigung mit Geistern aller Art (»Die Seherin von Prevorst«) bekannt gemacht hat, und in *Ludwig Uhland* (* 1787, † 1862), diesem männlichsten unserer Lyriker, dem außer kraftvollen Balladen das schlichte Volkslied (»Der gute Kamerad«) wunderbar rein aus der Seele floß.
Den reinsten Ausklang nicht nur der schwäbischen, sondern der deutschen Romantik und zugleich ihre künstlerische Vollendung bringt dann das Schaffen *Eduard Mörikes* (* 1804, † 1875), den man mit gutem Recht als Lyriker im gleichen Atem mit Goethe nennt. Das stärkste Fabuliertalent war zweifellos *Wilhelm Hauff* (* 1802, † 1827). Bedenkt man, was für ein reiches, bis auf den heutigen Tag frisch gebliebenes Werk er hinterließ, so kann man über seine schöpferische Leichtigkeit, über die sprudelnde Fülle seiner Phantasie, seine kecke Beobachtungsgabe nicht genug staunen. Seine romantische Sage vom »Lichtenstein«, die »Phantasien im Bremer Ratskeller«, die »Mitteilungen aus den Memoiren des Satans«, seine vielen liebenswürdigen Novellen und vor allem auch seine reizenden Märchen werden immer zum Besten und Geschmackvollsten der deutschen Unterhaltungsliteratur zählen. Ihm zur Seite darf man den Karlsruher *Josef Viktor von Scheffel* (* 1826, † 1886) stellen, den feuchtfröhlichen Sänger von »Alt-Heidelberg« und der auch heute noch auf allen Studentenkneipen gesungenen Gaudeamus-Lieder, den Troubadour des »Trompeters von Säckingen« und sentimentalen Romancier des »Ekkehard«.

Große Philosophen

Selbstverständlich müssen die beiden philosophischen Genies, die als Theologie-Studenten zusammen mit Hölderlin in der gleichen Stube des Tübinger Stifts hinter ihren Büchern und frühen Manuskripten saßen, nämlich *Georg Friedrich Wilhelm Hegel* (* 1770, † 1831) aus Stuttgart und *Friedrich Wilhelm Schelling* (* 1775, † 1854), Pfarrerssohn aus Leonberg, in diesem Zusammenhang genannt werden. Die beiden arbeiteten unabhängig voneinander, sich ergänzend, sich oft widersprechend, an dem umfassendsten philosophischen System, das einem ganzen Jahrhundert sein geistiges Gepräge geben sollte. Mit einigen wenigen Sätzen sind diese Anwendungen des nachkantianischen Idealismus auf alle Bereiche des Seins und des Denkens nicht zu charakterisieren; dickleibige Wälzer, nur für den Fachmann verständlich, sind darüber geschrieben worden und werden noch immer geschrieben. Es mag genügen, hier zu bemerken: Auch diese wegweisenden Denker waren Schwaben.

Erfinder und Entdecker

Es gibt wohl kaum ein Gebiet, das nicht ein Schwabe durch originelle Gedanken wesentlich befruchtet hätte. Da wäre beispielsweise der *Graf Zeppelin* (* 1838, † 1917) zu nennen, dessen lenkbare Luftschiffe einige Jahre lang die Welt in Atem hielten. Oder der Heilbronner Arzt *Robert Mayer* (* 1814, † 1878), der Entdecker des Prinzips von der Erhaltung der Energie, eines physikalischen Grundgesetzes, auf dem letztlich alle technische Arbeit beruht. Oder *Ottmar Mergenthaler*, der Uhrmachergeselle aus Hachtel bei Mergentheim (* 1854, † 1899), der in jungen Jahren nach den USA auswanderte und dort 1885 seine »Linotype«, die immer wieder von ihm verbesserte Letternsetzmaschine, herausbrachte, ohne die das heutige Druckwesen, vor allem die moderne Presse, sich nicht so großartig hätte entwickeln können. Über 80 Prozent alles dessen, was heute gelesen wird, ist mit Mergenthalerschen Maschinen gesetzt.
Schließlich wollen wir auch noch einen Namen nennen, der in allen Weinbaugebieten Deutschlands höchst populär, zur Zeit der Weinlese in aller Mund ist und dem jeder Kundige die schwäbische Herkunft unfehlbar anmerkt: Öchsle. Sobald der junge Weinmost im Faß rumort, wird seine Qualität nach »Öchslegraden« gemessen. Dazu dient eine einfache Senkwaage mit einer Skaleneinteilung, deren 130 Grade von unten nach oben abnehmen. Sie werden an der Stelle abgelesen, bis zu der die Spindel in den Most einsinkt. Erfinder dieses Instruments war *Ferdinand Öchsle* (* 1774, † 1852), eines Glasmachers Sohn aus Buhlbach im Schwarzwald, der in Pforzheim das Goldschmiedehandwerk erlernt hatte und sich dann, ein typischer Bastler, auf den verschiedensten Gebieten erfinderisch betätigte. Am meisten Anklang fand seine Mostwaage, die den

Carl Friedrich Benz
* 25. 11. 1844, † 5. 4. 1929

Gottlieb Daimler
* 17. 3. 1834, † 6. 3. 1900

Die beiden Pioniere des Kraftfahrzeugbaues

Ottmar Mergenthaler
* 11. 5. 1854, † 28. 10. 1899
Erfinder der Linotype

Wilhelm Furtwängler
* 25. 1. 1886, † 30. 11. 1954
Dirigent

natürlichen Zuckergehalt und damit auch den späteren Alkoholgehalt und die entsprechende Qualität erkennen läßt.

Chiliast und Mechanikus

Von Geheimnissen umwittert ist für uns noch immer eine Uhr, die ein schwäbischer Magister und Pfarrer vor zwei Jahrhunderten sich erdacht und ausgeführt hat. Sie zeigt nicht nur die Stunden, Minuten und Sekunden an, den Wochentag, den Monat, den Umlauf der Planeten um die Sonne in getreuer Nachbildung des Kopernikanischen Systems und den Lauf der Himmelskörper und des Sternenzelts, von der Erde aus gesehen, sondern auf einem besonderen Zifferblatt auch den Lauf der Welt vom Schöpfungstag an über Christi Geburt bis zum Weltende und Weltgericht. Dieses kleine Zifferblatt hat zwei Zeiger, einen größeren, der ein Jahrhundert zu einem Umlauf braucht, und einen kleineren, der in achttausend Jahren seinen Kreis vollendet. Als die Uhr fertiggestellt und durch ein vierundzwanzigpfündiges Gewicht mit Pendelantrieb in Gang gesetzt war, blieben noch 67 Jahre bis zu der von Johann Albrecht Bengel, dem Haupt der schwäbischen Pietisten, aus der Offenbarung Johannis berechneten Wiederkehr Christi. Um dieses Jahr der großen Zuversicht allmählich näherrücken zu sehen, war der Hundertjahreszeiger da. Weil aber nach dieser Wiederkehr Christi noch zwei Millennien prophezeit sind, eines mit dem gebundenen Satan und ein weiteres der Herrschaft Christi mit den Gerechten, so war für das Jahr 7777 das Weltgericht, der Jüngste Tag also, auf dem Zifferblatt eingraviert.
Der Mann, der dieses Werk erdacht, die Räder und Triebe berechnet, es zusammen mit einem Schulmeister und einem Weber handwerklich gefertigt hat, war *Philipp Matthäus Hahn,* damals Pfarrer der kleinen Dorfgemeinde Onstmettingen auf der Rauhen Alb. Er hat im Lauf der Jahre noch manche große »Weltmaschine« und auch Taschenuhren mit mehreren Zifferblättern in seiner Werkstatt fertigen lassen, er hat, um seinen armen Älblern auch in den Wintermonaten Verdienst zu verschaffen, einfache Hauswaagen konstruiert, und auch die erste brauchbare Rechenmaschine ist ihm zu verdanken, mit der Multiplikationen und Divisionen bis zu vierzehn Stellen möglich sind. Für all die vielen aus seiner Werkstatt hervorgegangenen kleinen und großen »Maschinen« hat er für sich selbst keinen Kreuzer entgegengenommen. Geld galt ihm als sündige, schmutzige Sache, um die sich seine Frau kümmern mochte. Als »Wegbereiter für das Reich Gottes« arbeitete er um Gotteslohn. An einem Maiensonntag, für den er noch eine Predigt über das Schriftwort »Über ein Kleines, so werdet ihr mich nicht mehr sehen« vorbereitet hatte, ist Hahn fünfzigjährig an einem Magenleiden gestorben.

Rentable Tugend aus Not

Ein typischer schwäbischer Spruch besagt: Unsere Väter und Großväter haben sich emporgehungert. Es ist fast genau hundert Jahre her, daß die Einsicht allgemein wurde, das Land sei nicht groß und nicht fruchtbar genug, um bei wachsender Bevölkerungszahl sich selbst zu ernähren. Mit der staatlichen Förderung der Landwirtschaft allein war die Not nicht zu beheben. Und Auswanderung so vieler der Besten und Tüchtigsten und oft sogar ganzer Dorfschaften war eine immer böser schwärende Wunde am Stammeskörper.
Heute aber steht dieser drittgrößte Bundesstaat an Wirtschaftskraft hinter Nordrhein-Westfalen an zweiter Stelle. Der Bevölkerungszahl nach nur halb so groß wie dieses, hat Baden-Württemberg den gleich hohen Industrialisierungsgrad erreicht: Auf 1000 Einwohner kommen 178 in der Industrie Beschäftigte (1936 waren es noch 126).
Wie erklärt sich dieses Rätsel? Die Schwaben haben aus ihrer naturgegebenen Not eine rentable Tugend gemacht. Dabei ist vorweg eines Mannes zu gedenken, der diesen schwerlebigen Menschenschlag früh schon aus seiner Verkapselung, seiner Eigenbrötelei herausgelockt und ihm allmählich auch Selbstvertrauen verschafft hat. Ferdinand Steinbeis hieß der wackere Schwabe, der als Präsident der von ihm 1860 gegründeten »Zentralstelle für Gewerbe und Handel« systematisch, unbürokratisch und weitblickend die im Stammescharakter bis dahin nur scheu sich regenden schöpferischen und manuellen Kräfte und Talente zu fördern verstand.
Die entscheidende Initiative ging anfangs stets von

Steinbeis persönlich aus. Er besuchte die Industrie-Ausstellungen in aller Welt, kaufte Spezialmaschinen, führte diese im Betrieb vor, lieh sie auch an Interessenten aus, entsandte junge, begabte Techniker und Kaufleute in musterhafte ausländische Werke als Volontäre, schulte den Nachwuchs in gewerblichen Fachschulen und Lehrwerkstätten und organisierte die Teilnahme der geschlossen bei Industrie-Ausstellungen auftretenden Fabrikanten.
Längst schon Weltruf genießende Unternehmen wie beispielsweise die Maschinenfabrik Louis Schuler in Göppingen, die Ulmer Fabrik für Löschgeräte C. D. Magirus, die Heidenheimer Werke von Friedrich Voith (Papiermaschinen und Turbinenbau) oder die Geislinger Metallwarenfabrik gehen auf Impulse von Steinbeis zurück. Daß die von ihm ebenfalls sehr geförderte chemische Industrie ihre vereinigten Betriebe 1873 von Stuttgart nach Ludwigshafen verlegte (BASF), empfand Steinbeis als einen Schlag des internationalen Finanzkapitals gegen das in Württemberg bodenständig gewachsene Gewerbe.

Bläsle und Uhrenjockele

Steinbeis hat seine Schwaben nicht unterschätzt. Was einst durchweg kleine, bescheidene Handwerksbetriebe von nur lokaler Bedeutung waren, hat sich in stetem, organischem Wachstum langsam, sparsam, mühsam mit selbst erarbeitetem Kapital für die Erweiterungen zu Großbetrieben entwickelt, die noch immer vorwiegend Familienbesitz darstellen und eine auf so beschränktem Raum einzigartige Vielfalt von Spezialbranchen aufweisen. Stets verbürgte – das bleibt das Entscheidende – eine eigene, bisher noch nicht verwirklichte Idee, die Weckung oder Stillung eines neuen Bedürfnisses den zunächst konkurrenzlosen Erfolg – konkurrenzlos insofern, weil das Originalerzeugnis qualitativ schlechterdings nicht zu übertreffen war. Diese Idee brauchte nicht weltumstürzend zu sein. Man denke nur an die »Bläsle«, wie man die Mundharfe oder Mundharmonika im alten Schwaben nannte. Matthias Hohner, Uhrmacher und Landwirt in Trossingen, fertigte seine Instrumentlein während der Wintermonate ganz in langwieriger Handarbeit an, schnitzte die Kanzellenhölzer, goß die Metallplättchen aus altem Zinngeschirr, hämmerte die Stimmzungen aus rundem Messingdraht flach und stimmte diese zuletzt durch behutsame Feilenstriche auf die rechte Tonhöhe ab. Die »Uhrenjockele« des Schwarzwalds, die ja seit alters gewohnt waren, mit ihren Traglasten voller Kuckucksuhren ganz Europa zu durchwandern, nahmen als weiteren Artikel auch noch etliche der Hohnerschen Mundharfen mit auf die Tour. Wenige Jahrzehnte später war es dann so weit, daß dieser Matthias Hohner, der nicht nur ein genialer Techniker, sondern auch ein grundgescheiter Kaufmann war, seinen Söhnen eine Fabrik übergeben konnte, in der viele tausend Arbeiter mit Hilfe von Spezialmaschinen, die er selbst erdacht hatte, die mittlerweile zu Weltruf gelangten Harmonikas und Akkordeons herstellten.

Für den Ausländer, ob er nun aus den USA oder Indien kommt, hat selbstverständlich Baden-Württemberg in allererster Linie als das Geburtsland des Kraftwagens seinen einzigartigen Nimbus. Es ist ja auch wirklich seltsam, daß fast gleichzeitig Carl Benz in Mannheim und Gottlieb Daimler in Bad Cannstatt über dem Problem brüteten, wie ortsgebundene Motoren unter Nutzung eines neuen Betriebsstoffs beweglich zu machen wären. Im Dezember 1883 erhielt Daimler das erste Patent auf seinen Benzinmotor mit Glührohrzündung, 1885 wurde ihm das erste, durch einen solchen Motor angetriebene Zweiradfahrzeug patentiert, und 1886 fuhr die erste vierrädrige Motorkutsche nächtlicherweile durch das schlafende Remstal nach Schorndorf, seiner Geburtsstadt!
Im gleichen Jahr eröffnete der von der Rauhen Alb gebürtige Robert Bosch mit einem Gehilfen und einem Lehrbuben in einem Hinterhaus der Rotebühlstraße in Stuttgart eine feinmechanische Werkstatt. Auf einem Fahrrad, das zu jener Zeit eine Neuheit und fast ein Luxus war, konnte man den jungen Meister, vollbärtig, mit breitrandigem Schlapphut, durch die Straßen und weit über Land fahren sehen, um Aufträge hereinzuholen oder auszuführen. Neun Jahre später wurde der erste von Bosch gefertigte Magnetzünder in ein Fahrzeug eingebaut. Ein Vierteljahrhundert später errechnete man statistisch, daß von hundert Motoren in aller Welt nicht weniger als 90 die zündenden Funken Bosch-Magneten verdankten.
»Ich bezahle nicht hohe Löhne, weil ich reich bin, sondern ich bin reich geworden, weil ich die höchsten Löhne bezahlt habe«, war ein Kernspruch des alten Bosch, den seine Zehntausende von Arbeitern ihren »Vater Bosch« nannten. Ihm galt allein der Mensch und was er leistete. Und wenn er etwas leistete, dann sollte er auch spüren, daß es sich lohnt, für das Werk sich einzusetzen, und zwar ganz konkret: in der Lohntüte und in der Rücksicht auf das Privat-Menschliche, nämlich die Freizeit. So hat Bosch 1894 die neun- und einige Jahre später die achtstündige Arbeitszeit eingeführt, und so gab er, als der millionste Magnetzünder die Fabrik verließ, seinen Arbeitern den Samstagnachmittag frei.
Das soziale Klima ist im deutschen Süden gut. Gespart wird wie nie zuvor, und neue Siedlungen mit idyllischen »Häusle« und »Gärtle« wachsen an allen Ortsrändern emsig empor. Mehr als irgendwo sonst wird auch für die Begabten-Förderung getan. Auch dabei war »Vater Bosch« früh schon richtungweisend: »Nimm nie Anstand daran, wenn einer deiner Leute, der brauchbar ist, keine höhere Schule besucht oder keine Examina bestanden hat. Ein Unternehmer handelt klug, wenn er einen fähigen Arbeiter zum Meister, zum Abteilungs- und selbst zum Fabrikleiter macht.« Dieser für unsere schwäbische Industrie charakteristisch gewordene Verzicht auf standesgemäße Abkapselung trägt wesentlich dazu bei, daß die Wirtschaft jung, beweglich, anpassungsfähig und auch krisenfest bleibt, wie in der dritten und vierten, so auch in allen zukünftigen Generationen.

SCHLOSS LUDWIGSBURG · Um seiner von den Stuttgartern gehaßten Mätresse gefällig zu sein, erbaute Herzog Eberhard Ludwig ein prunkvolles Schloß, wo jetzt alljährlich ein Fest »Blühendes Barock« die Fremden erfreut.

FASNACHT · Im ganzen südlichen Landesteil ist die Fasnacht uraltes Brauchtum. Lustig und vergnügt sehen sie aus, die Narros im Schellenhäs, die sich drei reizende Jüngferlein in der alten Donaueschinger Tracht geangelt haben.
HEIDELBERG mit seiner Alten Brücke ist immer schön. Märchenhaft aber wird der Blick hinauf zur Schloßruine am waldigen Hang, wenn die Nacht herniedersinkt und die Lichtkegel der Scheinwerfer die edlen, architektonischen Formen und das verwitterte Rot des Gemäuers gespenstisch flackernd erhellen. »Schloßbeleuchtung mit Feuerwerk« — Inbegriff vergangener, romantischer Studentenzeit.

FRÜHLING AN DER MOSEL · Zu den lieblichsten Landschaftsbildern gehört das vielgewundene Moseltal zwischen Trier und Koblenz. Im Frühjahr werden die Ufer von weißen Blütenwolken gesäumt.

DAS WEINFELDER MAAR · Durch vulkanische Eruptionen sind in der erdgeschichtlichen Tertiär- und Quartärzeit viele Krater in der Eifel entstanden, die sich später mit Wasser füllten. Diese Seen heißen heute Maare. Sie prägen das Landschaftsbild der Eifel besonders in der Gegend von Daun. Mit Ausnahme des kleinsten, des von freundlichen Waldbergen umschlossenen Gemündener Maars, das zum Baden freigegeben ist, stehen die Dauner Maare und ihre Ufer unter Naturschutz. Streng und düster-ernst wirkt dagegen das Weinfelder Maar, das seiner kahlen Ufer wegen auch Totenmaar genannt wird.

Humor in Baden-Württemberg

Omgschmissa

Wenn der Oberförster W. seinen Herrenabend hielt, pflegten die eingeladenen Herren — es waren immer dieselben — zwar gern zu Fuß nach der schön gelegenen Oberförsterei zu pilgern, allein nach Schluß der Dauersitzungen mußte der Gastgeber meist seinen Wagen einspannen lassen, um die Gäste reihum wieder bei den heimischen Penaten abzuliefern. Der alte Kutscher Franz besorgte dies zuverlässig. Sein Herr schärfte ihm genau ein, wo und wie er jeden der vier Herren, die wie die Säcke schliefen und nicht wachzurütteln waren, abzuladen hatte. Eine starke Stunde später, als der Oberförster eben zur Ruhe gegangen, fuhr der Wagen schon wieder in den Hof. Mit einem Satz war der Oberförster am Fenster und fragte ahnungsvoll: »Was ist los?« Zaghaft klang es herauf: »Oh, Herr Oberförster, i han omgschmissa an dere Hohle (Hohlweg) dronte.« — »Was? Ist einer der Herren verletzt?« — »Noi, dös net«, beruhigte der unten Stehende, »i hans glei wieder aufglada; 's ischt koiner verwachet dabei; aber wenn der Herr Oberförster so guet wäret ond tätet nochmal verlesa; se send mir durcheinanderkomme.«

Arche Noah

Johann Friedrich Flattich, ein um die Mitte des 18. Jahrhunderts amtierender württembergischer Pfarrer, verfügte über viel Mutterwitz und große Schlagfertigkeit. Einmal spöttelte ein Herr von Osten in seiner Gegenwart über den biblischen Bericht von der Sintflut und zog es in Zweifel, daß Noah vor Beginn der Flut aller der Tiere hätte habhaft werden können, die er in seiner Arche mitnehmen wollte. – »Warum sollte das nicht möglich gewesen sein?« entgegnete Flattich. »Als die Arche fertig war, stellte Noah sich einfach auf das Dach, wandte sich abwechselnd nach allen vier Himmelsrichtungen und rief: »Komm her, du Löwe von Süden, du Bär von Norden, du Schaf von Westen und du Esel von Osten!« Dieser Herr von Osten soll sich gehütet haben, ein zweites Mal mit dem Pfarrer Flattich anzubinden.

Vergebliche Mühe

Der Herr Pastor bemüht sich mit einer Art von Besessenheit, seinen kleinen Schwabenbuben eine richtige hochdeutsche Aussprache beizubringen. Hundertmal bläut er ihnen ein: »Das ›st‹ darf wohl ganz leicht an ein ›sch‹ anklingen, aber nicht so stark, nicht so breit! Achtet darauf!« – Einmal behandelt er das christliche Glaubensbekenntnis und fragt ein Büble: »Was hast für einen Glauben?« – »Ich bin ein Krischt!« – Da braust der Pastor auf: »Wa-a-a bis-t? A Krischt bis-t? A Kris-t bischt!«

Scheffels Rache

Scheffel erhielt in Italien einst einen unfrankierten Brief, für den er ein tüchtiges Strafporto bezahlen mußte. Der Freund, der ihn damit aufziehen wollte, schrieb in dem Brief nur: »Mir geht es gut. Dein ...« – Nicht lange darauf erhielt dieser Freund eine große und schwere Kiste aus Italien. Sie war unfrankiert. Da aber Scheffel als Absender angegeben war, zahlte der Empfänger das noch viel höhere Strafporto. – Er öffnete und fand einen schweren Feldstein und darangeklebt einen Zettel, auf dem von Scheffels Hand stand: »Bei der Nachricht von Deinem Wohlbefinden ist mir dieser Stein vom Herzen gefallen.«

Gogen-Witze

Gogen — so nennt man die in einem eigenen Stadtviertel Tübingens lebenden Ureinwohner des Neckarstädtchens, ehemals angeblich allesamt Weingärtner, heute vorwiegend Kleinbauern und Taglöhner, berüchtigt durch eine besondere Rauheit ihrer Sitten und ihres Dialekts und gefürchtet wegen ihrer Schlagfertigkeit im wörtlichen wie im übertragenen Sinn.

Ein norddeutscher Professor, der noch nicht lange in Tübingen war, geht versehentlich bei einem Spaziergang über eine nicht eingefriedete Wiese. Deren Besitzer, ein »Gog«, der vorher verborgen war, geht mit einem Riesenprügel auf den ahnungslosen Professor los und beschimpft ihn aufs unflätigste: »Du Herrgottsakrament! Du Saudackel! Schlamper! Allmachtsdackel! Gohst du aus meiner Wies naus! Di schlag i o'gspitzt in Bode nei, daß dr Herrgott di mit dr Beißzang wieder rausziage muß!« Der Professor zieht ganz verdattert seinen Hut: »Entschuldigen Sie bitte, ich habe nicht gewußt ...«, worauf der Gog: »Drom sait mr's eahne en Gutem.«

Ein altes Weingärtner-Ehepaar hatte sich von einem der besten Jahrgänge eine Flasche im Keller aufgehoben und vereinbart: wenn eines von ihnen sterben müsse, solle das andere ihm ein Glas davon zum Abschied einschenken. Als der Mann nun merkte, daß er bald seinen letzten Schnapper werde tun müssen, bat er sein Weib, die Flasche zu holen. Mit Tränen in den Augen tat sie ihm den Willen, zeigte ihm die Flasche, öffnete sie ihm aber nicht: »Moinscht net, Christian, du kämscht au ohne des vollends nüber?« Darauf der Christian mit liebevollem Blick nach der Frau: »Reacht hoscht wie emmer. Schad wärs om den guete Tropfa. I ko me au so b'helfa.« Drehte sich zur Seite und starb mit dem Gefühl einer guten Tat im Herzen.

Italienfahrt

Die Schwaben sind ein reiselustiges Völkchen. In aller Welt sind sie zu Hause und bleiben doch immer Schwaben, mit Sinn für Häuslichkeit und Familie. – So hatte es auch ein Ehepaar aus Eßlingen wieder einmal in die Weite getrieben. Nach einer erlebnisreichen Fahrt durch Italien: Neapel, Rom, Florenz, Venedig, wird Frau Else, als sie von der Reise berichten soll, gefragt, was ihr denn am besten gefallen habe. Sie besinnt sich nicht lange und meint: »Mei Hansle halt!«

Der Ehrentrunk

Als der Landesbischof einmal eine Reise durch das Schwabenland machte, um die Abteien selbst in Augenschein zu nehmen, wurde ihm vom Abt eines altehrwürdigen Klosters, das wegen seines guten Weines berühmt war, eine Kostprobe gereicht. Der Bischof, der den geistigen Getränken nicht ganz abgeneigt war, lobte den guten Tropfen, worauf der Abt stolz erwiderte: »s'isch aber no lang nit der Beschte!«

Carl Zuckmayer *Brücke und Strom*

Zwischen den Holzplanken, mit denen der Laufsteg der alten Mainzer Eisenbahnbrücke belegt war, klafften lange Ritze. Die Planken rochen beklemmend nach Ruß, Teer und Schmieröl, so daß das Kind den Flieder und die Kastanien des Stadtparks vergaß, und aus den Ritzen zog es fröstlig herauf. Sie waren zu schmal, als daß man hätte hindurchfallen können, man konnte auch nicht mit dem Schuh darin steckenbleiben, es ging kaum die Spitze eines Regenschirms hinein. Aber unter ihnen war die Tiefe. Es war eine so unbegreifbar fürchterliche Tiefe, wie man sie kaum aus unheimlichen Träumen kennt, und in dieser Tiefe war ein stetes heftiges Reißen und Ziehen, das man im Rückgrat und im Magen spürte, als gleite alles Feste, jeder Halt und Boden, die Erde selbst in rasender Eile unter den Fußsohlen weg, oder als werde man wie ein Brotkrümel vom Teller in einen gewaltigen Spülwasserabguß hineingesaugt. Die Brücke selbst schien dem Kinderauge unendlich, mit haushohen Eisenbögen drohte sie immer weiter und hörte nirgends auf, das eine Ufer war im Rücken verschollen, das andere unabsehbar weit – und Himmel und Horizont plötzlich von dem gleichen Ziehen und Reißen erfüllt, so als drehe sich alles um und man laufe mit dem Kopf nach unten. Tödliche Angst kroch ins Herz. Da hört man über sich die ruhige Stimme des Vaters, und dabei schließt sich die große, warme Männerhand ganz fest und sanft um die kleine, die wohl etwas kalt und zittrig geworden war. Und die Angst verdünnt sich, sie weicht einem leichten Gruseln, in dem schon ein Reiz und eine prickelnde Neugier keimt, und mit dem saugenden Gefühl des Schwindels vermischt sich eine heimliche Lust und der Beginn einer träumerisch stolzen, tollkühnen Freude: wenn jetzt ein Zug käme! Ob dann der Steg noch hält? Und es kommt ein Zug, die ganze Brücke zittert und wippt und dröhnt und donnert, minutenlang ist man in dicken Rauch und Qualm gehüllt, als ginge man durch die Hölle: aber die Angst ist weg, – und sie kommt nicht wieder. Die kleinen Füße pattern frech und lustig rechts und links von der Ritze. Unerschreckt schaut man hindurch, hinunter, – es ist der erste, der erste bewußte Blick auf den Rhein.

Drunten aber, in einer Tiefe, die immer noch unfaßbar und unermeßbar scheint, hat sich das Ziehen und Reißen jetzt zu einer vielfältigen, sich unaufhörlich wandelnden Ordnung geformt. Da kräuselt ein Schaumkopf, da überschlägt sich eine Welle, da wirbelt etwas in Kreisen vorbei, da furcht ein treibendes Holz, um das die Spritzwasser klatschen, da zieht sich ein langer dunkler Sog hinter einem stampfenden Schleppkahn her, da heben und senken sich rasche Wogen um die Brechung des Pfeilers, eilen geglättet davon, und alles ist vom starken herrischen Gesetz des Stroms, des Strömens, der Strömung gelenkt. Oft hat man wohl schon den Rhein gesehen, von frühsten Tagen an – eine am Ufer vorbeitreibende Masse graugrüner oder gelblicher Flut, doch da waren Weidenstrünke davor, Chausseesteine, ein grasbewachsener Damm, eine gemauerte Mole, eine kiesige Uferschicht, und das alles war näher am Auge und fesselte mehr als der Strom. Jetzt, durch die beklemmenden Ritzen, dann kühn durchs vergitterte Geländer hindurch, im Abenteuer einer Erstüberschreitung, wird er dem Blick zum Ereignis, das ihn nie mehr verläßt. Oft ist mir, als ob von diesem Blick, dem ersten Blick auf den Rhein, alles Ordnende, alles Wissen und alle Klärung ausging im Leben, als hätte man damals in einen magischen Topf geguckt.

Immer wieder wird man eine Jugend lang über die Brücke gehen, um sich der Gewalt dieses Anblicks hinzugeben: kein späterer Blick auf Weltmeere oder Riesenströme, sei's von der Reling eines Schiffs, vom Ausguck eines Flugzeugs, von anderen, kühneren Brücken herab, kann ihn verdrängen oder nur vermindern. Man erlebt ihn an windigen, regnerischen Tagen, wenn die gestriemte Flut mit einer zornigen, gurgelnden Heftigkeit schmutzgrau und lehmgelb darunter hinwirbelt, man gibt sich bei Dunkelheit seiner unheimlich brausenden Schwärze hin, in der die Stadtlichter zucken, man sieht ihn von milder, schräger Herbstsonne beschienen, so glasgrün und brunnenklar, als könnte man in seinen tiefsten Grund schauen. Doch das kann man ebensowenig wie in den eines Menschenauges. Immer bewahrt er sein Geheimnis. Nähert man sich aber übern Brückensteg dem anderen Ufer, dann erblickt man tief unter sich etwas Wunderbares. Dort nämlich mündet, in einem spitzen Winkel von rechts kommend, der Main in den Rhein. Jetzt aber erblickt man das Wunder der Vereinigung, des Sichvermählens fremder Ströme aus fremdem Ursprung, in einem unvergleichlichen Farbenspiel. Das Mainwasser hat eine dunkelbraune, fast moorige Färbung. Es ergießt sich langsam quellend, als wäre es von einer dickflüssigen, schwereren Substanz, in die viel helleren, gelben oder gelbgrünen, und manchmal fast lichtgrünen Gewässers des Rheins, der mächtiger, tiefer strömt und mit gelassener Gewalt die neue Ader in seinen

Schoß zieht. Aber das eindringende Mainwasser in seinem samtigen, tintigen Algenbraun hält sich mit der Zähigkeit eines starken Blutes lange unvermischt gegen die breite Übermacht, in der sich's doch schließlich verströmen und verlieren muß.
Der Main hat seinen eigenen Zug, seinen eigenen Lebensweg, seine eigene Geschichte, er kommt von dem wenig gekannten, schon im Namen märchenhaften Fichtelgebirge, er trägt seine eigenen Schiffe und treibt seinen eigenen Wein. Aber anders als der Neckar oder die Lahn, die Ahr oder die Nahe, anders selbst als die länderverbindende Mosel, zieht er auch seine eigene Grenze, eine Schicksals- und Wesensgrenze im deutschen Land, die man »die Mainlinie« nennt ... Ob sich wohl deshalb auch sein dunkles, wolkiges Wasserband so lang und eigensinnig gegen die Vermischung, Vereinung wehrt? Es geht am rechten Rheinufer entlang bis fast zum Ende der gegenüberliegenden alten Stadt. Die schaute früher mit ihren vielen Kirchtürmen, von denen heute nur die des schönen, rötlichen Doms noch unverändert stehen, in den ernsten und freudigen Strom, und schien wie er mit all ihren Dächern und Gemäuern für die Ewigkeit gemacht. Dort, wo der blaue Streif des Taunus die Rheinbiegung wie eine Seebucht abzugrenzen scheint, wo das sanfte Rebland leicht zum Hochheimer Berg hinaufschwingt, und weiter oben am Fluß, wo der Rhein ohne Burgruinen und Felsen, aber auch ohne Schlote der Industrie geruhsam und heftig zwischen kupfrigen Weinbergen und flacher Obsthalde hinströmt, ist das Land meiner Kindheit.
Geburtsheimat ist keine Gefühlsfiktion, kein Gedankenschema. Sie ist ein Gesetz. Sie bedeutet Bestimmung und Vorbestimmung, sie prägt Wachstum und Sprache, Blick und Gehör, sie beseelt die Sinne, und öffnet sie dem Wehen des Geistes, wie einem keimträchtigen Wind. An einem Strom geboren zu werden, im Bannkreis eines großen Flusses aufzuwachsen, ist ein besonderes Geschenk. Es sind die Ströme, die die Länder tragen und die Erde im Gleichgewicht halten, da sie die Meere miteinander verbinden und die Kommunikation der Weltteile herstellen. Im Stromland ist es, im Schwemmland, in den dunstgesättigten Auen, wo die Völker sich ansiedeln, wo ihre Städte und Märkte, Tempel und Kirchen erstehen, wo ihre Handelswege und ihre Sprachen sich begegnen. Im Strome sein heißt: in der Fülle des Lebens stehen.
Früher hörten wir es ungern, wenn man uns »Rheinländer« nannte, denn das taten nur Leute, die unsere Heimat nicht kannten. Die »Rheinländer« lebten in unserem Betracht nördlich und nordwestlich von Koblenz, dort wo man schon »kölsch« spricht, oder wenigstens durchweg schon in dem singenden Tonfall des niederrheinischen Platt. Wir waren halt »Rheinhessen« und gehörten ja auch politisch zu dem Großherzogtum des Darmstädters, der sich »von Hessen und bei Rhein« nennen durfte, und wir unterschieden uns schon wieder ganz unverkennbar von den Starkenburgern, den Odenwäldern, den Wetterauern oder gar den »Mußpreußen« auf dem rechten Rheinufer! Es war und ist eben ein grundlegender Unterschied, ob man den Main de Moi', de Mää oder de Maa' nennt, (das letztere mit französischer Nasaltönung des Vokals) und ich glaube nicht, daß es ein lächerlicher oder pfahlbürgerlicher Partikularismus ist, der sich darin kundtut. Die Genauigkeit der Abgrenzungen und die Vielfalt der Tönung und Klangfarbe zeugt vom unerschöpflichen Reichtum des mundartlichen Eigenlebens und damit der eigentlichen Produktivität eines Volksstamms. Ich möchte einen Satz von Martin Heidegger hier zitieren, den er in seiner Schrift »Hebel, der Hausfreund« (auch er einem Rheinwinkel entsprossen) der Bedeutung des Dialektes widmet: »Die Mundart ist der geheimnisvolle Quell jeder gewachsenen Sprache. Aus ihm strömt uns all das zu, was der Sprachgeist in sich birgt.« Der rheinhessische Dialekt, das rheinhessische Land und der von ihm geprägte Menschenschlag waren für mich Quell, Wurzel und Gegenstand meines schriftstellerischen Beginnens, und sie speisen immer noch und immer wieder seinen Strom. Dieses rheinhessische Land hat, für Reisende oder Touristen etwa, nichts von dem an sich, was man unter der »Romantik des Rheins« versteht. Die Gegend zeigt in ihrer starken besonnten Fruchtbarkeit ein äußerst einfaches, fast nüchternes Gesicht. Die Weinhügel bei Nackenheim, die weit geschwungene Obsthalde zwischen Ingelheim und Mainz, die sandigen Spargelfelder, der rötliche Lehm- oder Lößboden, die gleichmäßige Breite des flachufrigen Stromes – in welcher anderen Landschaft tut eine üppig wuchernde, reich besiedelte Natur ihr Bild so behutsam dar?
Wer aber weiß von dem Geheimnis, vom Abenteuer, von der märchenhaften Urwelt eines Flusses, der nicht als Kind einmal – oder mehrmals – beinah darin ersoffen wäre? Dazu bot der Rhein in unserer Jugend, in der er noch ein frisches, reines, reißendes Schwimmwasser war, reichlich Gelegenheit: mehr aber noch jenes versteckte, versponnene, weiden- und schilfverwachsene Gewirre von Bächen, Nebenarmen, Verbindungsgräben und toten Buchten, was da alles aus dem großen, regulierten Strom überschüssiges Wasser säuft und auf Landkarten unter dem Namen »Altrhein« in blauen Kringeln und Arabesken eingezeichnet ist: ein unerforschtes Adernetz wild wuchernden, schäumenden, strudelnden, barbarisch urweltlichen Lebens. Wer ahnt von den unendlichen Abenteuern, den Gefahren, den Wundern und Sensationen, die unter dem weglosen Dschungel der Schilfrohre, hinterm Urwald der Buschweiden und Erlen auf uns lauern. Hier belauschten wir im Mondlicht das Flußpferd, wie es tief in den gläsern durchsichtigen Grundwässern die strotzenden Pflanzenstrünke abweidet. Der Schrei des Urvogels, der Unkenruf versunkener Vorzeitsümpfe, das Klappern des Riesenstorchs Abu Markūb dringt hier an unser Ohr, in unsere Seele.
Der Altrhein: das ist der Rheinstrom der Kinder, der Wachsamen, der Unpolitischen, der Parteilosen – der Lebendigen. Er hat keine Geschichte, es gibt keine Zitate über ihn, seinetwegen wurde noch kein Krieg geführt, und er spielt keine Rolle auf den großen politischen Konferenzen in den Hauptstädten der Welt. Er war immer da, er wird immer bleiben.

A. BETZNER Rheinland-Pfalz · Saarland

Der schönste Landstrich von Deutschland, an dem der große Gärtner sichtbar con amore gearbeitet hat, sind die Ufer des Rheins. Mit diesem Lob dankt Heinrich von Kleist dem Strom für den aus tiefster Niedergeschlagenheit geschenkten neuen Lebensmut. Doch gilt dies con amore nicht weniger für die Kinder des Rheins, für Nahe, Mosel, untere Saar, Ahr und Lahn. Alle haben sie vom Glanz des väterlichen Stromes ihren Abglanz.

Es beginnt für Rheinland-Pfalz mit dem westlichen Teil der Oberrheinischen Tiefebene, von der elsässischen Grenze, dem Lauterbach herauf; mit dem Rauschen um Bug und Netze der Aalfischer nachts auf dem Strom, über den im neuen Strombett versunkenen Fundamenten der Neuburg. Das Weintor zu Schweigen bedeutet den Eintritt in die deutsche Weinstraße, in die Hardt, den Steilabfall des Pfälzer Waldes in die Rheinebene. Unter Mischwäldern hoch vom Gebirge, unter Waldhängen von Edelkastanien, setzt auf Buntsandsteinterrassen, über die ganzen Hardthänge der Weingarten der Pfalz an. Er quillt über liebliche Hügel, über fruchtbaren Lößlehm in breiter Schleppe in die Ebene hinaus. Mit Gneis und Granit tritt hier und da das Grundgebirge heraus, brechen die Eruptivgesteine hervor: Melaphyr, Porphyr und der rebennährende, wärmende Basalt. Kalke und Mergel am Steilabfall zeugen für die Ufer des hier einmal anflutenden Salzmeeres. Die südliche Milde zaubert subtropische Parks hervor mit Araukarien, Libanonzedern, Lorbeerbäumen; mit Feigenbäumen, Mandelalleen, Stechpalmen, meterhohem Rhododendron. In den Stromwäldern schlingt sich die Urrebe von Strauch zu Baum.

KAUB · In der Neujahrsnacht 1813/14 überquerte Blücher bei diesem Rheinstädtchen den Fluß, um mit seinem Heer nach Frankreich zu marschieren. Mitten im Rhein steht auf der Insel die »Pfalz«. Dieser burgähnliche Turmbau diente einst zur Sicherung des Rheinzolls und der Rheinschiffahrt.

Was der Traube recht ist, ist den Kirschen, Aprikosen, Pfirsichen und Zwetschgen billig. In Schutz und Sonnenblende von Gebirgsmauern und Strom, auf trächtigem Flußgrund, gewinnt mit der Rebe auch das Obst Süße und edle Würze. So gesellt sich zum pfälzischen Winzer der Obstgärtner, in einem nicht minder ausgebreiteten Blüten- und Früchtebereich. Das aus Nord und Süd gemischte Klima läßt die Edelkastanien schmackhafter reifen als im Süden, gibt dem Hopfen in den Stangengehölzen, dem Tabak auf den Feldern, dem Spargel auf den Sanddünen die schmackhafteren Säfte. Es reichert auch in den Zuckerrüben auf den Großfeldern die Süße in erhöhtem Maße an.

Wer im Sommer abends vom Turm der Maxburg, der alten Kästenburg, vom vorkragenden bewaldeten Fels die Vorderpfalz überblickt, ist überwältigt von der Kraft in dieser Fülle; bis fern an den Strom ein Paradies aus Gottes und aus Menschenhand, dunkel gefleckt von den Schlingen der Altrheinwässer. Schon dem Urwaldstrom gaben die Kelten den Namen, den er noch heute trägt: renos, der Fließende.

Versprengter Süden

Der Rhein umfaßt mit seinem Knie vor dem Taunuswall, von Worms her über Mainz nach Bingen und mit der unteren Nahe bis Bad Kreuznach ein Hügelland von einziger Art: Rheinhessen. Seine mannigfaltigen Böden, Quarzporphyr von den Ausläufern des vulkanischen Gebirgsstocks, des wälderbedeckten Donnersbergs heran, Rotsandstein die Hänge zum Rhein hinab, Schiefer um Bingen, Kalk und Mergel und die trächtige Schwarzerde schenken dem Weinbauernland die vielfältige Güte seiner Gewächse. Der Boden ist gierig nach der Rebe, er mästet den Weizen und macht den Klee fett. Hier erneuern Jahr um Jahr Bacchus und Pomona ihre mit Reben, Früchten und Ähren bekränzte Hochzeit. Östlich zum Rhein, nordwestlich zur Nahe breitet Rheinhessen mit seinen Hügelrändern köst-

ST. GOARSHAUSEN · Am romantischsten Abschnitt des Rheins, nahe der Lorelei, liegt St. Goarshausen, langgestreckt zwischen dem Fluß und den steilen Hängen. Es wird überragt von den Burgen Katz (Bild) und Maus. Auf der gegenüberliegenden Seite St. Goar mit der Ruine Rheinfels.

liche Geschmeide von Rebbergen aus; und von Worms mit dem Wonnegau über Guntersblum, Oppenheim, Nierstein und Nackenheim bis dicht vor Mainz; von Bingen über Bad Kreuznach, Bad Münster am Stein in die bizarren Melaphyr-Felstürme über der Nahe.

Bingen ist umkreist vom Glanz des seenbreiten Stromspiegels, dem Ansturm der seligen Hügel zu den Bergen hinauf, mit der Burg Klopp über der Stadt als Spindel. Hier durchbricht der Rhein die Gebirgsmauer; beginnt er seinen unermüdlich gepriesenen Lauf durch die westlichen Bergmassive der mitteldeutschen Gebirgsschwelle, durch das Rheinische Schiefergebirge.

Im enggewundenen Stromlauf verzahnen sich die Schieferlayen, die schroffen Felsbastionen ineinander. Zu hängenden Rebgärten sind die Terrassen oft tollkühn hinaufgemauert. Burgruinen gründen über den Strombeugen im dunklen Fels, gebrandschatzte Wächter über verschwundenen Zollschranken.

Die kleinen Städte in der Rheinschlucht sind oft noch von Zinnen mittelalterlich ummauert, mit Toren in die engen Gassen, zwischen Fachwerkgiebeln hindurch; in gotischen Gewölbeschiffen und im hegenden Licht der Fensterschilde blickten seit Jahrhunderten die Heiligen aus rheinisch fröhlichen Gesichtern den Beter an.

Rheinland-Pfalz hat über Bacharach, Boppard, über die Niederung zwischen Koblenz und Andernach nach Remagen und Mehlem hohen Anteil an diesem von Natur und Menschen geschaffenen Lobgesang eines Stromtals. Von den Erzstollen und Schieferbergwerken herab und von den Ufern und Kais tönt nüchtern das Lied der Arbeit hinein. Wer aber mit den Bergleuten aus den feuchtkalten Bergstollen auf den Transportwagen die schiefen Ebenen hinabgleitet, empfindet doppelt das bezaubernde Licht dieser Stromschlucht; wenn unten die Motorlastschiffe, die rot gelackten Tanker und die festlich weißen Personendampfer mit dem Bug ihre raschen Pfeile durch die Wogen ziehn, mit den Flaggen aller anwohnenden Völker im Wind. Die Luxuszüge brausen auf beiden Ufern von Tunnel zu Tunnel vorbei, blitzende Boten von Meer zu Meer. In den Nächten kehrt der Strom zu seiner Majestät zurück, gelassen, urweltlich; wenn sich die Zurufe der Rheinschiffer über ihren mit uralten Griffen an den Grund versenkten Netzen an den Felsen brechen.

Wo sich die Nebenflüsse in den väterlichen Strom ergießen, wo die Gebirge ihre Felsenufer an die Stromschlucht verlieren, breiten sich Landschaftsszenerien von erhöhtem Reiz aus. So bei dem Ineinanderströmen von Mosel und Rhein, wovon Koblenz durch die Römer seinen Namen erhielt.

Mosel und Ahr

Schon zweitausend Jahre behauptet die Mosel im eng sich windenden, in den eigenen Schlingen sich verfangenden Felstal ihre rebennährende Kraft; in den Grauwacken der Untermosel im Felsgetürm, im Tonschiefer der Mittelmosel, im Muschelkalk der oberen Mosel von Trier bis Perl, wo das Saarland sich seinen schmalen Anteil an dem begnadeten Tal gesichert hat. Oberhalb der Römerstadt Trier baut von Konz herauf die untere Saar ihr sonnenbreites Rebgelände hoch, unterhalb davon die Ruwer.

Über der mittleren Mosel quirlt sich die Luft zu jener prickelnden ätherischen Frische und würzigen Milde, die sich auf den endlosen Sonnenlehnen den Trauben für die Kelter mitteilt, mit dem Schiefergeschmack, den die Reben aus dem Boden saugen. Eine Litanei köstlicher, persönlicher Weinkörper vom Longuicher Propstberg bis zum Zeltinger Himmelreich. Wohlfahrt und Behagen, die Goethe bei

BINGEN · An der Mündung der Nahe in den Rhein ist die Stadt unter dem Wallfahrtsberg des hl. Rochus mit der Burg Klopp zu einem wichtigen Verkehrsknotenpunkt geworden. Von der gegenüberliegenden Höhe bietet der Nahedurchbruch durch den Hunsrück ein unvergleichliches Bild.

KARDEN · Unterhalb von Cochem liegt das ehemalige kurtrierische Stiftsstädtchen mit seiner bedeutenden romanischen Kirche. Zahlreiche Bauwerke aus dem Hochmittelalter (11. bis 13. Jahrhundert) drängen sich in dem engen Tal zu Füßen der Weinberge im Ort zusammen.

einer Einmann-Bootsfahrt auf der Mosel beglückten, sind der gute Geist dieses Tals, das nur von der Rebe für die Rebe lebt.
Man könnte annehmen, daß der versprengte Süden vor der strengen Eifel kehrt macht. Doch glänzt er im wilden Felstal der übermütigen Ahr noch einmal auf. An Felsschroffen, unter den Waldkuppen der Eifel reift der Ahrburgunder und Portugieser von Altenahr bis Walporzheim. Glut und Würze über den vulkanischen Tiefen, die die heilkräftigen Quellen zutage treiben.

Gebirge und Wälder

Aus dem südlich angehauchten Adernetz der Täler heben sich die einzelnen Waldgebirge; jedes ein Teil des großen Schiefer-Rumpfgebirges und doch eines vom anderen grundverschieden. Das ausgeprägteste ist die Eifel. Rauh stößt der Ardennenwind zwischen Wäldern über Heiden und Hochmoore durch die Schnee-Eifel. Übeı der Kyllschlucht über Gerolstein ragen steile Dolomite und Korallenriffe hoch. Auf dem Kraterwall oberhalb von Daun, mit dem Blick auf das kahle Totenmaar und hinab in den Schlund des Schalkenmehrener Maars ist man umspielt von der leidenschaftlichen Bewegtheit dieser Vulkanlandschaft. Im Frühjahr brennen die Hänge von Ginster. Im Winter krachen die Eispanzer der Maare. Alle Schönheit der plutonischen Landschaft sammelt sich um den Laacher See, mit Hochwaldufern, Kraterbergen und der sechstürmigen romanischen Klosterkirche. Das Brohltal zum Rhein hinab knirschen unter dem Schuh Aschentuffe und Bimssande der seit Römerzeiten ausgebeuteten Traßsteinbrüche. Längst ist die Eifel nicht mehr das gottverlassene Gebirge. Roggen und widerstandsfähiger Weizen reifen zwischen Viehtriften und Wäldern. Dörfer mit windschiefen Fachwerkgiebeln haben sich, besonders um die auf Basaltfelsen getürmten Burgen, in freundliche Sommerfrischen verwandelt.
Dem Wild zugesellt findet sich der Wanderer in den Hochwäldern auf den wetterharten Quarzitrücken des Hunsrücks, im Soonwald, Idarwald, Osburger- und Schwarzwalder Hochwald, vom Rhein bis über das Saartal hinweg. Wo das Saartal hinaufreicht, übersteigt man das zyklopische, überwachsene Gemäuer des Hunnenrings, einer vorgeschichtlichen Fluchtburg. Heute flüchten die gehetzten, lufthungrigen Großstädter in die auf der stark gerodeten Rumpfhochfläche zerstreuten Dörfer hinauf. Im Winkel von Mosel und unterer Saar schwingt der Hunsrück in großartiger Bewegung zu den Weinbergen hinab.

Von der Lahn zum Westerwald

Burg Lahneck und Allerheiligenberg mit der Wallfahrtskirche auf den waldigen Bergflanken, unten auf dem Mündungswinkel die dunkle romanische Basilika der Johanniskirche, Wälder und Reben, Fabrikschlote und Pappelalleen verwirren in Ober- und Niederlahnstein die Uferbeugen der Lahn bei ihrer Mündung in den Rhein. In das von Taunus- und Westerwaldbergen bedrängte, enge Tal versenkt ist Bad Ems, das seine hingestreckten Promenadenufer und Badehäuser, seine historischen Erinnerungen und seine Pillen den kohlesauren Thermen verdankt. Die Ruinenburgen Nassau und Stein und das schlichte Steinsche Schloß verbinden den Namen eines der ganz und gar in sich versunkenen, idyllischen Täler mit der unruhigen streitbaren Welt. Hinter Diez mit dem wuchtigen Schloßgefüge über der Altstadt gibt das Land Rheinland-Pfalz die Lahn auf und hebt sich hinauf auf den Hohen Westerwald. In Stufen steigt das Gebirge von Rhein und Lahn aufwärts, im unteren Teil dicht bewaldet, während im Oberwesterwald über mit Felsblöcken bedeckten Triften ein kräftiger Wind weht, über Hochweiden und Moore, wo die Bauern neben ihren heckengeschützten, mit den Dächern tief herabgezogenen Berghäusern, in den Gruben den Rötel, den roten Eisenocker graben. Der

BEILSTEIN · Die »Filmkulisse der Mosel« nennt sich die romantische Gegend rund um Beilstein, das mit der Burgruine Metternich und dem mittelalterlichen Bild seiner Straßen, den Fachwerkhäusern, dem malerischen Marktplatz und den steilen Gassen immer wieder für Außenaufnahmen verwendet wird.

Westerwald ist die Heimat kleiner und kleinster Bauernbetriebe. Bei Altenkirchen finden die Westerwälder zusätzliche Arbeit in den Eisen- und Bleierzgruben. Im südwestlichen Teil sind die Dörfer auf ausgiebigen Tonlagern zum Kannenbäckerland für das Westerwälder Steinzeug geworden.
Als ein einziges Waldgewölbe aus Eichen, Tannen, Buchen, Kiefern, Fichten und heimisch gewordenen Weymuthskiefern zieht sich von den Haardthöhen zur Westpfalz der Pfälzer Wald über die Buntsandsteinhöhen; nach Süden in das Dahner Felsenland um groteske Felsgebilde, denen sich die Burgruinen angeglichen haben. In beiden horsten die Raubvögel. Nach allen Himmelsrichtungen teilen langhingezogene Täler das Gebirge in die mannigfaltigsten Landschaften auf. Aus dem Queichtal über Annweiler erhebt sich die Burgendreifaltigkeit mit dem Trifels, Hort der Reichskleinodien und Staatsgefängnis. Hinter Kaiserslautern, der Kaiserpfalz, heute eine belebte Industriestadt auf der Straßen- und Eisenbahndrehscheibe des Pfälzer Waldes, zieht sich das Landstuhler Bruch über die Höhe. Die Ruine Nanstein über Landstuhl ist Todesstätte für den gegen die Kurfürsten von der Pfalz, von Trier und den Landgrafen von Hessen unterlegenen Franz von Sickingen.
Mit dem Saar-Nahe-Bergland, den Kalkhöhen südwestlich nach Lothringen und dem saarpfälzischen Kohlengebirge geht Rheinland-Pfalz in das Saarland über.

VÖLKLINGEN · Die bedeutende Industriestadt an der Saar ist vor allem durch die Röchlingschen Eisen- und Stahlwerke bekannt. Kurz hinter den trostlos wirkenden Abraumhalden am Rande der Stadt beginnt auf den Höhen ein Kranz grüner Wälder, der einen wohltuenden Ausgleich schafft.

MONTABAUR · Mit den fünf helmglatten Dachhüten seiner Türme steht das umwaldete Schloß über der alten, in ihren Gassen noch urtümlichen Regierungshauptstadt im hohen Westerwald. Ihren Ursprung verdankt die Stadt einem Stützpunkt des römischen Limes.

Land aus den Kohlenflözen

Das Saarland ist aus den Kohlenflözen heraufgestiegen. Von Nordosten nach Südwesten durchzieht der Saarkohlenwald das Land, meist Buchenwälder auf unfruchtbarem Deckgestein des Karbon. Die Buche ist der Baum des Saarlandes. In den Wäldern sind die Kohlenschächte abgeteuft, aus den Baumwipfeln ragen die Fördertürme. Als langgestreckte, nicht abreißende Siedlungen ziehen sich die Bergmannsdörfer in den Tälern um Halden und Schlammteiche bis vor Saarbrücken. Starr von Schlamm schleppen sich die Bäche, Sulzbach und Fischbach, zur Saar. Auf den geologischen Grenzen von Kohle, Erz und Kalk, auf den Sprachgrenzen mit verwandtschaftlichen Überschneidungen, den ökonomischen Grenzen und den in sich beharrenden Kirchenprovinzen ist der Einmillionenstaat Saarland errichtet; trotz aller Kriege, gegen alle inneren und äußeren Widersprüche. Aus dem nördlichen, dem südlichen Saargau und dem Bliesgau fahren die Lastwagen die Kalkbrocken zu den Eisenhütten, als Zuschlag für die Hochöfen. In den Hochöfen vereinen sich Kohle, Kalk und lothringische Minette zur Eisenschmelze. So zwingen die Feuertürme der Eisenhütten von Brebach über Burbach, Völklingen bis Dillingen und von Neunkirchen die Naturelemente in der Schmelzglut zur Vernunft. Über der oberen Blies baut Neunkirchen auf den nordöstlichen Kohleflözen sein Eisenhüttenkastell auf und belädt die Blies mit ihren Abwässern. Von den Höhen der kleinen früheren Residenz Blieskastel mit der klassizistisch-barocken Schloßkirche überblickt man die in bläuliche Fernen ineinander gewellten endlosen Wälderhöhen und die fruchtbaren Kalkhöhen, auf denen sich Pfalz, Saarland und Lothringen begegnen.
Es mißlang, die Dörfler aus dem Schwarzwalder Hochwald oder aus den verborgen pastoralen Tälern des Saar-Nahe-Berglandes näher bei Hütte und Bergwerk anzusiedeln. Es gelingt aber auch kaum, der Entwicklung des Bergmannsbauern zum reinen

Bergwerksmaschinisten, der seine Äcker versteppen läßt und Scheune und Schuppen zu Wohnungen mit Läufern über der Treppe ausbaut, Einhalt zu tun. In ihren Dörfern jedoch, die sie immer mehr auf die gesünderen Höhen hinaufziehen, bleiben sie Bewohner der Wälder.
In ihrem ländlichen Frieden beharren die Bauerndörfer auf dem nördlichen und südlichen Saargau, dem Industriekreuz von Kohletälern und Eisenhüttenstraße der Saar völlig entrückt; die Äpfelkiste und der Erdbeergarten des Saarlandes.

Gespenst Moselkanal

Wer das Herz des Saarlandes schlagen hören will, muß bei den Saarschiffern an Bord gehen. Mit ihren Frachten an Kohle, Koks, Erz, Kalk, an Pech und Eisen-Halbfertigwaren sind sie gegen Straße und Schiene in den Konkurrenzkampf verstrickt. Immer wieder bereden sie ihre Sorgen. Die Söhne gehen als Handwerker von Bord. Der Moselkanal ist ihr Gespenst. Sie fürchten dann, auf einem toten Fluß zu fahren, ihr Brot weiter nur im Ausland zu verdienen und Steuern zu zahlen, wo sie kein Brot finden.
Die Saarschiffer enden in einer Sackgasse, wo die Wasserwanderer mit leichten Booten durch Mettlach, die Stadt des zur Keramikfabrik gewordenen erdkräftigen barocken Benediktinerklosters, in die Felsschlucht der Saar einfahren, wo der kleine Fluß die harte Schwelle der unterdevonischen Quarzite durchbricht; an Saarburg vorbei, der Fischer-, Winzer- und Schifferstadt, hochgebaut an den Bergkegel mit der krönenden Schloßruine oben, in der weitgebogenen festlichen Arena der Weinberghänge. Aufgenommen am Ende mit dem kleineren Fluß in der größeren Mosel; wieder ein Zusammenströmen von Flüssen und Gebirgen, an dem auch hier der große Gärtner con amore gearbeitet hat.

DEIDESHEIM · Mit zwei Aufgängen schwingt sich die Rathaustreppe vom Marktplatz empor. Blumenschmuck in den Fenstern und alte Häuser ringsum verzaubern dieses reizvolle Weinstädtchen und seinen Besucher. Deidesheim war die ehemalige Sommerresidenz der Fürstbischöfe von Speyer.

BERWARTSTEIN · Zehn Kilometer westlich von Bergzabern liegt auf einer steilen Höhe die alte Ruine der Burg Berwartstein. Vor dem dunklen Hintergrund des bewaldeten Berges grüßt ihr rotbraunes Gemäuer ins Tal. Hier, in der Nähe der französischen Grenze hat die Landschaft einen herben Charakter.

Menschen in Tälern und Gebirgen

Die Städte um die Dome und die Dörfer um die mittelalterlichen Kirchen mit den angemauerten Kirchhöfen ändern sich. Sie gehen mit der Zeit, wie man sagt, bis zu den sachlichen Bautafeln aus Beton, Stahl und Glas. Jedes Fahrzeug und Werkzeug findet zum Motor, auch auf den Äckern und in den Wingerten. Und doch bleiben sich die Menschen einer Landschaft im Kern gleich, so wie im Tal- und Gebirgsnetz von Rheinland-Pfalz und Saarland Täler und Höhen ihre Eigenart nicht verlieren können; also auch nicht die Eifeler, die Westerwälder, die Hunsrücker, die Pfälzer, die Rhein-, Mosel- oder Saarländer, mag man sie auch insgesamt als Rhein- und Moselfranken kennzeichnen.
Am eindringlichsten beharren die Menschen einer Landschaft in ihrer Eigenart, wo sie mit ihrer Arbeit der Natur verhaftet bleiben. Eine Nacht im Aalkutter mit den Fischern auf dem Rhein bringt sie einem nahe; wenn sie aus dem unterbrochenen Schlaf in der engen Kajüte zum Netzheben rufen und nach der schweren Arbeit den Gast am engen Tisch neben dem kleinen Schiffsofen mit bewirten. Männer mit von Wind, Wasser und Schweiß gewaschenen Augen, hart und gütig zugleich. Bei Son-

LUDWIGSHAFEN · Kurfürst Friedrich IV. gründete hier, gegenüber Mannheim, 1606 eine Rheinschanze. Bis vor rund hundert Jahren blieb diese Schanze bedeutungslos. Dann wuchs aber der jetzige wirtschaftliche Mittelpunkt der Pfalz schnell zu einer Großstadt empor. Das Rheinpanorama beherrscht der Hochbau der BASF.

nenaufgang bringen sie auf dem gleißenden Strom zwischen aufglühenden Auwäldern den Fang an Land. Und nun lehren sie einen noch, wie man den Fisch ißt, den frisch und köstlich gebackenen. Man packt ihn bei Kopf und Schwanz mit den Händen und kaut das Fleisch erst vom Rücken und dann vom Bauch. Der Kopf ist das Beste. Zu jedem Bissen gehört frisch krustiges Weißbrot und ein Schluck vom kräftigen Pfälzer Landwein. Sie erzählen von dem Fischer, der nachts, allein auf seinem Kutter, mit der Hand ins Ankerspill geriet. Sie kamen ihm zu Hilfe. Er aber hatte mit den Zähnen und der freien Hand die baumelnde zerquetschte Hand schon abgebunden, nachdem er das Spill zurückgedreht hatte. Er ging noch ins Krankenhaus und stand nach einigen Wochen wieder auf seinem Kutter. Gold läßt sich aus dem Strom nur durch harte Arbeit gewinnen. Hin und wieder trifft man auf dem Ufersand noch einen Lehrer mit seinen Kindern. Mit dem alten Goldwäschertisch waschen sie in stundenwährender Geduld den Rheinsand und staunen dann die winzigen gelb glänzenden Körnchen an, die sie ausgewaschen haben. Die Goldwäscher am Rhein aber sind mit ihren Dörfern in den Rheinsümpfen verkommen.

Die Tugenden des Pfälzers

Wie die Fischer der Vorderpfalz, so die Schiffer. Der alte Schiffer, den sie in der Kneipe in Ludwigshafen überreden wollten, von Bord ins Schifferdorf zur Ruhe zu gehen, sagte schlicht vor sich hin: »Ein Rheinschiffer geht von Bord nur ins Grab.« Er lebt nur auf dem Strom, auf der Route von Basel nach Rotterdam.

Man lobt an dem Pfälzer, an Winzer und Bauer, am Segen des heimischen Bodens nur vermehrten Fleiß; die fränkische glückliche Hand, Beweglichkeit, vernünftig fortschrittliche Gesinnung. Der Franke in der Pfalz und am Mittelrhein hat sich wie sonst kein Stamm sein Land nutzbar gemacht, es nach verheerenden Kriegen, wie dem Bauern-, dem Dreißigjährigen, den Reunionskriegen und dem Erbfolgekrieg aus der Wüste wieder zum Blühen gebracht. Burg- und Klosterruinen, in ihrer Romantik vielbesungen, zeugen für diese Kriegstragödien und ihre Überwindung. Die landesherrliche Devise: cuius regio, eius religio, wes Land, des Glaube, hat die Pfälzer in Scharen auf die Auswandererschiffe gebracht. Es ist nicht wenig, was die neue Welt den Tugenden der Pfälzer verdankt, deren Name Sammelname für alle deutschen Auswanderer war. Wen nimmt es da wunder, daß man sie Pfälzer Krischer, daß man sie schlitzöhrig schilt. Das entstammt dem Überdrang ihrer Vorzüge.

Die schönen Mädchen von Bingen

Wo die Männer so ausgesprochen männlich sind, gedeihen die Frauen um so fraulicher. Man lernt

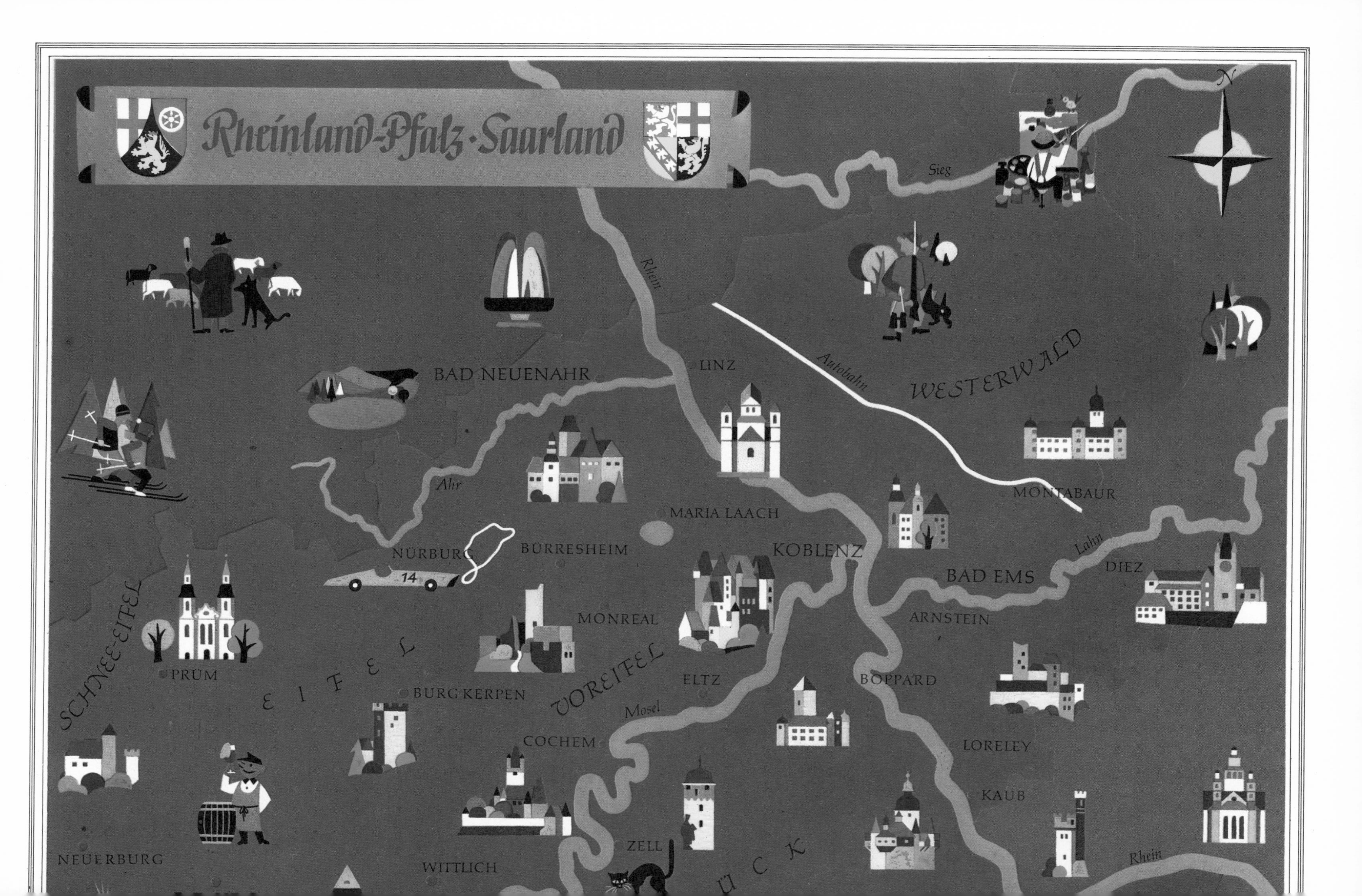

Rheinland-Pfalz · Saarland
N
Sieg
Rhein
Autobahn
WESTERWALD
LINZ
BAD NEUENAHR
MONTABAUR
Ahr
MARIA LAACH
KOBLENZ
NÜRBURG
BÜRRESHEIM
Lahn
DIEZ
BAD EMS
ARNSTEIN
MONREAL
SCHNEE-EIFEL
PRÜM
EIFEL
VOREIFEL
ELTZ
BOPPARD
BURG KERPEN
Mosel
COCHEM
LORELEY
KAUB
ZELL
NEUERBURG
WITTLICH
ÜCK
Rhein

BAD KREUZNACH
OPPENHEIM
Mosel
Nahe
TRIER
ALZEY
IDAR-OBERSTEIN
SAARBURG
Nahe
WORMS
PFÄLZER BERGLAND
Autobahn
METTLACH
THOLEY
ST. WENDEL
KAISERSLAUTERN
HARDT
MERZIG
BAD DÜRKHEIM
Saar
DILLINGEN
KIRKEL
PFÄLZER WALD
SAARBRÜCKEN
ZWEIBRÜCKEN
VÖLKLINGEN
BLIESKASTEL
SPEYER
PIRMASENS
ANNWEILER
TRIFELS
Weinstraße
Saar
SCHWEIGEN
Roll

DAHN · Das Dahner Felsenland mit seinen vielen Klettermöglichkeiten zählt neben dem Burgenland im Norden zu den am meisten besuchten Gegenden des Wasgaues. Zu Füßen des »Jungfernsprungs« und der Ruinen Altdahn, Grafendahn und Neudahn liegt das ruhige und saubere Städtchen.

sie nur bei sich zu Hause kennen. Die Winzertochter in der Vorderpfalz, die aus dem eigenen Weinkeller den Krug gefüllt heraufbringt und zu Brot und Käse auf den Tisch stellt, ebenso gastlich zusprechend wie zurückhaltend, hat verarbeitete Hände, aber ein verständnisinniges, kluges Gesicht; sie zeigt das Anwesen, Stall und Keller, die Wiesen den Bachgrund hinab, der sich bald zwischen den Rebstöcken eingedämmt sieht. Sie ist mit allem vertraut, mit Menschen, Vieh, Wiesen, Gemüsebeeten und vor allem mit den Arbeiten im Weinberg. Sie erscheint zartgliedrig, empfindsam und verrät doch ein hohes Maß an Daseinskraft und bereiter Daseinsinnigkeit, an Liebe, die Leben ist. Der Vater, der Winzer, ist hager, abgearbeitet und nachdenklich von der Mühe um die Rebe, dies fremdländische anfällige Geschöpf, das dem Höchstmaß an Arbeit ein Höchstmaß an Unsicherheit zubringt; das aber auch durch den Wein mit Daseinsfreude und offenem Sinn die Mühen lohnt. Mehr oder weniger gilt das Gesagte auch für die anderen Reblandschaften. Seit je gelten die Mädchen von Bingen als die schönsten. Doch stehen ihnen die vielfach noch dunklen römisch anmutenden Moselanerinnen in nichts nach. Und die Mainzerin, die aus den Madonnennischen an den Hausecken in die Straßen auf ihr Urbild hinabsieht. Lebhaftes Blut, Phantasie, Witz und Gewandtheit, heitere Skepsis und unbefangene kindlich süße Fröhlichkeit prägen Madonnen wie Frauen. Wieviel sie an Freimut und daseinsfroher Aufsässigkeit den Mainzer Bürgern im Unabhängigkeitskampf gegen Adelshöfe und erzbischöflich-kurfürstliches Schloß eingeflößt haben, dafür gibt es in der Geschichte des Goldenen Mainz manches Beispiel. Selbst die Mainzer Harfenmädchen zeigen sich keineswegs verschämt, wenn sie in den Weinschenken, wo arm und reich auf der gleichen Bank nebeneinander beim Schoppen sitzt, mit Harfe und Geige oder auch der Klarinette dazu aufspielen. Mainzerinnen trugen Frauenlob, den Minnesänger, im Dom zu Grabe, sangen ihm ein letztes Lob und netzten sein Grab mit Wein.

Selbstherrlicher Winzer und Bauer

Härter geprägt, wenn auch von gleicher fränkisch-freimütiger Art sind die Rheinhessen. Auf geringem Besitz schon trägt ihnen der fruchtbare Boden Wohlhabenheit ein. Der Rheinhesse ist seines derben überlegenen Witzes wegen gefürchtet. Er ist ebenso selbstherrlicher Winzer wie Bauer. Von den Rebtälern hinauf auf die Gebirge erscheint in den Menschen rhein- und moselfränkisches Wesen nur noch gedämpft. Zugleich härter und verinnerlichter liegt es auf den Gesichtern der Hunsrücker Bauern und Arbeiter, der Männer und Frauen, wenn sie sich sonntags nach dem Gottesdienst auf dem Friedhof an die gepflegten Gräber zu kurzem Gedenken verteilen. Wer die Eifeler Kleinbauern, die Waldarbeiter, die Arbeiter in den Basalt- und Traßsteinbrüchen, die Heimweber hinter ihren winzigen Fenstern, die Maarfischer mit ihren abgemühten Frauen und die in Armut aufwachsenden Kinder vor Jahrzehnten gekannt hat, arm, aber so gastlich wie fromm, der mag Forschung und Technik und den Natursinn der Menschen unserer Tage dafür

NEUSTADT AN DER WEINSTRASSE · Mittelpunkt der am Fuß der Haardt verlaufenden Weinstraße ist Neustadt am Kreuzungspunkt wichtiger Straßen und Eisenbahnen. Viele hübsche Straßenbilder findet man hier auf Schritt und Tritt. Im Oktober feiert man das Weinlesefest mit der Taufe des neuen Weines.

preisen, daß sie diesem ehemals wegen seiner Strenge und Verlorenheit gemiedenen Gebirge und seinen Bewohnern etwas von dem leichteren und froheren Dasein aus den Tälern hinaufgetragen haben.
Im Westerwald war am Abend vor dem Haus des Kleinbauern gut sitzen, wo der Blick über die Waldrücken und in die feuchten Wiesentäler ging. Im Tal pfiff die Erzbahn, ehe sie in den Tunnel einfuhr. Der Bauer, müde, in sich zusammengesunken, mühte sich mit dem Gast um die Wette, wer dem anderen für die Nacht einen glaubhaften Bären aufbinden würde. So tauscht er im Scherz Phantasie und Wirklichkeit, unverkennbar füreinander, um sich an seinem begrenzten, arbeitsamen Dasein als Bauer und Bergmann zu rächen und zu erheitern. Für die Westerwälderinnen mag jene Großbauerntochter beispielhaft sein, die sich als wohlgebildetes junges Mädchen gegen größte Widerstände in einer wahren Dorfrevolte die Ehe mit einem Beamten erzwang. (In einem kostspieligen Internat am Rhein war sie erzogen worden...) Als ihre Kinder erwachsen waren, setzte sie sich nicht zur Ruhe, sondern kaufte Traktor und Ackergerät und begann das Land eigenhändig, als späte Bäuerin, mit Gemüse und Kartoffeln zu bepflanzen und dazu den großen Obstgarten zu pflegen. Nicht vorgestern, sondern heute.
Wie das Kreuz von Eisenhüttenstraße und Kohletälern das Rückgrat des Saarlandes bildet, stellen Hüttenarbeiter und Bergleute die Grundtypen des

IDAR-OBERSTEIN · An der beinahe engsten Stelle der Nahe hat sich die Doppelstadt zu einem wichtigen Platz der Edelsteinschleiferei entwickelt. Von der Burg blickt man auf die Nahe und die wenigen Straßen längs des Flusses in Oberstein herab, während der Stadtteil Idar in einem Seitental liegt.

BAD MÜNSTER AM STEIN · Am Fuße des Rheingrafensteins, eines gewaltigen Felsens, den eine Burgruine schmückt, entspringen acht Kochsalzthermen, denen der kleine Ort seine Bedeutung als Bad verdankt. In der Nähe beeindrucken immer wieder die roten Porphyrwände der Talhänge.

Saarländers. Die Grenze zwischen Moselfränkisch und Rheinfränkisch zieht sich quer durch das Saarland. Im Industriebereich jedoch prägt die harte Arbeit über und unter Tag die Menschen. Starke Gesichter haben sie, großflächig, faltig, aufmerkend, zugleich gelassen und reizbar. Zu oft wurden sie durch die Kriege, durch das Hin- und Herschieben der Grenzen, aus aller Habe in die Fremde getrieben. Nachbar mit Nachbar bauten sie in unermüdlichem Fleiß ihre zerstörten und ausgeplünderten Häuser wieder auf. Es ist Preußen und Bayern zu danken, daß sie auch in Konjunkturzeiten nicht Fremdarbeiter in Massen hereinholten und die Berg- und Hüttenleute an die eigene Scholle banden. So blieb die Homogenität der Saarbevölkerung weitgehend gewahrt. Die saarländischen Frauen waren die ersten, die nach dem Krieg in langen Zügen mit hochbepackten Kinderwagen auf allen Landstraßen in harten wochenlangen Wanderungen in ihre Heimat zurückkehrten.
Saarländer ist der bärenstarke, rundköpfige Bauer im Dorf oben auf der Bliesgau-Kalkfläche, der Mann mit dem Kindergemüt, der sich furchtlos jedem Unrecht stellt, dessen Tisch in der schlechten Zeit von hungrigen Städtern nicht leer wurde; dessen Frau im Verborgenen und mit skeptischem Mut gegen alle Anwürfe ein Engel für jeden Notleidenden war. Saarländer sind die aus den Pfälzerwald-Dörfern, dem Westrich, und die Gebirgler aus dem Schwarzwalder Hochwald, schwerblütige Hunsrücker; sind die Winzer zwischen Perl und Nennig an der Obermosel. Saarländer auch die Gaubauern, Nachbarn und Verwandte der Lothringer: sonntags die Frauen in schwarzen, schweren Tuchkleidern, das Haar unter den selbstgestrickten schwarzen Kopftüchern, die Männer in festen Bauernjoppen, krummgearbeitet mit großen gläubigen Gesichtern. Wie ausgestorben liegen ihre Dörfer im Sonntagsfrieden der schweren Erde. Mirabell, Fitz und Schinkenbrot tischt die Bäuerin auf, das Brot frisch aus dem eigenen Backofen. Saarländer sind die Schiffer mit den grundehrlichen Gesichtern

SCHLOSS BÜRRESHEIM · In der waldreichen Umgebung der Eifelkreisstadt Mayen stößt man plötzlich auf das prachtvolle Schloß Bürresheim, ein Burgenkleinod des ganzen Landes. In der Nähe liegt auch die aus dem Jahre 1280 stammende Genovevaburg, Schauplatz der gleichnamigen Sage.

über dem Rollsweater, familiengebundene, gerechte Menschen, von dem Anstand, den Leute haben, die den größten Teil ihres Lebens auf fremden Flüssen und Kanälen fahren.
Saarländer sind sie und wollen sie werden, in dem Land, das sie nicht wollten, das sie nun haben. Die schweren Grenzsteine mit eingemeißeltem KB und KP, Königreich Bayern und Königreich Preußen, sind überwachsen. Der Winterberg über Saarbrükken und über der Grenze der rote Berg von Spichern sind nicht mehr zornige Höhen einer Erbfeindschaft. Die Toten, im großen Friedhofpark der Stadt dicht an der Grenzstraße nach Forbach haben dies künstliche Zwielicht nicht mehr über sich.

Von Festen und gedeckten Tischen

Du bist, was du ißt. In jedem Landstrich hat das Volk seinen besonderen Gaumen, seinen Geschmackscharakter. So bringt man sich auch mit Essen und Trinken zu Erkenntnissen. Nicht fremde Maroni, sondern heimische Keschte, mit ihrem besonders kräftigen Geschmack, kaut man in der Pfalz zum Neuen. Zum ausgegorenen Wein schmecken Speyerer Brezel oder Loschter Handkäs, Käse mit kräftigem Aroma aus Ober- und Niederlustadt. Die Pfälzer lieben kräftige Speisen, wie Schweinepfeffer mit Knödel. Wer an ihrem Familientisch Kartoffelsuppe und Zwetschenkuchen zurückweist, kränkt sie.
Bei den Mainzern herrschen die drei W's: Wein, Weck und Wurscht. Aber auch Mainzer Rippchen und Mainzer Handkäse regen den Durst an, heizen ein und fördern den Mainzer Witz. Zum Abendschoppen finden sich die Händler mit Brezeln, Salz-, Käse- und Kümmelstangen ein. Handkäs mit Musik ißt man in den rheinhessischen Dorfschenken zum kräftigen Bauernwein; mit Musik, das ist mit Essig und Öl. Rosaroter Salm will im Rheinwein schwimmen und Hecht mit Sahne und Parmesankäse überrieben im Moselwein. Auf den Eifeler Tisch gehört der Bauernschinken zum Bauernbrot, mit Sauerteig in der Reisigglut des Dorfbackofens gebacken; und Kuchenfladen, hell mit Reis und dunkel mit Birnenmus gefüllt. Auf dem Hunsrück muß man das dortige Festessen genossen haben. Das Hunsrücker Festessen besteht aus Sauerkraut mit Erbsenbrei, einer gebräunten Fettunke darüber, dazu Kartoffeln und Meerrettich mit Schinken.
Der Saarländer kann nicht ohne Lioner Wurst und Rostbratwurst an allen Straßenecken leben. Zu besonderen Genüssen wechselt er über die Grenze nach Saargemünd oder Forbach, zu genießerischer Völkerverständigung bei ausgewählter französischer Küche.
Arbeitendes Volk will auch feiern. Die »Generalkirchweihe der Pfalz« nennt sich der Dürkheimer Wurstmarkt, der frühere Michaelsmarkt; in einer ausgedehnten Zeltstadt drei Tage lang ein Massenfest der Trink-, Schau- und Tanzlust. Pfingstdienstag wird an der Rathaustreppe in Deidesheim der Geißbock versteigert, ein Brauch nach einem alten Weidrecht. Seit 1540 halten sie in Billigheim den St.-Gallus- oder Purzelmarkt. Handkäsegaben galten in der Pfalz seit alters her als Anerkennung für Weiderechte. Das wurde der Anlaß zum Loschter Handkäsfest im Lustadter Wald.
Im Mai zieht im saarländischen Ottweiler der Quack um, ein Bube, dem ein aus Haselruten, Ginster, Laub, Fichtenzweigen und Blumen geformtes Gestell über den Kopf gestülpt wird. Dazu wird auf Taratschen, aus Erlen- und Eschenrinde geschnittenen Hupen, geblasen. So beschwor man in alter Zeit den Frühling. Bei Fackeln und Feuerrädern begeht man um Saarlouis und Merzig das Lehenaufrufen. Fest der Feste ist für Rheinland-Pfalz der Mainzer Karneval, besonders am Karnevals-

BAD NEUENAHR · Das größte Heilbad des Rheinlandes wird von den Ahrbergen schützend eingesäumt. Mittelpunkt der Badestadt ist das schloßartige Kurhaus (Bild). Neben zahlreichen Brunnen und alkalischen Thermen spendet der Ort auch einen heilkräftigen Schlamm, den berühmten und begehrten Eifelfango.

SPEYER · Dicht am Rheinufer ragt der 1030 durch Konrad II. gegründete Kaiserdom auf, der erste gewölbte Monumentalbau des Abendlandes im romanischen Stil. In seiner Krypta sind acht deutsche Kaiser beigesetzt und vier Frauen aus kaiserlichen Geschlechtern, ein steingewordenes Zeugnis des Mittelalters.

dienstag noch ein echtes Volksfest, bei dem der Witz seine Kapriolen schlägt und der Wein in der unverwüstlich heiteren Atmosphäre dieser Stadt zu faunischen Tänzen und Improvisationen auf offener Straße anregt.

Strom, Städte und Dome

Ströme sind Straßen zu den Meeren, sind Brückenbauer und Städteerbauer. Über der zeitlos hinströmenden Majestät ihrer Wellen tragen sie auf den Ufern Dome, Burgen und Schlösser, den in Stein beharrenden Ausdruck von Macht und Stolz der Menschen. Aufgang, Herrlichkeit und Niedergang von Reichs- und Kaisermacht sind mit den drei Kaiserdomen von Speyer, Worms und Mainz auf dem westlichen Rheinufer aufgerichtet. Der Rheinstrom mußte seine Reichsherrlichkeit abgeben an die Donau. So wollte es der Pendelgang der Geschichte. Die Rheindome sind aber durch alle Kriege erhalten geblieben, ihre Steinmassen trotzten jeder Art von Zerstörung und bergen in sich immer noch unvergängliche Gedanken und Kräfte.
Dicht sitzt der Speyerer Dom, umhüllt von seinem Park, auf der Rheinböschung, die kostbare kaiserliche Totenbarke mit den vier Flankentürmen und den beiden Kuppeltürmen.
Die auf kurzen Rundsäulen mit schlichten eckigen Kapitellen sich kristallklar und weit durchwölbende Krypta unter dem Chor nennt Reinhold Schneider den erhabensten Raum auf deutscher Erde. In der Mitte zwischen den Säulen das Grabmal Rudolf von Habsburgs. Skeptische Augen unter den Brauen, skeptische Falten um den tragischen Mund. Reichsapfel und Zepter in den schweren Händen, die Krone auf den Locken über der zerfurchten Stirn wogen schwer für diesen schlichten, klugen, Ordnung schaffenden, dem Faustrecht feindlichen Mann. Für ihn und seine Vorgänger und Nachfolger in der Gruft. Für acht Herrscher wurde der Dom zur Grabstätte und für vier königliche Frauen. Hier halten Adolf von Nassau und Albrecht von Österreich, die sich bei Göllheim mörderisch um die Krone schlugen, miteinander Ruhe. Das verwitterte Kreuz von Göllheim erinnert daran. »Per me reges regnant«, ist auf dem Portal der Kaisergruft zu lesen, »Durch mich herrschen die Könige«. Das galt, bis der Kopf des französischen Königs unter dem Fallbeil fiel und die Revolutionsarmeen in die Stadt und den Dom der Kaisergrablege einfielen. Schon im Erbfolgekrieg 1686 flammte der Dom im Brand der Stadt mit auf. Heute ist Speyer, der Schauplatz vieler Reichstage, eine friedlich an die waldigen Rheinufer gebettete Stadt. Es könnte scheinen, als verbinde die neue Rheinbrücke mit ihren flachen kühnen Bögen nichts als die Auwälder auf beiden Ufern. Durch das Altpörtel, einen der bemerkenswertesten deutschen Stadttürme, zogen die Kaiser auf den Dom zu. Die Protestationskirche reckt ihren neugotischen Turm heute verständig über die alten Gassen hoch, mit den in ihrer Turmhalle ehernen Gestalten Luthers und der gegen den Reichstagsbeschluß 1529 protestierenden Fürsten. Bei dem Abstieg durch die Gewölbe des Judenbads an den Grundwasserspiegel erschauert man. Der Domnapf, einmal Zuflucht der Verfolgten, bot den Separatisten keinen Schutz, für deren Ende in der Hotelwand die Spuren der tödlichen Kugeln zeugen. Noch heute fährt der Bischof von Speyer zu seinen Visitationen nach Homburg, Blieskastel und St. Ingbert im Saarland, als den westlichen Grenzen seines Sprengels.

Dom über dem Wonnegau

»Die Sterne haben nichts größeres als Gott und die Erde nichts größeres als den Kaiser. So regiert Gott die Sterne und der Kaiser die Erde«, so schrieben es die selbstbewußten Wormser an ihr Rathaus.
Über die schiefe Ebene des Eselsturmes am Dom, der für Lasttiere beim Bau errichtet worden war, kann man zur Chorgalerie hinaufsteigen. Die Rundbogengalerien um die vier Flankentürme, die beiden Kuppeltürme und den mit Fensterrosen geschmückten Chor geben dem reinen romanischen Bau das streng Festliche. Von der Galerie aus sieht

man zwischen den hingeduckten dämonischen Figuren in den Wonnegau hinab. Unten am Dom vorbei zieht sich die durch die Kaiserslauterner Senke von Paris herkommende Straße über den Rhein zur Donau. Das bestimmte die Lage der keltisch-römisch-mittelalterlichen und neuzeitlichen Stadt. Im Boden des Domes ruht unter den Salierahnen Konrad der Rote von Worms, der 955 auf dem Lechfeld die Ungarn schlug und seine Kaiserhoffnungen mit dem todbringenden Speer in der Brust verlor. Ob der Streit der Königinnen vor dem Kriemhildenpförtchen stattfand oder nicht und im Dom das Gottesurteil mit den blutenden Wunden Siegfrieds vor Hagen seinem Mörder, es heißt hier in Anlehnung an das Zitat über Bibel oder Homer: das Nibelungenlied hat doch recht.
In Worms wurde durch das Konkordat 1122 vorübergehend das Gleichgewicht zwischen Papst und Kaiser hergestellt. Zum Reichstag in Worms befahl man Luther. Das in Brandasche geschriebene Jahr 1689 stand über der völlig ausgeraubten Ruine des Domes. Dafür erhielt er, wiederaufgebaut, durch Balthasar Neumann den fürstlich-schwungvollen barocken Baldachin der Altäre mit dem bewegten frommen Liebesdisput der Heiligen und Engel.
Aus ihren Weinbergen ragt mitten in der Stadt die zweitürmige gotische Basilika der Liebfrauenkirche, Herrin der Reben, die als Liebfrauenmilch gekeltert werden. Vorspiel der pfälzischen und rheinhessischen Rebparadiese.

WORMS · Der tausendjährige Dom, eines der mächtigsten spätromanischen Baudenkmäler auf deutschem Boden, ist der jüngste der Kaiserdome am Mittelrhein. Er überragt den Wonnegau, die Landschaft der Nibelungen und die alte Stadt, die man die Mutter der Reichstage genannt hat.

Das goldene Mainz

»Ut omnes unum sint«, daß alle eins seien, dies Wort hat man in Mainz der wiedererstandenen, aus der Flakkaserne draußen beim Fort Bingen errichteten Alma Mater Moguntiae, der Johannes-Gutenberg-Universität, an das Tor geschrieben. Im Gutenberg-Museum kann man die Werkstätte dieses Erfinders der Buchdruckerkunst und die Auswirkung seiner Schwarzen Kunst für die gesamte Welt bestaunen. Sein Denkmal von Thorwaldsen steht vor dem Dom. Ut omnes unum sint, daß niemals mehr die Kriegsbrände, am ärgsten der des letzten Weltkrieges mit Stadt und Dom in Flammen, über diese oder jede andere Stadt herfallen mögen. Wer könnte den unerschöpflichen Lobpreis dieser Stadt im südlich heiteren Dunstkreis der Rhein-Main-Ebene je zu Ende singen; seit die Römer ihre Brückenpfähle in den Strom rammten, seit Bonifatius an ihrem Ufer an Land ging, die kurfürstlichen Erzbischöfe über Kaiser und Reich bestimmten und ihr Wappenrad als Siegel ihrem reichen Besitz weit in die deutschen Länder hinein aufprägten. In langen Reihen sind sie in den Domschiffen auf ihren Grabdenkmälern abgebildet, jede Gestalt eine Geschichtsstufe für Stadt und Reich.

MAINZ · Die Landeshauptstadt wird von ihrem Dom überragt, dessen romanische, gotische und barocke Bauteile zu einer einmaligen Geschlossenheit und Harmonie zusammengewachsen sind. Der Erzbischof von Mainz war jahrhundertelang Erzkanzler und erster Fürst des Reiches gewesen.

Mit seinen sechs Türmen, von romanischem und gotischem Gewände herauf bis hoch zu der barokken Krönung des Vierungsturmes, steht das majestätische Domgefüge von allen Randhöhen der Ebenen sichtbar als visionäres, den Geist von Jahrhunderten in sich sammelndes Mal.
Auf dem Ufer lagert sich festlich breit das Kurfürstliche Renaissance-Schloß, daneben das Witwenpalais der Gräfin von Bassenheim, ein vornehmer klassisch barocker Bau, für den Landtag von Rheinland-Pfalz aus dem Brand erneuert. Der Anblick der Jupitersäule auf dem Platz hinter dem Landtag genügt, um einem einzuprägen, was Rom war, Rom am Rhein.

TRIER · Mitten aus den Ständen heraus erhebt sich das alte Marktkreuz, dahinter ragt der Turm von St. Gangolf in die Höhe. Man muß diese Stadt an der Mosel erlebt haben, um eine Vorstellung zu bekommen von dem, was Vergangenheit, römische, mittelalterliche und geistliche, bedeutet.

Vom modernen Kastell des Stadthauses über die Wallanlagen zum Rosengarten in den Stadtpark gelangt man durch Villenviertel, hinter denen sich das moderne Mainz ausbreitet bis zu den Häusern auf dem Hochufer in die Rebberge hinein, an die Anlagenrampe über dem Strom, wo sich mit der Eisenbahnbrücke die Wege von Wasser und Schienen kreuzen. Auf dem Rückweg soll man durch die Augustinerstraße, mit einem Blick in die dämmerige barocke Seligkeit der Augustinerkirche, am Priesterseminar vorbei der Altstadt zupilgern. Hier, in einer der alten Weinkneipen ist gut sein. Was in den mehrstöckigen Gewölben unter der Stadt reift, leuchtet im Pokal auf den Tischen. Wie die Madonnen an den Hausgiebeln lächeln die Mainzer Mädchen an den Tischen. Hier wird man auf heitere Weise belehrt, daß die Mainzer deshalb ihre Fastnacht wieder ungetrübt feiern, weil sie über alle Zerstörung hinweg den Humor für den Alltag nicht verloren haben.

Augusta Treverorum

In der langgezogenen Talweite zwischen Eifel und Hunsrück, wo Sauer und Saar, Kyll und Ruwer ihr Wasser der Mosel schenken, haben die römischen Stadtplaner die fortgeschrittene Augusta Treverorum, die Hauptstadt im Land der Treverer, zur Residenz Galliens ausgebaut, auf einer wahren Drehscheibe von Land- und Wasserstraßen. Wie die Mosel waren auch Saar und Sauer damals schiffbare Flüßchen.

Die Luft über *Trier* ist freier geworden. Die Stadt ist weniger in sich befangen. Von ausländischen Kasernen und Siedlungen auf den Höhen weht ein frischerer Wind herein. Selbst auf dem Markt, unter Schirmen und Zelttüchern der Stände geht es heiterer zu. Hier steht das Marktkreuz, das aufrechte steinerne Dokument für tausendjähriges Marktrecht, mit dem Gotteslamm in der Kreuzmitte. Das gotische Festhaus, die Steipe, mit der bogenfrohen offenen Gerichtshalle unten, mußte im letzten Krieg in Trümmern zu Boden gehen. Doch sind über dem römischen quadratischen Plan die gebogenen mittelalterlichen Straßen und Gassen noch genug mit romanischen, gotischen und barokken Bauten eingesäumt. Ihr Schmuck ist ornamental reiches Fachwerk oder üppig ausgehauener Sandstein.

Aus Unmut vor so viel sinnlos geschaffenen Ruinen des letzten Krieges wird man in die römischen Ruinen getrieben. Viel ist vom Amphitheater nicht mehr zu sehen; nur das überwachsene Rund und ein paar Eingänge unter den Wölbungen. Aber es war eine Arena für 30 000 Menschen. Was darin an Tierhetzen, an Gladiatorenkämpfen, an Kämpfen zwischen Tier und Bestie gespielt wurde, ist in Nennig, in dem Bodenmosaik einer reichen römischen Villa zu sehen. Von den Kaiserthermen und den Barbarathermen sind die Anlagen in titanischen Resten noch genau zu verfolgen. Die Kinder spielen Verstecken in den Heizkanälen. Beim Heraustreten aus den Ruinen nimmt einen der blumenprächtige Garten mit den Wasserbecken vor der kurfürstlichen Schloßfront auf, wo man an dem köstlich frohen Mittelrisalit der Südfront, wenig prüde Göttinnen im Bogenfries oben und auf den Balustraden bestaunt. Die spielenden Putten auf dem Balkon dieser geistlichen Residenz gleichen weniger christlichen Engeln als den tanzenden und spielenden Eroten, die aus dem Schutt im Domboden als konstantinische Deckenmalereien in Stücken ausgegraben wurden.

TRIER, PORTA NIGRA · Die bischöfliche Stadt zählt zu den ältesten deutschen Städten. Hier haben römische Kaiser Hof gehalten. Das monumentalste Zeugnis jener Zeit, als hier die Legionen Roms in Garnison lagen, ist die noch ausgezeichnet erhaltene Porta Nigra, das Wahrzeichen der Stadt.

SAARBRÜCKEN · Friedrich Joachim Stengel baute im Auftrag des fortschrittlich gesinnten, kunstverständigen Fürsten Wilhelm Heinrich die Stadt zu einer Schmuck-Residenz aus. Von der Saar geht der Blick über einen Teil der Stadt zu den bewaldeten Höhen. Das Landestheater (rechts) ist einer der kulturellen Mittelpunkte des Saarlandes. Gegen Ende des 19. Jahrhunderts wuchs Saarbrücken zu einer bedeutenden Industriestadt heran.

Hinter der sinnenfrohen Residenz tritt die römische Basilika mit ihren majestätisch strengen, gereihten Bögen hervor, ein Bau von kühnen Ausmaßen, der fast protestantisch ernst, kaum noch etwas von der mosaikfrohen, repräsentativen Pracht römischer Herrschaft verrät.

Geistliche Bastion der Stadt

Der romanisch wuchtig gefügte und vieltürmige Dom mit der Liebfrauenkirche und die Curienhäuser bilden immer noch die geistliche Bastion dieser Bischofsstadt; der einzigen, die in der abgelegenen romanischen Abtei St. Matthias das Grab eines Apostels jenseits der Alpen birgt.
In der nach außen engbrüstig ernsten Kirche St. Paulin ist das Kirchenschiff in einen Jubel barock sinnlicher Zierätigkeit aufgelöst.
Auf dem Weg vom Markt auf die Porta Nigra zu, dem zyklopischen Nordtor der römischen Kaiserresidenz, einmal zur Kirche umgemauert und wieder zurückgeführt auf die Tormassen, denkt man darüber nach, weshalb uns so sehr das römische Wesen anrührt. Die Römer waren Realisten, waren bildfrohe Menschen, die uns auf ihren Grabmälern ihren ganzen Alltag samt den Göttern hinterlassen haben. Sie waren Eklektiker. Auf ihren Bodenmosaiken, wie dem vom Trierer Kornmarkt, beweisen sie es mit Mysterienbildern, mystischen Opfern und Kultgaben. Eklektiker sind auch wir und fatale Realisten und nicht weniger abergläubisch.
Als der Limes die Barbaren nicht mehr zurückhielt, weil das Römische Reich von innen her geschwächt war, verließen die römischen Großhändler die gefährliche Provinz und ihre üppigen Villen und Gutshöfe rings um die Stadt. Sicher ist, daß die Winzer nicht mit flohen. Noch heute strömt die Mosel um die römischen Brückenpfeiler durch das Tal, das seit zwei Jahrtausenden der Rebe gehört.

SAARBRÜCKEN · Neben seinem wechselvollen Schicksal als Hauptstadt eines stets umstrittenen Grenzgebietes hat Saarbrücken im zweiten Weltkrieg schwere Zerstörungen erlitten. Daß man jedoch aus den Trümmern zu neuem und fortschrittlichem Leben erwachte, beweist dieser moderne Kirchenbau.

Brücke über die Saar

Brücke zu sein war die Funktion der Stadt *Saarbrücken* in ihren römischen Anfängen. Unter dem Halberg führte die Römerbrücke über den Fluß. Reste des Kastells und die Höhle im Halberg, einmal Mithrasheiligtum für die Soldaten, beweisen es. Als die Alte Brücke unter dem Schloßberg gebaut wurde, war die Stadt als gräfliche Residenz kaum etwas anderes. Erst als Wilhelm-Heinrich von Nassau-Saarbrücken, der junge aufgeklärte, fortschrittlich gesinnte Fürst im Jahre 1741 die Regierung übernahm, wandelte sich das Gesicht Saarbrückens vollkommen. Der Fürst brachte die Gruben und Hütten in einen ertragreicheren Zustand. In Friedrich Joachim Stengel berief er für seine Residenz den genialen Baumeister. Nach anderthalb Jahrzehnten konnten Fürst und Baumeister vor dem staunenden Volk ihren festlichen Zug durch eine der schönsten, in sich geschlossenen barocken Residenzen halten.
Zur eigentlichen Industriestadt und damit zur künftigen Hauptstadt eines möglichen Saarlandes konnte Saarbrücken erst heranwachsen, als nach Entdeckung des Thomasverfahrens des lothringische Minetteerz mit der Saarkohle ergiebig verhüttet werden konnte. Das war nach dem Krieg 1870/71. In den Gründerjahren dehnten sich die Hüttenkomplexe in ihrer Süd- und Nordflanke aus

und mit ihnen die häßlichen Arbeiterviertel und die stillosen Geschäftsstraßen der wirtschaftlich fortschreitenden Stadt. Die kostbaren Überreste der Stengelstadt verschwanden darin.
Der geschlossen erhaltene Teil der fürstlichen Stengelstadt konnte in seiner ursprünglichen Gestalt wiederaufgebaut werden. Um die Ludwigskirche mit ihrem festlichen Gebetsaal stehen wieder die meisten der prächtigen alten Adelshäuser gruppiert, alles zusammen ein würdiges Denkmal, das die Stadt ihrer reichen Vergangenheit errichtete.
Unangetastet ragt über die Saarwiesen die Stiftskirche von St. Arnual, eine gotische Gewölbebasilika, Grablege der Grafen von Nassau-Saarbrücken.

ANNWEILER · Viktor von Scheffel besang die drei Berge über Annweiler als die »Burgdreifaltigkeit«. Den Trifels, die Reichsfeste, mußten die Nebenburgen gegen Bedrohungen schützen.

DER TRIFELS · Zu den berühmtesten Burgruinen Deutlands zählt der Trifels. Hier lagen die Insignien für die Kaiserkrönungen, und hier schmachteten die Staatsgefangenen des mittelalterlichen Reiches.

Dicht neben den Schloßterrassen ist die Schloßkirche aus dem Brand wieder auferstanden. An den Balustraden überblickt man den Fluß und die bis zum Hafen hingezogene Reihe der vertäuten Saarschiffe. Mit Hochbauten und einem frei auf Stützen schwebenden Basarsteg ist man dabei, den Saarufern ein modernes Gesicht zu geben. Auf alle Höhen, zum Stadtwald und zum Winterberg hinauf, entziehen sich neue Wohnviertel mit kühnen modernen Kirchen dem Rauch der Stadt.

Reichskleinodien und Staatsgefängnis

Hoch über dem freundlichen Städtchen Annweiler ragen über dem bewaldeten Bergkegel die Reste der Reichsfeste *Trifels* heraus. Hier wurden in der Königskapelle die Krönungsinsignien und die Krönungsgewänder aufbewahrt. Wer den Trifels hatte, besaß das Reich. Unten im Eußerthal waren die Mönche der Zisterzienserabtei zu Wächtern für die Reichskleinodien bestellt. Von dieser reichentlohnten Abtei ragen nur noch Chor- und Querschiffruine aus den Talwiesen. Unter den Insignien aber, von den Schergen bewacht, schmachteten im Staatsgefängnis, das der Trifels auch war, die Königsgegner, so die Erzbischöfe von Mainz und von Köln. Richard Löwenherz, der englische König, konnte sich nur gegen eine große Lösesumme wieder freikaufen. Die normannischen Edelleute, Gei-

MARIA LAACH · Die Abteikirche, eines der vollkommensten romanischen Bauwerke, einheitlich groß, weil nie an ihm verändert wurde, fügt sich mit der bewaldeten Umgebung am See zu einer der überzeugendsten und friedvollsten Daseinsgemeinschaften zusammen, Schöpfung zu Schöpfung.

seln Heinrich VI., kamen nur geblendet wieder ans Tageslicht. So warf der Glanz der Krönungsinsignien schmerzhafte Schatten auf die Gesichter der gefangenen Gegner.

Ritterliche Unerschrockenheit, humanistischer, reformatorischer Bekennermut gegen Fürstenmacht und Ungeist, das war der Kampf Franz von Sickingens als Anführer der rheinischen Ritterschaft gegen die Fürsten. Auf seiner Väterburg, der Ebernburg, im schroffen Felsspiel über dem Zusammenfluß von Nahe und Alsenz, beriet er sich mit seinem Freunde Ulrich von Hutten gegen Fürsten und Papst. Die Burg war ihre Herberge der Gerechtigkeit, der Burgberg zur Sonne mit feurigen Wein spendenden Reben bewachsen, auf der Schattenseite mit Wald. Auf seiner Lehnsburg Nanstein unterlag er verwundet seinen Gegnern, die sein Sterbelager umstanden, die Kurfürsten von der Pfalz und Trier und der Landgraf von Hessen.

Zu Tausenden zogen im Jahr 1832 für Bürgerfreiheit begeisterte Männer von *Hambach* an der Haardt nach der Kästenburg hinauf. Hoch ragt die Burg von ihrem Felsvorsprung mit der Sicht von Worms bis Straßburg und über den Rhein zum Schwarzwald und zum Odenwald. Äußeres Zeichen der revolutionären Gesinnung waren die berühmt gewordenen Hambacher Bärte. Den aufrührerischen Reden antwortete der Bund mit harten Beschlüssen gegen Presse- und Versammlungsfreiheit. Als 1848 die Revolution niedergeschlagen wurde, verlor sie ihre besten Männer an die Neue Welt. Der während der Revolutionsjahre begonnene Wiederaufbau der Ruine blieb in den widerstrebenden Ereignissen stecken.

Zur Verherrlichung Gottes

Aus rotgelben und blaugelben Tuffsteinquadern und schwarzblauem Basalt, farbig wechselnd in der Struktur der Bauteile, ist die Benediktinerabtei *Maria Laach* am Laacher See aus dem Vulkanboden der Eifel aufgebaut. Schon fast tausend Jahre siedeln hier die Söhne des Benedikt. Wertvolle Handschriften sind in ihrer Schreibstube zwischen See und Wäldern entstanden und stehen heute als Schätze in der Berliner Staatsbibliothek. Ihr kostbarster Schatz aber, die romanische Kirche, der ungetrübteste, bald tausendjährige kirchliche Bau der salischen Kaiserzeit, ist nicht zu vergeben.

KAISERSLAUTERN · Den karolingischen Königshof »Lutra« baute Barbarossa zu einer Pfalz um. So nennt sich Kaiserslautern heute »Barbarossastadt«. Die Stiftskirche (Bild) aus dem 13. und 14. Jahrhundert ist der bedeutendste gotische Kirchenbau und eine der ersten Hallenkirchen der Pfalz.

OBERWESEL · Zwischen Bacharach und St. Goar liegt auf dem linken Rheinufer das romantische Städtchen Oberwesel. Die Ruine Schönburg auf einem steilen, den Talhängen vorgelagerten Rükken überragt den Ort. Die hochgelegene gotische Liebfrauenkirche besitzt neben schönen Fresken, dem Goldenen Altar und anderen Kostbarkeiten eine der schönsten Barockorgeln Deutschlands. Alte Mauern mit 18 Türmen aus dem Mittelalter reihen sich um die Stadt.

BAD KREUZNACH · Eines der bekanntesten Bäder von Rheinland-Pfalz ist das an der Nahe gelegene Kreuznach. Nicht nur als bedeutendes Radiumsolbad mit seinen 17 Quellen ist es bekannt geworden. Vielmehr darf es sich eines ausgezeichneten Weinbaugebietes und eines ausgedehnten Weinhandels rühmen. Dazu kommt eine moderne, vielfältige Industrie. Bereits im Jahre 819 war Kreuznach eine karolingische Königspfalz, um Anfang des 13. Jahrhunderts Stadtrechte zu erhalten. Eine Kuriosität der Stadt stellen die auf den Pfeilern der Nahebrücke errichteten Brükkenhäuser dar, die wie Vogelkästchen über dem Fluß sitzen.

LANDSCHAFT DER PFALZ · Aus der gesegneten Rheinebene, gesegnet durch ein in Deutschland einmalig günstiges Klima und durch eine seltene Fruchtbarkeit, steigt entlang der Weinstraße das Bergland der Pfalz an. Vor dem Pfälzer Wald, der ein Viertel des ganzen Landes bedeckt, richtet sich die Haardt auf, ein wiegendes Hügelgebiet, das von Süden bis Norden sein Gesicht von heller sonniger Freude bis zu einer spröden Strenge ändert, die sich nur dem erschließt, der ihr Herz finden will. Aber immer lacht ein freundlicher Himmel über dem Land, über den bewaldeten Höhen und den vielen Burgen.

DIE LORELEI · Trotzig ragt der mächtige Fels der Lorelei in den Strom. Seine Strudel waren früher gefürchtet. Vom Fels lockte die Sirene die Fischer in den Untergang. So wollte es die bekannte Sage und Heines unsterbliches Lied.

RUINE METTERNICH · Nahe Koblenz, wo das Weinland der Moselhänge seinen Lauf durch das Felsgedränge zwischen Hunsrück und Eifel anhebt, steht die Ruine Metternich über dem Tal der unteren Mosel. Mit Moselweiß, Güls, Lay und Winningen beginnen sich die Weindörfer an den Flußufern aufzureihen. Bis in die Ruinen hinein steigen die Rebenzeilen den Burgfelsen hoch. In den Grauwackenschiefern türmen sich oft tollkühne, steile Terrassen aufwärts. Mit frischen duftigen Weinen setzt hier das Hohelied der Moselreben ein, um hinter jeder Bergnase einen neuen Akkord anzustimmen.

DIE NÜRBURG · Auf einem der höchsten Eifelgipfel erhebt sich mit dem hohen, runden Bergfried die Ruine der Nürburg über die hier durch viele Bachtäler zu mitreißender Bewegung hingeschwungenen Eifelberge und Wälder.

KOBLENZ · Zwischen den in spitzem Winkel zusammenströmenden Flüssen Rhein und Mosel schiebt sich eine schmale Landzunge vor, das Deutsche Eck (links). Ihm gegenüber ragt über dem steilen Ostufer des Rheins trutzig und finster die frühere Festung Ehrenbreitstein auf. Aus der um das Jahr 1000 erbauten Burg entstand im 16. bis 18. Jahrhundert eine wehrhafte Festung, als der Ort Ehrenbreitstein Residenz der Kurfürsten von Trier war. Sie wurde 1801 von den Franzosen zerstört und nach neuerlichem Ausbau durch Preußen in den Jahren 1815 bis 1832 nach dem ersten Weltkrieg geschleift. Heute dient sie als Jugendherberge und Museum.

DIE MARKSBURG · Am Ende der großen Rheinschleife zwischen Boppard und Oberlahnstein überragt die Marksburg das Städtchen Braubach, das durch Weinbau bekannt ist. IM AHRTAL · In dem schroffen, wildbewegten Felstal ziehen sich die Reben des roten Spätburgunders und des Portugiesers, des Ahrrotspons, eines feurigen Weines, über die Terrassen an den Ahrufern entlang. Die Landschaft scheint von der Glut des Weines erfüllt zu sein.

SAARBRÜCKEN · Blick von der Gartenterrasse des Schloßbergs herab über die nach Süden auslaufende Stadt. Die breite Uferstraße führt zu den Anlagen und den Regierungsbauten bei der Paul-Marien-Brücke. Auf dem rechten Saarufer liegt eine lange Reihe der Saarlastschiffe, die auf Ladung warten. Im Hintergrund die Halberger Hütte am Fuß des gleichnamigen Berges. In den Schloßberg gehauen die Höhle, in der zur Römerzeit ein Mythrasheiligtum eingebaut war, für den Gott jener Legionäre, die im rauhen Norden Wache für Rom standen. Saarbrücken ist nicht nur die Hauptstadt des Saarlandes, sondern auch eine der modernsten deutschen Städte.

In ihrem Daseinsbezirk von Kloster, Kirche und Klosterhof, mit dem See als dem Spender der besonders schmackhaften Felchen, in der reinen Luft von See und Wäldern, leben die Mönche ihrem Auftrag. Lange Zeit sind sie zu Reformen in andere Klöster entsandt worden. Heute sind die Reinerhaltung und der lebendige Geist der gottesdienstlichen Liturgie ihr besonderes Anliegen. Das miterleben, füllen Schüler, Pilger und Eifelwanderer die domweite Abteikirche. Ut in omnibus glorificetur Deus, daß Gott in allem verherrlicht werde, lautet der Wahlspruch der Benediktiner.

Himmerod

Im Refektorium der Zisterzienser-Abtei *Himmerod,* die im verlorenen Tal zwischen den Eifeldörfern Großlittgen und Eisenschmitt liegt, ist der Gast Stellvertreter des höchsten Gastes. Der Abt ehrt ihn während der Mahlzeit durch seine Gegenwart, und der Prior selbst bedient ihn. Bernhard von Clairvaux und Albero von Montreuil, der Trierer Erzbischof, haben das Kloster gegründet. Wegen seiner strengen Zucht erwarb sich das Eifelkloster den Ruhm eines »Klosters der Heiligen«.
Aber die Zucht ließen sie auch dem Boden, den Walddickichten und dem versumpften Salmtal angedeihen. In weitem Umkreis um die Abtei bewirtschafteten die Laienbrüder eine Anzahl von Eigenbauhöfen mit vorbildlicher Land- und Forstwirtschaft. An den Felshängen von Mosel und Rhein pflanzten sie Reben und brachten den Wein auf eigenen Schiffen bis nach Holland. In den Klosterschreibstuben entstand eine Bibliothek von Tausenden von Bänden.
Von Himmerod aus wurde im Siebengebirge das Kloster Heisterbach gegründet, heute bewundert wegen seiner Chorruine und der Bekehrung des skeptischen Heisterbacher Mönchs durch einen tausendjährigen Schlaf zu der Wahrheit, daß vor dem Herrn tausend Jahre wie ein Tag sind. Durch Studien an den heimischen Universitäten und an der berühmten Pariser Sorbonne hielten sich die Himmeroder Mönche bei wachem Geiste. Aber auch sie hatten unter den wechselnden Schicksalen zu leiden. Noch bauten sie Mitte des 18. Jahrhunderts an Stelle der hinfälligen romanischen Basilika die barocke Abteikirche; zur gleichen Zeit, da Christian Kretschmar die mächtigen Barockbauten von Mettlach im Saarland und Balthasar Neumann die Trierer Paulinuskirche aufrichteten. Und wieder geriet das Höchstvollendete zu nahe an den Untergang. 1751 stand der Kirchenbau fertig da, eine der edelsten Barockkirchen im ganzen Rheinland. 1802 wurden die Mönche verjagt und Kloster und Kirche

BURG ELTZ · In einem waldreichen Seitental der Mosel, von dem Eltzbach durchflossen, liegt eine der am besten erhaltenen Burgen des deutschen Mittelalters. Der geschlossene Komplex mit den vielen einzelnen Türmchen und Giebelaufbauten vor der grünen Waldkulisse bietet einen imposanten Anblick.

Franz von Sickingen
* 2. 3. 1481, † 7. 5. 1523
Reichsritter

Johannes Gutenberg
* vor 1400, † 1468
Erfinder des Buchdrucks

Joseph von Görres
* 25. 1. 1776, † 29. 1. 1848
Publizist

Karl Freiherr vom Stein
* 26. 10. 1757, † 29. 6. 1831
Staatsmann

zum Steinbruch erniedrigt. Seitdem stand die hohe dreigestufte Kirchenwand frei gegen Himmel, auch in der Ruine noch ein Wunder an Schönheit.

Die großen Geister

Man gerät in Erstaunen, will man sich auf besonders hervorragende Geister im Raume von Rheinland-Pfalz und Saarland besinnen. Vielleicht hat die Grenzsituation, Saar und Rhein, das ruhige Wachstum zur Größe verhindert. Vielleicht hat es sie aus der strittigen Enge fortgetrieben, nach der Mitte oder in die Fremde.

Ein großer Geist ist eine Frau, ist *Hildegard von Bingen,* die Vorsteherin vom Disibodenberg und Äbtissin vom Rupertsberg. Aufgewachsen ist sie auf der Burg Böckelheim, dem Bergsturz steil zur Nahe herab. Ihr Vater war der Wächter über den unglücklichen Kaiser Heinrich IV., den sein Sohn hier gefangenhielt. Das Kind Hildegard mag sich aus angeborenem Gerechtigkeitsgefühl gegen die Schmach dieses Häftlings empört haben. Später, als angesehene Äbtissin auf dem Rupertsberg, stand sie für das kirchliche Begräbnis eines im Bann gewesenen jungen Mannes ein. Sie nahm dafür vom erzürnten Mainzer Erzbischof die ärgsten Kirchenstrafen für sich und ihre Frauen auf sich.

Auf dem Strom fuhr sie in die Welt, hoch zu Roß ritt sie über die Straßen, um unerschrocken Fürsten und Bischöfen und Äbten zu sagen, was in der verwirrten Zeit zu sagen notwendig war. Sie stand mit Päpsten, Erzbischöfen, Äbten und Königen im Briefwechsel, und alle fragten bei ihr um Rat an. Als Friedrich Barbarossa bei Legnano unterlag, hielt sie ihm in einem Schreiben vor, daß er sich selbst seine Niederlage durch seine Gesinnung zugezogen habe.

Singend ging sie durch das Kloster. Was sie sang, waren ihre eigenen Lieder, die Worte und die damals kühnen Melodien.

Ein Bild aus dem berühmten Hildegardis-Kodex zeigt sie mit ihrem Mönchschreiber mit feurigen Zungen über ihrem Haar. Im Geiste von Cluny erneuerte sie Kirche und Klerus, stiftete sie Klöster. Sie war aber auch den körperlich Kranken eine unermüdliche Helferin und heilte aus früher naturwissenschaftlicher Erkenntnis und Erfahrung mit den Tränken und Kräutern, die sie in ihren Klostergärten zog und die sie mit allem, was an Pflanzen und Tieren lebte, in ihren Büchern beschrieb. Eine unerschrockene, überragende Frau, größer als alle Großen ihres Jahrhunderts, groß im Glauben, im Wissen, im Schauen, im Helfen, im Urteilen. Dabei immer wieder aus Erschöpfungszuständen, Ohnmächten zur Stärke angerufen. Von der Burg ihrer Kindheit, der Burg Böckelheim, von ihrem Kloster auf dem Disibodenberg und ihrer Gründung auf dem Rupertsberg sind kaum noch Reste erhalten. Ihre Bücher aber können nie ausgeschöpft werden, weil sie an die letzten Dinge dieser Erde reichen.

BAD EMS · Kurz vor ihrer Mündung in den Rhein durchfließt die Lahn dieses weltberühmte Bad, das durch die »Emser Depesche« in der neuesten Geschichte Bedeutung erlangt hat. Auch die »Emser Punktation«, ein 1786 gefaßter Beschluß deutscher Bischöfe gegen die Kurie, wurde hier aufgestellt.

Karl Marx
* 5. 5. 1818, † 14. 3. 1883
Philosoph

Clemens Brentano
* 8. 9. 1778, † 28. 7. 1842
Dichter

Anselm Feuerbach
* 12. 9. 1829, † 4. 1. 1880
Maler

Stefan George
* 12. 7. 1868, † 4. 12. 1933
Dichter

In den chaotischen Zeiten der bürgerlichen Revolution, der Napoleonherrschaft und der Freiheitskriege war es ein Mann aus dem Lahnstädtchen Nassau, der Reichsfreiherr *Karl vom und zum Stein* (1757–1831), der sich die gründlichsten Gedanken über die notwendige Erneuerung des deutschen Volkes gemacht hat. Die Bauernbefreiung und die städtische Selbstverwaltung sind sein Werk, für den Partikularismus hatte er nichts als Hohn, die »sechsunddreißig kleinen Despoten und Häuptlinge«, das war der Titel, den er den Reichsfürsten beilegte. Auch »feige Flüchtlinge« und »dekorierte Sklaven« nannte er sie. »Soll die Nation veredelt werden, so muß man dem unterdrückten Teil derselben Freiheit, Selbständigkeit und Eigentum geben«, sagte er sehr praktisch, und: »Es ist mir leid, daß Ew. Exzellenz in mir den Preußen vermuten und in sich den Hannoveraner entdecken, ich habe nur ein Vaterland, das heißt Deutschland.« Nun, ist er über seine Heimatgrenzen genügend hinausgewachsen, dieser Große?

Der Feuerkopf Joseph Görres

Von der Nahe kam die Seherin, vom Zusammenfluß von Mosel und Rhein der Feuerkopf *Joseph Görres.* 1776 ist er in Koblenz zur Welt gekommen, in die Welt der Revolution, Napoleons und der dumpfen Restauration. Am Ufer, mit dem Blick auf den Strom, wurde er groß. Mit neunzehn Jahren verfaßte er seine erste Schrift: »Der allgemeine Frieden, ein Ideal«. Den Epochen seiner Zeit wuchs er aus dem eigensten Wesen entgegen. Als junger Mensch, vierundzwanzig ist er alt, sitzt er auf dem anderen Ufer und träumt: »... und vor mir lagen meine lieben, lieben blaugrauen Rheinberge ... meine Fenster ... eure Hügel und unsere Republik auf dem Rheine, und alle die lieben, lieben Plätze ...« Im Sonnenuntergang brennt für ihn die Freiheit der Revolution. Als Sprecher einer cisrhenanischen Deputation überreicht er Napoleon, dem Ersten Konsul, eine Denkschrift, den Knabentraum von einem freien Rheinland in einem freien Frankreich. Er erlebt mit eigenen Augen den Staatsstreich Napoleons und schreibt, in die Abgründe der Seele hinein enttäuscht, heim an den Rhein: »Ich sehe in Paris den Kreislauf der Revolution in Frankreich abgeschlossen. Ich sehe den Anmarsch der Despotie. Nehmt auch in Bälde den Suetonius zur Hand, denn der neue Augustus ist fertig.« Er ist ein Vogel, dem beim Aufschwung in die Freiheit der Pfeil die Schwingen lähmt. Er lehrt in Koblenz am Gymnasium, heiratet und ist 1806, mit dreißig Jahren, in Heidelberg an der Universität. Hier geht er mit seinen Studien in frühesten Werken dem deutschen Wesen auf den Grund. Seine Freunde sind Clemens Brentano und Achim von Arnim. Sein Schüler ist Joseph von Eichendorff. Während dieser Jahre verbrennt der Kaiser Napoleon mit seinem Kometenflug das alte Europa. Nach dem Fall Napoleons kehrt Görres nach Koblenz zurück. Es empört ihn im Innersten, daß sie den Rheinbund als deutschen Phönix feiern, daß sie nach der Niederlage Napoleons die Freiheit wie Wendehälse rückwärts in der alten Legitimität suchen. Er sieht sie vorwärts. Mit einem bisher nie gewagten Freimut, mit einer beispiellosen Kraft seines Wortes zeichnet er in dem von ihm gegründeten »Rheinischen Merkur« den von ihm gesehenen wahren Weg. So wird er, ohne es zu denken, der leidenschaftliche Begründer der Publizistik in Deutschland. Eine Kabinettsordre von Berlin schließt ihm den Mund. La cinquième puissance, die fünfte Macht, hatten die Franzosen seinen »Rheinischen Merkur« genannt. Er schreibt den Deutschen mit der Schrift »Deutschland und die Revolution« aus rheinisch-deutscher Hellsicht und Gemütstiefe eine Art politischen Katechismus. Er rettet sich dann als Gelehrter in München in die metaphysische Heilsordnung katholischen Christentums. Er wendet sich als Greis gegen den Fortschrittswahn in Deutschland, die Ringelbahnen, Dampfwagen und Dampfschiffe auf den Strömen, gegen Hebel und Maschinenräder auf allen Straßen und zieht den Schluß: »Was hülfe ihm das alles, hätte es (Deutschland) in dem klappernden Mechanismus die ihm innewohnende Seele verloren.« Und sterbend mahnt der Greis: »Betet für die Völker, die nicht mehr sind.«

Karl Marx aus Trier

Wer in der Dom- und Bischofsstadt Trier auf der Straße irgendeinen Passanten anhielte, ihn auffor-

REMAGEN · Die alte Römerfestung Ricomagus nahe der Ahrmündung in den Rhein besitzt noch ein altes Tor aus jener Zeit. In der Apollinariskirche (Bild) befinden sich schöne Fresken der Nazarener-Schule. Remagen ist neben seiner Bedeutung als Obst- und Weinstadt auch Sitz der Bundesanstalt für Landeskunde.

derte, das Straßenschild zu lesen und vor einem Hause anzuhalten und zu bedenken, daß der mit der Straße Geehrte hinter einem dieser Fenster geboren wurde, der würde mehr als einem unwilligen und mißbilligenden Widerstand begegnen; so als halte man ihn zum Narren. Doch steht der Name weiß auf blau da: *Karl Marx*.

Als Sohn eines jüdischen Notars ist Karl Marx 1818 in Trier geboren. Der Vater trat mit der ganzen Familie zum Protestantismus über. Karl Marx studierte Jura und Philosophie, wanderte nach Paris und Brüssel aus. Als Teilnehmer an der mißglückten Märzrevolte 1848 floh er nach London und blieb dort. Mit Engels verfaßte er das kommunistische Manifest und entwickelte die Lehre vom historischen Materialismus, dessen ökonomische Theorie und den wissenschaftlichen Sozialismus.

Mannigfaltige Kräfte

Rheinland-Pfalz hat eine Fülle eigengebildeter Dichter- und Künstlerpersönlichkeiten. Aus Büdesheim bei Bingen stammt Stefan George, der gegen den flachen Realismus seine strengen bildkräftigen und geistdurchdrungenen Gedichte und Gedichtzyklen schrieb. In Ehrenbreitstein erblickte 1778 Clemens Brentano das Licht der Welt; in seinem verwilderten Roman »Godwin« geht das bittere Abenteuer seiner Kindheit in Koblenz um. Er hat der Loreley das eigentliche Lied und dem Rhein die tiefsinnigsten Märchen und Geschichten gedichtet.

Mainzer Kind ist Peter Cornelius, der Dichterkomponist inniger Lieder, der Schöpfer der heiteren erfrischenden Oper »Der Barbier von Bagdad«.

Ein überzeugender Philosoph der menschlichen religiösen Daseinsunruhe, von Augustinus, den deutschen Idealisten und von Scheler angeregt, ist der Saarländer Peter Wust.

Albert Weißgerber, der Bäcker- und Gastwirtssohn aus St. Ingbert im Saarland, ist als Meister impressionistischer Farbbeherrschung und Bildfügung in die neuzeitliche Geschichte der Malerei eingegangen. Er war in München der erste Präsident der Neuen Sezession. In München, Paris und Italien holte er sich Anregungen. Mit 37 Jahren mußte er sein Leben 1915 auf dem Schlachtfeld hingeben.

Fülle des Segens

Erster Ursprung der Fülle, die zu wirtschaftlichem Gewinn führt, ist die Milde der Täler, sind die Reben, sind die Mengen der Konsumweine im Kammertbau der Pfalz, sind die edlen Weine mit den verführerischen Namen von Rhein, Pfalz, Mosel, Nahe, Saar, Ruwer und Ahr. Und der Tabak, der in den hohen luftigen Trockenspeichern der Vorderpfalz nach der Ernte in Schnüren aufgehängt ist. Sind die Zuckerrüben, die waggonweise in den Fabriken landen, der Obstsegen, der den Großstädten zugefahren wird, als frisch gepflückte Frucht oder automatisch in Konservendosen verpackt oder als Säfte in Flaschen gefüllt.

Zur Sonnenkraft kommt aus dem Erdinnern die vulkanische Glut dämonischer Feuer, ohne die wir auf der Erde so wenig leben könnten wie ohne Sonne. Sie treibt in pulsenden Stößen die heißen Sprudelsäulen hoch, Heilquellen für die Bäder und Sole für die Salinen, deren zerstäubende Salzwässer Seeklima erzeugen. Gepflegte Bäder lassen sie erstehen, mit Hallen und Hotels in exotischen Gärten: Bad Ems, Bad Dürkheim, Bad Kreuznach, Bad Münster am Stein, Bad Neuenahr.

An der Saar wird das lothringische Erz verhüttet. Die Kohlenflöze ließen hier eine große Industrie entstehen, die Gußrohre, Schienen, Platten, Brükken und Eisenerzeugnisse aller Art herstellt. Wie an der Ruhr entwickelten sich auch an der Saar alle jene Betriebe, die viele Nebenprodukte der Kohle, synthetische Fasern, Farben und Arzneien erzeugen.

Zu Gefäßen und Töpfen aus den Tonen der Eifeler Erde um Speicher und der Westerwälder Erde im Kannenbäckerland werden alle Arten von Steingut hergestellt und hellgrau mit blauen Pflanzenmustern als Wein- oder als Bierkrug, als Einmachtopf oder in Massen als großer Maßkrug in die bierfreudigen Länder verschickt.

Nicht zuletzt aber lockt die frische Luft der Wälder und Gebirge in den Sommerfrischen viele Bewohner der Städte an. Das gilt für Rheinland-Pfalz und das Saarland, für alle Waldgebiete, die sich zwischen den Tälern erstrecken. So spielt sich mit der Sonne und den Kräften des Erdinnern und den Wachstumskräften auf der Erde ein nie endender Kreislauf ab.

Humor in Rheinland-Pfalz

Ein Zauberspruch

Jeder Mainzer kannte gegen das Jahrhundertende »die Pulverdutt«, den Droschkenkutscher mit der trinkfrohen mächtigen Warzennase. Daß er sich mit den Pferden auskannte, bewies er, als auf der Großen Bleiche, auf dem Kopfsteinpflaster, wieder einmal ein Gaul hingestürzt und nicht mehr zum Aufstehen zu bewegen war. Er schob sich durch die Menge, flüsterte dem Gaul etwas ins Ohr, und — das Pferd stand auf. Verwundert fragten alle, wie er das gemacht hätte. Und die Pulverdutt: »Ei, deß is doch gonz ääfach. Isch habb dem Geilsche gesachd: Guck, Honns, do hinne steht der Wersching! Mach kää Fissemadende! Er hodd schunn fuffzich Mack for disch gebode!« — De Wersching aber, das war der Pferdemetzger Würsching.

Trostreicher Zuspruch

In einer kleinen pfälzischen Gemeinde amtierte ein Pfarrer, der wegen seiner zu Herzen gehenden Predigten weithin bekannt war. Aber er war nicht nur eindringlicher Worte mächtig, sondern hatte auch ein weiches und mitleidiges Gemüt. An einem Sonntag nun drang mitten in seine Predigt hinein das gerührte Schluchzen der Gemeinde, worauf der Pfarrer von der Kanzel begütigte: »Leutchen, hört nur auf mit dem Weinen; weiß man denn, ob diese alten Geschichten wirklich wahr sind?«

Ehrentrunk im Stehen

Der Müllersknecht von Ingelheim am Mittelrhein war auf einen Sprung zu seiner Liebsten geeilt. Die Zeit nutzte sein genäschiger Esel, um sich an dem in der Nähe stehenden duftenden Weingefäß gütlich zu tun. Der geschädigte Geizhals von Winzer schleppte den Knecht vor den Richter. Der Richter aber war ein Mann von rheinischem Humor. Er fragte den Beklagten, ob der Esel im Stehen, Liegen oder Sitzen sich an dem Wein des Klägers gelabt habe. »Im Stehen«, gab der Gefragte zur Antwort. Darauf entschied der Richter: »Wenn ein Esel im Stehen trinkt, so handelt es sich allemal um einen Ehrentrunk. Der aber wird kostenlos verabreicht.« Und bei diesem salomonischen Urteil blieb es.

Die Sonnenfinsternis

Liselotte von der Pfalz, Gattin Philipps von Orléans, des Bruders des Sonnenkönigs, bewahrte sich auch unter den königlichen Höflingen ihre pfälzische Urwüchsigkeit. Daseinslust, Lachen und Spott und der bildkräftige, aus furchtlosem Herzen und gesundem Verstand, menschliche Schwächen anprangernde Witz blieben ihr als pfälzisches Erbe auch in schweren Prüfungen treu. Einer ihrer derben Lebenssprüche war: »Kurze Gebete, lange Bratwürste.« Von der Maintenon, der Mätresse ihres königlichen Schwagers, die sie »die alte Vettel, die alte Schlump, die alte Zott und Rumpumpel« nannte, prägte sie das von blankem Spott blitzende Wort: »Weil der König die Sonne zum Sinnbild hat, kann man die Alte wohl eine Sonnenfinsternis heißen.«

Fremde Bräuche

Ein pfälzischer Bauer soll zu Grabe getragen werden. Auf dem Lande werden Beerdigungen noch mit großem Aufwand begangen. Nicht nur das ganze Dorf, sondern auch die ferne Verwandtschaft aus den Nachbardörfern wird eingeladen. Alle sind bereits vorm Trauerhaus versammelt, um sich feierlich zum Gang auf den Friedhof zu gruppieren, als das Liesel vom Nachbardorf noch rasch eine neben ihr stehende Bäuerin fragt: »Wie haltet Ihr's hier, heult mer scho jetzt oder erscht uf'n Kirchhof?«

Des Rätsels Lösung

Der Abt eines rheinpfälzischen Klosters traf in einer der armseligen Eifelgegenden auf einen Schafhirten, den er wegen seines erbärmlichen Aussehens nach seinem Verdienst fragte. Wie erwartet, gab der Schäfer eine sehr geringe Summe an. Der mitleidige Abt drückte dem Schäfer ein Geldstück in die Hand mit der Bemerkung, daß er selbst ja auch ein Hirte sei, aber viel mehr verdiene als er. Der Schafhirte versank in tiefes Sinnen. Schließlich ging es wie ein Leuchten über sein Gesicht: »Dann hütest dau sicher die Säu mit!«

Pfälzische Grabaufschriften

Nach dem Tod ihres Mannes ließ die trauernde Witwe einen Grabstein meißeln und legte dem Verstorbenen folgenden Reim in den Mund:

Der Tod schied mich von dir,
du Weib so gut und bieder;
nun heul und bet bei mir,
dann geh und freie wieder.

In einer anderen Ortschaft widmete ein dörflicher Poet einem Freunde und Weidmann folgende Gedenkzeilen:

Hier liegt der Förster Franzl Huß.
Er starb an einem Büchsenschuß,
der auf der Jagd von ungefähr
ihn hat getroffen folgenschwer.
Nachschrift
Ich hieß ihn oben Franzl Huß,
um hinzuweisen auf den Schuß;
doch hieß er in der Tat: Franz Leim,
das paßte aber nicht zum Reim.
Was hätt' ich mit dem Leim gemacht,
wo hätt' den Schuß ich angebracht,
an dem er doch verschieden ist
als Jägersmann und guter Christ.

Die kräftige Kapp

Der Fritz mühte sich schwitzend am Stoß ab. Die Kohle war hart wie Glas. Wie er deshalb drauflos fluchte, tauchte der Steiger im Flöz auf. Der Fritz fiel den Steiger an: »Das Geding muß geännert gen, do brecht em jo de Bohrhammer ab.« Der Steiger wollte von einer Änderung des Gedinges nichts wissen: »Mach doch kä Sache. Die Kohle do schlan ich jo mit der Kapp erunner.« Und damit wandte er sich zum Gehen. Da rief der Fritz ihm unmutig nach: »Ei, dann lasse mir wenigstens eier Kapp do.«

Gebet zur Wallfahrt

Ein Mädchen aus einem Hochwalddorf wollte partout einen Mann. Es wallfahrtete zur Muttergottes nach Klausen. Hier betete es: »O heilig Mutter Gottes, bescher mir einen Mann, aber keinen mit roten Haaren.« Der Küster hatte hinter dem Altar alles mit angehört. Er rief mit verstellter kindlicher Stimme: »'t äas kän annern do!« Das Mädchen, das glaubte, das Jesuskind hätte ihm geantwortet, geriet in R'asch und rief zurück: »Näu sei däu mol röuhig, du klä Fläppchen, u loß mol dreisch dei Motter schwätzen!«

RUDOLF KRÄMER-BADONI Hessen

Wird ein Frankfurter gefragt, was er für ein Landsmann sei, so bezeichnet er sich wohl kaum als »Hessen«. Ebensowenig wird er sich einen »Franken« nennen, obwohl er damit ungefähr das Richtige träfe. Nein, der Mann, der zwischen Handels- und Bankhäusern, alten Stadttoren und Büro-Hochhäusern, im Netz der Flug- und Bahnlinien, im Sog der Autostraßen tagsüber geschäftig seinem Erwerb nachgeht und abends seelenruhig in den Sachsenhäuser und Bornheimer Kneipen oder im Kino oder im Theater sitzt, dieser Mann ist nur einfach – aus Frankfurt.

Dagegen werden die hochgewachsenen Männer am Vogelsberg, in der Gegend von Alsfeld und Schotten, die mit Pflug und Weidevieh vertrauter sind als mit dem flinken Geschwätz, sich ohne Zögern als »Oberhessen« bekennen. Sie sind in der Tat Hessen, oder wie die altdeutsche Form dieses Wortes lautete: Chatten. Mit ihrem kurz angebundenen Spruch »Was iww'r e Hess, is e Oww'rhess« treffen sie den Nagel auf den Kopf. – Dann aber gibt es auch Leute, die sich als Hessen fühlen und eigentlich gar keine sind, die Darmstädter im Süden des Landes zum Beispiel. Nun, da sprechen die politisch-historischen Gründe; seit Menschengedenken gab es eben ein staatliches Gebilde, das den Namen Hessen-Darmstadt führte. – Wiederum aber umfaßt das heutige Land Hessen auch das alte, vielfach zersplitterte Nassau, das politisch fast nie etwas mit den selbständigen hessischen Ländern zu tun hatte. Die Einwohner dieses Landstriches zwischen Lahn und Rhein nennen sich heute noch gelegentlich Nassauer, was natürlich über die Stammeszugehörigkeit keinen Aufschluß gibt.

Und wenn schließlich die Weinbauern im Rheingau sich Nassauer nennen, so denken sie kaum noch daran, daß sie jahrhundertelang zum Erzbistum Mainz gehörten und nur die kurze Zeit von 1806 bis 1866 ins Herzogtum Nassau eingegliedert waren. Von da ab lebten sie in einer preußischen Provinz; und aus Abneigung gegen diese »Fremdherrschaft« hielten sie noch ein paar Generationen an einem Namen fest, der ihnen historisch ebensowenig zukommt.

Für einen Fremden mag das alles verwirrend klingen. Er könnte auf den Gedanken kommen, es handle sich in dem heutigen Land Hessen um ein künstliches Gebilde. Wir aber wissen, was wir von all dem zu halten haben, nämlich fast nichts. Die einfache Wahrheit ist die, daß der Norden des heutigen hessischen Landes von Hessen, der Süden von Franken und allerlei Stammesgemisch bewohnt wird, daß aber die Sprache sich in dem gesamten Gebiet im Laufe der Jahrhunderte weitgehend vereinheitlicht hat. Man nennt sie die rheinfränkische. Diesen Namen dürfen wir ruhig beibehalten, wenn auch neuere Sprachforscher derartige allgemeine Mundartbezeichnungen gern abgeschafft sähen. Nur ganz im Norden, im Waldecker und niederhessischen Gebiet, reicht das Plattdeutsche hie und da ins rheinfränkische Sprachgebiet hinein. Die allereinfachste Wahrheit klingt übrigens noch nüchterner: es kann sich nicht darum handeln, im 20. Jahrhundert ein hessisches Staats- und Stammesgefühl zu entwickeln. Wir geben den Ländern, was der Länder ist, wenn wir sie in der Hauptsache als dezentralisierte, überschaubare Verwaltungseinheiten ansehen. In Wahrheit ist der Frankfurter ein Deutscher, so wie es der Kasselaner, der Berliner, der Düsseldorfer und Münchner sind. Stammesgrenzen und Ländergrenzen decken sich heutzutage fast nie, und dabei wollen wir's bewenden lassen. Später werden wir sehen, daß da und dort noch immer genug Eigenarten bestehen, die den Eingeborenen mit Stolz erfüllen und dem Nachbarn willkommenen Anlaß zu Hänseleien bieten.

Wir wollen also Land und Leute Hessens und seine Kulturdenkmäler und Besonderheiten weder aufbauschen noch dramatisieren. Zwar ist es eine verständliche und oft sogar liebenswürdige Schwäche, wenn die lokale Forschung gern Großartiges, Uraltes und Einmaliges feststellt, so wie jeder Vater in seinen Kindern Ausbunde von Begabung und Tüchtigkeit sieht, aber es bleibt doch eine Schwäche, die auf einen Mangel an größerem Überblick hindeutet. Nehmen wir ein Beispiel, das niemandem weh tut.

Immer wieder taucht die Frage auf, wie Philipp der Großmütige, jener nicht unbedeutende Landgraf der Reformationszeit, auf den die demokratisch-kalvinistische Färbung des hessischen Protestantismus zurückgeht, zu seinem Beinamen gekommen sei. Daß er das Land unter seine vier Söhne verteilt hat, glaubt man ihm eher zum Vorwurf machen zu müssen, da Hessen seitdem keine Aussicht mehr gehabt habe, sich in den Kreis der großen deutschen Territorialstaaten aufzuschwingen. Also denkt man daran, daß Philipp seinem vertriebenen Vetter Ulrich von Württemberg mit Waffengewalt wieder sein Land zurückgewonnen habe. Oder man fragt sich, ob das Wörtchen magnanimus nicht vielleicht eher »der Hochgemute« bedeute. In Wahr-

heit bedeutet es gar nichts. Wer sich in der mittelalterlichen Biographienschreiberei auskennt, weiß, daß es zum guten Ton gehörte, jeden verherrlichten Herrscher magnanimus zu nennen. Das war das mindeste, was im Katalog der schmückenden Beiwörter zu stehen hatte. Es wurde so sehr zum rhetorischen Gemeinplatz, daß z. B. der Erzbischof Hatto von Mainz von seinem Biographen lächerlicherweise deshalb magnanimus genannt wird, weil er die Stadt bis zum Rhein hinunter erweitert hat. Philipp der Großmütige – das heißt nichts anderes, als daß man nichts Persönliches fand.
Man muß also, wenn man über das eigene Land und die eigenen Leute spricht, auch einmal auf einen vermeintlichen Trumpf verzichten können. Dann wird das Spiel solider.
Und wenn wir jetzt, nachdem wir uns selbst zur Bescheidenheit und Vorsicht ermahnt haben, dem Rhein-Main-Tal, der Bergstraße und dem unteren Lahntal eine für Deutschland einzigartige klimatische Begünstigung nachsagen, kommen wir wohl nicht in den Geruch der Großsprecherei. Später wird sich noch Gelegenheit bieten, die handgreiflichen Folgen dieser Begünstigung ganz genau darzulegen. Und so dürfen wir auch, ohne in den Verdacht parteiischer Überschätzung zu geraten, allen denen ein für alle Zeit unvergeßliches Erlebnis versprechen, die vom Johannisberger Schloß hinunter auf Weingärten, Hügel, schattendichte Baumgruppen, Schieferdächer und den glatten Rücken des Stroms blicken oder vom höher gelegenen Niederwalddenkmal aus das weiträumig gegliederte Land mit den sanften Hängen und dem flimmernden Band des Rheins, das sich bei Biebrich im Dunst verliert, unter dem hohen Himmel liegen sehen.
Fahren wir mit dem Dampfer von Eltville nach Rüdesheim, auf diesem so gar nicht bizarren Abschnitt des Rheins, der hier breit und breiter und bei Rüdesheim zu einer weit ausschwingenden Bucht wird und dann unsichtbar hinter der Kulisse des »Rüdesheimer Bergs« abfließt, so werden wir mit Erstaunen inne, wie mühelos der mächtige, zwischen Inseln – »Auen« – dahinziehende Strom den menschlichen Betrieb überwältigt. Auf jedem Ufer eine Durchgangsstraße, auf jedem Ufer eine doppelgleisige Eisenbahn, auf dem Rhein selbst ein ununterbrochener Zug von Lastkähnen, das wälzt sich geschäftig maschinell und auch ausgelassen jubelnd unaufhörlich talauf, talab; – aber was der Mensch auch treibt und übertreibt, diesen hohen Himmel entstellt er nicht, diesen Strom verändert er nicht, dieses gelassene, groß atmende, mit keinem Wort genügend zu beschreibende Land entzaubert er nicht. Und er entwertet es nicht, auch nicht mit dem tollsten Tand und Kitsch und Rummel.
Die Hänge, die von Frankfurt ab das Main- und Rheintal begleiten und immer dichter ans Ufer rükken, sind die Südseite des Taunus. Ein keltischer Name, Dunus, der Zaun oder Grenzwall. (Also nicht erst die Römer haben das Taunusgebiet und die Wetterau durch den Limes gegen die chattische Urbevölkerung abgeriegelt, schon die politisch begabten Kelten hatten die strategische Bedeutung derselben Linie erkannt. Erst die im 5. Jahrhundert n. Chr. eindringenden Franken brachten eine andere Konzeption mit, nahmen die Chatten in ihren Staatsverband auf und schoben die Grenzlinie nach Nordhessen gegen die Sachsen vor.) Der Taunus bildet erdgeschichtlich mit dem Hunsrück eine Einheit; das landschaftlich so berühmte »Binger Loch« und die steil eingeschnittene, burgenbesetzte Rheinstrecke unterhalb Rüdesheim stellt mithin einen Durchbruch des Flusses dar, der dort bis ins 19. Jahrhundert nicht recht schiffbar war. Von den Höhen des Taunus, der hinter Frankfurt im Großen Feldberg seine höchste Erhebung hat, senkt sich das Land tafelartig nach Nordwesten zur Lahn hinab. Dorthinunter fließen Weil, Ems und Aar durch laubige Waldmulden, zarte Wiesengründe und fettes Ackerland; der »goldene Grund« führt seinen vielversprechenden Namen zu Recht. Die vielgeliebte, schluchtig versteckte Wisper dagegen schlägt die Richtung zum Rhein hinunter nach Lorch ein. Forellen springen in den Bächen, Rot- und Schwarzwild haust in den Forsten, herrliche Laubwälder bedecken das Land, und immer wieder öffnen sich Ausblicke auf Täler und Lehnen und das zarte Blau fernerer Höhenzüge, immer aber auf milde Formen mittlerer Gebirgslagen.
Doch wo rauschen in Hessen keine herrlichen Wälder, und wo handelt es sich um andere als mittlere, maßvolle Linien? Es ist unmöglich, in diesem Mittelland eine horizontlose Ebene zu finden – die gibt es in Niederdeutschland. Es ist ebenso unsinnig, von wilden oder rauhen Gebirgen zu sprechen – die finden sich in Oberdeutschland. Hessen hat eine mittlere klimatische Lage, wenn man vom Rheingau und dem Rheinmainknie absieht. Dort fängt der Frühling vierzehn Tage früher an, und die mittlere Jahrestemperatur liegt ein paar Grad höher. Wirklich kühler sind die paar Hauptgebirgsstöcke im Taunus, Vogelsberg, Westerwald und der Rhön. Wo immer man in diesem Land die Augen aufhebt, befindet man sich in einer mittleren Zone, politisch gesehen in Mitteldeutschland, historisch gesehen knapp diesseits und jenseits des Limes, landschaftlich gesehen in einer Mittellage von stetem Wechsel zwischen mäßigem Gebirge und Flußtälern, die sich gelegentlich ausweiten wie im Rhein-Main-Knie und in der Wetterau.

SELIGENSTADT · Einhard, der Biograph und Baumeister Karls d. Gr., gründete hier ein Benediktinerkloster, dessen Kirche, die Einhardsbasilika (828—830), zu den bedeutendsten romanischen Bauwerken Hessens gehört. Hier liegt auch Einhard mit seiner Frau Emma, der Tochter Karls, begraben.

Frühling an der Bergstraße

Am Rande der fruchtbaren Rheinsenke, dieser warmen, nach Norden und Osten geschützten Gartenecke, zieht sich die Bergstraße hin, nicht etwa auf den Bergen, sondern genau am Fuße des Odenwaldes. Die heiter umblühten, mit sauberem Fachwerk und altem Gemäuer und Getrepp hügelauf steigenden Städtchen sind jedes für sich ein wohlerhaltenes Stück alte Zeit... fast jeder dieser frühlingssüchtigen Orte hat eine Burg, Schloßanlage, Ruine oder gar zwei zu Häupten, von wo der Blick weit hinaus ins Land, hinüber zum Ried im Bogen des toten Wassers, zum Rhein, zu den Bergen jenseits des Rheins geht... aber das frühe Frühlingswunder, wofür diese Bergstraße berühmt ist, hat nichts mit Bauten und Bergen und Aussichtstürmen zu tun: das weiße und rosa Morgengewölk der Baumblüte, die über das ganze Land hinwallt, das ist es, was uns vor die erinnernden Augen tritt, wenn wir den Namen der Straße hören. Hernach sind es Mandeln, Kirschen und Aprikosen, aber im April sind es nicht einmal Bäume; Wolken sind es, zarte, von Licht bestrahlte Wolken, ein einziges zusammengeballtes Gewoge, das Sinnbild unsrer verflossenen Jugendfrühe und des reinen, ahnungslosen Aufbruchs sein kann.
Von den Türmen des Odenwalds also der Blick hinaus ins Rheintal, hinüber zur Pfalz. Der Odenwald selbst mit seinen hellen Wäldern ist eine Lunge voll reiner, kräftiger Luft. Dort ackern Bauern, die bieder am Herkommen hängen und doch ein aufgeschlossenes Wort mit dem Fremden wechseln, Leute also, die in sich selbst sicher gründen. Behagliche Luftkurorte nisten am Wald, Zwingburgen aus herrischen Zeiten ragen über Hügel im Akkerland, jahrhundertealte Marktbrunnen plätschern im Schatten der Linde zwischen Kirche, Rathaus und verschachteltem Gasthof. Die höchsten Berge halten sich hübsch zwischen fünf- und sechshundert, einer von ihnen, der Vorposten nach Darmstadt, kann sich gar nicht lassen vor lauter Vornehmheit und nennt sich etwas datterichhaft Melibokus – wenn man's nicht zu laut sagt, darf man ihn auch Malchen nennen. Auch ein Felsberg ist da, der wirklich ein einziges Granitgeröll ist, ein uralter Steinbruch, wo seit Jahrhunderten untransportable, halb behauene Stücke verlassen liegen. Im Süden berührt der hessische Odenwald eine längere Neckarschleife mit den beiden vielgerühmten Burgen- und Fachwerk-Städtchen Neckarsteinach und Hirschhorn.

Kunterbunte Streuung

Wenden wir uns dem nördlichen Teil Hessens zu. Wer die klaren Verhältnisse des Schwarzwaldes oder der Schwäbischen Alb im Sinne hat, kann sich im Hessischen Bergland leicht verlaufen. Da ist nichts von deutlichem Gezüge. Plötzlich schwillt zum Beispiel aus der fetten Schwemmerde der Wetterau eine umfangreiche Kuppe auf, der Vogelsberg,

MICHELSTADT · Das Odenwaldstädtchen ist wie ein in unsere Zeit gerettetes Märchen. Schmuckstück seines romantischen Marktplatzes ist das Rathaus, das man für das älteste Deutschlands hält. Viele schmucke Gassen versetzen den Besucher um Jahrhunderte zurück und laden zum Träumen ein.

und wenn wir »schwillt« sagen, so ist das kein poetisches Bild, sondern der Hinweis auf die wirkliche Entstehung dieses Kegels. Denn der Vogelsberg ist in der Frühzeit der Erdgeschichte in der Tat aus dem Erdinnern hervorgequollen. Er ist ein erloschener Vulkan, das ganze Berggebiet besteht aus Basalt, also erstarrter Lava.
Nun ist es schon klar, warum hier keine zusammenhängende Faltung wie im Taunus oder im Odenwald anzutreffen ist. Odenwald und Rheinisches Schiefergebirge sind Urgestein, die nördlichen Berggebiete sind vulkanische Ausbrüche, die wahllos da und dort die Erdrinde durchstoßen haben. Die Rhön im Osten, deren höchste Höhen mit der Wasserkuppe, dem Lieblingsberg der Segelflieger, zu Hessen gehört, ist ebenfalls vulkanischen Ursprungs. Die beiden Massive bilden die Scheide zwischen dem rhein-mainischen und dem Stromgebiet der Weser. Nach Süden schwingen das schöne Kinzigtal und die Nidda, nach Norden fließen Werra, Fulda und Schwalm. Man sieht, ein wenig Ordnung läßt sich doch in die ober- und niederhessische Landschaft bringen. Doch müssen Schwalm und Fulda am Fuße des vulkanischen Knüllgebirges weit auseinandertreten, bevor sie sich vereinigen können, und ebenso ergeht es der Fulda und Werra, die erst hinter dem Basaltklotz des Meißner zusammenkommen. Wenn wir nun noch dem östlich von Kassel aufsteigenden Habichtswald und

RHÖNLANDSCHAFT · Die höchsten Erhebungen der Rhön liegen auf hessischem Gebiet. Die Basaltkuppen sind meistens nur mit spärlichem Gras bedeckt, während sich die Wälder über die tiefer liegenden Hänge hinziehen. Vom Verkehr wenig erschlossen, ist die Rhön ein ausgesprochenes Wandergebiet.

den Höhen des Westerwaldes, auf denen zahlreiche Basaltbrüche betrieben werden, vulkanischen Ursprung nachsagen können, ist das Gewirr dieses Landstriches mindestens erklärt, wenn es schon nicht übersichtlich zu gliedern ist.
Alle diese Höhen haben Kuppen zwischen sechs- und neunhundert Metern, der höchste Berg ist die Wasserkuppe mit neunhundertfünfzig Metern. Außer in der waldarmen Rhön sind die Höhen und mancher niedrigere Zug mit Wäldern bedeckt. Und wenn man bedenkt, daß der verwitternde Basalt eine gute Krume ergibt, so liegt der Schluß nahe, daß die waldreichen Berge viele Gewässer zu Tal schicken und daß diese Gewässer eine brauchbare Erde mitschwemmen. Soviel Flüsse und Flüßchen, soviel fruchtbare Täler ädern das unruhige Gesicht dieses Landes. Nur an einigen Stellen liegt Sandstein, der beim Verwittern nichts als sterilen Sand ergibt. An der mittleren Fulda gibt es Striche mit leuchtend roter Ackererde, die dem entzückten Auge des landwirtschaftlichen Laien leicht eine optimistische Täuschung beibringen. Trotz des Wasserreichtums und der regellos verstreuten Hügel und Kuppen ist es in Hessen zu keiner Seenbildung gekommen. Der Edersee und der Diemelsee im Waldeckischen sind in der heutigen Form künstliche Schöpfungen, Stauseen, die sich allerdings wie natürliche Becken von starker landschaftsformender Kraft ausnehmen.

GELNHAUSEN · Im Kinzigtal, am Rande des Spessarts, liegt die ehemals wichtige Reichsstadt. Von der Barbarossapfalz (im Vordergrund) blickt man auf die kreuzförmige Basilika St. Marien, die aus dem 13. Jahrhundert stammt. Gelnhausen ist der Geburtsort des »Simplicissimus«-Dichters Grimmelshausen.

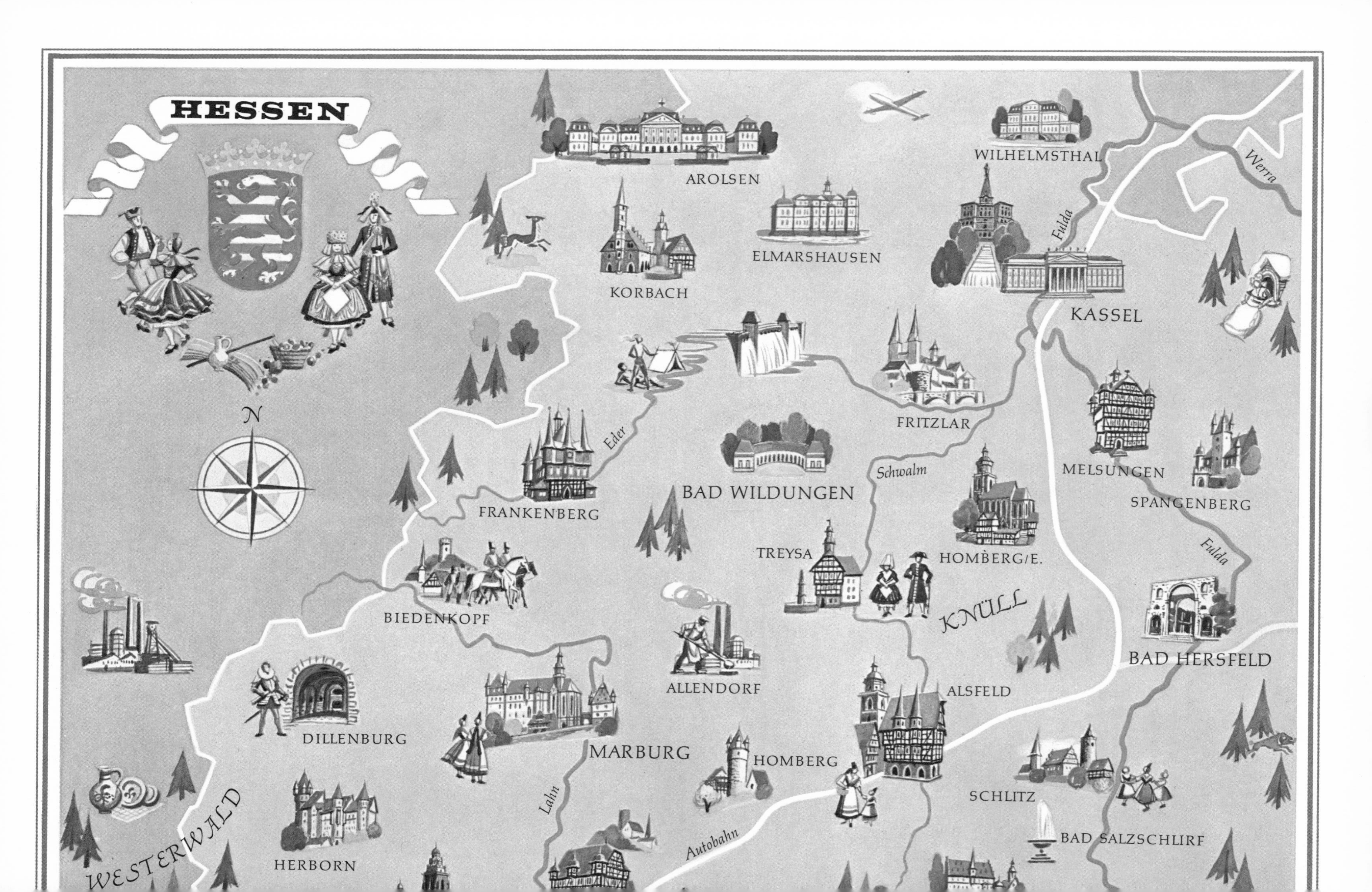
HESSEN
N
AROLSEN
WILHELMSTHAL
Werra
KORBACH
ELMARSHAUSEN
Fulda
KASSEL
FRITZLAR
Eder
MELSUNGEN
Schwalm
BAD WILDUNGEN
SPANGENBERG
FRANKENBERG
TREYSA
HOMBÈRG/E.
Fulda
KNÜLL
BIEDENKOPF
ALLENDORF
BAD HERSFELD
ALSFELD
DILLENBURG
MARBURG
HOMBERG
SCHLITZ
Lahn
WESTERWALD
HERBORN
Autobahn
BAD SALZSCHLIRF

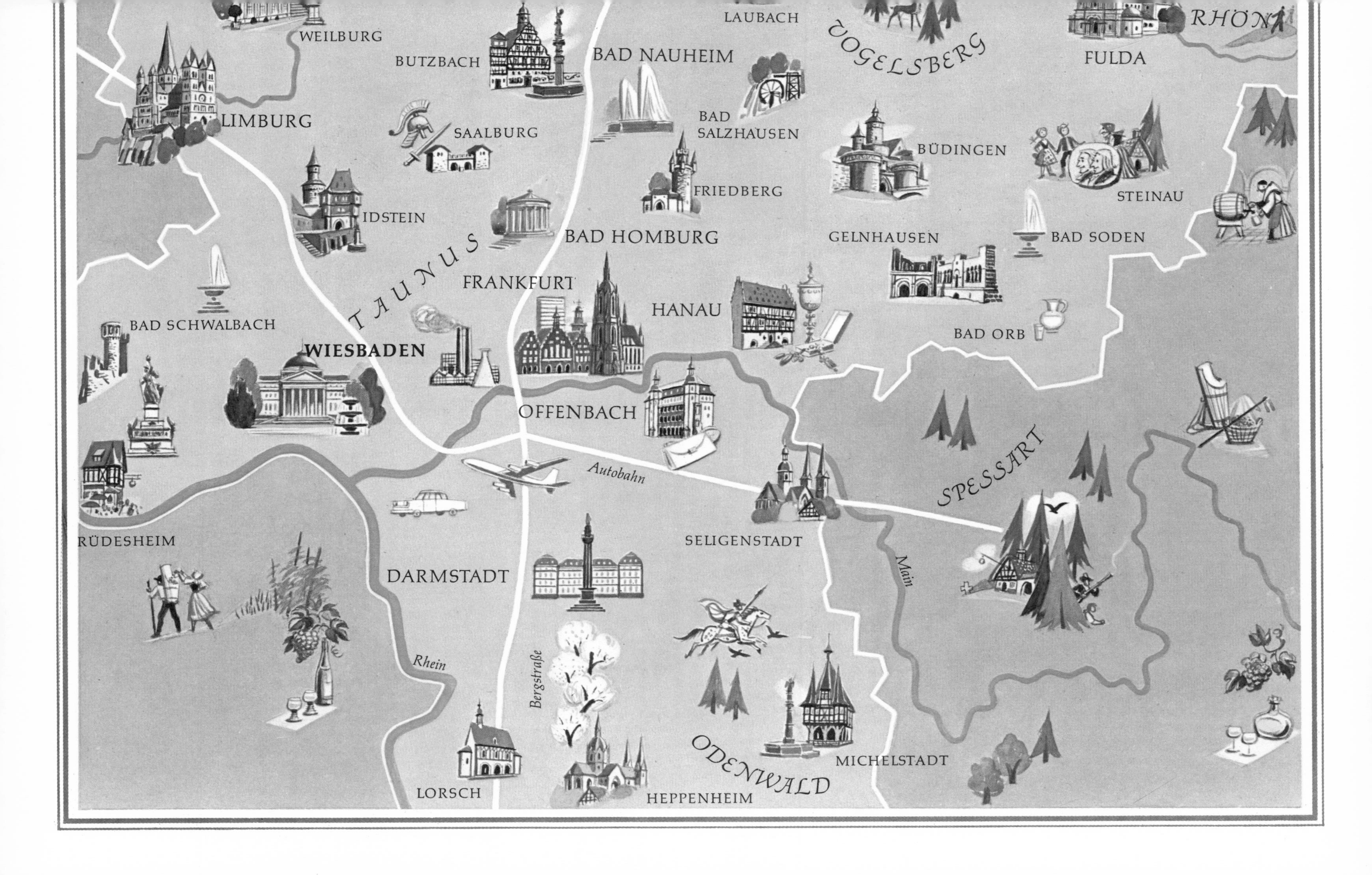

WEILBURG
LAUBACH
VOGELSBERG
RHÖN
BUTZBACH
BAD NAUHEIM
FULDA
LIMBURG
SAALBURG
BAD
SALZHAUSEN
BÜDINGEN
FRIEDBERG
STEINAU
IDSTEIN
BAD HOMBURG
GELNHAUSEN
BAD SODEN
TAUNUS
FRANKFURT
HANAU
BAD ORB
BAD SCHWALBACH
WIESBADEN
OFFENBACH
SPESSART
Autobahn
RÜDESHEIM
SELIGENSTADT
Main
DARMSTADT
Rhein
Bergstraße
MICHELSTADT
ODENWALD
LORSCH
HEPPENHEIM

HADAMAR · Nördlich von Limburg, in einem Seitental der Lahn, liegt die ehemalige Residenzstadt der Grafen von Nassau-Hadamar. Das den Ort überragende Schloß stammt aus dem 16. und 17. Jahrhundert. Eine sehenswerte gotische und zwei barocke Kirchen stehen in der Stadt. Hier hat sich nach dem zweiten Weltkrieg die sudetendeutsche Glasindustrie niedergelassen und dem Städtchen neuen wirtschaftlichen Auftrieb gegeben. Von der Wallfahrtskirche Herzenberg hat man einen schönen Rundblick.

Wälder, Hänge, milde Täler

Im waldreichen Nordhessen ist der Luftkurort Arolsen dadurch bemerkenswert, daß sich die Wälder bis mitten in das Städtchen hineinziehen. Während Ansiedlungen fast immer altbäuerlichen Ursprungs sind und auf ausgedehnteren Rodungen liegen, verdankt Arolsen seine ungewöhnlichen, hochmodern anmutenden Grünflächen der Tatsache, daß es erst 1719 als Residenzstadt und also bewußt als Parkstadt angelegt wurde. Eine andere, natürliche Besonderheit findet sich in der Umgebung von Eschwege, wo die Lavamasse, die weiter nördlich den Meißner aufgeworfen hat, nicht bis zur Erdoberfläche durchdrang, aber in späterer Zeit doch freigelegt wurde: die weichere Decke ist verwittert und verschwunden, und nun ragen bizarre Basaltbrocken und die bekannte Basaltsäule »Blaue Kuppe« aus dem Sandsteingebiet heraus. Überhaupt hat das Zusammentreffen von Basalt und Buntsandstein im Meißnergebiet zu allerlei Höhlen- und Trichterbildungen geführt. An manchen Stellen wird der Wald überdies als unberührtes Schutzgebiet sich selbst überlassen, so daß sich hie und da noch ein Exemplar der aussterbenden Wildkatze halten kann, und die importierten und frei ausgesetzten Muffelschafe sollen sich recht wohl fühlen.
Das sind freilich Besonderheiten, die den natürlichen Verhältnissen teilweise künstlich etwas nachhelfen. Das ist keine Schande. Genauso wie man seine Heimat gern überschätzt, sucht man ihr auch verbessernd unter die Arme zu greifen. Doch wir wollen uns hier ein Bild von der charakteristischen Landschaftsform dieses mittleren Berglandes im allgemeinen machen. Und da drängt sich denn immer ein bestimmtes Bild vor das erinnernde Auge, gleichgültig, ob man an den herrlichen Reinhardswald im hessischen Nordzipfel, zwischen Karlshafen und Kassel, oder an den Burg- und Kellerwald zwischen Marburg und Edersee, oder an den Habichtswald oder den Kaufunger Wald denkt: Wir sehen uns im Schatten einer Eiche am Waldrand rasten, der Sommer duftet mürb und trocken aus dem Unterholz, ein leichtes Lüftchen spielt mit den blühenden Gräsern, und vor uns sinkt eine Wiese ins buschige Bachtal hinunter, drüben aber steigt der Waldhang gemächlich an, eine Schneise, eine Wiese,

KASTELL SAALBURG · Vor fast zweitausend Jahren umspannte der römische Limes das Rhein-Main-Gebiet. In der Nähe von Bad Homburg hat man auf Grund der Ausgrabungsfunde die Saalburg errichtet. Dieses rekonstruierte Römerkastell gibt einen guten Überblick über eine Garnison der Legionäre.

eine Lichtung grüßt inselhaft unberührt herüber, und fernerhin verblassen die gewölbten und gewellten Linien anderer Bergzüge im wolkenlosen Himmel. So fühlt und sieht sich die Erde an, auf der wir uns wohl aufgehoben wissen – oder geht es nur uns Kindern des Mittellandes so?
Ich gebe jede haltlose Ebene des Nordens oder Ostens und jedes Dolmengetürm der Alpen für so ein sommerduftiges sanftes Bachtal hin, aber vielleicht lachen die Bewohner freizügiger Ebenen und felsübertürmter Alpenschluchten über ein Herz, das nicht Fisch noch Fleisch ist? Die Vorlieben sind verschieden, je nachdem, was einer zuerst geliebt hat. Und außerdem wandeln sie sich im Lauf der Jahrhunderte. Es ist erheiternd, die Frühromantiker über die alten Städte oder Johanna Schopenhauer über den Odenwald reden zu hören. Vom Auerbacher Schloß aus blickte die Dame »tief in die schauerlichen Klüfte und Wildnisse des Odenwaldes« – offenbar sieht jede Epoche die Dinge mit anderen Augen, so als ob es die Dinge an sich gar nicht gäbe. Jacob Grimm sagte von Marburg, es sei dort »sehr häßlich« und es seien »mehr Treppen auf den Straßen als in den Häusern.«

MELSUNGEN · Im Fuldatal zwischen Bebra und Kassel liegt die Kreisstadt Melsungen. Der Marktplatz mit dem Rathaus ist wegen der vielen Fachwerkbauten besonders sehenswert. An der Bartenwetzerbrücke, die vor vierhundert Jahren über die Fulda erbaut wurde, schliffen die Holzfäller ihre Werkzeuge.

Beruf der Vermittlung

Wie schwierig die Bestimmung eines Volkscharakters ist, bemerken wir am ehesten, wenn Ausländer uns Deutsche beurteilen. Das stimmt nie völlig, weder im Negativen noch im Positiven. »Im Unglück servil, im Glück arrogant«, sagt Churchill; nur verschweigt er, daß er den geistreichen Satz Wort für Wort bei Machiavelli abgeschrieben hat. Wollen aber wir selbst unseren Charakter bestimmen, so kommen auch wir über halbe Redensarten nicht hinaus. Daß es vorherrschende Eigenschaften der Völker gibt, ist selbstverständlich, aber das Ähnliche ist – auch unter noch so viel Masken – das Haupt-Vorherrschende. Um wieviel schwerer aber muß es erst sein, genaue Merkmale an Stämmen wie den Hessen oder den Franken festzustellen. Die Brüder Grimm bemerken »die große und schöne Gestalt der Männer in den Gegenden, wo der eigentliche Sitz der Chatten war«, und damit haben sie recht. Man trifft im hessischen Bergland und in der Schwalm häufig auf hochwüchsige, blauäugige Menschen mit feingeschnittenen Gesichtszügen, die gleich auf den ersten Blick Zuneigung erwecken, und kein Bauernkittel vermag die edle Haltung zu verwischen. Im Maintal lebt eine kleinere, dunklere Rasse – diesen Typus mag man fränkisch nennen; aber immer mit der Warnung zur Vorsicht, besonders nach Jahrhunderten der Freizügigkeit und nach der Rückwanderung der osteuropäischen Deutschen. Und wenn der bedeutende Begründer der Volkskunde und Gesellschaftswissenschaft, Wilhelm Heinrich Riehl aus Biebrich, dem Volk und Land Hessen einen »natürlichen Beruf der Vermittlung norddeutschen und mitteldeutschen Wesens« zuschreibt, so sollte man das nicht als eine Aufgabe, sondern als Tatsache verstehen.

ALSFELD · Zum Gebiet des Vogelsberges gehört die Stadt Alsfeld, deren Rathaus eines der bemerkenswertesten in Hessen ist. Der ganze Marktplatz ist ein einziges Schmuckstück aus vergangenen Jahrhunderten. Die Schwalm, das Land um Alsfeld, ist wegen der noch gepflegten Trachten berühmt.

SCHLITZ · Motive für Maler und Fotografen gibt es in der romantischen und altertümlichen »Burgenstadt« zwischen Fulda und Bad Hersfeld genug. Es sind nicht nur die sieben Burgen, sondern eine Fülle mittelalterlicher Bilder in den engen Gassen. Das größte deutsche Glockenspiel muß man erlebt haben.

Der Darmstädter

Vollends komisch wird die Stammeskunde, wenn sie sich auf Mundartdichtungen beruft. Ernst Elias Niebergalls großartiger »Datterich«, diese »Lokalposse in sechs Bildern in der Mundart der Darmstädter«, wird immer wieder als Handbuch des südhessischen Volkscharakters bemüht, statt daß man in dem Stück das sähe, was es ist: die gelungene komische Studie über einen halbwegs gebildeten Kleinbürger, den seine lockere Auffassung von Diensttreue (»Mei Name is Datterich. Gäjewertig bin ich ohne Amt – [hochtrabend] früher bekleidete ich eine Stelle im Finanzwesen – ich hab se niddergelehkt, dann Sie misse wisse – [geheimnisvoll] ich hatt en Große zum Feind – mei Verdienste um des Finanzielle sinn vakennt worn ...«) und sein Hang zum »Wertshaus« auf den Stand eines Falschspielers und armseligen Schnorrers hinuntergedrückt haben. Und der doch nie seinen bissigen Witz verliert. Und der stets seiner Umgebung geistig überlegen ist. Einzig dieser Triumph bleibt am Ende dem geprellten Preller, und dadurch wird die Posse zur gottvollen Karikatur der Tragödie. Welch ein Jammer, wenn dieser Datterich und seine Kumpane und Opfer und Widerparte »typische« Darmstädter sein sollten, wenn diese Burschen nicht auch von einem Kölner oder einem Berliner hätten erfunden werden können! Diese Figuren gibt es überall und nirgends – zu Kunstfiguren wurden sie in Darmstadt, weil der Darmstädter Niebergall dies einemal (und dann nie wieder) einen genialen Griff getan hat. Wäre es anders, dann müßte Faust »der« Deutsche, Hamlet »der« Engländer oder »der« Däne und Don Quijote »der« Spanier sein – was ja auch oft genug behauptet wird, aber trotz häufiger Wiederholung vage Nichtigkeit bleibt.
Etwas anderes aber leistet der »Datterich«. Die Sprache, ihr Mutterwitz und ihre bodenständigen Redensarten verantworten ein gut Teil der dichterischen Überzeugungskraft. Der rheinfränkische Dialekt, der mit seiner Breitmäuligkeit den übrigen Deutschen leicht auf die Nerven geht, hier hat er seine literarische Apotheose und Rettung erfahren. In einem gut gebauten Stück, das jedermann gelten lassen muß, tritt dieser Sprachfamilie von der Bühne herunter ihre Sprache, ihr Gebabbel, ihr schläächt Geschwätz, ihr Witz entgegen, und das erfüllt die Leute mit einer zuerst erstaunten und dann stürmisch gefeierten Wiedersehensfreude. Und auch die anderen Stämme nehmen an dem Vergnügen verständnisvoll teil. Nicht die ausschließlichen Charaktere einer bestimmten Landschaft, sondern gemeinmenschliche Charaktere im Medium einer bestimmten Landschaft treten hier auf. Und insofern ist dann dieses Stück eine präsentable hessische Visitenkarte.

Warum gibt es noch Schwälmer?

Oder sehen wir uns die oft vorgetragene Unterscheidung an, die zwischen konservativen Hessen im Norden und neuerungsfrohen Franken im Süden des Landes gemacht wird. Die altväterischen Schwälmer z. B. halten noch heute an ihrer Tracht fest. Wer sich in dem Gebiet umsieht, wird entdecken, daß die häufige Klage über das Verschwinden der Tracht übertrieben, mindestens verfrüht ist. Auf den Feldern arbeiten Bäuerinnen in Schwälmer Arbeitstracht: kurze bauschige Röcke, weiße Wollstrümpfe, ein miederbildendes Halstuch, das Haar zum Knoten oder zum senkrecht stehenden Zopfstummel aufgedreht. Und das gerade ist für die Bodenständigkeit einer Tracht bezeichnend: ob sie auch am Werktag getragen wird. In Ziegenhain kann man, ebenfalls werktags, hie und da Frauen im schönsten Alter mit ihrem Kind an der Hand Einkäufe machen sehen – in besseren Kleidern, ebenfalls echter Schwälmer Tracht. Und das tun sie, so heißt es, weil sie einem konservativen Volksstamm angehören. Die Frankfurter, Wiesbadener und Darmstädter dagegen, so müßte der logische Schluß lauten, tragen keine alten Trachten, weil sie einem beweglicheren Volksstamm angehören. Von den hessischen Kasselanern darf man dann gar nicht reden.
Es liegt auf der Hand, daß diese Denkketten wenig Sachgemäßes enthalten. So einfach liegen solche Dinge nicht. Oder besser gesagt, sie liegen viel einfacher. Das hessische Bergland und seine fruchtbaren Täler liegen nach allen Seiten recht weit von großen Städten entfernt, und sie werden von Bauern bewohnt. Die großen Durchgangsstraßen, die für Nordhessen kennzeichnend sein sollen, spielten ihre Rolle im Mittelalter, zu einer Zeit also, da alle Leute in ihren Trachten unterwegs waren. In der neueren Zeit hat sich der große Waren- und Handelsverkehr verlagert, so daß nun erst die Gegend für lange Zeit abgeschlossen war. Das Rhein-Main-Gebiet dagegen wird von Städtern und stadtnahen Landleuten bewohnt, die von jeher und bis heute inmitten des großen Verkehrsstroms gesessen haben.
Das erklärt fast alles. Und wenn doch ein unerklärter Rest bleiben sollte, so ist er jedenfalls sehr schwer auszumachen. Hinge alles von konservati-

ver Uranlage ab, so wäre es unverständlich, wieso die hessischen Bauern zu den ersten gehörten, die sich der Reformation zuneigten, und dies nicht auf Befehl ihres Fürsten; als einziger deutscher Herrscher hat Philipp der Großmütige die Landstände nach ihren religiösen Wünschen gefragt.
Es bleibt uns, wenn wir nicht in unverbindliches Gerede ausweichen wollen, nichts anderes als eine gewisse Unterschiedlichkeit im Wuchs der Nord- und Südhessen und die Tatsache, daß man in Hessen weder bayerisch noch niederdeutsch spricht. Und es wäre nur vernünftig, in diese Charakteristika nichts Eilfertiges hineinzugeheimnissen.

Kurzsichtige Schnorrer

»Blinde Hessen« werden diese Leute von ihren Nachbarn seit langem genannt. Dazu schrieb Ernst Moritz Arndt: »Es heißt ›der blinde Hesse‹. Dieses Wort ›blind‹ soll gewiß kein Gebrechen bezeichnen, sondern feste, derbe, unerschütterliche Art, die keinem Wechsel und Veränderungen unterworfen ist; es soll gewiß den stillen, festen Mut bezeichnen, mit welchem der Hesse wie kein anderer mit geschlossenen Augen der Gefahr und dem Tode entgegengeht.« Da kann man nur sagen: Na na ... Negativ ausgelegt liest man aus dem Wort so etwas wie Eigenwille, Sturheit und Kurzsichtigkeit heraus. Ein Herr Riesbeck findet die Hessen im 18. Jahrhundert überdies noch »bis zum Ekel häßlich« und ihre »Weibsleut eckige Karikaturen«. Eine andere

SCHLOSS LICH · Zwischen Taunus und Vogelsberg erstreckt sich die Landschaft der Wetterau, eine fruchtbare und klimatisch milde Gegend. Unweit Butzbach liegt der Ort Lich mit dem Schloß der Fürsten zu Solms-Hohensolms (Bild), einer sehenswerten Marienstiftskirche und alten Bürgerhäusern.

Deutung des Wortes gibt ein Wappenforscher. Demnach soll »blind« vom hessischen Wappenlöwen genommen sein. Der Löwe ist eine Katze, die Chatten wären also mit der Katze identifiziert worden, und die jungen Katzen – sind in den ersten Lebenstagen blind.
Die Sache ist also völlig klar: sie ist unerklärlich. Es sei denn, wir nehmen den nächstliegenden Grund an, den jedermann aus seiner Heimat kennt. Jedes Dorf hat für die Leute aus dem Nachbardorf einen spöttischen Namen bereit, das gehört sich einfach so, und die Anlässe sind fast immer an den Haaren herbeigezogen. Blinde Hessen – das bedeutet ganz schlicht überhaupt nichts.
Für das Wort »nassauern« dagegen gibt es eine genaue Erklärung. Nassauern ist heute in ganz Deutschland gleichbedeutend mit schnorren. Der Ausdruck hat eine merkwürdige geschichtliche Entstehung. Nassau unterhielt an der Göttinger Universität zwölf Freiplätze für Nassauer Studenten. War diese Zahl einmal nicht voll, so versuchten Studenten aus anderen Gegenden Deutschlands in den Genuß des Freitisches zu kommen und gaben sich als Nassauer aus. Wer mit Erfolg nassauerte, fraß sich also kostenlos durch. Studenten schleppten diese Redensart an allen deutschen Universitäten ein, die Entstehung des Wortes war außer in Göttingen nirgends bekannt, und so kam es denn, daß die ausgenützten Nassauer selbst als Nichtsnutze verschrien wurden. Ihr armen Nassauer, wisset, daß es so ungerecht auf der Welt zugeht!

Naturtrunkene Winzer

Bisher haben wir Eigenheiten – Festhalten an Trachten, verschlossenere Gemütsart und ähnliches – schlicht auf die landschaftliche Abgeschlossenheit zurückgeführt. Nicht aber die Landschaft als Landschaft. Das wäre ein Irrtum. Er wird übrigens von den Freihand-Stammesphilosophen immer wieder begangen. Ein halbwegs gebildeter Herr, der sich

OFFENBACH · Die Großstadt am Rande Frankfurts kennt man meistens nur als das Zentrum der deutschen Lederwarenindustrie. Nur wenige wissen, daß es an der Mainstraße ein schönes Renaissanceschloß aus dem Jahre 1572 besitzt, dessen Arkaden- und Balkonvorbau reich verziert ist.

SCHLOSS BÜDINGEN · Die einstige Wasserburg, überragt von dem hohen Turm, wurde zur ehemaligen Residenz von Ysenburg-Büdingen ausgebaut. In der Umgebung des nördlich von Hanau liegenden Städtchens bietet der Büdinger Horst, ein großes geschlossenes Waldgebiet, viele stille Wanderwege.

als Poet versuchte, legte mir einmal eine Erzählung vor, worin Rheingauer Weinbauern abends aus den Wingerten heimkehrten. Abendstimmung, scheidendes Licht über den Reben, erdunkelnder Glanz auf dem Wasser, alles sehr schön und sehr richtig, aber alles falsch aufgehängt, denn die da so naturtrunken wie romantische Reisende empfanden, waren eben diese Bauern, die von der Arbeit kamen. Ich mußte dem Herrn, der gleich mir im Rheingau aufgewachsen ist, den Poetenmut kühlen: Die Heimat wird, wenn sie von Kind auf die gewohnte Umgebung und später auch noch den Rahmen für den Daseinskampf bildet, in ihren ästhetischen Qualitäten grundsätzlich übersehen. Und daher ist auch die seelische Verfassung eines Menschenschlags nicht von der ästhetischen Formation seiner Umwelt bestimmt. In den überaus milden, von Schönheit überschütteten Rheingegenden habe ich als Kind eine entsetzlich rohe Schuljugend erlebt. Möglich, ja wahrscheinlich, daß es in anderen Gegenden nicht anders ist – aber von den zarten Himmeln und den tief glänzenden Wassern des Rheins spiegelte sich in unseren Gemütern nichts.

Weintrunkene Winzer

Da wir nun wieder im Rheingau, Deutschlands berühmtestem Weingau, angelangt sind, wollen wir gleich dabei bleiben. Der Frankfurter, der an seinem Äppelwein so konservativ wie der Schwälmer an seiner Tracht festhält, wird es verzeihen, wenn wir keine ausführliche Äppelweinkunde vortragen. Ob man auf Datterichs kurze Einführung verweisen darf? Er rühmt einem Probeschluck nach: »Die Brih hat so e ahgenehm Essigseire.«
Mit dem Wörtchen »Essigsäure« ist unser Datterich nicht weit von der Wahrheit entfernt, wenn auch zur vollen Wahrheit wesentlich mehr gehört. Und wenn wir nun vom Rheinwein sprechen, dem »edelsten« Erzeugnis dieses Landes (und, wie wir noch sehen werden, weit über dieses Land hinaus edelsten), dann wollen wir uns einmal des pseudopoetischen Geredes enthalten, das dem Lob des Weines so leicht die Verbindlichkeit raubt. Es läßt sich nämlich einigermaßen genau beschreiben, was unter einem edlen Wein zu verstehen ist. In guten Jahren stellt sich durch die Gärung und Lagerung des Weintraubenmostes ohne jede Verbesserung ein ideales Verhältnis zwischen Äthylalkohol, Glyzerin, Fuselölen, Restzucker, Weinsäure, Kohlensäure, Estern und Geruchs- und Geschmacksstoffen her. Der Alkohol entsteht aus der Vergärung des Trauben- und Fruchtzuckers und gibt dem Wein die »Schwere«, das Glyzerin sorgt für Vollmundigkeit oder »Körper«, die Fuselöle, die an sich bekömmlich sind, sind insofern wichtig, als sie durch Veresterung an der Bildung der Geruchsstoffe beteiligt sind, der überschüssige und daher nicht vergärende Zucker gibt dem Wein die »Süße«, der Säuregrad entscheidet über »Frische« oder saure »Härte«, durch die Kohlensäure bleibt der Wein »munter«, die Geruchs- und Geschmacksstoffe aber bringen dem Gesamteindruck die »edle Abrundung«, von der so viel gesprochen und gesungen wird.
Und eben diesen Geruchs- und Geschmacksstoffen müssen wir ein paar Worte widmen. Sie bilden das »Bukett« des Weines und werden, soweit sie mit dem Geruchsorgan wahrnehmbar sind, auch »Blume« genannt. Das reichste Bukett aller Traubensorten entwickelt die voll ausgereifte Rieslingtraube im Laufe der Lagerung nach der Gärung. Bei der Bildung dieser noch immer recht geheimnisvollen Stoffe gehen chemische Umsetzungen vor sich, die wohl großenteils auf eine langsame Oxydation zurückgeführt werden müssen. Dafür spricht die Erfahrung, daß der Wein, wenn er zu sehr oxydiert, sein Bukett verliert und »firn« wird. Er bekommt dann einen trockenen, »rahnigen« Geschmack, der die Komposition sozusagen auf der Zunge in ihre Bestandteile zerfallen läßt. Wegen der Flüchtigkeit dieser Stoffe ist es sehr schwierig, sie chemisch zu untersuchen, doch läßt sich soviel sagen, daß die Bukettstoffe unter anderem Aldehyde, Ketone, verschiedenwertige Alkohole und Fettsäuren enthalten.
Aber ist damit viel gesagt? Kaum ein wenig für den Weinchemiker, denn wenn sich auch einige Stoffe nachweisen lassen, so hat man damit doch kein experimentierbares Bezugssystem in der Hand. Die Beziehungen, nämlich die Entstehungsvorgänge und die Dynamik der sich fortwährend gegenseitig beeinflussenden und verwandelnden organischen Verbindungen, sind gänzlich unbestimmbar und unkontrollierbar. Und so dürfte denn also der Liebhaber eine Entschuldigung dafür verlangen, daß ihm diese genauen Einzelheiten zugemutet werden? Nein, denn für ihn ist es wichtig zu wissen, daß man das geheimnisvolle Bukett niemals künstlich herstellen kann; höchstens zerstört man das natürliche Bukett, wenn man den Wein zu sehr verbessert oder streckt oder ihm durch allzu viele »Schönung« den Rock auszieht, wie der Winzer sagt. Das reiche Bukett, die volle Blume ist eins der

Zeichen für einen unverfälschten Weißwein vom Rhein, der Mosel oder der Haardt, den Hauptanbaugebieten des Rieslings. Das ist also ein Trost. Aber noch aus einem anderen Grund soll der Leser mit den vielschichtigen Vorgängen andeutungsweise vertraut gemacht werden: Die Tatsache, daß auf diesem Gebiet wenig genaue Berechnungen und Angaben gemacht werden können, ist für das viele pseudopoetische Gefasel verantwortlich, das wir ausdrücklich beiseiteschieben wollten.
Der wahre Kenner nämlich ist keineswegs in Verlegenheit, wenn er die Qualität eines Weines bestimmen soll. Wer einmal einer Weinprobe beigewohnt hat, wird sich über die fast abstinenzlerisch anmutende Vorsicht gewundert haben, mit der die Kenner den Wein im Gläschen schwenken, um die Blume zur Entfaltung zu bringen, und dann einen kleinen Schluck schlürfen und ihn kauend und schmeckend im Munde hin und her rollen lassen. Kein Tabakrauch, keinerlei Speise außer einem trockenen Bissen Weißbrot ist zugelassen. Wer das eine oder andere wohlschmeckende Glas regelrecht austrinken wollte, würde sich die Zunge für die feineren Unterscheidungen bei den nachfolgenden Sorten verderben. Die Zunge also ist das wunderbare Instrument, das der wissenschaftlichen Analyse weit überlegen ist. Und die zuverlässige Zunge ist angeboren, aber sie muß systematisch behütet und geübt werden.
Der hier vom Rheinwein spricht, darf von sich sagen, daß es vermutlich keinen nennenswerten Wein gibt, den er nicht an Ort und Stelle getrunken hat. Auf der Jacht vor Ischia den ozeanischen Epomeo. In einer hochgestirnten Nacht auf der Insel Ponza, der Kirkeinsel, im Schatten des Odysseus, den leichten und doch gefährlich nachhaltigen Namenlosen. In den römischen Bergen den Frascati. In Ungarn den Bikaver, Ochsenblut zu deutsch, beim Hammelrösten am offenen Feuer. Die ganze Vielfalt der französischen Weine bei festlichen Mahlzeiten von Paris bis Nizza, und die spanischen, die algerischen, den griechischen geharzten Mavrodaphne, ja selbst die rumänischen und die Roten von Odessa; einen jeden in der vollendeten Umgebung von Mensch, Sitte, Klima und Küche des Landes ...
Und doch ist die einzige, die wahre Wahrheit die, daß der beste Wein aus unserem Riesling gekeltert wird. Vieles mußte zusammenkommen, die Traube, der Schieferboden, das Klima, eine lange Winzererfahrung, bis sich gerade in unseren Breiten die höchste Möglichkeit des Weins verwirklichte. Diese unsere Weißen sind die edelsten der Welt.
Unser Klima macht es der Traube weder zu leicht noch zu schwer.
Das ist ein nicht geringer Teil des Geheimnisses. Freilich ist in diesem klimatischen Schwebezustand die Gefahr schlechter Jahre mit einbeschlossen. Ist aber das Jahr ideal und bringt ein feuchtes, frostfreies Frühjahr, einen feuchtwarmen Sommer und einen trocken-heißen Spätsommer und Herbst, dann wachsen die großen, an keiner anderen Stelle der Erde erreichbaren Jahrgänge heran. Dann geben sich Alkohol, Säure, Zucker und Bukett die Hand zu

TANN · Von drei Seiten wird das verträumte Ulstertal in der hohen Rhön von thüringischem Gebiet umschlossen. Das Dorf Tann mit seinem bekannten Tor beherbergt das Schloß der Reichsfreiherrn von der Tann. Der Engelsberg ist als Aussichtsberg auf die Rhön eine gern besuchte Höhe.

schlechterdings unbeschreiblicher Harmonie. Alle einzelnen Eigenschaften verbinden und runden sich ineinander und strahlen höchste Geistigkeit aus.
Anfangs haben wir so viel Bescheidenheit versprochen. Und jetzt müssen wir – müssen wir! – sagen, daß dieser Rheingauer Riesling nicht nur der größte in Hessen, nicht nur der beste in Deutschland, nein, der schlechthin edelste der Welt ist. Aber wir haben diese Wahrheit wenigstens so genau wie möglich beschrieben.
Draußen trinken sie den Wein zu den Mahlzeiten, steigern die Geselligkeit damit, erheben sich auch zu Begeisterungshöhen und nennen den Wein mit Recht ein schönes und gefährliches Göttergeschenk. Auch wir tun das alles, auch wir kennen den heiligen und den unheiligen Rausch. Aber eine Gestalt kennen wir, die es draußen nur schwerlich gibt: den einsamen Trinker, der über einer Flasche edlem Wein in rein geistigem Glück meditiert und genießt. Und davon kann der Winzer sprechen, da ist er zuständig, das ist seine Art Lob der Heimat.

Aquae Mattiacae, Wisibada, Wiesbaden

In Verlegenheit darüber, daß wir noch eben den Mund so voll nehmen mußten, halten wir Ausschau nach einer nüchternen Nachricht. Da bietet sich *Wiesbaden*, die Landeshauptstadt, an. Nüchtern? Diese Stadt voller Gärten, Stadt im geschützten Kessel der Taunusausläufer, Stadt der warmen Quellen, die aus dem Kochbrunnen und manchen Straßen aufdampfen? Ist sie nicht reizend mit ihrer großzügigen, vom Park begleiteten Wilhelmstraße, klettert sie nicht villenfroh die Hügel hinauf? Rauchen im Vorort Biebrich nicht gebündelte Industrieschlote, liegt nicht ein riesiger Flugplatz in der

Nähe, und lädt die Stadt nicht trotzdem zur Kur und stillen Erholung ein? Nüchtern? Die nüchterne Nachricht heißt: Wiesbaden ist eine uralte Siedlung, und man sieht nichts davon, ja nicht einmal dem Namen hört man's an. Aquae Mattiacae, das Bad im Mattiakerland, so nannten die Römer ihre Etappenstadt dicht hinter den Limeskastellen und dankten den Göttern mit Votivtafeln dafür, daß sie hier wie in Rom in den Thermen umherlungern konnten. Aber nicht nur die Römerstadt, auch ihr Name wurde von den hereinbrechenden Germanen ausgelöscht. Ein Stückchen »Heidenmauer« hat sich noch gehalten, nicht der Rede wert. Und dann, die mittelalterliche Stadt Wisibada, ein Zentrum um 830 laut den Urkunden. Verschwunden auch sie ohne Rest. Im dreizehnten Jahrhundert wurde sie wieder zerstört. Im 16. Jahrhundert ist sie gleich fünfmal abgebrannt, im Dreißigjährigen Krieg blieb sie nicht verschont, seit 1744 war sie Nassauer Regierungssitz, erhielt 1837 ein schönes klassizistisches Schloß, 1855 eine griechische Kapelle für die russisch-orthodoxen Kur- und Spielsaalgäste und einen Kern vornehm-schlichter klassizistischer Wohnhäuser. Auch diese Wohnhäuser verschwanden und machten der Baulust des späten neunzehnten und frühen zwanzigsten Jahrhunderts Platz.
Heute ist das meiste, was in Wiesbaden steht, nicht viel älter als hundert Jahre. Das Kurhaus ist ein wilhelminischer Repräsentationsbau, weiträumig, festlich, und mit den Kolonnaden, dem Theater und dem Park bildet es ein gelungenes Ganzes. Seit der Wilhelminismus und der Jugendstil historisch geworden sind, entfallen alle Ressentiments politischer Herkunft, und nur noch ein paar Literatengreise, die ihr Jugendtrauma für ein ewig junges Thema halten, wagen dieser unbeschwerten, gärtenreichen Wohnstadt eine veraltete üble Nachrede zu halten. Unbeschwert von jeder Tradition, das heißt vor allem, daß diese Stadt sich neuen Impulsen erschließen kann. So sind hier ein paar vorbildliche moderne Bauten entstanden, Rhein-Main-Halle, Vier Jahreszeiten, Pfandbriefanstalt, Steuben-Hotel, eine Anzahl modernster Wohnhäuser und manches, was nicht zur ersten, aber immer noch zu einer guten Kategorie gehört. Der Geist eines Gemeinwesens spricht sich oft am deutlichsten in dem aus, was es nicht verhindert!

Darmstadt plant die Moderne

Das Stichwort »Jugendstil« weist uns nach *Darmstadt.* Diese im letzten Krieg fast vernichtete Hessen-Darmstädtische und Großherzogliche Residenz ist seit Jahrhunderten durch eine Gesinnung auffällig, die man vielleicht am richtigsten mit dem paradoxen Begriff eines planmäßigen Avantgardismus kennzeichnet. Damit ist nicht das vielschichtige Schloß gemeint, das in einem prunkvollen, aber kühlen Mitteltrakt vereinfachte Anklänge an den Uhrenpavillon des Louvre aufweist. Auch die verschiedenen Prinzenschlößchen meist klassizistischen Stils (worunter das erhaltene Prinz-Georg-Schlößchen eine herrliche Porzellansammlung besitzt) meinen wir nicht. Kennzeichnend für den Geist des

DARMSTADT · Die ehemalige Residenz des Großherzogtums birgt viele Sehenswürdigkeiten. Die Künstlerkolonie auf der Mathildenhöhe mit dem Hochzeitsturm und der orthodoxen Kirche (Bild) gehören dazu. Aus den schweren Zerstörungen des zweiten Weltkrieges ist ein neues Darmstadt entstanden.

Hessischen Hauses ist vielmehr ein Zug, der sich mehrmals wiederholt hat: Am Ende des 16., am Ende des 17. und vom Ende des 18. bis in die dreißiger Jahre des 19. Jahrhunderts wurde bei jeder Stadterweiterung von einem Baumeister ein jeweils moderner Haustyp entworfen, der dann in Serien ausgeführt ganze einheitliche Straßenzüge entstehen ließ. Und diese Neigung zur serienmäßigen Moderne führte dann am Anfang des 20. Jahrhunderts zu einem wahrhaft revolutionären Unternehmen großen Stils. Auf der Mathildenhöhe entstand, in der Hauptsache von Josef Maria Olbrich und Peter Behrens ausgeführt, eine ganze Kolonie von Jugendstilbauten. Deutschland, das sich damals gerade in allen möglichen Neo-Renaissancen erging, schäumte vor Zorn. Kaum jemand erkannte, daß hier zum erstenmal wieder ein genialer Stilwille in Erscheinung trat, der vom Hausinnern her baute (was man später das Funktionale nennen sollte) und die notwendigerweise zerfallende Fassade durch asymmetrische Komposition in freier Schwebe zu halten suchte. Und es sollte lange dauern, bis die Bauhausleute das Naserümpfen verlernten und begriffen, daß eben der Jugendstil die Bahn für ihren Beton- und Glasfunktionalismus freigelegt hatte. Erst seit ganz kurzer Zeit ist der Jugendstil rehabilitiert. Der lauteste Fanfarenstoß, der die neue Architektur ankündigte, ist am Anfang des Jahrhunderts in Darmstadt erklungen.

Heute sucht die Stadtgemeinde dem großherzoglichen Geist nachzueifern. Scharen von Schriftstellern haben sich in Darmstadt niedergelassen, und auf der Rosenhöhe hat man mit dem Bau einer Häuserkolonie für prominente Künstler begonnen. Wenn wir an Wiesbaden den liberalen Zug des individuellen Gewährenlassens bemerken, so bietet Darmstadt das unnachahmliche Beispiel einer gelenkten und institutionalisierten Liberalität.

Platz- und Landschaftsgestaltung

Der größere Bruder Darmstadts ist *Kassel.* Gewesen, ist manch einer versucht zu sagen. Es ist es noch. Denn Kassel verdankt sein unverwechselbares Gesicht keineswegs nur dem Reiz der tatsächlich vernichteten Altstadt, keineswegs nur dem Stein, sondern der Art, wie der Stein um sorgfältig erwogene Plätze gruppiert, in die Landschaft hineingeplant und zu einem künstlerisch kalkulierten Teil eines größeren Ganzen wurde. Erwogen, geplant, kalkuliert – das ist für Generationen der hessischen Hauptlinie genau dieselbe stadt- und raumschöpferische Leidenschaft, die an ihren Darmstädter Vettern im kleineren Maßstab zu beobachten ist. Es gab in Deutschland unter den zuständigen Leuten nie sehr viele, die in der Anlage von Plätzen eine grundlegende städtebauliche Kunstleistung erblickt hätten. Eine Leistung, die in Italien von jeher für selbstverständlich galt; denken wir nur an Michelangelos Lösung der schwierigen Aufgabe auf

GIESSEN · Das Renaissanceschloß (Bild) in hübschem Fachwerk ist eines der wenigen alten Gebäude der Universitätsstadt, das erhalten blieb. Sonst hat sich Gießen weitgehend von der Vergangenheit gelöst. Eine moderne Stadt mit Hochhäusern und breiten Straßen richtet den Blick in die Zukunft, die ihr von Industrie und Verkehr gewiesen wird.

KASSEL, WILHELMSHÖHE · Inmitten eines prachtvollen Bergparkes erhebt sich im Westen der kurhessischen Hauptstadt Schloß Wilhelmshöhe (1786—1798). In seinem Innern befindet sich das einzige Tapetenmuseum Deutschlands. Überragt wird Wilhelmshöhe vom Herkules, dem Wahrzeichen Kassels.

dem Kapitol oder an San Marco, wo ein Gemeinwesen, das an notorischem Platzmangel leidet, den großartigsten Platz der Welt schuf.

In diesem Sinne nun ist das unterschiedliche Gelände Kassels von Anfang an nicht nur systematisch erweitert worden, sondern die einzelnen Stadtteile wurden in den Gelenken auch durch glänzend ausgedachte Plätze gegliedert und verbunden. Schon der erste hessische Landgraf, Heinrich von Brabant, Enkel der hl. Elisabeth und eigentlicher Stammvater aller hessischer Linien, begann beim Regierungsantritt mit einer Gründung: er legte um 1277 die Unterneustadt an. Heinrich II. ließ um 1330 den sehr regelmäßigen Stadtteil »Freiheit« planen. Philipp der Großmütige und seine Nachfolger sorgten für Befestigung und vorsichtige Politik im Dreißigjährigen Krieg. Im 17. und 18. Jahrhundert schließlich ging aus den politisch und urbanistisch glücklichen Anfängen die barocke und klassizistische Fürstenstadt hervor. Die Oberneustadt wurde als Hugenottensiedlung angelegt. Die mit eingewanderte Architektenfamilie du Ry war von da ab an jeder baulichen Unternehmung beteiligt. Paul plante die Siedlung, Simon Louis schuf den Königs- und den Friedrichs-Platz. Einige bewußt eingegliederte Lücken wurden im 19. Jahrhundert »gefüllt«, wie überhaupt der städtebauliche Anteil dieses stillosen Jahrhunderts nicht gerade glücklich genannt werden kann.

Wir wollen nicht einmal den Hauptwert darauf legen, daß von den bedeutenden Bauwerken, Wilhelmshöhe, Orangerie, Martinsdom und anderen Kirchen, Renthof, Marstall, Ottoneum und den verschiedenen Palais immerhin so viel erhalten geblieben ist, daß man mit Zähigkeit und Aufwand eine dokumentarische, wo nicht gar repräsentative Restaurierung erreichen kann – das Wichtigste ist der große städtebauliche Atem, der die Linien des Stadtgebietes von jeher in sich selbst und hinaus in die Landschaft gehalten hat. Von der geradezu ungeheuren landschaftsgestaltenden Fortsetzung der Stadt bis an und in den Habichtswald haben wir nämlich noch gar nicht gesprochen. Eine fünf Kilometer lange Allee führt aus der Stadt zum Schloß Wilhelmshöhe, das ursprünglich zwei »Lücken«, nämlich planmäßig gewollte Durchblicke aufwies. (Wieder wurde hier im 19. Jahrhundert »aufgefüllt«.) Und vom Schloß ab setzt sich eine anderthalb Kilometer lange und ebenso breite Parkanlage bis zum Fuße des Habichtswaldes fort und steigt dann an sprühenden und stürzenden Kaskaden entlang steil hinauf zum oktogonalen Riesen-Schloß mit der Herkulesstatue. Daß die ursprünglichen Pläne nicht ganz ausgeführt wurden, ändert nichts an der Tatsache, daß nirgends in ganz Europa eine solche weiträumige und aufwendige Naturgestaltung unternommen wurde. Hier pulst das Pathos und Genie des Barocks. Daß sich im Verlauf der Ausführung romantische Lappalien einschlichen, kann dem groß gedachten ursprünglichen Entwurf nicht nachhaltig schaden.

Widmen wir nun noch dem Schmerz der Kasselaner über den Verlust ihrer Altstadt ein gutes, wenn auch vielleicht nicht gut aufgenommenes Wort. Die Altstadt war niemals abgebrannt, niemals durch Kriege zerstört, bis sie so gut wie restlos im zweiten Weltkrieg vernichtet wurde. Dennoch – sie war so alt nicht, wie sie hätte sein können. Die Anlage des neunten Jahrhunderts war längst verschwunden, man baute bald bessere und schönere Häuser. Das Annakloster und die alte Pfarrkirche St. Cyriakus waren längst verschwunden, und nicht etwa eingestürzt, sondern abgerissen. Die Häuser, die zur Zeit der Verleihung des Stadtrechts (1170) standen, wurden selbstverständlich später abgetragen. Wieder baute man bessere und schönere Häuser. Und das ging während des ganzen Mittelalters so fort. Jede neue Epoche traute sich Besseres und Schöneres zu. Historisierende Haltung hatte bis zum neunzehnten Jahrhundert niemand. Die Altstadt, die nun verschwunden ist, stammte im wesentlichen aus dem 16. und 17. Jahrhundert. Wäre das Unglück im vorigen Jahrhundert geschehen, so hätten die Städteplaner aus der Not nichts als Untugend machen können. Wir aber haben wieder einen gültigen Stil entwickelt, wir können aus der Not eine Tugend machen. Wir können uns zutrauen, besser und schöner zu bauen. Wir können, während wir die Reste aus alter Zeit pietätvoll erhalten, gleichzeitig wieder zum Selbstbewußtsein der früheren Epochen zurückkehren. Und wenn nicht alles trügt, haben die Stadtväter von Kassel das richtige Bewußtsein. Sie brauchen nur den planenden, und zwar immer neu planenden Geist der hessischen Regenten, die Kassel geschaffen haben, wachzuhalten.

Nennen wir noch die »Karlsaue«, den zweiten großräumigen Park Kassels, der sich zwischen der Oberneustadt und der Fulda fächerförmig ausbreitet und das Orangerieschlößchen und das Marmorbad enthält. Und nicht vergessen dürfen wir das zehn Kilometer entfernt liegende Rokokoschlößchen Wilhelmsthal, das äußerlich ganz schlicht und zurückhaltend wirkt, im Innern aber eine vollständig erhaltene und in jeder Einzelheit vollkommene Fürstenwohnung des galanten Zeitalters ist. Plötzlich findet man sich in einer Welt voller Anmut, die pastellzarten Farbbalancen und der Silberglanz löschen die Gegenwart, wir fahren uns übers gepuderte Haar, wischen ein Stäubchen vom hellblauen Rock – werfen die Strümpfe auch keine Falten über den Waden? – und schon locken uns die Flöten und die vogelleicht hüpfenden Klänge des Cembalos in den Musensaal, und wir verneigen uns vor den schönen Damen, die Meister Tischbein alle für die Schönheitsgalerie malen soll, und begrüßen die Herren, von denen der und jener gerade für die Ahnengalerie zu sitzen pflegt ... wir sind heut zum erstenmal hier, ja doch, der Herr Nahl hat das alles sehr geschmackvoll entworfen, in Sanssouci hat er nicht besser gearbeitet, sehr geschmackvoll, sehr zierlich das ganze Dekor, nicht so überladen, wie man das noch vor wenigen Jahren liebte, nein, ganz leicht und zierlich und heiter ... gewiß, Hoheit, das ist unser voller Ernst, dieses Sommerschlößchen braucht keinen Vergleich auf der Welt zu scheuen ... Und die Hoheiten entlassen uns sehr gnädig, spät in der Nacht, und es war ein köstliches Fest, und wir stehen wieder im Freien, und statt einer Kutsche erwartet uns das Auto und das zwanzigste Jahrhundert. Aber es war ein rührender Traum ...

Geistliches Barock

Die große Zeit *Fuldas*, die das typische Bild in seinem heutigen Aussehen bestimmt, ist nach Zahlen gemessen der entscheidenden Bauzeit Kassels gar nicht so fern, und doch, welch ein Unterschied im Temperament! Das liegt nicht nur daran, daß Fulda in der Zeit des Hochbarocks seinen endgültigen Zuschnitt erhalten hat, sondern vor allem, daß es sich um geistliches Barock handelt, das nach dem Einbruch des nüchtern verinnerlichten Protestantismus von neuem und nun erst recht auf dem sinnenfrohen Gotteslob bestand. Dom, Stadtschloß der Fürstäbte, Orangerie, bischöfliches Palais, Hauptwache, Damenstift, Heiliggeistkirche, Stadtpfarrkirche, Stadtschule, Gymnasium, das Paulustor am Rande der Innenstadt – alle diese Bauten sind im 18. Jahrhundert buchstäblich in einem Rausch von Baulust entstanden. Auch hier in Fulda wurde im Zusammenhang geplant, nur waren die notwendigen Lichtungen nicht dauerhaften Plätzen, sondern streng geordneten und beschnittenen Gärten zugedacht. Und Gärten sind nun einmal keine so unantastbaren Gliederungselemente wie Plätze. In dieser Hinsicht hat sich der konstruktive Wille der Fürstäbte über die Zeit hinweg keinen Respekt verschaffen können.

Daneben besitzt Fulda aber auch noch Zeugnisse aus ältester Zeit, und die älteste Zeit war: Ausgangsbasis und geistliche Vorratskammer des Bonifatius und seiner Schüler für die Missionierung des germanischen Nordens. Im Dom liegt der von den Friesen Erschlagene begraben, noch heute existiert das von Schwerthieben gespaltene Buch, das er bei seinem Tode im Jahr 754 in der Hand hielt. An seinem Grab versammeln sich jedes Jahr die katholischen deutschen Bischöfe zur Konferenz, und so

FRANKFURT/MAIN — RÖMER · Der gotische Steinbau, 1322 zuerst erwähnt, seit 1405 Messehalle, heute Rathaus, spielte jahrhundertelang eine wichtige Rolle bei den Königswahlen und Krönungen deutscher Kaiser.

FRANKENBERG · Die anmutige Kreisstadt liegt im Edertal auf einem Hügel, über den sich der spitze Turm der Liebfrauenkirche aufreckt. Von dem bedeutenden Tyle von Frankenberg stammen der hohe gotische Chor und die Marienkapelle, die als sein Meisterwerk gilt. Die ehemals blühende Stadt hat in ihren zahlreichen alten Bürgerhäusern, dem Landratsamt, früher Zisterzienserkloster, dem reichen Fachwerk und den neun schlanken Türmchen des Rathauses vollkommen den alten Charakter bewahrt. Das jenseits der Eder gelegene Sachsenberg deutet auf die alte Stammesgrenze zwischen Sachsen und Franken.

SCHLOSS BRAUNFELS · Der Stammsitz der Grafen und Fürsten von Solms-Braunfels, über dem Lahntal, wurde um 1260 erbaut, oft verändert und im 19. Jahrhundert in den Zustand um die Zeit von 1650 zurückverwandelt.

RUNKEL · Das alte Städtchen an der Lahn, über die eine Brücke aus dem 14. Jahrhundert führt, wird von einer eindrucksvollen Burg beherrscht, die dem Ort den Namen gab. Von den Türmen dieser beinahe provenzalisch anmutenden Anlage bietet sich ein umfassender Blick auf das Lahntal und die hessische Hügellandschaft. DER DOM IN LIMBURG AN DER LAHN · Mit dem angebauten Schloß sind hier geistliche und weltliche Formkraft noch einträchtig nebeneinander. Beide Bauwerke wachsen organisch aus dem Felsen, hoch über den Baumwipfeln des stillen Lahntals und der Altstadt. Im Georgsdom sind frühgotische Elemente in den romanischen Stil eingearbeitet.

SCHLOSS KRANICHSTEIN BEI DARMSTADT · Das Jagdschloß ist wegen seiner herrlichen Lage am Wald und seinem Restaurant ein beliebter Ausflugsort in nächster Umgebung der südhessischen Großstadt. Der Kern der hufeisenförmigen Anlage ist ein gediegener Bau der Renaissancezeit aus dem Jahre 1527. An seiner äußeren Nordwestecke nach dem Wald zu wurde damals ein runder Turm mit behaglichem Ausguck für die Jagdgäste und Zuschauer vorgebaut. Der Mittelflügel wird von einem Zwerchhaus gekreuzt, dessen hier abgebildeter volutenbesetzter Innengiebel aus dem Jahre 1859 stammt. Alles ein luftiger Klassizismus mit Renaissanceerinnerungen: auch das 19. Jahrhundert konnte so manche Anmut entwickeln.

MARBURG · Die malerische, am Berg hochkletternde Stadt birgt eine Fülle von Kostbarkeiten aus vielen Jahrhunderten. Die St.-Elisabeth-Kirche aus dem 13. Jahrhundert ist das erste gotische Bauwerk des Deutschen Ordens auf dem deutschen Boden. Neben dem goldenen Schrein der Heiligen finden sich hier die Grabmäler der hessischen Landgrafen und Hindenburgs. Die Marburger Universität zählt zu den angesehensten Hochschulen Deutschlands, deren Institute internationalen Ruf genießen. Das Landgrafenschloß besitzt einen bedeutenden gotischen Rittersaal aus deutscher Vergangenheit.

RUINE ARDECK · Die stille Aar, ein Flüßchen, aus dem Taunus kommend, überrascht immer wieder mit reizvollen Landschaftsbildern. Burg Ardeck wurde im 14. Jahrhundert auf einem Basaltfelsen am Talrand errichtet.

WIESBADEN — KURHAUS · Die Landeshauptstadt ist eine uralte Siedlung, die merkwürdigerweise kaum historische Denkmäler aufweist. Der Prachtbau des Kurhauses liegt in der Mitte einer besonders schönen und milden deutschen Garten- und Bäderstadt. · KLOSTER EBERBACH · In der Waldeinsamkeit des Rheingaugebirges liegt die ehemalige Zisterzienserabtei mit einer prachtvollen romanischen Kirche und gotischen Räumen. Seit 1803 dient das frühere Kloster als staatliche Weinbaudomäne der Pflege guter Tropfen, besonders des bekannten »Steinberges«, der bei den Weinkennern hoch geschätzt wird.

FULDA · Die Michaelskirche, 820 im karolingischen Stil erbaut, und Johann Dientzenhofers prachtvoller Dom (1704—1712) mit dem Bonifatiusgrab umspannen die große Zeit Fuldas, das aus dem 744 von Sturmius gegründeten Kloster hervorgegangen ist. Die Klosterschule stellte einst ein Kulturzentrum dar.

schließt sich über die jubilierende Barockepoche hinweg der lebendige Bogen vom heutigen Tag bis zurück in die altersdunkle Zeit der geistlich-geistigen Kolonisierung des religiös so empfänglichen Heidentums.
Aus den Tagen Hrabans, der im 9. Jahrhundert Abt von Fulda war, stammen die Michaelskirche, die steil über dem Dom aufragt, und eine nördlich von Fulda auf dem Petersberg gelegene kleine, gedrungene Kirche. In der Krypta auf dem Petersberg gibt es Wandmalereien, die Hraban beschrieben hat, in der Krypta der Propsteikirche Neuenberg ottonische Wandmalereien von großer Kraft und Innerlichkeit. Die Michaelskirche ruht von der Krypta her auf einer einzigen kurzen Säule und hat als Kernstück einen Rundbau, den eine achtsäulige Arkade kreisförmig umschließt. Vier dieser Säulen haben nicht die primitiven Kapitelle der anderen, sondern Blätterschmuck; vielleicht stammen sie noch aus karolingischer Zeit.
Wer nun diese monumentalen Reste der ältesten Zeit sieht, verfällt leicht in Trauer und Zorn darüber, daß der Dientzenhofersche Barockdom das ehrwürdigste und noch dazu riesenhafte Denkmal der karolingischen Zeit, die um 800 erbaute Stiftskirche, mutwillig verdrängt hat. Abt Adalbert von Schleifras ließ 1704 das völlig erhaltene, neunhundert Jahre alte Bauwerk kurzerhand abreißen, weil er fand, in Fulda habe der Dom den Geist der neuen Zeit auszustrahlen. Und hier haben wir denn aus einer jüngeren Epoche ein Beispiel für künstlerisches Selbstbewußtsein, dem der historische Respekt des 19. Jahrhunderts noch ganz fern liegt.
Wir würden selbstverständlich ein bedeutendes altes Bauwerk nicht zerstören, aber wir wagen andererseits kaum, das Selbstvertrauen verflossener Zeitalter in uns aufkommen zu lassen. Unsere Aufgabe besteht darin, beide Haltungen unbefangen miteinander zu vereinbaren.
Und wenn nun manchmal behauptet wird, dem barocken Dom in Fulda fehle es an Genialität, so entspringt dies Urteil hauptsächlich dem Schmerz über die entschlossene Tat jenes Fürstabtes. Wer den Dom beurteilen will, darf nicht nur an das duftige, lyrische Barock Süddeutschlands und Österreichs denken, sondern der muß den Blick auch nach Rom auf die Barockkirchen der Jesuiten wenden. Dann wird die gelungene Mittlerstellung dieses Werkes sofort augenfällig. Wer überhaupt jenem jubeltrunkenen Zeitalter und seinem Stil Zuneigung entgegenbringt, wird in der Stadt und Umgebung von Fulda eine köstliche barocke Provinz erblicken.

Symbiose der Epochen

Frankfurt, wo mehr Menschen wohnen als in den vier vorher betrachteten Städten zusammen, weist auch an Typik mehr auf als jede einzelne der kleineren Städte. Wenn wir bisher den Typus jeder Stadt aus ihrem ursprünglichen Residenzcharakter heraus entwickeln konnten, ist die menschliche Zusammenballung Frankfurts nicht anders als durch

FRANKFURT, PAULSKIRCHE · Die Wahl- und Krönungsstadt der deutschen Kaiser hat eine reiche Geschichte. In der wiederaufgebauten Paulskirche tagte 1848—49 die erste deutsche Nationalversammlung. Auch heute werden in dem Rundbau immer wieder Tagungen von nationaler Bedeutung abgehalten.

FRANKFURT AM MAIN · Am Eschenheimer Turm, einem Wahrzeichen der Stadt, begegnen sich Tradition der Freien Reichsstadt und moderner Ausdruck dieser bedeutendsten deutschen Handelsstadt. Das Stahlbeton- und Glasgebäude eines Zeitungsverlags überragt der gewaltige Komplex des Fernmeldehochhauses.

die Phänomene Handel, Verkehr und Industrie zu erklären. Fürstenresidenz war die Kaiser- und Freie Reichsstadt sowieso niemals, und was an repräsentativen Bauten entstanden ist, war entweder dem Gottesdienst oder einem nicht allzu aufwendigen Wohnzweck oder auch dem sehr alten Messebetrieb gewidmet.

Die Stadt ist sozusagen wild gewachsen; die einzige planmäßige Gliederung, die heute noch deutlich sichtbar ist, rührt von den Festungswällen der spätmittelalterlichen Stadt her, die als Grüngürtel von der Untermainanlage über Taunus-, Bockenheimer, Eschenheimer und Friedberger bis zur Obermainanlage die heutige Innenstadt umgibt. Das eng verwinkelte Gewirr der Altstadt, in dessen Höfchen, Gäßchen, Kneipen und offenen Wurstständen jahrhundertelang ein altväterisch-behagliches Treiben wimmelte, ist unter den Bomben des letzten Krieges vollständig vom Erdboden verschwunden; das Gelände wurde inzwischen im Stil des 20. Jahrhunderts bebaut.

Hier hat Frankfurt einen Schritt unternommen, der gar nicht so selbstverständlich erscheint, wenn man an manche unglückliche Groß-Restaurierung in anderen Städten denkt. Frankfurt hat sich darauf beschränkt, eine Anzahl alter Kirchen, die sich in ihrer Struktur gerettet haben (Leonhards-, Nicolai-, Katharinen-, Liebfrauenkirche), vereinfacht wiederherzustellen. Die Ausstattung des ehemaligen Dominikanerklosters wurde schon 1803 bei der Aufhebung an die Museen der Stadt und nach auswärts abgegeben; Holbein d. Ä., Dürer, Grünewald und Hans Baldung Grien hatten hier gearbeitet. Außerdem wurden der Bernus-Bau des Saalhofes am Main und der Rententurm wiederhergestellt. Dem Römerberg als Zentrum der Königswahlen und Kaiserkrönungen konnte man weitgehend das alte Gesicht wiedergeben, da die Fassade des Römers selbst glücklicherweise stehengeblieben war. Das Geburtshaus Goethes hat man unter leidenschaftlichem Für und Wider der öffentlichen Meinung Stein für Stein wiederaufgebaut. Heute muß man sagen, daß diese Restaurierung ihren guten Sinn hatte: Dank der rechtzeitigen Auslagerung und Herauslösung der Inneneinrichtung, die wieder eingefügt wurde, ist die Atmosphäre der Goethezeit vollkommen wiederbelebt worden. Der Dom hat durch die Beschädigung gewonnen; man hat die völlig entstellenden Einbauten entfernt und die ursprüngliche gotische Halle in geradezu ätherisch reiner Form wieder hervorgebracht.

Frankfurt hat sich also auf eine maßvolle Restaurierung historisch wichtiger Denkmäler beschränkt, im übrigen aber die traurige Gelegenheit benutzt, um die Innenstadt zu verbessern und zu modernisieren. Heute stehen Hochhäuser hell und klar hinter dem schlanken gotischen Eschenheimer Turm, und wenn irgendwo, so beweist diese ästhetisch gelungene Symbiose die Kraft unseres Baustils. Denn ein Stil legitimiert sich dadurch als echt, daß er sich mühelos jedem anderen echten Stil gesellen läßt. Aber nicht nur stilistisch bewältigt diese Stadt das Alte und Neue, auch die Menschen fügen sich dem symbolischen Rahmen zwischen traditionellen Resten und fortstürmender Entwicklung gelehrig ein.

KÜCHE IM GOETHEHAUS · Nur wenige Meter vom Roßmarkt, einem Brennpunkt des Verkehrs, entfernt, wurde das schwer beschädigte Geburtshaus Goethes wiederaufgebaut. Da die Inneneinrichtung gerettet werden konnte, zeigt sich dem Besucher in alter Form die Küche, in der Frau Rat Goethe arbeitete.

Und wenn die Sünden der Väter, unsere Sünden also, das alte Gefüge erschüttert, in Bewegung und dann zum Einsturz gebracht hatten, und wenn wir Ältere uns darüber noch immer die Seele zernagen, – da wächst eine junge Generation heran, die unsere Hypothek nicht zu übernehmen gewillt ist, sondern die im Vertrauen auf ihr eigenes Gewissen ihrem eigenen, vielleicht neuen, vielleicht ewig alten Schicksal entgegengeht.

Zeugnisse aus zwölf Jahrhunderten

Um wieder einmal zum Gesamtbild dessen, was das Land an Zeugnissen bewahrt, zurückzukehren, überblicken wir den Bestand einmal kurz nach Altersstufen geordnet.
Da steht in *Lorsch* bei Bensheim der Rest eines uralten Klosters, aber was für ein Rest! Karl der Große ist bei der Heimkehr aus der Lombardei im Jahre 774 im Triumph unter diesen vier schlanken Säulen mit den unbegreiflich zarten Kapitellen, unter dieser steinernen Girlande, unter dieser römisch-cäsarischen und doch schon nördlichen Torhalle in die Klostersiedlung eingeritten. In *Steinbach* bei Michelstadt steht eine nur um fünfzig Jahre jüngere Kirche, die Einhards-Basilika, deren wesentliche Teile bis heute unversehrt erhalten sind. Und noch eine Einhards-Basilika gibt es; sie steht in *Seligenstadt* am Main als die einzige große Basilika der karolingischen Zeit. Südlich des Mains also stehen die ältesten Zeugnisse.
Die älteste romanische Basilika, in *Hersfeld,* ist im Jahre 1761 durch Brand vernichtet worden, zeugt aber auch in ihrer Ruinenform noch von der Größe der Raumgliederung, ja für den Laien dürfte vielleicht gerade diese Freilegung des Gerippes belehrend sein. Eine der ältesten deutschen Kirchen überhaupt, unter gotischem Äußerem verborgen, ist in

LORSCH · Durch die Torhalle, das älteste Gebäude aus der deutschen Vergangenheit, von den römischen Ruinen abgesehen, die zu einem Kloster im Jahre 768 gebaut worden war, ritt einst Karl der Große nach einem Feldzug. In Lorsch soll die Burgunderkönigin Ute ihre letzte Ruhestätte gefunden haben.

RHEIN-MAIN-FLUGHAFEN · Im Süden Frankfurts ist eine Drehscheibe des Verkehrs entstanden. Neben dem Kreuzungspunkt der Autobahnen zählt der Rhein-Main-Flughafen mit seinen internationalen Linien nach allen Teilen der Welt zu den wichtigsten Plätzen seiner Art auf dem europäischen Kontinent.

Höchst am Main erhalten geblieben: St. Justinus. Eine dreischiffige Anlage mit romanischen Rundbogenarkaden, die auf streng stilisierten Säulenkapitellen ruhen. Diese Kapitelle müssen wohl aus dem 9. Jahrhundert stammen und sind ohne jedes Vorbild. In *Fritzlar* steht ein romanischer Dom, der auf eine Gründung des Bonifatius zurückgeht. Die Donar-Eiche, die er bei Geismar vor den staunenden Germanen gefällt hat, soll das Material für den ursprünglichen Holzbau geliefert haben. Der heutige Bau stammt in den Grundzügen von 1100 und zeigt eine merkwürdig flache Behandlung der Außenwände. Im Innern mischen sich wie üblich die Stilformen. Zur Ausstattung gehören zwei hervorragende romanische Skulpturen, Johannes und Maria, und ein reicher Domschatz. *Ilbenstadt* bei Friedberg besitzt eine im Äußeren noch wuchtigere romanische Kirche. In *Germerode* bei Hessisch-Lichtenau steht eine stark restaurierte dreischiffige Basilika. Etwa um 1200 begann in waldiger Abgeschiedenheit bei Lich der Bau der Zisterzienser-Basilika *Arnsburg.* Das Kloster ist 1803 aufgehoben und als Steinbruch benutzt worden. Für romantische Ruinenfreunde sind die gewaltigen Reste ein erquickender Anblick. Vorbild und Mutterkloster war *Eberbach* in schattigem Waldtal im Rheingau. Dort ist neben der strengen romanischen Kirche übrigens der größte Teil der Klosteranlage erhalten. Die ebenfalls aufgehobene Anlage wird heute vom Staat als Weinkellerei benutzt.

Zwei wahrhafte Kleinode aus gleicher Bauhütte sind die Burgruine *Münzenberg* nördlich von Friedberg und die Ruinen der Kaiserpfalz in *Gelnhausen*, kurz vor 1200 zur Zeit Barbarossas entstanden. Die gekuppelten Rundbogenfenster an beiden Bauwerken mit ihren zarten Leibungen und den stilisierten Kapitellen der Säulen sind in keiner anderen Pfalz so vollkommen gelungen. Ein Vergleich der Gewölbehalle von Gelnhausen mit der Lorscher Torhalle vermittelt recht deutlich die nie abgerissene Tradition.

Im Dom zu *Limburg* betreten wir die Zeit zwischen Romanik und Gotik, die aber hier keinen Zwischenstil wie in der Marienkirche zu Gelnhausen, sondern eine genuine Leistung hervorbrachte. Von sehr eigenwilligem Charakter sind die dreiteiligen Emporenöffnungen, deren breiterer Mittelbogen höher und spitzer ausgezogen ist als die Seitenbögen. Alle Wandflächen sind durch Arkaden, Emporendurchbrüche und Galerien so gegliedert, daß eine ungemein polyphone Komposition erzielt wird.

Die Elisabethkirche in *Marburg* gilt neben der Trierer Liebfrauenkirche als die erste rein gotische Kirche in Deutschland, eine noch sehr kühle Konstruktion im Äußeren, im Innern aber eine schlank und rein aufstrebende Mittelhalle und, da die Seitenschiffe ebenso hoch, aber wesentlich schmäler sind, mit ganz unirdisch hochschießenden und mitreißenden Seitenschiffen. Das früheste Dokument, und dabei kaum noch zu übertreffen! In einem der Seitenschiffe steht eine kokette hl. Elisabeth aus dem 15. Jahrhundert, eine ganz reizende Arbeit. Sehr wichtig für den hessischen Kirchenbau ist der Einfluß des hervorragenden Marburger Vorbildes. Weil es diese viel bewunderte Kirche gab, findet man heute in Hessen so viele kleine Stadt- und Dorfkirchen mit groß gedachten, vornehmen Maßen. Unmöglich, sie alle aufzuzählen. Nur das Kloster *Haina* sei erwähnt, das ganz ähnliche Höhenverhältnisse aufweist, und die Kirche in *Homberg an der Efze*, die eine ebenso herrliche Wirkung hätte, wenn die Seitenschiffe nicht durch Holzeinbauten für praktischen Gebrauch verstellt wären.

WETZLAR · Der machtvolle romanisch-gotische Dom aus dem 12. Jahrhundert mit seinem charakteristischen Turmabschluß überragt die Stadt an der Lahn. Viele historische Bauten künden von einer reichen Vergangenheit. Mit großen Industriewerken zählt Wetzlar heute zu den wichtigsten Städten Hessens.

FRITZLAR · Auf einem Steilufer über der Eder erhebt sich der romanische St.-Petri-Dom (1171—1230), der einen wertvollen Domschatz birgt. Fritzlars Name ist mit Bonifatius eng verbunden. Hier fällte der Gottesmann die Donar-Eiche der Germanen und gründete im Jahre 723 ein Benediktinerkloster.

Außer dem Fuldaer Barock gibt es in *Heusenstamm* bei Offenbach eine zierliche Barockkirche von Balthasar Neumann und in dem gut konservierten und mit zahlreichen bemerkenswerten Bauten versehenen *Steinau* im Kinzigtal das Unikum einer im protestantischen Auftrag erbauten Barockkirche. Für das Rokoko erinnern wir an Schloß Wilhelmsthal bei Kassel und nennen die Kanzel und den Hochaltar in der katholischen Kirche von *Königstein* im Taunus. Die Renaissance haben wir nicht übergangen, sondern werden sie in den zahlreichen Residenzschlössern des Landes überall antreffen.

Residenzstädte

Zahlreiche Residenzschlösser? Wir haben schon darauf hingewiesen, daß das heutige Hessen auch das ehemalige Nassau mitenthält. (Dieses Haus hat in Adolf einen deutschen König gestellt [1212 bis 1298] und in der Linie Nassau-Oranien die Niederlande selbständig gemacht und England [Wilhelm, König von England] siegreich gegen Ludwig XIV. geführt.) Wir haben auch die Teilung Hessens zur Zeit Philipps des Großmütigen erwähnt. Fügen wir hinzu, daß auch das Haus Nassau seine Söhne nicht gern leer ausgehen ließ, und so werden die Klein- und Kleinstherrschaften leicht verständlich. Die Familien waren groß, jeder sollte etwas haben, also wurde das Territorium immer wieder geteilt und jedesmal ein neues Schloß erbaut, oft weit über die finanzielle Kraft des jeweiligen

SCHLOSS HANAU · Bis 1642 war Hanau Sitz der Grafen von Hanau-Münzenberg. Schloß Philippsruhe (Bild) hat die schweren Zerstörungen der Altstadt im zweiten Weltkrieg überstanden. Die ehemalige kurfürstliche Sommerresidenz an der Mündung der Kinzig in den Main ist heute eine wichtige Industriestadt.

»Herrschers«. Vergessen wir auch nicht die regierenden Häuser Solms, Hanau, Katzenelnbogen, Isenburg. Solche Residenzen, die im Kern fast alle mehr oder weniger der Renaissance verpflichtet sind, sind Usingen, Idstein, Runkel mit seinem Burgen- und Türmegewirr aller Stilarten, Hadamar, Nesselröden mit seinem klassisch schönen Renaissance-Schloß, Rhoden (Fürst von Waldeck), Rotenburg a. d. Fulda, Laubach, Lich, Hungen, Braunfels, Dillenburg, Kronberg mit seiner durch Kaiser Wilhelm II. restaurierten Burg, Bad Homburg vor der Höhe, Butzbach, Büdingen (die Isenburgs, von denen es schließlich acht Linien gab!), Birstein, Weilburg mit einer geschlossen erhaltenen Gesamtanlage aus dem 18. Jahrhundert, Nassau, Diez, Oranienstein, Babenhausen, Hanau, Biebrich. Vielleicht ist die eine oder andere Residenz sogar vergessen, dann bitten wir das den Manen der Übergangenen ab. Aber wir müssen auch noch andere Schönheiten nennen.

Kleine Städte, Marktplätze, Rathäuser

Städtchen gibt es in Hessen, die einem das Herz wie in zärtlicher Verliebtheit hüpfen lassen. *Schlitz* etwa, dieses verwinkelt-verstiegene Ding, wo man an jeder Ecke mit dem Kopf gegen eine Burg stößt und dann wieder den Weg hinunter sucht und von einem strudelnden Gäßchen auf dem Marktplatz, nein, Marktplätzchen, abgesetzt wird, einem Siebenzwergenplätzchen im ewigen Schlaf, auf dem das Wasser in einen uralten Brunnentrog plätschert... Oder Fritzlar! Wir haben doch, wenn wir uns recht erinnern, über die allzu seltenen geplanten Plätze geklagt? Hier ist einer, rechteckig, warm getönt wie ein offener Saal, italienisch anmutend in der geschlossenen Anlage. Und gleich in der Nähe der Marktplatz in Homberg an der Efze, welch ein Taumel von Licht in dem Fachwerkgedränge des leicht windschiefen Platzes unter dem Kirchberg! Melsungen, welch ein geschlossen konserviertes Gemeinwesen. Und das Rathaus, und nicht nur das Melsunger, auch das Alsfelder, Michelstadter, Gelnhausener (das alte, romanische), Fritzlarer, das von Bad Sooden-Allendorf, das Butzbacher, und damit geraten wir wieder in Jubel über die kleinen Marktplätze, Heppenheim, Treysa, und zu den kleinen Städten überhaupt: Eschwege, reiche, traditionsreiche, bautenreiche Stadt mit dem schönen Landgrafenschloß, und mit seiner burgenreichen Umgebung, mit den vielen kleinen Nestern, die in keinem Reiseführer ein Sternchen haben und doch selber Sterne sind, Netra, Wanfried, Waldkappel. Oder blicken wir zum Rhein hinüber, wo wir von Lorch bis Wiesbaden fast jedes Nest besingen müßten – begnügen wir uns mit dem abseits liegenden Kiedrich, das eine schöne gotische Kirche mit überreicher, geschmackvoller Innenausstattung und die vielgepriesene Kiedricher Madonna besitzt; auch eine Hallgarter Madonna gibt es, die kaum weniger berühmt ist.

Halten wir inne, wir schreiben ja hier keinen Reiseführer, sondern einen großräumigen Überblick. Waren wir nicht sogar zu voll des Lobes über die Heimat? Denn schließlich wohnen hinterm Berg auch Leute. Ach, wir haben zu wenig gesagt. Denn warum haben wir das alte Wetzlar und seine merkwürdig verkapselte romanisch-gotische Kirche nicht ausführlich gefeiert? Warum haben wir Gießen, das nach schweren Kriegsschäden sich radikal mo-

WEILBURG · Eine der wuchtigsten Schloßanlagen erhebt sich über dem Städtchen an der Lahn, das aus einem ehemaligen königlichen Hofgut hervorgegangen ist. Hier wurde König Adolf von Nassau geboren. Zum Schloß gehören eine barocke Kirche, ein prachtvoller Schloßhof und ein baumreicher Park mit wertvollen alten Bäumen.

Ulrich von Hutten
* 21. 4. 1488, † 29. 8. 1523
Humanist und Reichsritter

Georg Chr. Lichtenberg
* 1. 7. 1742, † 24. 2. 1799
Physiker und Schriftsteller

Wilhelm Grimm
* 24. 2. 1786, † 16. 12. 1859
Germanist

Jakob Grimm
* 4. 1. 1785, † 20. 9. 1863
Germanist

dernisiert, außerhalb gelassen? Und das sind nur zwei der vielen Städte und Orte, die sich bitter beklagen können . . .

Der erste Bestseller

Die wirklich Großen, darüber müssen wir uns klar sein, wachsen über ihren Landschaftsraum hinaus. Und verleugnen ihn doch nicht. Noch im hohen Alter sagte Goethe, wenn er seinen Namen nannte: Geedee. Und auf »Gleichnis« reimte er »Ereignis«, weil er es »Ereichnis« aussprach.

Johann Wolfgang von Goethe (1749 bis 1832) ist der Größte, den dieses Land hervorgebracht hat, und vielleicht der größte Deutsche überhaupt. Der Frankfurter Patriziersohn gab einer ganzen Epoche, dem »Sturm und Drang«, den gültigen jugendlichen Ausdruck: bis nach China drang »Werther«, der Empfindsame, als der erste »Bestseller« der Welt. Und der »Götz« wischte mit einer Handbewegung den Puderstaub des 18. Jahrhunderts hinweg. Weimar und Italien haben den Dichter verwandelt und ihn übrigens für Jahrzehnte des Publikums beraubt. Doch das machte den selbstbewußten Mann nicht irre. Spät kam die zweite, die dauerhafte Geltung. Die erste, die stürmische, war der Frankfurter Ruhm gewesen.

Fast ebenso groß ist der Gelnhausener *Hans Jakob Christoffel von Grimmelshausen* (1622 bis 1676), der Soldat und literarische Gestalter des Dreißigjährigen Krieges, der Schöpfer des deutschen Romans. Und wieder ist es wie so oft: das Erste ist zugleich das kaum zu Übertreffende. Und eine andere Wahrheit zeigt sich an ihm ebenso deutlich: die Zeitgenossen haben seine Bedeutung nicht erkannt. Die Literaten seiner Epoche, die sich in Akademien und Zirkeln und auf theoretischen Tagungen tummelten, erwähnen mit keinem Wort weder den jugendfrischen »Simplicissimus« noch seinen Autor.

Aus altersgrauer Zeit dämmert die Fuldaer Mönchsschule herüber. Das »Hildebrandslied« ist uns in einem Fuldaer Bruchstück überliefert. Den »Heliand«, der Christus als Ritterkönig und die Apostel als treue Mannen feiert, schreibt man heute nicht mehr den Fuldaer Mönchen zu, doch muß der Autor mit ihrer Schule in Verbindung gestanden haben. Die lateinisch schreibenden Hrabanus und Einhard, Karl des Großen Biograph, haben lange Zeit Fuldaer Luft und Geist geatmet.

Geistesfreiheit und »Ghetto Europas«

Georg Büchner (1813 bis 1837), der dichtende Revolutionär aus Goddelau bei Darmstadt, hätte für den Freiherrn vom Stein nicht viel übrig gehabt, obwohl manches seiner Worte ähnlich klingt. Aber Büchner erwartet nichts von Liberalisierung und Konstitution. Geistesfreiheit ist ihm weit weniger wichtig als die Sättigung der Armen. Er ist der Mann der proletarischen Revolution, der vor der Polizei in die Schweiz flieht und dort am Typhus stirbt. »Woyzek« ist die Tagödie des armen Teufels, dem weder die Gnade der Bildung noch die der Sättigung zuteil geworden ist und der dennoch ein liebender Mensch ist. Und der schließlich verrückt wird, weil's ihm zu viel wird. Ein Bilderbogen, mit großem Pinsel an einen leeren trüben Himmel gemalt. In »Dantons Tod« sterilisiert die Revolution sich selbst – ein sehr illusionsloses Stück. Resignation oder Vorstufe zu einer gelasseneren Anschauung? Es gibt keine nächste Stufe, der Mann mit dem »kleinen Mund« ist allzu früh gestorben.

»Laßt nur einmal den Zufall an den Tag bringen, daß sich unter den spanischen Jakobinern ein Ma-

AROLSEN · Im Nordwesten des Landes liegt die ehemalige Residenz der Fürsten von Waldeck-Pyrmont. Das Schloß zählt zu den Glanzstücken deutscher Barockkunst. Das Städtchen wurde vor über zweihundert Jahren rings um das Schloß herum angelegt. Es hat seinen Residenzcharakter bis heute bewahrt.

Joh. Wolfgang v. Goethe
* 28. 8. 1749, † 22. 3. 1832
Dichter

Georg Büchner
* 17. 10. 1813, † 19. 2. 1837
Dichter

Ludwig Börne
* 6. 5. 1786, † 12. 2. 1837
Schriftsteller

Justus von Liebig
* 12. 5. 1803, † 18. 4. 1873
Chemiker

FRIEDBERG · Wo der Taunus in die Wetterau übergeht, lag einst ein römisches Kastell mit einer Wohnsiedlung. Im Mittelalter war Friedberg eine Freie Reichsstadt mit einer Kaiserburg. Die Reichsburg und das Renaissanceschloß aus den ersten Jahren des 17. Jahrhunderts zählen zu den Hauptsehenswürdigkeiten.

thematiker befinde, und sogleich wird euch der Bundestag die Logarithmen verbieten.« Dieser Satz wird ein Jahr vor Büchners Tod, 1836, geschrieben, aber nicht von Büchner, sondern von *Ludwig Börne* (1786 bis 1837). Der geistreiche Frankfurter ließ an der Kunst nur die politische Wirkung gelten, und mit diesem Kriterium erweckte er sich einen begeisterten, äußerst »wirkungsvollen« Schüler, den jungen Friedrich Engels. Börne, durch Napoleon zeitweise aus dem Frankfurter Ghetto befreit, durch die Ära Metternich wieder zurückgestoßen, empfand schließlich sein zweideutiges Vaterland als das »Ghetto Europas«. Freiheit kann nur existieren, wenn *alle* unterdrückten Schichten befreit werden. Seinem alten Freund Heine warf er ungenügende politische Konsequenz vor, und Heine sagte in seiner »Denkschrift über Ludwig Börne«, er habe eine Zeitlang die politische Gesinnung, nie aber die philosophische und künstlerische Gesinnung mit ihm geteilt. Und gelassen fügt er hinzu: »Ich war nie Börnes Freund, und ich war auch nie sein Feind.« Beide haben recht, jeder auf seine Weise. Es gibt eben verschiedene Weisen, über die einheimischen Verhältnisse hinauszuwachsen.

Fügen wir nun noch hinzu, daß Männer wie Hutten und der scharfzüngige Lichtenberg aus unseren Breiten stammen, der eine aus dem Fuldischen, der andere aus Darmstadt, dann geraten wir in Versuchung, den Hessen, diesen fränkischen Hessen, Aufsässigkeit und Revolutionsgeist zu attestieren; dazu müßten wir den jungen Goethe gänzlich vom reifen Goethe trennen. Den *Clemens Brentano* (1778 bis 1842), diesen verspielten Märchenerzähler und frommen, später sogar frömmlerischen Dichter, müßten wir auf romantische Witzigkeit und Impertinenz einschränken, und von den Hanauer Brüdern *Jakob* (1785 bis 1863) und *Wilhelm Grimm* (1786 bis 1859) dürften wir nur den Göttinger Widerstand gegen den Landesfürsten ernst nehmen. Ihren Glauben an die einzige echte Kraft, nämlich den dichterischen Uranfang der Menschheit, müßten wir unterschlagen; woraus aber ihre eigentliche Leistung erwuchs. Sie haben die alten Volksmärchen gerettet, die Geschichte der Sprache und die Sprachwissenschaft gepflegt und das Deutsche Wörterbuch auf den Weg gebracht, die Rechtsaltertümer gesammelt, Vorvätersagen aufgeschrieben und untersucht... Und da ist der Biebricher W. H. Riehl, der in seinen tiefgründigen Arbeiten die »Volkskunde« begründete und ein Stammvater der Gesellschaftswissenschaften geworden ist... Nein, man kann einen Stamm nicht auf eine vorherrschende Gemütsart festlegen und einengen, und dies nicht nur deshalb, weil der Stamm kein einheitlicher Stamm ist, sondern weil Menschen Menschen und nicht nur Stammes- und Familienglieder sind.

Wirtschaftszentren im Rhein-Main-Gebiet

Die ursprünglichsten Wirtschaftsverhältnisse beruhen auf der landschaftlichen Formation und den mineralischen Vorkommen. Das waldreiche Hessen hat eine bedeutende Forstwirtschaft, in der fruchtbaren Rhein-Main-Ebene, der Wetterau und dem Gebiet der Schwalm, Eder und Fulda bei Kassel Getreidebau, Obst- und Gemüsebau, an den Rhein- und Mainhängen und an der Bergstraße Weinbau, im Fulda-Werra-Gebiet und zwischen Bergstraße

BAD WILDUNGEN · Im südlichen Teil von Waldeck, zwischen Fritzlar und Edersee, liegt das international bekannte Nierenheilbad. Seine berg- und waldreiche Umgebung machen es zu einem beliebten Kurort, der auch in Winterzeiten gleichermaßen gern von Gesunden und Kranken aufgesucht wird.

und Rhein Tabakanbau. Auf den weniger ergiebigen Böden herrscht Weidebetrieb mit Rindvieh, Schaf und Ziege. Im nördlichen Hessen ist der überwiegende Erwerbszweig die Landwirtschaft, im Rhein-Main-Gebiet und in Südhessen dagegen die Industrie.

Basalt, Porphyr und Sandstein sind der geologischen Schichtung entsprechend reichlich vorhanden; ein guter Marmor kommt im Lahngebiet vor, Schiefer im Taunus, Braunkohle zwischen Taunus und Vogelsberg, Kali zwischen Vogelsberg, Rhön und Meißner, an den Lahnhängen Eisenerz, das in Wetzlar verhüttet wird, Erdgas in Wolfskehlen und Erdöl bei Stockstadt in der Nähe von Darmstadt; Ton wird in Dillenburg und sonst im Westerwald, im »Kannebäckerländche«, verarbeitet, überdies in Almerode bei Kassel, wo Schmelzformen für den Eisenguß hergestellt werden. Zahlreiche Heilquellen haben zur Entwicklung wirkungsvoller und schön gelegener Bäder geführt: Aßmannshausen, Schlangenbad, Fachingen, Ems, Schwalbach, Wiesbaden, Vilbel, Homburg vor der Höhe, Nauheim, Selters, Bad Orb, Soden (Kinzig), Soden (Taunus), Sooden-Allendorf, Salzschlirf, Hersfeld, Wildungen, Karlshafen, und im Odenwald Bad König.

Das sind die natürlichen Verhältnisse und Vorkommen, die keinen außerordentlichen Charakter aufweisen. Die eigentlichen Industriegebiete und Verkehrs- und Handelszentren liegen naturgemäß im Rhein-Main-Gebiet. Hanau fabriziert Schmuck in Gold- und Silberschmieden, Darmstadt liefert Arzneien, Offenbach ist für Lederverarbeitung weltberühmt, in Frankfurt werden Maschinen, Fahrzeuge und elektrotechnische Geräte gebaut; außerdem ist diese sechstgrößte westdeutsche Stadt ein Straßen-, Eisenbahn- und Hafenumschlagplatz erster Ordnung, vielfache Messestadt und im Bank- und Versicherungswesen führend. Im Vorort Höchst stehen die bedeutenden Farbwerke; chemische Industrie ist sonst nur noch in Wiesbaden-Biebrich vorhanden, wo auch ein großes Zementwerk (Dyckerhoff) ansässig ist. Fahrzeuge werden außer in Frankfurt in bedeutendem Umfang nur noch in Kassel und in Rüsselsheim gebaut. Kassel hat auch neben Wetzlar eine bedeutende optische Industrie. Auch die Elektrotechnik ist dort, wie auch in Fulda, vertreten. Der Gießener Maschinenbau verdient genannt zu werden. Schließlich liegt in Gustavsburg ein bedeutendes Teilwerk der MAN, und ganz in der Nähe, in Kostheim, eine Zellstoff-Fabrik. Nennen wir schließlich noch Fulda für Textilien, Autoreifen und Wachskerzen, Hersfeld für Schwerweberei, Kirchhain für Tapeten, so dürften wir die wesentlichen Industriezweige ohne Abschweifungen in zu lokale Einzelheiten sichtbar gemacht haben.

An geistigen, naturwissenschaftlichen und technischen Bildungsstätten besitzt Hessen in Frankfurt, Gießen und Marburg Universitäten, in Darmstadt eine Technische Hochschule.

Heimkehr

Sollten wir nun nicht doch diesem Land und seinen Menschen eine bestimmte Eigenart zusprechen? Mittelland, sagten wir. Wären vielleicht die Leute hier mittlere und sachlich vernünftige Charaktere? Mystik, das gab es doch wohl hier nicht? Aber wir brauchen nur bei Rüdesheim bergauf nach Eibingen und auch über den Rhein zu blicken, da fällt uns die große Mystikerin Hildegard von Bingen ein. Und was auch immer wir betont in den Vordergrund oder auch in den Hintergrund rücken möchten – mit dem einen universalen Goethe ist sogleich alles widerlegt. Es ist wohl nicht anders – die menschliche Natur ist reich und weit, hier wie überall. Und so kehren wir über die Taunushänge zurück.

Humor in Hessen

Wieviel Kanone?

Als der Krieg zwischen Preußen und Nassau ausbrach, meldete sich der nassauische Oberkommandierende beim Herzog und fragte: »Hoheit, wieviel Kanone nemme mer mit?« Der Herzog besann sich eine gute Weile und entschied dann: »Fort, nemmt se alle zwaa mit!«

Mißverständnis

In einem kleinen hessischen Ort gab es vor langer Zeit einen Amtsschreiber namens Schröder, der wegen seines Schalkes und seiner spitzen Feder weithin bekannt und gefürchtet war. Schröder lag wiederholt im Streit mit der hohen Gerichtsbarkeit in Kassel. Der Federkrieg erstreckte sich schon über eine geraume Zeit, als Schröders Hartnäckigkeit schließlich ein übles Ende für ihn nahm, und er sich offiziell entschuldigen mußte. Trotz seiner Niederlage wollte er jedoch nicht auf einen kleinen Racheakt verzichten. Vorschriftsmäßig begann er nach der Überschrift auf der unteren Bogenhälfte zu schreiben. Man las dort: »Das hohe Gericht kann mich am ...«; dann mußte die Seite gewendet werden: »... Ende nur mißverstanden haben!«

Von seinem Standpunkt aus

Der durch seine Illustrationen der Grimmschen Märchen bekannte Maler Otto Ubbelohde kam oft in das Schwälmer Malerdorf Willingshausen. – Als er wieder einmal da war, um die Landschaft nach Motiven zu durchstreifen, bestellte er sich bei einem Schuhmachermeister, der zugleich auch Kleinbauer war, ein Paar feste Gamaschen, wie man sie bei regnerischem Wetter auf Feldwegen braucht. Der Mann nahm dem Künstler Maß, staunte über seine kräftigen Waden und meinte in seinem biederen Bauernverstand: »Wer so Beeng hot, der brüchcht net zu male, der kann geärweln (arbeiten)!«

Nächtliches Bibelgespräch

Nicht nur unter Studenten, sondern auch unter manchen ihrer Lehrmeister erfreut sich das Trinken großer Beliebtheit. So gab es in einem hessischen Universitätsstädtchen einmal einen Professor Paulus, der mitternächtlich in schwankendem Zustand heimwärts ging und mit einem Studenten zusammenstieß, der den geistigen Getränken nicht minder zugesprochen hatte. »Paulus«, stellte sich der Professor vor. »Sehr erfreut«, erwiderte der Student, »kannst du mir sagen, Paulus – hick, ob die Galater dir schon auf deinen Brief geantwortet haben?«

Das fromm Luisje

Das Luisje ist so fromm, daß es einem auf die Nerven geht. Hat die nichts anderes zu tun »wie alsfort in die Kerch ze laafe«? Eines Tages wird endlich was anderes von ihr erzählt. Sie ist am Abend vorher mit einem jungen Mann in die Wiesen hinausspaziert. Nach einer Weile hat der junge Mann gefragt: »Luisje, derf ich Ihne mol en Kuß gewwe?« Und Luisje hat leise geantwortet: »Wann Se so gut sein wolle.« — Das arm Luisje.

Der Bürjermeister will das nit

Herr Deckschied gehört auch zu dem Stammtisch im Ratskeller. Eines Nachts befällt ihn auf dem Heimweg ein so gebieterisches Bedürfnis, daß er keine andere Rettung sieht, als mitten auf der Straße die Hosen zu wenden. Plötzlich steht der Nachtwächter vor ihm, blickt auf den hockenden Herrn hinunter und sagt mit respektvollem Vorwurf: »Herr Deckschied, das will aber der Herr Bürjermeister nit.« Deckschied blickt auf: »Ich aach nit. Wolle Sie's?«

Inkognito

Als der Großherzog von Hessen mit seinem Adjutanten, Oberst von Westerweller, inkognito nach Mainz fuhr, um sich eine Operette anzusehen, erblickte er zu seinem Schrecken bei der Ankunft auf dem Bahnhof den Mainzer Kreisdirektor Freiherrn von Küchler in Gala und hinter ihm noch andere zum Empfang aufgestellte Beamte. – Wütend über sein verratenes Inkognito gab er seinem Adjutanten den Auftrag: »Westerweller, sagen Sie dem verdammten Kuchenbäcker, er solle mich ...!« – Gleich aber rief er den davoneilenden Adjutanten zurück: »Um Gottes willen, Westerweller, bleiben Sie hier! Der Kerl ist imstande und tut's!«

Mer nemme's uff uns

Vor einigen Jahren veröffentlichte ein launiger Schreiber in einer Kölner Zeitung einige despektierliche Nachrichten über das großherzogliche Haus von Hessen-Darmstadt.

Ein empörter Leser schickte den Zeitungsausschnitt an die Hoheit nach Darmstadt und drückte seinen Zorn über den frechen Aufsatzschreiber aus. Nach einiger Zeit erhielt er eine Antwort aus Darmstadt, von der Hand des Privatsekretärs, der sich im Namen des Großherzogs für die gute Meinung bedankte. Übrigens laute das Urteil seines Herrn, nach Lektüre des bewußten Artikels: »Mer nemme's uff uns.«

Was 'n Gebabbel for 'n Förschter

Der Hannes kommt aus dem Wald mit einem Leiterwagen voll Holz. Er hat alle Hände voll zu tun, um den Wagen an dem steilen Hang in der Gewalt zu behalten. Plötzlich steht an einer Wegbiegung der Förster vor ihm: »Halt! Wo is das Holz her?« Der Hannes bremst, guckt den Förster groß an und sagt: »Was 'n Gebabbel for 'n Förschter: wo is das Holz her. Aus 'm Staabruch!«

Iphigenie

Zwei gute alte Frankfurterinnen, die seit vielen Jahren einen Stammplatz im Schauspielhaus hatten, unterhielten sich über den Spielplan. Eine von ihnen hob hervor, daß in der kommenden Woche auch Goethes »Iphigenie« gegeben werde. Worauf die andere wegwerfend erwiderte: »Ach, die Iphischéni, die iwwerhippel (überspringe) ich!«

Die Gabe der Natur

Ein lebenslustiger geistlicher Herr, pensioniert und Besitzer einiger Weinberge, hat auch ein paar Fäßchen auf der Naturwein-Versteigerung. Die Versteigerung ist in vollem Gang. Da nimmt ihn ein Weinkommissionär, alter Schulfreund von ihm, beiseite und flüstert: »Heinrich, du iwwerdreibst. Das is doch e Nadurweinversteigerung. Du host jo en halwe Zentner Zucker in dei'm Wein.« Der geistliche Herr fragt in tiefem Baß zurück: »Ja, is dann der Zucker keine Gab' der Nadur?«

Heinrich Böll *Revier auf roter Erde*

Wenn der D-Zug Hamburg–Frankfurt wenige Kilometer südwestlich von Osnabrück den Bahnhof Hasbergen passiert, sich dem Ort Lengerich nähert, ahnen wohl nur wenige Reisende, daß sie über eine Landesgrenze, aus Niedersachsen kommend, ins Land Nordrhein-Westfalen eingefahren sind. Grenzen sind unsichtbare, aber zähe Linien; die vielfältigen Windungen, Schlaufen und Ecken, mit denen auf der Landkarte so pedantisch die Ländergrenzen markiert sind, waren einmal Grenzen von Machtbereichen, Interessen, Religionen, Sprachen, Lebensformen, sind es zum Teil noch heute. Die Landschaft um Hasbergen unterscheidet sich nicht von der um Lengerich und Münster; unendliche, grüne Fläche, in der die großen roten Bauernhöfe noch in germanischer Einsamkeit liegen, stolz vor der messerscharfen Linie des Horizonts, der hier die Landschaft bestimmt.
Mag der Reisende noch Münster als Stadt registrieren, groß im Vergleich zu dem Raum, der sie umgibt, wirkliche Hauptstadt einer Provinz mit Kathedrale und Universität; auf der Weiterfahrt zwischen Hamm und Köln registriert er die Städte nicht mehr, obwohl sie drei-, vier-, fünfmal so groß sind wie Münster; zwischen Hamm und Köln erscheint alles wie eine einzige riesige anonyme Großstadt, deren Vororte die Eitelkeit haben, eigene Bahnhöfe zu errichten und ihren Namen ausrufen zu lassen, und doch sind in diesem Riesengebilde, das keinen Horizont mehr bietet, die Ecken, Schlaufen und Windungen der Landkarte nicht weniger bedeutsam und nicht weniger zäh; zwischen Bottrop und Essen, zwischen Hagen und Wuppertal oder Oberhausen und Gelsenkirchen fährt der Zug wieder über eine unsichtbare Linie, jene, die das Rheinland von Westfalen trennt; und diese Grenze, die irgendwo zwischen Hochöfen, Fördertürmen, Kanälen, Eisenbahnlinien verläuft, ist keineswegs illusorisch; hüben ist man Rheinländer, drüben Westfale; durch die eigene, die Ruhrgebietssprache, klingen noch Dialektunterschiede durch; was man hüben für Humor hält, gilt drüben als abgestanden – und umgekehrt, mögen auch heute die Straßenbahnen ungehindert jene unsichtbare Linie passieren, die früher durch Schlagbäume scharf gekennzeichnet war.
Innerhalb weniger D-Zug-Stunden wechseln die Eindrücke so oft, daß der Reisende kaum Zeit findet, sie zu ordnen: eingekeilt zwischen Schachtanlagen und Schlackenhalden sieht er pflügende Bauern und dampfende Kühe. Endlich, bei Köln, der Rhein, der sich deutlich als Grenze präsentiert.
Köln ist die Stadt der Brücken, ist heimliche Königin, uralter Knotenpunkt der Straßen, die von Süden nach Norden, von Westen nach Osten führen; der Rhein ist eine unübersehbare Grenze, selbst dem Reisenden als solche erkennbar, den die Winkel und Schlaufen der Landkarte wenig interessieren; auch wenn der Zug bei Dunkelheit oder Nebel über die Rheinbrücke fährt, der Reisende wird aufmerksam; dunkel dröhnt es, fast drohend, man blickt aus den Fenstern: Brücken verbinden die beiden Ufer, die immer noch nicht ganz miteinander versöhnt sind.
Seit die Sigambrer und Cherusker, die Chatten und Brukterer über die erste Brücke, die nur wenige hundert Meter südlich von dieser Eisenbahnbrücke über den Rhein führte, in die römische Gefangenschaft marschierten, hat sich der Rhein kaum verändert; unter dem Marschtritt dröhnten die Bohlen, wie heute die Stahlträger unter den D-Zügen dröhnen. Dort drüben fing Rom an, dort gab es gepflasterte Straßen, gemauerte Häuser, so eng beieinander lag alles, so fremd; auf Steinen und Straßen war die römische Macht gegründet, Steine und Straßen blieben von ihr übrig; unzählbar die Heerzüge, die Flüchtlingsströme, die über diese Brücke gezogen sind, hin und her, her und hin, Römer und Germanen, Kosaken, Spanier, Hunnen und Schweden, siegreiche Heere, die später geschlagen, geschlagene, die später siegreich wurden, alles zog über diese Brücke, ließ Fußkranke und Deserteure, Spaßmacher, Händler, alle, die keine Lust mehr hatten, zurück; fromme Pilgerzüge kamen, unfromme Plünderer, und immer dröhnten die Bohlen der Brücke.
Wie sollte das Wort Rasse am linken Ufer dieses Flusses etwas anderes als Hohn hervorrufen können, wie sollte man in diesem Lande nicht in jeder Armee Niederlage und Sieg zugleich sehen? Zu viele Sieger sind hoch zu Roß als Besiegte über diesen Fluß gezogen, zu viele Besiegte als Sieger; die heimliche Königin, ohne Krone, Schloß und Zepter, zeigte ein Lächeln, das viele Deutungen zuließ: fromm oder korrupt, mitleidig oder erbarmungslos. Sie erwies sich als untauglich für die gotischen Träume, untauglich auch fürs Barock, zu groß, zu fest gegründet waren die romanischen Kirchen, die sie wie eine Henne brütete, als daß ein anderer Stil die Stadt noch hätte prägen können; eine Spur Barock brachten die Jesuiten ein, nur eine Spur, und den gotischen Traum vollendeten die preußischen Könige; so entsteht beim Fremden, der vom Bahnhof aus den gigantischen Dom sieht, der irrige Eindruck, eine gotische Stadt zu passieren.

Über Ems und Lippe, Ruhr und Wupper, über viele Kanäle ist der Zug hinweggefahren, aber erst der Rhein, hier aller Lieblichkeit bar, grau und breit, mit der tödlichen Gleichgültigkeit der Natur, präsentiert sich als deutliche Grenze jedem, der nicht in Überschallgeschwindigkeit über diese Erde hinweghuscht; nicht zufällig verstummen die Reisenden, wenn das Dröhnen beginnt und für eine Weile nicht aufhört; uralte, vererbte Gefühle werden wach; man weiß nicht, wohin mit ihnen; dieser Strom da unten ist Majestät, man spürt es – die TEE-Züge scheinen ein Scherz zu sein; siebenhundertmal täglich hebt das Dröhnen an.
Die unsichtbaren Grenzen, die der Zug überfährt, sind jünger als diese deutlich sichtbare, der Rhein. Sprachgrenzen, Grenzen der Brotform, der Bräuche, Konfessionen, Bistümer, der Rechtsprechung. Wer die merkwürdigen, oft so zufällig wirkenden Winkel der Landkarte begradigen würde, würde uralte Gefühle verletzen. Eine unsichtbare Linie zwischen Mehlem und Remagen trennt Sprachen und Brotformen; hüben spricht man »fast wie in Köln«, drüben »fast wie in Koblenz«, hüben bäckt man das Brot lang, drüben rund; hier hat der Katholizismus eine Trierische, dort eine Kölnische Färbung; die Kölnische Färbung bedeutet: Liberalität, Souveränität; versöhnt mit dem Bischof hat man sich in Köln erst, als er aller weltlichen Macht entkleidet wurde, eine fast niederländische Hartnäckigkeit, während das Trierische gehorsamer, barocker ist; es ist kein Zufall, daß das Barock als Stil nie so richtig über diese Linie zwischen Mehlem und Remagen hinaus ins Rheinland vorgedrungen ist.
Wenn man von Westen nach Osten durch dieses vielfältig gegliederte Bundesland fährt, empfindet man die Unterschiede als ebenso groß wie auf der Fahrt von Norden nach Süden; zwischen Köln und Aachen, bis nahe an den Niederrhein und die Eifel zieht sich ein zweites, fast völlig unbekanntes Kohlenrevier: Braunkohle wird hier im Tagbau abgebaut, in der Nacht wirken die riesigen Bagger wie Ozeandampfer auf den Hängen der tiefschwarzen Gruben, die sich unerbittlich über Dörfer hinweg auf die großen Städte wie ein Aussatz zufressen, eine Welt der Maulwürfe, die ihre Beute in gewaltigen Öfen verbrennen und ihren Qualm auf die menschlichen Siedlungen zuschicken; vor dem Mammon, der ihren Beherrschern zur Verfügung steht, fallen die ältesten Grenzen und Privilegien, Wasser, Erde und Wald beugen sich ihm, wie sie sich vor den Erdölraffinerien beugen, die am Rheinufer ihre abstrakten Kulissen errichten.
So schwindet im Zentrum des Landes die Landschaft, erhält sich nur in den Außenwinkeln, zwischen Arnsberg und Brilon im Sauerland, in der Eifel, am Niederrhein, und zwischen Bonn und Hamm, Krefeld und Hagen wächst alles andere zu einer riesigen Stadt zusammen, die mehr Einwohner hat als Schweden und Norwegen miteinander. Die uralten Linien bleiben, zäh, wie Grenzen sind; wie lange sie noch Bedeutung haben, wann sie anfangen werden, fiktiv zu sein, ist nicht zu bestimmen; noch ist man Rheinländer von Aachen bis kurz hinter Wuppertal, Sauerländer von Schwelm bis Niedermarsberg, ist aber in Siegburg kein Siegerländer. Vorsicht, überall tritt man auf föderalistische Hühneraugen, verletzt Partikulargefühl! In diesem Bundesland Nordrhein-Westfalen hat Europa die Spuren seines Reichtums und seiner Fülle hinterlassen und die Spuren all seiner Krankheiten; hier sind unzählige Herzogtümer, Bistümer, Städte und Reiche immer wieder auseinandergerissen, immer wieder zusammengeflickt worden, und an den Nahtstellen schmerzt es noch immer. Durch die einheitliche Farbe, die das Bundesland Nordrhein-Westfalen kennzeichnet, schimmert noch das fleckige, vielfältige Gebilde des späten Mittelalters hindurch, das wie ein Narrenkleid aussah. Steinkohle, Braunkohle, Stahl, Samt und Seide, Chemie und Erdöl, die neuen Herrscher, haben die unsichtbaren Linien noch nicht ausgemerzt, über die der D-Zug gleichgültig hinwegbraust.
Hamm ist von Köln nur so weit entfernt wie Reutlingen von Friedrichshafen, wie Itzehoe von Flensburg. Wiegt man Zwischenräume aber nicht nach der Anzahl der Kilometer, sondern nach der Anzahl der Schicksale, so werden die D-Zug-Stunden zu einer Fahrt durch ein Traumland, dessen Häßlichkeit Größe hat; die wenigen hübschen Siedlungen, alte Bauernhäuser und Kirchen, die Einblicke in liebliche Flußtäler täuschen nicht hinweg über die eindrucksvolle Häßlichkeit, die hier die Landschaft geprägt hat; Industrielandschaft nennt man es, sie entsteht, wenn Mensch und Tier, Wasser, Wald, Luft und Erde der nackten Nützlichkeit weichen; unberührt geblieben von dieser Gewalttätigkeit ist nur der Rhein, der, obwohl der schmutzigste Fluß Europas, nichts an Majestät eingebüßt hat; er, auf den sich alle Linien dieses Landes zubewegen, tritt zwischen Bonn und Köln in ein letztes, dem Fremden unbekanntes Stadium seines Laufes, er wird zum Niederrhein, ist nicht mehr mit Wein identisch, ein Breughel-Fluß, an dessen Ufern es niederländisch zugeht.

WALTER VOLLMER Nordrhein-Westfalen

Der Heraldiker, der das Wappen des Landes Nordrhein-Westfalen entwarf, hat seine Aufgabe sehr sinnfällig gelöst: auf der linken Seite fließt der Rhein, rechts bäumt sich das Westfalenroß, und in der Wappenspitze blüht unten die lippische Rose. Seine Arbeit dürfte in das Jahr 1946 fallen, denn damals wurde das Land ins Leben gerufen. Lippe kam freilich erst 1947 hinzu. Im Norden der früheren preußischen Rheinprovinz befinden sich die Regierungsbezirke Düsseldorf, Köln und Aachen, in Westfalen und Lippe Arnsberg, Münster und Detmold. Köln ist Sitz des Landschaftsverbandes Rheinland, Münster des Landschaftsverbandes Westfalen-Lippe. Düsseldorf ist Sitz der Landesregierung, Bonn die Hauptstadt der Bundesrepublik. Man wäre also beinahe versucht, von einem »Land der Hauptstädte« zu sprechen! Das Land hat ungefähr sechzehn Millionen Einwohner, dreiundzwanzig Großstädte und sieht flächenmäßig aus wie ein Parallelogramm. Als Nicht-Mathematiker kann ich unter Aufwendung einiger Phantasie ein Parallelogramm nur als ein verrutschtes Rechteck bezeichnen. So ungefähr jedenfalls dürfte es stimmen.

Der alte Vater Rhein

Der Maler hat weder die politische Gliederung des Landes in ihren Einzelheiten noch seine unterschiedliche landschaftliche Eigenart, Schönheit und Reichhaltigkeit in seinen Entwurf hineinnehmen können. Er wird es nicht einmal versucht haben, und es wäre auch unmöglich gewesen, für alles, was Nordrhein-Westfalen umschließt und enthält, einen verbindlichen Generalnenner zu finden. Von Aachen bis Elten hinauf hat es mit Holland, von Aachen südwärts bis in die Nordeifel mit Belgien seine nachbarliche Westgrenze. Im Süden schaut man über den Zaun nach Rheinland-Pfalz und Hessen hinein, und dann umgibt in weitem Bogen von Karlshafen bis Rheine überall das Land Niedersachsen unser Gebiet.

Mit den Nachbarn bestehen in lebhaftem Hin und Her alle nur denkbaren wirtschaftlichen und kulturellen Beziehungen. Im übrigen gibt es alles, was man von einem interessanten Landschaftsgebiet verlangen kann, nur kein Hochgebirge und kein Meer!

Aber mit den Möwen weht schon das Meer seinen Atem in die weite Tiefebene des Niederrheins hinein. Vor Hollands Toren zieht der *Rheinstrom* gelassen dahin, durch endlose grüne Weiden, an alten Städten, einsamen, stillen Dörfern, an Windmühlen, Deichen und Feldern vorbei, und hier hat er längst vergessen, was er im »eigentlichen« Rheinland an Burgenromantik, Winzerfreuden und mancherlei fröhlicher Poesie getragen und verklärt hat. Hier, am Ende seiner »deutschen Laufbahn«, ist er Lastenträger, weise geworden wie alle alten Flüsse, und es macht ihm gar nichts aus, ob er ein westlich plätscherndes Flüßlein wie die Niers noch aufnimmt oder nicht. Mag es aus eigener Kraft seinen Weg nach Holland suchen! Er kann noch Wasser abgeben, es in alten Nebenarmen und großen Überschwemmungen unter nebligem Winterhimmel sich verströmen lassen, ein Völker und Staaten verbindender Strom, der hier nach vielen Abenteuern seines langen Laufes bei Emmerich Deutschlands Boden verläßt. Aber, was ihm die Menschen der ganzen Welt anvertraut haben, schleppt er ge-

DUISBURG · Einen der größten Binnenhäfen der Welt besitzt Duisburg-Ruhrort. Hier ist die Pforte des Industriegebietes, die »Drehscheibe des Reviers«. Fast zehn Quadratkilometer groß ist diese gewaltige Anlage, die dem Ortsfremden wie ein unübersehbarer Wirrwarr von Hafenbecken, Kanälen und Nebenarmen erscheint.

AM NIEDERRHEIN · Nachdem der Rhein die plutonische Landschaft der Industrie zwischen Köln und Duisburg hinter sich gelassen hat, wird er gemächlich und den Weltströmen der Ebenen ähnlich. Er kann sich diese Ruhe erlauben, denn bis zu seiner Mündung stellt sich ihm kein Hindernis mehr entgegen. Das Land an seinen Ufern wird flach, und der Horizont fließt ins schier Unendliche. Unverkennbar die Verwandtschaft der Ebene — wie hier bei Zons — mit dem Münsterland.

treulich dahin: Lange Schleppzüge mit Massengütern, die es nicht allzu eilig haben; schließlich kann ein hundert Meter langer Schleppzug über zweitausend Tonnen in seinem Bauch stapeln.

Helfer von beiden Seiten

Getreue Helfer sind von Osten her hinzugekommen: Die stille Lippe, die ungebärdige Emscher, jenes enfant terrible in den Plänen der Landesplaner und Wasserwirtschaftler, ein kleines Ungeheuer, dessen Mündung aus Stauungsgründen wiederholt nordwärts verlegt werden mußte. Dann die Ruhr, Deutschlands wasserwirtschaftlich am stärksten beanspruchter Fluß, die betriebsame, industriedunkle Wupper und die hellplätschernde Sieg. Von Westen her hilft ihm eigentlich nur die Erft, denn die Rur, aus der Eifel kommend, fließt nach Belgien hinein. Rheinaufwärts, etwa ab Wesel, wird dann die Welt sehr lebendig. Sagen wir es genauer: von Duisburg-Hamborn bis südlich Köln überdröhnt der Gesang der Maschinen den Strom, glitzern in seiner Flut tausend Lichter der Städte, tausend Feuer der Werksöfen. Hier wölbt sich der Himmel oft dunkel über den städtereichen, menschenvollen, breiten Ufern, überströmt vom unablässigen Lärm des Verkehrs verbinden zahllose Brükken die industriereichen Gebiete beiderseits des Flusses. Erst im Süden bei Bonn und Godesberg wird die Szenerie eigentlich das, was man »romantisch« nennt, stiller, beschaulicher. Hier stößt die Wucht des Reviers nicht mehr über den Strom weg. Daß an der rechten Rheinseite östlich Bonns die Hügelkette *»Siebengebirge«* heißt, hat vielleicht mit den sieben Bergen gar nichts zu tun. Einige meinen, die Bezeichnung sei von »Siepen« herzuleiten, was soviel wie wasserreicher Quellgrund bedeutet. Hier hat man schöne Aussichten, regen Fremdenverkehr, die Atmosphäre ist freundlich bewegt und man selber auch. Weithin dehnt sich das Land nach Westen der belgischen Grenze zu. Darin blüht und grünt des Rheinlands Korn- und Gemüsekammer, das Vorgebirge, ein gesegneter Landstrich, früchteschwer, altes, geschichtsträchtiges Vorland, weltoffen und handelsfreudig, beinahe bis hinunter nach Aachen.

FREUDENBERG · Am westlichen Rand des Siegerlandes liegt die von Bergen und Wäldern umschlossene Kleinstadt Freudenberg. Den Reiz ihres malerischen Aussehens bilden die gut erhaltenen und gepflegten Fachwerkhäuser. In der Nähe besucht man gerne die bedeutende Wasserburg Crottorf.

Eifel und Bergisches Land

Ganz unten im Südwesten gehört ein Fünftel der *Eifel* zu Nordrhein-Westfalen. Die schon erwähnte Kölner Bucht ist eigentlich nur eine gewaltige spitzwinkelige Senke, ein Tiefenbruch des Schiefergebirges, der vor Jahrmillionen stattfand. Damals hat

ARNSBERG · Vom ansteigenden romantischen Alten Markt der Regierungshauptstadt im waldreichen Sauerland sieht man links das ehemalige Rathaus, im Blickfeld den Maximilianbrunnen und die eigenartig schöne Obere Stadtkirche, eine Hallenkirche aus dem 14. Jahrhundert mit einer Durchfahrt unter dem Turm.

die Eifel ihren geschwisterlichen Kontakt zum Bergischen Land verloren. Die Eifel hat höhere Berge, rauhere Täler, weniger Menschen, dieses herbe »Wasserland«, das die Dichterin Clara Viebig in ihren Romanen geschildert hat. Als der Neandertaler in der Eiszeit noch in dieser Gegend hauste – zumindest hat er in der Düsseldorfer Gegend sein Wesen getrieben –, waren in der Eifel noch Vulkane tätig. Wahrscheinlich auch im Siebengebirge.

Weiter östlich wellt sich, Hügel an Hügel, das friedliche *Bergische Land*, eine Abdachung der sauerländischen Berge zum Rheintal hin. Hier wohnen von alters her viele ganz besonders fleißige Leute, die schon in vorgeschichtlichen Zeiten mit Erzen, Hämmern und Eisen und auch sonstwie viel zu tun hatten. Das ist bis heute so geblieben. Es ist die Welt der engen, tiefen Täler, der Stauseen und Bäche, eine große Rumpffläche, mit Städten und Dörfern dicht besiedelt. Wuppertal liegt in einer schmalen, langgezogenen Schlucht inmitten der »ruhmreichen Berge«, wie die Leute hier ihre Heimat liebevoll-stolz bezeichnen. Aber sie sind auch tapfer auf die kargen Höhen hinaufgeklettert, die regsamen »Bergischen«, und haben dort ihre Städte, Dörfer, großen und kleinen Fabriken, Handelshäuser und Bauernhöfe errichtet, die schieferblauen unverwechselbaren Bauten ihrer buckligen Welt, ihre Barock- und Empireschlösser und – eine echte Leistung noch heute – zwischen Remscheid und Solingen die hochberühmte Müngstener Brücke geschlagen, ein Spinnennetz aus Stahl und Eisen. Der Wald ist weithin noch da, der Weidewald, nicht so umdüstert, gewaltig und endlos wie drüben im Nordosten. Gewiß, das Bergische Land ist »bergisch«, aber nicht daher hat es seinen Namen, sondern von den Grafen von Berg, die hier und jenseits des Rheines saßen. Als im Jahre 1218 Adolf III., der letzte dieses Geschlechts, starb, hatte bereits die ganze Landschaft den Namen angenommen.

Lunge des Reviers

Wenn heute ein braves Schulbuch allen Ernstes noch behauptet, das *Sauerland* hieße auch Süderland, weil es »südlich von Westfalen« läge, kann man nur den Kopf schütteln. Es liegt nicht einmal im südlichsten Westfalen, denn dieser große, kesselartige Zipfel ist das Siegerland. So billig macht es uns das Sauerland nicht, Westfalen überhaupt nicht, dieses Land der »Roten Erde«, das seinen alt-ehrwürdigen Namen hinter die »gerodete Erde« versteckt hat, während das Sauerland im alten Plattdeutsch »Suirland« hieß. Ein »suires Land« ist ein quellenreiches Land. Diese Deutung stimmt mit größter Wahrscheinlichkeit. Die drollige Erklärung, Karl der Große habe nach schwieriger Unterwerfung des rauhen Berglandes gesagt: »Das war mir aber ein saures Land!«, kann erst akzeptiert werden, wenn geklärt ist, ob er es auf Hoch- oder Plattdeutsch sagte! Noch heute sind die Begriffe »kurkölnisches« und »märkisches« Sauerland sehr lebendig. Das östlich gelegene Gebiet ist nach dem Sturz Heinrichs des Löwen (1180) Jahrhunderte hindurch unter der Regentschaft der Kölner Erzbischöfe das »Herzogtum Westfalen« gewesen. Erst 1815 entstand die Provinz Westfalen in ihren heutigen Grenzen.

Josef Bergenthal hat wohl zum erstenmal den Namen »Land der tausend Berge« für seine Heimat, das Sauerland, geprägt. Sehr schön und zutreffend, sogar poetisch! »Lunge des Reviers« ist sachlich ebenso richtig, aber nüchtern. Das Ebbe-Gebirge, dem Bergischen Land benachbart, und die Lenne-Berge im Südwesten und Westen, Haar und Haarstrang grenzen eines der herrlichsten Waldgebirge Deutschlands, den von Neheim-Hüsten bis Brilon reichenden Arnsberger Wald, nach Norden hin ab. Das Rothaargebirge und die kahle Hochebene von Winterberg werden von rauhen Winden überweht, Quellgebiet zahlreicher Flüsse, darunter Ruhr und Lenne. Die Talsperren, Riesenwasserbehälter für das menschenvolle Revier, blinken mit ihren Spiegeln in zahlreichen schluchtigen Tälern. Eine Großstadt gibt es im Sauerland nicht. Aber fast alle diese auf Bergeshöhen und in Talgründen malerisch gelegenen Orte sind alt, ihre Kirchen und Rathäuser, die Bergstraßen und die von einem düsteren, großartigen Zauber umsponnenen Rücken der Waldgebirge, von Geschichte und Sage umwoben, weithin von Horizont zu Horizont schwingend, hinunter nach Südosten zu ins noch einsamere Wittgensteiner Land mit Berleburg und Laasphe.

Immer Sonntag in Lippe

Ganz anders wieder umschlingt ein Kranz von Bergen den gewaltigen, hügeligen Talkessel des alten *Siegerlandes*. Seit 1817 gehört diese eigenartige Welt zu Westfalen, heute noch deutlich verwandt mit dem rheinisch-fränkischen Siedlungsbereich.

Millionen Jahre jünger als das Sauerland ist die östliche Umklammerung Nordrhein-Westfalens durch jene Mittelgebirge, die von der Hochfläche südlich von Paderborn als *Eggegebirge* und weiterhin *Teutoburger Wald-Wiehengebirge* halbkreisförmig die große Münsterländische Bucht umschließen. Noch genauer aber grenzt »Deutschlands deutschester Strom«, die Weser, ab Karlshafen bis nördlich Minden das Land ab. Gleichsam in die Arme des größeren Bruders schmiegt sich das frühere Land *Lippe* mit Detmold, dieser »wunderschönen Stadt«. Diese Landschaft, dieses so stille, an Heilorten reiche, friedliche Lipperland, darin immer Sonntag zu sein scheint, ist eine Welt geruhsamer Poesie, und man muß sich wundern, daß ein so ungebärdig-stürmischer Dichter wie Grabbe gerade aus Detmold kam! Immerhin: Tatsächlich ist der Teutoburger Wald bis Minden ein mit historischen Hypotheken rühmlich belastetes Gebiet! Klima, Wälder, die urdeutsche heimliche Romantik aller dieser Städte und Dörfer setzen gewissermaßen einen geschichtlichen Akzent auf ihre Vergangenheit: einmal durch die Schlacht im Teutoburger Wald im Jahre 9 n. Chr. Dann – achthundert Jahre später – durch Wittekind, den Gegner Karls des Großen, dessen Grabmal in Enger bei Herford zu sehen ist. Übrigens hat Herford selbst seinem Wittekind in diesen Tagen ein neues Denkmal gesetzt, man bedenke: vor rund tausend Jahren hat er gelebt und gestritten – wenn das nicht stolze Tradition ist! Ernst von Bandel dagegen vollendete schon 1875 nach siebenunddreißigjähriger Arbeit auf der Grotenburg bei Detmold das gewaltige Standbild Hermanns des Cheruskerfürsten. Ganz genau weiß niemand mehr, wo die Römerschlacht stattgefunden hat. Der »Salus Teutoburgensis« bestand dem Namen nach damals noch nicht, wenigstens nicht hier, sondern war Bezeichnung für das Gebiet des heutigen Arnsberger Waldes. Aber auch dort hat man weder von Römern noch Germanen wesentliche Spuren gefunden, wie ja auch niemand von uns dabeigewesen ist, als der Kaiser in Rom verzweifelt gerufen hat: »Varus! Varus! Gib mir meine Legionen wieder!« (natürlich auf lateinisch!). Aber niemand bezweifelt die entscheidende Schlacht.

DAS HERMANNSDENKMAL · Zur Erinnerung an die »Schlacht im Teutoburger Wald« im Jahre 9 n. Chr. erbaute Ernst von Bandel in den Jahren 1838 bis 1875 zahlreichen Schwierigkeiten zum Trotz das Denkmal im Stil der Zeit des gotischen Historizismus, das jährlich von Hunderttausenden aufgesucht wird.

ULLENHAUSEN · Das kleine Flüßchen Exter durcheilt eine der romantischsten Landschaften Westfalens, um bei Rinteln in die Weser zu münden. Das ehemalige Nonnenkloster Ullenhausen ist nur einer der vielen stillen und sehenswerten Orte im Extertal, die vom Lärm unserer Zeit noch nicht heimgesucht sind und wirkliche Erholung bieten können.

Erhabenheit der Ebene

Freundlicher, aber ebenso sanft wie die bunten Uferbreiten am Weserstrom sind Erinnerung und Melodie an jenes, auf dem Amtshausberg bei Vlotho gedichtete Lied: »Hier hab' ich so manches liebe Mal mit meiner Laute gesessen, hinunterschauend ins tiefe Tal mein Selbst und der Welt vergessen.« Wer das empfunden und gedichtet hat, mag vergessen bleiben. Und ob es Kunst ist, bleibe dahingestellt – aber es spricht für die Gegend.

In Paderborn hat bereits 777 Karl der Große ein Maifeld abgehalten und eine Kirche gegründet, zwanzig Jahre später befand sich im Norden ein Bistum in Minden, und der heilige Ludger legte um diese Zeit mitten in das Rund einer großen Tieflandbucht den Grundstein für eine der schönsten Städte des Landes: Münster! Nur am Rande noch ein Wort, sozusagen ehrenhalber: Von Pader-

WIEDENBRÜCK · Im großen Bogen wird die tausendjährige Stadt von der jungen Ems umschlossen. Eines der reizvollsten Bilder westfälischer Kleinstadt findet man auf der Langen Straße, wo gepflegte Fachwerkhäuser zahlreiche, jahrhundertealte Schnitzereien aufweisen, ein Handwerk, das hier heute noch ausgeübt wird.

born bis zum Rhein ist der Weg »mit römischen Münzen gepflastert«. Dieser in graue Vorzeit zurückreichende, fruchtbare Landstrich ist der *Hellweg* zwischen dem Münsterland und den Bergen des Sauerlandes, während ab Unna bis Duisburg nur die uralte Verkehrsstraße diesen etwas rätselhaften Namen trägt. Mitten in der Hellweg-Landschaft liegt die schöne, altehrwürdige Stadt Soest.

Es gibt die Leute, die das *Münsterland* nicht mögen. Nicht einmal die hochromantische, umbuschte, stille Ems, die sich, aus der Gütersloher Gegend kommend, an Münster vorbei nach Norden schlängelt. Vielleicht sagt ihnen die Tieflandluft nicht zu? Der überall mit leiser Schwermut verhangene Horizont? Die gelassene »Erhabenheit der Ebene«, von der Goethe sprach, als er 1792 den geistigen Kreis der Fürstenberg und Gräfin Gallitzin besuchte? Allerdings: wenn nach einer alten, aus der Zeit der Romantik stammenden Vorstellung die Welt nur dort schön ist, wo Berge sind, hat das Münsterland an Bergen wenig aufzuweisen. Wie es überhaupt mit seinen Einzelhöfen, Landstädten, Wasserburgen und Hecken und Wällen um fruchtbare Felder – dem Land am Niederrhein nahe verwandt – ruhige Weite atmet, hier und dort von belebter Wirtschaftsansiedlung unterbrochen. Als Ganzes eine bäuerliche Welt, deren Lebensstrom von der holländischen Grenze bis zur Lippe im Süden zur Stadt der Mitte, Münster, ausgerichtet ist. Sie liegt wie eine von Türmen funkelnde Stadtinsel, wie ein Diadem, mitten im Lande, und alle Wege führen zu ihr.

Dynamische Welt des Reviers

Und wieder ein anderes, ein völlig neues Gesicht im Bilderbuch des nordrhein-westfälischen Landes: Das *Revier*. Die langgestreckte Landschaft zwischen Ruhr, Emscher und Lippe, angefangen bei Unna im Osten bis zum Niederrhein im Westen, die Heimat von über fünf Millionen Menschen! Wie dieser Ruhrkohlenbezirk an seinen volkstümlichen Namen kommt, ist nur zu vermuten. Nach dem »Land der tausend Berge«, hier nun eine »Stadt der tausend Feuer« und eine »Stadt der tausend Züge« im »Kohlenpott«, im »Hexenkessel der deutschen Wirtschaft«, im »Schmelztiegel der Völker« oder schlicht und gut im »Ruhrland«. Vor hundert Jahren konnte sich der Fürst Pückler aus Wien nicht genug tun, diese Gegend der Buchenwälder und kleinen Städte als »gar lieblich« zu preisen. Kohle, Eisen, Stahl und eine ungeheure Fülle von Nebenindustrien haben in einigen Jahrzehnten Menschen aus aller Welt, vorab aus den deutschen Ostgebieten, unter dem grauen Himmel der Industrie eine neue Heimat gegeben. Die Einwohnerzahl einiger Städte hat sich während dieser Zeit um das Tausendfache vermehrt. Vorstadt reiht sich an Vorstadt. Überall haben sich die Lücken geschlossen, eine einzige riesige Arbeitsmetropole ist entstanden und mit ihr eine Überfülle an menschlichen und wirtschaftlichen Fragen und Aufgaben, die solch eine Zusammenballung mit sich bringt. Und doch wechseln die Gesichter: Dortmund ist nicht Essen, Bochum ist nicht Duisburg, alles zusammen aber ist die große Welt der Energien und Handelsbeziehungen, unendlich vielfältig ineinander verzahnt, vom Lärm überdonnert und von Rauch überweht, das von Werksfeuern überloderte Herz unseres Landes!

Der Rhein und der Dortmund-Ems-Kanal, die

HAFEN IM RUHRGEBIET · Das Revier zwischen Düsseldorf und Hamm hat die größte Verkehrsdichte Deutschlands. Neben Straßen und Bahn sind die Wasserwege für den Transport von Massengütern der industriellen Wirtschaft, besonders für Erz und Kohle, unentbehrlich. Ein Bild vom Rhein-Herne-Kanal im »Kohlenpott«.

MONSCHAU · Malerische Kreisstadt in der Eifel am Rande des »Hohen Venn« im engen Felsental der Rur. Am Fuß des Schloßberges der Jülicher und Kurpfälzer Landesherren drängen sich die hübschen Fachwerkhäuser am Fluß.

SIEBENGEBIRGE heißt diese vielbesuchte romantische Welt der Täler und Höhen südlich von Bonn gegenüber Bad Godesberg. Burgruinen krönen die Berggipfel, in den Tälern und Städtchen der sagenumwobenen Uferwelt zeigt sich uns die Rheinlandschaft in reizvoller Schönheit. Im Hintergrund (links) der Drachenfels, heute eine beliebte Ausflugsstätte mit Zahnradbahn, zu seinen Füßen Bad Honnef mit dem auf halber Höhe gelegenen Schloß Drachenburg und ganz links außen der Petersberg. Auf dem Rhein und an seinen beiden Ufern fließt ein ununterbrochener Verkehr: Schiffe, Züge und Autos.

AACHEN, am Rande der Nordeifel. Sein Dom ist die Krönungsstätte von 32 deutschen Kaisern und Königen gewesen. Heute eine Stadt bedeutender Kunstschätze mit heilkräftigen Quellen und moderner Industrie.

BRÜHL bei Bonn. Schloß Augustusburg war im Spätmittelalter wiederholt Residenz der Kölner Kurfürsten und Erzbischöfe. 1284 gegründet, 1689 gesprengt, erlebte es nacheinander unter der Hand der drei Baumeister Schlaun, Cuvilliés und Neumann seine bauliche Auferstehung. Perle barocker Baukunst im Rheinland. · KLEVE, nahe der holländischen Grenze am linken Niederrhein, ist eine Park- und Gartenstadt mit reger Industrie. Die Schwanenburg — berühmt durch Wagners Oper »Lohengrin« — ist ein Sitz flämischer Grafen, der Grafen von der Mark und der brandenburgischen Statthalter gewesen. In den gepflegten Anlagen steht das Schusterjungen-Denkmal.

Lippe, die Ruhr, an Niedersachsens Grenze der Mittellandkanal und sogar die Weser stehen als Wasserstraßen in Diensten des Reviers. Tausend Schienenstränge, großzügig ausgreifende Straßen, Flugplätze und Autobahnen verbinden dieses Zentrum des Landes mit der ganzen Welt. Es ist die einzige Landschaft Nordrhein-Westfalens ohne volkliche oder politische Überlieferung, eine gewordene und gebaute, aber keine organisch gewachsene Landschaft.
Dennoch bildet keine im Augenblick stärker als diese Menschen- und Maschinenwelt mit ihren eigentümlichen Lebensgesetzen ein neues, modernes Lebensgefühl. Dazu gehört vieles. Auch das immer noch vorhandene Bauerntum, das unablässige Bemühen der Großstädte um gesunden Lebensraum, die ins Gigantische wachsenden Adern des Verkehrs und neben den bei Tag und Nacht nicht ruhenden millionenfachen Arbeitsvorgängen die Bemühungen, aus dem »Kohlenpott« mit seinen schwärzlich-verneinenden Vorzeichen das zu machen, was not tut: Die Revierheimat.

Viele Menschen, viele Welten

Man kann nur »mit dem Daumen radieren«, wie der Maler sagt, also unrein skizzieren, will man den Stammescharakter der Bevölkerung andeuten. Das sieht dann etwa so aus: Ab Warburg verläuft in Ost-West-Richtung quer durchs Sauerland eine Linie, die oberhalb des Bergischen Landes nach Norden abbiegt, quer durchs Ruhrgebiet geht und etwa bei Wesel den Rhein erreicht. Südlich und westlich dieser Linie herrscht fränkischer, nördlich sächsisch-fälischer Charakter vor. Der alte Raum Westfalen wurde von Friesland, Rheinfranken, Hessen, Thüringen und der Elbe begrenzt und etwa um 500 n. Chr. von den aus Norden eindringenden Sachsen besetzt. Dieser Stammesstaat gliederte sich in die Provinzen Westfalen, Ostfalen und Engern. Das aber heißt nichts anderes als westliche beziehungsweise östliche Gefolgsleute. Ostfalen und Engern sind im Sog der Geschichte untergegangen. Auch noch so scharfsinnige Untersuchungen werden den dauernden Wechsel der Stämme in den westlichen Ländern nicht in Einzelheiten nachprüfen können. Erst recht heute können wir uns nur noch auf Umrißlinien beschränken, die freilich noch da sind, aber mehr und mehr an Bedeutung verlieren. So gibt es zum Beispiel gar nicht »den Westfalen« schlechthin. Auch nicht »den Rheinländer«, weil er nun zufällig am Strom geboren ist. Beide kommen in Variationen vor, ausgestattet zwar mit bestimmten charakteristischen Zügen, aber doch nicht in unverwechselbar reiner Form, von der man zunächst überhaupt einmal eine Vorstellung haben müßte.

Das Herz des Volkes

Das geht in erster Linie die Volkskunde als Wissenschaft an. Wir wollen uns ja nur umsehen im Lande, hier und dort, und nicht einmal überall, weil wir das Zuviel nicht bewältigen würden. In jedem Volk gibt es nämlich eine beharrende und eine weiterschreitende volksbindende Kraft, einfacher gesagt, moderne und unmoderne Leute. Beide sind gleichermaßen mächtig. Eigentlich sollten sie nicht miteinander streiten, aber täten sie es nicht, wäre es vielleicht auch nicht gut, zumindest wäre es langweiliger. Um es genau zu sagen: Soll sich der Bewohner der Eifel von dem des Weserberglandes, der Anwohner des Niederrheines von dem des Wittgensteiner Landes in Sprache, Volkstum, Brauch und Sitte unterscheiden oder soll eine übergeordnete, sogar übernationale Geisteshaltung alle diese Dinge abtun? Viele stammlichen Eigenschaften unserer Menschen im Lande werden von einer Schicht täglichen Erlebnisgutes überdeckt, die allen gemeinsam gehört: Moderne Arbeitsformen, soziales Gefüge, Presse, Funk, Fernsehen, Buch, Sport, Politik, Wohnung und allgemeine Sprache. Darunter, in den intimeren Schichten, lebt und webt jene geistige Welt, die uns in ihren Äußerungen besonders interessiert, unwissenschaftlich gesagt – das Herz des Volkes! Und dieses Herz eben, ohne das wir in Deutschland immer noch nicht auskommen und vielleicht auch nicht auskommen sollten, zaubert erst das, was man als Atmosphäre einer von Menschen belebten Welt bezeichnen möchte. Die freilich ist auch in Nordrhein-Westfalen noch unterschiedlich bunt, noch lebendig und eigenständig. Der Kölner sagt das nämlich nur anders als der

ALTE FRAU VOM NIEDERRHEIN · Die Landschaft zwischen Ruhrgebiet und den Niederlanden ist von einer herben, schweren Weite. Sie hat auch ihre Bewohner geformt. Wie aus den Zügen dieser alten Frau sprechen bei vielen Menschen harte Arbeit und steter Kampf mit den Unbilden des Wetters in der Ebene.

IM SIEGTAL · Im südlichen Zipfel Westfalens liegt das Siegerland. Das romantische Landschaftsbild mit kleinen Flußtälern und bewaldeten Höhen wird oft von Industrieanlagen unterbrochen. In Grün gebettet, von nicht zu großen Ausmaßen, stören sie jedoch nur sehr selten die Harmonie der Hügelwelt.

Mindener. Die Sprache, vorab die Mundart, ist ein tiefgründig messendes Lot in die Seele des Volkes.

Keine Mehrzahl von Heimat

Wer also ist der Mensch im großen Raum vom Rhein bis zur Weser? Hier der Westfale? Dort der Rheinländer? So einfach liegen die Dinge nicht. Schon gar nicht mitten im heißen Herzen des Landes, im Revier! Vor hundert Jahren war es überhaupt noch nicht da, heute ist es ein Schmelztiegel der Völker. Diese »Völker« haben zwar an Sprache und Brauchtum mancherlei mitgebracht. Davon ist auch mancherlei geblieben. Das meiste ist jedoch nach und nach untergegangen. Der Mensch kann nur eine Heimat haben. Es gibt keine Heimat in der Mehrzahl. Was er hier verliert, kann er anderen Ortes wiedergewinnen. Es muß und wird nicht immer der Fall sein. Bis vor einigen Jahrzehnten sah das volkstumsmäßige Bild des Reviers noch recht buntscheckig aus. Groß war die Zahl der landsmannschaftlichen Zusammenschlüsse, die stellenweise sogar eine eigene Presse hatten. Der Einschmelzungsprozeß ließ vieles untergehen, es bildete sich so etwas wie ein neues Revier-Heimatgefühl heraus. Erst der Zustrom von Flüchtlingen und Vertriebenen und ein allgemein wirtschaftlich bedingter Zuzug gab dem Volkstumsbild zwischen Schacht und Hütte wieder bunte Züge. In der Sprache haben wir einen besonders zuverlässigen Gradmesser für die Mischbevölkerung, und es ist bisweilen eine sonderbare Sprache, die da gesprochen wird.

Hier ein paar grundsätzliche Bemerkungen, die für das ganze Land gelten: Die *Mundarten* befinden sich auf dem Rückzug! Nicht stillschweigend, sondern in heftiger Gegenwehr. Aber sie kämpfen ohne Reserven. Der Nachschub stockt. In Recklinghausen haben sich Freunde der plattdeutschen Sprache zu einer recht ansehnlichen »Westfäölsken Spraokstier« (etwa: westfälische Sprachstelle) zusammengefunden, mitten im Revier. In Münster, Bocholt, an Weser und Rhein sind vielleicht derartige Zusammenschlüsse verständlicher und erdgebundener. Aber wird man das alte, herrliche Platt, dessen sich unsere Väter noch weithin im Lande von der Weser bis zum Rhein amtlich und nichtamtlich bedienten, retten können? Die Bergleute, an sich schon im Besitz einer alten Standessprache unter Tage, sprechen es zum Teil noch. Bauern sprechen es noch, Frauen häufiger als Männer, meistens die älteren Menschen, die jüngeren verstehen es noch weithin, sprechen es aber nicht, der Schrumpfungsprozeß scheint unaufhaltsam zu sein. Damit nicht nur der Verlust einer Sprachform, sondern einer ganzen Anschauungswelt.

Wie in Hongkong und New York

Zurück ins Ruhrgebiet: Zum Verschmelzungsprozeß eine Probe! Aus der Sammlung »Kumpel Anton« von W. Herbert Koch, kein Kunstwerk aber ein treffsicheres Beispiel der Sprache:
»Na siesse, Dicken', sacht Kumpel Anton zu mich, »wattich dich gesacht happ! Hat kain gemeckert, wennze ma so schraips, wie datt Folk hier spricht!«
»Mann, Mann, Kumpel Anton«, sarich zune, »n

paa ham aber doch gemeckert. Die main, ich tu den Bärchmann fa-äppeln!«
»Kwatsch«, sacht Kumpel Anton zu mich, »n richtigen Bärchmann, den kannze überhaupt nich faäppeln, dä steet über datt. Aban paa müssen immer meckern, kannze machen watte willz. Wenn et Goldstücke rechnet, dann meckernse, dazze flaicht ains auffen Kopp kriegen. Schraipma so waiter!«

Das ist überhaupt keine Sprache. Das ist ein Sprachgemengsel aus plattdeutschen, hochdeutschen, slawischen, rheinischen und jargonhaften Sprachelementen und dennoch unverwechselbar revierecht und nicht einmal im schlechten Sinne. Beim Anhören dieser Sprache wird vielleicht manchen eine Gänsehaut überlaufen, immerhin sind es aber doch die Menschen dieser Sprache, heute und gestern, die das Revier durch ihre Arbeit groß gemacht haben. Man hat dem Rheinländer mit Recht eine weltoffene Urbanität, hervorgegangen aus frühester Berührung mit abendländischer Kultur, zugesprochen. Jene Urbanität aber, die sich heute im Revier bildet, hat ihre Parallelen in Hongkong wie in New York. Wenigstens in einem Großteil geistig führender Schichten in Industrie und Wirtschaft, denn schließlich besteht ja das Revier nicht nur aus Arbeitern, sondern auch aus Kaufleuten, Technikern, Wissenschaftlern und Vertretern künstlerischer Berufe. Seine meist sachlich-nüchternen Bewohner sind nur zum Teil Großstadtbevölkerung. Wir haben hier zwar eine stattliche Zahl anerkannter Großstädte von Hamm bis Düsseldorf. In Wirklichkeit aber bestehen sie alle aus zum Teil uralten kleinen Kernen, ins Riesenhafte gewachsen durch eine Angliederung zahlloser Vorstädte. Und eben diese Vorstadtmenschen, die in Kolonie und Siedlung oder in selbständigen geschlossenen Stadtbezirken wohnen, diese Menschen sind die Leute des Reviers.

LÜGDE · Im Ostteil Westfalens liegt dieses Dorf, das vor allem an Ostern von vielen Fremden besucht wird, die anwesend sein wollen, wenn feurige Osterräder ins Tal gerollt werden. Sehr oft wird man allerdings einem solchen Verkehrshindernis begegnen, wenn die Dorfziegen zum Weidegang getrieben werden.

RUHRKUMPEL · Der Bergmann lacht nicht immer, wie man ihn so oft abgebildet sieht. Sein Beruf ist reich an Gefahren und harter Arbeit. Kein Wunder, wenn er sinnend und auch erschöpft in 800 Meter Tiefe auf den Förderkorb wartet, der ihn wieder an das Tageslicht und in die Welt seiner Stadt zurückbringen wird.

Lust zur Arbeit ist groß

Keine Macht auf Erden wird altes Volksgut, sei es hier gewachsen, sei es nach hier verpflanzt, ist es einmal im Lärm dieser Welt untergegangen, ins Leben zurückrufen können. Alte Märchen, Sprache, aus bodenständigem Denken hervorgegangene Weistümer und Bräuche, Sitten, Trachten und Sprachformen bedeuten den jungen Leuten im Revier, die in den Ferien nach Sizilien oder Schweden fahren, nur noch wenig. Alles aus weit entfernten Gebieten Deutschlands mitgebrachte Volksgut hält sich höchstens durch eine Generation. Dann verschmilzt es, vergeht, wird vergessen und ist eines Tages nicht mehr da. Der Reviermensch spürt seine Umwelt als Heimat, nur hat sich dieser Begriff mit anderen Gehalten angefüllt. Die Ausleihziffern der Bibliotheken sind erstaunlich hoch, die beruflichen Fortbildungskurse gut besucht, die Lust zur Arbeit ist rege und selbstverständlich, und die Beispiele echter Laienkunst übertreffen immer wieder alle Erwartungen. Aber über einen engumgrenzten Wohn- und Arbeitsbezirk hinaus, der für ihn eine kleine echte Heimatwelt mit Sportverein, Gartenpflege, Gesangverein und Taubenzucht darstellt, ist

SCHLOSS VINSEBECK · Im Auftrag des Herrn von Lippe, Johann Friedrich, der Domherr zu Paderborn war, erbaute 1720 der Hildesheimer Dombaumeister Justus Wehner das Schloß und die dazugehörigen Gutshäuser. Dieser Bau zeichnet sich durch Stilreinheit aus.

dieser Mensch nüchtern, praktisch und ohne sehr gefühlsbetonte heimatliche Vorbehalte. Daß es in dieser Hinsicht persönliche Unterschiede gibt, ist selbstverständlich. Ja, es gibt sie auch von Stadt zu Stadt, denn Dortmund ist nicht Düsseldorf, und Recklinghausen nicht Witten. Es gibt den berühmten alljährlichen Zug der Junggesellen Bochums ins benachbarte Harpen zur Einholung des Maibaums, zurückdatierend bis ins 14. Jahrhundert. Es gibt uralte, berühmte Kirmessen, lokale Wallfahrten, Orte, an die sich nicht mehr geglaubte Sagen knüpfen, und überall Vereine aller Art und eine eher derbe als luxuriöse Vergnügungsindustrie. Und da im Revier eben alles da ist und alles sein Publikum hat, finden wir auch das große Theater, die große Ausstellung und das kulturell Anspruchsvolle in jeder Form. Wer es nicht wüßte, würde die Atmosphäre Essens für westfälisch halten, obwohl die Stadt zur alten Rheinprovinz gehört.

Volkstum schwindet langsam

Auch in anderen Landschaften dürften die Verhältnisse nicht immer einfach liegen. Auch sie haben alle ihr Eigengesicht und dazu Rühmenswertes in Fülle. Sagt man: Der Westfale bevorzuge Bier, der Rheinländer Wein, der Westfale sei bedächtig und grob, der Rheinländer freundlich und wendig oder was an Gemeinplätzen sonst noch auf den Markt geworfen wird, so stimmen diese Verallgemeinerungen nur von Fall zu Fall, nie in ihrem ganzen Umfange.

Nicht ohne Grund wurde der Darstellung der »Reviermenschen« ein etwas breiterer Raum zugebilligt, jener Menschen, die man im ostwestfälischen Raum ebenso wie im Industrieraum des Niederrheins antrifft. Bestimmte Eigenschaften treffen auf alle zu. Der mit fast ozeanischer Wucht einflutende Strom des modernen Lebens formt die Menschen. Ihre Stimmen in den Teillandschaften dieses großen Raumes werden klangloser, die Bilder farbloser. In diesem höchst industrialisierten, höchst bevölkerten Bundesland unserer Tage schreitet der Verlust alten Volksgutes fort; die große Neuordnung der industriellen Revolution bricht sich auch in dieser Hinsicht Bahn. Weder hier noch im nordrheinischen Gebiet baut man noch Fachwerkhäuser. Jenes eichene Fachwerk von fast unbegrenzter Beständigkeit, von dessen Holz die Siegerländer sagen, es müsse »Holz vom alten Licht« sein, das heißt, bei Neumond geschlagen. Die Kolonien und Mietskasernen, die Prachtbauten aus kaiserlich-wilhelminischer Zeit und modernen Siedlungsbauten sind keine Stätten mehr, darin sich ein altes Volkstum zu Hause fühlen könnte.

Zweihundert Taler für Advokaten

Die Zeiten sind längst versunken, als zum erstenmal ein Westfale, Werner Rolevinck (1425 bis 1502), sich daran machte und sein Buch: »De laude anti-

SATTELMEIERHOF · Um das kleine, aber berühmte Städtchen Enger bei Herford herum gibt es noch eine Reihe von »Sattelmeierhöfen«, deren Eigentümer vor tausend Jahren Gefolgsleute des Sachsenherzogs Wittekind waren. Traditionsaltes westfälisches Bauerntum hat hier seinen angestammten Platz behalten. Diese Höfe, meistens umgeben von schützenden Baumwällen, sind prächtiger, stolzer Ausdruck einer arbeitsfreudigen Landbevölkerung. Auf den Wiesen ringsum gedeiht ein kräftiges Vieh.

quae Saxoniae nunc Westphaliae dictae« schrieb, was soviel heißt wie: »Ein Buch zum Lobe Westfalens, des alten Sachsenlandes«! Dieses Lobesbuch hat der aus Horstmar im Münsterland stammende Kartäusermönch damals in seinem Kölner Kloster sehr wacker hingeschrieben. Wenn nun alles stimmte, was er seinen heißgeliebten Landsleuten an Tugenden zuschreibt, wüßte man, wo brave Menschen einträchtig im Paradiese gelebt haben. Diese Westfalen Rolevincks sind »Wunsch-Münsterländer«. Aber richtig ist es wiederum, daß sie weithin auch heute noch jenen bedächtigen, ziemlich eigenbrötlerischen, hintersinnigen, konservativen Typ darstellen, der draußen als »westfälisch« angesprochen wird. Wir wollen aber nicht vergessen zu betonen, daß diese Eigenschaften sich mit Religiosität, Sparsamkeit, Fleiß und Zuverlässigkeit paaren. Wer waren denn die Vorfahren unserer heutigen Großkaufleute und Unternehmer, die dieser Industrie und Wirtschaft ihre Fundamente fügten? Sind die mächtigen Türme unserer Hochöfen, die Schlote und ragenden Gerüste der Zechen etwas anderes als jene Bollwerke und Burgen, die Westfalen als Deutsch-Ordensritter im 14. und 15. Jahrhundert errichteten, weit hinauf bis nach Livland und Lettland im Ostseeraum? Und sind die Vorfahren weit und breit im Lande bekannter Großkaufleute nicht jene Kaufleute der Hanse des 12. und 13. Jahrhunderts gewesen, die ihren weltweiten Handel – oft im Streit mit dem mächtigen Köln – von Flandern und England über den ganzen Ostseeraum bis nach Riga hin ausdehnten? Es ist derselbe Mensch heute wie ehedem. Eine Gruppe – auch innerhalb der Hanse gab es damals schon Konzerne –, nämlich Attendorner und Dortmunder Kaufleute, versah wiederholt den englischen König Eduard III. mit so erheblichen Darlehen, daß er ihnen die Hafenzölle und sogar mehrmals die Königskrone verpfänden mußte. Eine Stadt wie Lemgo in Lippe war neben Dortmund, Münster, Soest oder Lippstadt ein Schwerpunkt der »Koplude van der Scheeren«, auf sie geht der Ursprung des späteren Flachshandels des Ravensberger und Mindener Landes zurück.

Der Sinn für Rechnen und Gerechtigkeit ist heute noch vielen in hohem Maße eigen, der nicht selten in extremer Form in Geiz und Prozeßlust ausartet. Lautet doch eine Kabinettsorder Friedrichs des Großen bezüglich der Prozeßsucht der Westfälinger gelegentlich eines Gesuches um ein Advokatenpatent in Kleve: »Ich will weder hier, noch in Preußen, noch in Pommern und Magdeburg mehr Advocaten wissen. Den Clevern und Westfälingern aber, die von Gott und der Vernunft entfernt und zum Zank geboren sind, muß man um ihres Herzens Hartnäckigkeit willen soviel Advocaten geben, als sie haben wollen, wofür 200 Taler in die Rekrutenkasse verlegt werden müssen. Gegeben Berlin, den 9. April 1749. Friedrich.«

Der König von Korsika

Karl Wagenfeld (1869 bis 1939), Niederdeutschlands größter plattdeutscher Dichter, hat diese Westfalen in seinen Dramen und Erzählungen end-

GELSENKIRCHEN · Noch 1847 war Gelsenkirchen ein Dorf mit knapp 600 Einwohnern. In hundert Jahren hat es sich zu einer der bedeutendsten Großstädte des Ruhrgebietes entwickelt. Am Rhein-Herne-Kanal (Bild) und in den vielen Anlagen der Industrie klingt das pausenlose Lied der Arbeit.

gültig in den Bereich hoher, allgemeingültiger Kunst erhoben. Wenn der Wuppertaler Schriftsteller Gerhard Nebel von den Dichtern sagt, daß sie erst »die Welt ins Weite heben, im Geist sich aneignen und damit erst wahrhaft Heimat und Vaterland schaffen«, so hat es für Westfalen neben Annette von Droste-Hülshoff unter vielen anderen mit besonderer Tiefe Karl Wagenfeld getan. Bei ihm finden wir auch jene, weit weniger bekannte, dunkle Linie im westfälischen Wesen, jene rätselhafte, schwer deutbare »Hintersinnigkeit« des Grüblers, den jenseitig verhafteten Menschen, den Träumer und »Spökenkieker«.

Ein westfälischer Bauer sitzt wahrhaft fest und stur wie ein König auf seinem Hof. Was soll man aber dazu sagen, wenn er plötzlich ausbricht, ihn bis zum letzten Holzschuh verprozessiert oder ihn eines Tages gänzlich unbegründet in Saus und Braus verjubelt, wie es nicht selten vorgekommen ist? Wenn ein Mann von Lüdenscheid aufbricht, König von Korsika wird und in London elend zugrunde geht? Wenn er wie der »tolle Bomberg« von der »Baronsebene« aus die Welt mit seinen Streichen zu lachender Verwunderung bringt, Streichen, die im tiefsten Grunde Proteste gegen die Schablone eines allzu ordentlich-philiströsen Daseins waren? Daß die selbstbewußten Westfalen nicht gerade Freunde Preußens waren, kann man wohl behaupten; schon früh zu Preußen gekommene protestantische Landschaften wie Mark und Ravensberg ausgenommen. Umgekehrt ist es verständlich, daß Marschall Blücher den klassischen Ausspruch tat: »Münster und die Münsteraner gefallen mich nicht.« Was hätte er erst von jenen Münsteranern gesagt, die unter Anführung von Knipperdolling, Jan van Leyden und Krechting den berühmten Spektakel der Wiedertäuferei eröffneten und die sonst so biedere Stadt in ein Narrenhaus verwandelten?

Dantes Göttliche Komödie in Platt

Religiöse Propheten, abenteuerliche Industrielle, skurille Philosophen aller Schattierungen hat es hier immer gegeben, gibt es auch heute noch, unter Tage wie über Tage, in Stahlwerken und Großbetrieben. Ich fand sie immer wieder zu meiner Freude, darunter einen riesenhaften Bergmann, Ringkämpfer und weltanschaulichen Einzelgänger aus Bochum, dem es gar wunderlich anstand, zarte Kreuzigungsbilder mit kindlicher Inbrunst auf Glas zu malen. Und ist es auch nicht ein wunderliches Tun, Dantes Göttliche Komödie in jahrelanger Arbeit in die sauerländische Mundart zu übertragen (Willeke), wie es in diesen Tagen geschah? Gott sei Dank, der ungeheure Schatz einer fast verlorenen Mundart wird hier endgültig zusammengetragen. Es werden keine fünfzig Jahre vergehen, und nur noch Sprachkundler werden diese bereits halb verschollene alte Mundart verstehen können. Und das ist schade! Übrigens hat er einen würdigen Vorgänger aus dem Teutoburger Walde in W. Heidbreede, der im vorigen Jahrhundert die Oden des römischen Dichters Horaz in die ravensbergische Mundart übertrug. Ein literarischer furor teutonicus, der gottlob in Vergessenheit geraten ist.

Und noch einmal das Sauerland: Ich selbst habe vor einigen Jahren noch »mitgeholfen« das Denkmal des sauerländischen Dichters F. W. Grimme (1827 bis 1887) in seinem Geburtsort Assinghausen neu einzuweihen. Wie Wagenfeld und Wibbelt gab er sein Bestes in sauerländischer Mundart. Vielleicht war er nicht einmal ein bedeutender Dichter, aber das Sauerland hat neben Christine Koch (1869 bis 1951) keine so deutliche, unverwechselbare, echte Stimme aufzuweisen. Ziemlich sicher hätte er seine Freude an der sauerländischen Göttlichen Komödie gehabt, denn schon Annette von Droste-Hülshoff hat gewußt, daß diesen Söhnen und Töchtern des Berglandes bei aller Strenge ihres Wesens der Schalk im Nacken sitzt! Denen im Bergischen Land auch, aber da weht schon Rheinlandluft vom Westen herüber, diese Beweglichkeit, diese Phantasie und Philosophie der Kauzigkeit, diese tüchtige Springlebendigkeit der unternehmungslustigen Remscheider, Solinger und Wuppertaler ist weltoffener, geschmeidiger, der große Strom liegt ihnen näher als dem Sauerländer. Fromme Leute sind die Bergischen wie die Sauerländer immer gewesen, aber ein Andachtsbüchlein aus dem 18. Jahrhundert: »Geistliches Klystiersprützlein für alle in Christo verstopfte Seelen« hätten die Gläubigen aus dem Tausendbergeland wohl kaum erfunden und hingenommen.

Wie die niederrheinische Welt von Emmerich bis Godesberg ist auch Westfalen von Siegen bis Gronau und von Bochum bis zur Weser jeweils immer eine übergeordnete Welt mit unterschiedlichen Teillandschaften. Bündige Urteile sind Halbwahrheiten. Daß wir allesamt Deutsche sind, berechtigt nicht dazu, die prachtvolle Buntheit unseres Deutschtums mit einer Handbewegung abzutun. Es hat nichts mit volkstumsmäßiger Kleinstaaterei zu tun, wenn Landschaften wie das zum Teil reformierte Siegerland und das Bergische Land ein ganz anderes religiöses Gesicht tragen als das protestantische Ravensberger Land um Bielefeld und Herford bis Detmold, das katholische Münsterland dagegen weit nach Westen über den Rhein hinweg einem religiösen Bekenntnis anhängt, das entschieden buntere, erdnähere Formen aufweist. Auch die großen westfälischen Wallfahrten nach Telgte und Werl, die Schiffsprozession auf dem Niederrhein, die nach Kevelaer oder Neviges, bergen nach ihrer religiösen Bedeutung einen behütenswerten Schatz alten Volkstums – sie gehören zu Mensch und Land.

SCHLOSS BENSBERG · Am Westrand des Bergischen Landes liegt das Schloß Bensberg. Der als »Jan Wellem« bekannte Kurfürst Johann Wilhelm von der Pfalz ließ es sich in den Jahren 1703 bis 1711 als Jagdschloß erbauen. Von 1840 bis 1918 Kadettenanstalt, dient es heute als Sitz militärischer Verbände.

Wer das Land Lippe und seine Leute kennenlernen will, soll es durchwandern. So groß ist es gar nicht. Daß manche Lipper offenbar kein »g« aussprechen können oder wollen – »Lemjo« – wird niemand stören. In dieser zwar dicht besiedelten, dennoch friedlichen Märchenlandschaft scheint überhaupt immer Sonntag zu sein. Lippe und die Wesergegend bis Minden, das Ravensberger Land – wer wollte alle diese Leute schon »in einen Topf werfen«? Und doch weisen sie gemeinsame Züge auf, die man im biederen Wortsinn als ausgesprochen deutsch bezeichnen könnte. Hier in dieser geschichtsalten Landschaft hat sich ein bäuerlich-kleinindustrieller Menschenschlag manchmal stark »preußischer« Prägung erhalten. Auch die Lipper sind ein westfälischer Menschenschlag. Ihre Sprache ist älter als ihr früheres Fürstentum, ihr Brauchtum, ihre Wesensart, ihre Trachten, die sie einmal trugen und schließlich die Geschichte weisen sie in den alten westfälischen Kulturkreis hinein.

Das Klischee-Urteil

Vieles, was sich für Westfalen, Lippe und das Bergische Land hinsichtlich der Unterschiedlichkeit ihrer

Menschen bisher sagen ließ, trifft für die Welt am Strom von Emmerich bis Bonn in gleicher Weise zu. Auch hier wechselt die Mundart oft von Ort zu Ort. Der »Menschenschlag« wechselt, und auch hier überflutet heute die Welt des 20. Jahrhunderts alle in langen Zeiträumen gewachsenen Eigenarten. Es ist nicht zu verantworten, die Frage nach den Menschen und ihrem Volkstum mit dem Klischee üblicher Vorstellungsbilder zu beantworten. Solch ein Vorstellungsbild ist oft auch »der Rheinländer«. Vor kurzem fragte ich eine biedere westfälische Großmutter, ob ihre in die Aachener Gegend verheiratete Tochter wieder ein Kind bekäme. »Natürlich«, sagte sie, treuherzig hinzufügend, »das kommt daher, weil die Rheinländer alle so hitzig sind.« Da haben wir's! Das Klischee-Urteil! Und doch soll die gute Großmutter nicht ganz Unrecht haben: In seiner mit herzerfrischenden Beispielen und dabei aus tiefgründigem Wissen geschriebenen Studie über den Kölner Humor hat Professor Lützeler uns vor einiger Zeit das Bild des Menschen am Strom gezeichnet. Kann man die weltüberlegene, uralte Urbanität dieser Menschen, ihren Mutterwitz, ihren »Köllschen Klüngel« sogar in so entscheidender Situation besser als durch jenes Beispiel ausdrücken: »Als in der Schlacht bei Roßbach die Kölner im Reichsheer den Preußen gegenüberstanden, sollen sie bei der ersten preußischen Salve gerufen haben: ›Paßt doch op mit dem Schießen! Sehr ihr dann nit, dat hier Lück (Leute) stonn?‹« Seither, schließt Lützeler, stehe der Entschluß der Rheinländer fest: Nieder die Waffen! Hoch die Uniform! – wovon der Karneval reichlich Zeugnis ablegt. Ja, was nehmen sie denn überhaupt noch ernst, diese Kölner? Ihre alte, schöne, an Schätzen so reiche Stadt! Einander und sich selber! Und das Leben, wie es so kommt! Und das Überraschende ist, daß sich diese Haltung immer wieder in einer für Außenstehende manchmal verblüffenden Intensität mit einer temperamentvollen Hingabe an die Aufgaben des Lebens verbindet.

DIE WEWELSBURG · Bei Büren erhebt sich die trutzige Wewelsburg. Um 1600 war sie Stammsitz der Fürstbischöfe von Paderborn. Diese große Bergfeste ist die einzige Dreiecksburg Westdeutschlands. Sie wurde auf dem Platz einer ehemaligen Wallburg errichtet.

LEMGO · Die Kreisstadt im Lipperland ist reich an interessanten, alten Bauten. Am Rathaus, das von den ungleichen Turmspitzen der Nikolaikirche überragt wird, haben Jahrhunderte gebaut. Im Hexenbürgermeisterhaus ist das Heimatmuseum untergebracht, das eine Sammlung von Folterinstrumenten birgt.

Die verwunderten Bonner

Immer noch ist der Mensch aus seiner Umgebung heraus am besten zu verstehen. Köln ist nicht nur die Stadt des Karnevals, die Heimat von »Tünnes und Schäl«, und nicht alle Leute heißen hier Schmitz. Die Stadt ist auch Industrie- und Handelsstadt, modern, groß und weltzugewandt, aber Düsseldorf läßt bereits die Nähe des Ruhrgebietes spüren. Duisburg noch mehr, ja, es gehört schon zum Revier – andere Städte, andere Menschen! Die schon ganz »rheinländischen« Bonner aber kommen einem vor, als seien sie über die Erhebung ihrer idyllisch-verträumten, gemütlichen Rentnerstadt zur Bundeshauptstadt geradezu verwundert. Wer den Menschen des Bonner Raumes ganz verstehen will, sollte nicht zu modernen Tendenzromanen greifen, sondern Wilhelm Schmidtbonns Roman »Der dreieckige Marktplatz« lesen; den Kölner Sprecher findet er in Ludwig Mathar, dessen Werk und Person viel zu früh vergessen wurden.

Der gesamte nordrheinische Raum ist aus volkstumsmäßiger Sicht immer noch einheitlicher als Westfalen. Der vom Süden zum Norden hin seit Jahrtausenden fließende Strom abendländischer Kultur und Geschichte hat Schroffheiten eingeebnet und Trennendes ausgeglichen, gleichzeitig aber auch Bereicherungen gebracht.

Erich Bockemühl, ein Dichter der niederrheinischen Landschaft, schreibt einmal, der Bewohner hier sei im östlichen Teil bis zur Ruhr- und Emschermün-

BONN · Das 1738–1748 erbaute Rathaus schließt den schmalen, fast dreieckigen Marktplatz ab. Der Marktbrunnen wurde 1777 zu Ehren des Kurfürsten Maximilian-Friedrich errichtet. Die Bonner Innenstadt hat weitgehend ihren Charakter als biedere Universitätsstadt bewahrt.

dung im Charakter den Westfalen, im Westen und Norden dagegen den Holländern und Friesen verwandt. In der Tat zeichnet die Mischung der genannten sächsischen und ebenfalls vorhandenen fränkischen Elemente den Bewohner ziemlich deutlich. Das scheint zur napoleonischen Zeit bereits ein französischer Unterpräfekt gemerkt zu haben. Er schildert die Bewohner mit folgenden Worten: »Die Einwohner sind wahre Germanen. Die Frauen sind nicht so schön wie Griechinnen und Französinnen. Die Leute sind sehr phlegmatisch, besonders am Niederrhein, und von Natur aus gut. Das kommt davon, weil sie soviel Thee, Bier, Butter genießen und von dem vielen Nebel. Der Wein dagegen gibt Heiterkeit und Tätigkeitstrieb. Die Einwohner sind moralisch, sie halten ihr Wort und ihre Ehen heilig, wenig Ehescheidungen in den Städten und keine auf dem Lande. Sie helfen den Armen und trocknen die Tränen. Zu bedauern ist, daß sich die Männer fern von der Gesellschaft der Damen halten. Deshalb sind sie auch so grob und barbarisch. Sie bringen ihre Muße in den Kneipen und angeblichen Lesekabinetts zu, wo sie rauchen, trinken und Karten spielen, während sich die Frauen dem Hauswesen hingeben und die Kunst des Gefallens, wie die schönen Künste vernachlässigen.« Der Emmericher von heute würde sagen: »Dat is en fiese Blamasch und dafür genier ich mich als Emmerckse Jong! Dat mot man met en Pröötje kriege!« Er würde diese Schilderung also doch nicht widerspruchslos hinnehmen, immerhin bereit sein, sich mal darüber zu unterhalten. Die Krefelderinnen freilich, von denen Kenner behaupten, sie seien die schönsten Frauen im ganzen Lande, dürften diese volkskundliche Schilderung ihres Geschlechtes als ausgesprochen »unkavaliermäßig« empfinden!

Trachten werden selten

Landauf und landab würde man heute die bunte Palette der alten Trachten vergeblich suchen. Nun, die Bergleute an Rhein und Ruhr und im Aachen-Eschweiler Gebiet, auch im Siegerland, tragen noch eine Uniform, schwarz mit Helmbusch und Degen. Aber nur zu feierlichen Anlässen. Sie ist Berufstracht. Was an bergmännischem Kulturgut noch in den Revieren lebendig ist, und zwar ausschließlich unter Tage, ist übernommenes Gut aus Mitteldeutschland, vorzüglich dem Erzgebirge.

Als ich vor kurzem über die Soester Allerheiligenkirmes schlenderte, fragte ein kleines Mädchen seine Mutter: »Was sind das dort für Krankenschwestern?« Die da vor ihr gingen, waren aber keine Krankenschwestern, sondern zwei Frauen mit weiten roten Röcken und schwarzem Schultertuch, Trachtenträgerinnen aus dem Delbrücker Land oder aus einem Dorf der Umgebung Mindens. Nur hier, im Nordosten des Landes wird noch gelegentlich von Frauen eine Tracht getragen, sonst nirgendwo. In Lüdenscheid im Sauerland, der Stadt auf den sieben Hügeln, kommen alljährlich die Mitglieder des Sauerländischen Gebirgsvereins zusammen, um gewaltige Mengen Grünkohl mit Mettwurst zu vertilgen. Dabei legen die Männer die alte Bauerntracht, blauen Kittel, rotes Halstuch und schwarze Mütze, an. Wir haben an zahlreichen Orten in Nordrhein-Westfalen solche landsmannschaftlich betonten Zusammenkünfte. Ihr Gemütswert in Ehren, man soll sie pflegen! Etwas davon nimmt der Mensch vielleicht doch in den Konfektionsanzug mit hinein.

Martinsfeuer und Schützenfeste

Mundarten haften am Boden. *Brauchtum* wandert bisweilen. In den letzten Jahren erleben wir ein deutliches Beispiel dafür: Das *Martinsfest* (11. November) war hier und dort in Westfalen bekannt. Nun kommt es plötzlich wie ein breiter Strom aus seinem Ursprungsraum Köln – Düsseldorf – Krefeld weit nach Westfalen hinein. Der Umzug der fackeltragenden Kinder mit dem auf einem Schimmel reitenden heiligen Martin voran – der seinen roten Mantel mit dem Schwerte teilte und einen Bettler mit einer Hälfte beschenkte – beschränkt sich nicht auf dörfliche Bereiche, sondern ist auch in den Großstädten zu einer Veranstaltung geworden, die man heute mit Hingabe begeht. Die Martinsfeuer sind im nordrheinischen Gebiet zu Hause, bis auf die Gegend um Kleve, wo wie im Bergischen Land und Westfalen zu Ostern große Feuer brennen. Berühmtes Beispiel: Die lodernden Feuerräder, die man in Lügde an der Weser zu Tal rennen läßt. Die Fastenfeuer dagegen gibt es im Eifeler Gebiet.

Zu den wenigen wirklich volkstümlichen Festen, die sich über das ganze Land erstrecken, zählen die der *Schützenvereine*, alljährliche Hauptattraktionen in zahlreichen Städtchen und Dörfern. Wer den Vogel auf der Wiese abschießt, wird Schützenkönig und mit seiner gewählten Königin dann für drei Tage oberster Verwaltungs-, Gerichts-, Kriegs- und Lustbarkeitsherr in seinem mehr oder weniger großen Bezirk. Die Schützenvereine, hervorgegangen aus den uralten Gilden und kirchlichen Bruderschaften, blicken auf eine ehrwürdige Überlieferung zurück. Das Bergstädtchen Arnsberg feierte 1632, also mitten im Dreißigjährigen Kriege, ein rauschendes Schützenfest.

Geräuschvollere, prachtvollere Volksfeste buntester Unruhe sind überall im Lande die Karnevalsfeiern. In Westfalen war früher die Bezeichnung Fastnacht geläufiger. Köln, unübertroffenes Vorbild allen närrischen Treibens, gibt groß und prächtig den Ton an, überhaupt die rheinischen Städte; in Westfalen ist es Münster. In den protestantischen Landschaften ist es erheblich stiller. Hier sitzt der Ton des »Helau!« und »Alaaf!« nicht recht, obwohl man auch hier singend versichert, man »möcht' ze Fuß noah Kölle joahn«. Wenn die Westfalen zu nachdrücklich ihrer »Steinpilskur« – drei Schluck Bier, ein Schluck Steinhäger – gehuldigt haben, jubeln sie überhaupt gern Rheinlieder, während man keinen Rheinländer antrifft, der das Westfalenlied: »Ihr mögt den Rhein, den stolzen, preisen –« angestimmt hätte – das übrigens von Emil Rittershaus aus Barmen im Bergischen Land stammt! Daß die Westfalen nicht gerne sängen, ist natürlich eine Fabel. Die Zahl der Gesangvereine geht in die Tausende. Die Männer aus dem Reckenland singen vielleicht nur nicht so gut wie die aus dem Rebenland oder die »bergischen Kräher« (das aber wiederum ist eine Hühnerrasse), so daß eben noch ganz prosaisch zu bemerken wäre, daß Hühnerzucht und vor allem Taubenzucht gerade im Revier in Hunderten von Vereinen mit Hingabe betrieben werden.

Hilfe durch die Nachbarschaft

Ist es wenig erfreulich, oft sagen zu müssen, daß alte Sitten und Bräuche verschwinden, ohne überzeugende Angaben machen zu können, was sich neu bildet, soll man neben der Sitte des Martinszuges doch noch eine Neubildung erwähnen: Die Bildung der »Nachbarschaften« überall im Lande! Neu sind sie nicht, nur vergessen gewesen! Ich begriff als Dorfjunge nie, weshalb die Bauern Ostermann und Pleuger unsere Nachbarn seien, die näher wohnenden Schulte und Hubert aber nicht. Wie mein Vater sagte, gehörten die letzteren nicht zu den »Nobers«, der Nachbarschaft, obwohl unser Verhältnis zu ihnen in keiner Weise getrübt war. Hier haben wir das alte Bild einer enggeschlossenen Gemeinschaft vor uns, die in Freud und Leid zusammenstanden. Derartige Gemeinschaften unter der Leitung des »Oberschichtes« und des »Schichtmeisters«, die ihre Sorgen und Wünsche besprechen, ihre geselligen Zusammenkünfte feiern, gibt es heute sogar in vielen Großstädten des Landes. Natürlich sind es nicht mehr die uralt-bäuerlichen Freundeskreise mit ihren längst versunkenen Bräuchen, aber es sind doch Menschen beieinander, die gerade in der hastenden Fremdheit der Städte, sei es blockweise, straßenweise oder in Siedlungszusammenschlüssen, viele Fragen besprechen und sogar auf die kommunalen Geschehnisse beratend Einfluß nehmen. Wer will, mag sich der modernen Ausdrucksweise bedienen und »Bürgerausschüsse« sagen.

In der Landflucht untergegangen

Charakter, Sprache und Brauchtum, Trachten und Sitten im Lande Nordrhein-Westfalen! Eher könnte man dem Bauern Schulte-Kump seinen Hofteich mit dem Eimer leeren, als alle diese Dinge auf einen Nenner zu bringen. Dies geht schon deshalb nicht, weil sie weithin einfach nicht mehr da sind, untergegangen im Sog der Landflucht, durch moderne Einflüsse oder, weil sie unter anderen Formen weiterleben. So ist – nur ein Beispiel – etwa die alte Sitte, den Bienen den Tod des Bauern anzusagen, verschwunden, weil keine Bienen mehr da sind. Hexenabwehr, etwa einen Besen quer hinter die Kühe zu legen, gibt es nicht mehr, weil keine Hexen mehr da sind, genauer, weil man es nicht für möglich hält! Wo sind sie geblieben, die alten Bräuche bei Hochzeitsfeiern, Beerdigungen und Kindtaufen? Die Erntebräuche, Berufs- oder Handelsbräuche? Ihre Reste finden wir zwar heute noch von Aachen bis Minden in abgewandelten, kaum noch erkennbaren Formen. Aber viele dieser Vorgänge werden heute unter anderen Vorzeichen weitergeführt, wo sie mit Glück und Unglück des Menschen zu tun haben, wie Volksmedizin, Wahrsagerei, Erdstrah-

KALKAR · Als niederrheinische Idylle ist das auf einer alten Rheininsel gelegene Städtchen bei den Malern beliebt. Die »Kalkarer Schule« des 15. und 16. Jahrhunderts ist weltberühmt geworden. Ihre besten Werke sind in der Kirche aufbewahrt. Das Rathaus (Bild) birgt im Stadtarchiv ein Original des Sachsenspiegels.

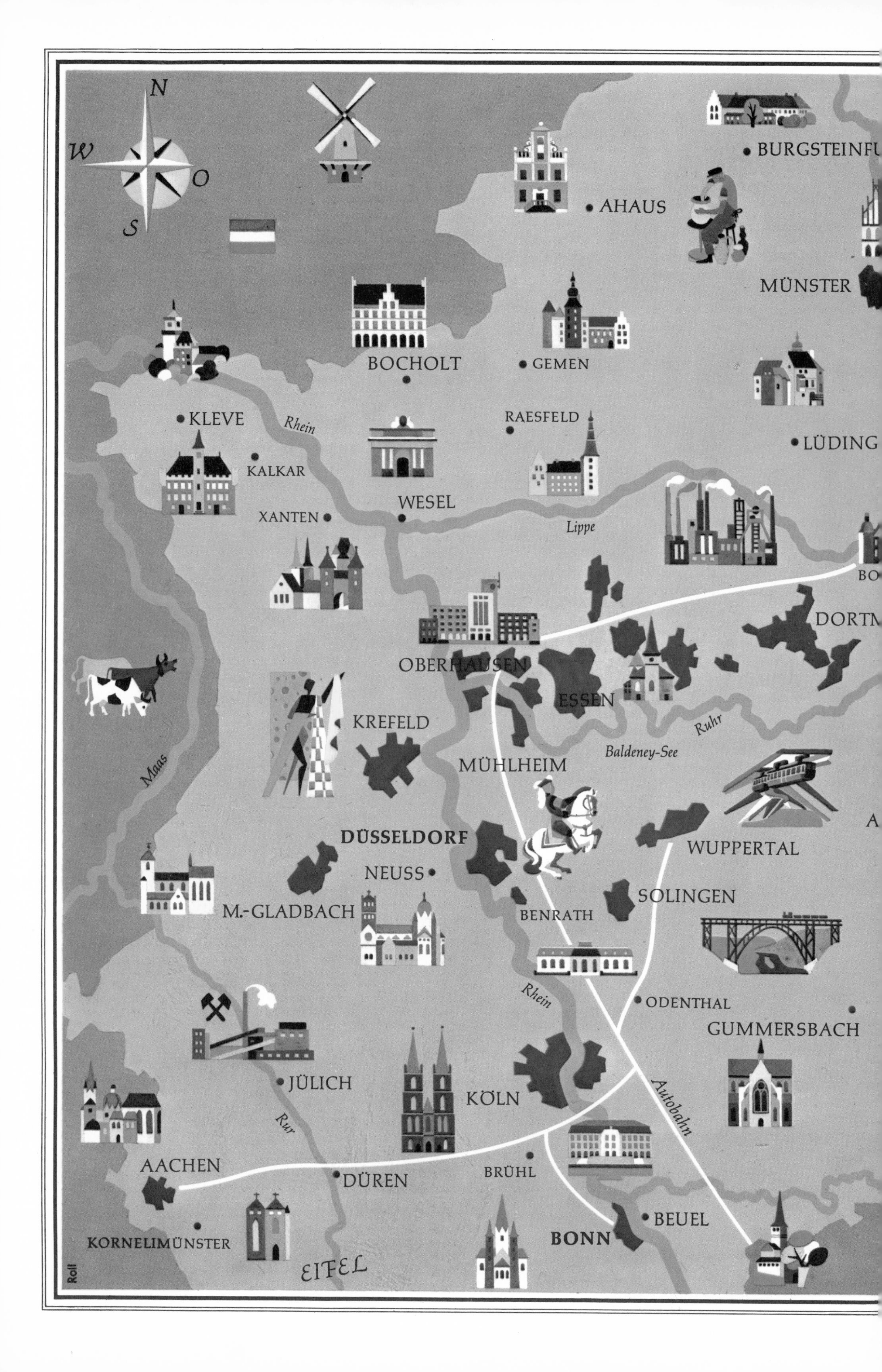

N
W
O
S
BURGSTEINFU
AHAUS
MÜNSTER
BOCHOLT
GEMEN
KLEVE
Rhein
RAESFELD
LÜDING
KALKAR
XANTEN
WESEL
Lippe
BO
DORTM
OBERHAUSEN
ESSEN
Ruhr
KREFELD
Baldeney-See
MÜHLHEIM
Maas
A
DÜSSELDORF
WUPPERTAL
NEUSS
SOLINGEN
M.-GLADBACH
BENRATH
Rhein
ODENTHAL
GUMMERSBACH
JÜLICH
KÖLN
Autobahn
Rur
AACHEN
DÜREN
BRÜHL
BEUEL
KORNELIMÜNSTER
BONN
EIFEL
Roll

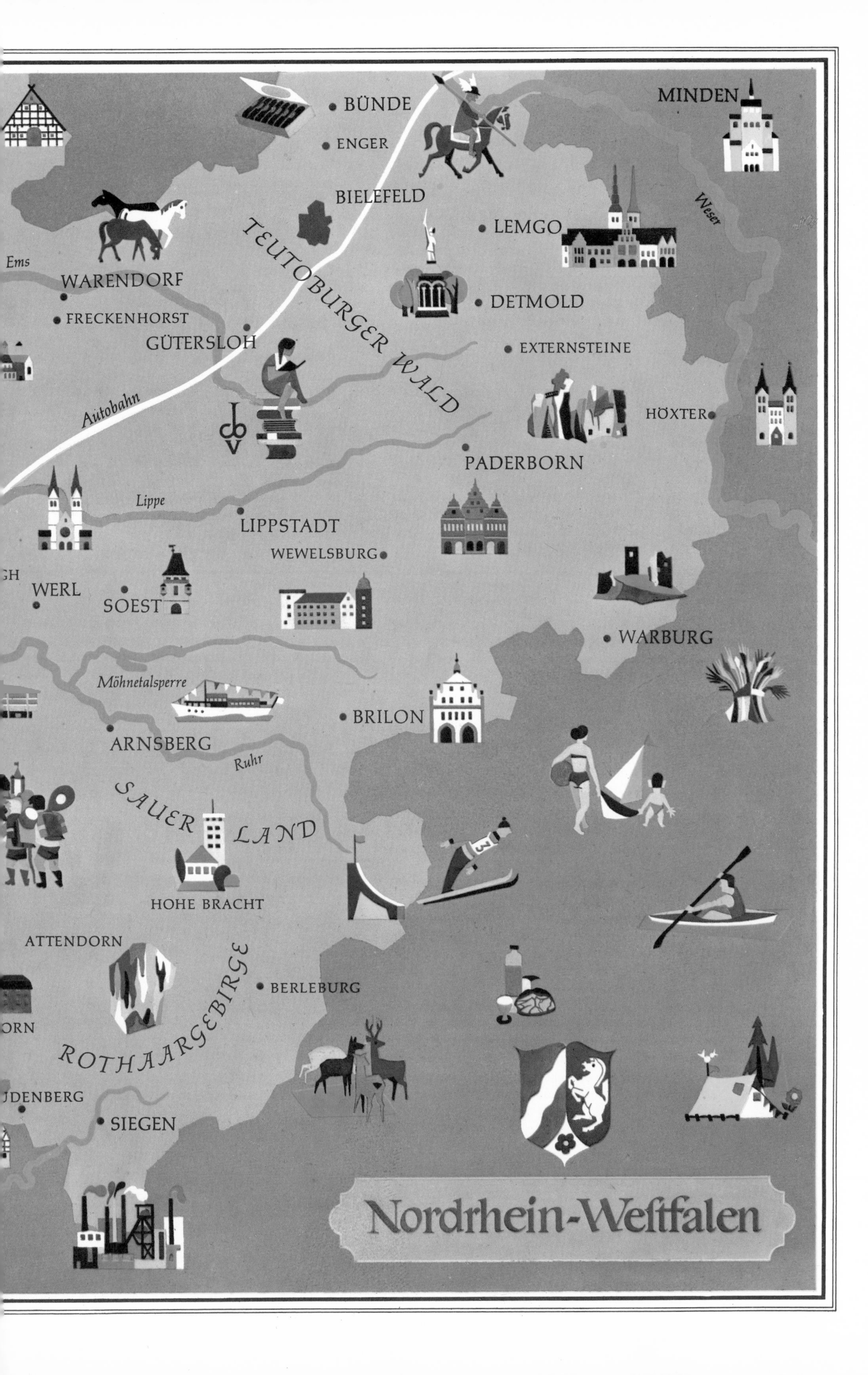
BÜNDE
ENGER
MINDEN
BIELEFELD
Weser
LEMGO
Ems
TEUTOBURGER WALD
WARENDORF
DETMOLD
FRECKENHORST
GÜTERSLOH
EXTERNSTEINE
Autobahn
HÖXTER
PADERBORN
Lippe
LIPPSTADT
WEWELSBURG
WERL
SOEST
WARBURG
Möhnetalsperre
BRILON
ARNSBERG
Ruhr
SAUERLAND
HOHE BRACHT
ATTENDORN
BERLEBURG
ROTHAARGEBIRGE
SIEGEN
Nordrhein-Westfalen

len, Auto-Maskottchen, Glückspfennige, Sternenglaube und was es alles in wunderlicher Verzerrung gibt! Volkslieder? Frau Musica verhüllt ihr Haupt! Gewiß, man singt sie noch, wie man Trachten zu bestimmten Anlässen »vorführt«, ebenfalls Volkstänze, aber dieses Kulturgut vergeht. Gut, daß man auf den Gedanken gekommen ist, Mundart und Volkslied auf dem Tonband, aussterbendes Handwerk im Film festzuhalten. In Archiven ruht sich's gut und sicher. In anderen Landschaften hat es vielleicht längere Dauer als in diesem industriereichen, menschenvollen Land.

Das Ergebnis auf die Frage nach landschaftlich bestimmten *Gerichten* war nicht überwältigend. Man muß berücksichtigen: In alten Zeiten boten sich stellenweise fast nur die Gaben der Erde an. Sie bestimmten Art und Umfang der Speisen und Getränke. Heute liefert die Nahrungsmittelindustrie alles und außerdem reichhaltiger. Bleibt dennoch zu erwähnen, daß »n' halven Hahn« in Köln kein Geflügel, sondern ein Käsebrötchen ist, die »Uitschmieters« am Niederrhein mächtige Butterbrote mit gekochtem Schinken und Spiegeleiern bedeuten, »Große Bohnen mit Speck« (nur mit Bohnenkraut), Stielmus, Pannhast, und Möppkesbrot und Schinken (in Wacholderrauch geräuchert) recht eigentlich in Westfalen zu Hause sind. Reibekuchen gibt es unter verschiedener Bezeichnung im ganzen Lande, Stippmilch nur im Münsterland, Pickert (geriebene Kartoffel, Eier, Mehl und Hefe mit Rosinen) in der Bielefelder Gegend. Das »Blindhuhn« (Möhren, Kartoffeln, Äpfel, weiße und grüne Bohnen, dazu Speck) heißt anderswo »Quer durch den Garten«. Der Pumpernickel erregte bei seiner Größe, schwarzen Farbe und Derbheit schon bei den Gesandten des Friedensschlusses in Münster 1648 reichliche Verwunderung. Wo schätzt man noch richtiges, obergäriges Altbier? Nur in den behaglichen Kneipen Münsters. Und nur im Bergischen Land gibt es richtige Burger Brezeln, Zwiebäcke besonderer Art, schmalzgebackene Bullebäusche, Pillekeskuchen und wisse Hännes (Leberwurst). Neben dem Dortmunder Bier trinkt man überall im Lande gern einen »Kurzen«, Korn oder Wacholder. In Dortmund ist urkundlich schon 1490 Pfefferpotthast auf den blank gescheuerten Holztisch gekommen – genau wie heute! Einen richtigen Buchweizenpfannekuchen, »Baukweitenjanhinnerk«, kennt man eigentlich, mit schwarzem Kaffee in dünn angerührtem Teig, nur am nördlichen Niederrhein und in Nordwestfalen, also in alten Buchweizen-Anbaugebieten. Aus Borgholzhausen am Teutoburger Wald kommt ein berühmter Honigkuchen, und in Aachen liebt man Printen. Sie ersetzen eine vielhundertjährige Kulturgeschichte, denn immer wieder sahen und sehen sie anders aus. Der Aachener Mundartdichter Josef Starmanns (1857 bis 1944) schrieb eine Ballade um die Erfindung der Printe unter Karl dem Großen.

Werden die Trümmer vergessen?

Nach einer Reihe recht ungemütlicher Jahre haben die Menschen in Nordrhein-Westfalen nicht mit verschränkten Armen seufzend vor ihren Ruinen gestanden. Sie haben nicht lange über das Unheil in der Welt philosophiert und einer vielleicht irgendwo und irgendwann genossenen Gemütlichkeit nachgetrauert, sondern in starker Lebenszuversicht zunächst einmal mit Schüppe und Hacke die Wege zueinander durch die Trümmer gebahnt. Wann schreibt ein Werner Rolevinck unserer Zeit das Lob der Leute seines Landes, das Ruhmesblatt der zahllosen Menschen an Rhein und Ruhr, die hungernd und frierend, obdachlos und sprachlos vor Erschütterung darangingen, im wüsten Feld der Trümmer Ordnung zu schaffen, Kohle zu fördern, das Feuer unter den Hochöfen anzublasen, die Maschinen in Gang zu bringen, die Felder zu bestellen und dabei noch den Strom Heimatloser aus den Ostgebieten aufzunehmen, die auch leben wollten und leben sollten? Heute, wo in diesem wirtschaftlich so hoch entwickelten, dicht bevölkerten Land die Städte schöner denn je entstanden sind, wo mit einem ungeheuren Arbeitswillen Handel und Verkehr aufs neue die Wege in alle Länder der Erde gefunden haben, wo wieder die Theater von des Menschen Lust und Schicksal in dieser Welt künden und die jungen Mannschaften in der Arena ihre friedlichen Kämpfe austragen – heute scheint es manchmal, als habe man die turbulenten Bilder vergangener Jahre in sich verdrängt und vergessen. Welten sind versunken, neue entstehen, aber immer noch weht der Wind im Lande rauh und scharf. Er treibt die Millionen allmorgendlich in die Arbeitsstätten, er beherrscht unser unruhiges Leben, er ist eigentlich das, was wir das Tempo der Zeit nennen. Neue Welten der Anschauung, der Sitten entstehen. Ihre

IM RUHRGEBIET · Schäfer, Hund und Herde vor der Kulisse rauchender Kamine und glühender Hochöfen, ein scheinbar unwirkliches Bild. Aber überall im Industriegebiet reichen noch Zipfel landwirtschaftlich genutzter Flächen in die weit verstreuten Siedlungen der Städte und Vororte mit ihren Fabriken hinein.

WANNE-EICKEL · Wie die meisten Städte des Ruhrgebietes ist auch Wanne-Eickel in wenigen Jahrzehnten schnell gewachsen, so daß es heute bereits zur Großstadt geworden ist. Viel trug neben dem Steinkohlenbergbau dazu bei, daß es durch Bahn, Kanal und Autobahn zu einem Verkehrsknotenpunkt ersten Ranges wurde. Nach Hamm besitzt es den größten Verschiebebahnhof in Deutschland, auf dem der Rangierbetrieb ohne Pause Tag und Nacht rollt. Was Fremde kaum wissen: Wanne-Eickel ist das beste Solbad im Herzen des »Kohlenpotts«.

Umrisse können wir nur erst erahnen. Aber es werden nie wieder die alten sein.

Flimmernde Milchstraße des Reviers

Könnte jemand in klarer Nacht aus großer Höhe ganz Nordrhein-Westfalen überschauen, so würde er, vorausgesetzt, daß er ein Dichter wäre, ausrufen: »Die leuchtenden Sterne des Himmels spiegeln sich auf dem dunklen Grund der Erde!« Natürlich sind es nur unsere Städte, deren Lichter die Nacht erhellen. Als flimmernde Milchstraße zieht sich ein langes Lichtermeer von Hamm bis zum Rhein hin, das *Revier!* In dieser wunderlichen Fülle der Helligkeit wird man Hamm und Dortmund im Osten klar erkennen. Dunkel die Flüsse, Ruhr, Emscher und Lippe, dunkel auch der sich nach Norden hin verlaufende Dortmund-Ems-Kanal; ein Band flirrender, huschender Lichtpunkte die Ruhrschnellwegstraße, die Autobahn und weithin an den Rändern sich verlierend die Menge der kleineren Städte, Vororte und Dörfer. Dicht an dicht liegen, oft Straße an Straße, die städtischen Mittelpunkte industrieller Arbeit: Bochum, Herne und Wanne-Eickel, die Kohlenstädte mit Gelsenkirchen und Bottrop. Essen, die mächtige Revierzentrale, Oberhausen, Gladbeck und Duisburg, die Hafenstadt, mit Hamborn, nahe am Rhein. Dann, schon westlich des Stromes gelegen: Moers und Rheinhausen, Krefeld und Mönchengladbach bis hinunter nach Aachen.
Den Rhein umsäumt von Bonn bis Duisburg das Perlenband hellglänzender Städte mit Köln, Düsseldorf und Leverkusen. Als »Sterne erster Ordnung« östlich davon ein heller Punkt: Wuppertal mit seinen Nachbarn Remscheid, Solingen und Opladen bis hin zum Sauerland, wo man Lüdenscheid, Iserlohn und Hagen, die Eingangspforte des Sauerlandes erkennen würde. Dunkel die schweigende Nacht über den Bergwäldern des Sauerlandes! Tief im Süden Siegen, das »Krönchen«, ein einsamer Stern; im Norden Münster, weithin sichtbar im nächtlichen Rund seiner ländlichen Umgebung, am Hellweg das tausendjährige Soest, östlich davon das ebenso ehrwürdige Paderborn und schließlich feurig und unübersehbar im Nordosten Bielefeld!
Sähe man genauer hin, könnte man noch manche Stadt deuten: Herford, Detmold, Rheine, Minden und Recklinghausen oder »Westfalens Heidelberg« im Südosten, Warburg, nicht weit von Kassel. Ganz im Westen Kleve, schon nach Holland ausstrahlend, in der Nachbarschaft der alten Römerstadt Xanten und an der Lippemündung Wesels, der Stadt der »elf Schillschen Offiziere«.
Ein perlenbesetzter Mantel wäre dieses städtereiche Land. Darin die rubinrot flackernden Feuer der Hochöfen und Kokereien, die azurblauen Flammen unter den Hallendächern der Eisenwerke und vielleicht ganz einsam, bescheiden und fern ein Lichtchen vom hohen Kahlen Asten bei Winterberg, der höchstgelegenen Stadt im Lande!
Die Schrift ist noch nicht erfunden, die so klein wäre, um eine Beschreibung aller dieser Städte und Dörfer auf engem Raum zuzulassen. Viele ähneln zwar einander, und doch ist keine der anderen gleich. Bleibt nur übrig, einige markante Stadtbilder stellvertretend für alle zu zeichnen.

Kulturmetropole am Rhein

In seiner zweitausendjährigen Geschichte hat *Köln* die politischen und kulturellen Ereignisse seines großen Ausstrahlungsraumes bis heute entscheidend beeinflußt. Ursprünglich Siedlungsstätte der Ubier, diente es später den Römern als Bollwerk gegen die vordringenden Germanen. Darum liegt das Schwergewicht auch hier wie bei allen römischen Stadtgründungen auf dem linken Ufer des Rheins. Um 50 n. Chr. römische Veteranenstadt, Geburtsort der späteren Kaiserin Agrippina (Colonia). Zählt bereits im dritten Jahrhundert etwa 30 000 Einwohner. Seit der Mitte des 9. Jahrhunderts Erzbischofssitz. Sein Stadtrecht ist Vorbild für Dortmund. Dank seiner Lage und Bedeutung wird Köln schon früh verkehrsmäßiger Zentralpunkt und Handels- und Kulturmetropole der Lande am Rhein. Die Grundsteinlegung des Domes, dessen Plan auf Meister Gerhard von Straßburg zurückgeht, fällt in das Jahr 1248. Um 1322 ist der Chor fertig, das Langhaus wird aber erst 1840 bis 1880 mit den Türmen vollendet. Über dem Hochaltar ruhen die Gebeine der Heiligen Drei Könige in einem goldenen Schrein. Am Südportal fand man vor einigen Jahren ein großes, buntes Flächenkunstwerk, das Dionysius-Mosaik, einst Fußboden eines Speisesaals aus römischer Zeit. Überhaupt reicht die Römerzeit in zahlreichen Funden und Restbauwerken bis in unsere Tage hinein: Der Römerturm in der Zeughausstraße, Reste des Statthalterpalastes, Grabkammern und Denkmäler, sogar eine kunstvolle Wasserleitung aus der Nordeifel.

Den Dom umringen in weitem Umkreise zahlreiche Kirchen: St. Apostel, St. Andreas mit dem Sarkophag des hl. Albertus Magnus, St. Maria im Kapitol, St. Pantaleon mit dem großartigen Westwerk des 10. Jahrhunderts und viele andere, ein Kranz alter, meistens romanischer Bauten voller Schätze und höchst bedeutsamer Zeugnisse mittelalterlicher Kunst. Im 18. Jahrhundert gibt es bereits 136 Gotteshäuser in der Stadt. Reichtum und Bürgerstolz schufen Profanbauten, von denen viele, so auch das alte Rathaus (1467) bei einem der Luftangriffe zerstört wurden. Wiedererstanden ist der weltbekannte Gürzenich (1437), das alte »Tanz- und Festhaus« der Stadt, Kongreßhalle, Konzertsaal und Hauptkarnevalsstätte zur Zeit der »Tollen Tage«. Berühmt und an unersetzlichen Schätzen reich wie seine Kirchen sind Kölns Museen: Das Wallraf-Richartz-Museum mit den mittelalterlichen Meistern, der bekannten Sammlung Haubrich und der großen Kunstbibliothek, das Schnütgen-Museum, reich an prächtigen Beispielen sakraler Kunst, das historisch ausgezeichnete Stadtmuseum, die völkerkundliche Sammlung des Rautenstrauch-Joest-Museums.

Ruferin aller Deutschen

Wie kann es anders sein, daß Köln Brücken von Ufer zu Ufer schlägt! Es sind ihrer sechs, von denen neben der von siebenhundert Zügen täglich überfahrenen Hohenzollernbrücke die modernste Zügelgurtbrücke und die Autobahnbrücke in Rodenkirchen besonders eindrucksvoll sind. Sie alle dienen der Bewältigung eines außerordentlich starken Verkehrs, den diese Stadt in fast unvorstellbarem Maße aufweist. Köln ist ja nicht nur eine alt-ehrwürdige Stadt, deren *»Deutsche Glocke am Rhein«* in der Silvesternacht für die Deutschen in aller Welt klingt. Diese Stadt ist in einer vielleicht nur noch bei Münster anzutreffenden Weise zugleich modern und unserer Zeit selbst zugewandt. Ganz anders als in den gewiß auch alten und zugleich modernen Großstädten Dortmund oder Essen weben in ihr Vergangenes und Gegenwärtiges ein Stadtklima, das es eben nur hier gibt. Der Westdeutsche Rundfunk hat seit Jahrzehnten in der Nähe des Doms Sitz und Stimme. Die Universität, die zahlreichen Messen mit dem Strom der Besucher, die Banken, Kaufhäuser und neben den Hotels die unverfälscht kölnischen Gaststätten, sie alle bringen tagtäglich Leben und Bewegung in die Stadt. Der Flugplatz liegt in Wahn, das Stadion in Müngersdorf. Nimmt man die Vororte hinzu, kann man auf sechsundzwanzig Bahnhöfen in der Domstadt eintreffen, um zu sehen und zu spüren, was in einigen Zeilen nur anzudeuten ist, Größe, Schönheit und Würde einer der ältesten deutschen Städte!

Westfalens gute Stube

Man kann Westfalens Hauptstadt *Münster* nicht mit Köln, Aachen, Paderborn oder irgendeiner alten Stadt des Westens vergleichen, weil sie bei aller Modernität bewußt ein so stark westfälisch-

KÖLN · Zu den bedeutendsten europäischen Städten gehört die Domstadt am Rhein. Als Colonia Agrippinensis von den Römern gegründet, blickt sie auf eine zweitausendjährige Geschichte zurück. In seinem gotischen Dom hat Köln das bemerkenswerteste Bauwerk jener Stilepoche auf deutschem Boden. Zu den jüngsten Gebäuden zählt das moderne Opernhaus, anfänglich heftig umstritten, inzwischen aber schon ein fester Bestandteil der Stadt geworden. Wie ein mächtiger Block ruht der Bau inmitten des Häusergewirrs, nur aus der Ferne von den Domtürmen überragt.

MÜNSTER · Im Herzen Westfalens liegt seine Hauptstadt Münster. Im Friedenssaal des gotischen Rathauses, das zu den schönsten Deutschlands zählt, wurde im Jahre 1648, gleichzeitig mit den Verhandlungen in Osnabrück, der unselige Dreißigjährige Krieg mit dem Abschluß des Westfälischen Friedens beendet.

heimatbetontes Gepräge aufweist, wie es sich in gleicher Form nur noch in Westfalens »heimlicher Hauptstadt« Soest offenbart. Die Stadt liegt ziemlich geschlossen im großen Bauernland mit seinen Wasserburgen, Wäldern und alten Städten. In ihrer Mitte der weithin ragende, zweitürmige Dom, dessen ursprünglicher Bau auf den hl. Ludger zur Zeit Karls des Großen zurückgeht. Ebenso alt ist die Überwasserkirche mit ihrem gewaltigen Turm, die tausendjährige St.-Mauritz-Kirche und die romanisch-strenge St.-Ludgeri-Kirche, die größeren Geschwister einer ganzen Anzahl alter, schöner Gotteshäuser.

Auch hier spiegelt sich, wie in allen alten Städten, die Geschichte in ihren Bauten. Um die alte Bischofsburg wächst die Stadt, wächst aber auch zur Hansezeit ein stolzes, selbstbewußtes Bürgertum, dessen Kraft sich in herrlichen Profanbauten ausdrückt. Was anders als ein Beispiel dieser Gesinnung ist Deutschlands »schönstes gotisches Rathaus« eines namenlosen Meisters um 1330? Der Renaissance-Bau des Stadtweinhauses (1615) und »Westfalens gute Stube«, der unvergleichliche Prinzipalmarkt mit seinen hochgiebeligen Bogenhäusern, die Rothenburg, der alte Fischmarkt und der Drubbel? Die Münsteraner haben sorgfältig Stein auf Stein gelegt und nach der grauenvollen Zerstörung des letzten Krieges ihre Stadt wieder so aufgebaut, wie sie die Gesandten zum Westfälischen Friedenskongreß 1648 gesehen haben, der im »Friedenssaal« den Teilfrieden zwischen Spanien und Holland bringt, einige Monate später mit Osnabrück die Beendigung des Dreißigjährigen Krieges. Nach dieser Zeit wird das energische Streben von Bürgermeister, Rat und Gilden nach erhöhter Selbständigkeit durch den gewaltigen »Kanonenbischof« Christian Bernhard von Galen in schweren Kämpfen endgültig erstickt (1661). Der Siebenjährige Krieg wirft die Stadt von Unglück zu Unglück. Erst der Gründer der Universität (1773), der Generalvikar und Minister des Kölner Erzbischofs, der Freiherr von Fürstenberg leitet das Schicksal der Stadt in ruhigere Bahnen. Auf ihn geht die Schleifung der Festungswälle zurück, die heute als baumbestandener Promenadenring die Innenstadt umgeben. Dann, nach dem Frieden von Lunéville, kommt 1801 Münster als Entschädigung für an Frankreich abgetretene linksrheinische Gebiete an Preußen, aber Blücher kann nur ihr gutes Herz loben, richtige Preußen wurden sie nie, die »sturen« Münsteraner.

Landluft um die Stadt

Gerade die Münsteraner tun am liebsten – und ganz bestimmt – das, was sie wollen. Manchmal haben sie es bedauert, die Industrie nicht hereingelassen zu haben. Die Eisenbahn lehnten sie im vorigen Jahrhundert glattweg ab. Ihre Stadt ist ihnen immer soviel wert gewesen, daß sie bis auf den heutigen Tag deutlich mitsprechen, wo und was zu tun oder zu unterlassen ist. Aber nicht nur Klerus und Bürgerschaft, sondern auch der auf seinen Wasserburgen und Gütern im Lande sitzende Adel hat in Jahrhunderten mitgebaut und jene einzigartigen Winterquartiere, die Adelshöfe, dem Stadtbild

MÜNSTER · Die »gute Stube« der Stadt und des ganzen Landes, der Prinzipalmarkt, war durch den zweiten Weltkrieg weitgehend zerstört worden. Mit dem Wiederaufbau der bürgerlich-stolzen Bogenhäuser wurde ein Wahrzeichen der alten Bischofs- und Universitätsstadt für kommende Geschlechter gerettet.

WARBURG · Nahe der hessischen Grenze erhebt sich auf einem vulkanischen Bergkegel die Ruine Desenberg, Reste einer der ehedem schönsten Burgen im östlichen Westfalen. Das Land um Warburg, auch die »Warburger Börde« genannt, zählt zu den fruchtbarsten und ertragreichsten Gebieten Westdeutschlands.

eingefügt, ohne die Münster nicht denkbar ist. Wie es nicht Münster wäre, hätte nicht der Barockbaumeister Westfalens, J. Konrad Schlaun (1694 bis 1773) den imposanten fürstbischöflichen Schloßbau, heute Universität, errichtet, den viel bewunderten Erbdrostenhof und eine Reihe stolzer Bürgerbauten, die alle mit den Festungsbauten des Zwingers und des hohen Buddenturmes wetteifern, der Stadt ihr einmalig unvergeßliches Gesicht zu verleihen. Das alles erhält man, liebt man im ganzen Lande! Und es ist immer wieder überraschend, wie die moderne Stadt, die Stadt der Bücher, der Gelehrsamkeit, der Wissenschaften, Institute, Kliniken und nicht zuletzt auch der Rentner es versteht, jene Harmonie zu erhalten, die als »münsterische Atmosphäre« gefangen nimmt. Das kühne, moderne Theater, die Glas-Beton-Bauten der Verwaltung, der prächtige Hauptbahnhof, die geruhsam-freundlichen Wohnbezirke in Gremmendorf, am Aasee bei den Universitätskliniken – alles das fügt sich zu einer großen Einheit zusammen, in der immer noch ein Hauch aristokratisch-bäuerlicher Landluft weht.
Diese Stadt ist nicht ohne ihr Hinterland der Bauernhöfe denkbar, ohne ihre menschlichen Originale, von denen der Begründer des Zoologischen Gartens, der sich selber ein Denkmal setzte, Professor Landois und der Baron von Romberg in aller Welt bekannt geworden sind. Wer zum erstenmal in dieser Stadt weilt, wundere sich nicht, wenn er zur Nachtzeit das Dröhnen eines Blashorns vernimmt: Es ist der Türmer hoch oben über den Käfigen der Wiedertäufer im Lambertiturm, der die Stunde meldet. Wenn Josef Bergenthal schrieb, auch diese Stadt stecke »voller Merkwürdigkeiten«, so ist auch das eine von ihnen, ebenso wie das aufgerichtete Sendschwert am Rathaus als Gerichtstagszeichen zur Zeit des Send, des Jahrmarkts, und die bewundernswerte astronomische Uhr im Dom. In den echt westfälischen Gaststätten sitzen Professoren, Müllkutscher, Studenten und Handwerker oft einträchtig beieinander. Hochdeutsch spricht man »wenn nötig«, plattdeutsch »wenn möglich«. So will es der Kiepenkerl, Sinn- und Standbild münsterischer Behäbigkeit und wacher Lebendigkeit!

Stadt der tausend Feuer

Gelsenkirchen hat man mit einem etwas unglücklichen Wort als »reviertypisch« bezeichnet. Man will damit sagen, hier sei im Verlaufe eines Jahrhunderts aus einem Dörflein von vierhundert Einwohnern ein tausendmal größeres Gemeinwesen entstanden. Es kann auch heißen, Gelsenkirchen weise alle typischen Merkmale einer Industriestadt auf. Beides stimmt und noch einiges mehr! Hier sind die Bergleute zu Hause, die im Großraum der Stadt auf zwölf Schachtanlagen ihr Brot verdienen. Kohle ist die Grundlage der Industrie. Sie bestimmt das Antlitz dieser Stadt, sie ist ihr Schicksal. Die mächtigen Flöze verlieren sich bis zu 1200 Metern Tiefe nach Norden hin. Sie haben Stahl und Eisen in ihrer Nachbarschaft, Hochofenbetriebe und Gießereien, Röhrenwerke, Gußstahl- und Walzwerke. Mitten in der Stadt liegt der nach Duisburg größte Binnenhafen Europas am Rhein-Herne-Kanal. Ein Dutzend Güterbahnhöfe ist erforderlich, um Ein- und Ausfuhr der Revierstadt in alle Welt und von überall her zu bewältigen. Nicht nur Kohle, Stahl

HAUS VISCHERING · Keine deutsche Gegend ist so reich an Wasserburgen wie der nördliche Teil Westfalens. In den Jahren 1519—1584 wurde Haus Vischering im Kreis Lüdinghausen erbaut. Es hat bis heute unverändert den Charakter einer wehrhaften Wasserburg erhalten, trotzig und etwas schwermütig wie die Landschaft.

DORTMUND · Die zweitgrößte Stadt des Industriegebietes wurde im zweiten Weltkrieg zu fast Dreiviertel zerstört. Mit der dem Ruhrgebiet innewohnenden Energie wurde sie jedoch wieder schwungvoll und modern aufgebaut. Schon im Mittelalter ein bedeutender Handelsplatz, ist auch Dortmund heute einer der unablässig schlagenden Pulse mit dem drittgrößten Binnenhafen Deutschlands.

und Eisen gehen hinaus, sondern in größtem Umfange auch Glas aller Art. Im Westen und Norden dehnt sich eine Welt der chemischen Großindustrie aus, natürlich auch ein Tochterkind der Kohle, und schließlich kommt durch Einsatz und Wissen heimatvertriebener Flüchtlinge, die ihre Kenntnisse mitgebracht haben, als fünftes ein hier ursprünglich fremder Arbeitszweig hinzu: Die große Bekleidungsindustrie! Auch sie hat mit Kohle zu tun. Im Hauptbahnhof haben in einem riesigen Glasfenster diese Grundlagen städtischer Arbeit ihre sinnbildliche Darstellung gefunden. Mitten durch die Stadt verläuft mit vielen Unter- und Überführungen hin die Autobahn.

Wie alle großen Städte des Reviers ist auch Gelsenkirchen durch die Zusammenfassung vieler ehedem selbständiger Orte entstanden. Buer und Horst-Emscher schlossen 1928 den Zusammenlegungsprozeß ab. Es ist klar, daß nur ein Bruchteil der Gelsenkirchener wirklich aus Gelsenkirchen stammt. Wie wäre das bei solch einem Wachstum auch anders möglich? Menschen aus aller Welt, vornehmlich aus Ostdeutschland, haben Stadt und Industrie aufgebaut und ihre Industrieheimat geschaffen. Wo sich die Seilscheiben in den Fördertürmen drehen, die Kohlenwagen an wippender Seilbahn über den Dächern schweben, wo Koksofenbatterien lodern, Hochöfen brennen, endlose Güterzüge rasseln, der Maschinengesang zahlloser Fabriken in langen Straßenzügen widerhallt, wo eine arbeitende Stadt mit Hochhäusern, Warenhäusern, Gasometern, Öltürmen, Kohlenhalden, Verladeplätzen zu einem fast unentwirrbaren Ineinander schnell und rücksichtslos aufgewachsen ist, bestimmen andere als die herkömmlichen Maßstäbe das Leben der Menschen. Arbeit ist das Gesetz des Tages.

Lebensgesetz der Industrie

Die verantwortungsbewußte Stadtverwaltung hat es schwer, den Hunderttausenden ihre Stadt zur Heimat zu machen. Einen kleinen, aber ausgezeichneten Zoo hat man angeschafft, im Augenblick baut man das moderne Theater, der Norden mit Wald und Raum wird Siedlungs- und Erholungsgebiet, Fußballstadt ist man ja sowieso und wegen der Pferderennen in Horst-Emscher nicht weniger berühmt – und doch: Die Wirtschaft blüht, was fehlt, ist Raum der Stille, der sanftere Zug der Geborgenheit, der die Herbheit eines Lebens zwischen Mauern und Maschinen versöhnt! Ist es in Wanne-Eickel, Herne oder Gladbeck, den Nachbarstädten, anders? Durchaus nicht! Das ist das Lebensgesetz der Industrie, keine Überlieferungen zu haben, sondern sie in jeder Hinsicht schaffen zu müssen. Und auch das ist bemerkenswert: Daß »man« zwar ins Sauerland oder nach Holland fährt, daß man aber schließlich zurück will in seinen geliebten Kohlenpott, nach Schloß Berge, ins Kino, in die Badeanstalt, ja, in die Gemeinschaft am Werktisch, in die Grube und an den Glühofen und nach Feierabend in die Volkshochschule, zu den Taubenfreunden oder an den Stammtisch »um die Ecke«. Ob sie nun Küchenöfen herstellen oder Benzin, Kohle fördern oder nahtlose Röhren ziehen, irgendwie sind alle diese Menschen einander näher gerückt als man es oft in weltberühmten, schönen Städten findet. Der Umgangston ist gemütlicher, derber und herzlicher, die Kleidung schlichter, man ist ohne Aufhebens ganz einfach zu Hause in »Gesellenkirchen«, und niemand fragt, ob und wie lange man dazugehört. Hier zu wohnen, das ist nicht jedermanns Sache. Braucht es auch nicht zu sein. Aber in dieser großen Arbeitsstadt geben die Sirenen nun einmal den Ton an. Um es genau zu sagen: Die Zechensirenen – auf »Bismarck«, »Nordstern«, »Graf Moltke« oder wie sie alle heißen, morgens um halb sechs.

Für das Jahr 2000 geplant

Am Nordrand des Reviers, im großen Dreieck zwischen Herne, Recklinghausen und Dorsten entsteht Deutschlands modernste Großstadt. Ihr Ausgangspunkt ist das Heidedorf *Marl*. Die Industrie wird von zwei Großzechen und dem Giganten der chemischen Industriewerke Hüls am Lippe-Seitenkanal bestimmt. Eigentlich war vor fünfzig Jahren überhaupt nichts da. Heute nähert sich das entstehende städtebauliche Wundergebilde der Großstadtgrenze. Was ist nun wunderbar an Marl? Daß eine Stadt, eine richtige Stadt wie sie sich der Städtebauer als Idealfall vorstellt, gleich vom Modelltisch in die Landschaft gestellt wurde: So, nun wollen wir mal sehen, ob es nicht auch anders geht! Es ist »anders« gegangen! Welche Mißstände wirtschaftlicher, kultureller und sozialer Art hat das ungeordnete Wachstum vieler Großstädte uns beschert, die heute mühselig den Schutt der Außenbezirke Ring um Ring nach draußen schieben und nur schwer zur Ordnung finden! Marl-Hüls hat wohlüberlegt seine Hochhäuser, ohne die man in Zukunft doch nicht auskommt, in die Roggenfelder gestellt. Es hat das modernste zehnstöckige Krankenhaus Europas. Da sind die »insel« (klein geschrieben!), ein internationales Kulturzentrum, das Doppelgymnasium und selbstverständlich ein Theaterneubau. Wenn man schon »Siedlung« sagen muß, wo die Leute wohnen, ist es überall eine moderne Siedlung. Nun, kühne bauliche Stadtplanung ist immer erfreulich. Man findet sie hin und wieder. Wesentlich ist am Modell Marl: Die große Bevölkerungsziffer, der weite, grüne Raum, der zur Verfügung steht, der geniale Plan, so und nicht anders eine Stadt der Zukunft zu bauen und vor allem – an den Menschen zu denken! Seltsam, an sein Rathaus denkt es zuletzt, es hat noch nicht das, was doch wohl bei aller Aufgeschlossenheit nötig wäre, nämlich einen Bahnhof, es hat noch keine »City«! Die Forschungsergebnisse der Sozialpolitiker aller Großstädte, die Erfahrungen der Städtebauer und eine verwaltungspolitische Haltung, die nur an den Menschen denkt – das ist Marl.

MARL · Die jüngste Großstadt des Ruhrgebietes ist rasch dafür bekannt geworden, daß sie wie keine andere im ganzen Lande für die Zukunft geplant hat. Neben vorbildlichen Zweck- und Kulturbauten hat es sich in den Paracelsus-Kliniken eines der modernsten Krankenhäuser Deutschlands errichtet.

BAD GODESBERG · In diesem Hause wird die Erinnerung an die »Lindenwirtin« wachgehalten, mit deren Persönlichkeit sich ein Stück romantischer Studentenfröhlichkeit vergangener Zeiten verbindet. Bad Godesberg, einst ein ruhiges Städtchen, ist durch die Verbindung mit Bonn und eine fleißige Industrie schnell aufgeblüht.

So soll man wohnen

Anders liegen die Dinge bei der *Sennestadt*, die noch keinen Namen hat. Aber wohl in Zukunft so genannt werden wird? Oder soll sie als Satellitenstadt zur großen Mutter Bielefeld gehören, vor deren Süd-Ost-Tor sie in der Sennelandschaft gebaut wird. Sie ist eine Gründung des Landkreises Bielefeld und hat ausdrücklich die Bestimmung, Wohnstadt zu sein. Industrie zieht man heran, nicht allzuviel, der Plan sieht etwa 25 000 Einwohner vor, die vorbildlich wohnen sollen. Man stellt ein Verwaltungszentrum wie die wasserumgebene Lindemanninsel in die Mitte, von diesem Mittelpunkt aus Häuser im Landhausstil, doppelstöckige Häuser, Mittelhochbauten und ganz am Außenrande Hochbauten. Die Sennestadt hat ein großes Fußgänger-

SCHLOSS MYLLENDONCK · Auch das Land am Niederrhein ist reich an Wasserburgen. Bei Mönchengladbach und Rheydt steht der imponierende, etwas düstere Backsteinbau des Schlosses Myllendonck. Die Turmbauten reichen bis in das 14. Jahrhundert zurück, während die Barockhauben um 1800 aufgesetzt wurden.

wegenetz, auf dem man von überall die Schulen, Kirchen und Geschäfte gefahrlos erreichen kann, und natürlich viele Grünanlagen. So soll man, so will und kann man wohnen und braucht doch nicht jene Annehmlichkeiten zu entbehren, die unsere moderne Zivilisation geschaffen hat. Die Arbeitsstätten sind schnell erreichbar.

Heimat für Heimatlose

Wieder anders sieht der Grundgedanke bei *Espelkamp-Mittwald* aus! Wo liegt das überhaupt? Eine verständliche Frage, denn vor zehn Jahren fristeten hier mitten im Walde nur eine Munitionsanstalt und ein paar weltverlorene Bauernhäuser ein einsames Dasein. Man muß über Herford – Bünde in den nordöstlichsten Zipfel Westfalens fahren, in den Kreis Lübbecke, um die wachsende Stadt, die nun auch einen Bahnhof bekommen hat, zu erreichen. Sie liegt mitten im Hochwald aus Buchen und Kiefern. Als 1946 die Bunker gesprengt wurden, erreichte es der schwedische Pfarrer Birger Forell bei den damaligen Besatzungsmächten nach großen Bemühungen, daß hier eine neue Heimat für alle jene deutschen Kriegsgefangenen erbaut werden dürfe, die nach Verlust der Ostgebiete heimatlos in den Lagern saßen. Die evangelische Kirche bürgte für den Aufbau eines rein karitativen Gemeinwesens. Marl ist Neugründung einer Industriegroßstadt, die Sennestadt will Wohnraum schaffen, Espelkamp-Mittwald ist ein christlich-soziales Hilfsunternehmen – im Grunde allerdings entspringen alle drei Gründungen dem sozialen Gedanken. Der Anfang hier in der Einöde ist schwierig. Amerikanische Mennoniten helfen über die schlimmsten Besorgnisse hinweg, dann greift die Düsseldorfer Landesregierung ein, und die »Ehe« zwischen Staat und Kirche »ist geschlossen«. Es ist eine vorbildliche Ehe geworden, die nicht nur auf Liebe, sondern auch auf gemeinsamer Arbeit beruht. Und niemand wird in diese Waldstadt hineingelassen, der nicht Beschäftigung in einem der Betriebe oder eine Wohnung nachweisen kann. Man will keinesfalls ein soziales Dorado für den Lebensschwachen bauen, keine Hilfe geben, wie sie Bethel bei Bielefeld aus ganz anderen Voraussetzungen heraus gibt, man will eine lebensfähige Stadt bauen, die frei ist vom Ballast vermeidbarer Kommunalsorgen. Für die Heimatlosen, wohlverstanden! Viele Flüchtlinge aus dem Osten – auch das geht nicht immer reibungslos ab! Auch dann nicht, wenn alle Straßen die Namen ostdeutscher Städte tragen. Was dieser neuen Stadt ihre ureigentliche, beachtenswerte, ja vorbildliche Bedeutung gibt, ist das: Sie ist ein Beweis dafür, daß Nächstenliebe, Fleiß und Gemeinschaftssinn die stärksten schöpferischen Kräfte sind, die menschlichem Zusammenleben Sinn und Ordnung verleihen! Und es ist gut so, daß man dem Schöpfer Espelkamp-Mittwalds, Birger Forell, dort das erste Denkmal gesetzt hat!

Wuppertal, handelsfreudige Stadt

Welche Stadt soll man wählen? Bielefeld? Die ostwestfälische Stadt der sachlichen, bedächtigen Kaufleute, die so vielerlei Dinge herstellen: Fahrräder, Nähmaschinen, Leinen, Backpulver, viele Bücher und tausend andere Dinge, die der Mensch braucht? Oder Herford, die Schokoladen- und Möbelstadt mit ihren zahlreichen Mittel- und Kleinbetrieben? Und schließlich hätte man auch Neuß aussuchen

DÜSSELDORF · »Jan Wellem«, das Denkmal des Kurfürsten Johann Wilhelm von der Pfalz, und die Erinnerung an ihn sind auch heute für Düsseldorf noch ein fester Begriff, obwohl die elegante Landeshauptstadt als »Schreibtisch des Reviers« längst zu einer Metropole von internationalem Glanz geworden ist.

SCHWARZRHEINDORF · Zu den wichtigsten romanischen Bauwerken am Rhein zählt die interessante Doppelkapelle in ihrer edlen Bauführung. In ihrem Inneren besitzt sie zwei übereinander liegende Räume und bedeutende Wandmalereien. Im 12. Jahrhundert erbaut, wurde sie in der neuesten Zeit wiederhergestellt.

können, zumal die Stadt einen großen Hafen hat und mit allem handelt, was der Niederrhein erzeugt: Mehl, Teigwaren, Kornkaffee, Öl, Margarine, Leim, Sauerkraut, Rübenkraut, Zucker, Tabak – das möge genügen. In allen drei Städten wird gleicherweise mit Soll und Haben gerechnet. *Wuppertal* aber hat eine Schwebebahn, und das ist immerhin ausschlaggebend. Keine Stadt der Welt hat nämlich eine Schwebebahn. Die Wuppertaler aber haben sie vor gut einem halben Jahrhundert nicht deshalb 14 Kilometer lang über dem Flußbett ihrer Wupper gebaut, um ein spielerisches Beispiel ihrer kühnen Einfallsfreudigkeit zu geben, sondern, weil sie vernünftig denkende, kluge Leute waren. Und siehe: Diese sich in verwegenen Kurven schlängelnde Bahn hat bis heute – man staune pflichtgemäß! – über 800 Millionen Fahrgäste befördert! Wuppertal hat indessen nicht nur die Schwebebahn aufzuweisen. Ein Dutzend Büchereien, halb soviel Museen, Opernhaus, Schauspielhaus und Komödie, Sport- und Grünanlagen und eines der modernsten deutschen Stadtbäder, seiner Architektur wegen im Volksmund sinnig als »Schwimmoper« bezeichnet. Aber eins hat sie nicht: Raum auf Erden! Deshalb ist sie seitwärts die Hänge hinaufgeklettert, und dem Vernehmen nach soll es über zweihundert Stadttreppen geben. Wo und wie die dreiunddreißig Bundesbahnhöfe eigentlich Platz gefunden haben, ist ein Rätsel, aber sie sind da, denn schließlich haben wir es mit einer regsamen Handelsstadt zu tun, die ohne Bahnhöfe nur schwerlich wüßte, wie sie ihre Produkte in alle Welt schicken und wie sie die Rohstoffe einführen sollte.

Der dunkle Punkt: Wupper

Wuppertal ist ein neuer und sinnvoller Name, unter dem die Stadt seit 1930 »firmiert«, so sagt man wohl in der Kaufmannssprache, und zwar nach Zusammenschluß von Elberfeld und Barmen, dem sich noch einige kleinere Städte hinzugesellten. Bereits um die Mitte des vorigen Jahrhunderts lebten im heutigen Stadtgebiet über hunderttausend Menchen an einem der wichtigsten Bank- und Handelsplätze Preußens, und nur wenige Städte Deutschlands waren größer. Elberfeld, hervorgegangen aus einer Burg der Dynastie von Elverfelde, die ursprünglich ein Lehen der Kölner Erzbischöfe war, befand sich bereits 1527 im privilegierten Besitz der »Garnnahrung«. Barmen, berühmt wegen seiner »Barmer Artikel«, Bänder, Spitzen und Litzen, ist seit 1808 Stadt, Elberfeld seit 1610.

Das Bergische Land ist immer ein wenig rauh und kalt gewesen, die ganz große Kunst, der ganz große Reichtum, der vielfältige Segen der Erde war hier selten zu Hause. Die Menschen aber, von denen man sagt, sie seien ein wenig eigenbrötlerisch, sehr munter und wagemutig dazu, begannen schon recht früh zu handeln. Was also Wuppertal betrifft, so versuchte man es im 16. Jahrhundert in dieser Gegend mit dem Bleichen der Garne, begann zu weben, und als das alles an Umfang und Bedeutung zunahm, kam die Färberei hinzu. Aus der Färberei entwickelte sich eine chemische Industrie, die auch ihre ursprünglich bescheidenen Grenzen sprengte. Aus späterer Zeit sei nur an Carl Duisberg erinnert, den technischen und wissenschaftlichen Leiter der Farbenfabriken Bayer, Entwickler der Anilin-Farben und Schöpfer neuer industrieller Möglichkeiten bei der Herstellung pharmazeutischer Präparate. Bayer verzog später nach Leverkusen. Die aufblühende Textilindustrie setzte Maschinen voraus, die man nach Möglichkeit im Heimatraum baute; die Werkzeugindustrie wuchs mit, später die elektrotechnische Industrie. Die Papiermacher gründeten ihre Werke, die Lederwarenfachleute fanden Platz neben den Walzwerkern und Fahrzeugbauern, und da sie alle mit kaufmännischen Vorgängen zu tun haben, wohnen in ihrer Nachbarschaft bedeutende Banken, so daß sich das alles zu einem bunten, echten Bild einer Handelsstadt abrundet. Nur ein dunkler Punkt im hellen, waldumgebenen Stadtbezirk bleibt: Das ist die *Wupper*, über die sich die Remscheider und Solinger ärgern, weil sie in total verschmutztem Zustand von Wuppertal bei ihnen ankommt.

Der Charakter der Arbeit erfordert die Beschäftigung zahlreicher Menschen, zumeist Frauen und Mädchen in den Betrieben. Das Adreßbuch weist seitenlang die Berufsbezeichnung der Fabrikanten auf. Ganz originelle Stadtbeschreiber haben folgerichtig Wuppertal die »Stadt der fleißigen Mädchen«

KÖLN · Uferstraße am Rhein bei Nacht. Die erleuchteten Schiffe und Häuser hoch überragend: der Dom, 600 Jahre altes Wahrzeichen der deutschen Lande am Rhein. Köln ist eine Gründung der Römer. Als Ausstrahlungspunkt abendländischer Kultur, weltweiten Handels, maßgeblichen politischen Geschehens und lebensfroher Daseinsfreude ist Köln eine der markantesten Städte Europas.

DIE KÖNIGSALLEE IN DÜSSELDORF, im Volksmund die »Kö« genannt, ist der Treffpunkt der eleganten, schau- und kauflustigen Welt. Als Landeshauptstadt von Nordrhein-Westfalen ist Düsseldorf Sitz hoher Behörden. Zum »Schreibtisch des Reviers« wurde die Stadt durch zahlreiche Verwaltungsbauten der Industriekonzerne. Kunst- und Kultureinrichtungen vergrößerten den Ruhm Düsseldorfs, das die erste deutsche Galerie besaß. Im nahe gelegenen Neandertal wurden Skelett-Teile des nach dem Fundort benannten Menschen, der den ältesten nachweisbaren Menschentypen angehört, ausgegraben.

RAESFELD, Kreis Borken, Westfalens originellstes Wasserschloß. Erbaut 1643—58 von »Westfalens Wallenstein«, dem Kaiserlichen Generalfeldmarschall Alexander dem II., Graf von Velen. Der Turm diente als Sternwarte.

INDUSTRIELANDSCHAFT irgendwo im Revier! Schön oder häßlich — diese Frage bleibt gleichgültig vor der eindrucksvollen Wucht der Hochöfen mit Kühltürmen, Schornsteinen und Verschiebebahnhof. Dem Menschen zwischen Schacht und Hütte ein alltägliches Bild industrieller Leistung an der Ruhr. PADERBORN sah bereits 777 mit Karl dem Großen einen Reichstag in seinen Mauern. Die alte Kaiser-, Hanse- und Bischofsstadt liegt an der Pader, die aus vielen Quellen in der Stadt entspringt. Imposant der Dom aus dem 13. Jahrhundert. Der Grundstein des Domes wurde 799 gelegt. Der heutige Bau stammt aus den Jahren 1230—1280.

genannt. Auch Bielefeld, Rheine, Nordhorn, Mönchengladbach und Krefeld als Textilzentren hätten diese Bezeichnung in gleicher Weise verdient, aber die eifrigen Wuppertaler waren zuerst da, und dabei bleibe es! Ausgesprochen bergischecht ist Wuppertals Charakter als Zentrale religiös-kirchlicher Arbeit: Kirchliche Hochschulen, Seminar der Rheinischen Missionsgesellschaft, Evangelisch-Soziale Frauenschule, Evangelisches Seminar für kirchliche Gemeindepflege und Katechetik, Landeskirchenmusikschule, aber das hat natürlich mit der Handelsstadt nichts zu tun, auch nicht, daß von hier aus Tausende von Bibeln in alle Welt hinausgehen, sondern ergänzt nur das Bild einer ausgesprochen eigengesichtigen, lebendigen Stadt, die übrigens einen der am schönsten gelegenen Zoologischen Gärten Deutschlands hat! Das Schwergewicht des Handels liegt mehr im westlichen Elberfelder Stadtteil, die Fabrikation stärker auf ehedem Barmer Gebiet im Osten. Rheinländer sind sie trotz eines spürbaren Akzentes in ihrer leicht singenden Sprache nicht, eher neigen sie dem sauerländischen Charakter zu. Daher kommt es wohl, daß man sich wundert, sind einmal drei Wuppertaler einer Meinung. So erzählt man sich.
Erinnern wir uns der Bemerkung Goethes, der von seinem Besuch in Elberfeld (1774) schreibt: »Wir besuchten Elberfeld und erfreuten uns an der Rührigkeit so mancher wohlbestallten Fabriken. Hier fanden wir unsern Jung genannt Stilling (aus dem Siegerland) wieder. Hier sahen wir ihn in seinem Kreise und freuten uns des Zutrauens, das ihm seine Mitbürger schenkten, die, mit irdischem Erwerb beschäftigt, die himmlichen Güter nicht außer acht ließen. Die betriebsame Gegend gab einen beruhigenden Anblick, weil das Nützliche hier aus Ordnung und Reinlichkeit hervortrat.«

Die Leute auf dem Lande

Auf dem Lande! Wie das klingt! So nach Weltabgeschiedenheit, Wälderferne, Einsamkeit, nach Holzschuhen, Äckern und Ställen oder nach Feldwegen in Roggenfeldern und alten, verlassenen Wegscheunen mit einem weiten Himmel darüber! Bei allen Städteschilderungen sollte man nicht vergessen, daß »draußen vor dem Tore« auch noch Leute wohnen, die zur Mannigfaltigkeit des Erscheinungsbildes in unterschiedlicher Weise beitragen. Sie wohnen weithin im Lande tatsächlich noch in diesen mit so schönen Beiwörtern versehenen Landschaften. Es hat sich aber im Laufe der letzten Jahrzehnte einiges getan, was der Unberührtheit solcher natürlicher, ursprünglicher Landgebiete manches von ihrem Zauber genommen hat. Wirtschaftliche Ursachen haben viele Menschen vom Lande in die Städte geführt, eine Wandererscheinung, die es seit je gab. Aus den Städten ist die Technik in vielerlei Variationen ins Land hineingegangen. Kleinstädte und Dörfer ändern ihr Gesicht, der Lebenszuschnitt paßt sich von Tag zu Tag mehr städtischen Formen an. Wir wollen und können hier nicht untersuchen, wie und warum das Dorf entstand und wollen uns auf folgende Feststellung beschränken: Im großen und ganzen ist es so, daß sich in Nordrhein-Westfalen vom Niederrhein und von Belgien her ein Keil echter Streusiedlung, das Münsterland umgehend, zwischen Dorfsiedlungsgebiete im Norden und Süden einschiebt. Im südlichen Bergland und im Osten ist das Dorf meistens geschlossen. Im Tiefland dagegen locker, bisweilen in eine Schwarmsiedlung übergehend. Daneben gibt es Mischformen, völlig neue Siedlungen unserer Zeit und eine Fülle von Vororten der Großstädte.

Schulten-Karl hat Fernsehen

Es ist klar, daß sie einander nur in groben Zügen gleichen. Ihre Entstehungsursachen sind unterschiedlich und recht mannigfaltig. Wenn man sagt, der westfälische oder niederrheinische Bauer sei ein Einzelgänger und wohne deshalb gern für sich allein in weit zerstreuten Einzelgehöften, so ist diese Deutung dafür ein wenig billig. Der Bauer in den Weilern des Bergischen Landes oder in den Haufendörfern der Warburger Gegend ist im Grunde genauso gut Bauer, den sein Beruf in gleicher Weise geprägt hat. Aber, was unser Dorf betrifft, so hat es überall doch bestimmte, überall anzutreffende Eigenschaften gemeinsam, mag es sich um das in Wäldern des Wittgensteiner Landes verborgen liegende Unglinghausen handeln, um Alverdissen im Lippischen, wo die Leute so gern Meier heißen, oder um Niederdollendorf am Rhein. Es ist eben das Dorf schlechthin. Das Land guckt überall über die Hecken und Gärten zum Marktplatz hinein, wo fast

HÖXTER · Wo die Weser am Ostrand Westfalens die Grenze bildet, liegt Höxter an den alten Straßenkreuzungen des Hellwegs von Dortmund nach Braunschweig und der Nordsüdrichtung Bremen—Kassel. Die doppeltürmige, romanische Kilianskirche in der Nähe des Rathauses entstand bereits im 9. Jahrhundert.

immer die Kirche mit dem senkrechten Ausrufungszeichen ihres Turmes den Mittelpunkt betont. Getreuen Kücken gleich schmiegen sich zwei oder drei Wirtshäuser an die Kirche an. Manchmal laufen die Straßen rundum, manchmal langhin nebeneinander her oder regellos durcheinander, alles aber bleibt überschaubar. Fachwerk oder Ziegelsteinbau, Katzenkopfpflaster oder Teerdecke auf den Straßen, das ist gleich, ein Dorf bleibt ein Dorf, vornehm bisweilen für landhungrige Kurgäste, bäuerlicher wieder mit Misthaufen an den Straßen. Und Hühner laufen überall. Manchmal ist eine Apotheke da, wenn es hoch kommt ein Hotel, oft macht der Wirt den Postvorsteher, der Molkereibesitzer, der Mann mit der kleinen Fabrik, der Schulten-Karl oder Schmitz-Hennes haben eine Fernsehantenne, und das halbe Dorf fährt morgens per Autobus oder Kleinbahn zur nächsten Arbeitsstätte.

Das sind äußere Eindrücke. Oft rührende, idyllische Bilder, manchmal auch graue Langeweile. Fast in jedem Dorf prahlt irgendwo ein stuckverzierter Villenbau aus der Zeit der Jahrhundertwende. Die menschlichen Originale, die beispielsweise nicht glauben wollen, daß die Erde rund ist, sterben aus. Die den Tierarzt telefonisch anrufen, die Kuh sei krank, sich aber beharrlich weigern, ihren Namen zu nennen. Jene prächtigen Herumstreuner, nicht selten von begüterter Herkunft, die nur so umherlaufen, weise Sprüche von sich geben, hier oder dort mal arbeiten, sonst aber nichts tun und heute hier, morgen dort im Stroh schlafen, denn jeder kennt sie – auch sie sterben aus. Der Lehrer ist Pädagoge und kein Dorfschulmeister mehr, der Kassenarzt hat den Hausdoktor abgelöst, und Stina quält sich, das verschwitzte Taschentuch in der Hand, auf Stöckelschuhen zum Tanzboden, aber den »Rheinländer« oder die »Königsquadrille« tanzt sie nicht mehr, der Plattenspieler hat ein anderes Repertoire.

BURG ALTENA · Über der Stadt Altena und dem engen, romantischen Tal der Lenne erhebt sich die um 1100 erbaute Burg, einst den Grafen von der Mark gehörend. Sie wurde zur Wiege der Jugendherbergsbewegung und zum kulturellen und historischen Sammelpunkt im westlichen Sauerland mit der ersten Jugendherberge.

Dein Dorf ist dein Gesicht

Aber immer noch ist das Dorf ein mehr oder weniger großer lockerer Familienverband mit einem gemeinsamen und vielen Einzelschicksalen. Sein menschliches Gesicht wird oft noch von alten Gesetzen allgemeinen Zusammenlebens bestimmt. Es ist oft doch Heimat im überlieferten Sinn des Wortes und fühlt sich treuhänderisch für die Erhaltung dessen verantwortlich, was nach Übereinkommen als gut und bewährt erkannt worden ist.

Das ist das alte, sehr alte Dorf! Die moderne Siedlung ist anders. Schon ihre planerischen Grundrisse sind nicht mehr dieselben wie beim Dorf, da sie nicht so sehr auf landschaftlichen Voraussetzungen als auf der Nähe städtischen Einflußgebietes beruhen. Aber auch ihr haftet noch ein Hauch dörfischen Wesens an. Der durchweg fünfzig bis sechzig Jahre alte Industrievorort des Reviers dagegen ist weder Stadt noch Dorf, sondern eine merkwürdige Mischform in jeder Hinsicht. Die Alteingesessenen kennen einander noch, aber überall ist »viel fremdes Volk« zugezogen. Die leise Abwehr in dieser Bezeichnung schützt nicht vor dem Einfluß, den diese redlichen Mitbürger auf den Charakter des Vorortes ausüben, aber man ist bereits einander fremder, die Interessen gehen auseinander, aus dem Vorort wird eines Tages nach Verschwinden der letzten dörflichen Linde oder Handpumpe ein Stadtbezirk unter vielen werden. Nur dem, der genauer hinsieht, wird offenbar, daß doch noch jedes Dorf im Lande und jeder Vorort irgendwie ein Eigengesicht behalten oder erhalten haben.

Mit Touristenbus zu den Burgen

»Wenn Könige bauen, haben die Kärrner zu tun.« Die Könige, von denen Schiller spricht, wollen wir hier einmal fortlassen, aber Fürsten, Grafen und Adelsherren waren es immerhin, in deren Diensten die Kärrner zu tun hatten. Jahrhunderte hindurch karren sie Lehm, fahren sie mit keuchenden Gespannen Holz auf schlechten Wegen aus den großen Wäldern heran, schleppen Steine, bohren Brunnen und schmieden grobe und feine Eisen, ein namenloses Heer dienstbarer Untertanen, die es nicht anders wissen, als daß es so sein muß: Der Herr baut! Zahllose Herren haben gebaut, auf felsigen Bergen und in den weichen Böden der Ebene. Sie sind mitsamt ihrer Pracht und Macht dahingegangen. Nur die pergamentenen Urkunden und die Bücher und Bilder der Schreiber und Forscher halten die Erinnerung an sie, ihre Taten und Namen wach. Unübersehbar aber sind die steinernen Urkunden, die sie in ihren *Burgen* und *Schlössern* der Nachwelt hinterlassen haben.

Man sollte diese kleine Betrachtung eigentlich nicht mit wehmütigen Überlegungen beginnen. Immerhin besteht einiger Grund dafür. Wir bauen heute keine Burgen und Schlösser mehr. Die baulichen Repräsentanten unserer Zeit sind Hochhäuser aus Glas, Stahl und Beton, nüchtern und zweckmäßig errichtet, vielleicht sogar schön – aber Burgen? Und gar romantische Burgen, die so schön sind, daß reiche, begeisterte Ausländer sie kaufen, abbrechen und in ihrem Heimatland wieder aufbauen, wie es geschehen ist? Spotten wir nicht, die wir uns für so fortschrittlich und vernünftig halten, für so modern, dennoch aber mit dem vollbesetzten Touristen-Autobus überall durch die Lande fahren, um, mit wer weiß was für Gefühlen und Stimmungen, Burg um Burg, Schloß um Schloß zu besuchen und zu fotografieren. Was gehen uns die versunkenen Jahrhunderte eigentlich noch an? Darauf muß ein Philosoph die Antwort geben. Bis er sie überlegt hat, wollen wir uns im Lande hier und dort umsehen.

Steingewordene Geschichte

Umsehen ist leicht gesagt! Einige hundert Burgen, Schlösser und feste Herrensitze liegen verstreut in Bergland und Ebene, einige weitere hundert künden nur noch als Ruinen von einstiger Größe. Seltsam, alle diese Baudenkmäler wollen wir erhalten, als ginge mit ihrem endgültigen Verlust das Bewußtsein unserer Vergangenheit dahin. Tatsächlich offenbart sich in diesen Bauten, wie auch in Kirchen, ein Stück steingewordener Geschichte. Sie sind Beispiele des Denkens und Fühlens ganzer Generationen, zu denen wir auf geheimnisvolle Weise immer noch in Beziehung stehen.

Wenn der Ritter Kunibert vom Krähenwald vor achthundert Jahren seine kleine, dickköpfige Burg hoch auf den Berg baute, so tat er das aus zweierlei Gründen: Um ein Gebiet zu beherrschen und um sich vor seinen Feinden, derer er genug hatte, zu schützen. Seine Vettern in Moor und Ried schichteten die wuchtigen Quadersteine auf einem kleinen Hügel auf (Motte), bauten eine Rundburg mit hohen Mauern und ließen sie in tiefen Gräben von Wasser umfließen. Ein ganz altes Beispiel einer derartigen Anlage ist die *Burg Vischering* im Kreise Lüdinghausen in Westfalen.

Wasserburgen gibt es am Niederrhein ebensoviel wie im Münsterland. Westfalen-Lippe und der Niederrhein sind kein Land deutscher Bergschlösser wie Hessen, Franken oder das Elsaß. Dagegen gibt es keine deutsche Landschaft mit so zahlreichen Wasserburgen wie sie Westfalen und der Niederrhein aufweisen. Diese Wasserburgen sind in der Hauptsache Verteidigungsburgen gewesen, unzugänglich, verborgen in Wald und Wasser, während die Höhenburgen durchweg stärker im Mittelpunkt kriegerischer Auseinandersetzungen standen. Aber das läßt sich nur so ungefähr behaupten. Genauer betrachtet, erweist sich die Geschichte der Burgen und Schlösser im Lande als sehr vielfältig. Ebenso vielfältig ist die Entwicklung der Burgen, burgähnlichen Sitze und Adelsschlösser in baulicher Hinsicht. Nicht nur finden wir wie an einer Kette aufgereiht durch die Zeitläufte Musterbeispiele der Romanik, Gotik, Renaissance oder des Barocks und des Klassizismus; wir treffen noch häufiger die Spuren dauernder Umbauten an. Zuletzt, in unseren Tagen, erleben wir zudem noch die Verwandlung zahlreicher Bauten, die in karitative Einrichtungen, Lehranstalten, Museen oder Heilstätten, ja sogar Fabriken umgewandelt wurden, verkauft oder verpachtet, weil ihre Instandhaltung dem Besitzer unerschwingliche Kosten verursacht.

Weltgefühl und Repräsentation

Nur zwei bedeutende Bauschöpfungen im Lande sollen hier betrachtet werden: Schloß Brühl, zwischen Köln und Bonn gelegen, und Schloß Raesfeld bei Borken in Westfalen!

Im ausgehenden Mittelalter geschieht es nicht selten, daß eine reich und selbstbewußt gewordene Bürgerschaft sich von der Vorherrschaft des weltlichen oder geistlichen Herren gewaltsam befreit. Ein Beispiel dafür ist die Niederlage des Kölner Erzbischofs Siegfried von Westerburg für sich und seine Nachfolger in der Schlacht bei Worringen (1288); freilich hatten dabei die Grafen von Berg und andere ihre bewaffnete Hand im Spiel. Die Erzbischöfe haben es von da ab vorgezogen, sich vorübergehend und später für dauernd in die Nähe Kölns, nach Poppelsdorf und Brühl, zurückzuziehen. *Brühl*, von genanntem Siegfried von Westerburg als Kampf- und Residenzburg gegründet, war ursprünglich eine wehrhafte Wasserburg. Von seinen Nachfolgern

DETMOLD · Das Lied von der »wunderschönen Stadt« im Teutoburger Wald hat Detmold in ganz Deutschland als die kleine Residenz vergangener Kleinstaaterei berühmt gemacht. Das ehemalige Residenzschloß der lippischen Fürsten ist ein Beispiel der sogenannten Weser-Renaissance, während der Eckturm weit älter ist.

XANTEN ist zwar nur ein kleines Städtchen, das aber an Geschichte und Sagen reich ist. Die Reste eines Amphitheaters, in dem nach dem Vorbild in Rom für die Besatzung am Niederrhein Spiele durchgeführt wurden, sind beinahe zweitausend Jahre alt. In die Zeit dieser römischen Garnison geht auch der Ursprung des 1263 ausgebauten gotischen Viktordomes zurück. Von Xanten aus zog der germanische Sagenheld Siegfried in das Reich der Burgunder. So vereinen sich Sage und Geschichte in dem heute ruhigen Städtchen nahe der holländischen Grenze.

1298 vollendet, bleibt sie Kampfburg, bis sie 1689 gesprengt wird. Das Bild des heutigen Schlosses Brühl läßt keine Spur mehr davon ahnen, im Gegenteil: Dieser große Bau, errichtet auf den Fundamenten der alten Anlage, atmet in seiner Weitläufigkeit, Ausstattung und im großartigen Rahmen seiner Gesamtanlage ein ganz anderes Weltgefühl – das der großzügig–genial–verschwenderischen Baulust eines Fürsten, der ein wahrhaft repräsentatives Schloß brauchte. Man muß wissen, daß von 1583 bis 1761 fünf Mitglieder des bayerischen Hauses Wittelsbach die Kurwürde des alten Erzbistums Köln besaßen. *Clemens August* (1700 bis 1761) ist der letzte dieser fünf Kurfürsten gewesen, eine der interessantesten Persönlichkeiten, die je im Bereich unseres heutigen Landes gelebt haben. Ein Mensch, beherrscht von seinen Ministern, regiert einmal von Frankreich, ein anderes Mal wieder vom Hause Habsburg, unpolitische Schlüsselfigur im politischen Spiel der Mächte im 18. Jahrhundert, erfüllt von einem unbändigen Verlangen nach luxuriöser Hofhaltung, phantastisch, gutmütig und voller künstlerischer Pläne. Schließlich bei seinem Tode in unvorstellbarem Umfange verschuldet, solch ein Mensch und Bauherr war dieser Kurfürst von Köln, Bischof von Münster, Osnabrück, Paderborn und Hildesheim, Herzog in Bayern, dem Schloß Brühl seine Existenz verdankt.

Alle überragend: Balthasar Neumann

Der »Hausarchitekt« am kurfürstlichen Hofe, Guillaume Hauberat, findet mit seinem Entwurf keine gnädige Zustimmung. Der berühmte Baumeister *J. K. Schlaun* entwirft eine Dreiflügelanlage mit einem tiefen Hof. Dem Eckturm aus alter Zeit gibt er einen zweiten hinzu und versucht, den ursprünglichen Charakter mit Wassergräben und in süddeutsch-italienischer Barockmanier zu erhalten. Bauzeit drei Jahre, der Rohbau steht! Dann setzt der zweite Bauabschnitt ein (1728 bis 1740), dieses Mal ganz im Geist des französisch-bayerischen Rokoko, und sein Planer und Architekt ist François Cuvilliés, der die Türme abreißt, Schlauns Fassade glättet, den Wassergraben einebnet und eine breite Gartenterrasse anlegt. Bei Gott, so etwas kann einer nicht allein! Eine Heerschar von Baumeistern, Bildhauern, Steinmetzen und Malern ist an der Arbeit, und ihre und vieler anderer Namen sind uns aus den hoffentlich bezahlten Rechnungen erhalten: Leveilly, Castelli, Morsegno, van Helmont, Heydeloff und de Graff, und sind doch nur ein paar Leute aus der europäischen Armee der Bauleute! Die dritte Bauperiode (1740 bis 1748) schließlich gilt in der Hauptsache dem Innenausbau. Auch hier taucht wieder eine endlose Reihe von Namen auf, alle aber weit überragend der des großen *Balthasar Neumann,* dessen Treppenhaus eine Meisterleistung des Rokoko darstellt, die nur in seiner Heimatstadt Würzburg noch ein Ebenbild findet.

Damit ist das Werk aber noch nicht abgeschlossen. Erst die vierte und letzte Bauperiode (1754 bis 1770), bereits unter Einfluß des französischen Klassizismus, rundet unter *J. H. Roth* das Gesamtbild endgültig in Malerei, Skulptur und letzter Eleganz ab, wobei auch die großen gärtnerischen Prachtanlagen ihre Gestalt erhalten. Alles in allem eine Gemeinschaftsarbeit vieler Menschen.

Wie nüchtern und streng, wie weit davon entfernt ist um diese Zeit dagegen die karge Welt Preußens, wo der Kartoffelanbau befohlen und der Kaffeegenuß verboten wird!

Als 1794 Schloß Brühl Eigentum der französischen Revolutionsregierung wird, ist seine große Zeit vorüber. Nach den Freiheitskriegen wird es preußischer Besitz und erlebt nach einem nicht aufregenden Jahrhundert das Schicksal manchen Schlosses unter den Bomben des letzten Krieges. Die Zerstörungen haben aber seinen aristokratischen Grundcharakter nicht wesentlich beeinflussen können, so daß es erfreulicherweise gelingt, mit Brühl eines der eindrucksvollsten Schlösser Westdeutschlands als Repräsentationshaus der Bundesregierung zu erhalten.

KLOSTER CORVEY · Das Westwerk der ehemaligen Reichsabtei (822) im Osten des Landes ist das älteste in seinen wesentlichen Bestandteilen erhalten gebliebene Bauwerk Westfalens. Von hier ging die Christianisierung des deutschen Nordens aus. Corvey ist der Schauplatz von »Dreizehnlinden«. Auf dem Friedhof liegt Hoffmann von Fallersleben, der Dichter des Deutschlandliedes, der in Corvey von 1860—1874 als Bibliothekar tätig war, begraben. Neben einem Museum besitzt das Schloß eine Bibliothek mit 100 000 teils sehr kostbaren Bänden.

Spielplatz der Götter

Soll Brühl stellvertretend für die Schlösser an Niederrhein, *Raesfeld* nun für Westfalen stehen, so scheint die Wahl vielleicht willkürlich. Hätten nicht ebenso die Schwanenburg in Kleve, durch die Lohengrinsage berühmt, und das romantische Residenzschloß in Detmold, das elegante Schloß Benrath bei Düsseldorf, Schloß Burg im Bergischen Land und das mächtige Nordkirchen, das »westfälische Versailles« im Münsterland, als Zeugen der mannigfaltigen Baugesinnungen ihrer Zeit dienen können? Und viele andere? Gewiß, aber Schloß Raesfeld hat nicht nur insofern eine eigene Note, als sich ein liebgewordener Satz seit Jahrzehnten in allen Beschreibungen wiederholt und bis auf den heutigen Tag erhalten hat: »Eine originellere und impressivere Komposition als dieses Schloß zu Raesfeld hat die Provinz nicht wieder aufzuweisen«, sondern was Raesfeld zu einem Erlebnis macht, ist die Landschaft rembrandtscher Prägung, darin, mächtig aufstrebend mit seinen Türmen und Dächern, grau, rot, sandsteingelb und schiefergrau, die Anlage unter dem Flachlandhimmel liegt, als hätten spielende Götter vorzeiten das alles der Einsamkeit überlassen und seien davongegangen. Wassergräben, weidende Kühe, Pappeln, ein Dörflein und ein Wälderhorizont, der in den Himmel hineinläuft, das ist Raesfeld.

Es ist nicht allein die Schloßanlage, die Raesfeld so stimmungsvoll macht, so ernst, phantastisch und zugleich großartig in ihrer Wucht und trotzigen Gelassenheit. Tiefer als bei vielen Schlössern weht in dieser stillen Landschaft der Eindruck der Vergänglichkeit alles Irdischen den Besucher an. Denn – was soll es noch? Glanz und Gloria der stürmischen Zeiten sind längst vorüber, als noch Grimmelshausens »Simplicissimus« durch seine Abenteuerwelt des Dreißigjährigen Krieges wandert und zusieht, wie der Reichsgraf Alexander II. von Velen das Schloß ausbaut, das er von seinem durch Salzhandel und Kriegsbeute reichgewordenen Vater geerbt hat. Dessen Vater ist Erbe derer von Raesfelde, die bereits hundert Jahre früher wacker dem Bischof Franz von Waldeck geholfen haben, die münsterischen Wiedertäufer in die Käfige zu stekken, und schließlich geht die Grundsteinlegung bis 1259 auf Adam von dem Berge zurück, der dieser Anlage damals den Namen Raesfelde gibt.

Trompetenstoß in Stein

Der Reichsgraf Alexander II. von Velen zu Raesfeld ist Mitglied der Kaiserlichen Liga, im Lande sehr begütert und überdies unermeßlich reich. Gebaut hat ihm diese wahrhaft fürstliche Anlage ein Kapuzinermönch *Michael von Gent*, ein Flame von Geburt, dem Konvent zu Münster angehörig. Vor seinem Eintritt in den Orden heißt er Jakobus van Poucke. Schon 1646 verläßt er Raesfeld, um auf Befehl seines Oberen nach Rom zu ziehen. Nach seinen Entwürfen haben zwei Meister aus Roermond, Jacob Schmidt und Sohn, den Bau vollendet.

Man kann nicht behaupten, daß es im Lande an Turmbauten mangelte, darin sich niederdeutschfälisches Wesen in seiner lebensvollen, kraftstrotzenden Form äußert. Aber so wie der wolkenstürmende, schlanke und doch mächtige Turm von Raesfeld beherrscht keiner seine Umwelt. Und wenn es hundertmal zu lesen steht, dieser Eckturm sei ein »in Stein gewordener Trompetenstoß«, so mag der zutreffende Vergleich hier noch einmal wiederholt werden, er stimmt. Sein reichgegliederter Kollege auf der anderen Seite, nicht ganz so eigenwillig, mit wunderlicher Barockhaube versehen, dient dem »westfälischen Wallenstein« als Sternwarte.

Als der »Feldmarschall« stirbt, sinkt Schloß Raesfeld langsam in die Verlassenheit jener großen Profanbauten hinein, die hier und dort im Lande herumstehen, als wüßten sie nicht recht, wozu und warum. Ihre Erhaltung ist zu kostspielig. Der Letzte von Velen hinterläßt 1733 als Erbmarschall von Flandern keine Nachkommen, und das Schloß geht

ESSEN · Vom Verkehr der größten Stadt des Ruhrgebietes umbrandet, birgt die alte, ehemalige Stiftskirche der Fürstäbtissinnen, die heute das Münster des jüngsten deutschen Bistums ist, neben kostbaren Schätzen die Gebeine des heiligen Ludger, des Missionars und Kirchengründers im nordwestdeutschen Raum.

durch mehrere gräfliche Hände, bis es schließlich leer steht und den Bauern als Kornspeicher dient. Seine Kunstschätze verfliegen in alle Welt, zwei Flügel der Renaissance-Bauten verfallen gänzlich, der Münsterlandwind weht durch die offenen Fensterhöhlen und in den Türmen nisten Eulen und Dohlen. Erst die Neuzeit erinnert sich des Anwesens wieder. Heute ist es Bildungsstätte des rheinisch-westfälischen Handwerks. Innerhalb der letzten acht Jahre haben bereits viertausend Handwerker, Meister, Meisterinnen und Gesellen an den Ausbildungskursen teilgenommen. Raesfeld ist überdies Ausflugsziel vieler Besucher aus dem Revier, aus Holland und Belgien, die im prachtvollen Schloßrestaurant vielleicht auch einmal bei Schinken, Korn und Pumpernickel der »Ritter« gedenken, die in »grauer Vorzeit hier gehaust« haben sollen.

Abendländisch-religiöser Geist

Bisweilen haben Könige, häufiger Fürsten *Kirchen* gebaut. Ihr Einfluß ist besonders stark im 12. und 13. Jahrhundert gewesen, wurde aber in den späteren Jahren oft durch die städtischen Bürgerschaften abgelöst. Oft sind die sakralen Adelsbauten Kapellen gewesen, Schloßkapellen, den Profanbauten angegliederte, manchmal bemerkenswerte Gottes- oder Andachtshäuser, manchmal auch Gelöbnisstätten nach Abenteuer, Krankheit, Krieg und Kreuzzügen.

Solch eine Heiligkreuzkapelle, rätselhaft, nach überstandenem Kreuzzug erbaut, findet sich in Drüggelte auf einem Gutshof über dem Möhnesee. Es ist eine rührend unbeholfene Nachahmung der heiligen Grabkirche in Jerusalem aus der Zeit um 1220, zwölfeckig, niemand weiß, wer ihre Form ersonnen hat. Kirchen wollen, anders als die mannigfaltigen Zwecken dienenden Schlösser und Burgen, nur als Gotteshäuser und nur als Ausdruck und Heimstatt abendländisch-religiösen Geistes verstanden werden. Diese Einheit der Bestimmung umschließt sie alle. Eine Einheit baulicher Gesinnung über diesen langen Zeitraum hinweg gibt es nicht und kann es auch nicht geben.
Wer unsere Kirchen im Lande in ihren zahllosen baulichen Eigenheiten ansehen will, muß sich schon ein wenig mit den Grundbegriffen der Architektur vertraut machen. Romanik und Gotik, Renaissance und Barock, Klassik und moderner Baustil in seinen Absichten müssen ebenso bekannt sein wie die Begriffe Kathedrale, Dom, Münster, Basilika oder Hallenkirche, und damit mag es genug sein.

Münsterkirche ohne Pathos

Sind sie alle eindrucksvoll? Diese meistens sehr alten baulichen Zeugnisse christlichen Glaubens im Lande vom Rhein bis zur Weser? Das kommt darauf an. Im Revier, in den Groß- und Mittelstädten, überall in den lebendigen, bebauten Wirtschaftszentren sind unsere Kirchen klein geworden, zusammengeschrumpft, erdrückt von der Last der Jahrhunderte und der hochstöckigen Wucht ihrer ragenden Umgebung. Ein Beispiel dafür ist die *Münsterkirche in Essen.* Viel Pathos hat es eigentlich nicht, dieses fast tausendjährige, von Alter und Industrierauch geschwärzte Gotteshaus der Äbtissinnen des Stiftes, das 1802 aufgehoben wurde. Unschätzbar wertvoll ist der Münsterschatz, einer der bedeutendsten Deutschlands, darunter die vergoldete Sitzmadonna, edelsteinbesetzte Kruzifixe

ESSEN-WERDEN · In dem Essener Stadtteil an der Ruhr stand bereits im Jahre 796 ein Kloster. Die Abteikirche, eine dreischiffige Basilika im niederrheinischen Übergangsstil mit einer Krypta aus dem 9. Jahrhundert, stammt aus dem Jahre 1257. Hier wird noch der Steinsarg des heiligen Ludger gezeigt.

und tausendjährige Elfenbeintafeln. Im Langhaus ein berühmter siebenarmiger Leuchter, spätgotische Figuren, Reliquienschreine, ein bewundernswertes Altargemälde von Barthel Bruyn (um 1525) und zahlreiche Kleinodien künstlerischer und baulicher Art, die dieses Gotteshaus zu einem Juwel im Westen machen, mitten im Sturm des modernen Großstadtlebens.
In fast unmittelbarer Nachbarschaft, in *Werden*, heute Essen zugehörig, die ebenso alte, hochberühmte *Abteikirche*, wo die Gebeine ihres Gründers, des ersten Bischofs von Münster, des heiligen Ludger, ihre Ruhestätte fanden. Auch die seiner Nachfolger, der sogenannten Ludgeriden. Auch hier haben frommer Sinn und mönchische Sorgsamkeit eine nicht überschaubare Fülle kirchengeschichtlicher Erinnerungen und meisterlicher, mittelalterlicher Kunst gesammelt.

Architektonisches Wunderwerk

Wer auch nur flüchtig von Kirchen im Lande Nordrhein-Westfalen erzählt, wird es nicht unterlassen, eine von ihnen zu erwähnen, die eigentlich als »Mutterkirche«, als Gründerkirche des ganzen Raumes, Anspruch auf Beachtung erheben kann: den *Aachener Dom!* Er ist Krönungsstätte vieler Kaiser und Könige, Wallfahrtsziel der Gläubigen und architektonisches Wunderwerk, dessen Weihe im Jahre 800 stattfand. Karl der Große ist in der noch kleinen Kirche 814 beigesetzt worden. Unmöglich, die Pracht dieses Gotteshauses, an dem die Jahrhunderte bis auf den heutigen Tag vergrößernd, erhaltend und verschönernd arbeiteten, zu schildern! Hier hat der Gedanke Christus-Herrscher-Volk als der gegliederten Christenheit im Staate Gottes seinen sinnbildlichen Ausdruck gefunden. Europas Künstler aller Zeiten haben dieses Gotteshaus geschmückt. Diese Domkirche des Bischofs von Aachen hat über ihre kirchengeschichtliche Bedeutung hinaus auch als Schatzkammer religiöser Kunst nicht ihresgleichen.
Auch nicht in den großen, altehrwürdigen Domen von Xanten, Münster und Paderborn, von Köln und Minden, die als monumentale Gotteshäuser gewiß einzigartige Beispiele bedeuten! Müßig, zu streiten, welches dieser historischen Gotteshäuser mit seinen Fundamenten am weitesten in die Jahrhunderte zurückreicht! Sie alle beherbergen Reliquien, um die Sage und Geschichte einen legendären Kranz gewoben haben. Wie etwa bei der *Reinoldikirche in Dortmund*, der riesigen Basilika im Stadtzentrum, jener Kirche, an die sich die Legende vom heiligen Reinoldus, dem Neffen Karls des Großen knüpft, den man bei einem Kirchenbau in Köln erschlug und in den Rhein versenkte. Als man seinen Leichnam fand, läuteten alle Kirchenglocken von

MINDEN · An der Porta Westfalica wurde Minden ein wichtiger Verkehrsknotenpunkt der Neuzeit. Der tausendjährige Dom aber erzählt aus der großen Vergangenheit dieser Stadt, als sie noch Bischofssitz war. Das herrliche Langschiff wurde nach der Zerstörung wieder in seiner eindrucksvollen Wucht aufgebaut.

SOEST · Am Hellweg liegt die »Ehrenreiche«, die »heimliche Hauptstadt Westfalens«. Sie ist nicht denkbar ohne die Würde und Anmut ihrer alten Kirchen, die ein selten schönes mittelalterliches Stadtbild überragen. Hier ein Blick auf Turm und Westwerk des fast tausendjährigen Patrokli-Münsters.

ALTENBERGER DOM · Inmitten grüner Wälder erhebt sich das nach dem Kölner Dom herrlichste Bauwerk der Gotik in den Rheinlanden. Die ehemalige Zisterzienser-Abteikirche aus dem Jahre 1255 besitzt das größte deutsche Kirchenfenster. Zur wertvollen Inneneinrichtung gehören wunderbare Glasmalereien und die Grabdenkmäler der Grafen von Berg. Altenberg war jahrhundertelang geistlicher Mittelpunkt des Bergischen Landes und wird heute noch viel besucht. Zu dieser Beliebtheit trägt auch seine abgeschiedene Lage im Bergischen Land bei.

selber. Die Dortmunder machten ihn zum Patron von Kirche und Stadt. Der Wagen fand seinen Weg nach Dortmund ohne menschliches Zutun. Ähnliche Legenden mystisch-frommer Geisteshaltung knüpfen sich an alle diese Gotteshäuser.
Aber nicht alle Kirchen sind auch Dome! Da liegen im ganzen Lande, oft versteckt und unbeachtet, die

NEUSS · Als Novaesium war die Düsseldorf gegenüberliegende Stadt Neuß ein römisches Kastell. Der prächtige romanische Quirinusdom stammt aus dem Jahre 1209. Die Barockkuppe wurde 1741 aufgesetzt. Neuß besitzt neben zahlreichen Industriewerken einen Rheinhafen, in dem Seedampfer anlegen können.

alten, kleinen Wehrkirchen, auf Bergen, in Wäldern, in der Ebene, zumeist gedrungene, kurztürmige Bauten, die kleinen Festungen gleichen und in Notzeiten letzter Hort der bedrängten Bevölkerung waren. So die *Peterskirche* bei der Hohensyburg auf Dortmunder Gebiet, eine der wenigen romanischen Saalkirchen, die ein Jahrtausend überstanden haben.
Eine andere Gruppe wiederum ist durch erlesene Schönheit oder baugeschichtliche Besonderheit bemerkenswert: Im Bergischen Land ist es der *Altenberger* oder *Bergische Dom,* eine Abteikirche der Zisterzienser. Diese Ordenskirche (1255) von langer Bauzeit verkörpert in herrlichster Formgebung den gotischen Baugedanken in einer dreischiffigen Basilika. Sie ist die Begräbnisstätte der Stifterfamilie, der Grafen und späteren Herzöge von Berg, ein sakraler Bau von einmaliger Einheitlichkeit in seiner Stilführung, der in unserer Zeit nach langem Verfall in ursprünglicher Schönheit wieder erstand.
Wer will sie zählen, die Kirchen im Lande, die romanischen Gotteshäuser, die gotischen Bauschöpfungen, die zahlreichen Mischformen – und das moderne Gotteshaus unserer Tage, das nach ganz neuen Gesetzen versucht, unter Fortlassung zahlreicher überkommener Zutaten oder Verschönerungen mit Mitteln unserer Zeit, Stahl, Beton und Glas, zu bauen? Diese Kirchen haben nur noch ihre Zweckbestimmung mit allen älteren Kirchen gemeinsam, ihre äußeren Formen sind völlig neu. Hier ein Vergleich: In *Neuß* steht der imponierende *Quirinusdom,* aber in der gleichen Stadt hat der bekannte Kirchenbauer Dominicus Böhm auch die moderne *Andreaskirche* gebaut, eigenwillig, völlig neu in Formgebung und Auffassung, und wie in Neuß wachsen überall im Lande neben bestehenden traditionellen Formen die ungewohnt-sachlichen, beinahe nüchternen Gotteshäuser auf, die versuchen, die ewigen religiösen Gehalte in die zeitgemäße Bauform des 20. Jahrhunderts zu kleiden.
Burgen und Schlösser bauen wir nicht mehr. Aber

Kirchen entstehen alle Tage. Natürlich können wir es uns nicht vorstellen, daß ein Baumeister sich heute zu einer Barockkirche bekennen würde, die gewiß zu ihrer Zeit vor 200 Jahren sicher auch als modern empfunden wurde. Allerdings: Nordrhein-Westfalen hat nur wenige aus dieser Zeit! Eine der schönsten ist die *Mariä-Empfängnis-Kirche in Büren* bei Paderborn, eine Jesuitenkirche fast süddeutschen Gepräges, innen und außen gleich stilrein und von seltener Schönheit, die um 1760 erbaut wurde. Nicht zu vergessen der anmutig-verspielte Zentralbau der *Klemenskirche in Münster* (1745 bis 1753).
Diese kurze Übersicht gibt nur eine Andeutung dessen, was vom Rhein bis zur Weser an kirchlichen Bauten vorhanden ist. Eine besondere Eigenart sei am Rande erwähnt: *Barbara-Kirchen* gibt es in Deutschland besonders im Ruhrgebiet, vornehmlich zwischen Essen und Duisburg. Sie stammen fast alle aus jüngerer Zeit. Das ist verständlich, ist doch die Patronin Barbara die Schutzheilige der Bergleute.

Drei Hasen mit drei Ohren

Wie viele Besucher aus der ganzen Welt mögen das Kreuzabnahme-Relief an den geheimnisumwitterten *Externsteinen* bei Detmold nachdenklich betrachtet haben, eine Mönchsschöpfung um 1115, die byzantinischen Einfluß verrät? Und was werden sie dann empfunden haben, als sie zu Besuch in Soest waren und in der Wiesenkirche ein Glasgemälde betrachteten, das als *»Soester Abendmahl«* Christus und seine Jünger zeigt, die auf ihrer Tafel westfälischen Schweinskopf, Bier und Schwarzbrot vor sich haben? Vielleicht hat sich der Maler nicht einmal in gläubiger Naivität etwas dabei gedacht? Das war so um 1525. Wie ja der freiwillige und unfreiwillige Humor bei allen alten Kirchen im Lande in oft originellen Schöpfungen auftaucht, so im *Hasenfenster* des *Paderborner Domes,* drei Hasen mit zusammen drei Ohren. Ganz zu schweigen vom Schalk vieler mittelalterlicher Steinmetzen, der so manchem derben Figürlein im Schatten unserer Kirchen eine Heimstatt gab.
Welcher Steinmetz mag aber den Taufstein um 1129 in der Stiftskirche im kleinen münsterländischen Ort *Freckenhorst* geschaffen haben? Einen Taufstein, der ohne Vorbild und Nachfolge seinesgleichen nicht in Deutschland hat! Wie es überhaupt verwundern muß, hier solch eine gewaltige fünftürmige Basilika anzutreffen, eine Abteikirche, darin sich westfälischer Baucharakter in wuchtiger Eleganz ausdrückt! Eine Grabplatte, die eine liegende Frauengestalt trägt, wahrscheinlich die Abteigründerin darstellend, hat die Umschrift: »Ai Got minne Gerboden ve dit bilethe scop alle dele (O Gott, liebe Gerbot, der dies Bildwerk in allen Teilen schuf)«.
Was wäre nun nicht alles noch zu sagen von jenen bekannten und unbekannten wandernden Meistern im Lande, die den Bau der Kirchen schmückten! Von den Chorführern der Kölner Schule um 1400 etwa, Meister Wilhelm, der »der beste Maler in allen deutschen Landen« war, seinem Schüler Stephan, den Dürer besuchte, von Stephan Lochner, vom Meister von Kalkar am Niederrhein, dem Lisborner und Schöppinger Meister und vom großen Dortmunder Conrad von Soest, der den weltberühmten Wildunger Altar schuf? Aber – wie weit ist dieses Feld! Es kommt einem Abenteuer gleich, sich seiner Weite anzuvertrauen.

»Zug der Gestalten«

Der Dichter *Karl Linzen,* von westfälischer Herkunft, lebte und wirkte in Weimar. Von ihm wurde dieser Begriff geprägt – Zug der Gestalten –, in den ich so verliebt bin, daß ich ihn als Hut über die Versammlung großer Landsleute stülpen möchte. Aber dieser Hut ist zu klein, bei weitem zu klein. Die vorüberziehende Versammlung bemerkenswerter Menschen viel zu groß und zu verschiedenartig, um sie durch ein so simples Unterfangen beieinander zu halten. Wuppertal allein nennt bereits zweiundzwanzig Söhne und Töchter der Stadt als »berühmt«, von Köln, Soest, Münster und Paderborn, den Ahnen unter den Städten, ganz zu schweigen.
Freilich sind die im folgenden Genannten bereits alle in die Ewigkeit eingegangen. Ihr Werk und Leben liegen abgeschlossen vor uns. Wie unmöglich, gerecht zu sein, da unser Urteil doch immer vom Heute, vom Standpunkt unseres Tages beeinflußt

FRECKENHORST · Im östlichen Münsterland, unweit von Warendorf, liegt die Gemeinde Freckenhorst. Schon 850 besaß der Ort ein Nonnenkloster, das 1495 kaiserliches Damenstift wurde. Die Anfänge der Stiftskirche, des »Bauerndoms«, gehen ins 12. Jahrhundert zurück. Davor ein Teil der ebenso alten Petrikapelle.

Annette v. Droste-Hülshoff
* 10. 1. 1797, † 24. 5. 1848
Dichterin

Ferdinand Freiligrath
* 17. 6. 1810, † 18. 3. 1876
Dichter

Christian Dietr. Grabbe
* 11. 12. 1801, † 12. 9. 1836
Dichter

Heinrich Heine
* 13. 12. 1797, † 17. 2. 1856
Dichter

wird! Und doch gibt es Norm und Maßstab: mitgeformt zu haben, wann und wie es auch sei, am Antlitz unseres Landes, an unserem Leben.

»– denn von den Sternen grüß' ich euch.«

Diese letzte Zeile ihres poetischen Testamentes an ihre Nachwelt schreibt die große Dichterin *Annette von Droste-Hülshoff* (* 1797 auf Schloß Hülshoff bei Münster, † 1848 auf Schloß Meersburg am Bodensee). Wer ihr Leben kennt, ihr dichterisches Werk, ihr traumhaftes und wiederum wirklichkeitsnahes Wandeln auf Erden, spürt einiges von dem, was ihre Größe ausmacht: Einsamkeit und Himmelssehnsucht, Weltverbundenheit und Menschenliebe. Das äußere Leben dieses ländlichen Edelfräuleins ist nicht eben aufregend. Nach dem Tode ihres Vaters zieht sie mit ihrer Mutter eine Wegstrecke weit nach Osten in die stille »Einsiedelei« von Rüschhaus auf einen halbbäuerlichen Wohnsitz, den der Baumeister Schlaun eigentlich für sich selbst bestimmt hatte. Mal wohnt sie hier, mal bei den mütterlichen Verwandten, den Haxthausens, an der Weser, in Bonn weitet sich bedeutsam der Kreis ihrer Freunde, dann wieder weilt sie bei Schwager Laßberg und Schwester in der Schweiz, kehrt zurück in ihr »Schneckenhaus«, und die münsterischen Freunde sind ihr wieder nahe, ein liebenswürdig-bürgerlicher Kreis gebildeter Menschen, und das alles scheint ruhig und gleichmäßig dahinzufließen wie die stillen Bäche ihrer münsterländischen Heimat. Scheint – wie es sich für ein wohlerzogenes, gebildetes Standesfräulein im Rahmen des geistlich und geistig Herkömmlichen gebührt! Wir können nicht ermessen, wie oft und wie tief sie die Flügel unter dem Panzer der Tradition hat verbergen müssen. Ehrfurcht verbietet uns, ihre glücklich-unglückliche Freundschaft mit dem um 17 Jahre jüngeren Levin Schücking, einem begabten, weltgewandten Schriftsteller, zu analysieren, eine Freundschaft, der gleichwohl das Köstlichste ihrer Werke zu verdanken ist. Aber wir wissen: In dieser zeitlebens kränkelnden, zarten Frau paaren sich Wirklichkeitssinn und lyrische Begabung, herbe Wucht westfälischer Maßlosigkeit und tiefe Empfindungsfähigkeit für das schier Unsagbare menschlichen Lebens zu einem geistigen Erlebnisbereich, dem wir Dichtungen wie »Die Judenbuche« verdanken, das »Geistliche Jahr«, »Die Schlacht im Loener Bruch«, den »Spiritus familiaris des Roßtäuschers« und neben vielen anderen die Gedichte. Nicht zu vergessen ihre Briefe an ihren großen Freundeskreis! In Annette (»Nette« ruft man sie) hat Westfalen seine Stimme gefunden. Die Dichterin stirbt an einem Maitage auf der Besitzung ihres alten Schwagers, des Freiherrn von Laßberg, und der schweigsam-nüchternen Schwester Jenny auf Schloß Meersburg über dem Bodensee, still und verlassen. Aber der Wunsch, den sie einmal ihrer Freundin Elise Rüdiger nach Münster schreibt, ist in Erfüllung gegangen: ». . . ich mag und will jetzt nicht berühmt werden, aber nach hundert Jahren möchte ich gelesen werden, und vielleicht gelingt's mir . . .« Sie lebt lebendiger denn je unter uns in Westfalen, in Deutschland!

BUNDESHAUS IN BONN · Am Rheinufer, mit dem Blick auf den Strom und das gegenüberliegende Siebengebirge, steht das Bundeshaus. Seit dem Jahre 1949 ist dieses Gebäude Tagungsort des Bundestages, des Parlaments der Bundesrepublik. In seiner nächsten Umgebung ließen sich zahlreiche Ministerien und Botschaften nieder.

Dichterin der Liebe

Eine »Dichterin der Liebe« hat man *Else Lasker-Schüler* (* 1877 in Wuppertal-Elberfeld, † 1945 in Jerusalem) genannt, als die »stärkste und originalste Poetin« nach der Droste. Vier Jahrzehnte lebte sie in Berlin als »klagende Wüstentochter in nördlicher Kühle«, der Boheme immer nahe, der Armut und Erfolglosigkeit stolz und exzentrisch

Peter Paul Rubens
* 28. 6. 1577, † 30. 5. 1640
Maler

Ludwig van Beethoven
getauft 17. 12. 1770,
† 26. 3. 1827, Komponist

Konrad Duden
* 2. 1. 1829, † 1. 8. 1911
Sprachforscher

Adolf Kolping
* 8. 12. 1813, † 4. 12. 1865
Priester, »Gesellenvater«

verschwistert, umgeben von einem großen Freundeskreis, mehr ihrer Persönlichkeit als ihrer Werke wegen geschätzt. Stärkere Beziehungen zu unserem Lande hat sie in ihrem Werk nicht. Sie sei als Persönlichkeit schlechthin genannt.
Ein Dichter wie *Heinrich Lersch* (* 1889 in Mönchengladbach, † 1936 in Ahrweiler) ist nur mit dem Aufbruch der deutschen Arbeiterdichtung des Westens nach der Jahrhundertwende denkbar. Ein Enthusiast als Dichter wie als Mensch, literarisch in der Nachfolge Dehmels, Kesselschmied von Hause, ganz Rheinländer, als Lyriker (»Mensch in Eisen«, »Mit brüderlicher Stimme«) ungleich stärker als in seiner Prosa. Gründet mit Josef Winckler und Jakob Kneip den Bund der »Werkleute auf Haus Nyland«.
Charakterisieren diese drei in ihren Werken drei persönlich und literarisch gegensätzliche Welten und Zeiten, sei *Wilhelm Schmidtbonn* (Wilhelm Schmidt, * 1876 in Bonn, † 1952 in Bonn) als Epiker genannt. Von seinen zahlreichen Werken bleiben die schönen Romane vom Rhein: »Der dreieckige Marktplatz« und »An einem Strom geboren« voraussichtlich noch lange gültige dichterische Zeugnisse einer alten, historischen Landschaft, wie sie *Ernst Brautlacht* und *Erich Bockemühl* für die Welt am Niederrhein schufen.

Grabbe – Heine – Wagenfeld

Die Literaturgeschichte behauptet, daß es in ihrem Gesamtbereich keinen so geschichtsunmittelbaren Dichter wie *Christian Dietrich Grabbe* (* 1801 in Detmold, † 1836 in Detmold) gegeben habe. In der Tat gehört dieser Dramatiker, dem Leben und Werk so früh zerbrachen, zu den »schwierigsten Fällen« der deutschen Dichtung. Berühmt machte ihn seine »Hermannsschlacht«; heute spielt man noch oft »Scherz, Satire, Ironie und tiefere Bedeutung« und »Napoleon oder Die hundert Tage«, dramatische Dichtungen einer in Westfalen so seltenen theatralischen Begabung.
Heinrich Heine dagegen (* 1797 in Düsseldorf, † 1856 in Paris) hat mit seinem »Buch der Lieder« ein ganzes Jahrhundert verzaubert. Auch er ist wie Grabbe – freilich in ganz anderem Sinne und weitaus populärer – ein Dichter, dem Gunst oder Ungunst der öffentlichen Meinung Zustimmung oder Ablehnung einbrachten. Die »Lorelei« ist ein Volkslied geworden wie so manches andere von ihm, seine »Harzreise« und »Deutschland, ein Wintermärchen« sind trotz oder gerade wegen seiner politischen Emigration nach Paris Bekenntnisse zu seinem Vaterlande, das er nicht mehr gesehen hat.
Und schließlich noch eine unverwechselbare im Chor der Dichterstimmen unseres Landes, eine ganz eigene, bewußt westfälisch klingende Mundartstimme: *Karl Wagenfeld* (* 1869 in Lüdinghausen, † 1939 in Münster). Dieser Dichter, Führer der westfälischen Heimatbewegung, schöpft seine plattdeutschen Epen, Dramen und Gedichte aus der Seele des Volkes, die Mundart von ihrer bisherigen stoff-

BEETHOVENHAUS IN BONN · In diesem Haus erblickte im Dezember 1770 Ludwig van Beethoven das Licht der Welt. Hier verbrachte er seine Jugendjahre, bevor er zu einem der größten Musikgenies des Abendlandes wurde. In seinem Geburtshaus sind zu seinem Gedenken heute ein Archiv und ein Museum untergebracht.

Wilhelm Conrad Röntgen
* 27. 3. 1845, † 10. 2. 1923
Physiker

Friedrich Sertürner
* 19. 6. 1783, † 20. 2. 1841
Apotheker

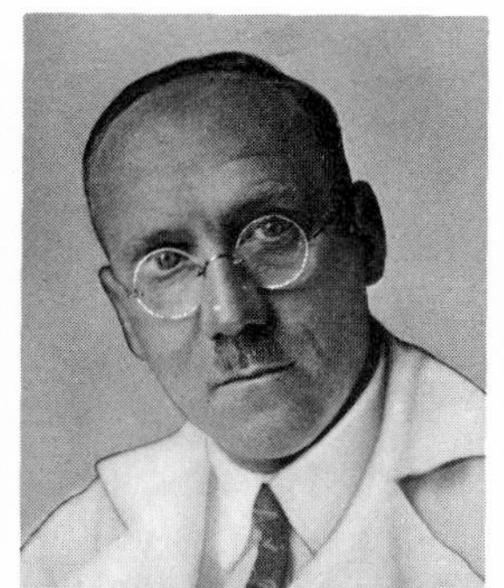

Ernst Ferd. Sauerbruch
* 3. 7. 1875, † 2. 7. 1951
Chirurg

Fr. von Bodelschwingh
* 6. 3. 1831, † 2. 4. 1910
Theologe

lichen Gebundenheit an die Trivialität des Alltags befreiend. Tiefe Religiosität, Derbheit und Zartheit gleichermaßen meisternd, und nachdenklicher Humor zeichnen seine Dichtungen aus (»Daud un Düwel«, »Antichrist«, »Luzifer«).

»Fall Pöppelmann« und Rubens

Von einigen Malern war bereits die Rede. Sie scheinen immer ein unruhiges Völkchen gewesen zu sein. Auch die Bauplaner wanderten gern ihren Aufträgen nach von Ort zu Ort, sofern sie nicht in festen Diensten standen. Interessant ist der »Fall Pöppelmann«. Von diesem Architekten schreiben einige, er sei in Dresden zur Welt gekommen. In Wirklichkeit ist *Matthäus Daniel Pöppelmann* Herforder. Sein Geburtshaus steht heute noch (* 1662 in Herford, † 1736 in Dresden). Aber sein Name ist in der Tat untrennbar mit dem großartigen Zwinger verknüpft, von dem es nicht glaubhaft zu sein scheint, daß ein biederer Westfale solche Bau-Eleganz aufbringt, die »eigentlich« gar nicht aus Herford kommen kann. Daher der Irrtum!

Einer der größten Maler der Welt, Rubens, hat unser Land eigentlich nur berührt. Flandern und Holland, dann auch der rheinische und südländische Kulturraum, sind, bei aller Bodenständigkeit mancher Künstler, starke Einflußräume gewesen. Da sind vielleicht noch zu nennen: *Derik Baegert,* zwischen 1476 und 1515 in Wesel tätig, von dem das berühmte Weseler Gerichtsbild stammt, der Kupferstecher *Israhel van Meckenem* aus Bonn, der sein Leben in Bocholt verbrachte, *Heinrich Aldegrever,* der Soester, und aus Münster die Malerfamilie *Tom Ring,* alle dem 16. Jahrhundert angehörig. Es ist ein weiter Sprung bis zu dem romantischen Historienmaler *Alfred Rethel* (* 1816 bei Aachen, † 1859 in Düsseldorf) und von dort bis zu einem der genialsten Vorläufer des Expressionismus, *August Macke* (* 1887 in Meschede, 1914 gefallen in Frankreich), der zum Münchener Kreis des »Blauen Reiter« gehörte und einer ganzen Generation das malerische Gepräge vorgeschrieben hat.

Aber was hat das mit *Peter Paul Rubens* (* 1577 in Siegen, † 1640 in Antwerpen) zu tun? Natürlich nichts! Können wir ihn als einen der unseren, gar als Westfalen, bezeichnen? Westfale ist er nun wirklich nicht, schon deshalb nicht, weil Siegen erst 1816 zu Westfalen kommt. Ist er Siegerländer, Flame? Wenn auch Antwerpen und Köln lange darauf Anspruch erhoben, Geburtsort des fürstlichen Malers zu sein, in Siegen, der damaligen Residenz der Grafen von Nassau, hat er unbestreitbar das Licht der Welt erblickt! Sein Vater, Jan Rubens, ein flandrischer Rechtsgelehrter, flieht aus Glaubensgründen ins Nassauische. Irgendwelche, hier nicht zu untersuchende Vorkommnisse, bringen ihn in Konflikt zum Hof. Ihm wird das Verlassen der Stadt verboten. Seine Frau, Maria Pypelincx, eilt zu ihm, Peter Paul Rubens wird geboren. Später finden wir die Familie in Köln wieder, wo der Vater stirbt. Die Mutter geht mit ihren Kindern nach Flandern zurück. Der Aufstieg des jungen Malers beginnt schon früh. Seine umfassende Genialität, sein ungeheurer Fleiß lassen ihn die stofflichen Bezirke seiner Kunst unendlich weit spannen von der religiösen bis zur Bildnismalerei. Über zwölfhundert Werke, ein erstaunlicher Reichtum malerischen Könnens, sind die Arbeit, die er an seinem Lebensende hinterläßt.

Beethoven, Fürst im Reiche der Musik

Seine Sinfonien und Sonaten erklingen heute in allen Konzertsälen der Welt! Der Großvater, Kapellmeister, stammt aus Antwerpen, der Vater Jan ist Tenorist der kurfürstlichen Kapelle, Ludwig ist

REMSCHEID · Ende des vergangenen Jahrhunderts ging die Nachricht durch die Welt, daß ein deutscher Physiker Strahlen entdeckt habe, mit denen man durch Körper hindurchsehen könne. Dieser Mann, Wilhelm Conrad Röntgen, wurde in Remscheid-Lennep geboren. Auf dem Bild das Röntgen-Museum.

bereits im zwölften Lebensjahr Cembalist im Bonner Theater. Der Kurfürst Max Franz schickt den talentierten, schon durch Kompositionen aufgefallenen und theoretisch geschulten *Ludwig van Beethoven* (* 1770 in Bonn, † 1827 in Wien) zu Haydn nach Wien, damit er als kurfürstlicher Stipendiat lerne. Auch hier weitet sich sein Ruhm, gefördert durch höfische Kreise. Umfang und Tiefe seines schöpferischen Werkes wachsen, aber ein Bruch mit seinen Gönnern wirft ihn auf sich selbst zurück. Trotz Schwerhörigkeit und schließlich einsetzender Taubheit entsteht 1805 seine Oper »Fidelio«. Schon 1787 ist Beethoven für einige Monate in Wien gewesen, um bei Mozart Komposition zu studieren. Der Tod der Mutter hat ihn zurückgerufen, die Fürsorge für den Vater und die Geschwister beanspruchen einen Teil seiner Kraft. Wieder in Wien, wird ihm diese Stadt zur zweiten Heimat, aber wenn er einmal von Bonn als seinem »Vaterland, der schönen Gegend« spricht, von »bönnischer« geliebter Heimatsprache, so sind das neben anderen kleine Beweise für die tiefe, innere Verbundenheit mit der Welt am Rhein, aus der er ein großes geistiges Erbe mit in die Donaustadt nimmt. Beethoven ist wie alle großen Meister ungeheuer fleißig gewesen. Neben seinen Sinfonien schuf er zahlreiche Ouvertüren, Tänze, Lieder, Sonaten und Kantaten. Müßig, hier ein Wort zu seinem Ruhm zu sagen! Bonn hütet das Geburtshaus als vielbesuchten Sammelpunkt der Beethoven-Forschung.

Westfalens »alter Fritz«

In der Nähe von Hagen-Haspe liegt das Geburtshaus eines Mannes, der in das westfälische Bewußtsein als Beispiel kühnen Wagemutes, sozialen Gerechtigkeitssinnes, industriellen Erfindergeistes und politischer Regsamkeit bei persönlicher Selbstlosigkeit eingegangen ist. Eines Mannes, den man im besten Sinne des Wortes als originellen Menschen, als eigenständigen, unübersehbar persönlichen Menschen bezeichnen darf, der im Zeitalter der wachsenden Industrie überall im Lande als Anreger und Beispielgeber berühmt und beliebt war. Es hat machtvollere, vor allem kaufmännisch begabtere, stärkere Pioniere der Gründerzeit im Ruhrgebiet gegeben als *Friedrich Harkort* (* 1793 in Haus Harkorten bei Hagen, † 1880 in Hombruch bei Dortmund), etwa Thyssen, Krupp, Hoesch, Stinnes, Grillo, Piepenstock, Mannesmann und Klöckner, die nur zum Teil aus Nordrhein-Westfalen stammen, deren Werk aber mit der Industrie des Landes eng verbunden ist. Harkort aber bleibt einmalig, unverwechselbar. Die Harkorts stammen aus einer alten, begüterten Kleinindustriellenfamilie. Zwei Brüder gehen nach Übersee, zwei nach Leipzig, Friedrich Harkort wird Kaufmann, nimmt als junger Offizier an den Freiheitskriegen teil und beginnt dann in Wetter an der Ruhr auf einem alten Burggelände mit fremder Hilfe eine »mechanische Werkstätte«. Seine Anregungen bringt er von einer Englandreise mit. England ist um diese Zeit noch technisches Führungsland in Europa. Harkort entwirft, plant und baut Dampfmaschinen,

BIELEFELD · An einem West-Ost-Durchlaß des Teutoburger Waldes liegt die strebsame Industriestadt Bielefeld, bekannt durch die Herstellung zahlreicher Fabrikate der Textil-, Nährmittel- und Maschinenindustrie. Der Oetker-Halle, einem modernen Veranstaltungsbau, sagt man die beste Akustik nach.

legt ein Walzwerk an, führt das Puddelverfahren ein, schließlich wird es dem Teilhaber zu gefährlich, Harkort verliert alles und beginnt von neuem. Er plant Eisenbahnen. Noch ist die Zeit seinen zahlreichen Entwürfen nicht günstig, da baut er das Dampfschiff »Friedrich Wilhelm III.« in Duisburg und fährt damit im Winter 1836 in abenteuerlicher Fahrt über Holland und die Nordsee nach Minden. Eine Schiffsfahrt nach London mißlingt, seine Schiffe werden versteigert. Harkort fehlt bei allen seinen kühnen Entwürfen offenbar ein sechster, kaufmännischer Sinn. Aber er wird nicht müde, auf allen Wirtschaftsgebieten der jungen Industriewelt zu experimentieren, anzuregen, Schriften in die Welt zu schicken, Vorschläge zu machen, ja, sein wacher, lebendiger Geist läßt ihn zum Förderer des Schulwesens werden und seine menschliche Wärme und Einsicht zum Fürsprecher des damaligen »dritten Standes«. Er ist schriftstellerisch ordentlich tätig. Man hört auf ihn. Als Mitglied des Reichstages ist er ein zwar fruchtbarer, aber durchaus nicht bequemer Mitarbeiter, dem es nichts ausmacht, die Abgeordneten als »Dilettanten auf Staatskosten« zu bezeichnen, während er es auf eigene Faust sei. Mit Bismarck teilt er die Sorge um Staat und Gemeinwohl; aber er geht oft andere Wege, Freunde sind, bei aller Achtung voreinander, die beiden nicht. Harkort – vom »alten Fritz« hat er gewiß schon etwas an sich – ist in seiner Heimat auch heute noch nicht vergessen.

Helfer und Freunde

Ein Wort der Dankbarkeit sollte immerhin gesagt werden können: *Friedrich Wilhelm Sertürner* (* 1783 in Paderborn, † 1841 in Hameln), dem Apotheker, der das Morphium fand, *Konrad Duden* (* 1829 in Bossigt bei Wesel, † 1911 in Sonnenberg bei Wiesbaden), der Tausenden in rechtschreiberischen Nöten mit seinem Wörterbuch half, *Wilhelm Conrad Röntgen* (* 1845 in Lennep, † 1923 in München), dem gelehrten Professor und Nobelpreisträger, nach dem die von ihm entdeckten Strahlen genannt wurden. Für viele verbindet sich mit dem Namen *Ferdinand Sauerbruch* (* 1875 in Wuppertal, † 1951 in Berlin) noch das Andenken an den großen Chirurgen, der in Berlin wirkte. Gehören aber nicht auch zwei Namen hierher, deren sozialreligiöse Wirksamkeit Unzähligen Hilfe auf den rechten Weg gegeben hat? *Friedrich von Bodelschwingh* (* 1831 in Tecklenburg, † 1910 in Bethel-Bielefeld) begründete das große Hilfswerk der Betheler Anstalten, und auf *Adolf Kolping*, den »Gesellenvater«, (* 1813 in Köln, † 1865 in Köln), der erst Schuhmacher, dann Priester und Domvikar war, geht die heute noch bestehende Einrichtung der Gesellenvereine zurück.

»Es lobt den Mann die Arbeit und die Tat.«

Hoch über dem Portal des großen Verwaltungsgebäudes eines Stahlwerks im östlichen Ruhrgebiet steht dieser Spruch. Im Revier ist er so geläufig wie das kleine Einmaleins; das Stahlwerk kann ihn nicht allein für sich beanspruchen. Überall im Lande wird hart und schwer gearbeitet. Diese junge, lebendige Landschaft, in ihrem westfälisch-rheinischen Teil zum wirtschaftlichen Herzstück Deutschlands und Europas zusammengefaßt, ist die beherrschende industrielle Großlandschaft schlechthin. Man spricht vom »Kohlenland«. Gewiß, Kohle ist der Grundstoff aller Industrie. Aber heute ist sie in den Kreis der Untrennbarkeit aller industriellen Arbeitsgänge einbeschlossen, denn ohne Kohle gäbe es keine Großchemie. Und ohne Chemie keine Kunststoffe, Autoreifen oder medizinische Präparate, ohne Eisen und Stahl keine Kohle, ohne Erz kein Eisen, und so haben sich Erz und Kohle schon früh zusammengefunden. Die hochpotenzierte Chemie und tausend Nebenindustrien von der Glas- bis zur Tuchfabrikation folgten in den letzten zwanzig Jahren mit Riesenschritten. Das Arbeitsland zwischen Ruhr und Lippe hat dynamischen Charakter; es ist unbedingt explosiv, in steter Bewegung begriffen.

Der Kohlenvorrat reicht noch für einige hundert Jahre. Wieweit wir seiner bedürfen werden, ist eine andere Frage. Das »Büro« einer in seinen Besitzverhältnissen anonymen und sicherlich gesamteuropäischen Schwerindustrie ist Düsseldorf, der große Schreibtisch dieser Riesenstadt.

Tausende von Spezialuntersuchungen haben sich mit dem Revier, seinen Arbeitsmethoden, seinen internationalen Verflechtungen und seiner industriellen Vergangenheit, Gegenwart und Zukunft befaßt. Wer nur einen Bruchteil dieser Bemühungen kennt, muß zu der Einsicht kommen, daß dieses Arbeitsland Tempo und Charakter aller industriellen Arbeit nicht nur in Nordrhein-Westfalen, sondern in Deutschland bestimmt.

Heide und Moor im Münsterland sind zu einem großen Bauernland kultiviert worden. Rindvieh, Schweine, Korn, Kartoffeln, Milch, Eier, Butter und Geflügel sind die Wirtschaftsgrundlagen. Hochberühmt der westfälische Schinken und das schwarze Pumpernickelbrot! Also Landwirtschaft! An den Rändern gibt es einige Industrien: Tausende von Zementsäcken verlassen täglich die Gegend um Bekkum, Ahlen hat eine blühende Haushaltwarenindustrie. Aber da sind noch die Städte Ochtrup und Warendorf, wo kunstgeübte Handwerker Töpfereiwaren herstellen, Telgte, wo man nach besonderem Verfahren Blaudruckleinen macht; schließlich gukken vom nördlichen Lippeufer noch einige Tiefbauzechen ins Münsterland hinein und auch bei Ibbenbüren gibt es Kohle, aber nicht viel, und außerdem sind es dieselben Flöze, die an der Lippe tief unter die Oberfläche versinken und hier zum Teil wieder nach oben kommen. Die Münsterländer würden es mir aber nie verzeihen, vergäße man ihre Hauptindustrie. Die große Zahl der Textilfabriken, die sie im Emsdetten, Ochtrup, Rheine, Gronau und anderswo besitzen. Der »Kiepenkerl« im blauen Kittel mit seiner Kiepe voller Butter, Eier und Geflügel steht als Denkmal in Münster; lebendig erscheint er häufig noch bei bestimmten festlichen Anlässen.

Der leibhaftige Denkmalsvetter in Herford ist zwar auch ein Kiepenkerl, aber er hat Flachs, Leinen oder so etwas verkauft und zählt seine verdienten »Pimmerlinge«. Das Minden-Ravensberger Leinen- und Flachsland ist seine Heimat, die Bielefelder Gegend bis nach Lübbecke hinauf altes Weberland! Bis der mechanische Webstuhl vor achtzig Jahren der Herrlichkeit ein Ende macht. Zwischen dem Teutoburger Wald und dem Wiehengebirge bis ins Lippische Land hinein hat sich die Leinenindustrie erhalten. Aber was haben diese bedächtig-fleißigen Leute nicht alles angefangen: In Lippe wohnen die tüchtigsten Ziegelbäcker. Dachpfannen kommen aus dieser Gegend und Nahrungsmittel, wie Zuckerwaren und ähnliche Dinge. Bielefeld liefert das Backpulver. In Herford gibt es allein über hundert Klein- und Mittelbetriebe, die vor allem Möbel und Schokolade herstellen. In Bünde, wo Deutschlands größtes Tabakmuseum liegt, wird Tabak waggonweise zu Zigarren verarbeitet. Bücher zu drucken, und gleich in Riesenmengen, ist Spezialität Bielefelder und Gütersloher Unternehmen. Aus Bielefeld kommen aber auch noch Fahrräder und Nähmaschinen, nicht zu vergessen die berühmten Oberhemden.

Vielseitig, ja, noch vielseitiger, aber auf andere Art ist das nördliche Rheinland. Sehen wir von jenen Regionen ab – bei Duisburg, Rheinhausen, Moers, dem Aachen-Eschweiler Kohlenrevier und dem Köln-Dürener Braunkohlenzentrum – so prägt eine weite, außerordentlich interessante Arbeitswelt das Gesicht des Landes. Wie in vieler Beziehung ist die Rheinlandschaft an Hollands Grenzen auch in wirtschaftlicher Hinsicht mit dem Münsterland verwandt: Bauernland! Ob der »Grenzlandring« zwischen Mönchengladbach und Rheydt als große Rennstrecke zu den Wirtschaftsunternehmen gehört – wie etwa auch das große Pferdegestüt in Warendorf bei Münster und Deutschlands größte Hindernisrennbahn in Castrop-Rauxel – bleibe dahingestellt. Wohl aber die großen Steinsalzlager bei Wallach und Borth, die gewerblichen Verwendungszwecken dienen.

Humor in Nordrhein-Westfalen

Das Roastbeef

Der »Tolle Bomberg«, ein wegen seiner kuriosen Einfälle weithin bekanntes Original, war einmal auf einer Abendgesellschaft in einem der zahlreichen alten Wasserschlösser Westfalens eingeladen. Baron Bomberg traf als letzter Gast von seinem Nachbargut Bullbergen bei Münster ein; die Gesellschaft war schon zu Tisch gegangen, als den Gästen vor Staunen und Entsetzen der Bissen im Halse stecken blieb. Der »Tolle Bomberg« war hoch zu Pferde die Treppe heraufgekommen und zwang sein Pferd mit einem Sprung über die reich beladene Tafel und die erstarrte Gesellschaft hinweg. – Nur der Hausherr bewahrte den Humor und somit die Gäste vor einer Panik; er rettete die Situation mit einem ungerührten: »Sieh mal an, da kommt das Roastbeef!«

Der verliebte Freiligrath

Ferdinand Freiligrath versandte seine Verlobungskarte und schrieb einem Freund dazu: »Die beiliegende Karte ist das Neueste, was ich habe drucken lassen und – das Beste!«

Himmlische Rechnung

Schäl erzählt: »Ich hann gedräumt, ich wör dut un köm bovve beim leeven Herrgott ahn. Hä leht sich tirek en en Ungerhaldung met mer en. Ich frogten in: ›Sag, Herrgott, wie lang eß für dich en Million Johre?‹ – He strech sich der Baart und säht: ›Ei Minütche.‹ – ›Su‹, sagen ich, ›wieviel es dann für dich en Million Mark?‹ – Hä drop: ›Ein Grosche.‹ – ›Dann bes doch esu jot un lieh mer en Grosch‹, säht ich. – ›Waat e Minütche‹, wor sing Antwort.«

Das Gemälde

Der Kunstsammler und Landrat des Kreises Altena, Friedrich Thomée, war ein großer Freund schlagfertiger Überraschungen. Unter seinen zahlreichen Kunstwerken befand sich auch ein Gemälde, das Adam und Eva im Paradies darstellte. Wenn der glückliche Besitzer, der nie anders als »use Landrat« genannt wurde, gelegentlich Gäste durch seine Sammlung führte, versäumte er es nie, auf dieses Bild besonders aufmerksam zu machen, um seinen Sinn mit den Worten zu erklären: »Maria Theresia beim Empfang des spanischen Gesandten!«

Der Generaldirektor

Stinnes, der »König an der Ruhr«, befand sich einst in großer Gesellschaft. Eine Zeitlang ließ er es sich gefallen, daß der Hausherr ihn wiederholt mit »Herr Generaldirektor« anredete. Als es ihm dann zu dumm wurde, meinte er trocken: »Entschuldigung, ich bin kein Generaldirektor. Ich habe einen!«

Kapps, Schnaps und Stuten

Hungerzeit 1947 im Revier an der Ruhr. Antek kommt von der Schicht nach Hause, zieht die Jacke aus, stellt die Kaffeepulle aufs Bördchen: »Anna, da lauf schnell auf Zeche! Steht angeschlagen: Gibt neue Zuteilung — Kapps, Schnaps und Stuten! Nimm Karre mit!« Die Frau bindet das Kopftuch um, murmelt hocherfreut: »Kapps, Schnaps und Stuten! Ist ja prima!« und zieht mit der rappelnden, zweirädrigen Karre ab. Antek döst seinen Mittagsschlaf auf dem Küchensofa. Nach einer Weile geht die Tür auf. Anna steht im Türrahmen, die Arme in die Seiten gestemmt: »Dummes Luder von Kerl! Kannst denn nicht lesen, wo was steht angeschlagen? Steht doch ›Heute neue Knappschaftsstatuten!‹ «

Die vornehme Bedienung

Ein fremder Herr kommt in ein Dorf im Paderborner Land. Er hatte einen langen Bart mitgebracht und fragte, ob im Dorf auch ein Mann wäre, der ihn »putzen« könnte. Der Friseur kam und fragte: »Will dei Heer vürnehm putzet syn oder gemein?« Auf die Antwort: »Vürnähm« spuckte der Friseur in die linke Hand, rieb die Seife zu Schaum in der Spucke und schmierte den Fremden ein. Als der Bart ab war, fragte der Herr: »Wiu mak jy't dänn, wänn jy gemein putzet?« Der Friseur sagte: »Oh, den Buern spigg' ik glyk in't Gesichte.«

Der Wasserkopf

Zwei Kölner sehen einer spielenden Kinderschar zu. Plötzlich sagt der eine zum anderen: »No, süch ens, wat da Jong do ein fiese Wasserkopp hät!« – Der andere erwidert: »No, no, dat eß minge Jong.« – »Steht ihm ävver ganz got!«

Tätowierung

»Sag, Nettche, hät dingem Mann die Entfettungskoor, die hä durchgemacht hät, geholfe?« – »Ävver secher! Da tätoweete Ozeandampfer op singem Liev eß jitz bloß noch e klein Müllemer Böötche.«

Die Sonntagspredigt

Ein Bauer schickt seinen Knecht sonntags morgens in die Kirche, um ihn zu frommem Denken und Tun anzuhalten. Der Knecht lauscht der Predigt, die das Gleichnis vom Sämann behandelt, mit Aufmerksamkeit und kommt in tiefen Nachgedanken und sichtlich beeindruckt wieder zurück. »Na«, fragt der Bauer ihn, »wat het de Paster denn vertellt?« – »Och«, war die Antwort, »nix Besonneres, man bloß 'n bißken öwer de Landwirtschaft!«

Macht der Gewohnheit

Bauer Martens ist wegen Fahrlässigkeit vor Gericht geladen. Bevor das Verfahren eröffnet wird, bespricht er die Sachlage nochmals mit seinem Verteidiger und geht deshalb mit ihm auf dem langen Gang vor dem Gerichtssaal auf und ab. Sobald sie an einem Ende angekommen sind und umkehren, springt Martens jedesmal auf die andere Seite. Der Anwalt, der soviel Höflichkeit bei dem einfachen Bauern nicht erwartet hat, meint schließlich, er solle sich nur die Mühe sparen und auf der rechten Seite bleiben. – »Dat macht nix, Herr Anwalt, dat bin ik ümmer so bi mine Ochsen gewohnt!«

Über den Tod hinaus

Auf einem westfälischen Grabstein kann man die Aufschrift finden:

Hier ruht in Gott Hein Hinnerk Maarten.
In sin' Jugend warer'n Faaken;
In sin' Oller warer'n Swin;
Bi Gott, wat mog hei nun woll sin?

Alma Rogge *Zwischen Harz und Nordsee*

Das Land Niedersachsen wird eingerahmt im Osten von der Elbe, im Westen von der Ems, die es zugleich vom holländischen Friesland trennt, und im Norden findet es seine natürliche Grenze in den Deichen entlang der Nordsee. Der südliche Teil des Landes geht in das deutsche Mittelgebirge über, zu dem es mit seinen Bergen und Wäldern noch ganz gehört. Im Südosten ragt der vielbesungene Harz mit seinen sausenden Tannenwäldern auf, sanft schwingen sich im Süden die Höhenrücken des lieblichen Weserberglandes hin, mit berühmten Klöstern und behaglichen alten Städten entlang des Stromes, und im Südwesten riegelt der Teutoburger Wald das Gebiet zum Münsterland hin ab. Hier im Süden brandeten einst auch die geschichtlichen Ereignisse an, die das deutsche Reich in Atem hielten – man braucht nur an Heinrich den Löwen, an die Welfen zu denken. Burgen, Schlösser und Residenzen sind die Zeugen fürstlicher Macht und höfischer Kultur. Die Städte des Küstenlandes dagegen waren immer dem Meere zugewandt, hier herrschten weltoffene freie Bürger und wagemutige Kaufleute, die sich den dynastischen Fehden des Hinterlandes möglichst fern hielten, dafür um so engere Beziehungen zu allen seefahrenden Nationen knüpften, mit denen sie Waren austauschen und Handel treiben konnten.

Verlassen wir das Bergland im Süden, steigen wir hinab in die Niederungen, in die große nordwestdeutsche Tiefebene. Je nachdem hier der Boden in der Hauptsache nur Sand oder mehr Lehm und Ton enthält, trägt er Heide, Kornfelder oder kleine Waldstücke von Eichen und Buchen. Das ist die Geest – früher »güstes«, das heißt unfruchtbares Land, jetzt längst in ertragreiches Ackerland verwandelt. Größere Heideflächen gibt es nur noch in der Lüneburger Heide, wo wir auch noch waldreiche Höhenzüge rings um den Wilseder Berg finden. Aber dann dehnen sich die Hügelwellen immer flacher und weiter aus, bis sie nahe der Küste ganz aufhören, und der Oberdeutsche mag lächeln, daß man aufgeworfene Erderhöhungen von kaum zehn Meter Höhe schon Berge nennt! Wie er sich auch wundern mag, daß unsere Binnenseen »Meere« heißen: das »Steinhuder Meer« nahe Hannover, das »Zwischenahner Meer« im oldenburgischen Ammerland, das »Große Meer« und das »Ewige Meer« in Ostfriesland.

Die vom Ozean und von der Nordsee heraufziehenden Stürme können, von Bergen ungehemmt, weit ausholen und die große Ebene mächtig überbrausen. Darum schmiegen sich die Häuser möglichst niedrig an den Boden, das Dach tief herabgezogen. Sie ducken sich hinter die Deiche, sie suchen Schutz hinter buschigen Baumgruppen, von denen jeder größere Hof umgeben ist. Das niedersächsische Bauernhaus ist breit hingelagert, Scheune, Spieker, Wagenschuppen und Backhaus stehen gesondert. Es gilt als das schönste Bauernhaus der Welt. Diesen Ruhm verdankt es vor allem den Eichen, die auf der Geest besonders gut wachsen und aus denen die mächtigen Balken gehauen wurden, die dem Hauptraum des Hauses, der Diele, die eindrucksvolle Breite und Mächtigkeit geben. In dem zwischen Osnabrück und Südoldenburg gelegenen Artland stehen die schönsten Bauernhäuser dieser Art, mit großartigen Giebeln, mit Fachwerk und einem Reichtum an wertvollem Holz, wie ihn sich nur leisten konnte, wer die Bäume auf dem eigenen Grund schlug.

Niedersachsen ist reich an sehr verschieden gearteten Landschaften, so liegen zwischen dem Hügelland und der Küste noch ausgedehnte Moore. In den Sümpfen und Niederungen, wo das Wasser kein Gefälle und darum keinen Abfluß hat, sterben Büsche und Gräser, Moose und Heiden allmählich ab, aber sie verwesen nicht völlig aus Mangel an Sauerstoff, sie »vertorfen«. So sind die Moore entstanden, in ihrer unheimlichen Öde, ihrer modrigen braunen Verlassenheit die schwermütigste aller Landschaften. Nur Moose, wenige Kräuter und Gräser, Binsen und Wasserpflanzen, Krüppelkiefern und kümmerliche Birken fristen auf ihrer Oberfläche mühsam ihr Dasein. Die größten Moore liegen zwischen Stade, Bremervörde und Wesermünde, – berühmt geworden ist das Teufelsmoor nördlich von Bremen durch die Künstlerkolonie Worpswede. Die Moore Südoldenburgs und des Emslandes sind heute weitgehend kolonisiert. Mitten in Ostfriesland erstreckt sich das große Hochmoor, in dessen Mitte Wiesmoor liegt. Da zunächst weder Straßen noch Kanäle das Wegschaffen der Torfmassen ermöglichten, verheizte man sie in einem Elektrizitätswerk. Die nicht voll ausgenutzten Abdämpfe der Turbinen leitete man in Gewächshäuser, in denen nun nach holländischen Vorbildern Frühgemüse, Früchte und Blumen gezüchtet werden.

Seinen ganz eigenen Charakter hat das Land an der Nordseeküste, diese Gebiete heißen die Marschen, die »Meerischen«. Durch Jahrtausende aufgeschichtet von dem fruchtbaren Schlamm der Flüsse, die von den Gezeiten des Meeres aufgestaut wurden,

BLOMBERG · Im Weserbergland, zwischen Teutoburger Wald und der Rattenfängerstadt Hameln, liegt am östlichen Rande des Landes Nordrhein-Westfalen das an alten Häusern und idyllischen Winkeln reiche Städtchen Blomberg. Das Rathaus aus dem 16. Jahrhundert und die Stadtkirche, die als schönste spätgotische Hallenkirche des Lipperlandes gilt, gehören neben Resten der alten Stadtbefestigung und der Burg aus dem 13. Jahrhundert, die nach der Hussitenzerstörung wieder aufgebaut wurde, zu den besonderen Sehenswürdigkeiten.

VLOTHO · Kurz bevor die Weser an der Porta Westfalica in die Ebene hinaustritt, liegt am Ostrand ihrer Talhöhen das Städtchen Vlotho. Neben der reizvollen Landschaft bietet der Kurort Heilquellen gegen verschiedene Krankheiten. Verkehrsgünstig gelegen, hat der saubere Ort eine Reihe von Industrien angesiedelt. Neben Bünde ist Vlotho durch eine bedeutende Zigarrenfabrikation bekannt geworden. Im Bild sind der Weserbogen, wo sich der Fluß nach Norden wendet, und die hauptsächlich an seinem rechten Ufer liegende Stadt zu sehen. Das Weserbergland ist reich an Heilbädern, die teilweise internationalen Ruf besitzen.

SCHWALENBERG im Kreis Detmold ist ein Städtchen mit besonderen Reizen. Das Fachwerk-Rathaus stammt aus dem Jahre 1597. Reiche Schnitzereien und Sinnsprüche zieren die prächtige Fassade. Unter den Bögen im Erdgeschoß befand sich früher die offene Markthalle. Mit ihrer Malerkolonie hat sich die kleine Bergstadt einen Ruf weit über die Grenzen des Landes hinaus erworben. Sehenswerte Gemälde in der Kirche und Bauten der Weser-Renaissance, guterhaltene Patrizierhäuser und die Ruine Schwalenberg machen die kleine Stadt zu einem viel besuchten Ort im Lipperland.

EXTERNSTEINE bei Detmold. Die heidnisch-germanische Kultstätte kam 1093 in Besitz des Klosters Abdinghof bei Paderborn. In den Sandsteinfelsen monumentale Nachbildungen der heiligen Stätten in Jerusalem, darunter die Kreuzabnahme Christi. Die Externsteine gehören zu den ältesten Steindenkmälern Deutschlands. Der westliche dieser fünf 30—40 m hohen Felsen ist laut Inschrift im Jahre 1115 durch Bischof Heinrich von Paderborn zu einer geweihten Kapelle ausgehöhlt. Der Ursprung des Namens Externsteine ist dunkel. Dieses alte Heiligtum ist ein beliebter Ausflugsort im Teutoburger Wald.

geformt von den stetig andrängenden, bei heftigen Stürmen mit rasender Gewalt hereinbrechenden Fluten, die hier große Stücke Landes wegrissen, dort neue Anlandung bewirkten, war es ständigen Veränderungen unterworfen. Man kann das Schicksal dieser Landschaft aus der Geschichte der Sturmfluten und den alten Karten ablesen: das nördliche Rüstringen verschlang die Nordsee, blühende Kirchspiele riß sie hinweg, als sie den Jadebusen und später den Dollart ins Land einwühlte. Kein Jahrhundert, in dem die Fluten nicht mit grausamen Verwüstungen und todbringender Gewalt bald das eine, bald ein anderes Gebiet an der Küste heimsuchten. Erst seit die Deiche immer höher und breiter aufgeschüttet wurden und Schlengen, Steinpakkungen und Betonböschungen die Ufer schützen, darf das Küstenland als gesichert gelten.

Aber mit seinem ganzen Wesen und Sein bleibt es doch dem Meere eng verbunden. Alle Flüsse strömen ihm zu, gemächlicher und breiter, je näher sie der Mündung kommen. Weit und groß wölbt sich der Himmel, anders als im Binnenland sind die Wolken über dem feuchten Boden und durch die Seewinde geballt. Die Luft ist weich und frisch, nahe der Küste herbe vom salzigen Atem der See. Die großartigsten Sonnenuntergänge gibt es hier, weil die Sonne nicht hinter nahen Bergen und nicht in trockener Klarheit, sondern im blauen Dunst der Ferne rotglühend versinkt. Und man muß einmal gesehen haben, wie ein großer Überseedampfer im durchsonnten grauen Nebel den Strom hinab gleitet, muß auf dem Nordseedeich gestanden haben: hüben die unbegrenzte grüne Marsch, drüben die mit weißen Wellenkämmen leuchtende Nordsee, um dieses Land lieben zu lernen, das nicht lieblich und abwechslungsreich wie das deutsche Mittelland, nicht mächtig aufgetürmt ist wie die Alpenlandschaft, sondern dessen ganzer Zauber in der Weite und dem Zusammenklang von Erde, Himmel und Meer liegt.

Auch das Tun und Treiben der Menschen hängt weitgehend von der Besonderheit ihres Landes ab. Nicht nur die großen Hafenstädte Niedersachsens sind der Seefahrt, dem Aus- und Einfuhrhandel verschworen, auch die kleinen Häfen und Orte entlang der Flüsse und der Küste schicken ihre Schiffe aus, treiben Fischfang, übernehmen Frachten und Schlepperdienste. Wie viele Menschen sind allein mit dem Schiffbau beschäftigt auf den Werften und bei der Herstellung von Einzelteilen, wie Tauwerk, Segel, Ketten, Anker und was alles dazugehört. Hinzu kommen andere Aufgaben: Kabel müssen hergestellt und verlegt, Leuchttürme und Feuerschiffe, Bojen und Tonnen versorgt werden. Die Stationen zur Rettung Schiffbrüchiger erfordern verantwortungsvolle Betreuung. In Norddeich liegt die wichtige Funkstation, von wo aus Nachrichten für Schiffe auf allen Meeren ausgesandt und auch von ihnen empfangen werden. Zu den vor der Küste liegenden Ostfriesischen Inseln von Wangerooge bis Borkum müssen zahlreiche Fahrgastschiffe den Verkehr bewältigen. So richtet sich das Leben der Küstenmenschen nicht nur nach dem Stundenschlag der Uhren, sondern vielmehr nach dem Rhythmus von Ebbe und Flut, dem großen Herzschlag des Meeres.

Jede Landschaft aber stellt nicht nur den Menschen besondere Aufgaben, sie prägt auch ihr Wesen. So hat Niedersachsen einen sehr verschieden gearteten Menschenschlag. Die Bewohner des südlichen und mittleren Teiles sind – entsprechend ihrer abwechslungsreichen Umgebung – beweglich, aufgeschlossen, gerne fröhlich, zugleich einem bedächtigen Behagen zugeneigt, wie es auch ihr Humor bei allem skeptischen Ernst zeigt. Wilhelm Raabe und Wilhelm Busch sind Niedersachsen, der Erzschelm Till Eulenspiegel trieb hier sein Wesen. Auf den großen Höfen unter den alten Eichen hausen Bauern, die zäh und treu am angestammten Boden hängen. Jahrhundertelang sitzen dieselben Geschlechter auf ihren Höfen, Schränke und Truhen, Zinnsachen und blinkendes Messinggerät ebenso vererbend wie ihre Äcker und Felder. Den Heidjer erkennt man schon an seiner Gestalt: rank und schlank ist er gewachsen, sein Boden ist mager – er ist es auch.

Den richtigen Moorleuten dagegen sieht man an, einen wie mühsamen Daseinskampf sie zu führen haben: hager und krumm sind sie vom Graben und Wegkarren des schweren Torfes, in ihrem Wesen ist etwas Dumpfes, das zu der Öde des Moores stimmt. Herbe sind oft schon die Gesichter junger Frauen, die der alten Leute von tiefen Falten gefurcht, die wie von dunklem Torfstaub nachgezeichnet wirken.

Der Bauer aus den grünen Marschen dagegen ist schwer: fett ist sein Boden, fett seine Kost, die er in seinem rauhen Klima braucht. Er ist selbstbewußt, unabhängig, doch keineswegs starrköpfig. Den Seemann jedoch erkennt man an seiner vom Salzwind der See gegerbten Haut, den fernblickenden, meist graublauen Augen und seinem schaukelnden Gang, wie er ihn auf den sich wiegenden Decksplanken seines Schiffes gewohnt ist. Im Küstenland ist der friesische Einschlag stark spürbar. Denn Friesen waren es, die zuerst das Land besiedelten und mit dem Bau der Deiche begannen. Friesen waren es, die sich zuerst darauf verstanden, gegen den Wind zu kreuzen. Kühne Seefahrer waren sie zu allen Zeiten: ins nördliche Eismeer fuhren sie und auch gen Westen bis hin nach Amerika, lange vor Kolumbus. Verwegen, ungebärdig sind die Friesen, die Freiheit war ihnen von jeher oberstes Gesetz, »Leewer dot as Sklav« ihr Wahlspruch. Leibeigene hat es bei ihnen kaum je gegeben, Vorrechte der Fürsten und des Adels duldeten sie nicht. Brandete das Meer in zerstörenden Sturmfluten an, mußten die Deiche geschützt werden, galt einer wie der andere. »De nich will dieken, möt wieken.« Klare Köpfe haben die Friesen, die besten Mathematiker kommen aus ihrem Land. Ihre Rede ist knapp und treffend. Als ein friesischer Bauer von seinem Pastor gefragt wurde, warum er nicht in die Kirche käme, antwortete er: »Sündigt heff ik nich un singen mag ik nich!« Und damit ist viel über diesen Menschenschlag gesagt.

ULRICH STILLE

Niedersachsen

Niedersachsen ist überaus reich an *landschaftlichen* Reizen, ja, seine besondere Anziehungskraft liegt in der Vielfalt und Mannigfaltigkeit der Landschaftsbilder, die aus den unterschiedlichen Oberflächenformen erwachsen. Grundverschiedene Erlebnissphären werden angerührt, ob wir in den Schluchten und Tälern des Harzes mit ihren bizarren Verwitterungsgebilden oder auf den mächtigen Bergmassiven mit ihren Schichtgesteinen wandern, oder ob wir die sanfteren Linien des Leine- und Weserberglandes mit den fruchtbaren Talauen in uns aufnehmen. Weite Felder, reiche Äcker und saftige Weiden, unterbrochen von ausgedehnten Laubwäldern bestimmen den Charakter des Vorgebirgslandes, das sich wie ein breiter Saum von Osten nach Westen zieht, bedeutenden Städten Raum gebend – Helmstedt, Braunschweig, Hildesheim, Hannover, Hameln, Osnabrück. Durch dieses Gebiet zieht seit alters auch eine wichtige Verbindungsstraße, durch den Handel zwischen Ost und West geschaffen. Ihrem Lauf folgen in unserem Zeitalter seit 1845 die Linien der Eisenbahn und seit 1910 der Mittellandkanal. An diese von reichen Spannungen erfüllte Zone schließt sich im Norden die niederdeutsche Tiefebene an, mit der Heide, den Mooren, mit der Geest und den Marschen. Mehr als zwei Drittel Niedersachsens gehören zu diesem Tiefland mit seinen Hügelketten, Geestrücken und gewundenen Flußläufen.

WESERBERGLAND · Zu den reizvollsten und romantischen Landschaften gehört das Weserbergland. Flußaufwärts, an der Werra, einem der beiden Flüsse, die zur Weser werden, findet man verträumte, burgengesäumte Täler, im Sommer ein Paradies der Ruhe und Schönheit genießenden Wassersportler.

GOSLAR · Die politische Bedeutung und der Reichtum Goslars im Mittelalter sind im Silber des Rammelsberges begründet. Noch heute werden Kupfer, Blei, Zink, Silber und in geringen Mengen Gold gewonnen. Stolze Wehrbauten, große Kirchen, die Kaiserpfalz und reichverzierte Fachwerkhäuser bestimmen das Bild der alten Kaiserstadt am Harz.

Das Land besitzt in seiner Vielgestaltigkeit Zeugnisse aus den verschiedenen Epochen der Entwicklungsgeschichte unserer Erde. Aus dem Erdaltertum finden sich zahlreiche Schichtgesteine in den Gebirgszügen des Harzes. Das Leine- und Weserbergland gewann im Erdmittelalter seine Gestalt und Eigenart, während die Tiefebene in der Eiszeit ihre wesentlichen Merkmale erhielt.

Majestätischer Harz

Wuchtig und majestätisch, ehrfurchtgebietend hebt sich das *Harzmassiv* aus der umgebenden Landschaft. Voller Geheimnisse und damit furchterregend sind seine dunklen Höhenzüge, oft von Nebelschwaden und Wolken umhüllt, von Sturmwinden umtost, und seine tiefen Täler und Schluchten, denen rauschende, wilde Gebirgswasser ihre Form gaben, lassen mit ihren oft grotesken Gesteinsbildungen der menschlichen Phantasie viel Spielraum. Herb und schroff ist der Harz, dennoch von reizvoller Milde und lieblicher Weichheit.

Trutzig recken sich Brocken und Bruchberg, Wurmberg und Ackerberg zu einsamer Höhe empor, doch die sanften Linien der bewaldeten Höhenzüge nehmen diesen Himmelsstürmern die Isoliertheit. Die zerklüfteten, scharf in das Gestein eingeschnittenen Täler der Flüsse, der Bode, der Innerste, der Oker, um nur einige zu nennen, vermitteln tiefe Eindrücke von der Allgewalt der Naturkräfte. Teiche, Gräben und unterirdische Wasserstollen legte der Mensch an, um den Reichtum des Gebirges an Erzen und Mineralien ausbeuten zu können. Blei, Eisen, Kupfer, Silber und Zink wurden und werden zum Teil noch heute gewonnen. Diesem Reichtum verdankt der Harz seine Wertschätzung und seine politische Bedeutung in der Frühzeit der deutschen Geschichte. Das Silber des Rammelsberges bei Goslar war es, das diese Stadt unter den ottonischen und salischen Kaisern zu einem Zentralpunkt deutscher Reichsgeschichte werden ließ. Die Herzöge von Braunschweig-Lüneburg ließen seit dem 16. Jahrhundert nach dem Silber des Oberharzes graben und gründeten die sieben freien Bergstädte, in denen sie Bergleute aus dem Erzgebirge ansiedelten. Die Abgeschiedenheit des Gebirges und die Sonderstellung der Siedler haben bewirkt, daß sich ihre Sprache und Lebensart bis heute dort halten konnten.

Motive zum Fabulieren

Ganz anders als der ernste Harz ist das *Leine- und Weserbergland.* Gelockerter, gelöster sind seine Formen. Hier beherrschen weiche Linien und Übergänge das Landschaftsbild auch in den Einzelzügen. Weite fruchtbare Täler werden eingefaßt von Bergrücken, die vielfach sanft ansteigen und oft nur einen schmalen Kamm haben. Laubwald bedeckt die Höhenzüge mit ihren reichen Wellungen und läßt ihre äußere Gestalt behäbiger, man möchte auch sagen behaglicher, erscheinen. Durch die gewundenen Täler, die im südlichen Teil des Landes enger sind und dort vielfach von Bergplateaus überragt werden, ziehen sich alte Heerstraßen, vor allem durch das Leinetal, das im Zuge der großen Nord-Süd-Senke liegt und aufgeschlossener als das Wesertal ist. Zahlreiche Städte, als Handels- und Rastplätze wohl gegründet, erwuchsen in diesen Tälern. Reizvolle Straßenbilder und hervorragendes Können des Handwerks verratende Einzelbauten sind Kulturdenkmäler besonderer Art und künden von der einstigen Bedeutung des an die Straße gebundenen Handels. Wie überhaupt diese Landschaft, der alle scharfen Gegensätze fehlen, reich ist an großartigen Bildern, die sich alle in ihrem Grundzug ähneln, doch immer wieder neue Motive aufweisen, und so recht zum Fabulieren einladen.

Kalk- und Sandstein bilden den Kern des *südhannoverschen Berglandes.* Große Steinbrüche finden sich in vielen Gebieten dieses Raumes. Aus Sandstein sind die sakralen und profanen Großbauten der Vergangenheit errichtet, die Dome, Stifts- und Klosterkirchen, die Rathäuser und die Häuser des Adels und des städtischen Patriziats.

Land mit Profil und Tiefe

Dem Bergland vorgelagert ist der breite Streifen des im Eiszeitalter abgelagerten Lößbodens. In diesem Gebiet, das nach Westen hin immer schmaler wird und bei Osnabrück ausläuft, liegen die landwirtschaftlich reichsten Landstriche Niedersachsens, zu denen auch die alte Grafschaft Schaumburg-Lippe gehört. Die letzten Ausläufer des Berglandes, deren

AN DER NIEDERELBE · In schier unendliche Weiten schweift der Blick über das ebene Land, bis sich in der Ferne Himmel und Erde vereinen. Breit zieht sich die Elbe durch die grünen, saftigen Weiden, auf denen das schwarzbunte Rind grast. Mächtige, trutzige Bäume, denen der Sturm ihre Form gab, ragen aus der Ebene empor, weisen in den Himmel, der oft von windgepeitschten Wolken verhangen ist. Zahlreiche kleine Wasserarme, natürliche und künstliche, für die Entwässerung geschaffene, durchziehen das Land. Kleine Boote und Ewer dienen dem Verkehr zu Wasser. Oft ziehen sich die Straßen und Wege auf den Rücken der Deiche dahin.

WORPSWEDE · Zu Füßen der Geeströcken des Weyerberges und des Kirchberges liegt Worpswede als eines der Dörfer des Teufelsmoores. Weit schweift von diesen Höhen der Blick über die herbe, schwere Landschaft, deren Menschen noch lange in ihrer Abgeschlossenheit an Urwüchsigkeit und Überkommenem festhielten. 1894 aber wurde dieses Dorf durch eine Künstlergruppe aus seiner Anonymität herausgerissen.

Täler zum guten Teil durch die Lößablagerungen aufgefüllt sind, bestimmen noch den Charakter des Landschaftsbildes mit den sanften Wellungen, den kleinen Erhebungen und schwachen Talungen. Fette Weiden und reiche Äcker geben dem Land eine bunte Farbigkeit, in der das saftige Grün der Wiesen und Rübenäcker, das goldene Gelb der Kornfelder und das rötliche Braun der Ackerkrume dominieren. Mächtige Laubwälder und langgestreckte Hecken vermitteln Profil und Tiefe, unterstreichen aber auch das Lineare, das Flächenhafte.

Sand und Moor bestimmten früher das Bild der niederdeutschen Tiefebene, nur in den Stromtälern der Flüsse, der Elbe, der Weser mit Aller und Leine, unterbrochen von den fruchtbaren, ertragreichen Lehm- und Tonböden, im Norden begrenzt von den fetten Marschen, von dem Land, das der Mensch dem Meere abgerungen, das vom Meere aber ständig bedroht wird. Aber Sand und Moor, sie sind nicht mehr wie früher die entscheidenden Elemente dieses Gebietes; denn das Land befindet sich in einem großen Umwandlungsprozeß, der in vielen Fällen bereits abgeschlossen ist.

»Gehege für Streitsüchtige«

Der stets anwachsende und sich weiter ausdehnende Verkehr erschloß die einsamen Lande stärker und stärker. 1823 schrieb Albert Bitzius, den wir unter dem Namen Jeremias Gotthelf kennen: »Immer grämlicher und dürftiger wurde das Land, nur Sand, Heidekraut, kleine Fichtensträucher begegneten dem suchenden Auge; Dörfer, auch nur einzelne Häuser waren nirgends zu erblicken. Hier in dieser Wüste wäre Raum für die streitsüchtigen Könige ... Können aber in diesen Zeiten die Könige das Kriegen dennoch nicht lassen, wohl dann gestattet ihnen das Volk dieses blutige Spiel, aber nicht mehr um das Glück und das Schicksal der Bürger, sondern das, was sie ihr Privateigentum nennen, auch ihr eigenes Leben mögen sie als Kampfpreis setzen; nicht mehr in den fruchtbaren Feldern und Wiesen ihres Staates, sondern in der Lüneburger Heide sollen sie den Kampf ausfechten und keiner gezwungen sein, in demselben sein Leben einzusetzen, nur wer freiwillig ihnen folge, den mögen sie mitnehmen. Hier mögen sie kämpfen, bis einer überwunden liegt; aber daß keiner es wage, aus diesem Gehege zu brechen, er sei der Strafe aller Völker verfallen.« Heute ist die *Heide* stark verkleinert. Immer mehr haben Rodungspflug und Kunstdünger das Land zu wirtschaftlich intensiver Nutzung bereitet. Bienenvölker und Heidschnuckenherden sind selten geworden. Um aber dem völligen Untergang dieser Urlandschaft Einhalt zu gebieten, um eine »Oase der Stille« zu erhalten, wurde vor fünfzig Jahren der Verein Natur-

schutzpark gegründet, der ein Gebiet um die höchste Erhebung der Heide, um den 169 m hohen Wilseder Berg, vor dem Zugriff bewahrte.
Heide und Geest sind in der Eiszeit entstanden, mit ihnen Moore und Seen, Teufelsmoor, Bourtanger Moor, Dümmer See, Zwischenahner und Steinhuder Meer. Jahrhunderte galten die Moore als undurchdringlich, waren unwegsam und scharfe Grenzen. Erst im 18. Jahrhundert setzte ihre großzügige Entwässerung und Kultivierung, vor allem unter Jürgen Christian Findorff, ein. Gegen Ende des vergangenen Jahrhunderts entdeckten die Maler um Fritz Mackensen, die die *Künstlerkolonie Worpswede* begründeten, zu denen sich dann Dichter und Schriftsteller, mit Rainer Maria Rilke an der Spitze, gesellten, die Schönheit des Moores. Doch mühselig war das Leben der Bewohner in den weiten Moorgebieten – auch an der niederländischen Grenze, im Emsland. Hier hat im Jahrzehnt nach dem letzten Kriege der große Umbruch eingesetzt. Kanäle und ein verzweigtes Straßennetz sind geschaffen worden, und das Gebiet, einst voller Düsternis, Unwirtlichkeit und Schwere, ist der Industrie und Landwirtschaft erschlossen. Noch sind die Arbeiten mit den modernsten technischen Mitteln in vollem Gange.

Steter Kampf mit dem Meer

Schwer und entsagungsvoll war und ist der Kampf des Menschen mit den Naturgewalten *am Meer.* Durch ein Jahrtausend ist er bemüht, Land zu gewinnen, dem Landraub des Meeres zu begegnen. Hunderte von Kilometern an Deichen, immer wieder erneuert, immer widerstandsfähiger gebaut, sind Zeugnis dieses Strebens. In der schier unendlichen Weite der Marschlandschaft mit ihren saftigen Weiden sind die Deiche und die Wurten, die künstlich aufgeschütteten Siedlungshügel, die Festpunkte, an denen das Auge sich fängt. Und von den Kronen dieser Deiche, an die sich, gleichsam als suchten sie Schutz, die Häuser schmiegen, geht der Blick über das wogende Meer in fast unbegrenzte Fernen, wandern ihm die Gedanken nach in entlegene fremde Lande. Hier ist noch die Urgewalt der Elemente, der Stürme und des Wassers, unmittelbares Erlebnis, wenn sich windgepeitscht die ungestümen, hohen Wellen einer Sturmflut an den Böschungen der Deiche brechen. Aber andererseits vermag ein Sonnenuntergang über der glatten, spiegelklaren Unendlichkeit der See auch das beglückende Empfinden der Allverbundenheit, der großen Einheit der Schöpfung zu vermitteln.
Der fette Marschenton, ein Geschenk des Meeres, ist auch an den Ufern der Flußmündungen unserer großen Ströme, an der Niederweser und an der Niederelbe zu finden. Auch hier hat der Mensch sich diese Gabe des Meeres, die es ihm wie ein launisches Kind auch gern wieder nehmen möchte, durch Deiche gesichert. Hinter den Deichen verstekken sich die Häuser, liegen die Weiden und – vor allem im Alten Lande – die großen Obstgärten mit ihrem Blütenmeer im Frühjahr.
Der Nordseeküste vorgelagert sind das Wattenmeer und die Ostfriesischen Inseln. Das Wattenmeer zeigt noch heute die bildende Kraft des Meeres, verdeutlicht das Spiel der Gezeiten, von Ebbe und Flut, das muntere oder wilde Treiben der Wogen und Wellen. Eigentümlich offen liegt es bei rückgängigem Wasser, sandiger Boden mit Schlick und Lehm, durchzogen von seichten und tiefen Prielen. Geheimnisvoll und voller Gefahren aber ist es, wenn es die Wasser der Flut überspülen und in den Prie-

OKERTALSPERRE · Vor wenigen Jahren ist die große Talsperre im Oberharz fertiggestellt worden. Noch wirkt sie in ihrer Neuheit als Eingriff, bald aber wird sie, gleich den vielen Teichen, die für den Bergbau geschaffen wurden, wie ein Teil der natürlichen Landschaft sein und vielen Menschen Erholung bieten.

PAPENBURG, als Wasserburg von den Bischöfen von Münster im 14. Jahrhundert erbaut, gewann Bedeutung, als es nach 1638 zur ersten und größten Fehnkolonie ausgebaut wurde. Durch den 1639 begonnenen Emskanal wurde es zur Seestadt, zwischen 1770 und 1850 Zentrum des hannoverschen Schiffbaues. Auch heute noch findet man viele Kanäle an Stelle von Straßen im Ort.

len eine starke Strömung herrscht. Teil des Festlandes ist's ehedem gewesen, wie auch die Dünen der Inseln einst zum Festland gehörten. Heimat der Schiffer und Fischer sind diese Inseln.

Schweigsam und zurückhaltend

Unmöglich ist es, die Wesensart *niedersächsischer Menschen* auf einen Nenner, auf eine kurze Formel zu bringen. Die Unterschiede, die sich in Charakter, Lebensweise, Sprache und anderen Zeugnissen feststellen lassen, sind groß. Zweifellos, gewisse gemeinsame Grundzüge der Bevölkerung in der Tiefebene sind vorhanden. So gilt der Nordniedersachse im allgemeinen als schweigsam und zurückhaltend. Er hält es für überflüssig, über Dinge zu sprechen, die jeder selbst sehen und wahrnehmen kann. Die Anekdote weiß von einem Bauern und seinem Knecht zu berichten, die mit dem Wagen stundenlang über Land fahren. Als sie bei der Abfahrt die hohen Kornfelder sehen, sagt der Knecht: »Süh, Vadder, de Weizen steiht gaud!« Bei der Rückkehr sagt der Bauer dann an der gleichen Stelle: »Jo, un de Roggen ok!« Der Mensch, der die Weite des Landes erlebt, steht auf dem Boden der Tatsachen, der Realitäten. Nüchtern und sachlich betrachtet er Dinge und Geschehnisse. Es stimmt auch, daß der Niedersachse in einem Lokal zunächst nach einem freien Tisch oder in der Eisenbahn nach einer ganz leeren Bank Umschau hält, ehe er sich entschließt, sich mit einem Fremden an einen Tisch, auf eine Bank zu setzen. Dieser Zug zur Isoliertheit, dieses Streben, für sich allein zu sein, ist stark ausgeprägt. Andererseits aber kann er mit seinem Nachbarn und seinen Freunden sehr gesellig sein. Dieses spannungserfüllte Verhalten mag seinen Ursprung in stammesmäßigen Charakteranlagen haben, es hat aber seine besondere Prägung durch die Umwelt erhalten. Der Bauer arbeitet vielfach allein, nur mit der eigenen Hofgemeinschaft. Bei festlichen Anlässen aber geht er ganz in der Gemeinschaft auf. Wenn auch Lebensbedingungen und Arbeitsverhältnisse heute in vielem anders geworden sind, so können jahrhundertelang formende Einflüsse nicht innerhalb einer Generation ausgelöscht werden. Das Pendeln zwischen den Extremen findet sich auch in anderen Lebensäußerungen niedersächsischer Menschen. Eine hohe verpflichtende Bedeutung hat das Wort, das gesprochene Wort als Verkündigung oder auch als bindende Grundlage einer Abmachung. Von der alten, fast magischen Bedeutung des Wortes und von der Scheu vor einem unbedachten Wort hat sich darin noch etwas erhalten. Es ist auch wohl aus dieser Tatsache zu erklären, daß die Reformation in Niedersachsen so starke Ausbreitung gefunden hat, weil sie die Predigt in den Mittelpunkt stellte.

AUF LANGEOOG · Ein tiefes Erlebnis ist es, bei Flut über das Wattenmeer zu fahren, ein ebenso eindrucksvolles bei Ebbe über den gewellten Boden mit den Häufchen und Trichtern des Sandwurmes zu gehen. Die harmlos erscheinenden Priele bergen mit ihrer Strömung für den Wattenwanderer manche Gefahr.

Schelm und Schalksnarr

Nun liegt in diesem Ernst dem Worte gegenüber aber auch zugleich eine Wurzel des *Humors*, erwachsen aus der Abneigung gegenüber dem Wortreichtum, der sich in Kanzleien und Städten einbürgerte. Hier liegt der Ursprung der Geschichten um Eulenspiegel, den Schalksnarren aus Kneitlingen, die 1483 zuerst in niederdeutscher Sprache im Druck erschienen. Trotz aller zeitgebundenen Sozialkritik hat dieses Werk eben wegen seines allgemeingültigen Witzes bis heute seinen Platz in Literatur und Volksleben behaupten können. Die Unüberlegtheit der Sätze findet hier ihre wirkungsvolle, der Derbheit nicht entbehrende Geißelung, wenn Till die ihm zuteil werdenden Befehle und Anordnungen wortwörtlich erfüllt. Dabei hat er dann, gerade in niederdeutschen Landen, die Lacher auf seiner Seite. Diese Form des Humors kennt man in Niedersachsen auch im Sprichwort.

Dieser Grundzug des niedersächsischen Humors, aus einem sachlichen Empfinden, aus einem Sinn für Situationskomik erwachsen, findet sich in der Ebene. In den Bergen an der Leine und an der Weser ist der Humor schelmischer, ist er hintergründiger. Die geheimnisvolle Bergwelt mit ihren stets andersartigen Landschaftsbildern und ihrer Unübersehbarkeit macht den Menschen aufgeschlossener, wendiger. Es ist nicht von ungefähr, daß der Baron Hieronymus von Münchhausen mit seinen Aufschneidereien und Übertreibungen im Tal der Weser zu Hause war. In diesem Lande war auch Wilhelm Raabe, der weise Humorist, beheimatet. Noch anders ist der Humor der Harzbewohner. Dieser an sich verschlossene Menschentyp ist sehr beweglich und – die harte Arbeit im Bergwerk und in der Forstwirtschaft haben ihn dazu erzogen – von schneller Reaktionsfähigkeit. Sein Witz ist Mutterwitz, spritzig und schlagfertig, ja manchmal ein wenig aggressiv und persönlich, doch nie beleidigend. Niedersachsen ist ein Land, in dem die Arbeit den Rhythmus des Lebens bestimmt, und in dem die Arbeit, vielfach noch als ständige Auseinandersetzung mit der Landschaft, auch die Eigenart der Menschen prägt. Im Harz war es einst das harte Leben des Bergmanns und war es die Unrast des Fuhrmannes. Der Kampf mit dem Berg, voller Gefahren und auch geheimnisumwoben, machte die Menschen schweigsam und in sich gekehrt, nachdenklich und auf der Suche nach technischen Neuerungen auch einfallsreich. Ganz anders war die Erlebniswelt des Fuhrmannes. Er zog durch die Lande, sah das Leben draußen und konnte von ihm in der Heimat erzählen. Beide Berufe sind im Harz fast völlig ausgestorben. Nur noch an wenigen Orten wird Bergbau betrieben.

Karges Leben in der Heide

Scharf heben sich die Bewohner der reichen Vorgebirgslande von den Heidjern ab. Sie erfüllt ein stolzes Selbstbewußtsein, das wohl auch in Überheblichkeit ausartet, manchmal sogar etwas protzig wirkt. Der schwere Lößboden gibt seinen reichen Ertrag nur für harte, ausdauernde Arbeit her. Bei allem selbstsicheren Bewußtsein der eigenen Leistung vergißt jedoch der Bauer nie, daß der Segen seiner Arbeit nicht von ihm allein abhängt. Seine Frömmigkeit ist Herzensfrömmigkeit, die nicht am Kirchgang gemessen werden kann. Der vielfach erhobene Vorwurf des Geizes übersieht die Sorgen des Bauern um den Bestand seines Hofes, um das Erbe, das von den Vorfahren übernommen ist und das es für die Nachkommen zu erhalten und zu mehren gilt. In seinem Denken und Handeln ist er sehr sachlich und nüchtern. Dieses Land ist arm an Liedern und Geschichten. Anders ist das Leben des *Heidjers.* Karg ist der Boden. Schaf- und Schnuckenzucht und Imkerei werfen wie die Landwirtschaft hier keine großen Überschüsse ab. Einfacher ist daher der Lebensstil, zurückhaltender sind die Menschen, ihr Fleiß wird nicht durch die Gunst der Natur unterstützt, besinnlicher, manchmal gar etwas schwerfällig und dumpf brütend. Sie hängen natürlich auch an ihrem Besitz und sind bestrebt, ihn den Nachfolgern, erweitert durch neue Rodungen und Kultivierungen, zu übergeben.

Heimatliebe und Fernweh

Dem Lößbauern in vielem gleich ist der *Marschenbauer,* mit stark ausgeprägtem Selbstbewußtsein und rascher Entschlußkraft. Auf den Bewohner der kargen Geest blickt er als Besitzer des reichen, fruchtbaren Bodens herab. Dieser Boden ist im wahrsten Sinne sein Boden, den seine Ahnen in jahrhundertelangem Kampf mit der Nordsee und ihren Gezeiten gewonnen und auch immer wieder verteidigt haben. Diese harte Auseinandersetzung gerade dann, wenn die Elemente am furchtbarsten toben, hat die Gemeinschaft der Marschbauern fest gefügt. Unduldsam ist man gegen jeden, der sich der Pflicht des Deichens, des Deichbaues und der Deichpflege entziehen will. »De nich will dieken, möt wieken!« Die Bewohner lieben ihr Land; aber neben dieser Liebe zur Scholle ist ihnen ein großes, tiefes Fernweh eigen. Der weite Blick über das Meer, das Erlebnis der Ströme hat diese Sehnsucht in den Menschen verankert. Diese eigentümliche Spannung verleiht dem Küstenbewohner neben seiner Zurückhaltung oft noch etwas besonders Herbes, ja fast Rauhes. Dies ist auch denen eigen, die auf dem Meere fahren und vielfach nur zu kurzer Rast an der heimatlichen Küste verweilen, und auch denen, die mit kleinen Fischerbooten wochenlang dem Meere seinen Segen abringen. Mögen auch technische Errungenschaften das harte Los in manchem erleichtern – der Wildheit der entfesselten Elemente steht der Mensch immer wieder allein gegenüber.

Platt als Bindeglied

Vielfältig und voll inneren Reichtums ist das Wesen des Niedersachsen. Wahrlich, man könnte meinen, die Einheit fehlte, nur eine historische Entwicklung habe um diese Mannigfaltigkeit einen eisernen Ring des Zusammenhaltes geschmiedet. Doch es ist nicht nur diese äußere, heute staatspolitische Einheit, die uns erlaubt, von dem Niedersachsen zu reden, sondern es gibt auch innere Gemeinsamkei-

HEIDSCHNUCKEN · In den weiten Gebieten der Lüneburger Heide gab es einst große Heidschnuckenherden. Mit der Kultivierung ging die Haltung der Tiere stark zurück. Das genügsame Wildschaf trug mit dem Abfressen der keimenden Kiefern und Föhren dazu bei, den Landschaftscharakter zu erhalten.

DIE WESERMARSCH · Das Meer, Leben spendend, Leben erhaltend, aber auch Leben vernichtend, hat einst dieses Land geschaffen und seinen Charakter geformt. Über die Weite des Landes, das so fruchtbar ist, geht der Blick. Nur Menschenwerk gebietet ihm Halt — Deiche, die geschaffen sind, um das Land zu schützen, und Häuser, die mit mächtigen Stroh- und Rethdächern versehen sind, die der Mensch sich als Zuflucht vor Wind und Wetter erbaute. Breit und majestätisch, ruhig und gemächlich fließt der Strom dahin, doch wild und ungebärdig in sturmerfüllten Zeiten. Das Wechselspiel seiner Launen formte den Menschen, ließ ihm die Bereitschaft zu steter Auseinandersetzung erwachsen. Verschlossen und wortkarg ist er, doch ständig zur Tat bereit. Der ewige Strom in die Unendlichkeit des Meeres erweckte aber auch in den Menschen ein tiefes Fernweh, das sich zur Heimatliebe gesellt. So treibt es ihn immer wieder auf das Meer hinaus und sei es nur zum Fischfang in der Küstennähe.

ten. Sie finden ihren Ausdruck einmal in der fast allen Teilen des Landes eigenen *plattdeutschen Sprache*. Diese Sprache, die einst den gesamten niederdeutschen Raum erfüllte, ist keine Mundart; denn sie hat ihre eigenen Laut- und grammatikalischen Gesetze. Die zweite Lautverschiebung ist in unseren Landen nicht mitgemacht worden, und die formenden Kräfte des Hochdeutschen fanden hier keinen Eingang.

Die plattdeutsche Sprache hat in ihrem Bereich *eigene Mundarten*, die vor allem in den Vokalen und Endungen stark voneinander abweichen. Das Calenberger und das ostfälische Platt heben sich scharf von dem der Heidjer ab, und die Marschbauern sprechen wieder anders. In Ostfriesland spürt man noch heute den Einschlag der friesischen Sprache. Aber das Plattdeutsche geht in allen Gebieten immer stärker zurück. Gerade in unseren niedersächsischen Landen, die mit ihren weiten, bis in die jüngste Vergangenheit schlecht erschlossenen Ebenen, die Rückzugsgebiete der alten volkstümlichen Kultur waren, vollzieht sich dieser Wandlungsprozeß zum Teil vor unseren Augen. Auf dem flachen Land wird nicht mehr allgemein Platt gesprochen, vor allem die jüngere Generation beherrscht es vielfach kaum noch. Damit ist auch eine sprachliche Erscheinung untergegangen: das Missingsch, diese eigenartige Vermengung von Hoch- und Plattdeutsch. Dabei waren die Verwechslungen der Fälle recht häufig und gerade die daraus erwachsende unfreiwillige Komik hat den Niedergang der plattdeutschen Sprache gefördert.

Diele als Mittelpunkt

Neben der Sprache, die ein einigendes Band um das Niedersachsenvolk windet, verbindet am eindrucksvollsten und auffallendsten das *Bauernhaus*, das in weiten Teilen des Landes in der gleichen Form zu finden ist. Es ist so verbreitet, daß man es gern als das »niedersächsische Bauernhaus« bezeichnet hat. Doch ist der Name nicht gerechtfertigt; denn die Hausform ist älter als die Landesbezeichnung, die erst im 14. Jahrhundert aufkommt, und findet sich im ganzen niederdeutschen Raum. Heute nennt man das Haus mit Recht *»Hallenhaus«*. Die mächtige *Diele* ist das entscheidende Raumelement. In diesem Bauernhaus, das von der Giebelseite her aufgeschlossen ist, sind der Diele die Stallungen als niedrige Räume seitlich in der gan-

CELLE · Das Schloß, die ehemalige Residenz der Lüneburgischen Herzöge, wurde um 1670 im Barockstil umgebaut. Die Schloßkapelle mit ihrer reichen Renaissance-Ausstattung und das Schloßtheater sind besonders sehenswert.

HAHNENKLEE · Der Kurort und Wintersportplatz im Harz ist vielen Eheleuten in besonderer Erinnerung. Die alte nordische Stabholzkirche ist ein bevorzugter Trauungsort. Auf dem Standesamt wird den Brautpaaren zur Zeit der Rosenblüte vom Standesbeamten ein großer Rosenstrauß überreicht. BAD PYRMONT · Zu den berühmten Bädern der Welt zählt Pyrmont im Tal der Emmer, das jahrhundertelang von den Fürsten vieler Länder aufgesucht wurde. Der »Sprudelborn« war im Mittelalter die berühmteste Heilquelle der Erde. Rings um den Kurpark liegen die Gebäude des Kurhauses, Theaters und Kurhotels.

LANDSCHAFT BEI GÖTTINGEN · Mit einer vorspringenden Nase reicht Niedersachsen bis vor die Tore Kassels. Autobahn und Schiene stellen hier zwei wichtige Verbindungswege vom Norden zum Süden dar. Die Landschaft trägt fast süddeutschen Charakter, leicht geschwungene Höhen, freundliche Dörfer und, alles überspannend, einen heiteren Himmel. Der Ackerbau herrscht in der Landwirtschaft vor.

HANNOVER, MESSE · Im Osten der Landeshauptstadt liegt ein Wald- und Anlagengelände, die Eilenriede. Zu ihrer Umgebung gehört auch eine große Fläche mit Ausstellungshallen, die als größtes Ereignis in jedem Frühjahr die Deutsche Industriemesse sieht. Über zwei Millionen Besucher hat man schon in zwei Wochen gezählt. Sie kommen aus aller Herren Ländern. Das Bild zeigt einen Ausschnitt aus dem Messegelände. RINTELN · In dieser alten, ruhigen Stadt kann man verstehen, daß hier Dingelstedts schönes Weserlied »Hier hab' ich so manches liebe Mal . . .« entstehen mußte. Das Bild zeigt den Marktplatz.

zen Länge ohne trennende Wände angefügt. Das Dach dieser »Afsieden« ist in das Hauptdach mit einbezogen. Das ist das Charakteristische an diesem Hause, daß unter einem Dach, gleichsam in einem Raum, alles vereinigt ist: das Wohnen, das Wirtschaften, der Vorrat von Heu und Stroh im großen Dachraum und die Viehhaltung. Erst zu Beginn der Neuzeit ist diesem Hause ein besonderes »Kammerfach« als Wohnteil angefügt. Aber noch bis zum Beginn des Jahrhunderts war die Herdstelle im »Flett«, dem rückwärtigen Teil der Diele, der Mittelpunkt des häuslichen Lebens. Der Herd mit dem offenen Feuer, dessen Rauch, da ein Schornstein fehlte, durch das ganze Haus abzog, war im Volksbrauch besonders tief und fest verankert. Alle für den Hof entscheidenden Handlungen geschahen am Herde: Hochzeitsversprechen, Hofübergaben, Dienstbotenverpflichtungen und ähnliches. Es mögen einst wirtschaftliche und klimatische Bedingtheiten gewesen sein, die zur Ausbildung dieser Hausform geführt haben. Dann aber hat diese Wohnweise den Menschen in seinen »Gewohnheiten« geformt.

Gulfhaus in Ostfriesland

In seinem äußeren Erscheinungsbild ist das Haus in den einzelnen Landschaften sehr reich an Varianten. Das mächtige Dach, sehr weit heruntergezogen, ist mit Stroh oder in den Marschen mit Reth gedeckt. Das Fachwerk ist je nach dem Holzreichtum des Gebietes eng- oder weitmaschig. In den tonreichen Landesteilen sind die Gefache schon sehr früh mit Backsteinen ausgefüllt, während in anderen Gebieten die Flechtwand mit den biegsamen Zweigen oder Wurzeln, die zwischen senkrechten Staken hindurchgewunden sind, noch sehr häufig zu finden ist. Die Größe des Hauses, sein Schmuckreichtum sind von der Güte und dem Ertrag des Bodens abhängig. Die äußere Gestalt ist wandlungsfähig, der innere Raumcharakter aber ist durch Jahrhunderte gleichgeblieben. Erst die letzten Jahrzehnte bringen mit dem Eindringen neuer Wirtschaftsformen auch beim Bauernhaus einen tiefgreifenden Wandel. Aber noch bestimmen weithin die Hallenhäuser das Bild der Landschaft, gleich, ob sie unter mächtigen Eichen stehen oder aber ob sie sich in der Marsch an die schützenden Deiche schmiegen. Als Sonderform des Hallenhauses darf das in Ostfriesland verbreitete *Gulfhaus* angesehen werden. Es kommt der Neuzeit mehr entgegen als der Urtyp und hat diesen daher in den Berührungsgebieten vielfach verdrängt. Auch im südlichen Niedersachsen, in dem die mitteldeutsche Bauweise mit dem quergeteilten Haus oder dem Gehöft schon früh als Ausdruck einer gehobeneren Lebenshaltung Eingang fand, weicht das Hallenhaus immer mehr.

Das *Bürgerhaus* hat sich aus dem Bauernhaus entwickelt. Auch in den Städten herrscht das *Giebelhaus* vor. Ihre Reihung in den Straßenzeilen ergibt ein herbes, stark umrißhaftes Bild. Jedes dieser Häuser ist individuell gestaltet, scharf von den Nachbarn abgegrenzt. Hier scheint es, als habe das niedersächsische Streben nach Vereinzelung, nach Abkapselung steingewordenen Ausdruck gefunden. Scharf reckt sich jeder Giebel in die Höhe. Dennoch bewahrt jede Straße und auch jede Stadt ihre Besonderheit. Welch ein Unterschied besteht etwa zwischen Celle und Lüneburg! Dort die spitzen, fast überspitzen hellen und farbigen Fachwerkgiebel, hier die stufenweise sich verjüngenden Treppengiebel in dem dunklen Rot des Backsteines. Im südlichen Landesteil herrscht das breit hingelagerte Traufenhaus, das von einer Langseite her aufgeschlossen ist sowohl als Bauernhaus wie als Bürgerhaus vor. Das Straßenbild der südniedersächsischen Städte ist gekennzeichnet durch die Waagerechte, durch die klare, fast einheitliche Linie der Traufen und der Fensterreihen. Hier gewinnt man den Eindruck der Ein- und Unterordnung des einzelnen unter das Ganze, hier scheinen Geselligkeit, Anpassung, Anlehnung das besondere Merkmal zu sein.

DAS OLDENBURGER LAND hat noch viel von alter Ursprünglichkeit erhalten. Marsch und Geest bestimmen das Bild des Landes und seiner Kultur. Die Abgeschlossenheit des Gebietes formte den Charakter der Menschen, die verschlossen und freiheitsliebend sind. Die Stedinger waren Oldenburger.

Farbenprächtige Tracht

Niedersachsen ist altes Bauernland. Noch heute ist fast ein Drittel der Bevölkerung in der Land- und Forstwirtschaft beschäftigt. Der Standesstolz des Bauern hat seinen besonderen Ausdruck in den *Trachten* gefunden, die mit großen Unterschieden von Landschaft zu Landschaft teilweise sehr reich ausgebildet waren. Bis zum Beginn unseres Jahrhunderts waren die Altländer, die Scheeßler und Selsinger Tracht ebenso bekannt wie die des Osnabrücker Landes, des Wendlandes oder mancher anderer Gebiete. Am lebensfähigsten hat sich die Tracht des *Schaumburger Landes* erwiesen, dieses Landes, das sehr reichen Boden hat und bis zum Ende des ersten Weltkrieges ein selbständiges Fürstentum war, in dem das Fürstengeschlecht weniger nach äußerer Machtentfaltung als nach innerer Festigkeit trachtete. So konnte sich in dem kleinen Staat ein reiches Leben entfalten, farbenfrohe Häuser erbaut und Trachten von großem

NORDSEE
Roter Sand
CUXHAVEN
Spiekeroog
Wangerooge
Norderney
Baltrum
Langeoog
Juist
Borkum
LANG-
WARDEN
BREMERHA
WILHELMSHAVEN
EMDEN
NIEDERLANDE
Weser
LEER
Jade
OLDENBURG
BREMEN
Ems
SÖGEL
CLOPPENBURG
MEPPEN
HÜMMELING
Dortmund-Ems-Kanal
Mittellandkanal
Weser
BENTHEIM
OSNABRÜCK
N
WESTFALEN
GESMOLD
RINTE
Autobahn

SCHLESWIG-HOLSTEIN

NIEDERSACHSEN

Elbe

STADE

HAMBURG

MECKLENBURG

Elbe

LÜNEBURG

Autobahn

LÜNEBURGER HEIDE

VERDEN

LÜCHOW

BRANDENBURG

Aller

CELLE

WOLFSBURG

Mittellandkanal

HANNOVER

BRAUNSCHWEIG

KÖNIGSLUTTER

SPRINGE

HILDESHEIM

HAMELN

SACHSEN-ANHALT

BAD
RMONT

BODENWERDER

GOSLAR

Aufwand ausgebildet werden. Zu dieser Tracht gehören neben dem roten Rock, der auch bei anderen Trachten unseres Landes zu finden war, das weiße Hemd mit gerüschtem Spitzenbesatz an den Ärmeln, ein Mieder, eine halbärmelige Jacke, der breite Kragen, eine Schürze und die Haube. In diesem kleinen Lande waren drei verschiedene Formen der Tracht vorhanden, die in Einzelheiten sehr stark voneinander abwichen. Zu voller Prachtentfaltung kamen diese Trachten erst in den letzten zwanzig Jahren des 19. Jahrhunderts. Da entstanden die breiten Flügelhauben mit den langen Schleifen, und zu der Zeit kam die bunte Perlstickerei an den Schultertüchern und an anderen Teilen der Tracht auf. Auch der Schmuck, einst vielfach nur ein einfacher Zweckgegenstand, wie die Hemdspange, wuchs sich zu mächtigen Zierstücken aus.

Schützenfest und Osterfeuer

Mannigfaltig wie die Natur des Landes war einst das Brauchtum. Vielgestaltig und reich bekränzt war der Jahreslauf. Auch um die einzelnen Phasen des menschlichen Lebens rankten sich Sitte und Brauch. Kennzeichnend für das Brauchtum des Jahreslaufes war eine starke Naturbezogenheit. Eine ausgeprägte Lebensbejahung tat sich in oft recht derben und schwankartig ausgestalteten Bräuchen kund. Andererseits fehlte aber auch nicht das besinnliche Element. Das alte Brauchtum ist untergegangen, nur noch weniges hat sich erhalten.

Schützenfeste werden noch heute in vielen Städten und Gemeinden begangen und gefeiert. Was für den Rheinländer der Karneval, für den Münchener der Fasching ist, das ist für den Hannoveraner ebenso wie für den Braunschweiger sein Schützenfest. Diese Feste sind hervorgegangen aus den Schießübungen der wehrhaften Bürgerschaften des Mittelalters. Von diesem einst offiziellen Charakter ist den heutigen Festen immer noch etwas eigen. So nehmen die Stadtoberhäupter Hannovers und Braunschweigs am »Schützenausmarsch«, am Schützenumzug durch die Stadt teil, der sich durch ein dichtes Spalier schaulustiger und jubelnder Menschen bewegt. Auch die Reiterfeste sind sehr verbreitet.

Ein anderer in Niedersachsen heute noch vielfach üblicher Brauch ist das Abbrennen eines *Osterfeuers*. Jahresfeuer sind in deutschen Landen weit verbreitet, doch liegen sie in anderen Ländern – mit Ausnahme Westfalens – an anderen bedeutungsvollen Tagen des Jahres. Mit dem Feuerbrauch hat sich aus frühester Zeit eine Sitte in ihren alten Formen bis in unsere Tage erhalten. Noch heute ist es für die Jugend vielfach ein Ehrendienst, das Brennmaterial zu sammeln und als Nachtwache den Holzstoß vor den Nachbargemeinden zu beschützen; denn ein jeder Ort möchte das klarste und höchste Feuer haben, auch wenn es auf Kosten des anderen geht.

An weit verbreiteten Bräuchen müssen noch das *Martinssingen* und das *Sternsingen* erwähnt werden. Beides sind Heischebräuche. Kindergruppen ziehen umher, singen ein Lied, in dem für die Hausleute alles Gute und für die Sänger reiche Gaben erbeten werden.

Braunschweiger Wurst und Bier

In den Wintermonaten, nach dem ersten Frost, wurde und wird gern der braune Kohl mit Brägenwurst gegessen. Überhaupt galt der Wurstzubereitung immer die besondere Sorgfalt in Niedersachsen. Die *Braunschweiger Wurst* war einst sehr geschätzt. Im Jahre 1789 schrieb ein Reisender begeistert: »Die Mettwürste haben nicht nur durch ganz Europa Abgang, sie werden auch nach anderen Weltteilen, besonders nach Ost- und Westindien

BURSFELDE · Zu Füßen des Bramwaldes am Ufer der Weser liegt die 1093 gegründete Benediktinerabtei Bursfelde, deren romanische Basilika noch — stark restauriert — erhalten ist. Im 14. Jahrhundert setzte ein Verfall ein. Die um 1435 durchgeführte Reform wurde als »Bursfelder Kongregation« oder »Union« für fast alle Benediktinerklöster in Deutschland und in den Nachbarländern maßgebend. Den Besitz des 1524 reformierten Klosters verwaltet die Klosterkammer als Pachtgut. Die Abtswürde wird noch heute einem Mitglied der Theologischen Fakultät der Universität Göttingen verliehen.

LÜNEBURG · Die bedeutende Salz- und Handelsstadt ist ein gut erhaltenes Denkmal norddeutscher Backsteinbauten. Ganze Straßenzüge zeigen alte, gotische Bürgerhäuser, die liebevoll gepflegt sind.

LÜNEBURGER HEIDE · Die Heide überwältigt ihren Besucher nicht durch zerklüftete Berge oder wilde Szenerien. Sie will erschlossen sein, Schritt für Schritt erwandert werden. Bis in Kniehöhe wachsen hier die Erika-Flächen, durchschnitten von weißen Wanderwegen, betupft mit dunklen Wacholderbüschen, umsäumt von Tannen- und Kiefernwäldern. Irgendwo zieht langsam eine immer seltener werdende Heidschnuckenherde dahin, und die Luft ist erfüllt vom Summen emsiger Bienen. Vor den Toren Hamburgs gelegen, wird die Heide viel besucht. Hermann Löns hat dieser Landschaft in seinen Liedern und Büchern unvergängliche Denkmäler gesetzt.

CUXHAVEN · An der Landungsbrücke »Alte Liebe« machen viele Überseedampfer fest. Wo die breite Unterelbe sich in die Nordsee ergießt, liegt das bekannte und vielbesuchte Seebad mit seinem schlickfreien Watt.

EMSLANDSCHAFT · Die Ems ist ein ruhiger Fluß, ein typisches Gewässer der Tiefebene. Nur etwas mehr als siebzig Meter beträgt ihr gesamtes Gefälle von der Quelle bis zur Mündung. Trotz ausgedehnter Regulierungsarbeiten zum Schutze der Landwirtschaft haben ihre Ufer viele Stimmungsbilder bewahrt. Einzelne Bauernhöfe, Buschgruppen und kleine Wälder, verstreute Siedlungen und besinnliche Städtchen zaubern die Schönheit einer Parklandschaft, die sich selbst gegen die stetig vordringende Industrie behauptet. In seinem Unterlauf trägt der Fluß behäbige Schiffe, die über den Dortmund—Ems-Kanal aus dem Ruhrgebiet kommen.

verschickt, wo sie auf feierlichen Tafeln, wie ich von einem guten Freunde, der in jenen Gegenden gewesen, sicher weiß, nebst Hamburgischem geräucherten Fleische unausbleiblich paradieren müssen, sobald der Wirt ein vollständiges Gastmahl geben will.« Als besondere Spezialitäten dürfen heute die Aale aus dem Steinhuder und Zwischenahner Meer gelten. Hier werden sie mit einem guten, klaren Schnaps serviert, den man aus einem zinnernen Löffel trinkt. Aber auch die Hände werden mit diesem Klaren vom Fett gereinigt. Dazu gibt es kräftiges Schwarzbrot. Auf seinen Reisen zu Friedrich dem Großen lernte es auch Voltaire kennen und nannte es erstaunt: »Einen gewissen, harten, schwarzen, klebrigen Stein, der, wie man sagt, aus einer Art Getreide gemacht wird.«
Bier war das Hauptgetränk der Niedersachsen. Die Braunschweiger Mumme, der Hannoversche Broihan, Goslars Gose, der Duckstein aus Königslutter oder gar das Einbecker Bier, das seinen Namen für das Wort »Bock-Bier« hergab, wurden weit verschickt. Zum Bier gehört der »Sluck«, der Branntwein, vielfach aus Korn gebrannt, daher »Korn« genannt. In den küstennahen Gebieten trinkt man den Grog von Rum und Arrak. Recht s-teif muß dieser Grog sein. Die Ostfriesen haben als Nationalgetränk ihren Tee mit Kandis und Sahne.

Im Banne der Geschichte

Niedersachsen ist erst in jüngster Zeit eine staatliche Einheit geworden. Es ist zusammengewachsen aus mehreren Ländern, von denen drei nach dem ersten Weltkrieg ihre Selbständigkeit verloren haben: Braunschweig, Schaumburg-Lippe und Oldenburg. Hannover und Ostfriesland waren seit 1866 preußisch.
Für die Geschichte des Reiches ist *Goslar* bedeutungsvoll, wo einst deutsche Kaiser hofhielten. Heinrich II. errichtete hier nach der ersten Jahrtausendwende seine Pfalz, die von Heinrich III. ausgebaut wurde. Die Ulrichskapelle, ein Teil des mehrfach umgebauten und restaurierten Kaiserhauses, birgt das Herz dieses Kaisers, dem Goslar Lieblingspfalz war. Hier wurde auch Heinrich IV. geboren. Nicht die herrliche Lage der Stadt am Nordrande des Harzes ließ die Kaiser sie zur Residenz wählen, sondern der natürliche Reichtum, das Silber des Rammelsberges. Dieses Edelmetall bedingte auch die Entwicklung der Stadt als bürgerliches Gemeinwesen, die um die Mitte des 16. Jahrhunderts jäh abbrach. Das Straßenbild Goslars wird noch heute von den stolzen Bauten jener Zeit bestimmt. Die reichen Schmuckformen an den Häusern künden von dem einstigen Wohlstand. Heute ist Goslar wieder ein blühendes Gemeinwesen, in dem Tradition und neues Wagen einander ergänzen.

BODENWERDER, das Münchhausen-Schlößchen. Die herrliche Lage der alten Stadt mit dem Weserübergang, in der man noch die Reste von drei Stadtmauertürmen findet, allein ist es nicht, die ihren Namen in alle Welt getragen hat. Karl Friedrich Hieronymus von Münchhausen hat ihm den weit hallenden Klang verliehen.

BRAUNSCHWEIG · Einst die bedeutendste Stadt in welfischen Landen. Die günstige Lage am Okerübergang und im Zuge der alten Ost-West-Handelsstraße brachte Reichtum und Macht. Ein großartiges Rathaus und prächtige Kirchen sind die Zeugen. Heute beherbergt die Stadt hochentwickelte Industriewerke.

Am Okerübergang im Verlauf der alten Ost-West-Handelsstraße entwickelte sich *Braunschweig,* die Residenz Heinrichs des Löwen, zu bedeutender Größe. Die Burg *Dankwarderode,* der mächtige Dom und der eherne Löwe auf hohem Sockel künden von der Bedeutung dieser Stadt. Doch nicht nur fürstliche Gunst und Gnade, die recht wandelbar und trügerisch waren, ließen die Stadt wachsen und blühen, sondern vor allem Bürgerfleiß und Bürgerstolz. Die zahlreichen großräumigen Kirchen aus romanischer und gotischer Zeit, das Kleinod gotischer Profanarchitektur, das Altstadt-Rathaus, legen noch heute davon Zeugnis ab. Reiche, breitgelagerte Bürgerhäuser mit Meisterwerken alter Zimmermanns- und Bildschnitzerkunst kündeten bis zum letzten Kriege davon, wie sehr die Betriebsamkeit der Einwohner durch die Jahrhunderte von Erfolg gekrönt war. Heute ist Braunschweig eine Stadt mit bedeutender Industrie, durch seine Technische Hochschule, durch die Physikalisch-Technische Bundesanstalt und die Landwirtschaftliche Forschungsanstalt wird es zu einem Mittelpunkt der Forschung.

Würde der kleinen Residenz

Ein Renaissanceschloß mit frühbarocken Prunkräumen, eine mächtige Hallenkirche mit reicher, eben-

OLDENBURG · Das Schloß, hervorgegangen aus einer alten Wasserburg, ließ Graf Anton Günther, Oldenburgs bedeutendster Landesherr, im Stile der Renaissance von 1607—1615 ausgestalten. Ihm verdankt das Land auch seine Bedeutung als Pferdezuchtgebiet.

falls frühbarocker Fassade, dazu ein von einer großen Kuppel gekröntes Mausoleum, das sind die besonders repräsentativen Gebäude *Bückeburgs*, der kleinen Residenz des Fürstentums Schaumburg-Lippe. Noch heute ist dieser Stadt etwas von der Beschaulichkeit der kleinen Metropolen eigen. Das Leben, die Anlage der Straßen und Häuser atmen noch die gemessene Würde. Mittelpunkt eines von der Natur gesegneten Landes, mit reicher Landwirtschaft, mit den ergiebigen Steinbrüchen bei Obernkirchen, mit der Kontrolle des wichtigen Handelsweges von West nach Ost, die große Zolleinkünfte brachte, ist Bückeburg eine stark in sich ruhende und nur in das eigene Fürstentum wirkende Stadt gewesen. Einer der Regenten, Graf Wilhelm, ein Zeitgenosse Friedrichs des Großen, schuf ein Werk, das fest mit seinem Namen verbunden ist: die Festung *Wilhelmstein*, auf einer künstlichen Insel im Steinhuder Meer erbaut. Sie diente als Kriegsschule. Graf Wilhelm war aber auch ein aufgeklärter Förderer der Künste und Wissenschaften. Johann Christoph Friedrich Bach, ein Sohn des großen Thomaskantors, wirkte in der Bückeburger Hofkapelle. Herder war hier einige Jahre als Hauptprediger und Konsistorialrat tätig.

Zu den Vasallen Heinrichs des Löwen zählten auch die Grafen von *Oldenburg*, die nach dessen Ächtung reichsunmittelbar und selbständig wurden. Doch dem Lande war durch den Wechsel der Regenten ein seltsames Schicksal beschieden. 1448 wurde Graf Christian König von Dänemark und ließ seine deutschen Lande von den Brüdern regieren. Seit 1676 war der König von Dänemark alleiniger Landesherr. 1773 trat er die Grafschaften Oldenburg und Delmenhorst an den Großfürsten Paul von Rußland ab, der sie aber noch im gleichen Jahre an Friedrich August von Holstein-Gottorp, den Bischof von Lübeck, abgab. Unter diesem wurden sie zum Herzogtum Holstein-Oldenburg. 1815 wurde dem Herzog der Titel eines Großherzogs verliehen. Als wirtschaftlicher Mittelpunkt eines zum Teil sehr reichen Landes und als Handelsplatz für die Waren Westfalens und Frieslands hat die Stadt eine bedeutende Geschichte gehabt. Sie war stets kultureller Strahlungspunkt. Bis zum ersten Weltkrieg als Residenzstadt und dann als Verwaltungsmetropole hat Oldenburg immer seine zentrale Funktion behalten.

Mittelpunkt des Landes

Die jüngste Residenz ist die Landeshauptstadt *Hannover.* Erst 1636, mitten im Dreißigjährigen Kriege, machte sie der Herzog von Calenberg zu seiner Residenz – sehr zum Leidwesen ihres Rates. In einer jahrhundertelangen stetigen Entwicklung hatte die Stadt an den Ufern der Leine, die ihr den Namen gaben, sich vom kleinen Handelsplatz zu einem mit weitreichenden Rechten ausgestatteten Gemeinwesen entwickelt. Die Stadtväter fürchteten, mit der Residenzwerdung viele der erworbenen Rechte zu verlieren. Es sollte so kommen. Doch gegen fürstliches Machtwort waren sie ohnmächtig. 1692 wurde das Herzogtum zum Kurfürstentum erhoben, Hannover war nun die erste unter den welfischen Residenzen. Im Jahre 1714 erlosch der das Leben der Stadt überstrahlende Glanz der Hofhaltung. Der Kurfürst war König von England geworden und zog nach London. Erst 1837 zog mit König Ernst August wieder ein Landesherr in die Stadt ein. Dieser neue Glanz dauerte jedoch kaum drei Jahrzehnte. 1866 wurde Hannover preußisch und die Stadt erhielt die Funktion einer Provinzhauptstadt. Erst 1945 zog wieder eine Zentralgewalt ein. Hannover, das mit dem Einbruch des technischen Zeitalters, vor allem nach dem Ausbau der Eisenbahnlinien, seine einstige Funktion als Bindeglied zwischen Nord und Süd und Ost und West in gesteigerter Form wieder übernehmen konnte, erlebte einen zunächst langsamen, dann sich stetig steigernden Aufstieg. Binnenschiffahrt, Eisenbahnlinien und Autobahnen führen wie früher die Handelswege durch die Stadt oder unmittelbar an ihr vorbei und machen sie zu einem Sammelpunkt und Strahlungspunkt von internationaler Bedeutung. Das wird nicht nur durch die starke Industriekonzentration, sondern vor allem auch durch die rasch zur Weltgeltung gelangte Messe unterstrichen.

Die deutsche Geschichte ist lange Jahrhunderte hindurch eine Geschichte von Kleinstaaten! So weist auch Niedersachsen noch mehrere Residenzstädte auf: *Bentheim, Celle, Dannenberg, Diepholz, Gifhorn, Herzberg, Hoya, Stade.* Auch *Aurich,* wo zunächst die ostfriesischen Hauptleute, dann die Grafen von Ostfriesland regierten, gehört in diese Reihe. Die besondere Stammeseigenart und das starke Unabhängigkeitsgefühl der Friesen verschafften diesem Lande stets eine gewisse Ausnahmestellung. Noch heute ist sie in der volkstümlichen Kultur und der Wesensart der Bewohner zu erkennen. Aurich ist bis in unsere Tage der Mittelpunkt des Landes geblieben, verwaltungsmäßig und auch kulturell. Hier tagt die »Ostfriesische Landschaft«, einst die Ständevertretung, heute für die Kulturpflege in diesem Lande zuständig.

Bischofssitz und Handelsplatz

Neben den weltlichen Residenzen waren die Bischofssitze kulturelle und wirtschaftliche Mittelpunkte. Drei Bischofsstädte gab es einst: Hildesheim, Osnabrück und Verden, das diese Aufgabe in der Reformation verlor.
Das heutige *Hildesheim* ist aus zwei Keimzellen erwachsen, aus einem Rast-, Handels- und Güterumschlagplatz der Harzwaren für die Kaufleute und aus einer bischöflichen Kurie, die durch die Gründung Ludwigs des Frommen entstand. Noch heute blüht an der Apsis des Domes der Rosenstock, »tausendjährig«, der dem Kaiser die Stätte anzeigte, an der der Dom erstehen sollte. 1945 ganz kurz vor Kriegsende sank die Stadt in Schutt und Asche. Unersetzlich sind die Verluste an materiellen Werten, die Ausdruck einer reichen inneren Kultur waren. Die ungezählten Fachwerkhäuser mit ihrem phantasievollen und von großer Kunstfertigkeit kündendem Zierat sind verloren. Die mächtigen steinernen Zeugen tiefer Frömmigkeit, der Dom und die Kirchen, allen voran die aus ottonischer Zeit stammende Basilika St. Michael, konnten zum Teil wiederhergestellt werden, um auch kommenden Geschlechtern das überwältigende Raum- und Architekturerlebnis zu vermitteln. Hildesheims Reichtum lag in seinen Kunstwerken, die seine Bischöfe und seine Bürger zum Lobe Gottes schufen oder schaffen ließen. Welch eine Vielzahl von Werken sind mit dem Namen des Bischofs Bernward verbunden! In seinem fast dreißigjährigen Episkopat entstanden die in Erz gegossenen großen Türen, die Christussäule mit reichem figürlichem Schmuck und hervorragende Arbeiten aus dem Silber des Harzes. Die Bischöfe Godehard und Hezilo haben mit ihren Bauten ihre Namen unvergänglich in die deutsche Kunst- und Kulturgeschichte eingeschrieben. Auch Hildesheims Bürger konnten sich daneben mit den stattlichen Pfarrkirchen, dem mächtigen Rathaus und den vielen anderen Profanbauten, unter denen das Knochenhaueramtshaus besonders hervorragte, behaupten.

HILDESHEIM, DAS KNOCHENHAUERAMTSHAUS AM MARKT · Im Schatten der bischöflichen Residenz entwickelte sich ein reiches Bürgertum. Bis zur Zerstörung 1945 kündeten davon die mit Schnitzereien verzierten Häuser, die der Stadt den Charakter des Einmaligen gaben.

HANNOVER · Mittelpunkt der Handels- und Verkehrsmetropole, die Standort zahlreicher, großer Industriewerke ist, bildet der Kröpckeplatz. Moderne Geschäftshäuser und Verwaltungsbauten bestimmen das Bild der Stadt. Hannover betreibt eine Verkehrsplanung für die Zukunft.

Friedensstadt Osnabrück

Als im Jahre 1648 die Glocken den Frieden einläuteten, der den Dreißigjährigen Krieg beendete, war neben Münster in Westfalen *Osnabrück* die zweite Stadt, in der die langen Verhandlungen endlich von Erfolg gekrönt waren. Heute noch zieren die Porträts der beteiligten Räte den »Friedenssaal« des Rathauses. Die alte Bischofsstadt, von Karl dem Großen dazu erhoben, liegt am Übergang bedeutender Handels- und Heerstraßen über die Hase in einer Talmulde, wo die Kaufleute verweilen und rasten mußten. Die Entwicklung dieser Handelssiedlung wurde durch die Gründung des Bistums gefördert. Die Gunst der Lage am Handelsweg zwischen Ostsee und Flandern und inmitten eines reichen Landes, in dem der Flachsbau und das Spin-

OSNABRÜCK · Im Saal dieses Rathauses führten die Vertreter der Protestanten die Verhandlungen, die 1648 zum Abschluß des Westfälischen Friedens führten. Der strenge, herbe Bau mit dem mächtigen, steilen Walmdach wurde zwischen 1487 und 1512 erbaut.

HILDESHEIM, ST.-MICHAELIS-KIRCHE · Seit 815 bischöfliche Residenz, wurde die Stadt ein Zentrum der Kunst. St. Michael ist der einzige Großbau aus ottonischer Zeit. Trotz Beschädigungen gibt die restaurierte Kirche einen lebendigen Eindruck romanischer Raumgestaltung.

nerei- und Webereigewerbe heimisch wurden, gab dem Stadtwesen besonderen Auftrieb. Dem Weitblick und politischen Geschick des Rates gelang es bereits in der Stauferzeit, der Stadt die Selbständigkeit zu erwerben. Sakrale und profane Bauten, machtvoll, repräsentativ und großartig, beherrschen das Stadtbild. Energischer Aufbauwille, unterstützt durch die Wirtschaftskraft der ansässigen Industrie, gefördert durch die Bodenschätze, offenbart sich heute bei der Neugestaltung der stark kriegszerstörten Stadt. Ein historisches Kuriosum bestand zwischen 1648 und 1857: ein katholischer und ein evangelischer Bischof wechselten in der Amtsführung ab. Seit 1857 wird das Bischofsamt von der katholischen Kirche allein verwaltet.

Kultstätte und Universitäten

Verden war eine alte germanische Kult- und Gerichtsstätte, in deren Nähe wahrscheinlich 782 Karl der Große die sächsischen Gegner richten ließ. Dem Missionsbrauch folgend, wurde eine Kirche errichtet und 814 das Bistum gegründet. 1185 war der erste steinerne Dom vollendet, der eine Holzkirche ersetzte. Der heute noch die Stadtsilhouette beherrschende Bau, eine der schönsten niedersächsischen Hallenkirchen der Backsteingotik, wurde 1490 geweiht. Mit der Reformation wurde das Bistum aufgehoben. Verden hat – infolge der Nähe Bremens – nie eine große geschichtliche Rolle gespielt. Es ist in seiner Entwicklung ein Beispiel dafür, daß der Glanz einer weltlichen oder geistlichen Hofhaltung allein nicht genügt, um eine Stadt bedeutend zu machen.

War es bei den genannten Städten neben einem unternehmenden Bürgertum noch eine zweite Macht, die ihnen ein besonderes Gepräge gegeben hat, so haben andere Städte auf Grund ihrer geistigen Kraft die eigentliche Bedeutung erhalten. Das sind die Universitätsstädte Helmstedt, Rinteln und Göttingen, dazu Clausthal mit der Bergakademie. Zwei kulturelle Besonderheiten dürfen nicht unerwähnt bleiben: die Maler- und Künstlerkolonie Worpswede im Teufelsmoor bei Bremen und Cloppenburg mit dem Museumsdorf.

1576 wurde durch Herzog Julius von Braunschweig-Lüneburg die Universität *Helmstedt*, die Academia Julia, als welfische Landesuniversität gegründet. Sie sollte den welfischen Territorien den Nachwuchs an Geistlichen und Staatsbeamten heranbilden. Es gelang den Wolfenbüttler Herzögen, eine Reihe bedeutender Gelehrter an diese Anstalt zu ziehen, und infolge echter Lehrfreiheit gewann sie schnell

OSNABRÜCK · Der mächtige Baukörper des Domes, dessen Hauptbestandteile aus der 2. Hälfte des 13. Jahrhunderts stammen, beherrscht mit seinen Türmen, die das Langhaus nur wenig überragen, das Bild der industriereichen Stadt.

an Bedeutung. Eineinhalb Jahrhunderte aber nur währte die große Zeit dieser Hochschule. Als 1737 die Göttinger Universität eröffnet wurde, sank die Bedeutung Helmstedts rasch ab. Die Aufhebung der Universität durch König Jérome, den Bruder Napoleons, im Jahre 1810 bedeutete nur die Beschleunigung des Endes. Das in den Jahren 1592 bis 1597 errichtete Auditoriengebäude steht heute noch.

Die Universität *Rinteln* wurde als schaumburgische Landesuniversität 1621 vom Grafen Ernst begründet. Standen schon die ersten Jahrzehnte infolge des großen Krieges unter einem unglücklichen Stern, so konnte sich die Universität auch nie in ihrem fast zweihundertjährigen Bestehen zu einer vollgültigen Anstalt entwickeln, wenngleich hervorragende Gelehrte hier wirkten. Die mit dem gleichen Dekret Jéromes, das der Universität Helmstedt das Ende brachte, erfolgte Schließung bedeutete keine empfindliche Schwächung des deutschen Geisteslebens.

Die »Göttinger Sieben«

1953 beging *Göttingen* mit einer reich ausgefüllten Festwoche die Erinnerung an die erste Erwähnung seines Namens – noch als Dorf Gutingi – in einer Urkunde Ottos des Großen. Aus kleinen Anfängen entwickelte sich an der Leinefurt im Zuge der großen Nord-Süd-Talsenke ein Handelsplatz, der zu einer bedeutenden mittelalterlichen Stadt wurde, die über zwei Jahrhunderte Mitglied der Hanse war. Sie erfreute sich, davon künden noch heute die stolzen Kirchenbauten, einzelne reiche Bürgerhäuser und ein stattliches Rathaus, eines großen Wohlstandes. Die Reformationskriege und der Dreißigjährige Krieg setzten der Entwicklung ein Ende. Als 1734 die Universität, die Georgia Augusta, gegründet wurde, bot die Stadt ein trostloses Bild mit ihren verfallenen und verwahrlosten Häusern. Doch gelang ein neuer Aufstieg. Rasch erwarb sich die junge Universität unter dem Kurator Gerlach Adolph von Münchhausen und unter dem ersten Prorektor

GÖTTINGEN, eine alte Handelssiedlung an der Leine. Vom inneren Wohlstand und von der äußeren Machtentfaltung der alten Stadt künden das alte Rathaus und die Kirchen. Das 16. und 17. Jahrhundert brachten der Stadt schwere Zeiten. Mit der Gründung der Universität 1734 gewann sie neue Bedeutung.

VERDEN, die alte Bischofsstadt an der Aller. Der gotische Dom beherrscht das Bild der Landschaft. In drei Bauabschnitten wurde er in eineinhalb Jahrhunderten aus Sandstein und Backstein als weiträumige Hallenkirche erbaut. Als Mittelpunkt der Pferdezucht genießt Verden heute besonderen Ruf.

Albrecht von Haller – Rektor war der jeweilige Landesherr – Ruhm und Ansehen. Stattlich ist die Reihe der Wissenschaftler, die hier lehrten, deren Namen noch heute einen guten Klang haben. 1837 erhoben sich sieben Göttinger Professoren gegen ihren neuen Landesherrn, König Ernst August, als dieser das von ihnen beschworene Staatsgrundgesetz aufhob. Zu diesen »Göttinger Sieben« gehörten auch Jakob und Wilhelm Grimm.

Der Reichtum welfischer Fürsten beruhte einst zu einem großen Teil auf dem Erzvorkommen im Harz, dessen Ausbeute zu Beginn des 16. Jahrhunderts durch die Ansiedlung erzgebirgischer Bergleute im Oberharz besonders vorangetrieben wurde. Damals entstanden die sieben freien Bergstädte. Der Hof widmete der möglichst ertragreichen Arbeit in den Bergwerken stets große Aufmerksamkeit. Auch Gottfried Wilhelm Leibniz entwarf Entwässerungsmaschinen. Eine planmäßige Ausbildung der Bergbeamten aber wurde erst möglich, nachdem 1775 die *Bergakademie in Clausthal* gegründet war. Diese Lehr- und Forschungsanstalt hat sich segensreich auf die gesamte Arbeit im Bergbau, auf das harte und schwere Los des Bergmanns ausgewirkt. Heute besuchen Studierende aus allen Ländern die Akademie.

Das Bild der Dörfer

Das Siedlungsbild der niedersächsischen Dörfer ist reich an Varianten. *Einzelhöfe,* weit ab oft vom Nachbarn gelegen, *Haufendörfer* mit ihrem unregelmäßigen Beieinander der einzelnen Gehöfte finden wir ebenso wie *Straßen-* und *Angerdörfer.* Für das Land besonders charakteristische Siedlungsformen sind die *Marschhufendörfer,* die *Hagehufendörfer* und die *Rundlinge.* Die ersteren finden wir in den Gebieten der großen Flußmündungen, dort wo das dem Meere mit seinen Gezeiten abgerungene und durch Deiche geschützte Land in lange Streifen gleichmäßig aufgeteilt ist. Vom Fuße der Deiche ins Land hinein ziehen sich die Weiden und Felder. Die Häuser stehen in einer Reihe entlang

der Deiche jeweils auf dem einzelnen Besitztum. Der Besitzer ist für das Deichstück, »Kabel«, das vor seinem Grundstück liegt, verantwortlich. Er hat es in »schaufreiem« Zustand zu halten. Deichschauungen finden im Frühjahr und Herbst statt, also nach den sturmerfüllten Monaten des Winterhalbjahres, um eingetretene Schäden festzustellen, und vor Eintritt dieser Zeit, um zu überprüfen, ob der Deich den Wassermassen der Flut standhalten wird. Im Alten Lande hat sich diese Siedlungsform besonders deutlich erhalten. Die Hagehufendörfer, in ihrem äußeren Erscheinungsbild den Marschhufendörfern ähnlich, sind genau wie diese planmäßige Anlagen. Sie wurden vielfach als Rodungsdörfer gegründet. Im Schaumburger Land und in unmittelbarer Nähe von Hannover finden sich solche Dörfer aus dem 13. Jahrhundert. Die Rundlinge sind die vorherrschende Siedlungsform im Wendlande um Hitzacker, Dannenberg, Lüchow. Um einen großen, runden Dorfplatz lagern sich die Gehöfte und hinter ihnen breiten sich fächerförmig die dazugehörenden Felder und Äcker aus.
Das niedersächsische Dorf mit seinen Hallenhäusern strahlt Ruhe und Geborgenheit, Erdnähe und Landschaftsverbundenheit aus, gleich ob es sich um geschlossene, in sich klar gegliederte oder lockere Siedlungen handelt. Gesteigert wird dieser Eindruck durch die mächtigen Kronen der Bäume, die vielfach die Häuser umgeben. Er wird aber auch nicht gemindert durch die in neuerer Zeit übliche Dekkung des Daches mit Ziegeln, deren leuchtendes oder dunkles Rot sich mit der Farbensymphonie in der Natur zu voller Harmonie vereinigt.

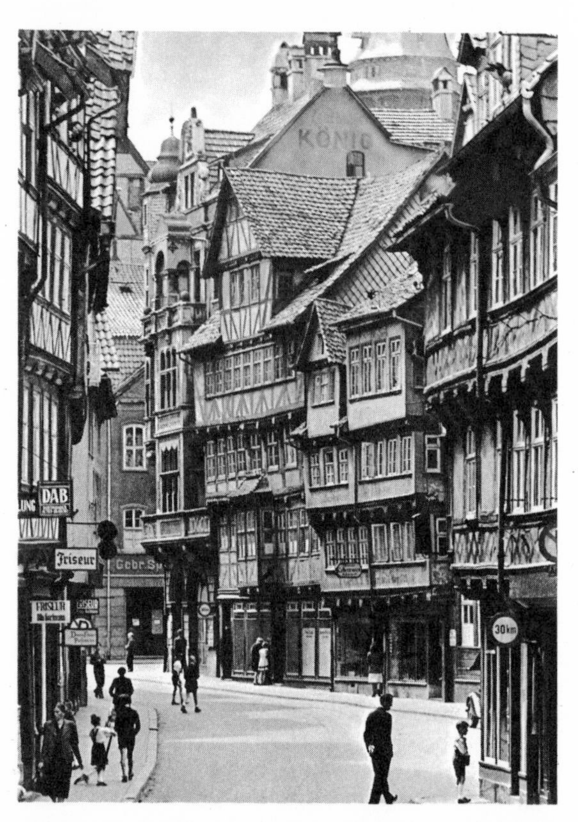

HANNOVERSCH-MÜNDEN · »Wo Werra sich und Fulda küssen, sie ihren Namen büßen müssen ...« Am Ursprungsort der Weser liegt die Stadt, die Alexander von Humboldt als »eine der schönstgelegenen Städte der Welt« bezeichnete. Hier starb 1727 der »Königlich-Preußische Rat und Hofokulist« Dr. Eisenbart.

Älteste Waffe: ein Speer

Niedersachsen ist reich an Denkmälern der Geschichte. Die Zeugnisse frühesten menschlichen Wirkens stammen aus einer Zeit, die rund 200.000 Jahre zurückliegt. Steinerne Faustkeile, von Menschen handlich und brauchgerecht gemacht, in den Leineschottern bei Hannover-Döhren, in der Gegend zwischen Gronau und Kreiensen und im Kreise Münden gefunden, geben uns Kunde davon. Die älteste Waffe der Welt, einen Speer, fand man zwischen den Rippen des Skeletts eines Waldelefanten in den Kalkmergelgruben von Lehringen unweit Verden. 150 000 Jahre ist er alt. Die Bearbeitung mit Steinmessern und die Härtung der Spitze im Feuer sind noch zu erkennen. Die Entdeckung eines Jägerplatzes bei Salzgitter-Lebenstedt erbrachte Spuren menschlichen Daseins aus einer Zeit, seit der 48 000 Jahre vergangen sind. Reich ist das Fundmaterial, das hier in den Kiesschottern an der Fuhse geborgen werden konnte. Skeletteile von allein 80 Rentieren, 16 Mammuts, 6 bis 7 Wisenten, 4 bis 6 Wildpferden und zwei Nashörnern ließen sich nachweisen. Ja, man konnte feststellen, daß Hecht und Flußbarsch schon damals gern verspeist wurden.
In den weiten Räumen des Tieflandes finden sich die mächtigen Steingräber, die »Hünenbetten«, 6000 bis 8000 Jahre alt. Besonders groß sind die »Sieben Steinhäuser« bei Fallingbostel. Bei Visbek im Kreise Vechta liegt die Ahlhorner Heide. Sie gilt als die »klassische Quadratmeile der Urgeschichte«. Grabstätten von der Steinzeit bis zur Bronzezeit liegen hier dicht beieinander und gewähren einen Einblick in die bewegte Vergangenheit des Landes. Besonders die großartigen, langgestreckten Steinsetzungen der »Visbeker Braut« und des »Visbeker Bräutigams« gelten als eindrucksvolle Beispiele steinzeitlicher Kultur. Von der Bronzezeit künden die Grabhügel, etwa 350 an der Zahl, auf dem »Pestruper Gräberfeld«. In die Eisenzeit, 600 bis 300 vor Christi Geburt, führt das Urnenfeld, das bei Jastorf im Kreise Uelzen entdeckt wurde. Die hier gemachten Funde waren so bedeutend, daß sie als »Stufe von Jastorf« der Kulturepoche ihren Namen gaben.

Erfüllte Vergangenheit

Auch in geschichtlicher Zeit ist Niedersachsen ein Land mit reicher Tradition. Im Mittelalter stellte das Sachsenland die deutschen Kaiser und noch einmal mit Lothar von Supplingenburg (1125). Aus dem Geschlecht der Grafen des Südberggaues, mit dem Stammsitz in Dassel, stammte der Kanzler Konrads III. und Barbarossas, Rainald von Dassel, der 1159 Erzbischof von Köln wurde.
An die bewegte Geschichte des 10. Jahrhunderts, da die Ostgrenze des deutschen Reiches voller Un-

ruhe war, erinnern die Pfalzen, die Königssitze Werla und Gronau. Vor der Werla, unter Heinrich I. erbaut, brach der Hunnensturm. Hier weilte als letzter Kaiser auch Barbarossa, um die sächsischen Edlen zur Treue gegen den Kaiser zu ermahnen. Mit dem Aufstieg Goslars verlor die Pfalz Werla ihre Bedeutung. Auch die Pfalz Gronau hatte im 10. und 11. Jahrhundert ihre geschichtliche Aufgabe als Stätte königlicher Hofhaltung. Von beiden Pfalzen künden nur noch Wälle und alte Steinfundamente im Boden. Die Bedeutung niedersächsischer Lande für die Reichsgeschichte wird besonders deutlich durch das Kaiserhaus in Goslar unterstrichen.

War Goslars Ruhm als Kaiserstadt unmittelbar mit der Reichsgeschichte verbunden, so sind die vielen Schlösser und Burgen, die von den Welfen und anderen Herzögen und Grafen erbaut wurden, Zeugen der Territorialgeschichte. Die Burg Dankwarderode als Ausgangspunkt welfischer Macht unter Heinrich dem Löwen hat ihr heutiges Aussehen in den Jahren nach 1878 erhalten. Die Herzöge, die nach 1236 das Herzogtum Braunschweig-Lüneburg, durch Erbteilung in viele kleine Fürstentümer zerfallen, regierten, haben in ihren Residenzen Schlösser erbaut, von denen eine größere Anzahl noch heute vorhanden ist. So steht in *Wolfenbüttel* die mächtige Anlage, die nach der Zerstörung der mittelalterlichen Burg nach 1546 errichtet wurde und am Ende des 17. Jahrhunderts ihre heutige Gestalt erhielt. Um einen geschlossenen viereckigen Hof gruppieren sich die einzelnen Trakte mit den dem massiven Kernbau vorgesetzten, einst offenen Galerien in Fachwerk. Der den ganzen Komplex überragende Hausmanns-Turm ist reizvoll gegliedert. Die Innenräume des Schlosses sind zum Teil heute wiederhergestellt und geben einen Eindruck von Pracht und Prunk fürstlicher Hofhaltungen der Renaissance und des Barocks.

Amouröse Affären an den Höfen

Massiger und wuchtiger, trutziger und wehrhafter, nicht so unmittelbar wie das Wolfenbütteler Schloß mit dem städtischen Gemeinwesen verbunden, steht das Schloß in *Celle*, gleichsam in kühler Reserviertheit, auf einem kleinen Hügel. Der diesen Hügel umgebende Graben erhöht diesen Eindruck der Abgeschlossenheit noch. 1292 wurde der erste Bau errichtet. Von ihm ist nichts erhalten. Im Ost- und Nordflügel aber finden sich noch Teile aus dem 14. Jahrhundert. Immer wieder ist das Schloß erweitert und umgebaut worden. Das heutige Aussehen erhielt es unter Herzog Georg Wilhelm. Dabei wurde auch im 2. Obergeschoß des Nordflügels das Schloßtheater eingebaut, das, 1855 erneuert, heute noch bespielt wird. Durch zwei tragische Frauenschicksale hat das Schloß Celle eine bescheidene Berühmtheit erlangt. Hier begann das bewegte Leben der Prinzessin Sophie Dorothea, der Tochter Herzog Georg Wilhelms und seiner Gemahlin Eleonore d'Olbreuse. Sie wurde 1694 wegen einer amourösen Affäre mit dem Grafen Philipp von Königsmarck von ihrem Gatten, der als Georg I. 1714 den englischen Königsthron bestieg, geschieden und auf Schloß Ahlden an der Aller verbannt. Das einfache Schloßgebäude steht dort heute noch. Sophie Dorothea war die Mutter Georg II. von England und der Königin Sophie Dorothea von Preußen, der Mutter Friedrichs des Großen. Im Celler Schloß vollendete sich das ebenfalls sehr bewegte Leben der dänischen Königin Caroline Mathilde, die infolge ihrer Verbindungen zu dem Minister Struensee nach hier verbannt wurde.

DIE HÄMELSCHENBURG · Das repräsentativste Bauwerk der Weserrenaissance im Tal der Emmer ist um 1600 erbaut und vermittelt einen Eindruck von Reichtum und Kunstfreudigkeit des Oberweserraumes. Durch die schwellenden Formen ist der mächtige, imposante Baukörper aufgelockert und atmet Lebensfreude. Jürgen Klenke, der als Söldnerführer zehn Jahre Dienst für Wilhelm von Oranien tat, ließ sich dieses Schloß erbauen.

HAMELN · Das Hochzeitshaus, das Gebäude, in dem Rat und Bürgerschaft ihre Festlichkeiten veranstalteten. Im Erdgeschoß waren einst die Ratswaage, Ratsapotheke und Ratsweinstube untergebracht.

Aus einer Wasserburg, auf einer von Hunte und Haaren umgebenen kleinen Insel erbaut, ist das Oldenburger Schloß hervorgegangen. An einem »Dreigaueneck«, Ammergau, Lerigau und Largau, zur Überwachung des Verkehrs zwischen Bremen und Friesland, entstand wohl im 11. Jahrhundert die Burg, die dem seit etwa 1150 hier residierenden Grafen der sächsisch-friesischen Grenzmark ihren Namen gab. Unter Graf Anton Günther wurde das Schloß umgebaut.

EINBECK, die Stadt, die dem Bockbier seinen Namen gegeben haben soll. Im Leinetal ist sie als Rastort zu Bedeutung gelangt. Die Gunst der Lage im Markoldendorfer Becken bedingte einen wohlgegründeten Reichtum, den das eigenwillige Rathaus und die Fachwerkhäuser am Markt und in den Straßen offenbaren. In der Apotheke (rechts) entdeckte Sertürner das Morphium.

Iburg und Bentheim

Südlich von Osnabrück liegt *Iburg*, ein Flecken, der durch ein Kloster und eine bischöfliche Burg bemerkenswert ist. Unter Bischof Benno II., der Heinrich IV. nach Canossa begleitete, wurde die Burg ausgebaut. Das Kloster stiftete er als Benediktinerkloster im Jahre 1080. Der mächtige Bergfried des Schlosses, um 1500 aufgeführt, diente als Gefängnis für die Anführer der Wiedertäufer. Knipperdolling, Jan van Leiden und Kersting sind hier auf der Iburg zum Tode verurteilt und hingerichtet worden. Im Dreißigjährigen Krieg wurden Schloß und Kloster mehrfach geplündert, aber bald nach Beendigung des Krieges wieder prunkvoll aufgebaut.
Die größte Befestigungsanlage in Niedersachsen ist die im Südwesten, dicht an der niederländischen Grenze gelegene *Burg Bentheim*, eine gräfliche Residenz. Auf einem Felsrücken steht wuchtig und majestätisch der mächtige Komplex dieses Baues, dessen kraftvoller Eindruck durch diese Lage noch unterstrichen wird. Der beherrschende, viereckige Turm der Burg wurde in der zweiten Hälfte des 15. Jahrhunderts erbaut. Auch die Kapelle mit romanischen Resten aus dem 13. Jahrhundert ist in dieser Zeit entstanden. Der Hauptteil der heutigen Anlage stammt aus dem 15. bis 16. Jahrhundert. Berühmt geworden ist ein Steinkreuz in altertümlichen, an germanische Plastiken erinnernden Formen mit einem Corpus, dem »Herrgott von Bentheim«, das auf dem Schloßhof gefunden wurde.

Denkmäler der Weser-Renaissance

Neben diesen hervorragenden Anlagen gibt es zahlreiche Schlösser und Burgen. Im Tale der Leine, am Harz und am Harzrande stehen sie als stolze Baudenkmäler oder als Ruinen. An der Weser künden sie von der Herrschaft alter Adelsgeschlechter und von der Kunst der Baumeister früherer Jahrhunderte. Die Gleichen und die Plesse, Burg Hardenberg, Schloß Derneburg sind ebenso wie Schloß Fürstenberg und die Schaumburg markante Punkte in der Landschaft. Die Ruine der Burg Calenberg und die Reste der Burgen des alten Stifts Hildesheim, wie Steinbrück und Steuerwald, sind Zeugnisse der Auseinandersetzung der welfischen Fürsten mit dem Bischof von Hildesheim. Charakteristisch sind die Schlösser der *Weser-Renaissance*. Der früheste Bau dieser Art ist *Hehlen*, unweit Bodenwerder. Vier Flügel umschließen einen quadratischen Innenhof. Wuchtige runde Türme, die das Bruchsteinmauerwerk mit hohem Satteldach trutzig überragen, betonen das Wehrhafte der Anlage, die nur mit wenigen Schmuckformen verziert ist. In den Jahren 1592 bis 1599 wurde die *Hämelschenburg* ausgebaut. Aus einem einst befestigten Herrensitz ist ein repräsentatives, sehr vornehm gehaltenes Adelsschloß geworden. Die reiche Ornamentik gliedert die mächtigen Flächen der Fassade. Mit diesem Bauwerk erreicht die Weser-Renaissance ihre Blüte. Ebenfalls als Wasserschloß um einen quadratischen Hof ist *Bevern* im Kreise Holzminden ausgelegt. Es entstand in den Jahren 1603 bis 1612. Sein baulustiger Schöpfer, Statius von Münchhausen, mußte es, weil die Schulden zu groß wurden, an die Herzöge von Braunschweig-Lüneburg abtreten. Es wurde zum Stammsitz der Bevernschen Linie des Welfenhauses. Architektonisch ist dieses Schloß besonders bedeutsam und dürfte das vollkommenste der Weser-Renaissance sein. Die Außenwände sind durch Erker, die Dächer durch Giebelaufbauten gegliedert und ihre großen

SCHLOSS HEHLEN · Trutzig erhebt sich das alte Wasserschloß an der Weser, um 1580 erbaut. Seine stattlichen Rundtürme und das schwere Bruchsteinmauerwerk mit den einfachen, rechteckigen Fenstern unterstreichen den Burgcharakter. Die wenigen Schmuckformen an den Portalen bedeuten den Beginn der Weser-Renaissance.

Flächen dadurch aufgelockert. Das Steinwerk ist mit Steinmetzarbeit reich geschmückt.

Versailles als Vorbild

Die großen Residenzen in Hannover und Wolfenbüttel wurden im 17. Jahrhundert nach dem Vorbild von Versailles erbaut und mit großen Gärten ausgestattet. Die Wolfenbütteler Herzöge wählten dazu *Salzdahlum,* die hannoverschen *Herrenhausen.* In Hannover sind erhalten geblieben: der barocke »Große Garten«, der als botanischer Garten dienende »Berggarten«, der im englischen Stil angelegte »Georgengarten« und der »Welfengarten«. Im Hümmling, bei der Gemeinde Sögel, ließ 1737 der Kurfürst und Erzbischof von Köln, Bischof von Osnabrück, Paderborn, Hildesheim und Münster, Hochmeister des Deutschritterordens in Mergentheim, Clemens August, ein reizvolles Jagdschloß erbauen. Um einen kreuzförmigen Mittelbau sind acht kleine Pavillons gelagert. *Klemenswerth,* so heißt das im Rokokostil erbaute Schlößchen, ist ein echtes Abbild der Lebensfreude, die um die Mitte des 18. Jahrhunderts herrschte.

Klosterkammer und Klosterfonds

Einer Besonderheit im niedersächsischen Raum gilt es zu gedenken: der hannoverschen *Klosterkammer* und des braunschweigischen *Klosterfonds.* Als nach der Reformation die Klöster ihre Aufgabe und Funktion verloren hatten, wurde ihr Besitz in den

ALFELD/LEINE, zu Füßen der Sieben Berge, besitzt seit 700 Jahren Stadtrechte. Die Front des breithingelagerten und zu stattlicher Höhe aufragenden Rathauses wird durch den Treppenturm beherrscht. Über dem Rathaus die Zwillingstürme der Nikolaikirche aus dem 13. Jahrhundert.

BÜCKEBURG, DAS SCHLOSS · Etwas unruhig und nicht so repräsentativ wie andere Schlösser wirkt der Bau. Im Inneren aber birgt er Ausstattungen von eindringlicher Pracht und vollendeter Meisterschaft: die Schloßkapelle, den Goldenen und den Weißen Saal aus der Regierungszeit des Grafen Ernst (1601—1608). Bückeburg war Residenz der Fürsten von Schaumburg-Lippe.

protestantischen Gebieten eingezogen und durchweg dem Landesherrn übereignet. Das geschah jedoch nicht in den welfischen Fürstentümern Braunschweig und Calenberg. Zwar wurde auch hier der Besitz eingezogen, aber zu seiner Verwaltung und Betreuung wurde eine besondere Institution geschaffen, die alle Einkünfte nach einem genau festgelegten Plan für kirchliches und kulturelles Leben im Lande verteilt. Eine der vornehmsten Pflichten ist die Sorge für den baulichen Bestand der Klöster, die vielfach noch als Damenstifte dienen. Vor allem gibt es im Bereiche der hannoverschen Klosterkammer derartige Einrichtungen. Die dort lebenden Damen sind einer Klosterordnung unterworfen und tragen bei besonderen Anlässen auch noch eine Art Ordenstracht. Klöster mit reicher Tradition unterstehen der Klosterkammer, und durch ihre Nutzung als Damenstifte ist die Kontinuität dieser Tradition gewährleistet, wenn auch in einem anderen Sinne als in den katholischen Landesteilen Deutschlands. Hervorragende Zeugnisse niedersächsischer Kultur- und Geistesgeschichte sind in den Klöstern entstanden und werden dort heute liebevoll gepflegt und gehegt. Die Heideklöster *Lüne* und *Wienhausen* bewahren einzigartige Wandteppiche aus dem hohen Mittelalter auf. Im Kloster *Ebstorf* wurde jahrhundertelang eine »Weltkarte« aus dem 13. Jahrhundert aufbewahrt, die den ganzen damals bekannten Erdkreis zeigte. Sie ist im Staatsarchiv zu Hannover im Bombenregen des zweiten Weltkrieges vernichtet worden. Eine einwandfreie, künstlerisch werkgerechte Nachbildung befindet sich heute in dem Kloster. Dem Wirken von Klosterkammer und Klosterfonds ist es zu danken, daß in Niedersachsen noch zahlreiche Kleinodien mittelalterlicher Baukunst erhalten geblieben sind. Wer heute eines dieser Klöster, sei es Fischbeck, Isenhagen, Wolfenbüttel, Marienberg, Marienwerder besucht, der wird ihren eigenartigen Zauber nicht vergessen.

Eine Sonderstellung nahmen die Zisterzienserklö-

GANDERSHEIM, Stiftskirche und Abtei. Um das Damenstift, 856 erbaut, entwickelte sich eine Siedlung. Die mächtige Stiftskirche entstand in den Jahren 1060 bis 1090. Im Stift wirkte um 1000 die Nonne Roswitha, die erste deutsche Dichterin, deren lateinisch geschriebene Werke Glaubenskraft und Glaubensstärke künden.

ster *Loccum* und *Riddagshausen* ein. Sie blieben nach der Reformation unter Beibehaltung der äußeren Formen als protestantische Klöster, später als Predigerseminare bestehen. Der jeweils erste Geistliche des Landes erhielt die Würde eines Abtes. In Riddagshausen wurde das Predigerseminar 1809 aufgehoben, in Loccum dagegen besteht es heute noch. Seitdem ihm nach dem Kriege eine evangelische Akademie angeschlossen wurde, ist seine Wirkungskraft in weite Teile des Landes und darüber hinaus verstärkt.

Erlösungsgedanke und Mutterwitz

Die Klöster waren seit der Christianisierung Stätten der Kultur. So ist auch die erste Persönlichkeit, deren Wirken über die Grenzen des Landes hinausstrahlt, Klosterinsasse. Es ist eine Nonne, die aus dem Dunkel der Anonymität heraustritt: *Roswitha von Gandersheim.* Um 935 wurde sie geboren, kurz nach 1000 ist sie gestorben. Acht Verslegenden, sechs Dramen und zwei geschichtliche Gedichte sind von ihr bekannt. Besonders in ihren Dramen, welche die Reinheit und Standhaftigkeit der Jungfrauen preisen oder die Bekehrung von Sünderinnen zum Inhalt haben, ist ihre Sprache bildhaft und plastisch. Doch gerade durch diesen realistischen Stil ist ihr auch die Möglichkeit gegeben, den Erlösungsgedanken herauszustellen. Dieser Gedanke ist für ihre Zeit kennzeichnend.
Das 14. und 15. Jahrhundert beherrschte eine starke Spannung zwischen Bürgern und Bauern. Das Erstarken der Macht der Städte und das Eindringen der Bildung ins Bürgertum vertieften diese Entfremdung. Man sprach in den Städten gern vom Bauerntölpel, wie in den Schwänken von Hans Sachs die Einfalt des Bauern angeprangert wird. Im Bauerntum aber hatte sich ein gesunder Mutterwitz, gepaart mit derb-drastischem Humor erhalten. Diesen brauchte man als Waffe gegen den Bürger. Ein Bauer war auch *Eulenspiegel,* der große Schalksnarr aus Kneitlingen, dessen Streiche eine Kette von Überlistungen der gelehrten Stände und des Bürgertums durch den mit gesundem Menschenverstand ausgestatteten Witzbold darstellen. Unstet irrt er durch die Lande, bald hier, bald dort das allzu selbstbewußte Bürgertum hereinlegend. Er starb 1350 in Mölln in Holstein.

Universaler Geist

»Löwenix«, Glaubenichts, nannten ihn die Hannoveraner in volkstümlicher Verdrehung seines Namens. Sie begegneten ihm als Hofmann des Herzogs mit Ehrfurcht, sonst aber mit einer gewissen Scheu. Im Jahre 1676 hatte Herzog Johann Friedrich diesen Mann, der als Gelehrter und Politiker sich bereits einen großen Ruf erworben hatte, als Hofhistoriograph und Bibliothekar nach Hannover berufen, und *Gottfried Wilhelm Leibniz,* 1646 zu Leipzig geboren, folgte diesem Ruf. Vierzig Jahre, bis zu seinem Tode 1716, wirkte er in dieser Stadt, oft in gelehrten Dingen oder in politischer Mission ausgedehnte Reisen unternehmend. Ein weites Betätigungsfeld erwartete ihn in Hannover. Die Geschichte des Welfenhauses sollte er schreiben, bei der Ausbeutung der Bergwerke des Harzes entwarf er Wind- und Wassermaschinen, um die Arbeit ertragreicher zu machen. Die Bemühungen des Hauses Hannover um die Thronfolge in England unterstützte er eifrig. Dann wieder löste er ein technisches Problem, um die Wasserräder für die Fontänen in Herrenhausen zu betreiben. In jahrelanger Arbeit konstruierte er mit einem Mechaniker eine Rechenmaschine. In Berlin und Petersburg grün-

LEER · Die Ems mit der Alten Waage und dem Rathaus. Leer ist ein alter Marktflecken, in dem wahrscheinlich die älteste Kirche Ostfrieslands erbaut wurde. Die Schiffahrt stand Jahrhunderte im Schatten Emdens, bis die Stadt zum wichtigsten Hafen der Heringsfischer wurde und zu rascher Blüte gelangte.

Hoffmann v. Fallersleben
* 2. 4. 1798, † 19. 1. 1874
Dichter

Wilhelm Busch
* 15. 4. 1832, † 9. 1. 1908
Zeichner, Dichter

Frank Wedekind
* 24. 7. 1864, † 9. 3. 1918
Dichter

Ricarda Huch
* 18. 7. 1864, † 17. 11. 1947
Dichterin

dete er die Akademien der Wissenschaften. Dieser große Gelehrte starb einsam und verbittert. Seinem Sarge folgte nur ein Getreuer. Eine schlichte Steinplatte mit der Inschrift »Ossa Leibnitii« deckt sein Grab in der Neustädter Kirche zu Hannover. Etwa 80 Jahre nach seinem Tode setzten ihm Hannovers Bürger ein Denkmal, das erste Denkmal in Deutschland, das einem Bürgerlichen geweiht war.

Der Abenteurer Münchhausen

Goethe bezeichnete *Justus Möser* als »den Patriarchen von Osnabrück« (1720 bis 1794) und schätzte den Mann und sein Wirken hoch ein. In Osnabrück begann, erfüllte und vollendete sich das Leben des Mannes, der als landesherrlicher Verwaltungsbeamter und als Vertreter der Landstände eine vielfältige und umfassende Tätigkeit entfaltete. Der Mensch in der Gemeinschaft, in seiner Bindung an die Sitte als Norm der Sittlichkeit, war für Möser das Zentrum, um das sein ganzes Denken und Handeln kreiste. Seine Geschichte Osnabrücks, seine »Patriotischen Phantasien« sind erfüllt von der Sorge um und für den Menschen, die menschliche Gemeinschaft, die sich eigene feste Lebensformen geschaffen hatte. Diese Formen galt es zu ergründen, sie waren durch die Gesetzgebung zu berücksichtigen, zu achten und zu fördern.
Hieronymus Freiherr von Münchhausen wurde 1720 in Bodenwerder geboren und starb 1797 dort. Als Dreizehnjähriger kam er als Page an den braunschweigischen Hof. Später ging er nach Rußland, wo er als Kadett in das Regiment »Braunschweig« eintrat. Bald nach seiner Beförderung zum Rittmeister, 1750, kehrte er in die Heimat zurück. Aus dem Soldaten wurde ein ruhig und zurückgezogen lebender Landedelmann, dessen Passionen Jagd und Pferde waren. Um 1790 starb seine Gattin, und im Alter von 72 Jahren heiratete er noch einmal. Doch diese Ehe verlief unglücklich. Das ist die kurze Lebensgeschichte des Mannes, dessen Name mit »Seltsamen Abenteuern« verbunden ist. Ihn selbst verdroß die von Rudolf Erich Raspe, der 1737 in Hannover geboren war und 1775 nach England fliehen mußte, in englischer Sprache verfaßte Sammlung sehr. Wohl hatte er in kleinem Kreise in echter Fabulierlust Jagd- und Kriegserlebnisse und Begebenheiten seiner Reisen phantasievoll ausgemalt, doch eben nur zur Erheiterung seiner Gäste oder Zuhörer. Durch die geschickte Bearbeitung Raspes und auch Gottfried August Bürgers, des ersten Übersetzers, ist die Sammlung, durch Schwänke und Histörchen aus anderen Quellen erweitert, zu einem Volksbuch geworden, das in der ganzen Welt beliebt wurde.

Lessing – Hölty – Knigge

Als eines der großartigsten Werke der Duldsamkeit gilt *Lessings* Drama »Nathan der Weise«. Im Schatten des herzoglichen Residenzschlosses und des Kuppelbaues der Bibliothek in Wolfenbüttel wurde es geschaffen. Auch das erste bürgerliche Drama Deutschlands, »Emilia Galotti«, schrieb Lessing in Wolfenbüttel. Von 1770 wirkte er als Bibliothekar bis zu seinem Tode 1781 in dieser Stadt.
Fanfaren- und Jagdhornklänge sind die Grundtöne der Erzählungen Münchhausens. Zur gleichen Zeit, da sie die Räume des Pavillons in Bodenwerder oder der gastlichen Adelshöfe in Hannover erfüllten, erklangen in einer Studierstube oder im Hain bei Göttingen die zarten, lyrischen Töne einer Harfe. *Hölty*, der Dichter des Frühlings, sang seine Lieder. Er, der in anakreontischem Überschwang die Natur, das Leben und die Liebe besang, war vom Tode gezeichnet. 1748 in Mariensee bei Hannover

NEUWERK · Der Leuchtturm wurde 1300—1310 aus rotem Backstein erbaut. Die Insel ist eine alte Hallig, Umschlagplatz für den Fischhandel und Vorposten vor der Elbmündung. Nach ihrer Eindeichung (1556) wurde sie von Fischern und Bauern besiedelt. Heute ist hier eine Rettungsstation des Seenotdienstes.

Joh. Friedrich Herbart
* 4. 5. 1776, † 14. 8. 1841
Pädagoge, Philosoph

Tilman Riemenschneider
* um 1460, † 7. 7. 1531
Bildhauer

Königin Luise v. Preußen
* 10. 3. 1776, † 19. 7. 1810
Gemahlin Friedr. Wilh. III.

Aug. Wilh. v. Schlegel
* 8. 9. 1767, † 12. 5. 1845
Dichter

geboren, starb er 1776 in Hannover. Der berühmte Leibarzt des Kurfürsten von Hannover und Königs von England, Johann Georg Zimmermann, vermochte seine Krankheit, die Schwindsucht, nicht zu heilen. Die kurze Lebensspanne Höltys war erfüllt von innerer Melodik, die in so tiefer, oft ergreifender Form, aber auch in der innigen Weise des Volksliedes Ausdruck gefunden hat. »Die Luft ist blau, das Tal ist grün ...«, »Üb immer Treu und Redlichkeit bis an dein kühles Grab ...«, wer kennt diese Lieder nicht!

Adolf Friedrich Ludwig Freiherr Knigge wurde 1752 in Bredenbeck am Deister geboren und starb 1796 als hannoverscher Oberamtmann zu Bremen.

WINDMÜHLE IM TEUFELSMOOR · Die mächtigen Holländer- oder Turmwindmühlen bestimmen das Bild niederdeutscher Landschaft. Auf einer kleinen Erhebung erbaut, überragen sie die umliegenden Dörfer und oft auch deren Kirchen. Ihr charakteristisches Merkmal ist, daß ihre Haube nach dem Winde gedreht werden kann.

Sein Hauptwerk »Über den Umgang mit Menschen«, das in fast alle europäischen Sprachen übersetzt wurde und in Deutschland zahlreiche Auflagen erlebte, hat seinem Namen noch heute einen sprichwörtlichen Klang verliehen, wenn auch viele seiner Leitgedanken und Verhaltungsmaßregeln nicht mehr allgemeingültig sind, sein können; denn Lebensart und Lebensstil haben sich gewandelt. Knigge ist auch als vielgelesener Romanschriftsteller hervorgetreten.

Reform des Heeres

Der siegreiche Ausgang der Befreiungskriege, die Beendigung der französischen Herrschaft unter Napoleon in Deutschland, war eine Tat des ganzen Volkes, die durch das Wirken einzelner vorbereitet und ermöglicht wurde. Zu den großen Wegbereitern gehört auch *Gerhard von Scharnhorst.* Am 17. November 1755 wurde er in Bordenau geboren und besuchte als Achtzehnjähriger die Militärschule auf dem Wilhelmstein. Dort erhielt er eine gründliche, vielseitige Ausbildung. Er wechselte 1778 in hannoversche Dienste über und wurde Lehrer an der Kriegsschule in Hannover. Im Jahre 1801 nahm er eine Berufung in das preußische Heer an, wo er Direktor der Akademie für Offiziere wurde. Als Leiter der Militär-Reorganisationskommission konnte er seine Reformideen durchführen. Trotz einer Verwundung, die er 1813 in der Schlacht bei Großgörschen erlitten hatte, reiste er zu Verhandlungen mit Österreich nach Prag und starb hier am 28. Juni des gleichen Jahres.

Ein schmales Bändchen »Beiträge zur Poesie«, das ihm zugesandt wurde, las der Geheime Rat von Goethe in Weimar. Es sagte ihm zu und er äußerte auch eine lobende Meinung darüber. Das gab dem Verfasser Mut, der schon als Schreiber und als Soldat sein Brot verdient hatte, der in Hannover bei dem berühmten Hofmaler Ramberg sich ausbilden lassen wollte und als Fünfundzwanzigjähriger noch das dortige Gymnasium hospitierend besuchte, um dann in Göttingen zu studieren. Er wanderte dann 1823 nach Weimar, um Goethe zu sehen. Der alte Herr nahm ihn freundlich auf. Aus der zunächst flüchtigen Bekanntschaft wurde ein Vertrauensverhältnis, dem wir eines der aufschlußreichsten und menschlichsten Werke über Goethe verdanken, die

Robert Koch
* 11. 12. 1843, † 27. 5. 1910
Arzt, Bakteriologe

Robert Wilhelm Bunsen
* 31. 3. 1811, † 16. 8. 1899
Chemiker

Karl Friedrich Gauß
* 30. 4. 1777, † 23. 2. 1855
Mathematiker

Werner von Siemens
* 13. 12. 1816, † 6. 12. 1892
Elektrotechniker

»Gespräche mit Goethe in den letzten Jahren seines Lebens«; denn der Pilger nach Weimar war *Johann Peter Eckermann*, der 1792 in Winsen an der Luhe geboren war.
In *Robert Koch*, 1843 bis 1910, schenkte Clausthal der Menschheit einen ihrer größten Wohltäter. Er nahm der Geißel der Menschheit, den Infektionskrankheiten Tuberkulose, Cholera, Malaria, Pest und Schlafkrankheit, ihre vernichtende Gewalt, indem er ihre Erreger entdeckte und auch Mittel gegen sie fand. Auf seinen Forschungsreisen ging er in die Gebiete, in denen diese Krankheiten am schlimmsten wüteten, um die Bedingungen, unter denen diese Seuchen entstanden, ebenfalls kennenzulernen.
Viele Namen wären noch zu nennen, um anzudeuten, welchen Beitrag Niedersachsen der deutschen Kultur- und Geistesgeschichte geliefert hat, gleich ob es sich um Frauen und Männer handelt, die im Lande geboren sind, oder um solche, die sich in diesem Lande frei entfalten und ihre Werke schaffen konnten.
»Humor ist der Schwimmgürtel auf den Wellen des Lebens.« Diesen Satz prägte *Wilhelm Raabe*. Darin liegt ein Programm seines Werkes. Seine Helden stehen selten auf der Sonnenseite des Lebens, oft sogar sind es getretene, gequälte Menschen, die sich mit ihrer Um- und Mitwelt auseinanderzusetzen haben. Nicht immer ist ihnen ein Erfolg beschieden. Raabe ist 1831 in Eschershausen geboren, in der Landschaft zwischen Ith und Solling, wo die Weser durch die Täler rauscht, in einer Landschaft, in der die räumliche Enge dieser Täler gemildert wird durch das Wissen um die Weite, der die Wasser entgegeneilen. In dieser Spannung zwischen Verweilen und Vorwärtsdrängen steht auch Raabes Erzählkunst, die durch weitausholende Fabulierfreude und fast dramatische Geballtheit gekennzeichnet ist. 1910 starb er hochgeehrt in Braunschweig.
In Wiedensahl, im Kreise Nienburg, erblickte 1832, im Todesjahr Goethes, *Wilhelm Busch* das Licht dieser Welt, der er mit seinem Werk so viel echte Freude schenken sollte. Seine Bildergeschichten mit den trefflich-treffenden Zeichnungen und den so leicht einprägsamen Versen haben ihm die große Gemeinde der Verehrer erworben, ja, sie haben den bedeutenden Maler, Denker und Dichter ganz in den Hintergrund gedrängt – unverdientermaßen. Ihre Leichtigkeit und Eingängigkeit lassen oft vergessen, welch tiefer Ernst hinter ihnen liegt. Nicht nur die Freude am Spaß, am Ulk, am Mißgeschick der anderen Menschen haben Buschs Zeichenfeder und Schreibstift geführt, sondern aus den Werken spricht die Erkenntnis der Unvollkommenheit, der Unausgeglichenheit des Individuums wie der Gesellschaft. Oft verspürt man auch das tiefe Mitleid, das Busch bei dieser Erkenntnis erfüllt. In mehr als zwanzig Sprachen sind seine Arbeiten übersetzt worden.
»In der Lüneburger Heide, in dem wunderschönen Land, ging ich auf und ging ich unter, allerlei am Weg ich fand.« Der Sänger dieses Liedes, *Hermann*

MEPPEN, die wichtigste und eine der ältesten Siedlungen des ganzen Emslandes, ist heute der Mittelpunkt der Emslandkolonisation. Das stolze, stattliche Rathaus mit den prächtigen Arkaden und dem rosettengeschmückten Staffelgiebel wurde 1408 begonnen.

ÖLFELD BEI NIENHAGEN · Hermann Löns beklagt schon die Umwandlung der Heide in ein Industriegebiet durch die Anlage der Bohrtürme. Die Technik kann jedoch auf die Energiequellen nicht verzichten. Es muß ihr Bestreben sein, die Landschaft wenig zu ändern.

Löns, hat die Lüneburger Heide durchstreift und durchwandert, hat ihre Schönheiten entdeckt, besungen und beschrieben, hat ihre Tierwelt belauscht und ihre Lebensweise dargestellt. Seine Lieder und Balladen, »Mein goldenes Buch«, »Mein blaues Buch«, »Der kleine Rosengarten«, haben ihn besonders bekannt werden lassen. Manches seiner Lieder ist zum echten Volkslied geworden: man singt es und weiß nicht um seinen Verfasser. »Der Werwolf« und »Das zweite Gesicht« sind Romane, die noch heute gern gelesen werden. Das Charakterbild von Hermann Löns, 1866 in Kulm geboren,

KANAL IN OLDENBURG · Im reichen Oldenburger Land spielt der Verkehr auf dem Wasser eine wesentliche Rolle. Zur Weser bildet die Hunte die Verbindung, zum Westen der in den Jahren 1851—1893 erbaute Küstenkanal zur Ems.

EMDEN · Um 800 wurde der Ort als Handelsniederlassung gegründet. Seine Entwicklung ist eng mit dem Auf und Ab des Seehandels und mit der Geschichte der Nachbarländer verknüpft. Emdens größte Zeit lag in der 2. Hälfte des 16. Jahrhunderts.

1914 vor Reims gefallen, schwankt, »von der Parteien Haß und Gunst verwirrt«. Doch über diesen Meinungsverschiedenheiten steht seine Bedeutung als ausgeprägter Vertreter eines Menschentypes im geistigen Umbruch der Jahrhundertwende.
Aus Hildesheim stammt *Georg Philipp Telemann* (1681 bis 1767), einer der berühmtesten Meister des Barocks. 56 Opern, 600 Instrumentalwerke, 700 Arien und 19 Passionsstücke hat er als Kapellmeister und Musikdirektor in verschiedenen Städten Deutschlands komponiert.

Landwirtschaft dominiert

Die fruchtbaren Gebiete am Rande des Mittelgebirges von Braunschweig über Hildesheim, Hannover, das Schaumburger Land bis nach Osnabrück galten und gelten als *Kornkammer* des Landes. Zudem wird in diesem Raume intensiver Hackfruchtbau getrieben. In die zahlreichen Zuckerfabriken um Hannover, Hildesheim, Braunschweig und im Leinetal rollt zur Erntezeit Wagen auf Wagen. Als Tochterindustrie hat sich die Süßwarenherstellung um Hildesheim und Hannover entwickelt. Aus dem gleichen Grunde erwuchs in Burgdorf, Hannover und in Braunschweig eine umfangreiche und leistungsfähige Konservenfabrikation. Das Alte Land an der Niederelbe ist als Obstbaugebiet von hervorragender Bedeutung. Seine Kulturen gelten als die umfangreichsten und ertragreichsten in Deutschland.
Neben dem Ackerbau steht die Viehzucht als bedeutender Wirtschaftszweig. Geradezu charakteristisch ist für Niedersachsen die Pferdezucht, die heute noch in großem Ausmaße betrieben wird. Das Pferd, ob als »Hannoveraner«, als »Oldenburger« oder als »ostfriesisches Pferd«, erfreut sich in aller Welt des besten Rufes, sei es als Reitpferd, sei es als Arbeitstier. Die Turnierveranstaltungen in Celle und Verden geben Zeugnis von dem Leistungsstand der Gestüte. Das ehemalige königliche Gestüt in Hannover war berühmt wegen seiner Züchtung der »Isabellen« und der »Weißgebore-

KÖHLER BEI EIMBECKHAUSEN · In den großen Waldgebieten Niedersachsens war die Köhlerei einst weit verbreitet; denn Holzkohle fand eine vielseitige Verwendung und Holz war genügend vorhanden. Die Herstellung der Holzkohle geschah in Meilern.

nen«. Nach Bayern ist Niedersachsen das Land mit der ausgedehntesten Rindviehhaltung. Im Norden des Landes, in Ostfriesland, in Oldenburg, im Stadischen und im Lüneburger Land sind es die schwarzbunten Rinder mit hoher Milchleistung, während die roten Harzkühe Milch mit großem Fettgehalt geben. Führend ist Niedersachsen in der Schweinezucht, vor allem im Gebiet um Hoya-Diepholz und im Artland.

Niedersachsen ist kein ausgesprochen rohstoffarmes Land. Aber seine Bodenschätze sind zum großen Teil erst durch umständliche technische Verfahren auswertbar. Hier liegt der Grund, daß die Industrialisierung erst in neuester Zeit einen großen Aufschwung nimmt. In früheren Jahrhunderten gab es nur wenige Betriebe, die auf dem natürlichen Reichtum des Landes aufgebaut waren. An erster Stelle steht der Harzer Bergbau, der im 10. Jahrhundert mit der Ausbeutung des Silbererzes einsetzte, jedoch nicht immer mit der gleichen Intensität durchgeführt wurde. Seit der ersten Hälfte des 16. Jahrhunderts wurde auch der Oberharz mit seinen Erzen wirtschaftlich genutzt. Der Holzreichtum des Harzes und des südhannoverschen Berglandes ließ schon früh einen ausgedehnten Holzhandel entstehen, dazu lieferte das Köhlergewerbe große Mengen an Holzkohle. Große wirtschaftliche Bedeutung hatte einst die Salzgewinnung in den südhannoverschen Orten, deren mit »Salz-« zusammengesetzter Name noch heute davon berichtet. Geradezu zum Schicksal ist das Salz für Lüneburg geworden. Welch unermeßlicher Reichtum der Stadt durch diese Gabe der Natur zufloß, zeigen noch heute die stattlichen Bauten: das Rathaus, die Kirchen und die Bürgerhäuser mit ihren Treppengiebeln.

Die Anlage der *Eisenbahn* und der Beginn der Technisierung haben der Industrie kräftige Impulse gegeben. Stark gefördert wurde diese Entwicklung, als um die Jahrhundertwende der *Mittellandkanal* gebaut wurde. Zwar hatte die Binnenschiffahrt auf der Leine, der Aller und vor allem auf der Weser schon früh eine große Bedeutung, doch waren es Wasserwege, die in die Weite führten und dem Überseehandel dienten. Die wesentliche Aufgabe des Mittellandkanals aber war und ist es, den innerdeutschen Güteraustausch zu fördern. Davon konnten Niedersachsens Städte nur profitieren. So liegen die industriellen Schwerpunkte um Osnabrück, Hannover und Braunschweig. Eine weitere Industriekonzentration findet sich an der Nordseeküste, vornehmlich an den Mündungen der Flüsse Ems, Jade, Weser und Elbe. In den weiten Gebieten des Tieflandes gibt es nur vereinzelt größere Werke, so im Oldenburger Raum. Die wirtschaftliche Aufschließung der Heide und Moore geschieht seit Beginn dieses Jahrhunderts, seit der Entdeckung der Erdöllager.

Am Harz, im Solling und um Osnabrück ist die Papierindustrie heimisch. Mehrere Werke der chemischen Industrie besitzen Weltruf, wenngleich ihre Kapazität nicht an die der am Rhein und am Main seßhaften Firmen heranreicht. Einen bedeutenden Umfang hat die Gummifabrikation mit Hannover als Mittelpunkt. Eng damit verbunden ist die Automobilindustrie, die ebenfalls einige ganz bedeutende Werke in Niedersachsen hat. Es muß in diesem Zusammenhange das Volkswagenwerk in Wolfsburg genannt werden, das bereits in Braunschweig und auch in Hannover Zweigwerke besitzt. Hannover und Braunschweig, Osnabrück und Wilhelmshaven sind die Mittelpunkte der Maschinenbauindustrie. Hier zeigt sich die Bedeutung des Mittellandkanals als lebenswichtige Ader. Braunschweig besitzt eine äußerst leistungsfähige und mit großer Präzision arbeitende feinmechanische, optische und Elektroindustrie. Hildesheim produziert Rundfunk- und Fernsehgeräte.

Niedersachsen ist ein Land der Mitte. Handel und Verkehr spielen in unserem Lande eine bedeutende Rolle. Die *Hannoversche Messe* hat vor allem wegen der verkehrsgünstigen Lage einen so raschen Aufstieg genommen. Die von der UNO festgelegten transkontinentalen Durchgangsstraßen werden alle durch Hannover führen. Damit ist nicht nur die zentrale Lage dieser Stadt, sondern des ganzen Niedersachsenlandes hervorgehoben.

WOLFSBURG, DAS VOLKSWAGENWERK · Im Jahre 1938 wurde das Werk auf wolfsburgischem Gebiet gebaut. Erst 1946 erhielt die neue Stadt den Namen der alten Herrschaft, deren Schloß den Allerübergang beherrschte. Die Stadt ist ein charakteristisches Beispiel einer modernen Siedlungsgründung.

Humor in Niedersachsen

Das harte Schnupftuch

Oberamtsrichter Siemens in Celle war wegen seiner trefflich-treffenden Urteile und Urteilsbegründungen bekannt, aber auch gefürchtet. Er kannte sein Stammpublikum, Angeklagte und Zeugen, und sprach mit ihnen, wie ihnen der Schnabel gewachsen war. So stand eines Tages der als Raufbold bekannte Schorse wieder vor seinem Richterstuhl — wegen Körperverletzung angeklagt. Siemens ließ sich den Hergang der Schlägerei erzählen. Der Angeklagte behauptete am Schluß seiner etwas ungelenken Rede, er habe seinen Gegner nur mit dem Schnupftuch ins Gesicht getroffen. Darauf antwortete Siemens: »Dien Snupdauk kenn' ick woll! Du snöwst dik mit de Fust!« Sprach's und verkündete acht Tage Gefängnis.

Im Gegenteil

Hinnerk Katenkamp hatte sich im Krug gewaltig einen genommen, so daß er nicht mehr auf den Beinen stehen konnte. Seine guten Freunde aber ließen ihn nicht im Stich – sie faßten ihn an jeder Seite unter und schleiften ihn nach Haus, steuerten mit ihm durch die große Tür bis mitten auf die Diele, glaubten damit ihre Pflicht erfüllt zu haben und verschwanden. – Hinnerk lag nun auf der Lehmdiele und bemühte sich verzweifelt und mit viel Gestöhn, wieder auf die Beine zu kommen, was ihm aber durchaus nicht gelingen wollte. – Da erschien Hinnerks Sohn, sah seinen Vater hilflos auf der Diele liegen und glaubte nicht anders, als daß schlechte Menschen ihn überfallen und geschlagen hätten. – »Vadder«, fragte er erschrocken, »hebbt Se di anfat't?« – »Nä –«, sagte Hinnerk, »se hebbt mi loslaten!«

Trost im Glück

Es ist immer gut, wenn man Freunde hat, die aus vollem Herzen an unserm Glück teilnehmen. Emil Barkemeyer in Vechta hatte so einen Freund. Als Emil von der Hochzeitsreise zurückkam, erkundigte sich sein lieber Nachbar Josef teilnehmend: »Na Emil – wo geiht di dat denn nu mit din junge Fro?« Emil, noch im Glücke schwimmend, strahlte nur so: »Och, Josef – ick kann di gornich seggen, wo god mi dat geiht. Son Hochtidsreis ist doch uk gar to schön!« – »Is dat wahr, Emil? Bist du denn wahrhaft glücklich?« – »Wat ick di segg!« beteuerte Emil, »ick bin rein öwerglücklich!« – Da legte ihm sein Freund Josef teilnehmend die Hand auf die Schulter und meinte: »Glöw mi man, Emil – dat ward bäter!«

Es geht auch ohne Schein

Der Weg ins gesetzlich verankerte und amtlich beglaubigte Eheglück ist mit gestempelten Papieren gepflastert. Eine große Anzahl solcher, von einer weisen Obrigkeit als notwendig erachteten Scheine hatte Krischan Kottenbrink aus dem Oldenburgischen bereits beisammen, als er mit Metta Öltjengerdes zusammen den Pastor nach der sonntäglichen Predigt aufsuchte, um nach Brauch und Recht zwecks Eheschließung das Aufgebot zu bestellen. Sie hatten Glück – es fehlte nur noch ein einziger Schein, den der Pastor baldigst einzuholen versprach. Aber Gottes Mühlen mahlten auch in diesem Falle langsam, der Schein ließ auf sich warten. Krischan, das Glück so nahe vor Augen, drängte erbittert von einem Sonntag zum anderen, aber als ihn der Pastor auch am nächsten wieder abschlägig bescheiden mußte, riß ihm endlich die Geduld und mit grimmiger Entschlossenheit rief er: »Schien hen, Schien her, Herr Pastor — Maandag fangt wi an!«

Der Segen

Auch ein frommes Gemüt soll dem Herrgott nicht mehr zutrauen, als er zu leisten vermag. – Ging da eines Tages im oldenburgischen Münsterland der gute Pfarrer mit großer Prozession übers Land, um die Felder zu segnen und kam dabei auch an einen Acker, der so dürr und öde dalag, daß es einen Hund jammern konnte. – Der geistliche Herr murmelte gläubig seinen Segen, auf die göttliche Hilfe vertrauend, aber der alte Taglöhner und Kirchendiener Jan Suhr schüttelte betrübt den Kopf und meinte bedächtig: »Dor helpt kin Bäen mehr, Herr Pastor – dor mut Meß rup!«

Hinterm Mond zu Hause

Im Jeverlande ist Konfirmandenstunde. Der Pastor hat von Luthers Ende gesprochen. In der Wiederholung fragt er Hinnerk Lüken: »Heinrich, wann ist Luther gestorben?« Hinnerk, der geschlafen hat: »Wat, is dee denn doot?« – »Hast du denn das nicht gehört?« fragt etwas ärgerlich der Pastor. »Nä«, sagt Hinnerk. »Herr Pastor, wi wahnt achtern Diek, da weerd wi so licht nicks gewahr!«

Laßt die Pferde 'raus

Die Pferdezucht erfreut sich in allen Teilen Niedersachsens großer Beliebtheit — auch in Oldenburg. Dort wurde im Landestheater eine Oper aufgeführt, in der auch Pferde auf der Bühne erschienen. Dieses Ereignis wollten sich die Bewohner der umliegenden Dörfer nicht entgehen lassen. So füllten sie Parkett und Ränge. Ach, aber die Ouvertüre nahm und nahm kein Ende. Da, plötzlich, bei einem sanften Piano, ertönte voller Ungeduld eine Stimme: »Nu hört man endlich up mit dat Gefiedel un Getute un lat dee Pär rut!«

Der verkannte Spucknapf

Ein biederer Bauer aus der Grafschaft Bentheim besuchte einst den Pastor. Während des Gesprächs spuckte er mehrfach auf den Fußboden. Die Frau Pastorin bemerkte es und schob ihm einen Spucknapf hin. Der Bauer wandte sich daraufhin zur anderen Seite, und als ihm der Spucknapf nun dorthin gestellt wurde, wieder zur ersten Seite. Das gleiche Spiel wiederholte sich noch einmal. Dann sagte der Bauer: »Vrauw Pastor, nemmt den Pott weg, anners spyi ik u drinn!«

Schiet

Ein paar Jungen hatten sich einen genügenden Vorrat einer Mischung Erde und Wasser aus dem dafür besonders geeigneten Oldenburger Klei hergestellt und waren eifrig am Formen und Bauen, als der würdige Pfarrer der Gemeinde daherkam und neugierig dem kindlichen Spiel zusah. »Na, Jungens«, fragte er leutselig, »wat willt ji dor denn boen?« – »Dat schall'n Kark weern«, belehrte ihn einer der Jungen. – »So, so«, meinte der über ein so christliches Beginnen erfreute Gottesmann. – »Un wo is dat mit'n Paster – makt ji denn uk noch?« lächelte der Pfarrer. Worauf er, nach einem prüfenden Blick über seine umfangreiche Gestalt, die vernichtende Antwort bekam: »Nee – soväl Schiet hebbt wi nich mehr!«

Manfred Hausmann *Stadt am Strom*

Wenn »Bremen«, wie es heißt, mit »brämen«, mit »verbrämen« zusammenhängt, dann führt die Stadt ihren Namen zu Recht. Auf einer Strecke, die länger ist als die Entfernung von Köln bis Wuppertal, verbrämt sie den Strom, an dem sie liegt. Aber sie verbrämt ihn nur, sie hat keine Gewalt über ihn. Er, der die Stadt zu dem gemacht hat, was sie ist, und der sie in ihrer Kraft erhält, indem er die Güter aus dem Binnenland und von See heranträgt und andere Güter nach den Umschlagplätzen seines Oberlaufs und in die Weiten der Weltmeere leitet, er ist und bleibt der Herr und Herrscher. Durch ihn gewinnen die Häfen und Speicher, die Werften und Ölbunker, die Industrien und Kontore an seinen Ufern ihren Sinn und ihre Aufgaben.
Von der hohen Eisenbahnbrücke aus, die bei Dreye die Weser überquert, sieht man Bremen mit seinen grünen Türmen fern in der Ebene liegen wie eine Stadt auf dem Gemälde eines alten niederländischen Meisters. Am schönsten an einem stürmischen Herbsttag, wenn der Nordwest schweres Gewölk über die Niederung treibt, aus dem da und dort eine Lichtbahn herniedergleißt und, schräg und schräger werdend, weiterwandert, bis sie die Stadt erreicht. Dann schimmert der Grünspan der Turmdächer einen Augenblick wie Silber, ein jähes Fensterglitzern weht dahin, ein schneeiger Dampffetzen leuchtet auf, ein paar bunte Helligkeiten erscheinen, schweben und erlöschen. Und dann steht wieder der graue, langgestreckte Umriß, der sich rechts und links in der Landschaft verliert, vor dem Himmelsrand. Mit einer weichen Biegung wendet sich der Strom ihm entgegen.
Er ist übrigens ein Herrscher voller Launen und Unfreundlichkeiten, dieser Strom. Ließe man ihn gewähren, dann würde kein Schiff von Bremen nach See und von See nach Bremen gelangen. Er hat sich von Anfang an nicht um das verbrämende Stadtgebilde gekümmert und nicht um die wagenden und sorgenden Menschen dort. Eigenwillig schob er Sand- und Schlickbänke hin und her, änderte wieder und wieder seinen Lauf, verwilderte, verschilfte und verlegte den Schiffen den Weg. Unter harten Opfern versuchte die Stadt den Erstikkungstod von sich abzuwenden. 1618 erbaute sie stromabwärts den Hafen von Vegesack und von 1827 bis 1830 Hafen und Stadt Bremerhaven unmittelbar an der See. Aber es erwies sich, daß die Schwierigkeiten auf diese Weise nicht zu beheben waren. Man mußte aufs Ganze gehen und dem unumschränkten Herrscher eine Verfassung aufzwingen. In einer verbissenen Anstrengung wurde durch bedachte Führung und Fügung der Ufer, durch umfangreiche Baggerungen, durch unzählige Buhnen und Steindämme über und unter Wasser der Lauf des Stromes endgültig festgelegt und eine tiefe, sich selbst räumende Fahrrinne geschaffen, die den Gezeiten und damit den Hochseeschiffen wieder den Weg in die verschiedenen Häfen der Stadt Bremen hinein öffnete.
Wenn man an einem sinkenden Wintertag vom hohen Rönnebecker Ufer über die weite Fläche des Stromes blickt, die von weißgrauen Eisschollen bedeckt ist, gewahrt man vielleicht noch die letzte Bewegung der Flut gegen die Stadt hin. Und nun kommt die Eisfläche vollends zum Stillstand. Ein Schneegestöber treibt von Westen heran und verhüllt das Oldenburger Ufer. Noch immer rührt sich die Stromebene nicht. Drei Minuten vergehen, vier Minuten . . . Da beginnt, unmerklich fast, die Gegenbewegung. Der Zug der Ebbe setzt ein. Das Ufer verharrt regungslos. Aber die weiße Fläche beginnt, von kosmischen Kräften berührt, unaufhaltsam dahinzuwandern, der See entgegen. Und nun wird hinter den Flocken der dunkle Rumpf eines Dampfers sichtbar. Es ist ein Japaner. Seine Lichter brennen schon. Machtvoll drängt sich der hohe Bug durch die Schollen, die sich aufrichten und überschlagen. Sonst ist kein Laut zu hören. Schattenhafte Masten und Ladebäume, die Brücke mit dem grünen Steuerbordlicht, der angestrahlte Schornstein, die goldene Reihe der Bullaugen: wie eine surrealistische Vision gleitet der Frachter durch die wirbelnden Flocken und verschwindet in der Dämmerung.
Aber das Ringen zwischen der dumpfen Herrschsucht des Wassers und den Absichten der vorausschauenden Stadt geht weiter. Dadurch, daß Bremen es, im Gegensatz zu glücklicheren Hafenstädten, schwer gehabt hat mit seinem Strom, es heute noch schwer hat und morgen wahrscheinlich noch schwerer haben wird, ist das bremische Wesen nüchtern geworden, bedachtsam, willensstark, unbeirrbar auf ein Ziel gerichtet, weltweiten Geistes. Was nicht ausschließt, daß in Bremen nicht auch gelacht oder hintergründig geschmunzelt wird und daß sich zwischen der herben und standfesten Architektur der alten wie der neuen Zeit nicht hin und wieder auch ein wenig Heiterkeit und Beschwingtheit zur Geltung bringt.

HANNS MEYER Freie Hansestadt Bremen

Die *Landschaft* des Zweistädtestaates wird eindeutig durch den Strom bestimmt. Mit ihm aber hat es eine eigene Bewandtnis. Die Weser ist kein mächtiger Strom, ihr Lauf im Küstenbereich ist von Natur aus flach und voller Barren. Aber der Bremer Hafenbauer Ludwig Franzius und seine Nachfolger haben die Unterweser, wie der Stromabschnitt zwischen Bremen und Bremerhaven heißt, so gründlich korrigiert, vertieft und begradigt, daß heute täglich ganze Flotten von Ozeanschiffen bis in die stadtbremischen Häfen gelangen. Außerdem haben unternehmungsfreudige Männer, voran der Direktor des Norddeutschen Lloyd, Heinrich Wiegand alles getan, an den Ufern Werften, Hochöfen, Raffinerien, Fabriken und Getreidesilos anzusiedeln. Daraus ergab sich ein ständiges Wachstum der Städte. Heute zieht sich Bremen über 40 km am Strom entlang, ist also eine ausgesprochene Uferstadt, und Bremerhaven erstreckt sich 15 km weit am letzten Teil der Unterweser. Die beiden Städte sind die starken Pole des Unterweserraumes, der wirtschaftlich eine Einheit bildet. Das Land Niedersachsen ist an diesem Raum mit weiten Uferstrecken beteiligt, insbesondere auf der linken Seite, wo sich im Zuge des Stromausbaus die ehemaligen oldenburgischen Deichdörfer Elsfleth, Brake und Nordenham zu Häfen von Bedeutung entwickelt haben. So stellt die Unterweser eine weitgestreckte Hafenlandschaft dar, die in die Welt hinausstrahlt, aber immer noch ein Stück Bauernland geblieben ist. Zwischen den Städten und Orten ducken sich hinter den Deichen strohgedeckte niedersächsische Bauernhäuser vor dem Seewind, breiten sich saftige grüne Marschenwiesen, weiden schwarz-weiße Rinder, schreien die Kiebitze. Vom Strom herüber dröhnen Schiffssirenen und von den nahen Städten wehen die Rauchfahnen der Fabrikschlote. Eine Landschaft, ähnlich zwiegesichtig wie jene im Rhein-Ruhr-Gebiet, doch eigengeprägt dadurch, daß sie durch den Wagemut und die Zähigkeit hanseatischer Menschen künstlich zur Landschaft eines Welthafenstroms umgebildet wurde. Niemals darf die Arbeit am Strom aussetzen, wenn nicht die Seehäfen verkümmern sollen. Diese Häfen aber verteilen sich – anders als an sonstigen Strömen – über den ganzen 70 km langen Stromabschnitt, und jeder von ihnen zeigt einen eigenen Charakter.

Schaffermahlzeit – über 550 Jahre alt

Das Land Bremen ist allseits von Niedersachsen umschlossen. Niedersächsischer Herkunft sind auch überwiegend die bremischen Menschen. Sie gelten als steif und zurückhaltend, weil sie abwarten und

BLICK AUF BREMEN · Dem Strom entlang folgte die Hansestadt in ihrem Wachstum und zieht sich über 40 km am rechten Ufer entlang. Den Kern der Stadt umgürtet auch heute noch der Kranz der Wälle und Gräben, doch ist die Starrheit der mittelalterlichen Festungswerke in eine bewegte Parklandschaft gewandelt worden. Mittelpunkt der Halbmillionenstadt ist heute wie einst der Marktplatz zu Füßen des Doms mit seinen weithin sichtbaren Doppeltürmen.

BREMER MÄRKTE · In der Tabakstadt Bremen finden auch die internationalen »Einschreibungen« indonesischer Tabake statt. Auf dem Bild prüfen und schätzen Kaufinteressenten die Proben aus Java und Sumatra. Südfrüchte aller Art werden über Bremen eingeführt. Vor den allwöchentlichen Auktionen können die Waren, vor allem die Zitrusfrüchte, im Fruchtschuppen des Hafens besichtigt werden.

abwägen, ehe sie sich neuen Menschen und Dingen gegenüber festlegen und verpflichten. Das drückt sich auch in ihrer Sprache aus, die einen langsamen Tonfall hat, hell und nüchtern klingt. Schon das kleine Wort »tagenbaren«, das einen in Bremen Geborenen und Erzogenen bezeichnet, hat solchen zögernden und zugleich festen Klang. Auch das Plattdeutsche ist weniger singend als in der Schwesterstadt an der Elbe. Sehr ausgeprägt ist das spitze »sst«, aber deshalb »sstolpert« ein Bremer doch nicht über einen »sspitzen Sstein«, schon deshalb nicht, weil er von Haus aus mundfaul ist. Ihm liegt nichts an Wortgefechten, er hat keinerlei Ehrgeiz, den Geistvollen zu spielen oder gar als ironischer Wortplänkler und behender Witzemacher zu glänzen. Dafür hat er einen gesunden, etwas derben Humor, der den großen und kleinen Wirklichkeiten des Lebens zugewandt ist.

Bremen ist eine sehr männliche Stadt. Kaufleute und Seefahrer haben ihre Bräuche bestimmt, nicht zuletzt auch die großen Traditionsessen, deren berühmtestes die seit dem Jahre 1545 bestehende und alljährlich im Februar veranstaltete »Schaffermahlzeit« ist. Sie ist eine Einrichtung der Schiffer, Reeder und Kaufleute, mit der die Rechnungsablage für das Haus Seefahrt, früher die »Arme Seefahrt« genannt, eine wohltätige Stiftung für alte Schiffer und ihre Witwen, verbunden ist. Seit über 550 Jahren ist das Zeremoniell fast unverändert geblieben. Die Speisenfolge, u. a. Stockfisch, Rauchfleisch mit Maronen, Braunkohl mit Pinkelwurst, entspricht einem herzhaften Seemannsessen. Auch das uralte Seemannsbier, ein dickliches, malzreiches Bräu, darf neben dem Rhein- und Rotwein nicht fehlen. Wie früher auf den Segelschiffen erhält der Gast nur *ein* Besteck, Löschblätter liegen bereit, um nach jedem Gang Messer und Gabel abwischen zu können. Zu der Schaffermahlzeit eingeladen zu werden, gilt als eine besondere Ehre. Außer den Kaufmanns- und Kapitänsmitgliedern des Hauses Seefahrt dürfen keine Bürger der Stadt teilnehmen. Dafür werden führende Männer aus Staat und Wirtschaft der Bundesrepublik geladen, um die Verbundenheit von Schiffahrt und Handel mit der Gesamtwirtschaft zu unterstreichen.

Etwas bange im Magen

In den bremischen Traditionskalender werden nur solche Gastereien aufgenommen, die mindestens 100 Jahre alt sind und regelmäßig gepflegt werden. Die jüngste ist die lustige Eiswette aus dem Jahre 1892, die gleichfalls aus dem Hoffen und Sorgen um die Schiffahrt entstanden ist, insofern alljährlich die Frage »offen oder zu?«, nämlich des Weges zum Meere und über die Meere, erörtert wird. Diese Eiswette war ursprünglich mit einer »Langkohl-Partie« verbunden, mit einer Fahrt über Land zur Winterszeit, um das bremische Nationalgericht Braunkohl mit der berühmten Pinkelwurst (speck- und talgreiche Grützwurst) zu genießen. Es kann einem bei der Fülle der Hausmannsgerichte bäuerlicher und seemännischer Herkunft, die auf den Tisch jedes guten Bremers gehören, etwas bange im Magen werden: Braunkohl, Pluckte Finken (Wurzeln und Bohnen mit Rindfleisch), Speck mit Birnen, Mehlpudding mit kaltem Schweinebraten und heißer Bratensoße, geräucherter Weserlachs, gebackene Stinte, Granat (frische Krabben), Labskaus, Bremer Kükenragout, Bremer Klaben usw. Dieser Sinn für bodenständige Gerichte schmälert aber nicht die Liebe zu jenen exotischen Finessen und Delikatessen, auf deren Geschmack die Bremer durch ihre zahlreichen Auslandsreisen gekommen sind: Die indischen und indonesischen Reistafeln, die chinesischen Spezialitäten.

Der Hang zum Sichabschließen und Fürsichsein könnte die Gefahr der Vetternwirtschaft in sich bergen. Aber an der Zufuhr frischen Blutes hat es nie gefehlt, und die Assimilationskraft gerade Bremens ist erstaunlich groß. Verhältnismäßig schnell werden die neuen Einwohner zu echten Bremer Bürgern, weil sich in erster Linie solche Menschen nach der Hansestadt gezogen fühlen, die im seewirtschaftlichen Bereich ihre eigentliche Lebensaufgabe suchen und daher schon die richtige bremische Grundeinstellung mitbringen.

Rund um den Roland

Lebendiger Mittelpunkt Bremens ist heute wie einst der Marktplatz, auf dem seit mehr als einem hal-

DIE COLUMBUSKAJE in Bremerhaven, Bremens Tochterhafen unmittelbar an der Küste, zieht sich über 1200 m an der Außenweser entlang. Hier legen die Ozeanriesen der großen transatlantischen Passagierreedereien an, die Fahrgäste steigen unmittelbar vom Schiff in die kontinentalen Fernzüge um. Das Bild zeigt die Ausreise des Flaggschiffes des Norddeutschen Lloyd, des Turbinenschiffes »Bremen«. Der sonstige Überseeverkehr wird in den inneren durch Schleusen zugängigen Häfen Bremerhavens abgewickelt.

ben Jahrtausend »Roland der Riese« Wacht hält. Um ihn gruppieren sich die großen öffentlichen Gebäude. Vom berühmten Rathaus mit seinen gotischen Schmalseiten und der prunkvollen Renaissancefassade in der Marktseite werden seit über einem halben Jahrtausend die Geschicke des Stadtstaates geleitet, in ihm tagte die Wittheit und tagt der Senat. Das köstliche Fundament des Rathauses bildet der in Sage und Dichtung verherrlichte Ratskeller, in dem die ältesten deutschen Weine lagern. An der westlichen Rathausseite zieht ein reizvolles Denkmal der »Bremer Stadtmusikanten« die Blicke auf sich.

Jahrhunderte hindurch hat zwischen den Ratsherren und den Vorstehern der Kaufleute, den Aelterleuten, starke Rivalität darüber bestanden, wem von ihnen in der Freien Stadt die größere Bedeutung zukäme. Schon um die bauliche Repräsentation gab es einen heftigen Wettstreit. Genau gegenüber dem gotischen Rathaus ließen in der ersten Hälfte des 16. Jahrhunderts die Kaufleute den vornehmen goldenen »Schütting« als ihr Korporationshaus errichten und ständig üppiger ausbauen. Das wiederum trieb die Ratsherren an, zu Beginn des 17. Jahrhunderts ihr Rathaus durch die herrliche Renaissance-Schaufront zu verschönern. Wie das Rathaus ist auch der Schütting, dessen Fensterbekrönungen an der Marktseite die Wappen aller bedeutenden Hansekontore von Brügge bis Nowgorod zeigen, durch rückwärtige Anbauten nach der letzten Jahrhundertwende erweitert worden. Auf solche Weise sind die historischen Bauwerke in Bremen nicht zu musealen Schaustücken geworden, sondern konnten ihren ursprünglichen Zwecken erhalten bleiben.

Der St.-Petri-Dom, jenes feierliche Bauwerk, das oberhalb des Marktplatzes steht, ist bereits im 11. Jahrhundert großräumig angelegt worden, um Bremens Stellung als erzbischöfliche Metropole hervorzuheben. Bremen wurde Ausgangspunkt einer bis nach Island und Grönland reichenden Missionstätigkeit. Unter dem ehrgeizigen Erzbischof Adalbert, der ein nordisches Patriarchat erstrebte, war Bremen »gleich Rom namhaft und ein Sammelpunkt der Völker des Nordens«. Damals waren bereits bremische Schiffe an allen Küsten der Nordmeere zu Hause. In einem jahrhundertelangen wech-

BREMEN-VEGESACK · Die größte deutsche Loggerflotte, die den Heringsfang mit Treibnetzen besorgt, ist in Bremen-Vegesack beheimatet. Hier hat auch die Deutsche Heringshandels-Gesellschaft, die den Markt mit den Fängen aller Loggerfischereien versorgt, ihren Sitz.

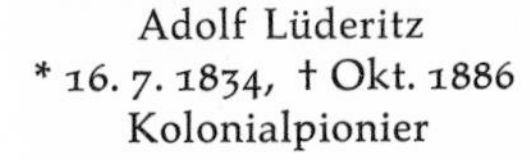

Adolf Lüderitz
* 16. 7. 1834, † Okt. 1886
Kolonialpionier

Heinrich Wiegand
* 17. 8. 1855, † 29. 3. 1909
Gen.-Dir. d. Nordd. Lloyds

selvollen Ringen haben sich die Bürger der Stadt der Obhut der Kirchenfürsten entzogen, um nur dem Kaiser verantwortlich zu bleiben. Im Jahre 1404 verkündete der Rat »wy hebben eyne vrye stadt« und errichtete den steinernen Roland als Sinnbild der errungenen Freiheit.

Marktplatz und Böttcherstraße

Eingefaßt werden die Herrlichkeiten des Marktplatzes: Dom, Rathaus, Schütting und Roland auf der Westseite durch spitzgieblige Bürgerbauten im Stile der Renaissance und des Rokoko, an der zerstörten Ostseite ersteht ein Haus der Bürgerschaft als Sitz des Landes- und Stadtparlaments. Somit ist der Marktplatz ein echtes Forum, auf den sich das politische, staatliche, wirtschaftliche und kirchliche Leben einer großen Gemeinschaft konzentriert.

Nur wenige Schritte vom Marktplatz entfernt fließt die Weser. Unmittelbar neben dem Schütting führt zu ihr eine schmale Gasse, die international bekannte Böttcherstraße. Als halbverfallene kleine Handwerkergasse erwarb sie der Kaffeehauskaufmann und Kunstmäzen Ludwig Roselius und gestaltete sie in den zwanziger Jahren dieses Jahrhunderts aus reiner Freude an originellem Bauschaffen und am Sammeln von Kunstgegenständen zu einer der merkwürdigsten Fußgängerstraßen Deutschlands um. Er ließ die eine Seite in überlieferter norddeutscher Backsteinarchitektur neu errichten und die andere Seite von dem Bildhauer Bernhard Hoettger mit eigenwilligen skulpturhaften Bauwerken besetzen. Sämtliche Häuser sind jedem zugänglich und überraschen mit reichen musealen Schätzen, eigenwüchsigen Gaststätten, kunstgewerblichen Werkstätten und Theatern.

Jenseits der vom Grüngürtel der ehemaligen Festungswälle und -gräben voll umschlossenen Altstadt beginnen die weitläufigen Vorstädte, mit ihren Wohnvierteln, Hafenanlagen und Industriebetrieben. Die sich am Strom hinziehenden Siedlungs- und Arbeitsbezirke, von denen nicht wenige früher eigene Gemeinden bildeten, fügen sich locker aneinander, so daß nirgends in der Halbmillionenstadt Großstadtbeklemmungen aufkommen. Entsprechend ist die Wohnweise der Bremer luftig und frei. Die älteren Wohnstraßen sind durch ihre Ein- und Zweifamilien-Reihenhäuser gekennzeichnet, die neuen Wohnsiedlungen zeigen ein sorgfältig aufeinander abgestimmtes Nebeneinander von Klein-, Mittel- und Hochhäusern.

Bremerhaven: Brückenkopf des Atlantik

Von der Mutterstadt Bremen unterscheidet sich die Stadt Bremerhaven erheblich. Sie ist keine in vielen Jahrhunderten organisch gewachsene Stadt, vielmehr eine künstliche Gründung. Wohl gab es auf der Fläche des heutigen Bremerhavens einige Dörfer am Geestrand, so Lehe, Geestendorf, Wulsdorf, die auch heute noch im Stadtbild ihre Spuren hinterlassen haben. Aber ihre Entwicklung zur »tätigen Stadt im Nordseewind«, wie sich Bremerhaven gern nennt, setzte erst ein, als 1827 Bremens großer Staatsmann Johann Smidt vom damaligen Königreich Hannover 90 Hektar sumpfigen Außendeichlandes an der Küste erwarb, um für die Hansestadt einen jederzeit zugänglichen Seehafen zu schaffen. Inzwischen ist Bremerhaven zu dem führenden deutschen Passagierhafen im Überseeverkehr herangewachsen und heißt in den USA scherzhaft »Vorort von New York«. Angeregt durch den gewaltigen Aufschwung, den Bremerhaven nahm, gründete Hannover um die Jahrhundertwende auf dem anderen Ufer des Geesteflusses den Ort Geestemünde. Hier legte der weitblickende Fischhändler Friedrich Busse den Grundstein zu einer großartigen Entwicklung der deutschen Hochseefischerei. Die kommunalpolitische Geschichte Bremerhavens ist etwas verschlungen: 1924 schlossen sich Geestemünde und Lehe zur Stadt Wesermünde zusammen, 1939 wurde Bremerhaven (aber ohne seine Häfen) mit Wesermünde vereinigt, und seit dem 1. Juni 1947 gibt es nur noch eine einzige Stadt Bremerhaven im Rahmen des Landes Bremen, doch sind die Überseehäfen weiter ein Teil der Stadtgemeinde Bremen.

Stadt der Seefahrer und Hochseefischer

Wer nach Bremerhaven kommt und schöne alte Stadtbilder sucht, wird enttäuscht sein. »Verwittert Giebelwerk und Zinnen« sucht er vergebens. Die Sehenswürdigkeiten von Bremerhaven sind seine Häfen und Schiffe, Schleusen und Docks, seine Fischhallen und Fischauktionen. Aufschlußreich und reizvoll ist ein Gang über den Deich. Nach der einen Seite hin schweift der Blick über die Weser und das weite Wattenmeer, auf der anderen Seite bietet sich eine vielgegliederte Hafenlandschaft, hinter der sich schmal und lang die Stadt erstreckt. Ihre Mitte ist das alte Bremerhaven. Weil es an Platz fehlte, sind hier alle Bauten in die Höhe gereckt, mühselig mußten sie auf Pfahlrosten in dem Sumpfland gegründet werden. Jenseits der Geeste schließt sich der Stadtteil Geestemünde mit seinen weiten Anlagen für die Hochseefischerei an, und nach Nordosten, auf einem Sandausläufer, erstreckt sich der Stadtteil Lehe, die eigentliche Wohnstadt.

In aller Welt bekannt ist der Bahnhof am Meer. Er liegt auf der Columbuskaje, die sich lang am Weserstrom entlangzieht und alle Einrichtungen für die internationalen Passagierdienste aufweist. Gewaltige Schleusen eröffnen den Zugang zu den zahlreichen inneren Häfen, den Kaiserhäfen, in denen vor allem die Frachter laden und löschen, wo aber auch Trockendocks Ozeanschiffe bis 90 000 BRT zur Ausbesserung aufnehmen können. Ganz andere Bilder bieten die Fischereihäfen, die größten des Kontinents. Besonders in der Nacht und in der Frühe geht es hier lebhaft zu, wenn die Fänge gelöscht werden, damit sie sofort anschließend in den kilometerlangen Auktionshallen versteigert werden und noch vor Mittag in den weißen Thermoswagen der Eisenbahn und in Fernlastwagen in alle Teile des Binnenlandes rollen.

In Bremerhaven leben alle Menschen unmittelbar oder mittelbar von der Schiffahrt. Sie sind Matrosen, Hafenarbeiter, Reeder, Hochseefischer, Kapitäne, Lotsen, Werftarbeiter, Ingenieure, Fischverarbeiter usw. Eine solche Stadt hat ihren eigenen Ruch und eigenen Lebensrhythmus. Hier regieren König Fisch und Janmaat.

Mit den Häfen der Erde verbunden

Die eigentlichen Kraftzentren des Landes Bremen sind die Häfen, von ihrer Leistungsfähigkeit hängen Schiffahrt, Überseehandel und Seehafenindustrie, die eigentlichen Wirtschaftsgrundlagen des Stadtstaates, ab. Zwischen den Hafengruppen in Bremen-Stadt und in Bremerhaven besteht eine gut eingespielte Arbeitsgemeinschaft, die sich aus der geschichtlichen Entwicklung und der Lage ergeben hat. Die Häfen in Bremen-Stadt liegen vor allem für den überseeischen Frachtverkehr vorteilhaft, nicht zuletzt weil bis hier die Güter auf den Schiffen 70 km stromauf und landeinwärts getragen werden und damit teure Landfracht gespart wird. Die zweite Hafengruppe unmittelbar an der Küste in Bremerhaven bietet günstige Bedingungen für das Anlaufen besonders großer Ozeanschiffe sowie für alle Verkehre, die so schnell wie möglich das Festland erreichen müssen.

Schiffe aller Nationen laufen Bremen an, das durch über 200 regelmäßige Liniendienste mit sämtlichen Haupthäfen der Erde verbunden ist. Immer war in Bremen auch eine große eigene Handelsflotte beheimatet. Um 1850 besaß Bremen die größten deutschen Segelschiffe, der 1857 von dem Überseekaufmann H. H. Meier gegründete Norddeutsche Lloyd war im Jahre 1914 zur größten Passagierreederei der Welt geworden und errang mit seinen Schnelldampfern mehrfach das Blaue Band des Ozeans. Stets hat der bremische Außenhandel zu starker Spezialisierung geneigt und nimmt auf einer Reihe von Warenmärkten eine führende Stellung ein. So ist Bremen der größte Versorger Deutschlands mit Baumwolle und importiert die meiste Schafwolle. Als Kaffee-, Tabak-, Rotweinstadt hat sich Bremen einen Namen gemacht. Über Bremen finden große Mengen von Erzeugnissen der deutschen Industrie, vor allem des rheinisch-westfälischen Gebietes, den Weg in die Welt. Zu den Häfen gehört auch die Seehafenindustrie. Uralt ist der Schiffbau mit seinen vielseitigen Hilfsindustrien. Das erste von Deutschen erbaute Dampfschiff entstand im Jahre 1817 in Bremen-Vegesack, den ersten Petroleumtanker der Welt ersann in Bremerhaven W. Riedemann. Großwerften wie die A. G. Weser, der Bremer Vulkan bauen nicht nur für deutsche, sondern in starkem Maße auch für ausländische Rechnung große Schiffe aller Art. Vielseitig sind Industrien, die eingeführte Rohstoffe gleich an Ort und Stelle verarbeiten.

DIE BÖTTCHERSTRASSE, einst eine enge vom Marktplatz abzweigende Handwerkergasse, ist heute eine weit bekannte Museums- und Ladenstraße. Sie wurde von einem bremischen Kaufmann aus reiner Freude am romantischen Bauschaffen in eigenwilliger und kontrastreicher Backsteinarchitektur errichtet.

Die wirtschaftlichen Beziehungen zwischen den Vereinigten Staaten und Deutschland vollziehen sich in erheblichem Maße über Bremen. Die erste Postdampferverbindung zwischen Amerika und dem europäischen Festland wurde 1847 eröffnet, und zwar mit Bremerhaven als Endhafen. Dort schiffte sich auch die Mehrzahl der Auswanderer nach Amerika ein, vor allem auf den Schiffen des Norddeutschen Lloyd, der schon 1913 seinen zehnmillionsten Passagier beförderte. 1928 wurde mit dem Flugzeug »Bremen« die erste Ost-West-Überquerung des Atlantik durchgeführt. Heute fährt das größte und schnellste Passagierschiff der Vereinigten Staaten, die »United States«, auf Bremerhaven, und der Norddeutsche Lloyd unterhält mit seinen Fahrgastschiffen »Berlin« und »Bremen« den Dienst nach New York.

Humor in Bremen

Nachsicht

Tante Doris hatte Freunde, die im Sommer in der Gegend von Leuchtenberg wohnten. »Wunnerschön«, sagte sie, »aber'n büschen schwer hinzukommen.« Infolgedessen schickte man ihr, wenn sie mal hinkam, ein »Fuhrwerk« an die Bahn. – Als dieses Fuhrwerk, gelenkt von dem Kutscher Fiedchen Pundsack, eines Tages mit Tante Doris unterwegs war, geschah es, daß der den Wagen ziehende Braune nach längerer starker Vorbereitung eine offenbar seit geraumer Zeit fällige Verrichtung hinter sich brachte. – Fiedchen Pundsack erblickte darin einen Verstoß gegen die guten Sitten. »Nehmen Se's vielmals nich für ungut, Madam«, sagte er errötend. – Tante Doris winkte großzügig ab. »Laß'n man«, sagte sie. »Ischa rein menschlich.«

Das Frühstück

Heinrich W., ein denkwürdiges Prachtstück aus der an Originalen einstmals besonders ergiebigen Zunft der Gymnasialprofessoren, leistete Unvergeßliches in der Beseitigung geistiger Getränke. Als daher ein paar Freunde, die mit ihm eine Reise machten, ihn morgens um halb acht im Speisesaal des Hotels am Frühstückstisch hinter einer ziemlich geleerten Flasche Niersteiner Heiligenbaum, Spätlese, fanden, waren sie nicht erstaunt; aber sie waren immerhin entrüstet. »Igitt, Heini!« sagte einer von ihnen mit sanftem Vorwurf. »Magst das nu wohl tun? Schämst dich denn gar nich? Morgens um halb acht sitzt du all hinter'n Wein?« – »Dscha«, sagte Heini wahrheitsgemäß und entschieden. »Und schämen tu ich mich da auch nich um. Soll ich vielleicht meinen Kaffee trocken 'runnerwürgen?«

Das schnelle Urteil

Richter Schmidt, ein bekannter Mann um die Jahrhundertwende, hatte ein Vorurteil gegen den Stand der Zigarrenmacher. Als wieder einmal einer von ihnen vor dem Gefürchteten erscheinen mußte, antwortete er auf die übliche Frage: ›Wat büst du?‹: »Ich bün Wickelmaker, Herr Richter.« – »Wickelmaker? Wat is dat?« – »Ooch, Herr Richter, dat is so mit de Zigaarn.« – »Wat? Du wullt Fisemetenten maken? Fief Dage!«

Juristischer Ratschlag

Bei Richter Smidt erschien eine alte Frau: »Herr Richter, mien Sähn, de deit nich good, känt Se em nich in't Hartmannshuus doon?« (So hieß die Besserungsanstalt Bremens, zu deren Kuratoren Smidt gehörte.) »Wat hett he denn makt?« fragte Richter Smidt. — »Makt?« — »Dscho, ick meen, hett he stolen?« — »Stolen? Mien Sähn stelen? Nee, Herr Richter!« — »Denn kann ick em nich bruuken,« sagte Richter Smidt, »stolen mutt he hebben!«

Liegestreik ums Honorar

Dr. Eberhard Thulesius war in den sechziger Jahren ein bekannter Arzt, der in der Mitte der Stadt, an der Domsheide, wohnte. Er war auch Hausarzt bei einer geizigen alten Jungfer, die ihm das vereinbarte Jahreshonorar — das gab es damals noch in der alten Hansestadt, gleichgültig, wie oft oder wie selten der Arzt das Jahr über in Anspruch genommen wurde — lange schuldig zu bleiben pflegte. Als sie eben wieder mal sehr im Rückstande war, wurde Thulesius in das Haus der Dame gerufen. »Wer is denn krank?« — »Dat Mäken.« — »Wo liggt se denn?« — »Baben in ehre Kammer.« Thulesius stieg die Treppen hinauf und fand in ihrer Stube unter dem Hahnenbalken ein junges, pralles, vergnügt aussehendes Mädchen im Bette liegen. »Na, wat hest du denn, mien Deern?« — »War ick hebb? Garniks, Herr Doktor!« — »Warum liggst du denn in'n Bedde?« — »Dscho, dat is so, wenn dat Quartal um is, denn krieg ick mien Geld nich, und denn bliew ick to Bed.« — »Helpt dat denn?« — »Dscho, dat helpt!« — »Mak mal 'n beten Platz, mien Deern, ick will mi mal neben di leggen.«

Beleidigung

Die »dicke Lucie«, Bremens berühmtestes Mundwerk, die Königin der Fischfrauen, hatte sich wegen Körperverletzung zu verantworten. Eine jähe Aufwallung, hervorgegangen aus gegenseitiger unüberwindlicher Abneigung, hatte dazu geführt, daß sie den Körper – genauer gesagt: den Kopf – einer Mit-Fischfrau mittels eines am Schwanze angefaßten Helgoländer Schellfisches entstellt und verletzt hatte. – »Aber Frau Strickmann!« sagte der Richter. »Sie mögen ja Grund zur Erregung gehabt haben, aber hätten es da nicht auch ein paar scharfe Worte getan?« – »Och, Herr Richter«, versetzte Lucie, »geradezu beleidigen wollte ich ihr dscha nu auch wieder nich!«

Von der Vergänglichkeit

Ein philosophischer ländlicher Maurer hatte auf einem bremischen Bauernhofe einen Backofen errichtet und wanderte, nachdem er sein Werk betrachtet und gut befunden hatte, zufrieden und ehrbar heimwärts. Als er zweihundertundfünfzig Schritte entfernt war, brach der Backofen gänzlich wieder zusammen. Die Bauersfrau sauste mit klappernden Holzpantoffeln und knatternder Schürze hinter dem Erbauer her: »Meister! Meister! Der Ofen ist dscha all wieder umgefallen!« Der Biedere wandte sich und sprach mit einem ernsten Seufzer: »Dscha, lüttsche beste Frau, was hält're denn ewig?«

Der Scheidungsgrund

Bevor Smidt sein Richteramt antrat, war er als Rechtsanwalt tätig. Eines Tages erschien bei ihm eine Frau in der Kanzlei, um sich einen juristischen Beistand für ihre Scheidung zu suchen. Warum sie denn ihren Mann los sein wolle, fragte Smidt. »Herr Dokter, ick kann em nich mehr lieden.« – »Dat is keen Grund«, sagte Smidt, »dud he denn wat?« – »He suupt sick ümmer dick un duun.« – »Is keen Grund.« – »Dscha un he sleit mi alle Dage.« – »Is allens keen Grund, 'n lüttjen Ehebruch mutt bi sien, anners geit dat nich.« – Da sprang die Frau von ihrem Stuhl hoch und rief freudig: »Fein, Herr Doktor, fein. Dat letzte Kind is nich von em!«

HANS LEIP Freie und Hansestadt Hamburg

Hamburg! Der Hintergrund seiner Matrosenliebchenlieder ist das Panorama der weiten Welt, ist Hafenlärm, Qualm und Ruß, Werftgehämmer, Dröhnen der Ozeanriesen, Keifen der Fährboote und Schlepper, Rasseln der Kräne und Bagger, ist das singige Platt der Wasserkante, der schwielige Mutterwitz, der abwartende Blick, ist der graue Dunst der Nordseelüfte mit den perlmutterfarbenen Wolkenlichtern. Hamburg, das ist unsentimental zähe Wirtschaftswucht in einem der abseitigsten Winkel der Weltmeere. Hamburg, das dunstet nach Teer und Massut, nach Latex, Urwaldholz, Kopra, Räucherhering und Fischmehl, nach den Abfällen des Hafenwassers und nach Fleetenschlamm. Hamburg, das duftet nach Regen und Nebel und Gischt, nach den Parfüms der Hafenmädchen, nach Ingwer, Sandelöl, Rotspon, Rumgrog, Kaneel, Beefsteak, Rollmops, Kaffeerösterei und sommers nach den zaghaft blühenden Linden seiner zahlreichen Baumstraßen und über Süd manchmal nach Heidekraut und Föhrenwäldern.

Hamburg, das liegt genau in der Mitte des Linienkreuzes Island-Euböa und Lissabon-Archangelsk, Trontheim-Genua und London-Königsberg. Auch klimatisch und vielleicht auch kulturell. Sein Breitengrad geht mitten durch Labrador und Kamtschatka, aber die Heizschlange Golfstrom macht die frostige Lage unter der schrägen Sonne erträglich. Der Gegenpol Hamburgs liegt im Pazifik südlich von Neuseeland an der Treibeisgrenze. In Hamburg gibt es Treibeis nur im Winter, hin und her mit Flut und Ebbe. Denn die Gezeiten der See reichen die Elbmündung hinauf bis in den Hafen.

Hier geht die letzte Brücke über den Strom, die letzte feste Landverbindung zwischen Nord und Süd. Das mag heute minder wichtig sein als vormals, wo ein dänischer König hier den ersten flüchtigen Brückenschlag veranlaßte. Denn inzwischen wurde neben Land und Wasser auch die Luft befahrbar. Hamburg nutzte früh diese neue Chance. Sein Flughafen war der erste in Europa mit den ersten Luftfrachtkontoren, und hier hat die Lufthansa ihre Werft. Fuhlsbüttel, vormals ein stilles Schleusendorf der Oberalster, wurde zum vielstrahligen Luftstern des Nordens. Sein Gelände reicht auch für Düsenkreuzer. Der Seebetrieb hat durch den Stratosphärenverkehr kaum etwas eingebüßt. Indes wandte sich Hamburg nach der zweiten Zerstörung seiner Flotte doch nur zögernd wieder dem Passagedienst zu, für den es so vieles geleistet. Die neue Hamburg-Atlantic-Reederei taufte ihren ersten rund 30 000 Tonnen großen Fahrgaster »Hanseatic«, und alsbald erwies sich, daß auch jenseits des Ozeans das hamburgisch Hanseatische an Beliebtheit nichts eingebüßt hat.

Die *Landschaft*, darein sich die Welthafenstadt gebettet hat, ist Marschenland, altes Ursumpfland des Elbstromtales zwischen den Flüßchen Alster und Bille und drum herum, Abschmelzgebiet der letzten Eiszeit mit zerschliffenen Resten der Gletschermoränen, ein Gefilde aus Geestkuppen, Dünenbrocken, Inseln, Werdern, Sandbänken, schwimmenden Poldern, Prielen, Rinnsalen und Morästen, was alles mit den strudelnden Tiden bald nasser, bald trockener war. Auf den trockensten Stellen wuchsen Heide, Birke, Föhre und Eichenkratt, auf den feuchteren Binse, Gras, Erle, Pappel, Weide und die Tulpe des Nordens, die noch heute nicht gänzlich ausgerottete Schachblume. Was später in den Auwäldern auf den Äckern und gar in Parks und Gärten gedieh, war kultivierte Anpflanzung. Die gesamte Landschaft wurde bis in die Heiden und Moore hin allmählich künstlich gebändigt und umgestaltet. Aber sie verleugnet ihren ursprünglichen Wesenszug nicht.

Hamburg hat – obgleich mancher Wasserlauf zugeschüttet wurde – noch immer weit über tausend Brücken. Und die Gebäude und Hafenkais werden auf eingerammten Pfählen errichtet. Ähnlich wie Venedig, ist Hamburg eine Lagunenstadt. Es hat mit der Adriakönigin mächtig geliebäugelt, als es seinen Rathausplatz dem Markusplatz im Grundriß und den Empfangssaal des Senats dem des Dogenpalastes nachgestaltete. Der Kenner lächelt. Aber es ist hier nun so: Man traut der bodenständigen Gestaltungsfähigkeit nur maßvoll. Das ist nicht weit her! sagt man und meint: Es taugt nichts. Man handelt ja auch zumeist mit fremdem Rohstoff und internationaler Ware.

Den Urkern der Stadt trifft man in ihrer Mitte. Er liegt auf halbem Wege zwischen Landungsbrükken und Hauptbahnhof, zwischen See- und Landverkehr. Auch vom Lufthafen und vom südlichsten Rand des »nassen« Hafens ist er gleich weit entfernt. Ein hübscher Beweis für Folgerichtigkeit. Der historische Urgrund wird flankiert – wie wohl seit je – von weltlicher, geistlicher und geistiger Macht, was sich heute als Rathaus nebst Börse, als Petrikirche und Pressehaus aufzeigt. Vormals lagen hier auch Markt und Richtstätte, Kloster- und Gelehrtenschulen. Buchhandlungen, Verlage und Geschäfte rückten an den Platz.

TEUFELSMOOR · Unweit von Bremen erstreckt sich eine Landschaftsszenerie, die reich an eigenwilligen Zügen ist. Das Teufelsmoor bietet echt niederdeutsche Moorstimmung mit düsteren Sümpfen, seltenen Pflanzen und Tümpeln voll brackigem Wasser. Durch Torfstich gewinnt hier der Mensch Material für den Hausbrand. In dieser etwas schwermütigen Gegend hat sich in dem Städtchen Worpswede eine Kolonie von Dichtern und bildenden Künstlern niedergelassen. Ihre Arbeiten in Malerei, Dichtung und Bildhauerei genießen großen Ruf.

BREMEN · »Roland der Ries' am Rathaus zu Bremen / steht er im Standbild standhaft und wacht.« So besingt Friedrich Rückert die über 9 m hohe Bildsäule. Das große Richtschwert und der heraldische Schild mit der Unterschrift »Vryheit do ik ju openbar« kennzeichnen sie als Symbol der Stadtfreiheit. · Mehr als 850 Jahre sind am ST.-PETRI-DOM gebaut worden. Als Kathedrale des Erzbischofs wurde er 1035 begonnen, die Türme wurden Ende des vorigen Jahrhunderts vollendet. Hohe Kirchenfürsten liegen in ihm begraben, aber auch Freiherr von Knigge, der bekannte Verfasser des Buches »Über den Umgang mit Menschen«.

DER HAFEN VON BREMEN · »Wer an der See keinen Anteil hat, der ist ausgeschlossen von den guten Dingen und Ehren der Welt, der ist unseres lieben Herrgotts Stiefkind«, ist ein Wort Friedrich Lists. Die Bremer haben den Sinn dieses Satzes wohl erkannt; denn kaum eine andere Hafenstadt der Welt mußte sich ihren Anteil an der See so hart erkämpfen wie Bremen. Heute aber ist der Hafen nach Hamburg der bedeutendste Deutschlands. Wein, Tabak, Baumwolle und viele andere Güter werden hier umgeschlagen. Und mit den Schiffen kommt ein Ahnen von der weiten Welt in die Stadt. Kaum zu übersehen ist der Wald von Masten, Schornsteinen und Kränen, der sich aus den einzelnen Hafenbecken erhebt.

SIELHAFEN · Durch das flache Küstengebiet streben die Flüsse und Bäche gemächlich dem Meere zu. Da das Land oft nur bis zu einem Meter über dem Meeresspiegel liegt, besteht die Gefahr, daß die Flut durch diese Wasserläufe weit ins Land dringen könnte. Man schließt daher die Mündungen durch ein Wehr, das hier »Siel« heißt, ab. Diese Siele bieten in ihren ruhigen Häfen einen sicheren Unterschlupf für die kleinen Fischerboote. So sind hier zahlreiche Fischerdörfer entstanden, deren freundliche Häuser ein farbenprächtiges Bild bieten und die Schwermut der Landschaft etwas aufhellen.

HAFEN · Hamburg und Hafen sind für den Fremden zwei feste Begriffe geworden. Nur wenige Besucher der Stadt an der Elbe versäumen es, auf einem der zahlreichen Motorboote eine Rundfahrt durch den weitverzweigten Hafen mit seinen Anlegestellen, Werften und Docks zu unternehmen.

Der linke Türklopfer am Turmportal St. Petris, der bronzene Löwinnenkopf, ist das zweitälteste Kunstwerk Hammonias, genau sechshundert Jahre älter als die Phosphornächte des Krieges; es hat auch den Hamburger Brand – Anno 1842 – überstanden, bei dem ein Drittel der Stadt in Schutt sank. Älter ist nur – im Museum für Hamburgische Geschichte – eine steinerne weinende Jungfrau. Sie wurde aus dem Abbruch des Doms gerettet.

Vom Fleethafen zum »Kleinen Manhattan«

Das Rathaus erblühte aus einem runden Dutzend Entwürfe in neudeutscher Renaissance. Klima und Gewöhnung schweißten eine imposant wuchtende Steilküste daraus. Auf der höchsten Zacke der goldene Reichsadler rastet mehr, als daß er horstet. Dafür sorgt neben dem regierenden Senat das Parlament der »Bürgerschaft«. Es feiert seinen hundertsten Geburtstag, indes die Börse – nach Lyon und Toulouse die älteste – ihren vierhundertsten beging. Früher erwarb man feierlich das »Bürgerrecht«. Heute gibt es in Hamburg nur noch unfeierliche »Einwohner«. Fast zwei Millionen. Das Pressehaus ist jung. Und jünger noch sein Bruder hafenzu, der Hochhauskomplex des größten Zeitungskonzerns unseres Festlandes. Er wurde aus dem bescheidenen Altonaer Tageblatt entwickelt. Ein Beispiel freien hansischen Unternehmergeistes.

Die Zähmung der Wildnis ergab die beiden Wunder Hamburgs: die *Alsterbecken* und den *Hafen.* Man zog einen Staudamm durch die Alstersümpfe, gewann dadurch tidenfreies Gelände, Antrieb für eine Wassermühle und notgedrungen einen Stausee. Später wurde er durch Brücke und Festungswall in Außen- und Binnenalster geteilt, und auch das Idyll der Kleinen Alster wurde aus anfangs nur taktischen Erwägungen geschaffen. Ihre Ufer sind meisterlich mit Treppen und Arkaden gefaßt. Heute sind die prächtigen drei Wasserflächen »gräßlich« im Wege. Zudem bedeuten sie als verlorener Baugrund einen unerhörten Luxus, genau wie die vielen Parks. Aber wer möchte solcherlei missen? Wie sich seine Notabeln die Brillanten für die Gattin leisten und eine Loge in der Staatsoper, so leistet sich Hamburg inmitten der Stadt das repräsentative und romantische Freiluft-Wassermuseum. Das sich übrigens noch weit in Kanälen, Badegelegenheiten, Buchten, Weihern und Verträumtheiten hinzieht.

Das andere Wunder ist der Hafen. Seine Urzelle entwickelte sich in einem der feuchten Gräben, mit denen die Alster der Elbe zusickerte. Später entstanden hier die Fleete mit den daran gereihten schmalen Speichern. Gerade waren die adeligen Unruhestifter und Störenfriede gen Nahost gezogen, den Türken das Heilige Land wieder abzujagen. Die Kaufleute zu Lübeck nutzten die Ruhepause, bauten ihren Ostseehandel aus und gedachten, ihn über die Nordsee auszuweiten. Darum beauftragten sie einen Unternehmer – Wirad aus Boizenburg –, an einer bislang kaum beachteten Wasserader einen Hafen nebst Siedlung anzulegen, nämlich dort, wo sich die Alster zur Elbe hinunterschlängelt. Diese erste Hamburger Hafenanlage hat sich aufbewahrt in dem heutigen noch immer in S-Form verlaufenden Nikolaifleet. Es ist wie ein S geformt, als entspräche es symbolisch der damals stabilen, schon von Karl dem Großen eingeführten Schillingwährung.

JUNGFERNSTIEG · Wo das Flüßchen Alster schon vor 600 Jahren durch einen Damm zu einem See gestaut wurde, verläuft heute der Jungfernstieg, der für Hamburg dasselbe wie für Berlin der Kurfürstendamm bedeutet: Schaufenster einer Weltstadt und Promenadenstraße der Einheimischen und Gäste.

RAFFINERIE IN HARBURG · Die beiden Städte Harburg und Wilhelmsburg schlossen sich 1927 zu einer Gemeinde auf dem Südufer der Elbe zusammen und wurden zehn Jahre später von Hamburg eingemeindet. Inzwischen wurde dieser Stadtteil zu einer der größten Industriezusammenballungen der Hansestadt. Seine vielen Raffinerien verliehen ihm den Titel einer Ölstadt des Kontinents.

Aus diesem bescheidenen Beginn wuchs in unaufhaltsamer Stetigkeit und immer mehr sich in den Elbstrom und seine Inseln vorschiebend das Phänomen Hamburger Hafen. Es hat alle Katastrophen und Krisen überdauert. Es ist heute kraftvoll wie je: über 200 ständige Liniendienste nach über 1000 Hafenplätzen rund um die Erde, 20 000 Schiffe mit den Flaggen von 50 Nationen jährlich. Die Länge der genutzten Uferstrecken: über 250 km. Dazu Schiffsliegeplätze an Pfahlbündeln: über 80 km. Im Hafen Beschäftigte: über 40 000.

Einen guten Überblick über das weitverzweigte und durchdacht zusammenhängende Wunderwerk dieser zum Strom hin überall offenen Hafenbecken, über Tentakeln, Wasserschlünde, Molen, Rampen, Kaischuppen, Werften, Docks, Höfte, Landungs-Schwimmstege, Industriegelände, Bahngeleise und den unermüdlichen Seeschiffsbetrieb, das Gewimmel von Kleinzeug der Fähren, Schlepper, Greifer, Sauger, Kipper, der Flußkähne, Ewer, Barkassen, Kohlenschuten, Bumboote (schwimmende Kramläden) und Ausflugsdampfer verschafft sich der Fremde von dem Hochhaus der Bavaria-Brauerei.

Gleichmütig duldet die Landschaft, was ihre unbetonten Linien brüsk überprangt, Werfthellinge, Schlote und Öltanks. Gibt es größere Gegensätze als das stadtnah gelegene, liebreizende, grüne, verwunschene Lotsendorf Oevelgönne und die Crack-Gerüste der Erdöl-Raffinerien gegenüber auf der Süd, die nachts wie ein kleines Manhattan leuchten? Um beides webt die diesige Luft den einenden Schleier. Sie läßt die flachen Heidehügel drüben wie Grate ragen; sie zaubert Gebirge aus dem aufstaffelnden Seegewölk, darunter Segel und Kanus und Frachter winzig in die Ferne schwinden. Sie mischt Motor-, Schwell- und Möwenstimmen. Sie dehnt den Horizont über West meeresweit, obwohl die See noch über hundert Kilometer entfernt liegt. Und die Sonnenuntergänge über der Strombreite scheinen gewoben aus Tropenglut und Polarfeuerwerk.

Robustes Streben zur ruhigen Mitte

Wie die Lüfte die Augenweide, so einen, steigern und beschwichtigen die Einflüsse aus Klima, Lage und Überlieferung hier das Vielerlei des menschlichen Zustroms: Niedersachsen, Wikinger, Franken, Dänen, Friesen, Slawen, Holsteiner, Hannoveraner, Mecklenburger, holländische Deichbauern, Baumeister, Schiffszimmerer, Glocken- und Gelbgießer, Brabanter Tuchbereiter, portugiesische Juden, flämische Protestanten, englische Kaufherren,

französische Emigranten, sächsische Zuckersieder, schlesische Weber und Glasbläser, italienische Gipser und Ballonmacher und Flüchtlinge aus Mittel- und Ostdeutschland. Das alles vermochte und vermag sich hier bald einzufügen und in steter Blutauffrischung zu verschmelzen.
Das ergibt keinen einheitlichen Typ. Aber das Großgewachsene und Blauäugige überwiegen. Man lebt auf der »Drehscheibe der Schiffe«. Man wird geformt, wenn auch nicht genormt. Der Senat dieser Stadt tagt wie unter einem »Windauge«. Er duldet im Rathaus tatsächlich nur den Himmel über sich. Das Glasdach über dem Gehege ist deswegen, weil die Akten und Häupter empfindlicher gegen Niederschläge geworden sind als damals, wo an dieser Stelle die Eichen der uralten Thingstätte ragten. Windaugen nennt man die Zentren der Zyklone, in denen rings umwettert ziemliche Windstille und klare Sicht herrschen. Das erklärt hier manche Vorgänge. Man darf zu Hamburg im Persönlichen wie Allgemeinen eine Art »Tanzrad-Befinden« voraussetzen. Es äußert sich allerdings weniger in Jahrmarktslust als in Weltmarktsverbissenheit. Das ergibt das robuste Streben zur ruhigen Mitte, das Klammern an das Erreichte, das lange Überlegen bei jedem Fortschritt und dann die oft jähe Lösung mit halbwegs geschlossenen Lidern.
Die Freie und Hansestadt hat als Wappen eine zugesperrte turmdräuende Burgpforte. Das christliche Kreuz darüber und die beiden Sterne haben lange gebraucht, den Schein der Toleranz in die Mauern zu lenken. Erst 1814 wurde Nichtlutheranern das Bürgerrecht gewährt, erst seit 1864 gibt es eine allgemeine Gewerbefreiheit. Das angelehnte kleine Altona war darin weit voraus, wenn auch nur im Drange des Wettbewerbes. Es hatte auch lange vorher einen Freihafen. Aber es war keine Stadtrepublik, kein so unheimlich geballter Egoismus wie Hamburg und geriet darum eines Tages unbarmherzig in dessen Sog. So erging es auch dem hannöverschen Brückenkopf des Elbübergangs, Harburg. Dafür mußte das Amt Ritzebüttel mit Cuxhaven, Neuwerk und Scharhörn die rotweiße »Hummer-Mayonnaise-Flagge« einziehen. Das Reich übernahm den Schutz der Elbmündung. Noch ragt auf Neuwerk der trutzige Wachtfried, den Hamburg 1309 errichtet hatte. Er ist wohl der älteste aller im Gebrauch stehenden Leuchttürme.

FISCHMARKT · Wer den Altonaer Fischmarkt nicht gesehen hat, ist an einem typischen Stück Hamburg vorbeigegangen. Hier kaufen nicht nur die Hausfrauen Fische, Gemüse und verschiedene Kleinigkeiten, sondern hier verspeisen auch übriggebliebene Bummler von St. Pauli einen Rollmops in früher Morgenstunde.

Hummel – Hummel!

Die ständig angespannte Aufmerksamkeit für die Schwankungen des Weltverkehrs und Marktes paart sich schlecht mit äußerlicher Liebenswürdigkeit. Man muß auf dem »Kiewiew« sein, auf stetem Ausguck, den Vorteil wägend, auf Rückschläge gefaßt, aber unabdingbar bewußt seines nüchtern freien Entschlusses. Das strahlt in Hamburg noch aus der Haltung jeden Kellners und des letzten Hafenarbeiters. Daraus auch erklärt sich der merkwürdige Erkennungsruf der Hamburger auswärts: *Hummel–Hummel!*
Hummer nannte der Volksmund früher die amtlichen rotröckigen Büttel, die Vagabundenkneifer und Tugendwächter. Hummers-Hummers! schrien die Gassenbuben, wenn einer jener unbeliebten Freiheitsbeschneider um die Ecke bog, und entwetzten. Da das »r« der norddeutschen Zunge wenig liegt, wandelte es sich in den nächstbesten Konsonanten. Aus Hummer wurde Hummel. Nun gab es damals, als Hamburg noch nicht seine vorbildliche Wasserversorgung hatte, einen Wasserträger, der als uneheliches Kind eines Dienstmädchens von Jugend auf verschüchtert war. Das reizte die Straßenflegel, ihn mit dem Gebrüll: Hummel-Hummel! zu erschrecken, also mit der nahenden Obrigkeit. Doch unser armer Wasserschlepper forcht sich nicht. Seine Antwort war wie im Bayerischen saftig, wenn auch auf das Wesentliche geballt, alle Bedrohung mit schlichter Hinterwärtigkeit verachtend. Kaum die zippeste Hamburgerin wird sich im Ausland scheuen, durch den »unanßständigen« Ausdruck ihre Herkunft zu bezeugen, zumal eben nur Hamburger die Vokabel »Mors« verstehen. So ist noch heute die hamburgische Feldlosung, wo immer sie erschallt, bewußt oder unbewußt eine Bekundung des Freiheitswillens. Jedem Fremden verständlicher und wahrhaft hansisch aber ist der Leitspruch, den Albert Ballin der Vaterstadt hinterließ: »Mein Feld ist die Welt«. Und auch der Ausspruch eines der Bürgermeister hat immer noch Berechtigung: »Europa denkt in Staaten, Deutschland in Provinzen, Hamburg in Kontinenten.«

Brahms ward hier geboren

Ein Besucher meinte, alles Kulturelle zu Hamburg sähe ein »bissel angestrengt, ja, angesträngt« aus. Aber auf einem so klimatischen Teufelsrad geht es vielleicht nicht lockerer. Es ist ja trotzdem alles da, was ziervoll und nötig ist an Instituten, Akademien, Hochschulen, Schulen, Kammern, Kliniken, Labors, Stiftungen, Museen, Anstalten, Sportplätzen, Anlagen, Archiven, Büchereien, Galerien, Theatern, Konzerten, Opern, Kabaretts, Festivitäten, Empfängen und »Klimbim«.

Johannes Brahms
* 7. 5. 1833, † 3. 4. 1897
Komponist

Andreas Schlüter
* um 1660, † 1714
Baumeister

Heinrich Rudolf Hertz
* 22. 2. 1857, † 1. 1. 1894
Physiker

Albert Ballin
* 15. 8. 1857, † 9. 11. 1918
Generaldirektor d. HAPAG

Versäumnisse gibt es in aller Welt. Hier hätte man den Vater Bach statt des Sohnes haben können. Und hätte man das Geld, das heute als Lessing-Preis ausgegeben wird, rechtzeitig zugeteilt, der Dichter des »Nathan« hätte Hamburg nicht enttäuscht zu verlassen brauchen. Nun blickt er sinnend vom Gänsemarkt auf die Stätte seiner dramaturgischen Hoffnungen, die hier so bald in die weniger hohen Ansprüche einer »Komm-und-küß-mich!«-Gasse zerrannen. Und wie war es mit Brahms?

Brahms ward hier geboren
und ging uns verloren
und starb in Wien,
aber dennoch sind wir mächtig stolz auf ihn.

Johannes Brahms (1833 bis 1897), Schüler des Altonaers Eduard Marxsen, fühlte sich der romantischen Musik Schumanns verbunden. Also ging er mit 29 Jahren nach Wien. Die Oper lag ihm nicht. Dafür pflegte er alle Gattungen der Vokal- und Instrumentalmusik. Und schuf den »kammermusikalischen Stil«.

Indessen, der Magdeburger Komponist Telemann wurde hier, amtlich hochangesehen, sehr alt. Und Reeder Laeisz stiftete eine Musikhalle im Rokokostil, nachdem seine unvergleichlichen P-Liner-Windjammer hinreichend die Meere gepflügt. Und die Straßenmusikanten waren zu Hamburg stets eine Freude. In der Bildenden Kunst ertrug man den gar nicht bequemen Forderer und Erzieher Alfred Lichtwark. Und man erwirbt hier seitdem manche Bilder und Plastiken, die man keineswegs leiden mag. Und bemerkenswert ist die Kunsthalle mit Meister Bertram, Meister Franke, Runge, C. D. Friedrich, mit Manet, Renoir, Liebermann, etwas Menzel, Nolde, Barlach und dem Triptychon Kokoschkas. Dazwischen geistert ein Nachhall von Ratsherrn Brockes bieder-genialem »Irdischen Vergnügen in Gott«. Und des Courtsekretärs Hagedorn Alsterhymne und des Hamburgers Gerstäkker spannenden Reise- und Abenteuerromanen und Gustav Falkes »Landen und Stranden«, Gorch Focks »Seefahrt ist not« und Adolph Wittmacks »Konsul Möllers Erben«. Liliencron und Dehmel haben hier gewohnt. Schulmann Otto Ernst schrieb die Komödie »Flachsmann als Erzieher«, Heinrich Wolgast »Vom Elend der Jugendliteratur« und Wilhelm Lamszus »Das Menschenschlachthaus«. Hans Henny Jahnn, Autor, Orgelbauer und Pferdezüchter, verfaßte hier seine Romane »Perrudja« und »Fluß ohne Ufer«, in denen er den biologischen Urgründen menschlicher Wirklichkeit nachging.

Albert Ballin (1857 bis 1918) hielt es dagegen mehr mit Zahlen der Wirtschaft. In der Agentur seines Vaters widmete er sich zunächst dem Auswanderungsgeschäft. Denn Hunderttausende lockten damals Gold und Dollars. Ballin blieb in Hamburg. Bald schaffte er es zum Generaldirektor der Hamburg-Amerika-Linie. Das Geschäft florierte, und seine Reederei wurde die größte der Welt.

Gibt es die unverwechselbare Hamburgerin? Kaum. Es sei denn, daß sie nicht auffällt, solange sie schweigt. In Zürich sieht man elegantere Damen als auf der berühmten Binnenalsterrampe, dem Jungfernstieg. Aber höchstens noch in Kapstadt ist es gang und gäbe, so tadellos angezogen zu sein wie um die Alster herum. Das schlicht Solide ist Trumpf und im Charakter das Resolute. Beides scheint das Altern hinauszuzögern.

Vom einigermaßen ruhigen Pol der Familie und des

STRASSE IN JORK · In nächster Umgebung der Hansestadt liegen zahlreiche fruchtbare Gebiete, die teilweise noch zum Stadtstaat gehören, wie die bekannten »Vierlande«, die aus vier Kirchspielen entstanden sind und heute wichtige Lieferer von Lebensmitteln darstellen. Jork, mit seinen schmucken Fachwerkhäusern, gehört zum niedersächsischen Teil des »Alten Landes«.

BLANKENESE · Auf einem steil abfallenden Geestrücken unterhalb Hamburgs erhebt sich das frühere Fischerdorf Blankenese. Inzwischen hat sich der Ort zum Wohnsitz begüterter Bürger der Stadt und zu einem beliebten Ausflugsziel entwickelt. Der Blick von einem der netten Lokale auf die Unterelbe oder nach Nordwesten, wo die großen Überseeschiffe vom Meer her einfahren, ist ein unvergeßliches Erlebnis für jeden Gast.

Berufes späht man doch immer in die Weltweite. Es gibt jedoch eine schöne Kristallisation all dessen, was die Hamburgerin an Poesie in sich hat: im Universitätsviertel nahe Dammtor den »Weltrosengarten« Alma de l'Aigles.

Steinbutt, Grog und Zibbelstippels

Auch in der Küche wird mehr die Qualität denn die Raffinesse geschätzt, die wohlerwogene Güte der Zutaten, nicht deren Fülle und Aufmachung. Man süßt gut, pfeffert mäßig und schont nicht Speck noch Butter.

Dem Binnenländer mundet die kräuterwürzige Aalsuppe auf Schinkenknochen mindestens »merkwürdig«. Backobst mit Grießklößen, warme Fruchtsuppen mit kaltem Reis oder umgekehrt, rote Grütze mit Milch, Kartoffelpfannkuchen mit Apfelmus, türkische Erbsen, große Bohnen, gelbe Wurzeln, Spargel mit Rauchfleisch und Rührei, Knackwurst mit Matjeshering und Zibbelstippels (Zwiebeltunke), Vierländer Mastgans oder Stubenküken mit Rotkohl und Himbeergelee, Beefsteak mit Salzkartoffeln und Kronsbeeren (selbst eingemacht) und als Nachtisch Schokoladenpudding mit Vanillesoße, das alles schmeckt dem Hamburger Gaumen.

Daß man mit den Edelgaben der See besonders gut Bescheid weiß, mit Helgoländer Hummer und Angelschellfisch, mit Austern, Kaviar, Krabben, Steinbutt, Elbscholle und Kabeljau, ist klar. Getrunken wird zu den Mahlzeiten wohl nur, wenn Gäste dabei sind oder im Restaurant. Man bevorzugt roten Bordeaux, Rotspon. Er muß möglichst einmal im Segelschiff um die Welt geschaukelt sein. Zu deutschen Weinen nimmt man Zuflucht erst, wenn der Wirt bei der »Bunten Kuh«, dem Flaggschiff der Vitalierüberwindung, die Naturreinheit beschworen hat.

Am meisten versteht man vom Rum, behauptet mancher. Er wird gern aus Flensburg bezogen. Weil man ihn dort purer schmuggeln kann, sagen böse Zungen. Das Hamburger gechlorte Leitungswasser ist einem zünftigen Grog nicht restlos zuträglich. Aber nach dem sechsten Glas bemäkelt das nur noch ein ausgesalzener Zwölfjacken-Kapitän mit: »So'n Schiet suupt wi nich!« und trinkt ihn doch.

»Missingsch« und »Unfeines«

Das kauend breite Hamburger Platt verdorrt unaufhaltsam, obwohl zwei Bühnen sich ihm widmen. Es gilt heute als »unfein«. Viele sprechen lieber ein Hochdeutsch, das dem Fremden auffällt und »Missingsch« genannt wird. Es hat Wasserkantenfärbung, doch ohne die eigenartige Harmonie der Ursprache, darin unschwierig alles ausdrückbar ist, was das scheue Herz, die verkappte Weichheit, die karge Gunst und den deftigen, dampfigen Humor hier betrifft, sei es für den Gebrauch am Kai, an Bord oder an der Wiege.

Sam, sam Suse,
wo wahnt Peter Kruse?
In de Papagoyenstraat,
wo all de lüttjen Kinners op Tüffeln gaht.

Und im Lied des »Smutjes«, des Schiffskochs:

Back ick Klüten, secht he,
as bekannt, secht he,
spei ich ers, secht he,
inne Hand, secht he,
dreih se dunn, secht he,
zerkelrund, secht he,
de smeckt prächtig, secht he,
sünd gesund.

Oder aus einem Matrosenshanty:

Watt wullt du na See,
min Söhn, holl di rut!
Doa fuult di de Teen,
doa blött di de Snut,
doa grifft dat keen Goarn,
doa grifft dat keen Brut,
doa büst du verloarn
inne deep solten See.

Trotz dieser düsteren Mahnung, läßt sich kein Hamburger Junge davon abhalten, wenigstens im Traum zur See zu fahren.
Der Vater von Johannes Brahms sprach nur Plattdeutsch. Sein klassischer Ausspruch: »'n rein' Ton opn Kunterbaß is 'n puern Tofall«, trifft auch auf den ungeheuren Brummkreisel Hamburg zu. Die Sprechweise ist allen Nordseeküsten verwandt. Man murmelt oder man ist überdeutlich, als sei es je nach Wind, der die Tatze überall dazwischen hat. Das in jedes echte Hamburger Gespräch hineinflakkernde »nicht?«, fragend hochsingend »nöch?«, scheint aus dem mißtrauisch abwägenden Umgang mit Lieferanten, Kunden, Übersee, Schiffahrt und Schicksal entstanden. Auf gleichem Sektor sind die Vokabeln »gediegen« und »gelungen« samt den Mundwinkeln eine Etage tiefer als anderswo gerückt und bedeuten nur noch »merkwürdig« und »komisch«; aber beides hat hier den Beigeschmack von »unglaublich«. Für höchstes Lob beschränkt man sich auf »gar nicht schlecht« oder »ganz oantlich!« Der Augenaufschlag »hömmlisch!« steht mehr dem weiblichen Urteil zur Verfügung, hält sich aber durchaus, wie alles Hamburgische seit je, in Erdnähe. Ganz in Erdnähe auch sind die vielen Geschichten von »Klein-Erna«. Doch ist darin der Typ der im Grunde schüchternen »lüttjen Hamborger Deern« aus der Sicht hochdeutsch gebildeter Witzbolde mehr eine ins Unbedarfte auf »Missingsch« verlagerte Berliner Range – und darum nicht echt.

Seeräuber Störtebecker spukt noch

Karl der Große gelangte erst nach jahrzehntelangen Blutbädern über die Elbe, und nur mit Hilfe der Wenden eroberte er die alte niedersächsische Fluchtburg auf dem Geestklumpen. Ein innerst Ununterwerfbares, Eigenbrötlerisches blieb. Vergebens suchte der Pikarde Ansgar hier das Christentum weithin zu entfalten. Im Hemd floh er vor den brandschatzenden Normannen elbüber in die Heide. Sein großer Nachfolger Adalbert übte Einfluß bis nach Schweden, Finnland, Island, Grönland und bis an die, vom Wiking Leif Anno 1000 gefundene nordamerikanische Küste. Die Hammaburg zu einem Rom des Nordens zu machen, mißglückte aber. Es mutet fast lästerlich an, daß »Dom« zu Hamburg nicht mehr ist als ein turbulenter Kirmesrummel im Advent auf dem Heiligengeistfeld, einem vormaligen Spitalsacker und späterer Exerzierweide. Erzbischof »St. Anschar« lebt immerhin fort in einer evangelischen Kapelle, einem Beerdigungsverein und auf dem Geländer der Trostbrücke. Ihm gegenüber figuriert ein weltlicher Zwingherr und Förderer der Stadt, Graf Adolf von Schaumburg. Im allgemeinen verblaßt hier das Andenken an redliche Verteidiger und Mehrer in abseitigen Büsten oder billiger in Straßen- und Schiffstaufen. Sehr gegenwärtig indes spukt der Likedeeler Störtebecker in jedem Knaben. Er war sicher ein früher Demokrat, zumindest ein freiheitlicher Außenseiter. Und schadete er dem Handel und wurde gerichtet, »alße Seerover recht is«, so erschallt dennoch nach anderthalb Jahrtausend als beliebtestes Tafellied einer hiesigen Akademischen Gesellschaft ein wilder Piratensong. Das mag aus ähnlicher Stellung des Geistigen zum kaltrechnenden Kaufmannstum sich erklären.
Freie und Hansestadt Hamburg! Mit Athen, Rom, Venedig und Rotterdam der älteste Stadtstaat. Aus den Fehden, Bedrohungen und Zugriffen zahlreicher Bedrücker balancierte es sich zu verhältnismäßiger Unabhängigkeit empor. Seine Kriegsdenkmäler künden nichts von Glorie. Sie sind Mahn- und Opfermale. Der einzige deutsche Träger des Friedens-Nobelpreises, der gemarterte Verächter aller Militanz, Carl von Ossietzky, wurde in Hamburg geboren. Beamte der Stadt, die sich auswärtige Orden oder Adelsprädikate verleihen lassen, müssen den Dienst quittieren. Das gleichmäßig Demokratische ist hier Ehrensache genug. So wie der Hafen allen Hamburgern gemeinsam gehört, ist selbst der Regierende Bürgermeister nur ein Glied des Gemeinwesens »inter pares«. Den ersten »Freibrief« erwarb man von Kaiser Rotbart, als er Zuschüsse für einen Kreuzzug brauchte. Mit Recht feiert diesen Maitag alljährlich der Überseeklub, obschon es damals noch kein Übersee gab. Das letzte Siegel der Selbständigkeit entrang man erst 1768 dem

ST. PAULI · Das Vergnügungsviertel mit der Reeperbahn und der Großen Freiheit ist in ganz Europa zu einem Begriff geworden, ja, die Lieder, die hier zuerst gesungen wurden und dann überall von Mund zu Mund gingen, haben Hamburg mehr populär gemacht als seine Bedeutung als größte deutsche Hafenstadt.

KRAMERAMTSWOHNUNGEN · In Hamburg sind alte Häuser selten geworden. Die Wohnungen der weiland Krämerwitwen bei der Michaeliskirche sind ein Rest der Vergangenheit. Zahlreiche solcher malerischen Winkel in niederdeutschem Fachwerk und Backstein sind den Bomben des zweiten Weltkrieges erlegen, darunter auch Brahms' Geburtshaus. Neue notwendige Verkehrsstraßen werden damit weiter aufräumen.

ärgsten Bedränger, Dänemark, indem man dessen vier Millionen Schulden strich und die Elbinseln einheimste. Damit war auch die Zukunft des Hafens für alle Erweiterungen gesichert.

Zwischen Reeperbahn und Arpad Snitger

Weithin volkstümlich aber wurde Hamburg durch eine Reihe von Liedern, die sich keineswegs mit dem Großkaufmann, sondern mit dem Seefahrer und dessen Meeres- und Liebesabenteuern beschäftigen. Die »Amüsier-Avenue« oder »Reede des Klamauks«, die weltberühmte Reeperbahn, lockt den Seemann wie den Fremden mit heftigen Leuchtreklamen und Verheißungen. Der Schauspieler Roberts hat diesen zweifelhaften »Ankerplatz der Freude« wirksam besungen: »Auf der Reeperbahn nachts um halb eins ...« Von hier aus ging der Sohn des sächsischen Humoristen Leutnant von Versewitz, Hans Bötticher, zur See und wurde Joachim Ringelnatz.

Der Hafen, das ist es. Gewiß ist auch Hagenbecks Tierpark hervorragend oder das Chilehaus oder der Ausstellungspark »Planten un Blomen« und die zwanzig Kilometer Grüngürtel der Parks und Uferwege vom Ohlsdorfer Park der Toten und vom Alstertal bis zum hohen Elbufer bei Wittenbergen. Und die beiden Lombardsbrücken und der Elbtunnel. Und das einzige Panoptikum Deutschlands. Und die Jugendherberge auf dem Stintfang-Bollwerk. Das alles ist so wichtig wie die neue Elbstaustufe bei Geesthacht für die Stromversorgung Hamburgs.

Noch immer ist das Hügelvillendorf Blankenese schön und von dort eine Fahrt über den Strom gen Neuenfelde zu Orgelbauer Arpad Snitgers rührender Barockkirche. Oder nach Bergedorf, wo »Reinecke Voß« in der Urfassung entstand. Oder zu der Treibhauskultur, Bauernkunst und letzten Volkstracht der Vierlande. Oder zu den Baum- und Rosenschulen bei Elmshorn. Mancher wird zu Klopstocks Grab pilgern, andere zum Massengrab der Bomben- oder KZ-Opfer. Oder man fährt in den noch nicht gänzlich von britischen Tankraupen zerwühlten Naturschutzpark der Heide am Wilseder Berg. Oder zum Nordseebad Duhnen und mit Pferd und Wagen übers Watt nach Neuwerk und zur Vogelinsel Scharhörn. Oder in See nach Helgoland. Oder zu den nordfriesischen Halligen.

Man könnte hunderterlei mehr aufzählen an Einrichtungen, Veranstaltungen, internationalen Fachmessen, Anziehungspunkten, an Hotels, Gaststätten, Verwaltung, Betrieb, Talent, Bildung, Vergnügung. Und natürlich auch an Sorgen, Bedenklichkeiten und Problemen auf dieser elbischen Wirbelscheibe.

Aber das Wichtigste, ja, und das Grandioseste hier ist und bleibt der Hafen, der aus schaurigster, lächerlichster Zerstörung aufs modernste wiedererstandene, schnelle, tausendvielseitige, »rund um die Uhr« arbeitende, unermüdliche Welthafen Hamburg.

Humor in Hamburg

Schlechtes Geschäft

Ein frostiger Wintertag. Scharfer Nordwind weht über die Alster. Ein in Schwarz gekleideter Mann, Vertreter vom Beerdigungsinstitut »Ruhe sanft«, trifft auf dem Jungfernstieg einen alten Bekannten. – »Tach, Heini, na, läuft das Geschäft?« fragt er wohlmeinend. – »Nee, Fidjen, is man nix mit los, ham wir uns scha besser gedacht bei die Eiseskälte und den zugigen Wind.«

Nur auf die Hälfte gefaßt

Frau Puhvogel trifft Frau Piepgras. Nach der Begrüßung fragt Frau Piepgras: »Na, wie geht das denn so, Frau Puhvogel?«
»Och, scheunen Dank, geht ganz gut, bloß — unsern Onkel Heini is krank.«
»Jo, da hab ich schon von gehört. Dascha traurig. Da müssen Sie sich wohl auf all'ns gefaßt machen, was?«
»Nee, nee, Frau Piepgras, das nicht. Wir erben man bloß die Hälfte.«

Gerechtigkeitssinn

Zwei Hamburger Frauen begegnen sich auf einer Kaffeegesellschaft. »Na, Frau Pipenbrink, Sie sehn scha so sorgenvoll aus, ham Sie Kalamitäten?« – »Scha, kann man woll sagen, bin ich doch eben nacher Sstadtverwaltung hingewesen; sind doch Unmenschen, sind das! Hab' ich um gebeten, mich und meine drei kleinen Kinners von sechs und vier und zwei Jahren zu unterstützen. – Sacht der zusständige Beamte, sacht der, daß ich doch schon seit neun Jahre Witwe sei. – ›Scha‹, hab' ich ihm geantwortet, ›was mein Mann is, der is all längst tot, aber was ich bin – ich leb' scha noch!‹«

Unverwüstlich

Ein mittelmäßig begabter, aber sehr von seiner Kunst überzeugter Komponist hatte Schillers »Glocke« vertont und bat Johannes Brahms, der dem Vortrag wohlwollend zugehört hatte, erwartungsvoll um sein Urteil. – »Ist doch ein unverwüstliches Gedicht, diese ›Glocke‹«, ließ sich der Meister vernehmen.

Tränen über Altona

Der Hamburger versteht nicht rasch, wie man woanders so gern leben wollen kann wie in Hamburg. Das an Reizen so viel karger ausgestattete, ehemals preußische Altona ist die Zielscheibe vieler hamburgischer Witze.
Der liebe Gott kam einmal zur Erde, um nach dem Rechten zu sehen. Er traf einen alten Mann bitterlich weinend am Wegrand. »Warum weinst du so?« — »Kann ich dir nicht sagen!« — »Sag's nur, ich bin der liebe Gott, ich kann es sicherlich abstellen.« — »Da kann ich dir's ja sagen: Ich bin aus Altona.« Da setzte sich der liebe Gott neben den alten Mann und weinte mit.

An Hand

Klein-Erna hat beim Baden am Sstrand sstrenge Anweisung von Mutting, Klein-Heini sstets an Hand zu halten. Nach einer Sstunde sieht Mutting einmal nach den Kindern, sie sieht Klein-Erna weit draußen, bis zum Hals im Wasser. »Und wo hast du Klein-Heini?« — »An Hand!«

Zeiten ändern sich

Ein Hamburger Handelsherr, steif mit Stockschirm, besteigt die Straßenbahn (die Linie 19 natürlich, einstmals die »geborene Amsinck« nach einer alt-hamburgischen Kaufmannsfamilie benannt, weil sie via Mittelweg den Villenstadtteil Harvestehude kreuzte), ein Handelsherr also besteigt die Straßenbahn und trifft im Wagen auf seinen Lehrjungen.
»Mein Sohn«, äußert er gestrenge, »ich habe die Grundlage meines Vermögens gelegt, indem ich als Knabe das Straßenbahnfahrgeld s-parte!«
»Na ja«, begütigte der Junge, »damals war man auch die Kontrolle noch nich so s-treng!«

Praktisches Denken

Klein-Erna ist gestorben – es ist eine Kinderepidemie im Lande. Wird schön in Sarg gelegt, alles schön. Noch ehe Klein-Erna beigesetzt ist, stirbt Klein-Heini auch. Nun alles noch einmal? Noch ein Sarg? Und was soll das alles kosten? – »Och, tun wir in Tüte und packen obenauf.«

Lieber Mozart!

Johannes Brahms wurde bei einem Besuch in Hamburg – er war schon berühmt – von einem bedeutenden Kaufherrn eingeladen. Dieser schenkte ihm schmunzelnd ein und sagte: »Ein guter Tropfen, Meister, der Brahms meines Weinkellers.« – Brahms entgegnete lächelnd: »Dann geben Sie mir doch bitte Ihren Mozart.«

Arme Schwäne

Auf der Außenalster segeln in aller Ruhe drei Schwäne dahin. »Dascha 'n scheunes Leben«, sagt ein vorübergehender Hafenarbeiter zu seinem Kumpanen, »keen Slag to don!« – »Joo«, brummt der andere, »un nur Water suupen!«

Nervenprobe

Durch glühende Schilderungen einer Bekannten veranlaßt, hat sich Frau Heitmann breitschlagen lassen, mit ihr in »Lohengrin« zu gehen. Das Vorspiel beginnt, alle Welt lauscht entzückt und entrückt den Sphärenklängen der geteilten Geigen, da kriegt Frau Heitmann in aller Seelenruhe ihr Strickzeug heraus und fängt an zu stricken, immer ein' kraus, ein' schlicht. – »Um Gottes willen, Frau Heitmann«, flüstert die Nachbarin ihr zu, »dabei können Sie doch nicht stricken!?« – »Och«, sagt die, »das büschen Musik da vorne – das stört mich gar nich!«

... kämpften Götter selbst vergebens

Physikus Doktor Schleidens ärztliche Kunst dürfte nicht in sonderlichem Rufe gestanden haben. – Eines Tages meldet sich Alhasverus an der Himmelstür und verlangt mit der Erklärung, des Fluches ledig nun unwiderruflich verstorben zu sein, Einlaß in den Himmel. Petrus ist begreiflicherweise über sein Erscheinen sehr entsetzt, dieweil Alhasverus doch verdammt sei, in alle Ewigkeit ruhelos auf Erden zu wandeln. Aber Alhasverus entschuldigt sich, er sei auf seiner Wanderung nach Hamburg gekommen, hier krank geworden, und als er dann Doktor Schleidens Rat in Anspruch genommen habe, sei das Unerwartete passiert. – Aufgeregt meldet Petrus den unerhörten Vorfall seinem Chef, der ihn begütigend auf die Schulter klopft: »Mien leve Petrus, dat laat man goot sien: gegen Schleiden köönt wi doch nich an!«

BREMEN
und
Bremerhaven
UTBREMEN
Wildgehege
Bürger-Park
Holler-See
Holler Allee
Park-Bhf.
Hemmstraße
Städt. Schlachthof
Nordd. Lloyd
Gepäckabfertigung
Hauptbahnhof
Haupt-Güterbahnhof
Überseemuseum
Staatsbibliothek
Breitenweg
An der Weide
Herdentor-Mühle
Die Bremer
Stadtmusikanten
Doventor-Steinweg
Contrescarpe
Dom
Stadt-Graben
Kohlhöker Straße
Rathaus
Nordstraße
Anlagen
Wall-
Ratsstuben
Deutsches Haus
Contrescarpe
Roland
Schütting
Kirche
Unser-Lieben-Frauen
Spitzen Gebel
Roseliushaus
Kirche
St. Martini
ALTSTADT
Osterdeich
WESER
Kleine
Weser
Europahafen
Badeanstalt
NEUSTADT
N
O
W
S
Hohentorshafen
Bhf.
Bremen-
Neustadt
KAFFEE
Kasernen
Neustadt Contrescarpe
BREMERHAVEN
NORDENHAM
Weser
BRAKE
Teufelsmoor
ELSFLETH
OSTERHOLZ-
SCHARMBECK
BERNE
WORPSWEDE
N
ALTENESCH
BREMEN
DELMENHORST
TABAK
W. PROBST

WALDEMAR AUGUSTINY

Schleswig-Holstein

Wenn man in Emden schon die Nähe Hollands spürt, wenn man in Passau die Atmosphäre von Salzburg und Mailand fühlt, in Dresden das goldene Prag ahnt, so empfindet man im nördlichen Grenzland bereits den Hauch Skandinaviens. Die Stadt Schleswig liegt ja auf demselben Breitengrad wie die Südspitze von Falster, und von der Flensburger Förde aus sieht man die dänischen Inseln Alsen, Arrö und Langeland.

Die Nebel, die von der See heraufwölken und dem Tag schnell seine Helligkeit nehmen, die langen Dämmerungen im Winter, das weiße Licht der Mittsommernächte, Möwengeschrei zu jeder Jahreszeit und im Herbst und Frühling die klagenden Rufe der Wandergänse und wilden Schwäne – dies und anderes geben dem Land nordisches Gepräge.

Auf einem Riff, das zur Ostsee abfällt, lebt und werkt ein Fischerdorf: Dächer, dicht gedrängt um den Kirchturm, am Wasser die Bootswerft und der Schuppen des Rettungsbootes, auf der Reede, leise auf und nieder dümpelnd, die Fischerboote . . . Oder eine kleine Stadt, einst ein lebhafter Handelsplatz, seit aber die Schiffahrt andere Wege nimmt, vom Leben beiseite gedrängt, von einer ungeheuren Stille umschlossen . . . Solche Bilder wecken Erinnerungen an Jens Peter Jakobsen und Gabriel Scott.

Schleswig-Holstein ist ein Teil der jütischen Halbinsel, jener schmalen Landbrücke, die südliches und nördliches Europa miteinander verbindet. Die langen Küsten waren in alter Zeit offen für Dänen, Wikinger und Normannen, die überall Spuren hinterlassen haben. Heute gehen mehrmals täglich Fährschiffe von Grossenbrode nach Gedser und nehmen Eisenbahnzüge und Autos über. Liniendampfer verkehren von Lübeck, Travemünde und Kiel nach Dänemark, Schweden und Finnland. Uralte Handelswege liefen einst von Süden nach Norden durch die Halbinsel, heute noch erkennbar und im Volksmund Ochsenwege genannt. Auf diesen Straßen sind Werkzeuge, Kunstgegenstände und Münzen hin und her getauscht und sind die Formgedanken europäischer Kunst von Süden nach Norden gewandert. Heute laufen zwei europäische Fernstraßen über die Halbinsel von Lübeck und Hamburg bis hinauf nach Skagen. Es gab schon früh einen lebhaften West-Osthandel, quer über das Land; er benutzte die Wasserstraße der Eider, überwand eine kleine Landstrecke und fand in der alten Wikingerstadt Haithabu wieder Kais und Schiffe. Heute quert der Nord-Ostsee-Kanal das Land. Er ist so verkehrsreich wie der Panamakanal.

Schleswig-Holstein ist ein offenes Land. Wer bei Flensburg-Kupfermühle die Grenze überschreitet, wird von Zollbeamten, die hier graugrüne, drüben vergißmeinnichtblaue Uniformen tragen, höflich durchgeschleust und sieht hinter dem Schlagbaum die gleiche sanft gewellte buchtenreiche Landschaft, erkennt an den Bauernhäusern ebensowenig auffällige Unterschiede wie an Gestalt und Gehabe der Menschen. Selbst die Sprache scheint sich nicht recht an die Grenzen halten zu wollen: man hört in Flensburg neben Platt- und Hochdeutsch auch Dänisch, und umgekehrt sprechen die Leute in Sonderburg neben dem Kopenhagener und jütländischen Dänisch auch Deutsch. Erst wenn man von Kiel oder Schleswig unmittelbar nach Fredericia oder Aarhus kommt, bemerkt man tiefere nationale Unterschiede.

Als ein nordisches Land erscheint Schleswig-Holstein dem Besucher, der aus Hessen oder Bayern kommt, als ein sehr deutsches Land wirkt es vermutlich auf Skandinavier. Brücke der Völker nennen die Schleswig-Holsteiner selber ihre Heimat.

Der schmale Landrücken zwischen den Meeren bietet an der Nordsee ein völlig anderes Bild als an der Ostsee.

Im Westen dehnt sich tellerflach die grüne Marsch. Äcker gibt es selten, Wald gar nicht, dagegen endlos von Horizont zu Horizont sich erstreckend grüne Weiden mit schwarz gefleckten Rindern. Deiche schließen das tief gelegene Land von der See ab. An ihren Hängen tummeln sich Schafe, ganze Herden einer zähen Rasse, die es winters und sommers im Freien aushält. Die Bauernhöfe liegen jeder für sich unter windgebeugten Eichenkronen wie aufgeplusterte Glucken, und die Kirchtürme schicken stämmige oder nadelspitze Türme in den Himmel, der von unaussprechlicher Weite ist.

Dagegen besteht das Küstenland an der Ostsee aus flach sich ausschwingenden oder eigenwillig sich aufrichtenden Erdbuckeln, und zwischen diesen Hügeln blicken Hunderte von Seen wie aufgeschlagene Augen zum Himmel. Es gibt in reizvoller Abwechslung Wälder, Äcker und Weiden, und jedes Feld ist von einem Wall umgeben, der Haselsträucher, Schlehen, Buscheichen und vieles andere Gesträuch trägt; »Knicks« nennt man hierzulande diese Wälle. Die Bauernhöfe liegen näher beieinander und schließen sich zu freundlichen Dörfern zusammen, Schlösser und Herrenhäuser schimmern mit schlichter Vornehmheit aus alten, gepflegten Parks. Steigt man auf einen Hügel, so sieht man, wie die See

OSTSEEKÜSTE · Schleswig-Holstein ist das Land zwischen den Meeren. Seine Westküste benagt die stets unruhige Nordsee, im Osten umspielen die Wellen der stilleren Ostsee das Land. Dort ein flacher Strand, der in dauerndem Kampf gegen das Meer geschützt werden muß, hier eine Hügellandschaft, die oft in einer Steilküste gegen die Wogen abfällt und sich wie ein Wall gegen die Kräfte des Wassers selbst schützt. Die See hat zwischen Flensburg und Lübeck eine Reihe von Buchten gebildet, die zum Teil weit in das Land hineindringen und so die Voraussetzung für sichere Häfen gaben. Die Küstenstreifen, besonders von Lübeck bis Heiligenhafen, wurden vielfach zu gern besuchten Urlaubsgebieten, da sich am oft kilometerlangen Strand bekannte Seebäder entwikkelt haben, von denen das bedeutendste wohl Travemünde ist. Steilufer, Wolken und Brandung, ein Dreiklang, der dem Freund der See immer neue Freude am Schauen vermittelt.

zahlreiche Buchten und Halbinseln bildet: ein liebliches, heiteres Land im Gegensatz zu der großartigen Monotonie der Westküste.
Auch das Klima ist verschieden, obwohl die Entfernung von Küste zu Küste an der schmalsten Stelle knapp 60 km und an der breitesten etwa doppelt so viel beträgt. Im Westen regnet es mehr, und gibt es mehr Nebeltage, dafür ist die Temperatur ausgeglichener. Der Osten ist im Sommer wärmer, im Winter kälter.
Aber es gibt noch eine dritte Landschaft mit einem charakteristischen Gesicht, und diese erstreckt sich in der Richtung Nord–Süd und reicht von der Autobahn Hamburg – Lübeck bis zur Landesgrenze und weiter hinauf bis an das Dünengebirge von Skagen. Diese dritte Landschaft nennt man den Geestrücken. Er ist sandig, karg, mit Mooren durchsetzt, verhältnismäßig flach, so daß die Flüsse träge dahinfließen und ertragreiche Wiesen bewässern. Der Charakter ist ernst, ein wenig melancholisch, zuweilen düster; nur ganz selten bekommt er einen Schimmer von Lieblichkeit.

Die Marsch

An manchen Stellen tritt der Geestrand nahe an die Küste heran, so nördlich von Husum bei Schobüll, in der Höhe von Bredstedt und auch anderwärts. Steht man auf solch einem Rand, dann sieht man weit über die grüne Fläche der Marsch bis zum Deich. So geht es weiter: wie Waben sind die Deiche hintereinander aufgeschichtet.
Was erzählt uns ein solcher Blick? Der Geestrand, anzusehen wie abfallende Küste, war wirklich einmal Meeresküste. Hier brandete einst die See, zog sich im Wechsel der Gezeiten zurück und stürmte abermals gegen das Land. Dabei wurden Erdmassen mitgerissen, mit der Ebbe fortgeführt und mit der zurückkehrenden Flut wieder angeschwemmt. So entstand die Marsch. Sie ist – erdgeschichtlich gesehen – junges Land.
Sie ist nicht allein Werk der Natur. Menschen siedelten sich auf ihr an, weil das neue Land gute Weiden bot, aber zur Sicherheit errichteten sie ihre Häuser auf Warften oder Wurten. Von Wurt zu

HAMBURG
N
Grindel-Hochhäuser
Flugplatz
FUHLSBÜTTEL
Hagenbeck
„Dom“
Friedhof
OHLSDORF
EIDELSTEDT
Planten
un Blomen
Außen
Alster
Kunstschule
RAHLSTEDT
Oper
Volkspark
BLANKENESE
ALTONA
Reeperbahn
WANDSBEK
Autobahn
St. Michaelis
Rathaus
Chile-Haus
Trabrennbahn
Elbe
FINKEN-
WERDER
Elbe
DAS ALTE LAND
WILHELMS-
BURG
BERGEDORF
Schloß
NEUENGAMME
Autobahn
Vierländer Volkstrachten
VIERLANDE
Rathaus
Hummel
HARBURG

Wurt wurden später Deiche errichtet, in der Hoffnung, so die Gewalt der Natur zu besiegen, aber der Mensch unterlag. Von Jahrhundert zu Jahrhundert rissen Sturmfluten Massen des gewonnenen Landes wieder fort. Die Inseln Sylt, Föhr, Amrum, Pellworm, Nordstrand und die kleinen Halligen sind Reste eines ehemals zusammenhängenden Landstreifens. Heute, nachdem sich der Staat des Küstenschutzes angenommen hat, sind die Deiche so befestigt, daß sie nach menschlichem Ermessen standhalten; die Erfahrungen, die Holland gemacht hat, mahnen allerdings zur Vorsicht. Heute fördert man den langsamen Prozeß der Verlandung mit künstlichen Mitteln. Dies kann man bei Schobüll oder am Hindenburgdamm, der Sylt mit dem Festland verbindet, beobachten. Durch das Wattenmeer ziehen sich Buschdämme und Rasenlahnungen hin und bilden ein Muster aus gleich großen Feldern. In diesen Feldern beruhigt sich das Wasser, die festen Stoffe, von der Flut mitgeführt, sinken nieder, werden festgehalten und erreichen allmählich den Spiegel des Hochwassers. Nun können Pflanzen gedeihen, die sich von selbst ansamen und auch künstlich angepflanzt werden, der Queller zuerst, eine ganz einfache und genügsame Pflanze. Später wird Gras angesät, schon weiden Schafe und Kälber auf der jungen Weide; das Land wird reif zum Eindeichen. Am Hindenburgdamm sind nach dem letzten Kriege 1300 Hektar neues Land gewonnen worden.

Aber mit dem Deichbau ist die Landgewinnung nicht abgeschlossen. Erst wenn dem Boden Salz und Feuchtigkeit entzogen sind, kann er dem Neusiedler übergeben werden. So müssen Entwässerungssiele und Schleusen eingebaut werden, durch die das Wasser mit dem Ebbstrom ablaufen kann; tiefer gelegene Ländereien schaffen es nur mit Schöpfwerken.

Dem grünen Strand hat sich bei St. Peter eine weiß leuchtende Sandbank vorgelagert. Durch sie hat sich das Dorf zu einem lebhaften Badeort entwickelt. Weißen Strand haben auch die meisten Inseln, Pellworm und Nordstrand ausgenommen, die reine Bauernlandschaften geblieben sind.

Helgoland

Helgoland ist die kleinste Insel: ein rotes Felsenmassiv, davor eine Sanddüne, das ist alles. Einst war die Insel dänischer, dann englischer Besitz, bis Wilhelm II. sie 1890 gegen Sansibar eintauschte. Nach dem zweiten Weltkrieg war sie eine tote Stätte, durch Bomben und Demontagen zerstört, und sollte Übungsziel der Bomber werden. Es kam dann anders. Die Insel diente früher als Seezeichen, ihr Leuchtturm sendete nachts seine Richtfeuer, es gab eine Rettungsstation und einen Hafen, der bei Stürmen kleinen Fahrzeugen, besonders den Fischkuttern Schutz gewährte. Heute ist alles wiederhergerichtet, Leuchtturm und Bojen, Schutzhafen und auch das Dorf. Es ist sogar zu einem der hübsche-

LANDGEWINNUNG · Hier wogte noch vor nicht allzu langer Zeit die Nordsee. Im Kampf mit der Urgewalt des Meeres hat der Mensch einen Sieg errungen. Auf dem Neuland wachsen bereits dichte Grasbüschel, die ersten Schafherden ziehen über die Rasenlahnungen, und in kleinen Kanälen fließt das Wasser ab.

sten und modernsten Seebädern geworden. Feinschmeckern sei verraten, daß auch wieder der köstliche Helgoländer Hummer von den Fischern gefangen wird.

Östliches Hügelland und Geestrücken

Die Ostsee erscheint dem Badegast im Sommer als ruhiger Binnensee, und sie kennt nicht den gewalttätigen Wechsel von Ebbe und Flut. Dennoch drängt auch dieses Meer bei Ostwind starke Wassermassen gegen die Küste, und in Kiel, Schleswig und Flensburg kann man an einigen Häusern Markierungen sehen, an denen der Stand eines ungewöhnlichen Hochwassers abzulesen ist. Im allgemeinen jedoch liegt an der Ostsee das Land hoch genug, um vor Überflutungen sicher zu sein, und Niederungen sind durch Deiche geschützt, die, verglichen mit den Nordseedeichen, wie Spielwerk anmuten.
An der Nordsee steckt den Menschen, besonders auf den Halligen, auch heute noch die Angst vor der See im Blut. Solche Angst kennt man an der Ostseeküste nicht. Es ist, als habe der Schöpfer auf schmalem Landrücken beides schenken wollen, die Not, die den Menschen stählt, und die heitere Schönheit, die man dankbar genießen darf. Weißer Strand und Steilküsten, Buchten und Förden, hochragende Buchenwälder, die bis nahe an die Küste herantreten, die Hügel und die hundert Seen: kein Wunder, daß von Travemünde bis nach Kiel sich ein Badeort an den anderen reiht. Nicht so bekannt sind die Schönheiten nördlich von Kiel, die Eckernförder Bucht, die Schlei, die Geltinger Bucht und endlich die Krone der Förden, die Flensburger Bucht.
Wenn man den Geestrücken beschreiben soll, muß man auf große Vokabeln verzichten. Er ist arm und eintönig. Bei Bramstedt gibt es Wälder, Kellinghusen ist ein romantisches Städtchen mit Hügeln, Flußlauf und Wald, südlich von Neumünster gibt es großartige Ausblicke. Der Fremdenverkehr umgeht den Landrücken. Entdecker landschaftlicher Eigenart finden hier ein weithin unbekanntes Feld.

HELGOLAND · Diese kleine, aber vielleicht reizvollste Insel vor der deutschen Küste war nach dem zweiten Weltkrieg jahrelang Übungsziel britischer Bomber. Was übrigblieb war eine Wüste. Aber in kürzester Zeit wurde eine neue, saubere und moderne Siedlung aufgebaut, wieder gerne von vielen besucht.

AUF SYLT · Die Westküste des Landes hat nur wenige bekannte Seebäder. Das meistbesuchte jedoch ist die langgestreckte Insel Sylt mit ihrem Hauptort Westerland. Flacher und steiler Strand wechseln sich ab. Wasser, Sand und Sonne, ein ideales Paradies für den gehetzten Menschen unserer Zeit.

Sternwarte auf dem Bauernhof

Wer von der Nordseeküste quer durch das Land zur Ostsee reist, erfährt, daß die Landschaft mit oft jähen Übergängen von Dorf zu Dorf ihr Gesicht wechselt. Aber auch die Menschen sind hüben und drüben anders, geben sich anders, haben scharf voneinander abgesetzte Züge. Auch hier sind die Gegensätze oft von Dorf zu Dorf wahrnehmbar. Gibt es, entsprechend der landschaftlichen Struktur, drei Menschentypen, den der Westküste, den des Geestrückens und den des östlichen Hügellandes? Ja und auch nein.
Im *Westen* hat der Kampf mit der See den Menschen geformt und ihm ein gesteigertes Selbstgefühl gegeben. Hier kannte man in älterer Zeit keinen Adel und keine Leibeigenschaft, sondern nur freie Bauern. Das wirkt sich bis heute aus. So begegnet man unter den Marschbauern sehr merkwürdigen, sehr ausgeprägten Köpfen. Man erfährt, daß sich dort ein Bauer eine eigene Sternwarte auf seinem Hof hat bauen lassen, daß ein anderer auf seiner Diele eine Orgel mit vielen Registern hat, auf der er zu seiner Freude spielt. Ein anderer Bauer hat die Biologie, ein weiterer Geologie oder Frühgeschichte als Hobby. Wo in der Welt findet man ähnliches? Hier hat sich eine großartige *Bauernkultur* entwickelt, sichtbar geworden im Hausbau, in den Möbeln, in den Trachten. Möbel und Trachten haben meist industriellen Erzeugnissen weichen müssen, doch wird auf den Inseln, besonders auf Föhr,

ALTE KIRCHE BEI SCHOBÜLL · Zwei Orte dieses Namens gibt es in Schleswig-Holstein, der eine südlich von Flensburg, der andere, dessen Kirche das Bild zeigt, bei Husum an der Küste. Hier, bei diesem Dorf berührt der Geestrand beinahe die Küste. Von einer kleinen Erhöhung, wie von diesem Friedhof aus, geht der Blick zum Deich, dem dunklen Streifen, und dann auf die See hinaus. Es ist noch ein erdgeschichtlich junges Land, vom ruhelosen Meer weggerissen und wieder angeschwemmt, bis der Mensch die Deiche zog und seinen Besitz vor der ewigen Bedrohung durch Stürme und Fluten sicherte. Dennoch bleibt die Urgewalt der Natur auch weiterhin unberechenbar. Gerade die Nordsee, für die man einmal den Namen »Mordsee« geprägt hat, läßt Küsten und Menschen nicht zur Ruhe kommen. Und nur besonders kräftige Deiche können das viele Neuland schützen.

noch friesische Tracht getragen. Sonntags gehen die Mädchen zur Kirche in dunkelblauem Rock, weißem Brusttuch mit reichem Silberschmuck, einer Haube aus dunklem Brokat oder mit hellem Kopftuch. Früher waren die Trachten farbiger und mannigfaltiger: Konfirmandinnen, Bräute, junge Frauen, Witwen, alte Frauen, altgewordene Jungfrauen trugen jedesmal anders gefärbte Strümpfe, Röcke, Brusttücher und Hauben.

Verbindung zu Holland

Geblieben sind von der alten Bauernkultur der Westküste die Häuser. Auch die Städte haben einzelne schöne Häuser hervorgebracht, im ganzen jedoch ist ihre Kultur vom umliegenden Lande geformt. Husum hat seinen Hafen und hat Industrien, aber das wirtschaftliche Ereignis ist der Schlachtviehmarkt, einer der größten Deutschlands.
Charakteristisch für den Westen ist seine *Verbindung zu Holland.* Man findet holländische Namen an den Türen; viele Vorfahren sind ins Land gerufen worden, weil sie besondere Erfahrungen im Deichbau besaßen, andere sind als Flüchtlinge gekommen, so die Jansenisten und die Mennoniten. Man findet in ihren Häusern holländische Möbel, gekachelte Wände, Fliesen und Ofenplatten wie in Holland, dazu Bilder niederländischer Meister. Künstlerisch begabte Söhne des Landes zogen nach den Niederlanden, um zu lernen. So wurde Jürgen Ovens, 1623 in Tönning geboren, Schüler von Rembrandt. Unter anderem malte er für das Amsterdamer Rathaus das Gruppenbild »Die Verschwörung des Claudius Civilis« an Stelle eines abgelehnten Bildes von Rembrandt. Heute pflegen die Nordfriesen den Zusammenhang mit ihren Stammesgenossen in Ostfriesland und dem holländischen Westfriesland durch gemeinsames Schrifttum und regelmäßige Zusammenkünfte.

Städtische Kultur im Osten

Ganz anders ist der Osten des Landes. Hier befinden sich die größeren Siedlungen, die eine betont *städtische Kultur* entwickelt haben. Manche von ihnen können auf eine glanzvolle Geschichte zurückblicken, so Kiel, Landeshauptstadt und Sitz der Landesuniversität, so die alte Hauptstadt Schleswig, Flensburg und endlich die ehemals Freie und Hansestadt Lübeck. Jede dieser Städte hat bis heute ein ausgeprägtes Gesicht bewahrt: man trinke einmal mit lübischen Kaufleuten im Schabbelhaus den guten Rotwein, der hier besonders gepflegt wird, man setze sich im Klubhaus mit Bürgern der Landeshauptstadt beim Schwedenpunsch zusammen oder man treffe sich mit Flensburgern im Gnomenkeller beim zünftigen Grog, der dort buchstäblich frisch vom Faß kommt, und man wird sich jedesmal in eine andere Welt versetzt fühlen.

Auf dem Lande spielen die Adelssitze eine führende Rolle. Wenn man im Westen von einer Bauernkultur sprechen kann, so hier von einer Kultur, die vom Adel geprägt wurde. Wie weit sie ins Land hinein gewirkt hat, erkennt man an der Architektur, den Möbeln und an der Lebensweise der Landbevölkerung. Die Kehrseite der Adelsherrschaft war die Leibeigenschaft, die 1806 durch königliches Dekret abgeschafft wurde. Heute noch sind viele der Adelssitze mit ihren großen Bibliotheken, ihren schönen Sälen Mittelpunkt des geistigen und gesellschaftlichen Lebens.

Der schmale Geestrücken hat weder eine eigene Kultur der Bauern noch des Adels oder der Städte hervorgebracht. Dagegen entwickelten sich hier Handelsplätze und Industriezentren. Die berühmten Fayencebrennereien, die bis zur Mitte des vorigen Jahrhunderts blühten, entstanden vornehmlich in Kellinghusen, aber auch in Rendsburg, Oldesloe, Itzehoe. Sie arbeiteten meist in kleinen Familienbetrieben, von denen in Kellinghusen eine ganze Reihe nachgewiesen ist, und exportierten ihre Schüsseln, Teller, Tassen, Vasen nach ganz Norddeutschland und nach Skandinavien. Das anfänglich einzige, heute bedeutendste Industriezentum wurde Neumünster. Zu einer ähnlichen Stellung hat sich Rendsburg, begünstigt durch seine Lage am Nord-Ostsee-Kanal, entwickelt. In diesen Städten tritt das Landsmannschaftliche hinter dem Geist und der Problematik der modernen Industriegesellschaft zurück.

Blick nach Skandinavien

Wenn man an der Nordseeküste seit jeher nach Westen blickt, so im Osten nach *Skandinavien.* Mit dem Handel vollzog sich der Austausch der Ideen und der künstlerischen Formen. Besonders innig war die Verbindung in der Zeit des Klassizismus; sie wurde gefördert durch die Freundschaft zweier bedeutender Männer, des Kopenhagener Bildhauers Thorwaldsen und des in Eckernförde geborenen, in Rom verstorbenen Zeichners und Malers Asmus Jacob Carstens. Heute knüpfen die Kieler Woche, die längst keine rein sportliche Angelegenheit mehr ist, und in Lübeck die Tagungen der Nordischen Gesellschaft Freundschaftsbande zwischen deutschen und skandinavischen Künstlern und Gelehrten. Der Kieler Universität, als einziger Hochschule Deutschlands, ist ein Nordisches Institut angegliedert.

TRACHT AUF FÖHR · Auf der größten Hallig der Insel Föhr haben sich die ostfriesischen Trachten bis in die Gegenwart gehalten. Besonders anmutig sind die jungen Mädchen, die sich, wie auf dem Bild, festlich gekleidet, an ihrem Konfirmationstag auf dem Weg zum Gottesdienst befinden.

KIEL · Die Hafenstadt am Ostende des Nordostseekanals, der der zweite Weltkrieg schwere Wunden schlug, ist wie so viele deutsche Städte mit einem neuen Gesicht wiederauferstanden. Moderne Geschäftshäuser und Hochbauten prägen heute das Bild des Zentrums der Hauptstadt Schleswig-Holsteins, durch das wieder ein reges Leben pulst.

Gibt es also doch entsprechend der landschaftlichen Gliederung drei Menschentypen? In Wirklichkeit ist alles viel komplizierter. Kommt man von Dithmarschen, das früher eine wehrhafte Bauernrepublik war, nach dem friesischen Eiderstedt oder von Nordfriesland nach Angeln oder in die Propstei, so wird man überrascht sein über die Unterschiede des Hausbaus, des Dialektes, ja der Charakterzüge der Menschen. Diese Unterschiede haben sich erhalten, obwohl in der neueren Zeit keine dieser Landschaften mehr ein gesondertes Dasein führt und obwohl Schleswig-Holstein nach dem zweiten Weltkrieg zu seinen 1,6 Millionen Einwohnern über eine Million aus der alten Heimat vertriebene Menschen aufgenommen hat.

Ein verschleiertes Bauernmädchen?

Schleswig-Holstein hat wie jedes Land seine *Spezialitäten der Küche.* Das Meer steuert mit seinem Fischreichtum bei, und ein lukullisches Alphabet zeigt, wie gerne man die Tafel mit den verschiedensten Fischgerichten ausstattet:

LÜBECK · Das Heiliggeist-Hospital, das 1276 erbaut wurde, ist baulich das schönste und älteste Beispiel gemeinnütziger Wohlfahrtsinstitute Deutschlands. Es ist auch in der Gegenwart noch Altersheim. Der Bildausschnitt zeigt die von schlanken Türmen flankierte gotische Kirche des Spitals.

A Angler Muck = Rum und Wasser, halb und halb, mit Hutzucker aufgekocht; der mit Rum getränkte Zucker wird abgebrannt.

B Buchweizenpfannkuchen = Teil aus Buchweizenmehl, wird mit Sirup oder zur Saftsuppe genossen.

D Das Dankbare Familiengericht = Reismehl in Rahm gekocht, Butter, mehrere Eidotter und Zucker verrührt und dem abgekühlten Reismehlbrei hinzugefügt, zuletzt Eierschaum beigegeben, alsdann mit Früchten unterlegt und das Ganze eine Stunde im Ofen gebacken.
Dithmarscher Mehlbeutel = Dicker Mehlteig mit Speckscheiben und Früchten im Beutel gar gekocht und mit Fruchtsoße gereicht.

F Fischsuppe = Fische, in Scheiben geschnitten, mit Kraut und Wurzeln gekocht, Klöße aus Fischfleisch, Nierentalg, Eiern, Salz und Weißbrot geformt, weißer Pfeffer hinzugetan.

G Grog = Rum (muß sein), Wasser und Zucker (können sein), beliebtes Getränk zu jeder Tages- und Jahreszeit.
Gebackene Aale — fingerlang geschnitten, an beiden Seiten eingeritzt, mit ein wenig Salz bestreut, in Mehl umgedreht, in gelb gebratener Butter recht kroß gebraten.

H Hacks ut'n Pott. Geschnittenes Ochsenfleisch in Meerrettichtunke und mit Korinthen.

K Kieler Sprotten = etwa fingerlanger, lecker geräucherter Fisch, der am Unterleib kleine Stacheln trägt. Er ist also nicht, wie Binnenländer vielfach meinen, ein noch nicht ausgewachsener Hering.

L Labskaus = ursprünglich ein Seemannsessen: Pökelfleisch mit gestampften Kartoffeln, Gurken und scharfen Gewürzen, als Tellergericht mit einem Spiegelei verziert.

M Möweneier = im April und Mai gesammelte Möweneier werden zehn Minuten hart gekocht, mit Butter, Öl und Essig genossen; dazu scharfer Korn.

P Pharisäer = Kaffee, mit Schnaps verbessert und mit Schlagsahne verziert, an der Westküste beliebt. Ein Pastor hatte das Getränk in seiner Gemeinde verboten, da gab man dem Pastor das Getränk ohne Schnaps, trank aber selbst das richtige Getränk. Als der Pastor das merkte, sagte er drohend: »Pharisäer!« So entstand der Name.

S Schwarzsauer = Schweinefleisch, Eisbein, Schnuten und Poten mit Gewürzen, Zwiebeln, Sellerie, Lorbeerblättern und Salz ankochen, Blut mit Essig und Salz verrührt mit aufkochen lassen. Buchweizenklöße und Backobst dazu.
Schinkensuppe = Schinkenknochen mit Essig und Zucker gekocht, Mehlklöße und Backobst dazu.

T Teepunsch. An der Westküste beliebt. Tee in kleinen Tassen, da hinein Schnaps.

V Verschleiertes Bauernmädchen = Geriebenes Schwarzbrot in Glasschüsseln, darüber Zucker und Schlagsahne. Dann eine Lage eingemachte Früchte. Dann fängt man mit geriebenem Schwarzbrot wieder an und fährt so Lage auf Lage fort.

Friesisch und Platt

Der Unterschied zwischen den beiden großen Dialektgruppen, dem *Friesischen* und dem *Plattdeutschen*, wird an zwei Gedichten deutlich:

Friesisch

Fri is de Feskfang,
fri is de Jaghd,
fri is de Ströntgang,
fri is de Naghd,
fri is de See,
de wille See,
en de Hörnumer Rhee.

Plattdeutsch

Du hörst din Schritt ni, wenn du geist,
du hörst de Rüschen, wenn du steist,
dat levt und wevt int ganze Feld,
as weert bi Nacht en anner Welt.
Denn ward dat Moor so wit und grot,
denn ward de Minsch so lütt to Mot:
wul weet, wa lang he doer de Heid
noch frisch un kräftig geit!
(Klaus Groth)

Bilderbuch der Geschichte

Ein ganz buntes, ja, verwirrendes Bild bietet die Geschichte des Landes. Wirft man einen Blick auf eine Karte des 16., 17. oder 18. Jahrhunderts, hat man den Eindruck, ein blinder Weber habe aus farbiger Wolle einen Teppich gewebt: kleine und kleinste Herrschaftsbereiche wechseln einander offenbar völlig willkürlich ab; dieses Gebiet gehörte zum »königlichen Anteil«, jenes zum »herzoglichen«; hier regierte ein Graf, der sich auf ein Privileg des dänischen Königs berief, dort ein anderer, der den Lehnsbrief eines deutschen Kaisers besaß.

Lord Palmerston, britischer Premier um die Mitte des vorigen Jahrhunderts, sagte einmal, über die schleswig-holsteinische Geschichte befragt, nur drei Männer wüßten über sie Bescheid; der eine sei der verstorbene Prinzgemahl Albert, der zweite ein Oxforder Professor, der über diesem Studium verrückt geworden sei; der dritte sei er selber, jedoch müsse er gestehen, daß er alles wieder vergessen habe.
Wie verwickelt die staatsrechtlichen Verhältnisse bis zum Jahre 1806 waren, hat der Historiker Otto Brandt so formuliert: »Der König von Dänemark war 1. als solcher Oberlehnsherr von Schleswig, 2. Herzog von Schleswig und Holstein in Gemeinschaft mit dem Gottorper Herzog, wobei er für Holstein der Lehnsmann des deutschen Kaisers war. Und zwar war er a) Mitregent des Gemeinschaftlichen Anteils, b) Regent des Königlichen Anteils beider Herzogtümer. Der Herzog von Gottorp war 1. Lehnsmann des dänischen Königs als Herzog von Schleswig, 2. Herzog von Schleswig und Holstein, wobei auch er für Holstein der Lehnsmann des deutschen Kaisers war, und zwar war er a) Mitregent des Gemeinschaftlichen Anteils, b) Regent des Herzoglichen Anteils beider Herzogtümer.«
Die Landesgeschichte kann hier, eben wegen ihrer Unübersichtlichkeit, nicht erörtert werden. Ihre großen Linien können von historischen Zeugnissen abgelesen werden. Was alles aus der Ur- und Frühgeschichte mit dem Spaten ausgegraben wurde, was die Moore hergegeben haben, was endlich aus der eigentlich geschichtlichen Zeit erhalten ist und überlieferungswert erschien, ist in den zahlreichen Heimatmuseen gesammelt, die es überall, auch in kleinen Städten gibt. Bedeutende, wissenschaftlich geordnete Museen sind Schloß Gottorp, das St.-Annen-Museum in Lübeck, das Dithmarscher Landesmuseum in Meldorf, das Städtische Museum in Flensburg, das Nissenhaus in Husum.

LANGENESS · Zwischen Husum und Sylt liegen die bekannten Halligen vor der Küste Schleswig-Holsteins. Auf den kleinen Inseln, die oft nur ein oder zwei Gehöfte tragen, ist der Alltag fast immer ein Kampf mit der See. Langeneß zählt jedoch noch zu den größeren Halligen, die auch als Erholungsorte beliebt sind.

RENDSBURGER HOCHBRÜCKE · Mit dem Bau des Nord-Ostsee-Kanals wurde der lange Umweg um Dänemark erheblich verkürzt. Elf Brücken überspannen den Kanal zwischen Holtenau und Brunsbüttelkoog. Zu den bekanntesten zählt die Rendsburger, wo die Eisenbahn in 40 m Höhe den Schiffsweg überquert.

Die Funde gehen zurück bis in die Zeit der Rentierjäger. Gezeigt werden Werkzeuge aus Geweihen, ein Kultpfahl mit Rentierschädel, Speere, Paddel, die zum Einbaum gebraucht wurden. Bedeutsamer Moorfund ist das Nydamer Boot, benannt nach der Fundstelle im Moor von Nydam am Alsensund. Es ist das älteste seegehende Fahrzeug der Erde und konnte eine Besatzung von fünfundvierzig Mann mit Proviant aufnehmen.

Tausend Jahre Danewerk

Südlich von Schleswig befindet sich das Danewerk, ein befestigter Wall, der sich als Grenzriegel quer über die Halbinsel legt. 804 angelegt, 250 Jahre später durch eine Steinmauer verstärkt, bezeichnete er jahrhundertelang die Grenze zwischen Dänemark und dem Deutschen Reich. Noch 1864 diente er den dänischen Truppen als Schanze. In seiner Umgebung fanden sich Runensteine, die im Sagastil von Heereszügen berichten. Der Busdorfer Runenstein steht heute noch an seiner ursprünglichen Stelle, am Fuß eines Grabhügels. Seine Inschrift lautet: »König Sven setzte diesen Stein für seinen Gefolgsmann Skartha, der nach Westen gezogen war, nun aber den Tod fand bei Haithabu«.
Im Schutz des Danewerkes siedelte der Dänenkönig Göttrik Kaufleute aus Rerik an, die den Warenumschlag von West nach Ost besorgen sollten. So entstand die Stadt Haithabu, von der sich ein Halbkreiswall erhalten hat. Innerhalb des Halbkreises finden seit Jahren Grabungen statt. Sie erschließen uns das Leben einer großen Handelsstadt. Münz- und Warenfunde belegen, daß der Handel sich fast

über die ganze damals bekannte Welt erstreckte, von Grönland bis Kiew, Byzanz und Bagdad. Seit 850 besaß die Stadt eine eigene Münze. Da sie die bedeutendste Stadt der Halbinsel war, erfolgte von ihr aus – durch Ansgar – die Missionierung des Nordens. 1066 wurde die Stadt vernichtet. Die Bewohner siedelten auf dem Nordufer der Schlei.

Die Hauptstadt des Landes

Kiel ist seit 1949 Hauptstadt des Landes. Leider besitzt sie nicht mehr viele Denkmäler, die erzählen können; vom Schloß, von der alten Universität, vom ehemaligen Franziskanerkloster sind nur noch Reste vorhanden. Die alte Nicolaikirche, auch bis auf die Umfassungsmauern zerstört, ist – bemerkenswert gut – wieder aufgebaut. Das alte Rathaus ist gänzlich verschwunden, und ausgelöscht sind auch die meisten Bürgerhäuser und die zahlreichen Adelshöfe; von diesen steht nur noch der Warleberger Hof in der Dänischen Straße mit seinem schönen Rokokoportal.

Gegründet wurde Kiel im 13. Jahrhundert bei der Kolonisation Ostholsteins: dieses Gebiet hatte nach der Völkerwanderung leer dagelegen, hatte Wenden aufgenommen und wurde nun durch die Schauenburgischen Grafen wieder zurückgewonnen. Der Grundriß der Kieler Altstadt läßt noch die ursprüngliche Anlage erkennen. Mitten auf der geräumigen Halbinsel legte Adolf IV. von Schauenburg, Graf von Holstein, Markt mit Rathaus und Kirche als städtischen Mittelpunkt an. An der festen Landverbindung im Norden wurde die Burg angelegt, das spätere Schloß. Da Schleswig die eigentliche Residenz des Landes blieb, hat Kiel als Fürstensitz keine große Bedeutung bekommen, auch als Handelsplatz hat es weder Lübeck noch Flensburg je ernsthafte Konkurrenz gemacht, dagegen entwickelte es sich zu einem Geldmarkt, der weit über die Landesgrenzen Bedeutung gewann. Wichtiges Ereignis war die Gründung der Universität im Jahre 1665. Seitdem bekamen beide Herzogtümer einen geistigen Mittelpunkt; zugleich ergab sich ein Austausch mit den geistigen Zentren des Nordens, von Kopenhagen, und des Südens, besonders Göttingen. Viele bedeutende Gelehrte haben hier gewirkt, so die Historiker Dahlmann, Droysen und Weitz, die mit dem Staatsrechtler Falck in der schleswig-holsteinischen Bewegung die geistige Führung übernahmen, die Chirurgen Langenbeck, Stromeyer und Esmarch. Der Jurist Ihering hat hier den ersten Band seines Werkes über den »Geist des römischen Rechtes« vollendet. Karl Müllenhof schuf in Kiel seine Deutsche Altertumskunde. Die Physiker Heinrich Hertz und Max Planck haben zeitweilig, die Rechtswissenschaftler und Politiker Hänel und Radbruch jahrzehntelang hier gelehrt. Der Wirtschaftswissenschaftler Harms gründete das Institut für Weltwirtschaft, das durch Lehrtätigkeit und Publikationen bis heute internationale Geltung bewahrt hat.

Bis 1871, als die Stadt zum Reichskriegshafen wurde, besaß Kiel das Antlitz einer behaglichen holsteinischen Mittelstadt; die wald- und wasserreiche Parklandschaft gab ihm einen freundlichen Rahmen. Das schnelle Wachstum der Bevölkerung auf das zwanzigfache hat nicht nur Wohnviertel in der unschönen Bauweise der Gründerzeit entstehen lassen – viele alte und ehrwürdige Bürgerhäuser wurden abgerissen und machten modernen Gebäuden Platz. Wenn damals schon viel von dem charakteristischen Aussehen verloren ging, so vernichteten die Angriffe und Kämpfe des zweiten Weltkrieges den Rest. Nach 1945 mußte Kiel neu beginnen.

Aufstieg aus dem Nichts

Die gewaltigen Zerstörungen boten jedenfalls die Chance, ganz neu anzufangen. Sie wurde genutzt dank der Tatkraft des zu früh verstorbenen Bürgermeisters Gayk, dem Wagemut der Bürgerschaft, dem Opferwillen einzelner Bürger, die persönliche Interessen hinter dem Allgemeinwohl zurückstellten. So ist aus einem rauchgeschwärzten Trümmerhaufen eine moderne und schöne Stadt geworden.

Vom Bahnhof geht oder fährt man eine Straße hinauf bis zum Düsternbrooker Gehölz – immer mit dem Blick auf die Förde und das reizvolle gegenüberliegende Ufer. Man sieht Dampfer vorübergleiten, weiße Segelflächen schimmern weithin, Fischkutter tuckern gemächlich seewärts oder dem Hafen zu. Aber auch die quer verlaufenden Straßen zielen auf Hafen und Förde, so daß man immer erinnert wird, in einer Hafenstadt zu sein. Einzelne Stadtteile sind als Teile eines größeren Organismus zusammengefaßt, so der Rathausmarkt der Altstadt, der neue Rathausmarkt, die Anlagen um den Großen und Kleinen Kiel, Düsternbrook, das Viertel um den Hohenzollernpark. Wo immer es ging, wurden gepflegte Grünflächen geschaffen. Einzelne Hochhäuser – in bescheidenem Ausmaß, keines über acht Stockwerke hoch – sind so gesetzt, daß sie der Stadt anschauliche Akzente geben.

Man erlebt es auf Schritt und Tritt: die Stadt blickt zur See hinaus. Auch das Ohr wird daran erinnert: von den Werften her dröhnt das Hämmern, und Dampfersirenen hallen weithin. Die Weltoffenheit drückt sich großartig in der jährlich stattfindenden Kieler Woche aus. Dann wehen Flaggen zahlreicher Nationen, dann kommen aus dem übrigen Deutschland, aus England, aus den nordischen Ländern Gelehrte, Künstler, Wirtschaftler, tauschen Erfahrungen aus, diskutieren über aktuelle Probleme, halten Vorträge. Und man sieht eine sportbegeisterte und geistig wache Jugend, die den Optimismus rechtfertigt, mit dem Kiel aus dem Nichts begann.

Stadt mit den goldenen Türmen

Lübeck. Der Name, ursprünglich liubice, bedeutet »Die Schöne«, und diese Bezeichnung hat sich »die Stadt mit den goldenen Türmen« verdient. Auch heute, nach den Zerstörungen des Krieges, erheben sich die Türme von St. Marien, St. Petri, von Dom, von St. Ägidius, St. Jakobi. Die Kirchen, bis auf St. Petri wiederhergestellt, gehören zu den schönsten sakralen Backsteinbauten. Jede hat ihr eigenes

Gesicht, der massive, noch romanisch bestimmte Dom, die hoch und höher sich wölbende Marienkirche oder das Kleinod, die turmlose, ganz lichte und durchsichtige Basilika von St. Katherin.
Der Glanz der alten Hansestadt, die mit ausländischen Souveränen Bündnisse abschloß, die mit Dänemark und Schweden Krieg führte, wird durch zahlreiche, von den Bürgern errichtete Bauwerke bezeugt, das Rathaus, vor allem das bis heute unveränderte gebliebene Heiligen-Geist-Hospital, die Reste der wehrhaften Mauer, die Tore, so das Burgtor und das als Wahrzeichen bekannte Holstentor, außerdem die vielen alten Bürgerhäuser, Giebelhäuser zumeist, mit Stilmerkmalen von der Gotik bis zum Klassizismus.
Wie träumend geht man durch die Gassen und läßt sich von den Steinen erzählen: Einst war Lübeck, das 1188 durch Friedrich Barbarossa den Freiheitsbrief erhielt, neben Köln die größte Stadt Norddeutschlands, Haupt des hansischen Städtebundes und hat als solches eine bedeutende politische Kraft ausgestrahlt. Das lübische Recht, 1225 erstmalig aufgezeichnet, wurde von den meisten Städten des Ostseeraumes angenommen. Reichtum und Macht gewann die Stadt durch den Seehandel, wie sie auch heute der bedeutendste Hafen des Landes ist. 1630 war der letzte allgemeine Hansetag, doch blieb das Bündnis mit Hamburg und Bremen erhalten. Die staatliche Selbständigkeit, sowohl auf dem Wiener Kongreß wie nach der Reichsgründung 1871 bestätigt, ging 1937 nach über siebenhundertjähriger Dauer verloren; seitdem gehört Lübeck zum Lande Schleswig-Holstein.
Die Stadt hat immer ein reges geistiges Leben gehabt. Seit dem ausgehenden Mittelalter hat hier eine Bildhauerschule gearbeitet, zu der bedeutende Meister wie Bernt Notke (Triumphkreuz im Dom) gehörten. Diese Schule hat den ganzen Norden beeinflußt. Als Organisten wirkten an St. Marien Franz Tunder und Dietrich Buxtehude. In Lübeck geboren wurden der Mitbegründer des Pietismus August Hermann Francke und der Maler Franz Overbeck, außerdem die Dichter Thomas und Heinrich Mann. Das »Buddenbrookhaus«, im Kriege zerstört, wurde wiederhergestellt.
Zu Lübeck gehört Travemünde, ursprünglich ein Schiffer- und Fischerort, jetzt weit bekanntes Seebad, das die lange Reihe der Bäder an der Lübecker Bucht eröffnet. Von Lübeck und Travemünde gehen Passagierlinien nach Kopenhagen, Trelleborg und Helsinki. Den Güterverkehr nach Skandinavien vermitteln sechs Linien. Lübeck öffnet in den »Nordischen Tagen« seine Säle für Wirtschaftsgespräche und kulturelle Veranstaltungen.

LÜBECK · Während das alte Bürgerhaus Wohn- und Lagerräume unter einem Dach vereinigte, enstanden infolge der Ausdehnung des Handels besondere Lagerhäuser wie diese Salzspeicher. Das Handelsgut Salz wurde von Lüneburg über die alte Salzstraße und auf dem Secknitzkanal transportiert.

PLÖN · Inmitten einer der schönsten deutschen Seenlandschaft liegt die Stadt. Hier, in der Gegend der Holsteinischen Schweiz, gibt es noch viele malerische und stille Orte, die eine Entdeckungsreise wert sind. Das die Stadt überragende Schloß, heute ein Internatsgymnasium, stammt aus dem 17. Jahrhundert.

Nachfolgerin von Haithabu

Weit stiller, doch nicht weniger ehrwürdig, ist die alte Landeshauptstadt, *Schleswig.* Ursprünglich Nachfolgerin von Haithabu, mußte sie ihre Rolle als Umschlagplatz des Handels sehr bald an Lübeck abgeben. Heute landen an dem verträumten Hafenplatz lediglich Schleidampfer, Fischkutter und Sportsegler. Bedeutung aber erlangte die Stadt als Sitz des Bischofs und Residenz der Herzöge. Dom und Schloß Gottorp gehören zu den bedeutendsten Baudenkmälern des Landes. Nach Einverleibung des Landes in Preußen, 1867, wurde Schleswig Hauptstadt der Provinz und Sitz des Oberpräsidiums bis 1945.
Der Dom überragt mit seinem breiten Satteldach die Dächer der Altstadt, und sein 112 m hoher Turm blickt weit ins Land hinaus. Betritt der Besucher durch das romanische Petriportal das Innere, wird er überwältigt durch die Majestät der Pfeiler und Gewölbe, die teils der romanischen, teils der frühgotischen Stilperiode angehören. Der Chor mit

HAMBURG, LANDUNGSBRÜCKEN · Hier öffnet sich das »Tor zur Welt«. Ein ununterbrochener Strom von Schiffen, Lärm der Werften, Fährboote und Straßenverkehr bestimmen das Leben am Hafen.

HAMBURG, INNENSTADT · Deutschlands zweitgrößte Stadt und größter Hafen ist eine Weltstadt, die sich mit den Häfen aller Kontinente messen kann. Über zweihundert Schiffahrtslinien aus allen Ländern laufen den Hafen an. Aber auch die Innenstadt ist eine Entdeckungsreise wert. Nicht nur der gewaltige Steinklotz des Rathauses in neuer deutscher Renaissance (im Vordergrund) und der markante »Michel«, die bedeutendste niederdeutsche Barockkirche (links) oder die vielen berühmten Bauten sind sehenswerte Punkte, sondern vor allem die noch immer vorhandenen engen Gassen mit alten Bürgerhäusern und eigenwilligen Lokalen.

HAMBURGER ALSTERBECKEN · Zur Rechten hinter dem Petriturm sieht man die Außenalster, zur Linken die Binnenalster. Vom Rathaus verdeckt liegt das malerische Viereck der Kleinen Alster.

MICHAELISKIRCHE IN HAMBURG · Der »Michel«, wie man den patinaüberzogenen Turm der Michaeliskirche nennt, ist eines der Wahrzeichen der Hansestadt. Von seiner luftigen Höhe von 134 Metern hat man einen eindrucksvollen Überblick auf die Millionenstadt, die Elbe mit den ausgedehnten Hafenanlagen und weit ins Land hinaus. Ganz müde Besucher befördert ein Aufzug bis in die Turmspitze. BAUERNHAUS IM KÜSTENLAND · Meistens zwischen Buschgruppen oder Bäumen verborgen, liegen die Bauernhäuser Norddeutschlands, bisweilen noch mit Stroh gedeckt. In die Diele führt ein breites, doppeltüriges Tor.

KNICKLANDSCHAFT IN SCHLESWIG-HOLSTEIN · Quer durch das Land, über Felder und Wiesen hinweg ziehen sich lange Busch- und Baumreihen durch das Land, um Schutz gegen den Wind zu bieten.

KAMPEN AUF SYLT · Die wohl am meisten bekannte und besuchte Insel vor der schleswig-holsteinischen Küste ist das langgestreckte Sylt, mit dem Festland durch einen festen Damm verbunden, über den die Bahn zur Insel fährt. Die unruhige See hat an der Küste hohe Dünen aufgetürmt, in denen sich im Sommer viele tausend Badegäste erholen. Kampen ist einer der beliebten Badeorte geworden. FLENSBURG-MÜRWICK · Am Rande der Stadt, fast wie ein altes, etwas eigenwilliges Schloß, liegt die Marineschule, auf der die Kapitäne und Seeoffiziere ausgebildet werden.

SCHLESWIG · Von der Bucht der Schlei eingerahmt, bietet die alte Residenzstadt Schleswig mit dem wuchtigen Petri-Dom ein eindrucksvolles Bild. Hier, an der engsten Stelle des Landes, entstand schon vor tausend Jahren ein Bistum, das noch in zahlreichen sakralen Bauten in Erscheinung tritt. Als Haithabu war Schleswig die alte Siedlung der Wickinger.

HOLSTENTOR IN LÜBECK · Die »Königin der Hanse« des Mittelalters ist ein bedeutender Ostseehafen bis in unsere Zeit hinein geblieben. Viele Bauten vermitteln trotz schwerer Zerstörungen im zweiten Weltkrieg auch heute noch einen Eindruck der großen Vergangenheit dieser Stadt. Überall bekannt ist das Wahrzeichen Lübecks, das doppeltürmige Holstentor, das besonders durch seine freie Lage wirkt. SCHLOSS GLÜCKSBURG · Wiege der Königshäuser von Dänemark, Norwegen und Griechenland ist das von einem Teich umgebene Schloß. In den Jahren 1582/87 erbaut, war es die herzogliche Residenz.

TÖNNING · Die Altstadt liegt am Rande der flachen Landschaft Eiderstedt auf einer hohen und verhältnismäßig großen Warft, die um die Zeitwende gebaut wurde. Die Kirche, deren älteste Teile aus dem 12. Jahrhundert stammen, beherrscht mit dem Kupferhelm Stadt und Umgebung.

seinen hohen gotischen Fenstern birgt eine Kostbarkeit von hohem Rang, den holzgeschnitzten Flügelaltar Hans Brüggemanns. Der Altar ist in vierundzwanzig Felder unterteilt, und jedes dieser Felder, gerahmt durch Ranken, Säulen, Figuren, Baldachine, enthält eine aus Eichenholz gearbeitete, unbemalte Figurengruppe aus dem biblischen Geschehen.
Der Dom besitzt noch eine andere Arbeit Brüggemanns, die Eichenholzfigur des farbigen Christophorus, außerdem zahlreiche, zum Teil kostbar gestaltete Gräber von Königen, Herzögen, Bischöfen, weiter Epitaphien und Bildnisse, darunter Arbeiten von Cornelius Floris, Henri Heitrider, Jürgen Ovens. An die Nordseite des Domes lehnt sich ein gotischer Kreuzgang an.

»Kombinierte Stadt« an der Schlei

Schloß Gottorp liegt auf einer Insel des Burgsees, der mit der Schlei in Verbindung steht. Die Südfront mit ihrer Prunkfassade, 1703 vollendet, ist für die Barockzeit ein überraschend klar gegliederter, fast klassizistischer Bau, nach Entwürfen von Nikolaus Tessin d. J. geschaffen, der auch das Stockholmer Schloß gebaut hat. Von den Innenräumen sind bemerkenswert die erhaltene Schloßkapelle und die einzigartige Königshalle, in der heute Konzerte veranstaltet werden. Im übrigen enthält das Schloß die Sammlungen des Landesmuseums. Das Schloß, das unter Herzog Friedrich III. († 1659) seine Blütezeit hatte, besaß eine der bedeutendsten Bibliotheken der Zeit; sie ist in alle Welt verstreut, und nur noch ein Verzeichnis von Adam Olearius ist erhalten. Die Dichter Martin Opitz und Paul Fleming, die Maler Jürgen Ovens und Hans Gudewerth haben auf Gottorp gewirkt.
Die Stadt ist aus verschiedenen Teilen zusammengewachsen, die heute noch in ihrer ursprünglichen Eigenart erkennbar sind, so die einzigartige Fischersiedlung »Holm«, die kreisrund um den Friedhof angelegt ist. Eine Gruppe für sich bilden Dom, Bischofshof und die Häuser der Geistlichen und Kirchenbeamten. Dann die Altstadt mit dem Hafen. Weiter das Schloß mit den Resten großzügiger Gartenanlagen, mit den Adelshöfen und den Häusern der Hofbeamten und Soldaten, endlich der Friedrichsberg. Erst 1771 wurden die einzelnen Teile zur »combinierten Stadt Schleswig« zusammengefaßt, die sich heute als sechs Kilometer langes Band um das Becken der Schlei legt.
Wälder reichen bis unmittelbar an die Straßenzüge heran, die Schlei mit ihren anmutig bewegten Ufern ist eigentlich immer sichtbar, und über der Möweninsel vor der Stadt kreist eine silberne Wolke aus Möwenflügeln.

»Großstadt« Flensburg

Das Gewühl und der Lärm großstädtischen Verkehrs empfangen uns, wenn wir *Flensburg* erreichen. Die Läden und Gasthäuser der Hauptgeschäftsstraßen können mit denen jeder Großstadt konkurrieren, dabei sind sie, besonders die Gasthäuser, bemüht, ein eigenes, flensburgisches Gesicht zu wahren. Wer hier seinen Grog bestellt, bekommt immer noch zum Glas heißen Wassers die volle Flasche Rum auf den Tisch gestellt.
Den lebendigen Rhythmus verdankt Flensburg vor allem seiner Lage. Die Europastraße 3, die Skandinavien mit Westeuropa verbindet, führt mitten

FLENSBURG · Deutschlands nördlichste Stadt nennt sich auch das »Tor nach Skandinavien«. Die Großstadt, von Höhen eingefaßt, birgt noch viele alte Backsteinhäuser, stille Plätze und romantische Winkel. Hier ist auch die Geburtsstätte des bekannten Luftschiffkapitäns Dr. Hugo Eckener.

FLENSBURG zieht sich vom innersten Winkel der Förde an beiden Ufern weit hinaus und geht allmählich in die hügelige und waldreiche Fördenlandschaft über, die zu den schönsten Gegenden des Landes gehört. In dieser typischen Grenzstadt wird die Brückenstellung des Landes am stärksten sichtbar.

durch die Stadt; unwahrscheinlich hoch ist die Zahl der Autos, die den Zoll in beiden Richtungen passieren. Als Seestadt hat Flensburg bedeutende Reedereien aufgebaut, die sich vorwiegend mit der Trampfahrt beschäftigen; ihr Radius schließt die Mittelmeerländer, Nord- und Südamerika ein.

Wer zum erstenmal durch die Straßen schlendert, hat den Eindruck, daß hier alles unmittelbare Gegenwart ist, um so überraschter ist er, wenn er plötzlich am Nordermarkt vor einem altersgrauen Haus, dem Schragen, steht, unter dessen Laubengang einst Bäcker und Schlachter ihre Stände hatten. Vor diesem Haus sprudelt Wasser aus einer barocken Brunnensäule, dem Neptunsbrunnen. Der idyllische Winkel wird überragt vom Turm St. Marien. Einmal auf die Fährte gesetzt, entdeckt man noch weitere Zeugnisse alter bürgerlicher Kultur, so die Kaufmannshäuser am Holm und in der Großen Straße, die gotischen Kirchen St. Nicolai mit der gewaltigen Orgelfassade und St. Johanni.

Daß von ihrer glanzvollen Vergangenheit verhältnismäßig wenig zu sehen ist, liegt an der wechselvollen Geschichte der Stadt. Immer wieder haben Kriege, Belagerungen, Plünderungen und Brände bedeutende Aufschwünge zunichte gemacht. Aber immer wieder haben die Bürger und unter ihnen einzelne führende Familien es verstanden, nicht nur das eigene Vermögen zu mehren, sondern den allgemeinen Wohlstand zu heben. Dem Bürgersinn verdankt die Stadt ihre Sammlungen, öffentlichen Anlagen, auch den Friedhof mit seiner klassizistischen Kapelle, die zu den besten ihrer Art gehört. Die Natur schenkte der Stadt ihren schönsten Reiz: die Lage an der großartigen Förde.

Die Städte der Westküste

Die Nordsee mit ihrem Wechsel von Ebbe und Flut erlaubte nur in der Nähe von Flußmündungen die Entwicklung von Häfen. Seit die Überseeschiffe größeren Tiefgang haben, ging bei den meisten von ihnen der Schiffsverkehr zurück oder hörte ganz auf, und am Ende blieben nur die alten großen Häfen: Hamburg und in Dänemark Esbjerg.

Dafür gibt es eine Reihe von verlassenen Hafenstädten, die heute nur noch von Krabbenfischern und Sportseglern angelaufen oder gar nicht mehr benutzt werden; ein Packhaus oder ein altes Hafenamt erinnern an Zeiten, als noch Waren fremder Länder ein- und ausgeladen wurden. So liegt in der Kremper Marsch die stille Landstadt *Krempe*. Daß hier, an der Kremper Aue, einst ein Hafen lag, daß von ihm aus Schiffe bis Lissabon, Venedig und Archangelsk verkehrten, ist selbst den Einwohnern kaum noch gegenwärtig. *Tönning* an der Eidermündung sieht heute noch nach einer Hafenstadt aus; hier qualmt ab und an ein Tonnenleger am Kai, auch laufen Fischkutter ein und aus. Von Tönning führte einst ein Graben zu der kleinen Stadt Garding, damit auch diese vom Seehandel profitiere; der Graben ist längst zugeschüttet. An der Elbe liegt *Glückstadt*, vom dänischen König Christian IV. 1616 gegründet, um Hamburg Konkurrenz zu machen. Das Unternehmen mißglückte; heute ist der Hafen verschlickt, und eine Sandbarre

EUTIN besitzt im ehemaligen fürstbischöflichen, später großherzoglich-oldenburgischen Schloß ein Bauwerk von hohem Rang und hat außerdem reizvolle Stadtansichten, so wie diese Reihe von Fachwerkhäusern, die einst für Kanoniker und Hofbeamte gebaut wurden und heute noch viele Straßen säumen.

legte sich davor, so daß nur kleine Schiffe und Fährboote anlaufen können. Eine Fürstengründung ist auch *Friedrichstadt*, 1621 am Zusammenfluß von Treene und Eider angelegt; der kleine Hafen ist jetzt ganz bedeutungslos. *Büsum*, Heimathafen der Krabbenfischer, erging es etwas besser, auch *Husum*, das außer einer Fischerflotte eine richtige Schiffswerft besitzt; doch auch diese beiden Städte leben von anderen Dingen: Büsum, das Seebad ist, vom Fremdenverkehr, Husum von seinem Viehmarkt. Husum, als Landstadt gegründet, bekam erst Zugang zur See, als das vorgelagerte Land der Sturmflut von 1362 zum Opfer fiel.
Eine leise Melancholie liegt über all diesen Städten, und Storms an Husum gerichtetes Lied »Du graue Stadt am Meer« paßt auf alle. Dabei sind einige, wie Tönning mit seinen alten Winkeln und dem Barockhelm seiner Laurentiuskirche, höchst malerisch. Friedrichstadt wurde von Holländern besiedelt, und wenn man hier durch die Straßen, über die Brücken und an den Grachten entlangschlendert, glaubt man, in einer holländischen Kleinstadt zu sein. Husum besitzt aus seiner Blütezeit im 16. und 17. Jahrhundert noch einige Bürgerhäuser mit Treppengiebeln, außerdem ein Schloß mit einem Torhaus, das mit Sandsteinfiguren geschmückt ist. Das Nissenhaus ist Pflegestätte für nordfriesisches Volkstum und Zentrum kultureller Veranstaltungen.
Von den landein liegenden Städten sind bemerkenswert *Heide*, das sich rühmt, den größten Marktplatz des Landes zu besitzen, und das Geburtsort von Klaus Groth ist, und *Meldorf* mit seinem Backsteindom, das bis zum Ende des 15. Jahrhunderts Hauptstadt von Dithmarschen war.

Herrensitze und Schlösser

An der ganzen Ostseeküste, am dichtesten zwischen der Lübecker und Kieler Bucht, in geringer Zahl auch in den Elbmarschen, liegen die *Herrensitze*, die meist mit großen landwirtschaftlichen Betrieben verbunden sind und die mit den Häusern der Landarbeiter und Handwerker den Charakter einer selbständigen ländlichen Siedlung haben. Es gibt heute noch über dreihundert solcher Herrenhäuser.
Die meisten von ihnen liegen am Wasser, an einer Ostseebucht wie Bülck, an einem Landsee wie Ascheberg, einem Flußlauf wie Breitenburg, einige mitten im Wasser auf Pfahlrosten, so Güldenstein. Die Herrenhäuser waren ursprünglich als Burgen angelegt und erhielten – meist an jeder Ecke – einen wehrhaften Turm. Die nach dem Ausgang der Ritterzeit errichteten Türme dienten nur noch dem Schmuck und der Repräsentation.
Das Herrenhaus unterschied sich von den Bauernhäusern anfänglich nur durch die Größe, und diese erreichte man, indem man einfach zwei oder drei Häuser nebeneinander setzte. Aus dieser ersten Form entwickelte sich dann das Haus mit den zwei oder drei Parallelgiebeln. Seit der Renaissance wurde ein neuer Typ geschaffen und vielfach variiert, die Schloßanlage, die sich in zwei, drei oder vier Flügeln öffnet. Daneben entwickelte sich der gerade, gestreckte Baukörper, dessen Mittelachse gern durch Portikus und Freitreppe betont wurde.

Privilegierte Familien

Die Schönheit der alten Herrensitze, die wie Perlen einer anmutig bewegten Landschaft eingefügt sind, genießt auch der unbefangene Betrachter. Wer ihren Sinn und ihre Bedeutung verstehen will, muß etwas von der Gesellschaftsschicht wissen, die sich diese Häuser schuf, vom Adel. Ihm gehörte seit dem 12. und 13. Jahrhundert eine Reihe von alteingesessenen Familien an, die zum Teil noch heute auf den ererbten Gütern sitzen.
Diese Familien bildeten eine durch besondere Privilegien hervorgehobene Gesellschaft und eine durch Verwandtschaften und Freundschaften, durch Lebensstil und Lebensideale verbundene Gemeinschaft. Sie entwickelten den Ehrgeiz, je nach den wechselnden Moden ihre Häuser mit kostbaren Möbeln, Servicen, Teppichen, Tapeten zu schmücken, mit Bibliotheken und Archiven zu füllen, die Gärten mit Standbildern, Schmuckvasen und Tempeln auszugestalten. Man veranstaltete Theateraufführungen und Konzerte und unterhielt zum Teil eigene Orchester.
Aus diesen Familien sind viele Diplomaten, Politiker, Heerführer, Humanisten, Poeten, Mäzene und Männer im öffentlichen Dienst hervorgegangen. – Unter den Herrensitzen mag Emkendorf, das Dreiflügelschloß in einem großen Park, besonders erwähnt werden. 1783 trat hier der hochgebildete

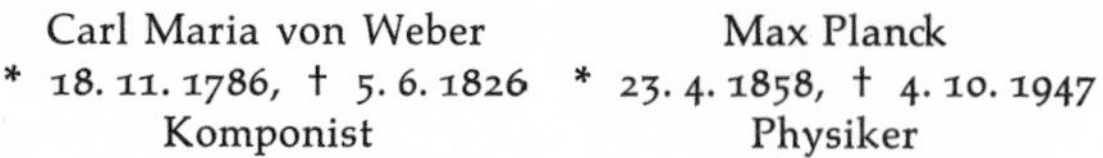

Carl Maria von Weber
* 18. 11. 1786, † 5. 6. 1826
Komponist

Max Planck
* 23. 4. 1858, † 4. 10. 1947
Physiker

Theodor Mommsen
* 30. 11. 1817, † 1. 11. 1903
Historiker

Heinrich von Rantzau
* 11. 3. 1526, † 31. 12. 1598
Staatsmann

Fritz von Reventlow sein Erbe an. Er und seine feinsinnige, ihrer Anmut wegen vielfach gepriesene Frau Julia gaben Schloß und Park die heutige Gestalt und machten ihr Heim zu einem Kulturzentrum des Nordens.
Die große Zeit des Adels hatte eine Kehrseite: die Leibeigenschaft. Zur Zeit, als der Adel Vertreter seines Standes in den Landtag schickte, traten die Bauern ab, die bis dahin neben Vertretern der Städte und der Kirche gesessen hatten. Aber es gereicht der Ritterschaft zur Ehre, daß aus ihren Reihen die Aufhebung der Leibeigenschaft betrieben wurde. Hans Rantzau in Ascheberg hat schon 1739 die Bauernhöfe seines Gutes in Zeit- und Erbpachthöfe verwandelt. 1797 teilte die Ritterschaft dem König ihren Entschluß mit, die Leibeigenschaft ganz aufzuheben, was denn 1804 geschah.
Von den Fürstenschlössern seien erwähnt die Wasserburg *Glücksburg*, die »Wiege der Könige«, und das romantisch am See gelegene, von riesenhaften Alleen umschlossene *Eutiner Schloß*. Eutin erlebte unter Peter Ludwig von Oldenburg (1785 bis 1829) seine kulturelle Blüte.

Kreditgeber für Könige

Eine großartige Gestalt steht schon am Anfang: *Heinrich Rantzau* (1526 bis 1598). Leider können hier nur einige Daten seines Lebens gegeben werden: Student in Wittenberg, Schüler Luthers und Melanchthons, mehrere Jahre am Hof Karls V. in Brüssel und Innsbruck, Reisen nach Italien, dann königlicher Statthalter in den Herzogtümern, Besitzer zahlreicher Schlösser und Güter, Unternehmer großen Stils, der einmal Italien durch Getreidelieferungen vor der Hungersnot rettete, Bankier, der Königen Millionen lieh, dabei Humanist, der mindestens sechs Sprachen beherrschte, Historiker, Poet, Sammler, Mäzen – eine universale Persönlichkeit.

Nobelpreis für Thomas Mann

Sechsundzwanzig Jahre war *Thomas Mann* alt (* 1875 in Lübeck, † 1955 in Zürich), als er mit seinem großen Roman »Die Buddenbrooks. Verfall einer Familie« einen Bestseller schrieb. Im Jahre 1929 erhielt er dafür den Nobelpreis. Der Sproß einer Lübecker Kaufmannsfamilie wurde bis zu seinem Tode einer der erfolgreichsten und meist diskutierten Schriftsteller des 20. Jahrhunderts. Schopenhauer, Wagner und Nietzsche bestimmten seine Entwicklung. Tiefes Erfassen aller Spannungen zwischen Geist und Leben und eine kühne, oft ironische sprachliche Artistik kennzeichnen seine Werke.
Melancholie durchzieht wie eine sanfte Musik die Novellen und die Lyrik *Theodor Storms* (1817 bis 1888). Düstere Schwermut erfüllt die Dramen Friedrich Hebbels. Seine Helden sind einem ausweglosen Zwang unterworfen, und ihre Leiden gewähren keinen Trost. *Ernst Barlachs* (1870 bis 1938) Dramen, Visionen einer schauerlichen Welt, steigern das Entsetzliche, weil er, einer der wenigen großen religiösen Dichter, das Licht aus dem Übersinnlichen sichtbar machen möchte. Selbst bei *Matthias Claudius* (1740 bis 1815) finden sich Verse von abgrundtiefer Schwermut. Bei ihm jedoch, diesem großem Kinde Gottes, klingen solche Töne nur selten auf. Unbeschwert gibt sich – vielleicht allein – *Detlev von Liliencron* (1844 bis 1909), dessen männliche Art das Leben mit Licht und Schatten als Geschenk hinnahm und der aus purer Lebensfreude seine unsterbliche Lyrik und gelegentlich auch gute Prosa schuf.
Eutin feiert seine Weberfeste, und die Stadt ist ja

HUSUM · In der grauen Stadt am Meer, wie sie Storm nannte, findet man viele alte Häuser, so das Rathaus und die Gebäude am Marktplatz (Bild). Im Nissenhaus ist das interessante Nordfriesische Museum untergebracht.

Detlev von Liliencron
* 3. 6. 1844, † 22. 7. 1909
Dichter

Thomas Mann
* 6. 6. 1875, † 12. 8. 1955
Dichter

Friedrich Hebbel
* 18. 3. 1813, † 13. 12. 1863
Dichter

Theodor Storm
* 14. 9. 1817, † 4. 7. 1888
Dichter

auch die Geburtsstadt *Carl Maria von Webers.* Freilich ist die Familie alemannischen Ursprungs, und Weber selbst hat seine Erziehung wie seine musikalische Ausbildung in Süddeutschland genossen; seine großen Triumphe hat er in München, Dresden, Prag und London erlebt.
Dagegen ist *Johannes Brahms,* obwohl er in Hamburg geboren wurde, ein echtes Kind des Landes, denn seine Eltern stammen aus Heide. Sein Leben wie sein Schaffen spiegeln wesentliche Eigenschaften seines Volkstums, so die Melancholie, die gelegentliche Heiterkeit, ja Ausgelassenheit nicht ausschließt, so das Bemühen um Ausgeglichenheit in Harmonik und Rhythmik, endlich sein Eigenbrötlertum.
Bedeutende Gelehrte entstammen Schleswig-Holstein, so der Historiker *Theodor Mommsen* (* 1817 in Garding, † 1903 in Berlin), der Philosoph und Pädagoge *Friedrich Paulsen* (* 1846 in Langenhorn, † 1908 in Berlin), der Theologe *Klaus Harms* (* 1778 in Marne, † 1855), der Germanist und Märchensammler *Karl Müllenhoff* (* 1818 in Marne, † 1884), der Arabienforscher *Carsten Niebuhr* (* 1733 in Lüdingworth, † 1815 in Meldorf).

Zwischen Lebenshunger und Frömmigkeit

Bei manchem Künstler des Landes hat man den Eindruck, als habe er um die Form gerungen, um sich von gefährlichen inneren Spannungen zu befreien. So verstehen wir die großen zusammenfassenden Formen von *Barlachs* Plastiken, die mit übermenschlicher Anstrengung erreicht sind. Von Hebbel wissen wir – durch die Tagebücher –, daß er der Spannung zwischen übergroßer Bewußtheit und sinnlicher Anschauung seine dramatische Form abgerungen hat. Der Maler *Johan Liss,* der 1629 mit dreißig Jahren in Venedig an der Pest starb, zu seiner Zeit eine Berühmtheit, dann vergessen und erst jetzt wiederentdeckt, schuf seine Bilder im steten Kampf zwischen Lebenshunger und weltabgewandter Frömmigkeit. *Asmus Jakob Carstens* (1754 bis 1798), der sein Lübecker Selbstbildnis unterzeichnete »ex Chersonesu Cimbrica« – von der cimbrischen Halbinsel – ging nach Rom, weil er glaubte, daß die Formenwelt des Südens seine germanische Mitgift, die überquellende Empfindungskraft, festigen und läutern werde.

Einzelgänger sind diese Künstler meistens gewesen, insofern sie sich mehr von eigenen Intentionen als von zeitgeschichtlichen Strömungen leiten ließen. Das meinte Fontane, wenn er mit dem Blick auf Storm von »Husumerei« sprach. Diese Eigenschaft hat viele Begabungen um ihre Entfaltung gebracht. Dagegen haben starke Naturen, wie Nolde und Christian Rohlfs, wie Barlach, gerade durch die geistige Unabhängigkeit ihre großen Konturen gewonnen. Völlig außerhalb jeder geschichtlichen Bindung stand der friesische Maler *Oluf Braren* (1787 bis 1839). Hätte es damals schon den Begriff des Sonntagsmalers gegeben, so hätte er bereits zu Lebzeiten Ruhm gewonnen.
Die großen Männer sind Schlüssel, die uns das Wesen des Volkstums erschließen, aus dem sie stammen. Die Menschen auf der schmalen Halbinsel, im Grenzraum zwischen deutscher und skandinavischer Kultur, tragen schwerer als die Süddeutschen an Spannungen zwischen Melancholie und Lebensfreude, Eigenbrötelei und Sehnsucht nach Gemeinschaft, Gefühlsüberschwang und Streben nach strenger Form. Das schließt nicht aus, daß man in diesem nördlichen Land auch harmonische Persönlichkeiten findet. Die Klassiker des niederdeutschen Schrifttums, die aus Sprache und Vorstellungswelt des Volkes schufen, Klaus Groth und Johann Heinrich Fehrs, gehören dazu. Auch die älteren Künstler: *Dietrich Buxtehudes* Werk mit seinen über hundert Kantaten, vielen Tokkaten, Fugen, Suiten und Sonaten ist überglänzt von jener »Seligkeit in sich selbst«, dem Signum der Barockmusik. Der Maler *Jürgen Ovens* hat scheinbar mühelos die Ausdrucksmöglichkeiten Rembrandts und van Dycks variiert, und die Bildhauer Bernt Notke und Hans Brüggemann verraten nichts von der Anspannung, mit der sie geschaffen haben.

Holsteiner auf allen Turnieren

Wer einmal kreuz und quer durch das Land gereist ist, bewahrt in der Erinnerung hauptsächlich Wiesen, auf denen schwarzgefleckte oder rote Kühe weiden, Äcker, über die der Trecker oder das Pferdegespann den Pflug zieht, und tatsächlich ist Schleswig-Holstein vorwiegend *Agrarland,* das weit mehr Milch und Butter, Brotgetreide und Fleisch produziert, als es selber gebraucht. Welche besonderen

Merkmale hat hier die Landwirtschaft? Sie hat sich auf mannigfache Weise spezialisiert, so auf Viehzucht: Rinder und Schweine, auch Schafe. Und erst die Pferde! Wenn ein deutscher Reiter auf einem Turnier Erfolge erzielt, hat er sehr oft schleswig-holsteinisches Warmblut geritten. Es gibt auch Höfe, die sich auf Saatzucht spezialisiert haben, auf Weizen und Hafer. Allein 2850 Hektar werden für Rübensaat verwendet, und Dithmarschen, das im Kohlbau führend ist, exportiert Kohlsamen in viele Länder. Dort, aber auch in anderen Landesteilen, werden Tulpen und Begonien gezüchtet, fast so viel wie in Belgien. Ein bedeutender Exportfaktor sind Maiblumenkeime, die hauptsächlich in der Gegend Eutin – Lübeck gezogen werden. Westholstein endlich – mit dem Schwerpunkt um Pinneberg – besitzt das größte geschlossene Baumschulengebiet der Welt.

In Schleswig-Holstein kann man studieren, was für Industrien die Landwirtschaft in Bewegung setzt. Man findet Fabriken für Düngemittel, Futtermittel, für Geräte und Maschinen. Weiter gibt es zahlreiche Betriebe, die landwirtschaftliche Erzeugnisse verarbeiten und veredeln, so Meiereien, Mühlen, Stärkeindustrien, Bäckereien, Fleischwarenwerke, Ölmühlen, Margarinewerke, Zuckerindustrien, Brauereien und Lederfabriken.

Schiffbau und Reedereien

Der *Schiffbau* blickt auf eine alte Tradition zurück. Schon in Haithabu wurden Seeschiffe gewerbsmäßig hergestellt. Heute gehören das Hämmern, Bohren und Schweißen, die Musik der Werften, zu den charakteristischen Merkmalen nicht nur der großen Hafenstädte Kiel, Lübeck, Flensburg, sondern auch der kleineren Städte Lauenburg, Elmshorn, Büsum und Husum und selbst im Binnenland, in Rendsburg, dank seiner Lage am Nord-Ostsee-Kanal. Außer Frachtern und Tankern bis zu 50 000 t werden große und kleine Schiffe, Schlepper, Schuten und Jachten gebaut.

Wo Schiffe gebaut werden, gibt es auch *Reedereien*, in Schleswig-Holstein sind sie zahlreich, und ihre Schiffe zeigen die Kontorflagge ihrer Häuser auf allen Meeren. Wo Schiffe auf Kiel liegen, entwikkeln sich Hüttenwerke, Gießereien, Fabriken für den Bau von Maschinen und Motoren, für Winden und Ruderanlagen. Man findet solche Betriebe auch im Binnenlande, in Rendsburg, Neumünster und Lauenburg. Spezialfirmen fertigen Echolote, andere nautische Geräte, Sturmlaternen, hydrologische Instrumente, Tauchergeräte, Sende- und Empfangsanlagen für den Seefunk und vieles andere an.

HUSUM, HAFEN · An der kanalisierten Husumer Aue gelegen, hat der Hafen nur noch eine Bedeutung als Ausgangspunkt für die Schiffahrtslinien zu den Halligen. Auch Fischfang wird hier betrieben. Zur Insel Nordstrand führt von hier aus ein Damm.

ITZEHOE, durch die Stör mit der Elbe verbunden, alter Handelsplatz, seit 810 fränkischer Stützpunkt, hat wenig Bauten von geschichtlicher Bedeutung, dagegen einige sehr moderne Industrieunternehmen, so Zement- und Pumpenfabriken.

Seefischerei wird an beiden Küsten betrieben. Kutter fangen in der Ostsee bis hinauf nach Skagerrak Schellfische, im Winter Lachs auf der Höhe von Danzig, in der Nordsee Krabben und Muscheln, vor Helgoland auch Hummer. Die großen Heringslogger fahren bis in die Fangplätze westlich von Grönland. Wer den Kieler Seefischmarkt besucht, kann nicht nur die Atmosphäre großer Auktionen erleben, er kann auch verfolgen, wie die Fische in die Räuchereien, in Konservenfabriken, in die Fischmehl- und Margarinewerke geleitet werden.

In Westholstein, in der Nähe von Heide, findet man Anlagen zur Gewinnung und Veredelung von *Erdöl*. In jüngster Zeit werden auch Ölfunde in Ostholstein und in der Nähe von Eckernförde ausgewertet.

Im übrigen hat die Natur das Land nicht gerade mit Bodenschätzen gesegnet, dafür hat sie ihm etwas anderes gegeben: schöne, Seele und Leib kräftigende Landschaften und Heilbäder. In der Holsteinischen Schweiz, den Bädern der Lübecker Bucht und der anderen Förden, auf den Nordseeinseln lebt ein gut Teil der Bevölkerung vom Fremdenverkehr.

Humor in Schleswig-Holstein

Martje Floris

In Eiderstedt kann man den Trinkspruch hören: »Martje Floris' Gesundheit!« Mit dem Spruch hat es folgende Bewandtnis: Als im Jahre 1700 Tönning belagert wurde, bezogen feindliche Offiziere auf einem Hof in Katherinenherd Quartier. Bei einem Zechgelage forderte einer der Offiziere die zehnjährige Tochter des Hauses auf, den Trinkspruch auszubringen. Diese, an den Kummer ihrer Eltern und den Übermut der Fremden denkend, nahm das Glas und sagte: »It gah uns woll up unse olen Dage.« Dieser Satz ist bis heute nicht vergessen worden.

Der Herr Minister aus München

Der Herr Minister wollte die U-Schule besuchen und fuhr zu diesem Zweck nach Eckernförde. Von dort aus beabsichtigte er, einen der kleinen Küstendampfer zu nehmen und sollte in See von einem Torpedoboot aufgenommen werden. Dieses kreuzte also vor der Einfahrt der Eckernförder Bucht. Schließlich kam ein Schifflein in Sicht, und das Torpedoboot fuhr mit äußerster Kraft auf dieses los, drehte in elegantem Bogen auf und näherte sich von achtern. Als beide Schiffe in Rufweite waren, rief der Kommandant des Torpedobootes durch das Megaphon: »Haben Sie den Herrn Minister aus München an Bord?« – »Nee! Swine ut Kappeln!«

Trinkwasser auf der Hallig

Ein Halligbauer schickte eine Wasserprobe aus seinem Brunnen zu seinem Arzt, damit der es untersuche. Als Antwort kam die beruhigende Nachricht: »Weder Eiweiß noch Zucker.«

Wasser-Gedanken

Einer, der noch nie an der Nordsee war, kommt nach Sylt. Sein erster Gang führt ihn an den Strand. Hier steht der Gast nun und schaut voll Verwunderung über die weite Wasserfläche. Mittlerweile ist ein alter, biederer Schiffer zu ihm getreten, und als der Gast ihn gewahr wird, kann er nicht mehr an sich halten und fragt: »Sagen Sie mal, mein Lieber, ist das alles Wasser?« – Der Alte, dem solche Frage mehr als sonderbar erscheint, weiß nicht, was er antworten soll und schweigt. Als dann der Wasser-Fremde seine Frage wiederholt, wird ihm klar, was der Mann eigentlich meint. Stillschweigend spuckt er seinen Priem aus und sagt: »Nee, dor sünd ok Fisch mang.«

Am Beten verhindert

Bei einer Sturmflut rettet ein Pastor im Boot eine alte Frau. Als sie endlich in Sicherheit sind, fragt der Pastor: »Hast du auch zu unserem Herrgott gebetet?« »Dat kunn ich ja nich. Ick har in de annern Hand min Portmonnä.«

Notschlachtung

Ein Tierarzt kommt zu seinem Freund, der Arzt ist, und will sich untersuchen lassen. Auf alle Fragen des Arztes, wo es denn weh täte, sagt der Tierarzt immer nur: »Ik kann een Kok ok nich fragen, wo ehr dat weh deit.« Da wird der Arzt ärgerlich und sagt: »Dann helpt dat nich, dann möt wi'n Notslachtung maken.«

Macht der Gewohnheit

Wat de Gewohnheit nich deit, sä de Snieder, dor stohl he een Stück vun sin eegen Tuch.

Unschuldig

Wegen Alimenten stand Klas vor dem Richter. Er bekennt sich freudig zu seiner Tat; als aber der Richter Daumen und Zeigefinger gegeneinander reibt und fragt: »Wie steht es denn hiermit«, sagt Klas: »Dar will ick nix för hebbn.« — »Deubel auch«, sagt der Richter, »du schast da nix för hebbn, du schast betolen.« — »Nä, dann will ich dat lever afswören.«

Sönndaagsverdeener

Jan weer'n strewsame Minsch. He arbeitet warkel- un sönndaags, an'n leewsten ok nachts. Dat he sönndaags den Spaden in'e Hand nehm, möcht de Paster nu nich hebben, un Jan möß doch, wiel he'n kinnerriek Familj harr. Eenmaal nu keem de Paster wedder do up to, as Jan in'n Goarn an to graben weer, an'n Sönndaag. – »Guten Tag, Herr Lindblohm!« sä he. – »Guten Tag, Herr Paster!« – »Nun sagen Sie bloß, Herr Lindblohm, muß das Graben gerade immer am Sonntag sein?« – »Mutt sien, Herr Paster«, sä Lindblohm, »dat gifft jo noch mehr Lüüd, de an'n Sönndaag ehr Geld verdeen«, un grööf wieder.

Verborgene Schönheit

Der Großherzog kehrt einmal bei seinem Förster ein und macht der ihm aufwartenden Tochter das Kompliment, daß sie eine besonders zarte und liebliche Gesichtsfarbe habe. Da antwortet der beglückte Vater: »Dscha, Königliche Hoheit! So is se öwer und öwer.«

Fachmännisch

Zwei alte Kapitäne schlendern am Eutiner See entlang. Bei einer Linde unterbricht der eine das Schweigen und sagt: »Hier hett Voß sin Luise dicht't.« Nach einer ganzen Weile antwortet der andere: »Weer se denn leck?«

Vornehmes Maßhalten

Vor vielen Jahrzehnten zeichnete sich ein Theaterdirektor in Kiel durch den Mut aus, mit dem er die Stücke seines Spielplans ausstattete. Mit einer Gartendekoration, die für eine kleine Bewirtschaftung im Freien, und mit einer Innendekoration, die für einen anspruchslosen Droschkenkutscher vollauf genügen konnten, spielte er sämtliche Dramen der Weltliteratur. Er gab auch Egmont mit der Musik von Beethoven; die gesamte Bühnenmusik bestand aber aus einer einzigen Gitarre. Eines Tages legte ihm sein Regisseur nahe, doch für vorkommende Musiken wenigstens ein Klavier anzuschaffen. »Ich weiß gonnich, worum«, versetzte der Herr Direktor. »Die Leute sind hier gonnich für das Übertriebene!«

Unglück

Da ist die Geschichte von dem armen Mann, dem es geschah, daß auch seine dritte Frau starb. Er kam aufgeregt zum Pastor und stammelte: »Herr Paster –, Herr Paster – ick mag se dat meist nich seggen – min Fru is all wedder dot!«

Hans Scholz *Beiderseits des Brandenburger Tores*

Die Stadt Berlin um 1700 – dazumal eine Festung, die vier Stadtgemeinden einschloß – dürfte einen Umfang von 6600 Metern gehabt haben, für damalige Residenzen etwa das Übliche. Doch war die Stadt weniger dicht als üblich besiedelt, die Häuser meist einstöckig, seltener bis zu zwei oder gar drei Geschossen erhoben. Hof, Stall und Gartenland beanspruchten einen nicht gerade geringen Teil vom Ganzen; eine grüne Stadt.

Der Soldatenkönig, neben seinen von uns nicht mehr begreiflichen Härten ein Mann des Fortschritts, kam zu zwei modernen Erkenntnissen: ein großes stehendes Heer macht Festungen überflüssig, und diese stehen der wirtschaftlichen Entwicklung jedweder Stadt hinderlich, ja abwürgend im Wege. Die Festungsmauern fielen zugunsten einer bloßen Zollmauer, die nebst einer fünften Stadtgemeinde, der Friedrichstadt, alle äußerst geräumigen Ansiedlungen vor den Festungstoren einbegriff, wozu sie eine Länge von etwa dreizehn Kilometern benötigte. Doch blieb Freiland innerhalb der Mauern, und auch bei der Anlage der beiden Neustädte Dorotheen- und Friedrichstadt vom Ende des 17. und Anfang des 18. Jahrhunderts war Platz nicht gespart worden; die damals eingeplanten Straßenbreiten sind heute noch vollkommen tragfähig.

Die verschwundenen Festungsmauern haben ihre Spuren hinterlassen, doch ist es nicht leicht, sie im heutigen Stadtbilde zu erkennen. Hingegen ist jene Mauer des Soldatenkönigs an ihren Toren noch gut ablesbar, wenngleich diese, ihrer vierzehn an der Zahl, fast nur mehr dem Namen nach existieren.

Eines ist selbst über Deutschland hinaus in aller Welt ein Begriff: das Brandenburger Tor. So wie es dasteht, ist es mit der Aufgabe, die Stadt nach Westen abzuschließen, das dritte Tor. Es löste ältere ab und stammt eben noch aus dem 18. Jahrhundert, zeigt aber schon, wie vollkommen sich die fortifikatorische Defensivfunktion in die dekorative Gebärde aufgelöst hatte.

Und abermals wuchsen Villenviertel und Vorstädte auch vor diesen Toren wieder. 1841 betrug der Umfang der mittlerweile völlig offenen Stadt 28 Kilometer, 1861 45 Kilometer, doch fällt auf, daß nach weiteren zwei Jahrzehnten, 1881, der Grenzumfang auf einen Kilometer genau der gleiche ist. Hatte das Wachstum aufgehört? Keineswegs. Die Einwohnerschaft aber hatte sich auf dem nämlichen Gelände verdreifacht. Nachdem 1861 Berlin bereits größer als Wien war, erreichte die Kopfzahl 1881 fast schon ein und eine halbe Million.

In diesen simplen Zahlen stecken jedoch Fakten von unwandelbarer Kraft. Die verdreifachte Kopfzahl forderte Wohnraum. Solchem Erfordernis wurde das gotische und das Berlin der Renaissance, das barocke und klassizistische Berlin, dessen architektonische Schönheit sich einstimmigen Lobes erfreut hatte, preisgegeben. Die Zerstörung war gründlicher als die des Bombenkrieges. Kein Mensch, keine Instanz bezog einen archivarischen Standpunkt, so heftig war der Gründerdrang zum Neuen, zur Stadt, die sie werden sollte, fort von der, die sie war. Kein Landeskonservator gebot Einhalt.

Dies könnte man beklagenswert finden, allein an so manche Stadt in Deutschland, die bislang ihr altehrwürdiges Gesicht hat wahren können, weil ihre Entwicklung sie noch unter keinen Zwang setzte, treten heute nun unabweislich die städtebaulichen Fragen heran, die sich dem damaligen Berlin schon mit Nachdruck gestellt haben. Das wird ein neues Verständnis für das Berlin der Gründerjahre und sein bilderstürmerisches Verhalten fördern helfen und dem Vorurteil Abbruch tun, Berlin sei, wie ja die Architektur ausweise, eine geschichtslose Stadt. Nichts davon! Wie die neuesten Ausgrabungen unwiderleglich dartun, ist Berlin vielmehr so alt wie jede andere deutsche Stadt, die nicht gerade Römergründung ist, zu schweigen von der Überfülle vor- und frühgeschichtlicher Siedlungen im Boden Groß-Berlins.

Mit dem Abriß der alten Gebäude jedoch und mit höheren Neubauten war es noch keineswegs getan. Es verschwanden die Höfe, Ställe und Gärten; Brunnenkuranlagen, Weinberge, Wälder und Gewässer, die man zuschüttete, folgten. Jene Baumeister, die nur als Bausünder verschrien sind, waren aber dennoch nicht besser und nicht schlechter als die gegenwärtige Architektengeneration, die andere Aufgaben hat und andere Fehler machen wird. Auch scheint die Zeit nicht mehr ganz fern, da man dem Stil der Gründerbauten wieder einigen Geschmack abgewinnen wird.

Die damalige Aufgabe erforderte jedenfalls Kurzhaltung des Weges zwischen Wohnung und Fabrik. Denn noch gab es keine Verkehrsmittel, und die Haltung von Pferd und Wagen als Zubringer zum Arbeitsplatz war immer nur Sache der reicheren Kreise gewesen, solange es Pferd und Wagen gegeben hat übrigens. Das Fahrrad als Massenverkehrsgerät war noch ohne Bedeutung, ja das Fahren auf Zweirädern im Straßenverkehr vor 1896 in Berlin verboten.

Die Grundstücke, soweit sie in Haus, Hof und Garten unterteilt gewesen waren, dürften einen handtuchförmigen Zuschnitt gehabt haben, der Anteil an der Straßenfront war allemal die kürzeste Grundstückseite. Der Planung blieben wenig Möglichkeiten: man baute in die Höhe, das hatte seine statischen Grenzen; man setzte Flügel auf der Hofseite an, im daraus folgernden Winkel ergaben sich unausweichlich die berüchtigten Berliner Zimmer mit ihrem Halbdunkel; und je nach Länge des Grundstückes unterteilte man mit einem oder mehreren Quergebäuden, die gleich dem Vorderhaus Tordurchfahrten hatten.
Von der nächstanliegenden Straßenseite her stieß ein ähnliches Gebilde entgegen, und, gewollt oder nicht, formten sich die trostlosen Schluchten der Hinterhöfe. Unsinn jedoch, anzunehmen, daß man allein aus sozialer Verantwortungslosigkeit derart baute. Immer noch lagen Wald und Feld in greifbarer Nähe. Erst ein weiteres Wachstum der Stadt schnitt diese Bauerzeugnisse vollends von der Natur ab und ließ die Slums und »das Milljöh« entstehen.
Abermals zwanzig Jahre später überschritt die Einwohnerzahl die zweite Million. Der Grundsatz vom kurzen Anweg zum Arbeitsplatz war nicht mehr aufrechtzuerhalten. Nachbarorte, selbständige Städte, wie Charlottenburg, Spandau oder Köpenick, Vororte, wie Schöneberg oder Neukölln, wuchsen ihrerseits so nachdrücklich, daß ihre bebauten Gemarkungen an das sich dehnende Berlin stießen.
Des Niemandslandes zwischen den bebauten Partien bemächtigte sich überall die Industrie. Verkehrsverbindungen waren das, was geschaffen werden mußte. Hier reichten Erfindung und Erfordernis einander die Hand, es war kein Zufall.
Die erste Straßenbahn Deutschlands, als Pferdebetrieb noch, verknüpfte Berlin und Charlottenburg. Die erste elektrische Straßenbahn der Welt fuhr auf Berliner Boden. Schon in den sechziger Jahren hatte man begonnen, die wesentlichsten Teile dieser Städteschaft mit einem Eisenbahnring zu umschließen. 1877 war die Ringbahn bereits in vollem Betrieb. 1875 bis 1882 entstand die sogenannte Stadtbahn; sie benutzt im übrigen, wo sie die Berliner Altstadt umfährt, bezeichnenderweise das vormalige Festungsgelände. Dazu kam in unsern dreißiger Jahren die Nordsüdbahn. Es sind insgesamt 195 Stationen. Ferner das U-Bahnnetz mit über 100 Stationen; es ist in andauerndem Wachstum begriffen. Mit einer Hochbahn fing es an, sie läuft vom »Halleschen Tor« bis zum »Schlesischen Tor« und darüber hinaus entlang dem Mauerverlauf, den der Soldatenkönig bestimmte, was wenige zur Kenntnis nehmen. Der Berliner hat wenig Sinn für seine Lokalgeschichte. So dicht wie ausgedehnt fügt sich das System der Omnibus- und Straßenbahnlinien dazu, das planvoll ins S- und U-Bahnnetz eingeknotet ist. Doch gehört auch ins Bild, daß 1876 hier die erste Rohrpost, 1881 der erste Fernsprechbetrieb im Reich eingeführt wurden.
So stattete sich eine Stadt mit allen nur möglichen Einrichtungen aus, den Ansprüchen der weitaus größten Siedlung in Deutschland, dem Schwerpunkt der Wissenschaften und Künste, der Hochschulen, Opern und Theater, dem Sitz der Reichsregierung und dem größten Industriezentrum auf dem Kontinent zu genügen. Indessen war die technische Revolution noch durchaus nicht am Ende. Während ihr zufolge und entsprechend die Sozialstruktur sich fühlbar zu wandeln begann, führte die optimistische Stadt nach der Katastrophe von 1918 große Eingemeindungen durch und ward mit 235 Kilometer Umfang zur Vier-Millionen-Stadt. Doch blieb zwischen den in den Stadtbereichen einbezogenen Großsiedlungen noch Terrain genug, der Entwicklung, zum Beispiel durch Anlage des Flugplatzes Tempelhof, Rechnung zu tragen. Heute hat Berlin dort sowie in Tegel zwei zivile Flughäfen auf stadteigenem Boden, einen dritten noch an der Havel, während der Ostberliner Flughafen jenseits des Stadtrandes auf brandenburgischem Boden liegt.
Grundlegenden Wandel schuf die Motorisierung. Das Problem der Arbeitsanwege begann zu verblassen. Neue Baumaterialien und Methoden gestatteten überdies ein Vielfaches an Stockwerken gegenüber Bisherigem. Der Bombenkrieg leistete der Auflokkerung der nicht intensiver mehr auszunützenden Bau- und Bodenverhältnisse entscheidenden Vorschub. Kluge Stadtplaner verwandeln die Not zur Tugend. Hinterhof und Berliner Zimmer verschwinden als überflüssig. Wohnzentren lösen sich von Arbeitszentren. Sichtbar wachsen Parkplätze auf den Werkgeländen. Der Schwung gänzlich neuer Schnellstraßen beginnt, sich zwischen den Stadtteilen abzuzeichnen.
Die eingeschnürten Auwälder dehnen sich wieder. Tatsächlich, das Tiergartenareal ist seit dem Kriegsende größer geworden. Die Innenstadt verspricht wieder grün zu werden. Vom einleuchtenden Vorbilde West-Berlins ist die Oststadt, wie sehr auch fremden Exempeln verpflichtet, nicht unbeeinflußt geblieben, es läßt sich nicht verheimlichen. Berlin zeigt bereits allerorten das unwiderstehlich überzeugende Bild der »Stadt von morgen«. Man ist längst schon nicht mehr auf das anmutige und heitere Baumuster des Hansaviertels allein angewiesen, um das zu veranschaulichen.
Das Gesicht aber innerhalb von zweieinhalb Jahrhunderten zweimal von Grund auf zu wechseln, ist ein schlagender Beweis von Vitalität, die zwei verlorene Weltkriege nicht minderten und namentlich auch die lähmende Vorgeschichte so wenig wie die nichtendenwollende Nachgeschichte des zweiten Krieges nicht zu ersticken vermochten. Wer würde auch glauben wollen, die Großen dieser Welt in Ost und West haderten, fast wie um den Kernpunkt all ihres Haders, um Berlin, wenn diese Stadt mit ihrer eigenen althergebrachten Zuversichtlichkeit weder Hoffnungen mehr erwecken könnte, sie zu besitzen, noch Sorge, sie zu verlieren!

WESTERLAND
Sylt
Föhr
Amrum
Halligen
NIEBÜLL
NORDFRIESLAND
FLENSBURG
GLÜCKSBURG
SCHLESWIG
HUSUM
FRIEDRICHSTADT
NORDSEE
DITHMARSCHEN
Eider
HEIDE
ALBERSDORF
SCHENEFEL
BÜSUM
Nord-Ostsee-Kanal
Helgoland
N
ITZEHOE
BRUNSBÜTTELKOOG
ÜTERSEN
GLÜCKSTADT
Elbe
WEDEL

SCHLESWIG
HOLSTEIN
OSTSEE
Kieler Bucht
LABOE
HOLTENAU
KIEL
Fehmarn
BURG
GROSSENBRODE
LÜTJENBURG
Eider
HOLSTEINISCHE SCHWEIZ
WAGRIEN
KELLENHUSEN
PLÖN
EUTIN
NEUSTADT
Plöner See
NEUMÜNSTER
Lübecker Bucht
BAD SEGEBERG
TRAVEMÜNDE
LÜBECK
Trave
REINFELD
RATZEBURG
AHRENSBURG
Sachsenwald
MÖLLN

FRIEDRICH LUFT Berlin

Nur 73 Jahre lang hat Berlin seine Funktion als die Hauptstadt des Reiches erfüllen dürfen. Mit der staatlichen Einigung 1871 wurde die bis dahin nur preußische Residenz zur Metropole des neuen Reiches. Berlin blühte auf. Die Einwohnerzahl sprang bis über 4,2 Millionen. Zwei Menschenalter später, im traurigen Frühjahr 1945, war das Land in geschlagene und eroberte Provinzen auseinandergefallen. Berlin war nicht mehr die Hauptstadt. Berlin war kaum eine Stadt mehr. Mehr als die Hälfte aller Gebäude war unter Bomben und den Schädigungen der letzten Schlacht zusammengestürzt. Fast die Hälfte der Bewohner war geflüchtet, verstreut, heimatlos oder getötet.

Der Ort, der zu Anfang des Jahrhunderts und bis in die dreißiger Jahre hinein die agilste, lebensvollste, interessanteste, fortschrittlichste, die vitalste Siedlung dieses Kontinents gewesen war – nach der kleinen Apokalypse: eine Schuttwüste, ein rauchendes Trümmerfeld, eine Landschaft des Jammers, bewohnt von Hiobsgestalten, die ohne Licht, ohne Wasser, ohne Zufuhr an Nahrung vegetierten.

Wenige Jahre danach: wiederum eine lebensvolle, energiegeladene Siedlung, politisch zweigeteilt unter den verdammten Nachwirkungen von Hitlers Krieg. Die Stadt lebt staatlich wie unter einer Glasglocke, der eine Teil dem westlichen deutschen Staatengebilde angeschlossen, nur durch vier streng bewachte Ausfallstraßen mit ihm verbunden. Die andere Hälfte der Stadt ist der östlichen Machtwelt zugeschlagen. Das Brandenburger Tor, einst in der ungefähren Mitte der Stadt das Wahrzeichen für ganz Berlin, jetzt steht es auf der Trennungslinie zweier Welten, scheidet es Machtsphären, signalisiert es den Riß durch das Land, den bösen Riß durch ein und dieselbe Stadt.

Eine Hauptstadt im vorläufigen Exil. Die Berliner, die Goethe schon ein *»verwegenes Völkchen«* nannte, haben sich mit der Absurdität ihrer Lage eingerichtet. Was blieb ihnen anderes? Aber abgefunden haben sie sich damit nicht. Sie sind geradezu rabiat an den Wiederaufbau gegangen. Sie haben ihre Stadt, die nie schön war, neu aufgerichtet. Hilfe kam ihnen von außen. Aber vor allem haben sie selbst, fern aller Wehleidigkeit, die Ärmel aufgekrempelt und neu Stein auf Stein gefügt.

Sie haben ganze Straßenzüge neu verlegt, haben ganze Stadtviertel neu und leuchtend aus den Trümmern gestampft. Industrien sind frisch entstanden. Das Gemeinwesen hat wieder zusammengefunden, wenn es auf Zeit auch zerrissen ist. Von allen großen Städten ist Berlin, jetzt auf sich selbst gestellt und seines natürlichen Hinterlandes beraubt, immer noch die großstädtischste. Metropolitischer Geist weht.

Der Geist von Berlin. Gab es den? Gibt es den?

Immer war er vielfach geschichtet und doch eine Einheit. Diese Stadt hat nie die wohltätige Patina der Geschichte gehabt wie Rom, wie Paris, wie London, wie Kopenhagen oder Madrid. Wer hier aufwuchs, auf den fiel nicht der Schatten der Historie herab. Berlin ist nicht gelagert an den reichen Straßen, an den satten Niederungen alter Kultur wie südlichere Gemeinwesen unseres Landes. Keines Römers Fuß betrat die Mark Brandenburg. Dies war Kolonialland, dem Eroberer wenig verlockend. Erst der deutsche Kaiser Lothar setzt im zwölften Jahrhundert einen Markgrafen für des »Heiligen Reiches Streusandbüchse« ein. Albrecht der Bär gewinnt das Land von der Elbe her bis zur Havel und Nuthe.

1237 werden die Fischerdörfer Cölln und Berlin

AUSSTELLUNGSGELÄNDE AM FUNKTURM · Am Nordende der Avus erhebt sich der 1926 erbaute, 150 m hohe Funkturm. Von seinem in 55 m Höhe liegenden Restaurant hat man einen großartigen Blick auf die Stadt und das Messe- und Ausstellungsgelände mit der Sporthalle inmitten von Park- und Grünanlagen.

zum ersten Male genannt. Hundert Jahre später vereinen sie sich und bauen ihr erstes Rathaus. Wieder ein Jahrhundert danach erscheint zum ersten Male ein deutscher Kaiser in den Mauern der noch dörflichen Stadt. 1415 dann trifft Burggraf Friedrich von Nürnberg, der Hohenzoller, zum Statthalter des Kaisers und Kurfürsten von Brandenburg ernannt, in der Stadt ein. Bis 1918 sollten die Hohenzollern hier residieren.

Nach dem Dreißigjährigen Kriege wohnten in Berlin kaum 10 000 Bürger. Noch war Brandenburg unter des Reiches Provinzen die ärmste und unansehnlichste. Sie sollte es nicht lange bleiben.

Die Könige von Preußen, zu denen die märkischen Kurfürsten avancieren, holen Siedler, Einwanderer von allen Seiten herein. Franzosen kommen, Glaubensverfolgte, und bilden in der Stadt ihre eigene Kolonie. Sie werden die kunstfertigen Lehrmeister des Berliner Handwerks.

Aus Böhmen werden Glaubensflüchtlinge eingeladen, hier zu wohnen und ihre heimatliche Textilindustrie der Stadt zum Nutzen mitzubringen. Aus Holland ziehen die Architekten und Bauarbeiter heran. Aus Sachsen und Franken wandern Siedler zu. Aus fast allen Richtungen des Kontinents kommen sie und bilden die vielfache und glückliche Mischung des Berlinertums.

Und es kommen die Unternehmendsten, die Arbeitsamsten, die Abenteuerlichsten. Die Regsamkeit, die diesen Ort bis auf den heutigen Tag auszeichnet, diese Lust am Handanlegen, am Planen, am jedesmal ganz neu Beginnen – sie ist aus solcher glückhaften Mischung der Berliner Völkerfamilie zu erklären. Wer hier zuwanderte, wußte, daß ihm gebratene Äpfel nicht in den Mund fallen würden. Der Boden war karg. Die Vorbedingungen für jedes Handwerk, für jede importierte Industrie mußten immer erst geschaffen werden.

Auslauf für den Tüchtigen

In der Mark, so haben preußische Geschichtsschreiber nicht ohne einen spartanischen Stolz immer wieder angemerkt, mußte man sich »groß hungern«. Man kam nicht, sich das Glück in den Schoß fallen zu lassen. Man kam mit dem Bewußtsein, es sich erarbeiten zu müssen. Aber man fand die Ellbogenfreiheit, es zu tun. Der Tüchtige hatte hier Auslauf. Und es schien, als spräche sich das unter den Tüchtigen durch die Jahrhunderte herum.

Dem Umstand seiner vielfach geschichteten Besiedlung ist denn auch zuzuschreiben, daß an dieser Stelle schon früh ein kosmopolitischer Wind wehte. Wenn der Nachbar links einer französischen Refugié-Familie entstammte, wenn der Mann rechts sich von einem flämischen Handwerker herschrieb, wenn der nächste noch den Familientonfall seiner böhmischen Herkunft in der Sprache hatte und der Mann gegenüber deutlich wendisch-slawischen Ursprungs war, wenn sich die große städtische Familie aus so vielen Herkünften speiste und zurückschrieb: wie sollte da ein Geist kleinlicher Kirchturmspolitik entstehen, wie ein örtlicher Chauvinismus möglich sein?

Er war hier nie möglich. Und wenn auch in Berlin – und in Berlin zuletzt – die chauvinistische Verengung des Dritten Reiches obsiegte mit ihrer dummen und unpraktikablen These der »Reinrassigkeit« und automatischen Vorherrschaft einer vagen Blondheit, so wußte der Berliner rein aus seiner glücklich und vielfach geschichteten Herkunft besser Bescheid. Ernst nehmen konnte er solche Fiktionen des »rassischen« Besserseins nie. Oder er hätte aufhören müssen, sich selbst und die vielen ehrenvoll gemischten Komponenten nicht mehr ernst nehmen dürfen.

Geist sachlicher Herzlichkeit

Der Geist von Berlin ist so von Verengungen fast automatisch frei geblieben. Was der Stadt im Vergleich mit historisch fester verhafteten, reicheren, tiefer in der Geschichte fundierten Siedlungen fehlen mag, sie hat es immer durch eine radikale Weltoffenheit, durch den Zuzug immer neuer Tüchtiger aus allen Sphären und Berufen ausgeglichen. Der richtige Berliner, hieß es noch in den ersten Jahrzehnten dieses Jahrhunderts, stammt aus Breslau. Das war natürlich übertrieben. Aber er brauchte nicht aus Berlin zu stammen, um ein richtiger Berliner zu sein.

Er war und ist ein richtiger Berliner, wenn er den Geist einer sachlichen Herzlichkeit atmet, der Zugereiste in den Straßen Berlins – einst wie heute – fasziniert. Bange machen gilt nicht. Und der Stadt sollte oft und immer wieder sehr bange gemacht werden. Eine kluge Wurschtigkeit ist der Ausdruck des Berliner Volksgeistes. Er geht nicht auf die Barrikaden. Aber er stoppt den Gegner schon durch eine Art lässiger Bestimmtheit, die jedem falschen Pathos automatisch den Wind aus den Segeln nimmt.

Der Umgang regelt sich durch Humor, ehe, wie anderswo, die Ventile platzen. Es sind nicht die hochgedonnerten, pompösen Persönlichkeiten, die hierzulande ihr Glück machen. Wer »auf dem Teppich bleibt« und eine Phantasie des Realen zu betätigen versteht, ist der Mann dieser Stadt. Und ihr Poet ist *Fontane*, der Apothekersprovisor aus Neuruppin. Ein Realist mit dem Zauber eines »heiteren Darüberstehens« und einem französischen Namen. Er wurde der Sänger der Stadt, wohnhaft in einer Etage in der Potsdamer Straße, ein tief bürgerlicher Poet mit jener gesunden Skepsis, die die Dinge immer in ihrer richtigen Beziehung beläßt. Er pustete, was er liebte, nicht auf. Er streichelte es mit vorsichtiger, mit prüfender Besonnenheit. Es glänzte und glänzt darum um so heller.

Die Natur kommt in die Stadt

So hat er die Berliner Landschaft literaturfähig gemacht. Augenfällig schön, baedekerprächtig ist sie nicht. Urstromtal. Satte Erde findet sich nirgends. Aber wo ist eine Weltstadt, die so glücklich an Seen lagert, zwischen Wäldern, so durchsetzt von natürlichen und künstlichen Wasserläufen? Dicht an der Häuserlandschaft lehnt jedesmal das Grün der Kiefern, die starre Schönheit eines Wasserlau-

fes. Und seit nach dem Kriege Berlin neu aufgebaut wurde, reicht die Natur noch deutlicher in das Stadtbild hinein.
Die unmenschlich dichten Zinshauskolonnen der Gründerjahre sind verschwunden oder verschwinden nach und nach noch. Überall werden zwischen den Wohntrakten Tupfer von Grün gelegt. Fast kann man schon ganz Berlin durchqueren, ohne auch nur auf Zeit die Wohltat von Parks oder Grünflächen aus dem Auge zu verlieren. Der Ehrgeiz der Städtebauer geht nicht mehr auf die Massierung von Stein und Zement. Er löst die Stadt in Landschaft auf. Berlins Städteplaner verwandeln eine Großstadt langsam in eine Gartenstadt, ohne daß sie die Akzente der Großstadt darüber verlöre. Und rundherum, von allen Seiten schnell erreichbar, »Mutter Grün«, wie der Berliner die ihm erreichbare Natur zu benennen pflegt. Die Havelseen. Die sandig borstige Schönheit des Grunewalds, zwei Kilometer von der örtlichen Prachtstraße, vom Kurfürstendamm, entfernt beginnend. Der Tegler Forst mit seinen flimmernden Laubwäldern. Zum Osten hinaus die Müggelberge und der Müggelsee. Zur anderen Richtung Potsdams bestirnte Silhouette mit ihren dem französischen Geschmack nachgebildeten Schlössern, Orangerien, fürstlichen Parkhäusern und der gezähmten Landschaft in den einst königlichen Hofgärten.
Dahinter Werder, der Vorort, dessen Besuch jedem

SIEGESSÄULE · Am Brandenburger Tor beginnt die zwölf Kilometer lange Straße, die in Ost-West-Richtung durch Berlin verläuft. Im Tiergarten erhebt sich die zur Erinnerung an die Kriege von 1864, 1866 und 1870/71 errichtete über 60 m hohe Siegessäule über der Straße.

SCHÖNEBERGER RATHAUS · Zwischen der Gedächtniskirche und dem Zentralflughafen liegt das Schöneberger Rathaus, das dem West-Berliner Senat als Regierungssitz dient. Von seinem Turm ertönt täglich um die Mittagsstunde die Freiheitsglocke. Vor dem Gebäude findet auch Markt statt.

Berliner um die Pfingstzeit einst obligatorisch war. Mit Weinbau ist auch in Berlin experimentiert worden. Die Zugewanderten aus westlich-südlicheren Gefilden wollten den Rebenbau auch hier erproben. Viel Glück hatten sie nicht. Der »Grüneberger« konnte einen Vergleich mit dem Wohlgeschmack deutscher Weine aus glücklicheren Provinzen nicht tragen.
Aber in Werder wird der Obstwein gekeltert. Und ihn ging man zu kosten, wenn die märkischen Hügel, wenn die Obstbäume in voller Blüte standen. Dann quetschte man sich in die S-Bahn und landete in einem der sandigen Gärten. Das Geblühe zu Häupten, das Glas Obstwein selig in der Hand, ließ man den Blick über die sanft gehügelte Landschaft schweifen und war selig in dem Anblick der blühenden Weite und befeuert von dem gärigen, neuen Wein aus den Früchten des Sandes.
Der Berliner ist nie ein einsamer Naturschwärmer gewesen. Wenn er auszieht in seine Wälder, wenn er an der Havel oder an den blauen Seen rastet, stört ihn die Nähe des Mitbürgers im Freien nicht. Er betätigt eine gewisse großstädtische Geselligkeit auch noch in Flur und auf der Heide. Ihn verdrießt der rastende Nachbar nicht. Ihm würde wahrscheinlich eher etwas fehlen, wenn ihm die Tuchfühlung mit seinem Berliner Nächsten auch in der Natur abhanden käme. Man rückt zusammen. Man ist sich nicht im Wege. Man fällt sich nicht auf die Nerven. Man richtet sich ein. Man weiß, wie die unseligen politischen Verhältnisse des Nachkriegs den Auslauf in die Natur eingedämmt haben. Man nimmt mit dem bißchen Hinterland, das zugängig geblieben ist, vorlieb. Ein berlinischer Matter-of-fact-Geist zeigt sich auch da.

Reichste Pressestadt des Kontinents

Auch da Berlin eine Stadt, die im Wartezustand auf ihre völlige Funktion ist. Alte Berliner, die die großen Zeiten der Stadt als residierende Hauptstadt noch bewußt miterlebt haben, überkommt oft die Wehmut, wenn sie vom »Berlin von früher« sprechen.
Die Jahre bis zum ersten Weltkrieg, da die deutsche Reichshauptstadt sich erst füllte, hektisch wuchs, sich nach allen Seiten und Funktionen erweiterte. Bismarck stand auf dem Rednerpodest des Reichstags. Der junge Kaiser fuhr mit »Tatütata« und mit dem ersten höfischen Automobil über die »Linden«.
Die Theater hatten ihre große Epoche. Otto Brahm erschreckte die Bürger mit seinen Ibsen-, mit seinen Hauptmann-Inszenierungen. Max Reinhardt, der junge, zugereiste Österreicher, ging daran, seinen Weltruhm zu organisieren mit dem Wohlgeschmack, mit dem er die neue Szene richtete.
Damals wurde Berlin zu der reichsten und wichtigsten Pressestadt des Kontinents. Die Ullsteins übernahmen von den angelsächsischen Ländern das Medium der Massenpresse und der illustrierten Blätter. Die Mosses belieferten den Berliner und die Welt mit der für die lesende Intelligenz zugeschnittenen Zeitung. Scherl gründete sein Riesenunternehmen mit Lesestoff für das kleine, interessierte Bürgertum.
Die Verlage schossen um die Jahrhundertwende wie Pilze aus der Erde – und damit eine vielfältig berlinische Literatur. Es war die Zeit, da der junge Samuel Fischer, er nun wieder aus Ungarn zugereist, die Stilrichtung des Naturalismus um sein junges Verlagshaus sammelte, die Poeten einer neuen sozial gerichteten Dichterschule, die ihre stark politischen Akzente keineswegs verleugnete. Ihre Wortführer siedelten in den Wäldern und Vororten des Berliner Ostens, eine Brüderschaft des neuen Weltgefühls. Wilhelm Bölsche entwarf neue Aspekte der Naturwissenschaft. Arno Holz erfand eine neue poetische Methode des zeitgemäßen Ausdrucks.
Noch lebte Menzel, der geniale Gnom, gab er dem Geschichtsbewußtsein Auftrieb und einen flimmernden Anschauungsunterricht in seinen historischen Bildern, bildete er andererseits die veränderte Umwelt Berlins ab, den Alltag, die Aspekte einer nüchternen Schönheit oder der entstehenden Industrielandschaft im Sande der Mark. Liebermann machte die Freunde der Kunst betroffen mit seinem märkischen Impressionismus. Pechstein bereitete mit seiner malerischen Kraft schon die Überwindung, schon den hiesigen Expressionismus im Bilde vor.
Eine feurige und vielfach talentierte Publizistik blühte. Maximilian Harden riß an dem politischen Neureichtum und der Selbstgefälligkeit dieser selbstbewußten Epoche in einer wild und kräftig wachsenden Stadt. Alfred Kerr ernannte die Kunst- und Lebenskritik, die er in hoher Stilisierung übte, zu einer neuen Kunstform. Siegfried Jacobsohn

HUMBOLDT-UNIVERSITÄT · Die Prachtstraße Unter den Linden war zwischen den beiden Weltkriegen angefüllt mit dem Leben der Reichshauptstadt. Neben den Botschaften und repräsentativen Bauten liegt hier auch die als Palais für Prinz Heinrich errichtete Humboldt-Universität.

tummelte sich mit einer begabten Horde junger, aufsässiger Leute in seiner Zeitschrift »Die Schaubühne«, die er später zu dem Kampfblatt »Die Weltbühne« erweitern sollte.
Eine Stadt, so aufstiegsfroh und arbeitskräftig, sich langsam mit Bedeutung und Reichtum füllend, ließ immer auch die kritischen Gegenstimmen freizügig zu Worte kommen. Selbstkritik und eine regulierende Vernünftigkeit sind immer die besten Tugenden des Berliners gewesen. Sie sind es geblieben.

Aufbruch der Jugend

Dazu ein Zug von scheinbarer Tollkühnheit, im Zustand extremer Not und Gefahr das schier Unerwartete und Unmögliche zu wagen. Berlin hat seine erste Universität 1810, in einem Jahre tiefster nationaler Not, gegründet. Die Brüder von Humboldt machten sie in den Zeiten französischer Okkupation aus einem Traum zu einer Wirklichkeit. Jahn, der Turnvater, ging, als die preußischen Heere geschlagen waren, mit der Jugend in die Hasenheide und gab ihr dort, als Niedergeschlagenheit und Apathie sich auszubreiten drohten, das Ideal einer körperlichen Ertüchtigung. Er erfand das Turnen, den Sport als Regulativ gegen die allgemeine Niedergestimmtheit jener niedergeschlagenen Jahre.
Als Berlin ein Jahrhundert später fast in seinem neuen Wohlstand und seiner hektischen Arbeitsgesinnung ersticken sollte, ging von dem Vorort Steglitz wieder eine Reinigungs- und Oppositionsbewegung unter der Jugend aus. »Der Wandervogel«, eine freie Gruppierung idealistischer und naturversessener Jugend, stand auf und verachtete die allzu einseitige Erwerbsgesinnung der Väter. Sie verachtete den steifen Kragen, die strenge Uniform des Bürgerlichen, und wanderte im Schillerkragen und blanken Knies durch die Natur, lasen George, rezitierten Rilke und sangen beim Lagerfeuer die Lieder des »Zupfgeigenhansels«. Junge Spartaner mit schwärmerischen Seelen, die gegen die Erwerbsgesinnung der »Gründerjahre« auf-

trumpfen wollten und dafür sorgen, daß »das Beste« nicht in Vergessenheit geriete.
Ein Aufbruch der Jugend, der heute für viele leichte Aspekte des Träumerischen und vielleicht auch Komischen haben mag. Damals war die Jugendbewegung eine reinigende und positive Tat am Zeitgeist. Und sie begann in den Vorortstraßen von Steglitz.

Gedämpfter Anflug des Heroischen

Fünfzig Jahre später wieder ein ehrenvoller Akt jugendlicher Befreiung: als 1948 die Blockade über Berlin verhängt wird, jener grausame Würgegriff, der bewirken sollte, daß ganz Berlin an die Sphäre östlicher Macht fallen sollte, da stehen die Studenten der Berliner Universität Unter den Linden in offener Rebellion.
Sie protestieren dagegen, daß Forschung und Lehre einseitig und eindeutig nur über den Kamm der leninistisch-marxistischen Weltanschauung geschoren werden sollten. Als sie damit bei den Machthabern in dem östlichen Teil Berlins nicht durchdringen, ziehen sie mutig die Konsequenz. Sie treten aus der alten, ehrwürdigen Universität aus, aus den Räumen, wo die Humboldts, wo Schleiermacher, wo der große Philologe Ulrich v. Wilamowitz-Möllendorff, wo Einstein und Harnack gelehrt hatten, wo viele spätere Gelehrte als Studenten die Vorlesungen besucht hatten.
Sie gründen im westlichen Vorort Dahlem eine neue Stätte der freien Wissenschaft, Berlins zweite Universität. Und das geschieht zu einem Zeitpunkt, da um den Bestand der Stadt und ihre Freiheit gebangt werden muß wie selten zuvor in ihrer Geschichte. Alle Zufahrtsstraßen sind hermetisch abgeschlossen. Kein Eisenbahnzug nach Berlin darf passieren. Alle Wasserwege sind gesperrt. Man wollte durch den puren Hunger die Bürger von Berlin zur Übergabe an eine neue Diktatur kirren.
Wohl kommt Hilfe von außen. Die Luftbrücke, eins der großen organisatorisch-technischen Wunder des Jahrhunderts, schwingt sich von Westdeutschland nach Berlin hinein. Alles und jedes wird auf diesem gefährlichen und kostspieligen Wege eingeflogen, jede Kartoffel, jeder Zentner Kohle, jeder Meter Papier, um die Zeitungen zu drucken, jedes einzelne Stück Brot.
Damals brannte nur für zwei kurze Stunden des Abends in den Bezirken das Licht. Verdunkelt lagen die Straßen. Eine fast tödliche Arbeitslosigkeit stieg täglich an. Die verarbeitenden Industrien der Stadt konnten den nötigen Nachschub an Materialien gar nicht erhalten, wenn auch am Ende in jeder Minute ein Flugzeug auf einem der drei Flugplätze Berlins niederging.
In diesem extremen Notstand faßten die Studenten den Entschluß, den notwendigen, eine neue Stätte der freien Lehre und Forschung zu gründen. In ein paar halbverfallenen Villen begannen die Vorlesungen und Seminare. Die Studenten saßen wörtlich zu Füßen der Lehrer, die mit ihnen den mutigen Ortswechsel vorgenommen hatten – schon Stühle waren nicht da. Bücher mußten von Privaten gespendet werden, Instrumente von Wohlmeinenden zugereicht, Tische oder Papier, wo sich dergleichen noch fand, beschafft werden.

IM HANSAVIERTEL · Berlin ist wieder eine moderne Stadt, wie es schon immer der Fall war. Im Hansaviertel, einst eine Stätte der Internationalen Bauausstellung, ist ein Wohnbezirk entstanden, der als eine Schöpfung berühmter Architekten eine praktische Studie moderner Wohnkultur darstellt.

Eine sehr berlinische Tat der Konsequenz, damals von Kleinmütigen fast für schwachsinnig oder selbstmörderisch gehalten. Die neue Universität ist ständig gewachsen und war wenige Jahre später schon aus dem Zustand der Improvisation glorreich hinaus. Heute ist die jüngste Hochschule Deutschlands eine seiner größten und bestausgerüsteten.
Der Geist von Berlin ... Er bekommt einen märkisch gedämpften Anflug des Heroischen immer, wenn es besonders hoffnungslos um die Zukunft zu stehen scheint, wenn es den Anschein hat, als sei man kurz vor der Kluft des Unmöglichen.

»Auf dem Teppich bleiben«

Dabei ist das Heroische, das heldisch Aufgeblasene sonst so gar nicht im Charakterbild des Berliners. Und wenn einer, sei es ein Hochgestellter oder sei es der strenge Portier des Mietshauses, sich aufbläst oder – wie man hier sagt – »angibt«, so holt ihn ein scharfer Witz, eine regulierende Bemerkung voll Ironie und Gutmütigkeit vom falschen Podest herunter. Wilhelm II., der letzte Kaiser, mit der etwas hoffärtigen Cäsarenattitüde, war so stets ein Gegenstand des Berliner Spaßes. Und das »Dritte Reich« mit seiner angestrengten Aufgeblasenheit hatte der Berliner Witz schon durchlöchert und durchschaut, lange ehe es so miserabel zu Fall kam. Dieser Geist des »Auf-dem-Teppich-bleibens« ist

Alexander von Humboldt
* 14. 9. 1769, † 6. 5. 1859
Naturforscher

Albert Lortzing
* 23. 10. 1801, † 21. 1. 1851
Opernkomponist

Joh. Gottfr. Schadow
* 20. 5. 1764, † 28. 1. 1850
Bildhauer

Max Liebermann
* 20. 7. 1847, † 8. 2. 1935
Maler

einer der schönsten Ausweise des Berlinerischen. Er zeigte sich am sichtbarsten in jenem Dutzend Jahre, die eigentlich die große Zeit Berlins ausgemacht haben, zwischen den beiden Weltkriegen, jenes Jahrzehnt, das seine rückstrahlende Gloriole in der Bezeichnung: »Goldene zwanziger Jahre« bekommen hat.

In der kurzen und hektischen Epoche der ersten deutschen Republik war die Stadt in ihrer besten, berlinischen Form. Da schienen die Straßen von Unternehmungsgeist und Talenten überlaufen zu sein. In den Künsten ein Getümmel, ein Reichtum der Stimmen, eine Fülle der Bewegungen wie nie zuvor.

Die Theater standen in ihrer Zeit großer experimenteller Blüte. Das Notwendige und das schier Unmögliche wurde hier probiert und dargestellt. Wenn heute in London, in Paris oder New York jemand etwas scheinbar besonders Originelles oder Ausgefallenes auf die Beine stellt und damit Fachleute und Laien in Verblüffung setzt – wer die große Berliner Zeit miterlebt hat, fällt da nicht auf den Rücken. Er wird zumeist abwinken und meinen: »Kinder, das haben wir doch schon in den zwanziger Jahren exerziert!«

Auf dem Gelände um den damals neuen Funkturm herum gab es die ersten großen Ausstellungen, zu denen man aus ganz Europa zureisen mußte. Auf der Museumsinsel in der Spree wuchs der Wohlstand an musealen Herrlichkeiten.

Berlin belebte das deutsche Hinterland bis weit nach Ostpreußen hinauf – und lebte zugleich mit von diesem kräftigen Hinterland. Eine Stadt der Mitte und der materiellen und geistigen Vermittlung. Wie wohl hat sie sich in dieser Rolle gefühlt, wie gut hat sie sie erfüllt!

Wie wuchs sie damals! Der »Zug nach dem Westen« setzte ein. Die Siedlung erweiterte sich in natürlichem Wachstum immer vitaler in ihre Vororte hinein. Der »Kurfürstendamm«, einst ein alter Waldweg, den die ersten Kurfürsten zu ihrem Jagdschloß im Grunewald geschlagen hatten, dieser »Kudamm« wurde nun zu dem ersten, glitzernden, emsigen, lästerlichen, lustigen deutschen Boulevard.

Das geistige Berlin war voller Talent und Widersprüche. So verschiedenartige Köpfe wie der Heinrich Manns oder Gottfried Benns, wie Werfels, Döblins, Brechts, Bruckners, Bronnens, Georg Kaisers, Hasenclevers, Tollers, Roda Rodas konnte man brüderlich im »Romanischen Café« oder im Café »Größenwahn« am gleichen Marmortisch sich loben oder streiten sehen.

Ringelnatz, der trunkene Hymniker, aus Sachsen zugereist, besang skurril die heftige Entwicklung der Stadt, wenn er, die Rumbuddel im Arm, auf dem Podium der kleinen Bühnen stand und bewundernd stammelte: »Berlin wird immer mehr Berlin . . .« Walther Mehring, einer der Milchbrüder des bürgerschreckenden Dadaismus, erfand eine ganz frische Großstadtlyrik, deren Ton und Inhalt Berlin war – »Und immer mal wieder – mit der Hand über'n Alexanderplatz . . .«

Ein Talentbecken sondergleichen, das Berlin der zwanziger Jahre! Allein fünfzig praktizierende Theater, gefüllt mit legitimen Sternen der Schauspielkunst. Bassermann, Kortner, Krauß, Deutsch, Moissi, Steinrück, George, Kayssler, Gründgens, die Dorsch, die Bergner, die Mosheim, die Mannheim, die Straub, die Thimig, die Eckersberg – um nur einige zu nennen aus der Fülle der Namen, die nebeneinander und in sich steigernder Konkurrenz auf den Plakaten der gleichen Litfaßsäulen standen, die da in Abständen die vollen Straßen säumten.

Es war das hektisch augustäische Zeitalter Berlins. Und wer es miterlebt hat, denkt mit Sehnsucht und mit einem zärtlichen Neid daran zurück.

Die Suppe auslöffeln

Dagegen mag das Berlin von heute dem Besucher vermindert und arm erscheinen. An vielen Straßenzügen noch die Wunden von Krieg und Nachkrieg. Hier ist man – wenn überhaupt – in das abrupte »Wirtschaftswunder« erst spät und dann skeptisch und vorsichtig eingestiegen.

Wenn das geteilte Gemeinwesen sich an den Aufbau gemacht hat, so fehlten hier die Aspekte des Übermäßigen. Berlins Lage und die schöne Skepsis der Berliner ist auch da »auf dem Teppich« geblieben. Berlin hat nicht mit dem Ruck einer Währungsreform den Sprung in einen neuen Wohlstand gemacht. Zögernder, langsamer, organischer ging die Neuordnung vonstatten. Und sie entwickelte sich immer unter dem Schatten der Gefährdung. Die Bäume konnten hier nicht übermütig in den

Himmel wachsen – und ein neuer Reichtum auch nicht. Vernünftiger, realistischer ist man im Nachkriegsberlin zu Werke gegangen. Man kriegte nichts geschenkt. Hier wurde die Suppe einer verfluchten und verfehlten Vergangenheit erst voll ausgelöffelt, ehe sich eine Gegenwart zeigen konnte, die einigermaßen den Eindruck des »Normalen« macht. Das tat Berlin gut. Das tut dem Berliner immer noch gut.

Von den wenigen Bauwerken großer Vergangenheit sind ihm nicht viele geblieben. Aber da liegt das kurfürstliche Schloß im Park Charlottenburg, wo Leibniz mit dem Hof philosophierte, wo die Gemahlin des »Alten Fritz« zeitweise Unterkunft fand und wo Napoleon, als er in Berlin eingezogen war, Quartier nahm.

Ein Flügel des Schlosses, neu aufgebaut, dient den Bildern als Wohnstatt, die aus dem alten Kaiser-Friedrich-Museum und aus der zerbombten Nationalgalerie und dem einstigen Kronprinzenpalais vor Feuer und Bomben gerettet wurden. Um das Schloß die schönste Gartenlust, teils in kokett barockem Stil der Kurfürstenzeit, teils in englischer Gartenmanier, wie der große Parkkünstler Lenné diese Landschaft an der Spree einst plante.

Oder der Besucher fährt mit dem doppelstöckigen gelben Bus hinaus ins Grüne, nach Tegel beispielsweise, und wandert ehrfürchtig in dem kleinen Schinkel-Schloß herum, das die Humboldt-Brüder bewohnten, bester preußischer Stil, Schlichtheit mit Würde, Schönheit mit Sparsamkeit paarend. Er wird durch die renovierten Wohn- und Forschungsräume dieser beiden Kulturdeutschen gehen und bewundern und erkennen, wieviel Welt und Wissen durch sie in unser aller Leben gekommen ist.

Er kann am Vormittag im Park des Glienicker Schlosses, hoch über der Havel, schlendern, den Blick hinüber auf Potsdam, den Jungfernsee und den Ruinenberg jenseits von Sanssouci. Er wird mittags vielleicht durch das Brandenburger Tor in den Ostteil der Stadt wandern, die entleerten »Linden« entlang, wo das Zeughaus jetzt ein Museum für »Revolutionsgeschichte« ist, wo er das alte kurfürstlich-kaiserliche Schloß nicht mehr findet; es wurde geschleift, um auf dem alten, jetzt zum Marx-Engels-Platz umbenannten Lustgarten für Parteiparaden und Aufmärsche Platz zu machen.

Aber er findet das Pergamon-Museum und seine antiken Herrlichkeiten wieder aufgebaut, Glanz und Größe von Hellas genau wie einst, herzstärkend anzusehen, ein präsentes Stück Altertum mitten im verwandelten Berlin. Vielleicht fährt der neugierige Besucher weiter über den Alexanderplatz hinaus und setzt sich dem architektonischen Schock der »ersten sozialistischen Meile« Berlins aus, der Stalinallee, wie die alte Frankfurter Allee jetzt heißt, Zuckerbäckerbauten mit der Allüre des Monumentalen.

Vielleicht zieht es ihn schnell wieder in die humanere Architektonik des »Hansa-Viertels« zurück, in den Stadtteil, den Baumeister aus aller Welt in brüderlicher Konkurrenz für Berlin planten und erstellten.

Er wird sich im Tiergarten ergehen, wo einst die Herrenreiter trabten, die Kommerzienräte und Generäle, und wo Fontane spazierte und die Berliner Liebespaare seit fünf Jahrhunderten unter dem märkischen Mond ihre Schwüre tauschen.

Ein Dutzend Theater im Westen der Stadt mit einem Ensemble vorzüglicher Spieler, das seinesgleichen in Deutschland sonst nicht hat. Im Osten zehn Theaterhäuser mit unterschiedlicher Richtung und Besetzung. Drei Opernhäuser in einer Stadt. Neue Konzerthallen und herrlich bestückte Orchester.

Für den Liebhaber des Intimen die feurig frechen Berliner Kabaretts, wo der Tag »auf den Arm genommen wird« und die lustige Ironie dieser Stadt sich so ungebunden tummelt wie je. Zahllose gepflegte, piekfeine und auch bürgerlich gemütliche Lokale und Restaurants. Und an jeder zweiten Ecke eine »Stampe«, eine Kneipe, wo die »Berliner Weiße« aus den Flaschen fließt, wo die Boulette im prunkvoll gläsernen »Aufbau« wartet und wo der Berliner, am liebsten mit dem Hut auf dem Kopf, seinen Feierabend mit einer »kleinen Lage« beginnt, – Spießer, wackere Handwerker, kleines Volk, Bürger, Verrückte, Ausgerutschte und eben einfach der vielberedete »Mann von der Straße«. Der Berliner. Er bleibt immer noch die größte Sehenswürdigkeit dieser großen deutschen Stadt. Viele Denkmäler stehen in ihren Straßen. Er hat keins. Er würde auch schön »flachsen«, wollte man ihm eins bauen. Aber er verdiente eins.

STAATSOPER UNTER DEN LINDEN · Eines der repräsentativen Gebäude Berlins ist die Staatsoper, deren Innenraum den Bomben des Krieges trotzte. Nach ihrer Wiederherstellung bietet die einem griechischen Tempel ähnliche Front im Scheinwerferlicht einen eindrucksvollen Anblick.

Humor in Berlin

Rechtzeitig üben

Als ein reicher Berliner Kaufmann dem Akademiedirektor Schadow einen Neffen als Schüler empfahl und die ungewöhnliche Begabung des jungen Herrn mit der Redensart beteuerte: »Darauf will ich Hufnägel schlukken!« bot ihm Schadow eine Handvoll Reißzwecken an: »Woll'n Se nich n' bißken vor die Hufnäjel üben?«

Heikle Frage

In den zwanziger Jahren standen zwei Bengel vor einem Schokoladengeschäft; da tut sich das Innenfenster auf und pralinenordnend zeigt sich eine Verkäuferinnengestalt jener Zeit: »Is dat'n Mächen?« Das Fräulein hört wohl, daß er etwas sagt, versteht aber durch die Scheibe nicht und zuckt die Achseln. Draußen lauter Hohn: »Die weeß et selver nich!«

Zum Töpfer geeignet

Einen Schüler, der ihm ein Tonmodell zeigte, fragte er mehrmals eindringlich: »Haste det allene jemacht?« Stolz beteuerte der angehende Künstler: »Jawohl, Herr Direktor!« und empfing den vernichtenden Rat: »Na, denn kannste Tepper wern.«

Baugenehmigung

Schmolke läßt sich beim Kassenarzt untersuchen. »Meine Füße schwellen imma so an«, klagt er. – »Hm, das ist Wasser, mein Lieber, ziemlich viel Wasser.« – »Ja, und denn ha ick imma so Schmerzen in'ne Jalle.« – »Steine, guter Mann, Steine.« – »Und ick kann mir ooch nischt merken, ick jloobe, mein Gedächtnis.« – »Klarer Fall, Kalk, Herr Schmolke, Kalk.« – Schmolke hört auf zu klagen. »Na«, sagt er heiter, »det paßt ja prima in meine Pläne. Jetzt brauch' ick bloß noch 'ne Baujenehmijung!«

Kunstbetrachtung

Herr Pietsch steht vor einem antiken beschädigten Kunstwerk, das einen Gladiator darstellt. Pietsch sieht, daß dem Bildwerk der Arm fehlt, die Nase beschädigt wurde und der Helm in die Brüche ging. Verwundert liest er auf dem kleinen erklärenden Messingschild: Der Sieger. »Meine Fresse!« ruft er da. »Wie muß da erst der Valierer aussehn!«

Das Bein macht es

Vor Manets »Déjeuner sur l'herbe« sagte jemand zu Max Liebermann: »Finden Sie nicht, Herr Professor, daß dieses Bein zu lang geraten ist?«
Worauf Liebermann entgegnete: »Ein so schön jemaltes Bein kann jar nich lang jenug sein.«

Schuld der Eltern

Ein reicher Parvenü ließ sich von Liebermann malen. Als der Künstler mit dem Bild fertig war, betrachtete der Kunde lange das Bild und meinte: »Herr Professor, nichts gegen Ihre Malkunst, aber ich glaube, daß ich Ihnen nicht gut gelungen bin.« Liebermann darauf: »Da müssen Se sich bei Ihren Eltern beschwern, denen sind Se ooch nich besser jelungen.«

Das vollkommene Auto

Der Kunde kam in die Reparaturwerkstatt, um sein recht altes Auto abzuholen. »Na, Meesta«, rief er, »ham Se sich meinen Wagen mal anjesehn?«
»Ha' ick«, stöhnte der Meister, »in Ihrem janzen Jefährt jibt et nur een Stück, det keen Jeräusch macht!«
»So, und wat is det fürn Stück?«
»Die Hupe!«

Nichts Besonderes

Wachtmeister Brennecke kommt vom Dienst zurück. »Ist etwas Besonderes vorgefallen?« fragt der wachhabende Major. »Nee«, antwortet Brennecke, »wat Besonderet eijentlich nich. Inne Potsdamer Straße is eena vom obersten Stockwerk des Kathreinerhauses jestürzt. Er is uff die Straße jeknallt und war sofort dot.« – »Na hören Sie mal, Brennecke!« sagt da der Sipo-Major. »Und da sagen Sie, das wäre nichts Besonderes!?« – »Stimmt doch!« gibt der Wachtmeister Brennecke zurück. »Wat Besonderet wärt jewesen, wenn er noch jelebt hätte.«

Pietät

Mitten auf dem Nollendorfplatz fällt ein Mann, vom Schlag getroffen, tot um. Ein alter Droschkenkutscher wird beauftragt, die Angehörigen des Toten zu benachrichtigen. »Det wer'n wa schon mit die nötige Pietät hinkriejen.« – Er klingelt. Eine Frau öffnet. – »Sagen Se mal«, fragt er, »sind Sie de Witwe Bolle?« – »Bolle stimmt – aber Witwe is nich!« In die Augen des biederen Kutschers kommt ein verschmitztes Lächeln: »Woll'n wa wetten?«

Kritik

Ein junger Künstler kommt zu Zille in die Wohnung. Er zeigt ihm voller Stolz ein Porträt und bittet um ein ehrliches Urteil. – Zille betrachtet nachdenklich das Bild und sagt dann: »Da is wat drin!« – »Wirklich, Meister?« – »Ja«, antwortet Zille, »und det muß 'raus!«

Grünes Licht

Junge Dame am Steuer. Kreuzung, rotes Licht. Neben ihr ein Taxi. Grünes Licht. Dame würgt den Motor ab. Taxifahrer kurbelt Fenster herunter und sagt: »Wat is, Frollein? Jriener wird 's nich.«

Kleine Soziologie

Zwei Steppkes kommen aus der Schule. Sagt der eine: »Also denn kommste 'runter.« – »Nee, ick muß erst Kartoffeln aus'n Keller holen.« – »Na, denn kommste aber.« – »Nee, denn muß ick erst schälen helfen.« – »Aber nach'm Essen.« – »Nee, denn muß ick abwaschen.« – Darauf der andere verbittert: »Sach mal, habt ihr denn nich ne Oma fürs Jrobe?«

Hermann Kasack *Kiefern, Sand und Seen*

Ich bin in einem Dorfe in der Mark herangewachsen, wo sie am märkischsten ist, das heißt, zwischen Sand, See und Kiefern«, so beginnt eine biographische Erzählung Moritz Heimanns. Von mir hingegen müßte ich bekennen, daß ich in einem Ort der Mark geboren und groß geworden bin, wo sie am preußischsten ist: in Potsdam. Heimann (1868 bis 1925), der langjährige Lektor des S. Fischer Verlages in Berlin, wohnte in dem Dorf Kagel. Die Eigentümlichkeit märkischer Landschaft ist in seiner Formulierung treffend umrissen. Sand, Seen, Kiefernwälder: das ist auch mein Erlebnis der Heimat. Und was das Preußische betrifft, so habe ich zwar in der Schule gelernt, daß Brandenburg »die Wiege Preußens« gewesen sei, aber mich in diesem Sinn niemals als Wiegenkind gefühlt.
Natürlich sind im Lauf der Geschichte viele Stätten der Mark Brandenburg vom »preußischen Geist« geprägt worden, womit ich nicht das militärische Gepräge der preußischen Könige meine, sondern den sauberen, strengen und korrekten Stil der Lebenshaltung. Ein puritanisches Element, das nicht umsonst viele Hugenotten angezogen haben mochte, in Berlin und der Mark ansässig zu werden. Wenn der preußische Beamte zum Inbegriff sachlichen Pflichtbewußtseins wurde, die Sprache des Preußischen Allgemeinen Landrechts von 1794 als »vorbildlich klar« gilt, wenn einer unserer größten Dichter, Heinrich von Kleist, die preußische Disziplin zum Erlebenskonflikt werden läßt, so entsprechen diese Züge dem Wesen märkischer Art und Landschaft. *Preußen* wurde zwar als geistiger Begriff durch die »Gleichschaltung« der Nazidiktatur umgefälscht und als politische Existenz 1947 durch den Alliierten Kontrollrat formell aufgelöst, läßt sich aber als Charakterbestimmung weder aus dem geschichtlichen noch aus dem gegenwärtigen Bild Brandenburgs fortdenken, wenn auch das »Märkische« gefühlsbetonter blieb und bleibt als das »Preußische«.
Auch als Brandenburg um 1815 eine preußische »Provinz« wurde, blieb im Volksbewußtsein die alte Bezeichnung der »Mark« bis in unsere Tage lebendig. »Wanderungen durch die Mark Brandenburg« – und nicht durch die Provinz Brandenburg – nannte Theodor Fontane seine »Reise-Feuilletons«, deren erster Band, seine nähere Heimat Neu-Ruppin umfassend, vor nahezu hundert Jahren erschienen ist. (Der abschließende vierte Band kam 1881 heraus.) Es sind geschichtlich-anekdotische Streifzüge durch das »Land zwischen Elbe und Oder«, die in ihrer Frische noch heute lesenswert sind.
Angesichts des kargen Flachlandes, das die Landschaft bestimmt, ist es verständlich, daß die kleinen Erhebungen von ein- bis zweihundert Metern so kühne Bezeichnungen tragen wie Märkische Schweiz, Ruppiner Schweiz, Glindower Alpen. Jeder Hügel wird zum Berg: der parkartige Schloßgartenberg in Bad Freienwalde, einem der wenigen Mineralbäder, der bewaldete Brauhausberg mit der alten Potsdamer Sternwarte, die später weniger anschaulich Observatorium genannt wurde, die Golmer Rutschberge, von denen die Dorfjugend im weichen Sand auf Brettern hinuntergleitet, als ob es Schnee wäre.
Stärker als durch die Hügelzüge wird die Landschaft durch die Gewässer belebt, die Flüsse, die Kanäle, die weiten Flächen der Seen, deren buchtenreiche, bisweilen leicht ansteigende Ufer oft von Wäldern eingesäumt werden. Wenn auch die Kiefern landschaftsbestimmend sind, so gibt es auch Misch- und Laubwald mit Eichen, Buchen und hellen Birken. Der Spreewald mit seinen schmalen, netzförmigen Kanalstraßen, auf denen sich der Verkehr abspielt, ist allerdings, wie seine noch wendische Bevölkerung, von eigener Art, aber die Partien des Ruppiner-, Rheinsberger- oder Scharmützelsees sind ebenso wie der Müggelsee im Spreegebiet oder die ausgedehnten Seen, die die Havel bildet, für das Bild der Mark charakteristisch. Im Sommer sind Flüsse und Seen bunt bevölkert von Ausflugsdampfern, Motorbooten, Segel-, Ruder- und Paddelbooten, von Schleppzügen und -kähnen. Im Winter von Schlittschuhläufern auf großen Flächen, und bei strengem Frost lassen sich kilometerlange Ausflüge auf dem Eise machen.
Das Gesicht der Mark ist nicht einheitlich: die Mittelmark und die nordwestliche Prignitz heben sich von der nördlichen Uckermark, mehr noch von der Neumark östlich der Oder und der Niederlausitz deutlich ab – Gebiete der Mark, die mit Schwiebus, Reppen, Landsberg an der Warthe, mit Guben, Krossen, Sorau heute unter polnischer Verwaltung stehen.
Meine Heimat ist das Havelland. Wenn ich an Potsdam zurückdenke, so ist es weniger der historische Boden, den jeder dort wie an vielen Stellen der Mark berührt, sondern der Reiz der dörflichen Umgebung. Aus Bildern von Leistikow und Basedow d. Ä. ist zuweilen eine gewisse Schwermut zu spüren, wenn sich das Dunkel der Wälder im Wasser spiegelt. Aber zur Havellandschaft gehören

BERLIN
RENNER
Stadtforst
Spandau
Juliusturm
Havel
Schloß Tegel
Jungfern-
heide
Flugplatz Tegel
Spandauer Schiffahrtskanal
nach Stralsund
Panke
Westhafen
Müllerstraße
Dom
nach Königsberg
Berliner Kindl
Schloß Charlotten-
burg
Hansa-
Viertel
Brandenburger
Tor
Altes Rathaus
← Spree
Olympiastadion
← nach Hamburg
St. Canisius
Kongreßhalle
Str. des 17. Juli
Tiergarten
Staatsoper Unter den Linden
Frankfurter Allee
nach Frankfurt an der Oder →
Heerstraße
Zoo
Kurfürstendamm
Skalitzer Str.
Landwehrkanal
Tierpark Friedrichsfelde
Funkturm und Messegelände
Gedächtniskirche
Hasenheide
Stralauer Fischzug
„Weiße" mit „Strippe"
Grunewaldturm
Avus
Grunewald
Schöneberger Rathaus
Zentralflughafen Tempelhof
Eisbein mit Püree
HAVEL →
Krumme Lanke
Jagdschloß Grunewald
Schloß str.
Baumschulen
N
Wuhlheide
Spree ←
Autobahn nach Hannover →
Freie Universität
Tempelhofer Damm
W
O
Wannsee
← nach Potsdam und Leipzig
Potsdamer Chaussee
„Teltower Rübchen"
Teltowkanal
Trabrennbahn Mariendorf
Alte Giesen-
dorfer Kirche
nach Dresden →
Adlergestell
Dahme
Teltowkanal
S
nach Breslau →
Stadtforst Oberspree

auch die zum Trocknen aufgespannten Netze der Fischer, gehören die Bauern und Obstzüchter, die ihre Waren zu den Märkten der Städte fahren. Einprägsam der handwerkliche Fleiß, das redliche Pflichtbewußtsein, die emsige Nüchternheit der Lebenshaltung. Aber in dieser Nüchternheit, so verschieden sie sich auch im Kleinbürgertum, in der Arbeiterschaft, im verarmten Landadel geben mag oder im Beamtentum, im Rentnerdasein, verbirgt sich das, was man die Treue des einzelnen zu sich selbst nennen kann.

Viele Orte verraten noch die ländliche Herkunft einer Ackerbürgerstadt wie Guben (mit dem einmaligen »Hutmuseum«), Treuenbrietzen, Belzig, Nauen, Eberswalde, Strasburg. Andere weisen durch Wall, Stadtmauern und wehrhafte Kirchen auf die geschichtliche Vergangenheit hin: Frankfurt an der Oder, Brandenburg, dessen ursprünglich wendischer Name Brennabor noch in der Fabrikmarke der dort einmal hergestellten Fahrräder auflebte. Auch Städte wie Küstrin oder Spandau, mit dem zum Sinnbild gewordenen Juliusturm, sind durch ihre ehemaligen Festungsanlagen geprägt.

Das alte Stadtbild Potsdams wiederum zeigte die besonderen Züge einer gepflegten Residenzstadt mit historischen Gebäuden und Kirchen, dem großen Stadtschloß der Hohenzollern, mit weiten Plätzen, Toren und Kanalbrücken, mit schlichten Bürgerhäusern aus dem 18. Jahrhundert, einer holländischen, russischen Kolonie und einer französischen Gemeinde, mit den weiträumigen Parks und den Schlössern: dem ehemals königlichen Neuen Garten und dem Park von Sanssouci. Das Theater trug die einladende Inschrift: Dem Vergnügen der Einwohner. Zwar sind im Zuge der Zeit viele Zeichen verschwunden, die in meiner Jugend dem Lande das Gepräge gaben: die Windmühlen, die typische Dorfschmiede, die kleinen Ziegeleien, die Fähren. An ihrer Stelle sind allmählich Dampfmühlen, Tankstellen, Fabriken, Brücken entstanden. Aber geblieben sind die Wiesen mit ihrem Heugeruch, die Kartoffeläcker, die Zuckerrüben- und Getreidefelder mit ihrem roten Mohn und den blauen Kornblumen, die sanft geschwungenen Wälder, die schwere Feuchtigkeit der Luft, die abendlichen Nebelschwaden über den Wasserflächen, die Schwäne, das klirrende Schilf an den Ufern, die Fliederbüsche, die überströmende Fülle der Baumblüte in Werder und an den Hängen vieler Haveldörfer, in Kaputh, Glindow, Petzow, Ferch, Geltow, Bornstedt und Bornim. In Bornim züchtet der alte Karl Foerster noch immer seine Stauden, die üppigen Arten seines Rittersporns. Er war so berühmt, daß ihn Auslandsbriefe mit der Anschrift »Karl Foerster, Deutschland« in dem kleinen märkischen Dorf erreichten.

In der Zeit vor, auch nach dem ersten Weltkrieg war es weniger die Bahn oder das Auto als vielmehr das Fahrrad, mit dem ich die Gegend durchstreifte. Geriet man dabei auf Wald- und Feldwege, so bestätigte sich oft genug das alte Wort von der Mark als des Deutschen Reiches »Streusandbüchse«. Durch den Sandboden ließ sich das Rad nur noch schieben. Bei diesen Fahrten, mochten sie nun nach Ketzin, nach Rathenow und Milow oder in entgegengesetzter Richtung über Nedlitz und Sakrow nach Gatow am Wannsee führen, nahm mich immer von neuem der Zauber gefangen, der sich in jeder Jahreszeit durch die Verbindung von Wasser und Land ausbreitet. Fehlen die Gewässer, wie etwa in der Uckermark, wo meine väterlichen Vorfahren um 1700 ansässig waren, dann wird das Flachland eintönig. In den fruchtbaren Niederungen des Oderbruchs, im Rhin- und Havelländischen Luch ist das alte Moor- und Sumpfgelände, wenn es auch durch Kanalanlagen allmählich entwässert ist, noch vielfach spürbar.

Auf drei landwirtschaftliche Produkte ist die Mark stolz: auf die »Werderschen« – so hießen die roten Knupperkirschen aus Werder, mit denen vor allem Berlin versorgt wurde –, den Beelitzer Spargel, dem in Süddeutschland der Schwetzinger entspricht, und die Teltower Rübchen. Zelter hat nicht nur Goethes Gedichte komponiert, sondern ihm auch über zwei Jahrzehnte hin regelmäßig nach Weimar »ein Faß« oder »einen halben Scheffel märkischer Rüben« geschickt, für die sich Goethe niemals zu bedanken versäumte, daß, wie er 1817 schreibt, »die periodischen Rübchen wieder glücklich angekommen sind«.

Das Bild der Mark wäre unvollständig ohne die mächtigen Klosterruinen von Lehnin und Chorin, mit der zinnengeschmückten gotischen Westfassade, beide inmitten herrlichen Laubwalds und in der Nähe kleiner Seen gelegen. Unvergeßlich ist der heitere Glanz, den die vielfältig verstreuten Schlösser ausstrahlen: Rheinsberg, Schloß Babelsberg mit einem Ausblick auf das wellige Parkgelände und die leuchtende Havel, den Alexander von Humboldt zu den schönsten der Welt zählte. Das Humboldt-Schlößchen in Tegel, eher einem Herrensitz gleichend, Schloß Glienicke, Lindstaedt, Charlottenhof, Jagdschloß Dreilinden, unweit von Kleists Grab, jedes in seiner einfachen Anmut dem Wesen der Natur angepaßt. Auch Paretz, das bescheidene »Schloß Still-im-Land« der Königin Luise mit seinem Park ist dafür ein Beispiel.

Berlin, verwaltungsmäßig selbständig und der Provinz Brandenburg entzogen, verleugnet in seinen Vororten, wie Wannsee, Grünheide, Frohnau, nicht die Natur der Mark. Die Landschaft hat sich gegen die Ausstrahlung der Stadt behauptet. Oskar Loerke, dessen zeitlos gültige Gedichte auch die Kronen und Wipfel der Kiefern bewahren, wußte um das »Waldherz« der Stadt. Wenn ich mit ihm von Frohnau aus durch den Tegeler Forst wanderte, war es nicht der fiskalische Boden Berlins, sondern die märkische Erde, die uns grüßte.

Im Vergleich zu anderen Gegenden ist die Mark anspruchslos. Selbst in ihren reicheren Tönungen bleibt sie mit ihren wortkargen Bewohnern herb und streng. Von Einsamkeit umsponnen. Zuweilen, wenn ich auf dem Fluge nach Berlin von oben einzelne Orte, die dunklen Waldstücke, die hellen Tupfen der Seen erspähe, schlägt mir das Herz. Es gehört der Mark.

YACHTHAFEN AN DER KIELER FÖRDE · Zwischen zwei Meeren gelegen, ist Schleswig-Holstein mehr als jedes andere deutsche Land mit der See verbunden. Neben der Seefahrt widmet man sich vor allem dem Wassersport. Die ruhige Kieler Förde mit ihren meist günstigen Windverhältnissen bietet sich den Segelfreunden als ideales Übungsgebiet an. Bei der hier alljährlich stattfindenden Kieler Woche kommt es zu spannenden internationalen Wettkämpfen.

HOLSTEINISCHE SCHWEIZ · Zwischen Neustadt an der Ostsee und Kiel liegt ein Gebiet, von dem sich ein Teil »Holsteinische Schweiz« nennt. Schon der Name verrät, daß man hier besondere landschaftliche Reize finden kann. Seen, so der Kolksee oder der Plöner See, Wälder und sanfte Hügelrücken, von denen sich einige sogar stolz »Berge« nennen, obwohl sie nur knapp hundert Meter Höhe übersteigen, strömen eine sanfte Ruhe aus. Zahlreiche Dörfer und Städtchen sind zu beliebten Kurorten geworden, in denen man Erholung von der Hast des Alltags und neue Kraft finden kann.

DAS BRANDENBURGER TOR, gebaut von Langhans 1791, gekrönt mit der Quadriga von Schadow 1794, ist als Wahrzeichen der größten deutschen Stadt in aller Welt bekannt. Es stand früher am westlichen Stadtrand.

DAS CHARLOTTENBURGER SCHLOSS ist Berlins letzte, noch intakte und wiederhergestellte Königsresidenz. Eosander von Göthe erbaute es. Der alte Fritz erweiterte es. Hier hielt Leibniz Cercle, wohnte die Königin Luise, nächtigte Napoleon, residierten zeitweise die letzten deutschen Kaiser. Das strenge, märkische Barock der Bauten und die Weitläufigkeit des herrlichen Parks an der Spree machen es zu einem berlinischen Kleinod. Man braucht nicht in Berlin geboren zu sein, um beim Anblick der goldgeschmückten Kuppeln an die große Zeit der Hauptstadt erinnert zu werden, als hierher Herrscher aus allen Ländern zu Besuch kamen.

DER KURFÜRSTENDAMM, einst ein Dammweg von der Alt-Stadt hinaus zum Jagdschloß im Grunewald, ist heute der glitzernde, leuchtende, lebendige, überfüllte, großstädtische Ausweis Berlins. An seinem Ende steht die Ruine der Gedächtniskirche.

DIE KONGRESSHALLE, eine Stiftung freiheitlich gesinnter Bürger vieler Länder für Berlin, wurde von dem amerikanischen Architekten Stubbins entworfen und zehn Jahre nach dem 2. Weltkrieg der Stadt geschenkt: ein brauchbares Symbol für Gedankenaustausch, Sammlung und geistige Klarheit. Die »schwangere Auster«, wie der Volksmund den hellen Bau sofort nannte, liegt nahe dem alten Reichstag, breit an den Ufern der Spree mit seinen ultramodernen Sitzungssälen, Restaurants, Theater und Ausstellungsräumen. Der eigenwillige Bau gewinnt noch durch die Großzügigkeit der ihn umgebenden Anlagen.

DIE HAVEL säumt breit Berlins Grunewald mit Seen und Gewässern. Zwanzig Minuten Autobusfahrt – und schon ist der Großstädter in fontanischer Landschaft. Kiefern, Birken, Sand, Wiesen unter dem blaß-blauen Himmel dieses leicht gehügelten Landstrichs. Die pure Natur im Vorortverkehr, alltags fast verlassen, sonntags selig überfüllt mit Berlinern, die zu Gast bei »Mutta Jrün« sind.

DIE ANGLER säumen die vielfachen Wasserläufe der Großstadt; überall stehen sie »stippen« und ziehen dankbar geringfügige Fischbeute aus den industriebenutzten Gewässern · SCHLOSS PFAUENINSEL, 1794 von einem Potsdamer Tischlermeister in Ruinenform gebaut, liegt mitten in der Havel. Hier hat der Große Kurfürst den Alchemisten Kunkel ›Gold‹ machen lassen, hier weilte die Königin Luise, spielte die große Rachel unter den Baumgipfeln vor Friedrich Wilhelm IV. und dem Zaren Nikolaus. Heute ein wassergeränderter Märchenort mit den Akzenten eines märkischen Biedermeier.

WILLI FEHSE Brandenburg

Das niedrige, von weiten Flachlandstreifen durchzogene Hügelland baut sich auf Schwemmsanden und eiszeitlichen Ablagerungen auf. Nur vereinzelt ragen aus dieser Decke die höchsten Erhebungen des ursprünglichen Schollenlandes, wie die Rüdersdorfer Kalkberge bei Berlin, hervor. Im Nordwesten an die Elbe grenzend, im Westen über die Oder hinüberreichend, liegt die Mark in einer Mulde zwischen dem südlichen und nördlichen Höhenrükken. Diese Mulde ist etwa einhundertundfünfzig Kilometer breit. Sie bildete einstmals das Bett mächtiger Urströme. Oder, Spree, Havel und Elbe sind mit den Nebenflüssen an ihre Stelle getreten. Ohne die Urströme im Ausmaß aber auch nur im entferntesten zu erreichen, überschwemmten sie bei Hochwasser doch in jedem Frühjahr und Herbst weite Täler und Flächen. So entstanden die *Brüche,* die man in Brandenburg auch *Luche* nennt: das Havel- und Rhinluch, der Spreewald, der Oder-, Warthe- und Netzebruch. Mit Hilfe von Kanälen, Schleusen und zahlreichen Entwässerungsgräben hat man sie allmählich in fruchtbare Wiesen und anbaufähige Felder verwandelt.

Wenn Heinrich I. neben Westfalen und Sachsen vor allem Friesen in das von ihm unterworfene Slawenland jenseits der Elbe rief, weil sie im Kampf mit See und Sumpf Erfahrungen besaßen, so bevorzugte Albrecht der Bär aus ähnlichen Gründen Flamen und Holländer. Dabei wählte er besonders solche aus, die nach einer alten Chronik »an Acker Mangel litten, am Ozean wohnten und von der Meeresgewalt zu leiden hatten«. Man nannte sie durchweg Flamen, und an ihre Siedler- und Kolonisationstätigkeit erinnert noch heute der am südlichen Höhenzug gelegene Fläming.

Fläming, du bist ein Sändicken . . .

Diese hundert Kilometer lange Endmoränenstaffel erhebt sich zwischen Belzig und Dahme mit dem Hagelberg etwa zweihundert Meter hoch aus dem Flachland. Ihr verdankt die Mark in erster Linie die Bezeichnung »Streusandbüchse des Heiligen Römischen Reiches Deutscher Nation«. Soweit der feine rostbraune, graue oder gelbliche Sandboden nämlich nicht mit Kiefern bewachsen ist, die ihr brandiges oder schwarzgrünes Wipfelgeäst auf hohen, kahlen Stämmen tragen, werden hier Roggen, Hafer und Kartoffeln angebaut. Bis zur Einführung des Kunstdüngers im vorigen Jahrhundert geschah das nach dem Prinzip der Dreifelderwirtschaft. Nach bestimmtem Rhythmus lag jeder Acker dabei von Zeit zu Zeit brach, weil das Getreide sonst »das Meihen« (Mähen) zur Ernte nicht gelohnt hätte. Martin Luther, der vom nahen Wittenberg aus mehrmals in den Fläming kam, soll über ihn gesagt haben:

Ländicken, Ländicken, du bist ein Sändicken!
Wenn ick di bearbeite, bist du licht.
Wenn ick di egge, bist du schlicht —
will ick di meihen, so find ick di nicht!

Kein Wunder, daß der Märker das Brot, das er dem Boden mit hundert Listen und Künsten abringen mußte, auch zu verteidigen und in Ehren zu halten wußte! In Jüterbog, das mit seiner großen mittel-

BRANDENBURGER LANDSCHAFT · Zum märkischen Landschaftsbild gehört die selbst auf dem kargsten Boden wachsende anspruchslose Kiefer. Sie ist so charakteristisch wie »märkische Heide und märkischer Sand«, wie es in dem vielgesungenen Lied von Gustav Büchsenschütz heißt. So haben die märkischen Wälder einen etwas schwermütigen Charakter.

SPREEWALD · Im Südosten Berlins breitet sich mit dem Spreewald eines der reizvollsten Gebiete der Mark aus. Die Flachkähne sind für die zahlreichen Wasserläufe typisch geworden. Links steht eines der heute bereits selten gewordenen, mit Schilf und Rohr gedeckten wendischen Holzhäuser.

alterlichen Kirche, seinem Ziergiebel-Rathaus, den Wehrtürmen an der Stadtmauer und den leicht gekrümmten Kopfsteinpflasterstraßen typisch für den Verteidigungszweck und die Nüchternheit brandenburgischer Landstädte ist, hängen über den drei Stadttoren mächtige Keulen und ein Spruch. Seine Mahnung, die sich übrigens auch am Lebusischen Tor in Frankfurt an der Oder befand, zeugte von der Härte märkischen Lebens:

Wer seinen Kindern gibt das Brot
und leidet nachmals selber Noth —
Den schlage man mit der Keule tot.

Jüterbog liegt in der Senke des Nuthetales zwischen dem sogenannten Hohen und Niederen Fläming. Sein Name ist wendischen Ursprungs, und solche und ähnliche Namen finden sich in der Gegend noch viele. Südlich des Flämings breiten sich nämlich der Spreewald und die Niederlausitz aus. *Lausitz* kommt vom sorbischen Luciza (Sumpfniederung), und tatsächlich handelt es sich hier um Tiefland, das sich mit Flugsandheiden und Sumpfgelände bis nach Guben und Crossen erstreckt.

Im wendischen Spreewald

In dieser Gegend, vor allem aber im Spreewald, leben noch etwa 70 000 Wenden oder Sorben. Ihre Vorfahren sind in der Zeit der Völkerwanderung in diese Gebiete eingewandert. In den von keiner größeren Straße durchquerten Erlenwäldern und Niederungen zwischen Lübben und Cottbus haben die Wenden ihr Volkstum fast unangefochten bewahren können. In 300 Armen fließt die Spree hier 40 Kilometer durch eine Bruchlandschaft von zwei Fußstunden Breite. Die Hauptstadt des Spreewalds ist Lübbenau, ein idyllischer Ort, der durch die »Lübbenauer sauren Gurken« bekannt wurde. Holländer, die vor 500 Jahren in den Spreewald gelangten, sollen hier die ersten Gurken angebaut haben. Man ließ die Pflanzen aus Byzanz und Rußland kommen. In der fruchtbaren Gartenerde gediehen sie neben Meerrettich, Zwiebeln, Kohl und Bohnen besonders prächtig.

Wer den Kirchturm von Lübbenau besteigt, kann über das grüne Wald- und Inselgewirr mit dem glitzernden Geflecht der Wasseradern weit hinwegblicken. Von besonderem Reiz ist aber eine Fahrt in den flachen, schwarzen Spreewaldkähnen. Gerade aufgerichtet steht der wendische Fährmann im Stern des Bootes wie ein venezianischer Gondoliere. Er lenkt und stakt es mit einer langen Stange durch das Netzwerk der Kanäle, und das Auge genießt die Stille.

Oft wölbt sich das grüne Dach der Erlen und Eichen so dicht über den Kanal, daß kaum noch das Sonnenlicht hindurchbricht. Wenn sich der Wald lichtet, zeigen sich links und rechts von den Wasserstraßen Felder und Wiesen. Man kommt an Gehegen und Weiden mit Rinderherden oder schnatternden Gänsen und Enten vorüber. Heuschober, die sich auf ihren Holzgestellen nach oben verjüngen und wie riesige auf den Kopf gestellte Birnen aussehen, werden sichtbar. Allmählich tauchen hinter hohen Ulmen auch einzelne, von Winden, Kürbis- und Geißblattpflanzen umrankte Wohnhäuser auf. Es sind Blockbauten mit Ziegel-, Schindel- oder Schilfdachkappen. Bei Lehde, Leipe, Eiche, Spranpitz oder Burg fügen sie sich zu Lagunendörfern zusammen.

Vor jedem Gehöft und Eiland wiegen sich in kleinen Buchten, an Ufergeflechten, Pfählen oder Fischkästen angebunden, zahllose kleine *Kähne.* Denn was in andern Gegenden über die Landstraßen und Feldwege zieht, das fährt im Spreewald auf Wasserstraßen hinauf und hinunter. Lastkähne ersetzen hier Wagen und Transporter. Der Postbote befördert seine Briefe und Pakete im Nachen von Siedlung zu Siedlung. Die Kinder kommen in Wasserfahrzeugen zur Schule. Unter Hornmusik werden Bräutigam und Braut in blumengeschmückten Booten zur Kirche geleitet. Dabei haben die Spreewäldlerinnen, die früher in den vornehmen Berliner und Potsdamer Haushaltungen gern als Ammen verpflichtet wurden, ihre bunt bestickte Friesrocktracht mit der weißen Spitzenschürze und der breiten Flügelhaube angelegt. Und wenn jemand gestorben ist, so bringt man auch den Toten, nachdem sich die Angehörigen in seinem Namen von allem verabschiedet haben, was auf seinem Inselanwesen kreucht und fleugt, von den Haustieren in den Stallungen, von dem Federvieh auf dem Hof und sogar von den Immen der Bienenstöcke im Garten, mit einem schwarzverhangenen Boot zum Friedhof. Im Winter freilich bilden Schlitten und Schlittschuhe an Stelle der Kähne das allgemeine Verkehrsmittel.

Holland an der Oder

Der *Spreewald,* dieser Gemüsegarten Berlins, ist altes Kulturland. Jüngeren Datums als Siedlungsgebiet ist der *Oderbruch* unterhalb von Seelow und Küstrin. Die weite, von Buschwerk und Bäumen durchwachsene Sumpfniederung wurde erst auf Befehl Friedrichs des Großen eingedeicht und entwässert. Nachdem man den Lauf der Oder begradigt und wesentlich verkürzt hatte, konnten in dem so gewonnenen Land 43 neue Bauerndörfer eingerichtet werden. Nach Abschluß der Kolonisationsarbeiten im Jahre 1756 erklärte Friedrich voller Stolz: »Hier habe ich mitten im Frieden eine Provinz erobert!«
Heute wirkt der Oderbruch mit seinen Gemüsefeldern, Treibhäusern, Windmühlen und Turbinen stellenweise fast holländisch. Das flache Gelände, der fruchtbare Boden, die saftigen Wiesen mit den schwarzgefleckten Kühen, die verstreuten Gehöfte mit den Storchennestern auf dem Dach und vieles andere erinnern an das Land am Niederrhein.
Der Fläming, der Spreewald mit der Niederlausitz und das Oderland stellen die eine Seite der Mark dar. Das Havelland, die Prignitz und die Uckermark bilden die andere, und trotz gemeinsamer Merkmale sind beide Teile in vieler Hinsicht verschieden.

Frau Harkes Land

Dort wie hier ist die Landschaft durch ein Wechselspiel von natürlichen und geschichtlichen Kräften geprägt worden. Auch im *Havelland* zog sich früher stundenlang das Luch hin, ein morastiges, fast unabsehbares »Dootlewer«, wie wir in märkischer Mundart sagten. Der Vater Friedrichs des Großen, der Soldatenkönig Friedrich Wilhelm, hat hier Abhilfe geschafft. Er rief Baumeister aus Utrecht ins Land, und unter ihrer Leitung wurde der havelländische Hauptkanal mit seinen Nebenverbindungen angelegt. Man machte die Sümpfe urbar, begann mit dem Torfstechen, und nicht anders als später an der Oder, Warthe und Netze wurden nach der ersten rohen Kultivierung Kolonisten angesiedelt, die das begonnene Werk fortsetzten.
So gibt es bei Nauen, das durch seine Funkstation bekannt ist, am Südrand des Luchs, unweit des Hauptkanals, weite melancholische Torfflächen. Sie werden in regelmäßigen Abständen von Wassergräben durchzogen. Nur wenige Straßen, die von Birken, Kopfweiden oder Silberpappeln eingesäumt werden, führen hindurch. Die einzelnen Siedlungen liegen weit auseinander. Sie entwickeln sich langsam mit der fortschreitenden Wandlung des Landes.
Man nennt das Havelland auch »Frau Harkes Land«. Frau Harke entspricht etwa der Frau Holle, die im Volksmythos nur den Fleißigen belohnt, den Faulen aber straft. Damit die Menschen nicht zu Übermut und Bosheit verführt werden, hat Frau Harke,

LASTKAHN AUF DER ODER · Gemächlich und behäbig zieht die Oder durch ihr altes Urstromtal, ein weites Land an ihren beiden Ufern. Nur langsam kommen die Lastkähne voran, wenn ihnen keine Motorenkraft hilft. Bisweilen aber setzen sie ein Segel, mit dem sie schneller an ihr Ziel gelangen können.

wie eine Sage berichtet, ihren Herrschaftsbereich angeblich mit Absicht nicht zu üppig ausgestaltet.
Wer in Berlin oder Potsdam gelebt hat, weiß, daß das Havelland an sommerlichen Ausflugstagen Helligkeit und Anmut ausstrahlen kann. Diese Anmut ist in die federnde Sprache Kleists eingegangen, wenn er etwa die Geschichte des Roßkamms aus Kohlhasenbrück erzählt oder im »Prinzen von Homburg« Brandenburg und »seiner Fluren Pracht« lobt. Seiner Fluren Pracht – wem fällt dabei nicht das Blüten- und Obstparadies des Potsdamer Werders ein? Vom einstigen kleinen Fischerdorf wendischen Ursprungs entwickelte sich die Stadt Werder zum Mittelpunkt eines Gartengeländes, in dem sich auf etwa dreißigtausend Morgen Obstplantagen ausbreiten. 1938 betrug die Zahl der Kirsch-, Pflaumen- und Pfirsichbäume allein auf den Plantagen im Kreis Zauch-Belzig mehr als eine Million; und entfielen damals im Reich auf hundert Einwohner hundertfünfzig Quadratmeter an Erdbeerpflanzungen, so waren es im Obstgau des Havellandes fast tausend.

Die »Märkische Schweiz« und das Ruppiner Ländchen

Wenn von der »Fluren Pracht« und Schönheit in Brandenburg gesprochen wird, darf die liebliche Hügellandschaft auf der Hochfläche des Barnims zwischen Bad Freienwalde und Buckow nicht ver-

WARTHE-LANDSCHAFT · Wasser, Bäume und ein weiter Himmel, durch den die Wolkenschiffe segeln, das ist die melancholische Stimmung, die man nicht nur in der Gegend von Landsberg, sondern auch in den erst 1938 zu Brandenburg gekommenen Kreisen Schwerin an der Warthe und Meseritz an der Obra findet.

gessen werden. Mit ihren Tannen- und Lärchen-, Buchen- und Birkenhängen, mit den von Schafherden bevölkerten Heiden, den grünen Saaten und gelben Rapsfeldern auf dem Plateau führt sie den Namen der *»Märkischen Schweiz«* zu Recht.
Man sollte in diesem Zusammenhang auch das *Ruppiner Ländchen* erwähnen. Am Ostrand der Prignitz gelegen, die von allen Gegenden der Mark vielleicht am eintönigsten ist, hat dies Wald- und Seengebiet um Gransee, Neuruppin und Rheinsberg seinen besonderen Zauber. Vor allem prägt sich hier, fast nicht weniger lebendig und bestimmt als in Potsdam, die eigentümliche Verbindung von Geschichte und Landschaft aus, die für die Mark so typisch ist. Auf dem zierlichen gelben Rheinsberger Schlößchen, das sich mit seinen Säulengalerien und den gehelmten Rundtürmen in den blauen Fluten des Sees spiegelt, liegt sogar mehr von dem Glanz preußischen Rokokos als auf Sanssouci.
Der *Rheinsberger See* gehört bereits zu der Seenkette, die sich an der mecklenburgischen Grenze entlang in die Uckermark hineinzieht und dann in weitem Bogen um das wildreiche Naturschutzgebiet der Schorfheide auf Eberswalde zu nach Süden zurückschwingt. Während sich die seenartig erweiterten Havelgewässer im Sommer mit dichtbesetzten Ausflugsschiffen, mit Segel-, Ruder- und Motorboot-Regatten beleben und am Ufer einen farbigen Badebetrieb entfalten, haben sich diese mittel- und uckermärkischen Seen meistens noch ihre stille Verträumtheit bewahrt. Nur Haubentaucher und Bleßhühner durchziehen ihre Flut.
Einer dieser Seen heißt der »Stechlin«. Man erreicht ihn auf Wanderungen durch hohe Kiefern- und Laubforste. Gelegentlich führt der Pfad auch wohl über sonnenbeschienene Lichtungen und Hänge, wo Büsche und koboldartig zusammengeduckte Wacholdersträucher im Heidekraut kauern.
Der See gleicht in seiner Form einem Ahornblatt, das in drei Ecken ausläuft. Zwischen flachen, nur an einer einzigen Stelle steil und kaiartig ansteigenden Ufern, so erzählt Fontane in seinem Stechlin-Roman, liegt er da; »von alten Buchen eingefaßt, deren Zweige, von ihrer eigenen Schwere nach unten gezogen, den See mit ihrer Spitze berühren. Hie und da wächst ein weniges von Schilf und Binsen auf, aber kein Kahn zieht seine Furchen, kein Vogel singt, und nur selten, daß ein Habicht drüber hinfliegt und seinen Schatten auf die Spiegelfläche wirft.« Sobald allerdings in der Welt irgendwo ein Vulkan aufbricht, in Island, bei Java oder Hawaii, dann regt sich's, der Sage nach, im Stechlin: Ein Wasserstrahl steigt hoch empor und kündet von dem fernen Geschehen.
Sagen knüpfen sich an diese Seen, die oft nur klein und teichartig zwischen dunklen Waldungen aufblinken oder sich kilometerweit, wie der Templiner-, der Werbelliner- oder der Grimnitzsee, ins Uckermärkische hinein erstrecken. Häufig berichten sie von versunkenen Dörfern oder Städten. Aus dem Gohlitzer See und einem uckermärkischen Binnengewässer sollen an jedem Johannistag zwei Glocken aus der Flut heraufsteigen und nach kurzer Zeit klagend wieder versinken.
Die Uckermark ist, wie die waldreiche Neumark jenseits der Oder, für mitteldeutsche Verhältnisse recht fruchtbar und ergiebig. Die Menschen dieser Landschaft widmen sich ganz dem Dienst an der Erde. Im Obrabruch an der westpreußischen Grenze gibt es zahlreiche Korbweidenpflanzungen, und bei

LANDSCHAFT IN DER MARK · In den flachen, kolonisierten Luch- und Bruchgebieten trifft man solche Feldwege an, die in eine endlose, schwermütige Weite zu gehen scheinen. Hier wachsen Kopfweiden, Silberpappeln, Birken und andere Laubbäume, und hier fegt im Winter ein kalter Ostwind über das Land.

NIEDERFINOW · Der kleine Ort östlich von Eberswalde wäre sicher niemals besonders bekannt geworden, hätte man hier nicht ein beachtliches technisches Werk vollbracht. Der Hohenzollern- und Finow-Kanal verbindet Berlin mit der unteren Oder. Hier war es aber nötig, eine Hügelterrasse zu überwinden. So baute man ein Schiffshebewerk, das immer noch bewundernswert ist, obwohl der Kanal und die Anlage in dem vielgliedrigen System der märkischen Wasserwege an Bedeutung verloren haben.

Drossen trifft man auf ausgedehnte Maiglöckchen-Felder, von denen Keime in alle Welt verschickt werden. Nördlich der Ücker aber, die den oberen und unteren Ückersee durchzieht, bevor sie Prenzlau grüßt und die Mark verläßt, wird sogar Tabak angebaut. In dem Uckermarklied heißt es voller Stolz: »Öwerall Brot!«

Gibt es den Märker überhaupt?

Die Märker lieben ihr Land. Sie haben im Kampf um das tägliche Dasein dienen und herrschen, befehlen und gehorchen gelernt; und wie sehr das eine wie das andere ihnen eine Tugend ist, die im Ausgleich zwischen persönlicher Freiheit und bindendem Gesetz zu gipfeln hat, zeigt uns Heinrich von Kleist in seinem »Prinzen von Homburg«.
Freilich kann man vom Märker in dem Sinn, in dem man von einem Schwaben, Sachsen oder Franken spricht, nicht reden. Als einheitlichen Begriff oder gar als Stammesbezeichnung gibt es ihn nicht. Die Mark war Kolonisationsgebiet. Die Verhältnisse lagen hier anders als im alten Reich, wo das Leben farbiger und abgezirkelter war und wo Wollen und Werden geringeren Spielraum hatten.
Trotz ihrer »elenden ökologischen Grundlage«, um den Ausdruck eines Philosophen zu gebrauchen, hat die Mark aber immer eine eigentümliche Anziehungs- und Sammlungskraft gezeigt, seitdem Heinrich I., Markgraf Gero und Albrecht der Bär sich zur Kolonisation des Ostens anschickten. Gräberfunde bei Phöben im Potsdamer Werder und anderswo zeigen, daß zwischen Elbe und Weichsel um die Zeit Christi Germanen ansässig waren: Semnonen und Vandalen. Mit dem frühen Mittelalter schoben sich in die Reste der wendischen Bevölkerung außer den Flamen und Friesen, »die ihren Sitz am Meere hatten«, rheinische Mönche, sächsische Ritter, fränkische und schwäbische Bauern hinein und verschmolzen mit ihnen. Friedrich Wilhelm, der Große Kurfürst, rief die Hugenotten mit ihrem Kunstsinn und Gewerbefleiß in das vom Dreißigjährigen Krieg verwüstete und entvölkerte Land. Sein Potsdamer Edikt vom 29. Oktober 1685 sicherte diesen lothringischen, picardischen und burgundischen Flüchtlingen die Glaubensfreiheit.
Friedrich II. siedelte im kolonisierten Warthe- und Netzebruch fremde Bauern an, von denen viele vorher nach Übersee auswandern wollten. Die Siedler tauften mehrere ihrer Dörfer nach ihrer alten Heimat. Einige leiteten die Namen auch von ihren ursprünglichen Reisezielen und von der Beschaffenheit des neuen Landes ab. Darum findet man in der südlichen Neumark auf den Schildern die merkwürdigsten Ortsangaben: Neu-Dresden, Freiburg und Stuttgart; Pennsylvania, Florida und Philadelphia oder Entenwerder, Kranichhorst und Krebsjauche.

Die USA im Kleinen

Zu diesen Kolonisten aus West-, Süd- und Mitteldeutschland, aus Holland und Frankreich kamen die Menschen verschiedenster europäischer Herkunft, die zunächst im Soldatenstand ihre Heimat fanden, bevor sie später wohl auch auf der Scholle seßhaft wurden. Beispiele dafür sind der alte Derfflinger, die Fouqués und Keiths. Ihnen gesellten sich dann als weitere Neu-Preußen die Salzburger Protestanten zu, ferner die Emigranten, die von der Französischen Revolution vertrieben wurden. So verschieden diese Menschen auch untereinander sein mochten: Sie alle bildeten den Märker, und in gewissem Sinne stellt Brandenburg also, was die Buntheit seiner Bevölkerung angeht, die europäischen USA en miniature dar.
Trotzdem hat sich in der Mark wie in den Vereinigten Staaten eine ganz bestimmte Lebensform und ein ganz bestimmter Menschenschlag herausgebildet. Bewährte sich hier wie dort die typenbildende Kraft der Erde?

Eulenspiegelnaturen aus der Mark

Dem nüchternen, im Lebenskampf gestählten Märker sagt man wohl Grobheit und gelegentlich auch Sturheit nach. Wenn man ihn damit aber als humorlos kennzeichnen wollte, tut man ihm unrecht. Im Mittelalter gab es einen märkischen Eulenspiegel, der dem Schalk aus Kneitlingen kaum nachstand. Er hieß *Hans Klauert* und lebte in Trebbin.
Hans hatte das Schlosserhandwerk gelernt und spielte seinem Lehrherrn manchen Streich. Eines

HAVELBERG · Kurz vor der Mündung der Havel in die Elbe liegt die Stadt auf dem rechten Ufer des Flusses. Der Dom St. Marien, ein mächtiger romanischer Bau, geht in seiner Entstehung auf Albrecht den Bären zurück. Dieser askanische Markgraf machte, von dem Kernland Brandenburgs, der Altmark, nach Osten vorstoßend, die Stadt am Havelübergang zu einem Ausgangspunkt der Christianisierung und Kolonisierung seiner neugewonnenen Gebiete. Zwischen Havelberg und der Elbe durchzieht ein Netz von Kanälen und Flußarmen das märkische Land.

Tages erschien ein Bauer in der Werkstatt, um ein Türschloß zu kaufen. Klauert holte den Meister und machte ihm weis, daß der Kunde schwerhörig sei. Dem Bauern aber hatte er vorher dasselbe über den Meister gesagt.

Als der Schlosser nun in die Werkstatt kam, begrüßte er den Kunden mit einem kräftigen »Guten Tag«. Der Bauer schrie den Gruß zurück und setzte mit derselben Stimmstärke sein Begehr hinzu. Ein lautes Wort gab so das andere, und als beide nicht handelseinig werden konnten, kam es bald wie von selber dahin, daß sie sich in die Haare gerieten, bis die Nachbarn herbeiliefen und die Wütenden trennten. Hans Klauert aber stand in der Tür und hielt sich den Bauch vor Lachen.

Alfred Henschke, der, 1890 in Crossen an der Oder geboren, unter dem Namen *Klabund* berühmt wurde und siebenunddreißigjährig in Davos starb, hat Klauert mit seinem »Bracke« ein literarisches Spiegelbild gegeben. Klabund vertiefte dabei die recht unbekümmerten Scherze des märkischen Eulenspiegels ins Philosophische. Sein Klauert, alias Bracke, ist kein bloßer Possenreißer, sondern ein Schelm vom Range der Shakespeareschen Narren.

Mitunter hat Bracke in Klabunds Deutung fast etwas von der warmen und wärmenden Alltagsgüte abbekommen, die Herrn von Ribbeck auf Ribbeck im Havelland nachgesagt wird. Man kennt den prächtigen alten Gutsherrn und Kindernarren aus Fontanes herrlichem Gedicht, und man erinnert sich, wie er den Jungen und Deerns der armen Bauern und Büdner übers Grab hinaus Birnen zu schenken versteht.

Wenig bekannt ist aber, daß auch *der tolle Bomberg*, der in Westfalen seine Streiche trieb, eine märkische Eulenspiegelnatur war. Er stammte aus dem Neuruppiner Adelsgeschlecht der Rombergs. – Bei Neuruppin fällt uns noch *Gustav Kühn* aus Neuruppin ein, ein märkischer Verwalter drastischen Humors und drastischer Volkspoesie. Seine Bilderbogen konnte man in meiner Kindheit überall für einen Groschen kaufen.

In diesem Zusammenhang sollen auch die plattdeutschen Sprichwörter der Märker nicht unerwähnt bleiben. Aus ihnen spricht oft eine heiter überlegene Lebensschau und -haltung. »Wecker dodt is, lett sien Kieken«, so heißt es da etwa. Oder: »Een ful Ei verderwt den ganzen Brei.« – »Gott gift woll de Koh, öäwer nich den Strick dato.« – »Wecker de Woahrheit seggt, find't keen Herberg.«

Märkische Feste, Spezialitäten und Sitten

Nur ein verschmitzter Menschenschlag, der es gewissermaßen faustdick hinter den Ohren hat, kann solche Worte prägen. Sachkenner haben übrigens behauptet, daß der Märker gern Feste begehe und feiere. Die Berliner Pankgrafenauszüge, der Stralauer Fischzug, das Möskefest in Rheinsberg, das Bernauer Hussitenfest sprechen dafür. Ursprünglich sollten diese Feiern die Erinnerung an wichtige historische Begebenheiten wachhalten. Im Laufe der Zeit nahmen sie nicht selten ganz eigene Formen an. Der nüchterne Sinn des Märkers ist jedem Pathos abhold. Wenn es schon einmal sein muß, läßt er ihm wohl gern einen Witz folgen, wie man denn auf einen fetten Braten meist einen Schnaps setzt.

Apropos: Schnaps. Es gab und gibt eine Anzahl von Brennereien und Brauereien im Brandenburgischen. Und warum sollte sich der Märker nach seinem schweren Tagewerk nicht auch mal etwas gönnen? Er liebt einen guten Trunk ebenso wie einen guten »Happenpappen«, um mit seinem Ausdruck zu sprechen. Die auch von Goethe geschätzten Teltower Rübchen, die Mohnprielen und -striezel, die Morchelgerichte, Oderkrebse, Gubener Plinse, Eberswalder Spritzkuchen, das Schwarzsauer mit Backpflaumen und Klößen, der Karpfen in Bier sind märkische Spezialitäten.

Freilich, wenn man's nicht hat, geht es auch ohne, sagt man in diesem Landstrich. Und dann trägt man's eben mit dem trockenen Humor, wie er in der Anekdote von Fritz und Jochen aufblitzt, die beide Kühe zu hüten hatten:

Es war im Mai. Der Kuckuck rief zum erstenmal in diesem Jahr. Dann darf im Havelland, in der Prignitz, Uckermark und Neumark oder wo es sonst auch sei, nach alter Sitte der Schinken angeschnitten werden.
»Hör doch moal den Kuckuck!« frohlockte Jochen mit verklärtem Gesicht. »Nu werd' uns' Schinken ansnäden!«
»Wegen uns«, versetzte Fritz, »brukt he sien Hals nich uptorieten. Uns' is a lang all!«
Neben dem »Schinkenanschneiden« hat sich noch manches andere alte Brauchtum in den märkischen Dörfern erhalten. Am Ostermorgen schlagen die Kinder in einigen Orten ihre Eltern mit frischen Reisern wach. Pfingsten stellen die Bauern Maien vor ihre Höfe; und die Jungen führen in allerlei Vermummungen einen der Ihren, der ganz in Maien gehüllt ist, gabenheischend durch das Dorf.

Dörfer mit Wehrkirchen

Es ist übrigens eine geschichtliche Tatsache, daß die Askanier den Grund ihrer Herrschaft in Brandenburg vor allem durch dörfliche Siedlungen legten. Im 12. und 13. Jahrhundert zog sich ein dichtes Netz von Dörfern über das Land. Von ausgesprochenen Straßensiedlungen abgesehen, gingen ihre Anlagen mitunter auf die wendisch-slawischen Rundlinge zurück. In Hufeisenform gruppierten sich die Bauerngehöfte dann meist um die auf einem erhöhten Platz gelegene Kirche. Dies Gotteshaus hatte vielfach den trutzhaften Charakter einer Wehrkirche. In Heckelberg und Lichterfelde (Oberbarnim), in Ogrosen bei Calau, Rohrbeck (Neumark) und Wuticke (Ostprignitz) finden sich beispielsweise noch solche alten, aus Feldstein- oder Granitquadern errichteten kirchlichen Burgen oder Wehrkirchen, die, gelegentlich auch mit unterirdischen Gängen versehen, den Bauern in Not- und Kriegszeiten eine letzte Zufluchtsstätte boten.
Wir wissen, daß sich die slawischen Völker in der Mark vorzugsweise an Flüssen und Waldrändern ansiedelten. Hier konnten sie, wie sie es liebten,

BRANDENBURG · Auf halbem Weg zwischen Berlin und der Elbe stand schon vor über tausend Jahren die Wasserburg Brennaburg (Brennabor), die dann 948 Bischofsstadt wurde. Viele mittelalterliche Bauten, wie der Steintorturm, der die Straße nach Magdeburg schützen sollte, sind heute noch erhalten.

SCHLOSS KÜSTRIN · In der Oder spiegelte sich bis zur Zerstörung im Jahre 1945 das Schloß. Sein Museum erinnerte bis damals an Friedrich II., der hier von einem Fenster aus als Kronprinz auf väterlichen Befehl die Hinrichtung seines Freundes Katte mitansehen mußte, der sich wie er des Fluchtversuchs schuldig gemacht hatte.

Fischfang oder Imkerei treiben. Auf den »Hochplateaus« des Landes gab es kaum wendische oder sorbische Siedlungen. Die Ortschaften, die hier liegen, sind meist germanischen Ursprungs.

Burgen, malerisch und bunt

Zugleich mit den Dörfern ließen die Askanier an wichtigen Durchgängen und Straßen auch Burgen errichten. Es waren jedoch keine hochragenden, steinernen Bauwerke wie im Westen Deutschlands. Sie sahen in der Regel so aus, wie Willibald Alexis (der mit seinen historischen Romanen zum Walter Scott der Mark wurde, obwohl er in Schlesien geboren und in Thüringen gestorben ist) Hohen-Ziatz in den »Hosen des Herrn von Bredow« beschrieben hat: verräuchert, malerisch und winkelig. Meistens standen diese Burgen auf Anhöhen, die man inmitten der Sümpfe und Föhrenwälder künstlich aus festgestampfter, mit Rasen bekleideter Erde geschaffen hatte. Dabei bezog man gern die alten Erdwälle wendischer Kastelle in die Grundmauern ein. Wo Quarz und Feldsteine endeten, setzten ihre Erbauer die Arbeiten mit Holz fort; und wenn die gebrannten Ziegel ausgingen, so half man sich mit Lehm und füllte das Fach- und Balkenwerk damit aus. Trotzdem sollen die Mauern von Friesack, Plauen oder Lenzen sieben Ellen dick gewesen sein. Hier hausten die Quitzows, Rochows und Putlitze. Sie bildeten mit andern märkischen Adelsgeschlechtern nach dem Aussterben der Askanier unter den schwachen Wittelsbacher und Luxemburger Markgrafen eine wahre Landplage, bis der erste Hohenzoller sie mit der »Faulen Grete« aus ihren Raubnestern vertrieb.
Von den frühen märkischen »Schlössern« haben sich nur hier und da die auf Granit fundamentierten Backstein-Bergfriede erhalten. Von der Burg Spandau und der Burg Potsdam, die den Weg vom Havelland zum Barnim oder vom Havelland zur Zauche sicherten, zeugen nicht einmal mehr Ruinen.
Im Schutze dieser einstigen Burgen entwickelten sich die Städte. In der Mark als dem Grenzbezirk des

Reiches kam ihnen fast ausnahmslos militärische oder verkehrspolitische Bedeutung zu. Wo die von dem Volkskönig Heinrich erstmals erstürmte Brennaburg gelegen hatte, entstand unter Albrecht dem Bären die erste Hauptstadt der Mark: Brandenburg.

Brandenburg, die erste Hauptstadt der Mark

Die Stadt wuchs aus drei Kernen zusammen: aus der Altstadt zwischen der Havel und dem Marienberg, aus der Neustadt auf dem linken Ufer und aus der Insel zwischen zwei Flußarmen, die an Stelle des Triglafftempels und der früheren wendischen Befestigungswerke den mächtigen Bau des Domes Peter und Paul trägt. Hier befindet sich auch die Ritterakademie, auf der einstmals die Söhne des märkischen Adels erzogen wurden.

Die meisten Sehenswürdigkeiten Brandenburgs stammen noch aus der Zeit, in der die Namen von Havelberg, der alten Bistumsstadt, oder Rathenow klangvoller waren als die von Potsdam und Berlin. In der Neustadt erhebt sich der vielbewunderte spätgotische Backsteinbau der St.-Katharinen-Kirche mit dem Filigran seines Maßwerkes und den glasierten Ziegeln. Dicht neben dieser dreischiffigen Hallenkirche befand sich das 1945 zerstörte Kurfürstenhaus. Auch das Ziegelgebäude des Neustädtischen Rathauses wurde im zweiten Weltkrieg vernichtet. Seitdem prangt der ehrwürdige Roland aus dem Jahre 1474 vor dem Altstädtischen Rathaus.

Die zwanzig Meter hohe Sandsteinsäule hat bereits Friedrich de la Motte Fouqué, der 1777 in Brandenburg zur Welt kam und später nicht nur wegen seines Undinemärchens zum berühmtesten deutschen Romantiker wurde, begeistert. Fouqué beschrieb diese Rolandsfigur etliche Jahre vor seinem Tode, 1843, als »die edelste, die ihm je vor Augen gekommen« sei. »In riesengroßer, geharnischter Gestaltung, ganz gerade, die Schenkel zusammengestellt, gleich den ägyptischen Bildsäulen, völlig geschwärzt durch Wind und See und Sonne, das ungeheuer lange Schwert senkrecht emporgehalten, auf dem unbedeckten Haupt eine Mooskrone oder vielmehr ein Moosbarett, die Gesichtszüge feierlich, seltsam, altertümlich, ohne Künstelei, aber sorgsam festgehalten, daß man dabei versucht ist, an Porträtähnlichkeit zu denken – so steht der Roland vor dem Brandenburger Rathaus da, und so war er eingeprägt in des Knaben Geist ...«

POTSDAM · Ein Wahrzeichen der Hauptstadt Brandenburgs ist die von Philipp Gerlach 1732 erbaute Garnisonkirche, von deren Turm seit Generationen bei Tag und Nacht das »Üb' immer Treu und Redlichkeit« des niederländischen Glockenspiels über die Dächer hinweg erklang.

Potsdam, das Zentrum Preußens

Brandenburg ist nicht lange Residenz geblieben. Der Ruhm, zum Sinnbild der Mark zu werden, ist auf Potsdam übergegangen. Der Große Kurfürst erhob den Ort inmitten der Havelseen und Wälder neben Berlin zu seiner Residenz. Aber erst unter Friedrich dem Großen entfaltete sich die alte Soldatenstadt zum baulichen Zentrum des preußischen Staates. Er machte das preußische Sparta zum preußischen Athen. Wo unter seinem Vater Friedrich Wilhelm die Potsdamer Riesengarde der »langen Kerls« exerziert hatte, ließ Fridericus durch Georg Wenzeslaus von Knobelsdorff das Stadtschloß zu einem Juwel des Barocks umgestalten und das Neue Palais errichten. Beide wurden 1945 erheblich beschädigt oder zerstört.

Seit dem 19. Jahrhundert bestimmten aber die von Friedrich Schinkel geschaffene Nikolaikirche und die hundert Jahre früher von Philipp Gerlach erbaute Garnisonkirche das Bild Potsdams.

Potsdam war nämlich nicht nur der bauliche Inbegriff Preußens. Es bildete mit seiner architektonischen Vielgestalt, seinen Schlössern, Kirchen und Parks, seinen Landhäusern und Pavillons, seinen Toren, Brücken und Monumenten, seinen stillen, fast dörflichen Straßen, seinen schattigen, von majestätischen Schwänen durchzogenen Kanälen das Denkmal und das Symbol des märkischen Wesens.

Zu Frankfurt auf der Brücken ...

Nach Brandenburg und Potsdam ist Frankfurt an der Oder die drittgrößte Stadt der Mark. Eine alte Urkunde weist aus, daß an der Stelle, wo sich die Randhöhen mit ihren Kiefernwäldern dem fischreichen Wasser der Oder bis auf anderthalb Meilen nähern, früh eine Niederlassung fränkischer Kaufleute entstanden ist. Ihr wurde 1253 das Magdeburger Stadtrecht verliehen. Die hölzerne Brücke, die zum östlichen Ufer hinüberführte, ist in das Volkslied »Es dunkelt schon über der Heiden« eingegangen. »Zu Frankfurt auf der Brücken, da liegt

FRANKFURT AN DER ODER · Von der Löweninsel (im Vordergrund) blickt man auf die gotische Marienkirche und die große Oderbrücke, die schon Merian als »hültzene Brücken« das Wahrzeichen der Stadt nannte. Die auf dem rechten Ufer liegende Vorstadt ist heute unter polnischer Verwaltung.

ein tiefer Schnee«, heißt es in einer Strophe. Berühmt waren bis vor einigen Jahrzehnten die Frankfurter Jahrmärkte oder Messen. Einige Messehöfe legen, soweit sie im Krieg erhalten geblieben sind, noch jetzt Zeugnis von dem Ausmaß des Handels ab, der in Frankfurt vor allem mit Pelzwerk, Getreide und Vieh getrieben wurde. Im Laufe der Jahrhunderte hat sich Frankfurt von einer stolzen Handelsmetropole zu einer stillen Beamtenstadt gewandelt. Seit einiger Zeit existiert dort wie in Brandenburg wieder Maschinenbau-, Textil- und Möbelindustrie.

Wenn Frankfurt auch heute noch eine Brückenstadt nach dem Osten ist, so läßt sich seine jetzige Bedeutung doch nicht mit der vergleichen, die es im Mittelalter innehatte. Damals hing an dem Hauptgiebel des schönen Backstein-Rathauses an einer langen Stange der Schwanz eines Fisches – ein Zeichen, dem wir auch auf den alten Wappenschildern der Lübecker Seefahrer begegnen. Frankfurt gehörte nämlich zur Hanse.

Die erste Universität der Mark

Als erste märkische Siedlung erhielt die Brückenstadt eine Universität, die Viadrina, die freilich 1811 nach dreihundertjährigem Bestehen nach Breslau kam. Giordano Bruno und Ulrich Hutten zählten zu den ersten Schülern der Viadrina. Im 18. Jahrhundert lehrte hier Johann Jakob Moser, ein bedeutender Jurist und Publizist.

Damals wurde es Sitte, daß der ostelbische Hoch- und Landadel seine Söhne auf die Universität schickte, bevor sie ihre Kavaliersreisen antraten. In Frankfurt wohnten die Prinzen des Königlichen Hofes mit ihren Hofmeistern in dem sogenannten Junkernhaus. Doch galten Examen und Doktortitel in dieser Zeit noch nicht als standesgemäß. Manche Potentaten und Hofleute begegneten den bürgerlichen Gelehrten, obgleich sie sich ihre Kenntnisse bei Gelegenheit gern zunutze machten, mit offenkundiger Mißachtung.

So hat der Soldatenkönig Friedrich Wilhelm die Frankfurter Professoren einmal gezwungen, in Gegenwart der Runde, die sich sonst als das »Tabakskollegium« in seinem Jagdschloß Königswusterhausen um ihn zu versammeln pflegte, mit seinem Hofnarren zu diskutieren. »Ein Quentchen Mutterwitz«, mahnte der König zum Schluß der Disputation, »ist besser als ein Zentner Universitätswitz.« Immerhin hat die Viadrina Schüler angezogen, die nachher, wie die beiden Humboldts, zu Preußens Glorie beigetragen haben. Philipp Emanuel Bach, der spätere Klavierspieler Friedrichs des Großen, hat hier etwa zu der Zeit Jura studiert, als sein Vater Johann Sebastian dem jüngsten Sohn des Großen Kurfürsten, Christian Ludwig, die »Brandenburgischen Konzerte« widmete. Und vor allem quälte sich der größte märkische Dichter, Heinrich von Kleist, an der Universität seiner Heimatstadt mit Mathematik und Philosophie ab, bis er durch Kants Lehre begriff, daß keine »Wahrheit über unsere kurze Existenz hinaus in die Ewigkeit« reicht.

Der »Dreimännerwein« aus der Mark

Bei Frankfurt, wo nach einem Brief des Dichters Heinrich von Kleist »das Tal der Oder ... sehr reizend, aber doch nur wie ein bloßes Miniaturgemälde erscheint«, baute man auf den Tzschetschnower Höhen bis zum Ende des 19. Jahrhunderts sogar Wein an. Der hier gekelterte Rebensaft ist aber doch wohl ein richtiger »Dreimännerwein« gewesen. Wenn jemand davon trank, mußten ihn zwei andere halten und stützen.

»Vinum de Marchia terra transit guttur tanquem serraso«, sagt ein lateinisches Wort; und auf deutsch heißt das dem Sinne nach:

Wein aus der märkischen Erde
geht durch die Kehle wie eine Säge.

Der Spätromantiker Otto Roquette, der seine Jugend in Frankfurt bei seinem Großvater, dem letzten Prediger der französischen Reformierten Gemeinde, verlebte, hat den Oderwein noch getrunken. »Abgesehen von seiner Säure«, so urteilte der Sänger von »Waldmeisters Brautfahrt« darüber, »hatte er für mich einen Beigeschmack, als wären Käfer

Brandenburg

LUDWIGSLUST
NEUSTRELITZ
Stepenitz
WITTSTOCK
PRIGNITZ
Elbe
PERLEBERG
RHEINSBERG
SCHOR
WITTENBERGE
GRANSEE
Havel
NEURUPPIN
WERBEN
HAVELBERG
FEHRBELLIN
BERNAU
ORANIENBURG
Havel
ALTMARK
STENDAL
Elbe
RATHENOW
BRANDENBURG
BE
Havel
Autobahn
POTSDAM
LEHNIN
TREUENBRIETZEN
FLÄMING
MAGDEBURG
JÜTERBOG
ZERBST
Saale
WITTENBERG
SPREE
Schwarze Elster
Elbe
DÜBEN
Mulde
TORGAU
Saale

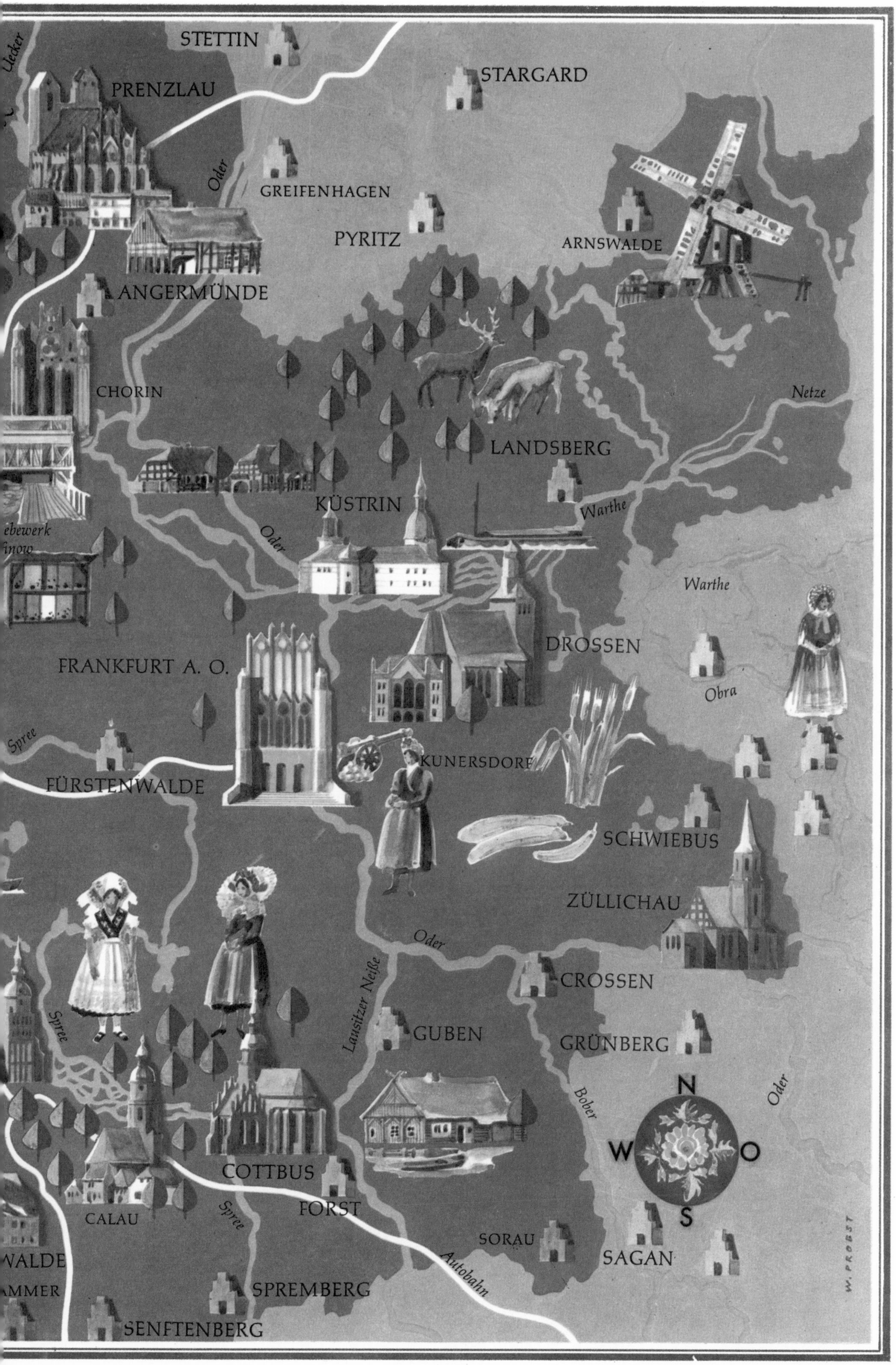

Uecker
STETTIN
STARGARD
PRENZLAU
Oder
GREIFENHAGEN
PYRITZ
ARNSWALDE
ANGERMÜNDE
CHORIN
Netze
LANDSBERG
KÜSTRIN
Warthe
Oder
ebewerk
inow
Warthe
DROSSEN
FRANKFURT A. O.
Obra
Spree
KUNERSDORF
FÜRSTENWALDE
SCHWIEBUS
ZÜLLICHAU
Oder
CROSSEN
Lausitzer Neiße
GUBEN
GRÜNBERG
Spree
Bober
Oder
N
W
O
S
COTTBUS
FORST
CALAU
Spree
SORAU
SAGAN
WALDE
AMMER
Autobahn
SPREMBERG
SENFTENBERG
W. PROBST

PRENZLAU · Wie viele Städte in der Mark mußte auch Prenzlau den Sturm der letzten Kriegswochen über sich ergehen lassen. Viele Ruinen harren noch des Wiederaufbaues. Hinter dem Mitteltorturm erhebt sich die zweitürmige Marienkirche, die in ihrer eindrucksvollen Backsteinarchitektur als eines der vornehmsten mittelalterlichen Gotteshäuser des Landes gilt, obwohl ihr Dach noch ungedeckt ist und die ehedem stolzen Mauern mehr und mehr verwittern. Das Gotteshaus wurde im 13./14. Jahrhundert im gotischen Stil errichtet.

in Spiritus getötet worden...« Roquette fand es also ganz in der Ordnung, daß die seit dem Mittelalter bestehenden Weingärten mit den kümmerlichen kleinen Rebstöcken in Obstplantagen umgewandelt wurden. Wie im Potsdamer Werder finden jetzt hier viele Menschen jahraus, jahrein ihre Beschäftigung.

Brandenburgische Mittel- und Kleinstädte

Was schließlich die märkischen Mittel- und Kleinstädte angeht, so weisen sie fast alle Reste von früheren Befestigungswerken und zinnenbewehrten Tortürmen auf. Wir machten schon darauf aufmerksam, als wir Jüterbog erwähnten. In ihrer Grundanlage entsprechen sie alle dem praktischen Zweckdenken der Kolonisten. Typisch für sie sind außerdem Backsteingotik und Ziegelarchitektur. Als Ausdruck der erstarkenden Bürgerkraft traten dabei oft die Rathäuser an Stelle der Burgen. Zugleich mit den Kirchen und einzelnen Patrizierhäusern künden sie mit ihren reich geschmückten Prachtgiebeln oder -fassaden von dem Stolz und Selbstbewußtsein der Stadtbewohner, die wohl erkannten, was sie ihrem wachsenden Wohlstand und politischen Einfluß schuldig waren.

Je weiter sich diese Mittel- und Kleinstädte von Berlin entfernen, desto weniger unterliegen sie der Ausstrahlungskraft der Spree-Residenz. Diese Ausstrahlung ging mitunter so weit, daß sie den benachbarten Gemeinwesen fast den Charakter von Vororten aufzwang. Dazu dürfen wir außer Oranienburg, Treuenbrietzen und einigen Landstädtchen das am Finowkanal gelegene Eberswalde mit seinen Mietskasernen, seiner Forsthochschule (einem Ableger der Humboldt-Universität) und seiner Grauguß-, Stahl- und Kranbauindustrie rechnen. Erst in den weiter nördlich, westlich oder südlich angesiedelten Orten der Uckermark, Prignitz und Niederlausitz gewinnt das kleinstädtische Leben wieder sein Eigengepräge.

Fast jede märkische Klein- oder Mittelstadt hat ihren unmittelbaren oder nahen Bezug zur brandenburgisch-preußischen Geschichte. So erinnert Rathenow, die Hochburg der Optiker, an den kühnen Handstreich, mit dem Derfflinger die Stadt den Schweden entriß, die der Große Kurfürst dann bei Fehrbellin am Rhinluch so glorreich schlug. Küstrin, die düstere Festung an der Oder, sah den jungen Friedrich zusammenbrechen, als vor seinen Augen sein Freund Katte hingerichtet wurde, »damit«, wie der Soldatenkönig das Urteil begründete, »die Justiz nicht aus der Welt käme«. In Friedrichsburg, das früher mit Wittstock an der Dosse und

PARK VON SANSSOUCI · Das Rokokoschloß und sein im französischen Stil angelegter Park waren der Lieblingsaufenthalt des »Alten Fritz«. In Sanssouci schloß der Preußenkönig auch für immer die Augen. Heute gehören die Anlagen zu den größten Sehenswürdigkeiten in der Umgebung Berlins.

anderen Orten eine bekannte preußische Festung war, verbüßte Zieten, der »Ahnherr der Husaren«, eine längere Haft. Bei Kunersdorf, in der Nähe Frankfurts, unterlag Fridericus trotz verzweifelter Gegenwehr den Russen; und Ewald von Kleist, der Sänger des »Frühlings«, empfing hier die Todeswunde. Bei Dennewitz vor Jüterbog überwanden die preußischen Generale Bülow, Tauentzien und Borstell den napoleonischen Marschall Ney, den »Tapfersten der Tapferen«.

Wirtschaftliche Mittelpunkte der Mark

Nach und nach fielen in den märkischen Städten die Mauern und Festungswälle. Auch wenn sie Garnisonen behielten, veränderte sich mit dem Heraufkommen des technischen Zeitalters ihr Antlitz. Manche entwickelten sich, begünstigt durch ihre Lage (wie Wittenberge) zu Eisenbahnknotenpunkten oder zu überprovinziellen Industrieorten. Cottbus, in ganz Deutschland durch den Zungenbrecher vom Cottbuser Postkutschkasten bekannt, blühte mit Finsterwalde, der Heimat der berühmten Sänger, mit Forst, Sorau, Sommerfeld und Guben zu Mittelpunkten der Spinnerei, Weberei und Tuchmanufaktur auf. Guben genießt einen besonderen Ruhm: Hier gibt es das einzige Hutmuseum der Welt; und von Kottbus führt ein Spaziergang nach Branitz hinaus, wo Fürst Pückler-Muskau, der große Garten- und Landschaftskünstler, in einem virtuos angelegten Schloßpark unter einer Insel- oder Grünpyramide begraben liegt.

In Senftenberg wird Braunkohle gefördert, in Spremberg Gips gewonnen. In dem Gebiet zwischen Oder, Bober und Lausitzer Neiße gibt es Töpfereien. Bei Fürstenberg existiert ein Hüttenkombinat. In Neudamm, Luckenwalde und in Landsberg an der Warthe, der neumärkischen Hauptstadt, stellt man Kunstfaserprodukte und Maschinen her. Prenzlau, ursprünglich ein wendisches Fischerdorf, im Mittelalter bedeutsames Hansemitglied, jetzt eine wichtige uckermärkische Kreisstadt, besitzt wie Angermünde Zucker- und Maschinenfabriken. Schwedt, das man mit seinem markgräflich-hohenzollernschen Schloß, mit dem Jagdschlößchen Monplaisir und den Kavaliershäusern am Paradeplatz früher gern als das »Potsdam der Uckermark« pries, hat Tabakindustrie und auch ein Tabakmuseum. Sägemühlen jedoch, Brettschneidereien, Kartoffelstärkefabriken, Zementwerke oder Ziegeleien sind, wie sich das aus der Beschaffenheit der Mark ohne weiteres ergibt, über das ganze Land verstreut.

Einmal befinden sich sogar in einem Kurort Industrieanlagen: Das seit 1683 bekannte Bad Freienwalde am Rande der Märkischen Schweiz brennt Ziegel und besitzt eine Braunkohlengrube. Märkische Eisenmoorbäder, die von blutarmen Patienten oder Rheumatikern besucht werden, sind Bad Luckau in der Niederlausitz, das Prignitzer Bad Wilsnack mit der legendenumwobenen Wunderblutkirche und das von einer romantischen Stein- und Wehrmauer umgebene Bad Schönfließ in der Neumark. Das reizvolle kleine Bad Saarow am Scharmützelsee verfügt über eine Chlor-Kalzium-Solquelle.

MÜHLE VON SANSSOUCI · Die Anekdote vom Müller Arnold, der seinem Nachbarn, dem Preußenkönig, mit einem Prozeß vor dem Kammergericht in Berlin drohte, als der Abbruch seiner Mühle verlangt wurde, stand früher in jedem Lesebuch. Der Mühlenbau wurde im zweiten Weltkrieg zerstört.

JÜTERBOG · Vielfach verwünscht von unzähligen alten Artilleristen, die hier auf dem Truppenübungsplatz Staub schlucken mußten, ist Jüterbog doch ein reizvolles altes Städtchen. Durch das Neumarkttor, eines der drei Stadttore, blickt man auf den sogenannten Eierturm, der früher Verteidigungszwecken diente.

Im Zeichen des Kreuzes

Wir haben in unserm Aufsatz schon ein paarmal das Verdienst gestreift, das die Kirche an der Kolonisation Brandenburgs hat. Besonders kommt es neben den Prämonstratensern dem mächtigen Mönchsorden der Zisterzienser zu. Durch zahlreiche Klostergründungen schufen sie wirtschaftliche und kulturelle Mittelpunkte in der Mark. Ihre Satzung gebot ihnen körperliche Tätigkeit. Darum machten sie selber die Wildnis mit Axt und Pflug urbar und zeigten den Bauern, wie man am besten dabei verfuhr und was nützlich anzupflanzen oder anzusäen war. Vor allem aber durften die grauen Kuttenmänner nach ihrer Ordensregel neue Klöster nur in unwirtlichen, möglichst sumpfigen Gebieten anlegen. Die ungesunden klimatischen Verhältnisse, denen sie sich damit aussetzten, sollten sie stets an Tod und Todesgefahr mahnen.

Auf märkischem Boden entstand von einundzwanzig Zisterziensergründungen zuerst das Kloster Lehnin – wenn man Zinna, das zuerst nach dem Westfälischen Frieden an Brandenburg kam, außer Betracht läßt. Lehnin lag in der Zauche. Es war sehr reich: Zwei Flecken und vierundsechzig Güter gehörten zum Kloster. Friedrich I. von Hohenzollern berief den Abt aus Lehnin zu seinem ständigen Ratgeber, als er die Mark zu Lehen nahm und befriedete.

Etwas später als Lehnin entstanden Dobrilugk im Kreis Calau, Neuzelle an der Oder und Zehdenick bei Templin. Himmelpfort in der Uckermark und Heiligengrabe in der Ostpriegnitz, dessen wohlerhaltener Klosterhof und Kreuzgang in Norddeutschland an Lieblichkeit kaum seinesgleichen findet, waren Nonnenklöster.

GRANSEE · Als »Perle der Ruppiner Grafschaft« wird das kleine Städtchen gerne bezeichnet. Der wuchtige Backsteinbau des Ruppiner Tores (auf dem Bild) und Reste der mittelalterlichen Stadtbefestigung haben zur »Verleihung« dieses ehrenden Namens wesentlich beigetragen.

SCHLOSS RHEINSBERG · Nördlich von Neuruppin liegt das Städtchen mit seinem berühmten Schloß, das mit seinen abgestumpften Rundtürmen auf einen älteren gotischen Bau zurückgeht. Knobelsdorff baute es 1737–1739 in der heutigen Gestalt zu einem Musensitz für den Preußenkönig Friedrich II. um.

Die schöne Klosterruine Chorin

Unter den Tochtersiedlungen Lehnins aber gebührt Chorin zweifellos die Krone. Mönche aus der Zauche gründeten dies Kloster 1251 ursprünglich unter dem Namen Mariensee auf einer Insel des Parsteiner Sees. Dreißig Jahre darauf verließen sie die Stätte wieder. Sie zogen westwärts an den Choriner See, wo vielleicht schon eine Art von Zweigstelle bestanden hatte, mit der sie sich nun vereinigten.

Die Askanier schenkten der neuen Gottessiedlung ihre besondere Gunst. Fast alles Land zwischen Eberswalde und Oderberg im Süden, zwischen Eberswalde und Angermünde im Norden war Besitz der Choriner Zisterzienser. Hier in der Uckermark, am Rande der melancholischen Schorfheide, fand der frühe norddeutsche Ziegelbaustil der Gotik seine edelste und vollkommenste Ausprägung. Hinter hohen Pappeln erhebt sich der einsame Prachtbau der Kirche mit der wunderbaren Westfassade. Sie wiederholt in ihrer Gliederung ständig die heilige Dreizahl. In einer dreigestuften Giebelarchitektur baut sich diese Ziermauer hoheitsvoll vor den

Theodor Fontane
* 30. 12. 1819, † 20. 9. 1898
Dichter

Achim von Arnim
* 26. 1. 1781, † 21. 1. 1831
Dichter

Wilhelm von Humboldt
* 22. 6. 1767, † 8. 4. 1835
Gelehrter und Staatsmann

Heinrich von Kleist
* 18. 10. 1777, † 21. 11. 1811
Dichter

Hochgewölben der kreuzförmigen Basilika auf. Vor jedem der drei Kirchenschiffe ragt ein Giebel empor, aufgelöst in drei Wimperge, von denen der mittlere die beiden andern überragt.

Es ist ein unvergleichliches Schauspiel, wenn die Backsteinmauern Chorins in der Abendsonne rötlich aufglühen und wenn der Wald dahinter wie ein Schattenriß steht und zwischen den Hügeln die leichtgekräuselte Flut des Sees hindurchschimmert. Der rekonstruierte Osttrakt und die Westflügel des Klostergebäudes mit dem Refektorium, dem Brau- und Backhaus, dem Konvent und einem Teil des Kreuzgangs sind bis auf unsere Tage fast unbeschädigt erhalten geblieben.

Nach der Reformation, die in der Mark unter Joachim II. 1539 Eingang fand, wurden die brandenburgischen Klöster, wie anderswo, aufgelöst, verkauft, auch wohl abgerissen oder mit den Klosterhöfen in Domänen und Amtshöfe umgewandelt. Die Hohenzollern traten später zur reformierten Kirche über.

Der Kirchenlieddichter Paul Gerhardt

An den Streitigkeiten, die der Unionierung der Kirchen vorausgingen, beteiligte sich in Berlin auch der vorher in Mittenwald tätig gewesene Propst von St. Nicolai, Paul Gerhardt. Er zog sich dadurch die Ungnade des Großen Kurfürsten zu und mußte aus seinem Amt scheiden. 1668 fand er eine neue Aufgabe als Archidiakon in Lübben am Spreewald. Hier starb er 1676 als Neunundsechzigjähriger. Wir dürfen Paul Gerhardt mit seinem schönen »Geh aus, mein Herz, und suche Freud«, dem tröstlichen »Befiehl du deine Wege« und dem innigen Abendlied »Nun ruhen alle Wälder« zu den großen Märkern zählen, wenn er auch in Gräfenhainichen (Provinz Sachsen) geboren ist.

Kleist, die Fackel Preußens

Als eins der bedeutendsten märkischen Genies gilt Heinrich von Kleist (1777 bis 1811), eine Erdbebennatur, die es nirgendwo litt. Nachdem er zunächst als Offizier gedient hatte, wandte er sich in seiner Heimatstadt Frankfurt an der Viadrina den Wissenschaften zu. Aber auch das Studium befriedigte ihn nicht. Er ging auf Reisen, durchirrte halb Deutschland, fuhr nach Paris, versuchte sich als Landmann in der Schweiz, trat in den preußischen Staatsdienst ein und wurde 1806 als Spion verdächtigt und nach Frankreich geschleppt. Wieder frei, gründete Kleist, der inzwischen »Die Familie Schroffenstein« veröffentlicht hatte, in Dresden die Literaturzeitschrift »Phoebus«. Eine Anekdote erzählt, daß er seine »Penthesilea«, bevor er sie im »Phoebus« druckte und Goethe »auf den Knien seines Herzens« schickte, einem Kreis von Freunden vorlesen ließ. Als Interpreten hatte er den Maler Ferdinand Hartmann gewonnen.

»Warum gerade Hartmann?« fragte Adam Müller, der Mitherausgeber der Zeitschrift. »Sie haben in Ihrer Tragödie dem Gott Eros eine schwarze Messe

KLOSTER CHORIN · Mit der Westfassade seiner Kirche bildet das Kloster ein einzigartiges Prunkstück hochgotischer Backsteinarchitektur, das seltsamerweise von dem sonst so feinfühligen märkischen Wanderer Theodor Fontane in seiner Schönheit nicht erkannt und gepriesen wurde.

Gustav Nachtigal
* 23. 2. 1834, † 20. 4. 1885
Forscher

Hermann von Helmholtz
* 31. 8. 1821, † 8. 9. 1894
Arzt und Physiker

Karl Friedrich Schinkel
* 13. 3. 1781, † 9. 10. 1841
Baumeister

Friedrich Ludwig Jahn
* 11. 8. 1778, † 15. 10. 1852
Pädagoge, Turnvater

zelebriert, und um die düsteren Schönheiten dieses Gedichts zur Geltung zu bringen, sollte man den Meister des Vortrags, Ludwig Tieck, dafür gewinnen!«

»Das ist es ja gerade«, versetzte Kleist. »Ich möchte bei dieser Lesung nicht hinter die Schönheiten meines Stückes kommen, sondern hinter seine Schwächen, um sie beseitigen zu können. Hartmann liest so entsetzlich schlecht. Was mir dabei von meinen Szenen und Versen noch gefällt, muß wohl geraten sein.«

In dieser Anekdote verrät sich etwas von Kleists schöpferischer Ungenügsamkeit. Immer trotzte er ihr und den Göttern sein Werk ab; und alle seine Dichtungen, »Das Käthchen von Heilbronn«, »Die Hermannsschlacht«, »Der Prinz von Homburg«, fanden kaum Echo und Beachtung. Als einziges seiner Stücke wurde »Der zerbrochene Krug« in Weimar aufgeführt. Unter der Direktion Goethes, dem Kleist jetzt »den Kranz von der Stirn reißen wollte«, fiel das Lustspiel durch. Was der Dichter auch unternahm, mißriet. Ein letztesmal flüchtete er dann in die Heimat. Aber die Verwandten in Frankfurt betrachteten ihn als »gescheiterte Existenz«; und ihm selber wollte es allmählich so vorkommen, »als sei ihm auf Erden nicht zu helfen«. Am 21. November erschoß er sich, 34 Jahre alt, bei Potsdam am Wannsee. An einer Landstraße liegt sein Grab. Erst nach seinem Tod begann man zu ahnen, daß mit Kleist »die Fackel Preußens« erloschen war.

Ein Märker blies das »Wunderhorn«

Aus dem brandenburgischen Adel stammte auch *Achim von Arnim,* ein Romantiker, der 1781 in Berlin geboren und 1831 auf seinem Gut Wiepersdorf im Fläming gestorben ist. Arnim wurde als Mitherausgeber der Volksliedersammlung »Des Knaben Wunderhorn« berühmt. Sein Hauptwerk ist ein in Vergessenheit geratener Roman »Die Kronenwächter«. Von seinen Erzählungen liest man heute noch den »Tollen Invaliden von Fort Ratonneau« in den Schulen. Der Dichter war mit Bettina, der Schwester seines Freundes Clemens Brentano, verheiratet. Bettina war die Tanzseele der deutschen Romantik. Mit der Ehe der beiden gingen die Mark und das alte Reich, Berlin-Potsdam und Frankfurt-Weimar, gleichsam einen Bund ein.

Der ideale Kultusminister

Den 1767 in Potsdam geborenen Staatsmann und Gelehrten *Wilhelm von Humboldt* kann man mit Fug und Recht als einen Hellenen märkischer Prägung charakterisieren. Er ist, als das Ideal eines Kultusministers, der Begründer des humanistischen Gymnasiums und der Schöpfer der Berliner Universität geworden. Wie sein Bruder Alexander trat auch Wilhelm von Humboldt mit wissenschaftlichen Veröffentlichungen hervor. Wichtiger aber wurde er als der große Anreger. Goethe hat die Hexameter in »Hermann und Dorothea« von ihm überprüfen lassen. Auch auf die Gestaltung von Schillers »Wallenstein« nahm Humboldt Einfluß.

LEHNIN · Südöstlich von Brandenburg liegt die kleine Stadt Lehnin. Ihre Pfarrkirche geht auf die ehemalige Basilika des im Jahre 1180 gegründeten Zisterzienserklosters zurück. Sie wurde 1270 geweiht und nach 1870 restauriert. Chor und Querschiff sind romanisch, das Mittelschiff frühgotisch.

KLOSTER ZINNA · Nördlich von Jüterbog hat das kleine Städtchen Zinna in seinem 1170/71 gegründeten Zisterzienserkloster einen historischen Schatz. Außer der Kirche und dem Abts- oder Fürstenhaus aus dem 15. Jahrhundert ist auch die 400 Jahre alte Vogtei sehenswert.

Nachdem er den Staatsdienst 1819 quittiert hatte, lebte er seinen sprachphilosophischen Arbeiten. 1835 starb er auf seinem Schlößchen Tegel.
Dies interessante Bauwerk war aus einem Jagdhaus des Großen Kurfürsten hervorgegangen. Wilhelm von Humboldt ließ es 1822 durch Karl Friedrich Schinkel im klassizistischen Stil erweitern und umbauen. Schinkel, der 1781 in Neuruppin geboren und 1841 als Oberlandbaudirektor in Berlin gestorben ist, war neben Carl Gotthard Langhans und Johann Gottfried Schadow, den Schöpfern des Brandenburger Tors, einer der fruchtbarsten märkischen Architekten und Denkmalserbauer.
Den Namen Neuruppin wird niemand aussprechen, ohne dabei an *Theodor Fontane* zu denken, der am 30. Dezember 1819 hier das Licht der Welt erblickte. Das Licht der Welt? Dieser Ausdruck hätte den prachtvollen alten Skeptiker sicher schon gestört. Denn licht ist die Welt dem liebenswürdigen Räsonneur, in dem sich märkisches mit gascognischem Blut vermischte, nie erschienen. Er begann als Apotheker, Journalist und Reiseschriftsteller, reifte zum heimlichen Poeten heran, wurde 1870/71 Kriegsberichterstatter, dann Schriftleiter und Theaterkritiker – und begann mit sechzig Jahren Romane zu schreiben. Mit leichter Hand zauberte er das fein beobachtete Bild der Mark, ein Walter Leistikow der Feder, in seine Bücher hinein, in die »Wanderungen«, in den »Schach von Wuthenow«, in »Effi Briest« und in den »Stechlin«. Er schrieb, bis ihm der Tod 1898 die Feder aus der Hand nahm.
Wie Theodor Fontane oder Fouqué stammte auch *Gottfried Benn* aus der »Mischung der Refugiés«. Seine Mutter war französischer Abstammung. Es ist fast unmöglich, sich diesen modernen Lyriker, der nach dem absoluten Gedicht strebte und mit den erschreckenden Attributen seines ärztlichen Berufes, mit Operationsschürze, Chirurgenmesser, Sonde und Säge in die Literatur eintrat, bei seinem Weltruhm als Märker vorzustellen. Und doch ist Benn am 2. Mai 1886 als Sohn eines evangelischen Pfarrers in der Westprignitz geboren. Er wuchs in Sellin (Neumark) mit den Söhnen des ostelbischen Adels auf, besuchte mit seinem Freund Klabund das Gymnasium in Frankfurt und kam dann über die Kaiser-Wilhelm-Akademie für das militärärztliche Bildungswesen in die praktische Medizin. »Brandenburg«, so sagt Benn in seinem »Lebensweg eines Intellektualisten«, »blieb auch weiter meine Heimat.« – Märker waren auch der Turnvater Jahn und der in Potsdam geborene Arzt und Erfinder des Augenspiegels, Hermann von Helmholtz.
Alle diese Männer wirkten im Sinn ihrer Heimat, wenn sie sich das Äußerste abverlangten. Daß Brandenburg hierfür zum Sinnbild wurde, ist ebenso das Verdienst der einfachen Bauern und Bürger, die in Land und Forstwirtschaft, in Industrie und Gewerbe, Bergbau, Handel und Handwerk oder als Beamte und Soldaten ihre Pflicht erfüllten. Auch sie lebten nach dem Wort, das Klaus Erich Boerner in einem seiner brandenburgischen Romane anführt: »Stark, treu und unwandelbar«. Nicht zuletzt ist der geschichtliche Erfolg der Mark aber auch den Frauen und Müttern zu danken, die unter Beschwerlichkeiten und Gefahren tapfer ihren Männern zur Seite standen und in Haus und Hof das Ihre taten, damit aus »Sumpf und Sand« einmal, wie Fontane gesagt hat, das fruchtbare »Land Gosen« werden sollte.

GUBEN · Die Stadt wird überragt von dem stolzen Bau der Stadtpfarrkirche aus dem 16. Jahrhundert mit dem eigenwilligen Turmabschluß. Sie wurde 1945 schwer beschädigt. Der größere Teil der Industriestadt liegt auf dem östlichen Ufer der Neiße und ist von der Altstadt abgetrennt.

Humor in Brandenburg

Regenschirme

Schadow freute sich jedesmal, wenn es dem einen oder dem anderen geglückt war, etwas Hübsches aus den Gegenden der Havel und Spree darzustellen und eiferte dann halb scherzhaft, halb ernsthaft gegen das ewige »Italienmalen«. – »Ich bin nich so sehr for Italien«, hieß es dann wohl, »un die Bööme gefallen mir nu schon jar nich. Immer diese Pinien un diese Pappeln. Un was is es denn am Ende damit? De eenen sehn aus wie uffjeklappte Regenschirme und die andern wie zujeklappte!«

Lieben sollt ihr mich!

Der Soldatenkönig Friedrich Wilhelm regierte sein Land mit dem Bambusrohr. Tatsächlich ist es mehrmals geschehen, daß er Säumigen und Müßiggängern das Pflichtbewußtsein eingebläut hat. So prügelte er auch den Torschreiber von Potsdam eines Morgens höchst eigenhändig aus dem Bette. Wenn dann aber einer, wie es auch vorgekommen ist, Reißaus vor dem König nahm, konnte er besonders böse werden. Den Stock schwingend setzte er hinterdrein und rief:
»Lieben sollt ihr mich, ihr Kujone! Lieben und nicht fürchten!«

Die Güter dieser Welt

Der Pastor von Bernau bat Friedrich den Großen um eine Aufbesserung seines bescheidenen Traktaments. Der Spötter von Sanssouci schrieb an den Rand des Gesuches: »Die Apostel sind nicht gewinnsüchtig gewesen. Sie haben umsonst gepredigt. Wenn Er nach den Gütern dieser Welt trachtet, so hat Er keine apostolische Seele!«

Selig sind ...

In der Regierungszeit Friedrichs des Großen wurde die Potsdamer Nikolaikirche umgebaut. Dadurch büßte das Innere des Gotteshauses an Helligkeit ein. Der Kirchenvorsteher und der Pastor beschwerten sich bei dem König. »Wir bitten Eure Majestät gehorsamst, den Umbau einzustellen«, schrieben sie. Friedrich versah die Eingabe mit der Randbemerkung: »Selig sind, die nicht sehen und doch glauben!«

Das Reskript

Hans-Heinrich Arnold von Beeren, Herr auf Gut Groß-Beeren, war ein märkisches Original. Er legte sich 1785 mit königlicher Genehmigung den Beinamen »Geist von Beeren« zu. Unter diesem Namen lebt er im Gedächtnis des Volkes noch heute fort; denn sein Kampf mit den Behörden und der Bürokratie verschaffte ihm unter den einfachen Menschen viele Freunde.
Als einmal ein Kienraupenjahr über die Mark kam, setzten die Nonnen, wie man den Spinnerschmetterling heute bezeichnet, den Forstheiden übel zu. Die Potsdamer Regierung griff ein. Allerdings waren die Verfügungen von Theoretikern entworfen worden.
Geist schrieb daraufhin in einer Eingabe nach Potsdam: »Ich bin in den Wald gegangen, habe den Kienraupen das Reskript der Königlichen Regierung vorgelesen — und es hat wunderbar geholfen. Die Raupen haben sich nämlich samt und sonders darüber totgelacht!«

Landwirtschaft ohne Geist

Der tolle Geist von Beeren, wie der Alte bald überall genannt wurde, legte es nicht nur mit der Regierung und den Nachbarn an. Auch mit dem Reformer der Landwirtschaft, Albrecht Thaer, hatte er eine Auseinandersetzung. Der Professor der Agrikultur führte auch in der Mark die Fruchtwechsel-Wirtschaft ein. Dagegen nahm Hans Heinrich Arnold von Beeren in einer Flugschrift Stellung. Sie trug den Titel »Die preußische Landwirtschaft ohne Thaer«. Man lachte weidlich über diesen Witz. Bald hatte aber der Angegriffene die Lacher auf seiner Seite. Thaer erwiderte nämlich mit einer Broschüre: »Die preußische Landwirtschaft ohne Geist«. Weitere Veröffentlichungen sind daraufhin unterblieben.

Die Verschwörung

Zu Richard Dehmel, dem Försterssohn aus Wendisch-Hermsdorf, kam eines Tages einer jener Dutzendlyriker, die nie aufhören werden, ihre Wald- und Wiesenpoesien in alter Weise zu singen und zu sagen.
»Ich bin am Verzweifeln«, klagte er. »Überall stoße ich auf Ablehnung, und es ist fast, als hätten die Verleger und Redakteure eine Verschwörung gebildet, mich totzuschweigen. Was soll ich tun?« In Dehmels Augen spielten seltsame Lichter. Der Mann, der immer im Gewitter lebte und in seinen Gedichten die Zeit fiebern ließ, strich sich über seinen schwarzen Bart, legte die Stirn in Falten und entgegnete: »Eine Verschwörung? Beteiligen Sie sich daran!«

Der Expressionist

Alfred Henschke aus Crossen, der sich aus der ersten Silbe von ›Klabautermann‹ und der letzten von ›Vagabund‹ das Pseudonym Klabund zimmerte und in der Zeit des Expressionismus seine ersten Lorbeeren erntete, schrieb unter dem Einfluß einer unheilbaren Schwindsucht seine Dichtungen mit hektischem Eifer. »Ich würde sterben, hätt' ich nicht das Wort«, dichtete er, und niemanden hat die alte Künstlerangst, nicht fertig zu werden, ärger gepeinigt als Klabund. Ebenso schnell, wie er sie schuf, veröffentlichte er seine Bücher, und wenn ihm ihre Herstellung nicht schnell genug ging, bombardierte er seine Verleger mit Eilbriefen und Telegrammen. »Ich merke wohl«, antwortete ihm Paul Stegemann, als Klabund ihm wegen der Drucklegung seiner »Marietta«-Novelle vier Expreßbriefe geschickt hatte, »Sie sind doch ein Express-ionist . . .«

Die Streusandbüchse

Der Berliner Humorist Adolf Glaßbrenner erzählt, wie er auf der Straße einmal Zeuge eines Gespräches geworden ist. Jemand fragte den Fuhrmann, der damals den Bürgern den Streusand ins Haus brachte: »Handelst du noch immer mit Sand?« – »Det siehste doch . . .« – »Du meine Jüte, Mann! Wenn de noch zehn Jahre älter wirst – denn adje, Mark Brandenburg!«

Der Eisberg

Als Friedrich Wilhelm einst auf der Reise eine kleine Provinzstadt passierte, wurde er wieder einmal durch eine feierliche Anrede begrüßt. Vor ihm stand ein kleiner Bürgermeister, dessen stattlicher Vorbau durch eine weiße Weste noch besonders hervorgehoben wurde. Es war sehr kalt, und die Rede nahm kein Ende. Als das Pathos zum höchsten schwoll, unterbrach der König den Redner, und als sei er um seine Gesundheit besorgt, sprach er, auf seine weiße Weste deutend, zu ihm: »Mein Lieber, erkälten Sie sich Ihren Montblanc nicht!«

Walther von Hollander *Land der Mitte*

Vom Brocken aus, der baumlosen, mit Granitblökken bedeckten 1100-Meter-Kuppe, kann man fast das ganze Land Sachsen-Anhalt übersehen. Die Türme von Halberstadt, Quedlinburg und Magdeburg, ja, bei besonders klarem Wetter erscheint am Horizont als feine Nadel der Turm der Schloßkirche zu Wittenberg. Unzählige Male sind wir als Knaben auf diesen, oft von Nebeln umbrauten, von Stürmen umbrausten Gipfel gestiegen. Meist kamen wir von Elend und Schierke hinauf, aus den Wäldern, in denen Goethe die Walpurgisnacht angesiedelt hat.
Die berühmte Blocksbergfahrt in der Walpurgisnacht haben wir nie mitgemacht. Sie gehörte den wohlhabenden Magdeburger Kaufleuten, die in unzählbaren Scharen mit ihren Frauen und Töchtern oder mit jungen, wohlgewandeten Hexen den Berg und sein großes Hotel übervölkerten und einen karnevalsartigen Unfug mit Teufelskappen, Besenritten und Harzer Schnäpsen trieben. Aber es kamen auch Industrielle aus den Kalistädten Aschersleben und Staßfurt oder aus dem Kohlengebiet zwischen Halle und Bitterfeld, um die Einsamkeit des sagenumwobenen Berges mit ihrem Lärm zu zerstören. Dazu die stämmigen, reichen Gutsbesitzer aus der flachen Zuckerrüben-Landschaft der Magdeburger Börde. Sie alle fuhren natürlich nicht nur zur Walpurgisnacht herauf, sondern den ganzen Sommer über, um sich ihre Flachlandswelt von oben her, über die wunderbaren Tannenwälder hinweg, anzuschauen. Wir selbst, die Knaben und später die Jünglinge, schoben in anstrengenden Wanderungen unsere Fahrräder im Sommer bergan, um dann in rasenden Schußfahrten wieder hinabzusausen in die Vorberge des Harzes, in denen wir zu Hause waren. Im Winter benutzten wir den alten Harzer Stoß- und Holzschlitten, den sogenannten »Rennwolf«. Das war ein primitives Gestell mit langen Kufen, auf dessen Vorderteil die Harzer Holzfäller ihr Winterholz zu Tal schafften, ein altmodisches Transportgerät, das man mit Eisenspornen recht mühsam lenkte. Uns waren die Talfahrten durch die verschneiten Wälder unvergeßbare Erlebnisse. Aber heute gibt es den »Rennwolf« nicht mehr. Er ist vom Ski verdrängt worden, und an Sonntagen, nein, immer wenn's Schnee gibt, sind alle Hänge von bunt gekleideten Skiläufern blumenartig geschmückt, und in den Dörfern finden die Autofahrer kaum einen Parkplatz. Damals, um die Jahrhundertwende, gab es den Wintersport in der heutigen Form nicht. Die Dörfer im Oberharz, Braunlage oder St. Andreasberg etwa, waren von der Welt abgeschnitten, schliefen unter der Schneedecke einen sanften Winterschlaf. Die großen Hotels waren geschlossen. Die Post kam einoder zweimal in der Woche und wurde oft von Postboten auf Stelzen ins Haus gebracht. Lautlose, feierliche Winterstille lag über den Bergen, unterbrochen nur vom Geräusch der Holzfälleräxte oder von den vereinzelten Schüssen der Jäger. Im Sommer beherrschten dann die Sommerfrischler das Gebirge, füllten die großen Hotelkästen in Schierke und Wernigerode, in Treseburg oder Altenbrak. Sie kamen hauptsächlich aus Magdeburg und Halle, aus Wittenberg, Dessau oder Aschersleben. Viele aber auch aus Berlin, das eine Art Sommervorort des Harzes war. »Thale Zweiter«, so beginnt der Roman »Cecile« von Theodor Fontane, und er spielt im Hotel »Zehnpfund«, einem Pracht-Plüsch- und Palmenhotel im Bodetal. Er spielt auch auf dem Hexentanzplatz und der Roßtrappe, den beiden Granitabhängen, die das Tal der Bode begrenzen. In Thale gab es schon sehr früh große Hüttenwerke, deren Schornsteine ihren Ruß bei Ostwind ins bizarre Bodetal hineintrieben und schließlich die Dauergäste, die wenig wandernden, bequemen, verjagten. Ja, die Industrie schob sich vom Anhaltischen her immer tiefer in die Bergtäler hinein und die Abhänge hinauf. Kalkwerke in Blankenburg und Rübeland, die miteinander durch ein sogenanntes »Wunderwerk der Technik« verbunden waren, eine schwerfällig pustende, nur langsam bergauf kletternde Zahnradbahn. Sägewerke an allen Chausseen, die von Langholzfuhrwerken erreicht werden konnten. Die Industrieebene schob sich immer näher an die Berge heran und überschwemmte schließlich das Gebirge. Die Kupferbergwerke im Oberharz allerdings waren längst stillgelegt. In den alten Stollen gab es Teiche, die von Salamandern wimmelten.
Sachsen-Anhalt war immer ein Durchgangsland zwischen Nord- und Süddeutschland. Es war auch im besonderen Maße ein Übergangsland, in dem sich die alte und die neue Zeit begegneten. Das moderne Industrieland um Halle, Bitterfeld und Staßfurt und das verschlafene Land, das idyllische in den kleinen, alten Städten am Rande des Harzes. Es gab eine hellwache Arbeiterschaft in den chemischen Werken und den Braunkohlenanlagen. Sozialdemokratische Hochburgen in Magdeburg oder in Aschersleben und Eisleben, der Geburtsstadt Martin Luthers inmitten des Mansfelder Bergbau-

gebietes. Und auf der anderen Seite die alten, kleinen Städtchen Wernigerode und Blankenburg, Stollberg und Osterode mit ihren uralten Kirchen und Fachwerkhäusern, mit ihren riesigen Schlössern. Sie waren die Sommerresidenzen der Fürsten, Herzöge und Prinzregenten, die ab und zu in vier- und sechsspännigen Hofequipagen durch die Gassen zum Schloß hinauffuhren, mit einem prächtig uniformierten Vorreiter, Lakaien in Lackstiefeln auf den Handpferden, mit Hofbeamten auf dem überhöhten Rücksitz, deren Federhüte im Fahrtwind sich lustig blähten und mit den Fürsten und Herzögen im Fond, die gnädig die hurrarufende Bevölkerung, die tiefgezogenen Hüte ihrer Untertanen grüßten. Die Harz-Städte waren hauptsächlich von wohlhabenden Pensionären bewohnt, die hübsche Villen an den Berghängen besaßen, Rosen züchteten und jeden Morgen spazierenritten. Manchmal wurden sie zu den Hoheiten aufs Schloß geladen, und an den Kaiserparaden der Garnisonen nahmen sie in prächtigen Galauniformen teil. Es gab damals tatsächlich Männer und Frauen, deren Lebensziel es war, die Welfen wieder auf ihren Thron zurückzuführen, und es gab Anhänger der einen oder anderen anhaltischen Linie, die sich mit dem Zusammenschluß Anhalts nicht abfinden konnten und die grollend die Hauptstadt Dessau mieden.

Ein Durchgangsland, ein Übergangsland, ein traditionelles Land und gleichzeitig ein Arbeiterland. Ein Land, aus dem mit Luther die größte religiöse Erneuerungsbewegung hervorgegangen war und in dem nun die Pastoren zum allergrößten Teil konservativ-lutherisch, etwas starr und ziemlich friedlich, auf ihren schönen Pfarrhöfen saßen, nachdem die pietistische Strömung in Halle verebbt war, die sich in den Franckeschen Stiftungen ein schönes Denkmal tätiger Menschenliebe gesetzt hatte. Ein Land, aus dem Heinrich der Vogler stammte und das jetzt im neuen Jahrhundert zwischen Preußen, Braunschweig und Anhalt geteilt war. Zerfallene Burgen überall, die um die Jahrtausendwende den Slaweneinfällen getrotzt hatten oder die Raubritterburgen geworden waren wie die Ruine des Regensteins, auf der Raubgrafen saßen und die Kaufleute überfielen, die von Halberstadt nach Quedlinburg zogen. Romantische Burgen, wie die Stammburg der Anhalter, die Burg Anhalt, im lieblichen Selketal, und nicht weit davon die Burg der Falkensteiner, noch gut erhalten mit Ritterrüstungen in den Ecken der Säle, mit Schildern und Schwertern und Lanzen, mit alten, guten Bildern, auf deren einem ein Falkensteiner abgebildet war, einer der vielen Grafen, die, der Sage nach, lange von ihren Landesherren gefangengehalten waren, und von den Felsen herab in die Selke gesprungen waren, um ihre Freiheit oder eine Frau zu gewinnen. In meiner Jugend wurde dieses romantische Mittelalter von sehr alten Kastellanen den Fremden vorgeführt. Es waren meist Invaliden von 1870, die ihre jammervolle Rente auf so gemütvollem Posten aufbesserten. Mit der geschichtlichen Wirklichkeit hatten ihre Erzählungen wenig zu tun. Sie ähnelten eher den Romanen eines Julius Wolff, der, 1834 in Quedlinburg geboren, einer der führenden Butzenscheiben-Lyriker des vorigen Jahrhunderts war und mit ziemlich verlogenen Heimatromanen soliden Ruhm und Reichtum erwarb.

Wir jungen Menschen, die wir in dieser Gegend geboren wurden, besuchten streng humanistische Schulen. Wir hatten Lehrer, die in ihrer Geisteshaltung den Magistern des Mittelalters glichen. Oder wir wurden in die noch strengeren und sehr berühmten Erziehungsanstalten von Schulpforta und Roßleben gegeben. Wir liebten unsere alten Städte mit ihren schönen Kirchen und Fachwerkhäusern. Wir pilgerten zum Naumburger Dom, dessen Statuen meine Generation neu entdeckte. Aber wir empfanden die Herrschaft des damaligen, immer reicher werdenden Bürgertums, wir empfanden die Zeit, die unsere Jugend umschloß, als veraltet, ihre Lebensformen als überholt. Wir hatten nicht gerade umstürzlerische Ideen, aber doch die Meinung, daß man das soziale und geistige Leben erneuern müsse. Schon mit 15 oder 16 Jahren schlossen wir uns zu Bünden zusammen, die sich die Natur erschlossen, zu Zirkeln für die Pflege moderner Literatur und Philosophie. Solche Bünde und Zirkel hat es damals wohl überall gegeben. Aber je konservativer, je regierungstreuer und in gewissem Maße untertäniger die tonangebende Schicht war, um so heftiger war der Erneuerungswille der Jugend. Es scheint mir kein Zufall zu sein, daß viele der erneuernden Geister aus unserem Gebiet stammen. Die Stille war all zu still für junge Menschen. Kein Zufall also, daß Friedrich Nietzsche seine Jugendeindrücke in Naumburg und im pietistisch-klassischen Schulpforta empfing und sich gegen die Eindrücke zur Wehr setzte. Kein Zufall, daß Oswald Spengler, der ein neues Geschichtsbild schuf, aus Blankenburg am Harz stammte. Aus dem kleinen, romantischen Städtchen Querfurt kam ein literarischer Revolutionär, Johannes Schlaf, der mit Arno Holz zusammen den Naturalismus begründete und in dem außerordentlich merkwürdigen und etwas langweiligen Drama von der »Familie Selicke« das erste wortgetreue naturalistische Drama schuf. Schlaf ist übrigens in seinem Alter nach Querfurt zurückgekehrt. Er trieb seltsame kosmologische Studien. Er wollte beweisen, daß die Sonne doch um die Erde kreise, daß Kopernikus sich also geirrt habe. Es waren ziemlich wirkungslose Phantastereien, die er als alter Mann schrieb. Aber dem Städtchen Querfurt hat er noch ein hübsches Buch mit kleinstädtischen Miniaturen gewidmet, in denen man nachlesen kann, wie's »In Dingsda« und anderswo um die Jahrhundertwende zuging. Ein anderer Literaturrevolutionär stammte aus dem tannenumrauschten Dorf Elbingsrode. Es war der Neoklassizist Paul Ernst, der sich selbst als einen Nachfahren Hebbels empfand und eine »Brunhilde« und andere Dramen aus dem deutschen Sagenkreis ziemlich erfolglos schrieb. Er tat sich später als Antimarxist hervor und schrieb (1918!) eine Schrift: Zusammenbruch des Marxismus.

Seltsam ist, daß auch die bedeutenden Geister früherer Zeiten, die aus dem Raume Sachsen-Anhalt stammen, schon ziemlich früh weggegangen sind, Klopstock, der Erneuerer der deutschen Natur- und Gefühlslyrik, der zu seiner Zeit freilich nicht wegen seiner herrlichen Oden berühmt wurde, sondern wegen seines holztrockenen Hexameter-Epos,

SCHLOSS SANSSOUCI · In den Jahren 1745 bis 1747 ließ sich Friedrich der Große bei Potsdam das kleine Schloß erbauen, das zu den meist besuchten Schlössern Deutschlands zählt. Hinter den Bäumen die berühmte Mühle.

FREUNDSCHAFTSTEMPEL · Vierzig Sommer seines Lebens verbrachte Friedrich II. in Sanssouci. Im verspielten Rokoko seiner Zeit ließ er neben dem Schloß auch den Park ausstatten, der reich an kleinen Tempeln, Denkmälern und Gruppen ist. Immer wieder wird der Besucher von dieser Fülle beeindruckt. POTSDAM, RATHAUS · Die Hauptstadt Brandenburgs wurde im zweiten Weltkrieg schwer zerstört. Unvergeßlich aber bleiben alle Erinnerungsstätten preußisch-deutscher Geschichte. Das Stadtschloß, die Garnisonkirche und das Rathaus (Bild) gehören dazu. In Potsdam fand die folgenreiche Konferenz im Jahre 1945 statt.

BRANDENBURG · Die Stadt ist reich an geschichtlichen Bauten. Ihre Tore und Befestigungen sind teilweise erhalten.
SPREEWALD · Südöstlich von Berlin liegt der fast unberührte Spreewald mit seinen vielen Kanälen.

IM ODERBRUCH · In den alten Urstromtälern Niederdeutschlands, die vor allem nördlich der typischen Flußknicks, wo sich die Ströme aus ihrer anfänglichen Richtung nach Westen gegen Norden wenden, von einem ruhigen Lauf der Gewässer gekennzeichnet sind, entstanden überall ähnliche Landschaftsbilder. An Oder, Warthe und Netze gibt es die als »Bruch« bekannten Niederungen mit Altwässern, Sümpfen und einer für Moorgegenden charakteristischen Pflanzenwelt. In den frühen Herbsttagen, bevor sich eine Schwermut über das Land senkt, erglüht der Bruch in leuchtenden Farben.

des Messias. Bei der Lektüre des Messias schlief der Teufel in Grabbes »Scherz, Satire, Ironie und tiefere Bedeutung« ein. Spötter behaupteten, außer dem Verfasser selbst habe niemand das ganze Werk gelesen. Klopstock also wurde in Quedlinburg geboren. Ich weiß nicht, ob sein Geburtshaus noch steht. Es war ein sehr hübsches, einfaches Fachwerkhaus und hatte noch die gravitätisch-barocke Einrichtung seiner Kindertage. Er selbst ging schon als junger Mann in die weite Welt, bekam ein Gnadengehalt vom König von Dänemark und starb in Hamburg. Von seinen Bardendramen, in denen germanische Priester und Helden heroische Gesänge skandierten, wurde im Anfang des Jahrhunderts die Hermannsschlacht wieder ausgegraben. Das urtümliche Drama wurde als Eröffnungsvorstellung für eine der ersten Freilichtbühnen Deutschlands, das Harzer Bergtheater, ziemlich erfolglos gespielt, obwohl die Naturbühne, hoch über Thale auf dem Hexentanzplatz gelegen, eine wunderbare Naturkulisse für das germanische Spiel abgab. Diese vergebliche Wiedererweckung der Klopstock-Dramen war übrigens kein Akt der Pietät für den hervorragenden Sohn des Landes. Sie wurde auch von Staat und Regierung nicht unterstützt. Die Regierungen Sachsen-Anhalts hatten im allgemeinen wenig für ihre großen Söhne übrig. Die Neuaufführung Klopstocks sollte die altgermanische Vergangenheit ins Gedächtnis zurückrufen.

Ein Durchgangsland, in das viele Anregungen aus den benachbarten Ländern und Ländchen hineinwirkten. Das liebenswürdige, kleine Theater in Bad Lauchstädt, unweit des Industriegebietes von Merseburg, wurde von Goethe erbaut. Mehrfach fanden in dem winzigen Landstädtchen die Sommerfestspiele des Weimarer Hoftheaters unter dem Theaterdirektor Goethe statt. Zuschauer waren hauptsächlich die Hofleute aus Weimar und Dessau. In Lauchstädt gab es vor den Weltkriegen eine ganze Anzahl hübscher, alter Landhäuser, in denen die Einrichtung noch aus der Goethe-Zeit stammte. Sie wurden von Familien bewohnt, die allerlei Erinnerungen an den Dichter aufbewahrten. Eine Tasse, aus der er getrunken hatte, einen Stuhl, in dem er gesessen hatte. Von 1911 an wurden die Festspiele in Lauchstädt neu eröffnet. Meist wurden Opern von Händel und Gluck gespielt mit Künstlern, die zum großen Teil aus Leipzig und Halle kamen, vor einem ausgewählten Publikum, unter dem die damals in Leipzig ansässigen Dichter Franz Werfel und Walter Hasenclever im Anfang ihrer Laufbahn als Gäste teilnahmen. Es gab aber auch eine weithin berühmte, eine aufsehenerregende Uraufführung: Gerhart Hauptmanns Drama »Gabriel Schillings Flucht«. Er hatte diese Art Bekenntnisdrama, eine Tragödie, in der höchst persönliche Erlebnisse gestaltet worden waren, zehn Jahre lang in seiner Schreibtischschublade aufbewahrt. Eigentlich sollte es nur ein einziges Mal vor dem geladenen Publikum in Bad Lauchstädt gespielt werden. Aber der nachhaltige Erfolg veranlaßte ihn, »Gabriel Schillings Flucht« auch an andere Bühnen zu geben.

Weithin bekannt waren zur gleichen Zeit die Wagner-Festspiele in Halberstadt, die etwa von 1910 an in jedem Jahr stattfanden. Sie wurden von einem der berühmtesten Gallenoperateure seiner Zeit, dem Professor Hans Kehr, finanziert oder mindestens garantiert. Kehr gab damit das schöne Beispiel eines großbürgerlichen Mäzenatentums, das sich auch in vielen der kleinen Städte in literarischen und musikalischen Gesellschaften betätigte. Ich habe durch eine dieser Gesellschaften in meiner Jugend die bekanntesten Musiker jener Zeit gehört, den Pianisten Eugen d'Albert oder Frieda Hempel, die große Koloratursängerin.

Von Weimar, wo es 1919 gegründet worden war, kam im Jahre 1925 das berühmte Bauhaus, die Hochschule für Bau und Gestaltung, nach Dessau. Das Bauhaus erstrebte die Wiedervereinigung aller werkkünstlerischen Disziplinen zu einer neuen Baukunst. Als eine der ersten Schöpfungen aus dem neuen Geist einer lebensnahen Architektur wurde in dem alten Städtchen, dessen Hauptstraßen mit häßlichen Bürgerhäusern aus der Zeit eines barokken Ungeschmacks bebaut waren, die sehr strengen, sehr kühnen Bauten für das Bauhaus errichtet. Es waren Bauten, die ihrer Zeit weit voraus waren und ungefähr in der Linie heutiger, kühner Vorhaben lagen. Freilich konnte man damals mit den neuen Baustoffen Glas und Beton noch nicht ganz sicher hantieren. Auf dem Eröffnungsball, der in der gläsernen Kantine des Hauses stattfand, zog es so sehr durch alle Fenster und Wände, daß die Festteilnehmer sich bald in der Mitte des Saales zusammendrängten. Es war sozusagen eine illustre Versammlung. Alle Führer der Moderne, alle extremen Geister von ganz Deutschland hatten sich hier versammelt. Ströme von Besuchern ergossen sich durch die Ateliers und die exemplarisch gebauten Häuser der Bauhauslehrer. Ich erinnere mich noch des hellen, eleganten Hauses, das sich Walter Gropius selber gebaut hatte, mit riesigen Fenstern, so daß man in den Zimmern das Gefühl hatte, im Freien zu wohnen und mit einer Spiegelgarderobe in der Eingangsdiele, die sechs- oder achteckig angelegt war. Der Besucher, der sie betrat, sah sich verachtfacht seinen Mantel ausziehen, seinen Hut ablegen, seine Verbeugung machen. Ein kleines Atelier, aber natürlich auch großfenstrig, bewohnte der Maler Paul Klee, ein schweigsamer Mann mit sehr hellen Augen, der damals seine zarten Aquarelle für so viel Mark verkaufte, wie sie heute Tausende wert sind.

Obwohl aus dem Lande Sachsen-Anhalt eine der größten Umwälzungen des geistig-religiösen Lebens, nämlich die Reformation, hervorgegangen ist, obwohl durch seinen größten Sohn, Martin Luther, die heutige Sprache in ihren Grundformen, in ihrer ganzen Lebendigkeit geschaffen wurde, gehört Sachsen-Anhalt nicht zu den geistig oder musisch bedeutenden deutschen Ländern und Landschaften, aber in seiner Vielfalt und Mannigfaltigkeit, in seiner Gegensätzlichkeit der Landschaft, in seiner engen Verflechtung von Industrie und Ackerbau wohl zu den merkwürdigsten. In der Geschichte spielte es als Grenzmark eine entscheidende Rolle. In der Geistesgeschichte aber hat dieses Land auch seinen Platz und seine Bedeutung.

HANS D. LEICHT Sachsen-Anhalt

Landschaft und Geographie von Sachsen-Anhalt bieten kaum Superlative. Das Land muß sich mit Teilen, mit Bruchstücken begnügen, als sei ihm am letzten Schöpfungstag von allem ein Brocken zugeteilt worden: Wälder und Felsklippen eines Urgebirges im Harz, etwas von der Lieblichkeit kleiner Flußtäler an Saale, Unstrut, Bode und Ohre, ein behäbiger, breiter Fluß, der aber eigentlich erst nach Verlassen des Landes zu einem majestätischen Strom wird, dazu Ebene, Heide, Monotonie der Magdeburger Börde und eine Hochfläche zwischen Harzgerode und Hasselfelde. Das alles, etwas leicht hingeworfen, die Übergänge vom Schöpfer mit einer Kelle voll Sand verschmiert, auf dem die Kiefer ein kärgliches Dasein fristet, vom Menschen im Süden und Südosten mit Industriebetrieben und zahlreichen qualmenden Schornsteinen angefüllt, das ergibt das typische Bild dieser Landschaft.

Und doch – wer möchte nicht mit Stolz auf die vielen kulturreichen Städte verweisen, auf die alten Gassen und Häuser, die Dome und Kirchen, die Burgen und Schlösser? Es muß nicht immer das Große und Überwältigende sein. Das Tal der jungen, ungestümen Bode mit ihrem felsigen Bett, die Kurorte inmitten grüner Wälder und selbst ein wogendes Kornfeld vor den blaudunklen Kuppen des Harzes bleiben als Heimat unvergeßliche Erinnerung.

AN DER ELBE · Der größte Teil des Landes Sachsen-Anhalt gehört geographisch der Norddeutschen Tiefebene an. Vom Südosten bis zum Norden bildet die Elbe das bedeutendste Gewässer. Mit geringen Ausnahmen nimmt sie auf beiden Seiten alle Flüsse auf. Ihre Landschaft läßt die Weite ahnen.

Land und Strom

Aus der Mittel- und Vorgebirgslandschaft im Süden und dem Unterharz mit der höchsten Erhebung dieses Gebirges, dem 1142 m hohen Brocken, wandelt sich das Land allmählich in die Tiefebene. Einige sanfte Wellen, wie die Finne an der Unstrut, die Ausläufer des Fläming bei Wittenberg und die Hügel zwischen Aller und Ohre, unterbrechen diese Abdachung, die schließlich im Norden bei Salzwedel und am Elbeufer noch eine Meereshöhe von knapp zwanzig Metern hat.

Zur *Elbe*, die den kleineren rechten von dem größeren linken Teil des Landes trennt, drängen sich alle Wasser: die Schwarze Elster, die Mulde, die an Nebenflüssen reiche Saale, die Havel und die zahlreichen kleinen Gewässer, Ihle, Ohre, Uchte, Biese und Jeetze. Ähnlich der Oder in Schlesien, ist auch dieser Strom der alles in sich aufnehmende und alles gebende Puls des Landes, bedächtig, gelassen und die Ferne, das »Tor zur Welt«, ahnen lassend. An seinem Ufer bei Dessau hat der junge Anhalter Fürst Franz dieser wechselhaften, behäbigen Natur etwas nachgeholfen. Vor fast zweihundert Jahren ließ er nach englischem Muster den Wörlitzer Park anlegen, nicht linear und konsequent, sondern so ungekünstelt, daß heute noch alles halb fertig, nicht abgeschlossen erscheint, ganz im Sinne der Ebene, dieses alten Urstromtales.

Wie anders ist es dagegen »an der Saale hellem Strande«. Um diesen burgenumkränzten Fluß schwebt noch ein Hauch jener Romantik und Verträumtheit thüringischer Gärten, Schlösser und Residenzen. Es ist, als ob die Reben, die an seinem steilen, vielgewundenen Ufer gedeihen, einen heiteren Sonnenstrahl über Tal und Städte breiten würden, als ob ein letzter, südlich-leichter, barocker Akkord an einem freundlichen Himmel aufklänge, bevor er sich in der herben Breite und Schwermut blasser Horizonte verdunkelt.

Altvater Brocken

Das Bild der Landschaft beherrscht der *Harz*. Seine Berge, Wälder und blumenübersäten Wiesen muß

FELSENPARTIE IM HARZ · Sachsen-Anhalt hat einen großen Anteil am Harz. Zwar ist dieses Gebiet der Unterharz, doch liegt in ihm die höchste Erhebung des gesamten Gebirges, der Brocken. In die oft wildzerklüfteten Felsbildungen passen die zahlreichen Sagen um die Roßtrappe und die ganze Gegend des Brockens. Wie in allen Urgebirgen findet man auch hier abgerundete Kuppen und bucklige Höhenzüge, meist mit dunklen Wäldern bedeckt.

man erwandert haben. Seine Städtchen und Dörfer sind Sommer wie Winter beliebte Ausflugsziele. Schierke am Brocken, Wernigerode, Ilsenburg, Altenbrack, Treseburg, Rübeland und Alexisbad – nur ein paar Namen, stellvertretend für viele. Tiefe, schluchtenartige Täler haben Bode und Selke in das Urgestein genagt. Wilde Felsklötze, rund und glatt geschliffen, ruhen im Bett der Flüsse, Rottannen im Norden und Buchen im Süden spiegeln sich im klaren Wasser. Bergahorn, Roteichen, Lärchen und Höhenkiefern an den Berghängen, Zwergbirken, sonst nur noch in Lappland zu finden, und Eiben um die Gipfel und stolze Fichten, ins Tal hinabsteigend, wechseln in bunter Folge. Moore und fast alle Pflanzen einer alpinen Flora findet der Wanderer. Hexentanzplatz und Roßtrappe, Falkenstein und die sechzehn Burgen und Ruinen, immer überragt vom »Altvater Brocken«, das schier unheimliche Trümmerfeld der Steinernen Renne, die Schnarcherklippen und überall tiefblaue Talsperren, das ist der Inbegriff der Harzromantik. Vom Brokken, den Heinrich Heine »einen Deutschen« nennt, und seinen Gewässern schreibt Goethe 1777 in seinem Gedicht »Harzreise im Winter«:

Du stehst mit unerforschtem Busen
geheimnisvoll offenbar
über der erstaunten Welt
und schaust aus Wolken
auf ihre Reiche und Herrlichkeit
die du aus den Adern deiner Brüder
neben dir wässerst.

Von den Höhen der Harzberge geht der Blick weit über fruchtbares Land, über Städte und kleine Gemeinden in die Ebene hinaus, die sich bis zur Altmark, dem nördlichsten Teil des Landes, erstreckt. Dort, im Kreise Osterburg blinkt wie ein blausilbernes Auge der Arendsee, das einzige große, stehende Gewässer zwischen Steinhuder Meer und den Havelseen.
In die Flußtäler, in das Flachland zwischen bewaldete Höhen eingestreut, liegen die lößreichen Böden der Magdeburger und obersächsischen Börde, die Goldene Aue, in die sich das Land mit seinem Nachbarn Thüringen teilt, das Gebiet an der Schwarzen Elster, an der unteren Saale und selbst im Schatten der dröhnenden Industriewerke um Halle, Leuna und Bitterfeld. Endlose Furchenzeilen mit Hackfrüchten und ihrem buschigen Blätterwerk und wiegende Getreidefelder umweben die roten Dächer und Kirchtürme der Dörfer, rollen über sanfte Hänge und verlieren sich in blaudunstiger Ferne.

Das ruhelose Herz

Den ganzen Raum zwischen Merseburg und Dessau beherrschen Fördertürme, Kamine, die Masten endloser Starkstromleitungen und kilometerlange Fabrikanlagen, wie die der Leunawerke. Hier bestimmen Sirenen, glühende Fackeln der Öfen und glitzernde Schienenstränge die Landschaft und den menschlichen Alltag. Hier schlägt das ruhelose Herz der mitteldeutschen Industrie. Die Technik verwandelt täglich die Natur: in ausgehobene Baugruben

FREYBURG · Muschelkalkhöhen säumen das Unstruttal, das im frühen Mittelalter eine wichtige Ost-West-Durchgangsstraße war und viele Kaiserpfalzen besaß. Über Freyburg, der Stadt des Turnvaters Jahn, erheben sich inmitten von Weinbergen die Reste der gewaltigen Neuenburg.

BLICK ZUM BROCKEN · Über dunklen Nadelwald, über die mit Hochmooren, Wollgras, Moosbeere, Binsen und Sonnentau bedeckten Flächen der Harzhöhen geht der Blick auf den höchsten Berg Norddeutschlands, den 1142 Meter hohen Brocken, von dessen Gipfel man an schönen, klaren Tagen allein 90 Städte sieht.

spritzt sie Beton und errichtet darauf Werkstätten, Verwaltungsbauten und Wohnhäuser, Flußläufe werden kanalisiert oder ganz unter die Erde verlegt, Gasometer hocken wie schwarze Tonnen zwischen Gärten und Sportplätzen, und riesige Bagger scharren die Braunkohle auf Förderbänder und fressen sich Tag um Tag weiter in die Felder und Wälder hinein.

Auch im Kaligebiet von Staßfurt und Aschersleben ragt die Silhouette der Fördertürme wie ein eisernes Gespinst in die Höhe. Und im Mansfeldischen häufen sich die Abfälle des Kupferschieferbergbaues auf unzähligen Halden. Fast wehmütig blickt die Ruine der einst großartigen Schloßanlage der Grafen von Mansfeld auf dieses Menschenwerk herab. »Macht euch die Erde untertan!« Hier ist dieses Wort Wirklichkeit geworden, hier mußte die Natur ihre Schönheit opfern, weil der Mensch ihre verborgenen Schätze brauchte.

Wo der Mittellandkanal die Elbe überquert und sich an Genthin vorbei nach Brandenburg wendet, in des »Reiches Streusandbüchse«, da drängt sich in dieses Land der Mitte das erste Ahnen jener Weite des Ostens, durch dessen Unendlichkeit die Wolkenschiffe segeln und über der bei Nacht die Sterne höher zu stehen scheinen. Eine solche Landschaft kann keinen einheitlichen Menschentyp hervorbringen oder wahren, zumal sich hier ehedem wie heute die Durchgangslinien von Nord nach Süd und von West nach Ost und umgekehrt kreuzen. Natürliche Hindernisse oder Grenzen gibt es fast keine. Selbst Flußläufe, wie die Elbe, konnten schon in der Frühzeit der Geschichte nur vorübergehende Sperren sein. So muß ein schicksalhaftes Land zum menschlichen Schicksal werden. Der Ablauf der Jahrhunderte ist dafür Beweis genug.

Unser Blick in die Vergangenheit kann nur große Linien und Brennpunkte andeuten. Das Land, dieses Sachsen-Anhalt der Gegenwart, ist ja ein künstliches Gebilde der neuesten Zeit, fern einer eigenen staatlichen Tradition.

Zu Beginn der Eisenzeit (rund 800 v. Chr.) siedelten im Norden des Landes germanische, im Süden keltische Stämme. Das ganze Gebiet, einschließlich Thüringen, ist im vierten Jahrhundert nach Christi Geburt von Germanen, den Hermunduren, Langobarden, Warnen und Angeln, besetzt. Zwei Jahrhunderte später breiten sich Sachsen und Franken aus, im östlichen Teil des Harzes lassen sich Schwaben nieder.

In diese dann im 7. Jahrhundert von den germanischen Stämmen wieder verlassenen Räume dringen Slawen ein. Elbe und Saale bilden im allgemeinen die Westgrenze ihres Herrschaftsbereiches. Aber schon unter Karl dem Großen beginnt eine allmähliche Rückgewinnung ehemaliger germanischer Gebiete durch die Anlage von Grenzmarken, wo fränkischer Einfluß auf die Nachbarvölker ausstrahlt.

Bollwerk des Reiches

Der Sachsenherzog Heinrich I. (919 bis 936) saß, wie die Überlieferung zu berichten weiß, am Vogelherd, als ihn in Quedlinburg die Nachricht von seiner Wahl zum deutschen König erreichte. Er wird zum eigentlichen Gründer des Deutschen Reiches, wird der Burgenbauer, Errichter eines »Ostwalles« gegen die Slawen und treibt eine Ostpolitik nach den christlich-abendländischen Grundsätzen seiner Zeit. In Quedlinburg findet er seine letzte Ruhestätte. Sein Sohn Otto I. (936 bis 973) muß sich mit den Stammesherzögen herumschlagen. Für längere Zeit wählt er Magdeburg als Mittelpunkt seiner Regierungstätigkeit. Das hier von ihm gegründete Erzbistum wird Ausgangspunkt einer systematischen Christianisierung des Ostens, während Graf Gero den Auftrag erhält, mit seinem Herrschaftsgebiet zwischen Harz und Havel ein Bollwerk gegen die slawischen Volksstämme zu errichten.

Unter den Askaniern, den Markgrafen von Brandenburg mit Albrecht dem Bären als prominentem Vertreter, folgt eine ruhige Aufbauarbeit. Siedler aus dem Rheinland und aus Holland, die Nachkommen zahlreicher germanischer und slawischer Volksgruppen sind die Vorfahren der heutigen Bevölkerung, selbst ein Jahrtausend später noch nicht zu einem festen, einheitlichen Körper zusammengewachsen. Zerrissen ist das Land im ausgehenden Mittelalter und in der Neuzeit, aufgeteilt in kirchliche Besitzungen, in Grafschaften, kleine Fürstentümer und Gebiete des immer größer werdenden Staates Preußen. Anhalt, das 1218 ein Fürstentum, in den Jahren 1806/07 in drei Herzogtümer aufgeteilt war, konnte erst wieder 1863 vereinigt werden. Die preußische Provinz Sachsen, der größte Teil des Landes, erreichte erst 1812 seine administrative Einheit.

Araber in Magdeburg

Vor tausend Jahren hält sich der Araber Ibrahim ibn Yaqub mit einigen Begleitern am Hofe Ottos des Großen in Magdeburg auf. In seinem Buch über die »Meere und Länder« widmete er auch jenen Menschen ein Kapitel, denen er in diesem Lande begegnete. »Die Saqaliba (man vermutet in diesem Wort den arabisierten Namen der Sachsen) sind ein tapferes Volk«, so schreibt der Orientale, »sie verstehen, mit ihren Waffen umzugehen. Wegen der großen Kälte tragen sie dicke Kleider und lange Mäntel. Vieles Reden gilt bei ihnen als fremdländische Entartung. Dagegen halten sie ein gegebenes Wort, selbst wenn es ihnen zum Nachteil gereicht. Sie sind sehr gastfreundlich, besonders ihr König Hudo (Otto) ...« In einem anderen Abschnitt werden die Bewohner des Landes hellhäutig und blauäugig dargestellt.

Seit jenem Besuch aus dem Orient sind zehn Jahrhunderte vergangen. Und doch sind die Eigenschaften, die jener Ibrahim beobachtete, auch heute noch vorhanden. Groß, stattlich und kräftig sind die Menschen im Norden des Landes und in Teilen des Harzes, kleiner, lebendiger im Süden und Südosten. Dort, wo das niedersächsische Element hereingreift, liebt man die Ruhe, Bedächtigkeit und Schweigsamkeit. Jede wichtige Handlung wird gründlich abgewogen, überlegt und vorbereitet. Und die Gastfreundschaft wird auch heute noch sehr hoch gehalten und gepflegt.

»... die Bubbe da«

Die Übergänge von einer *Dialektgruppe* zur anderen sind nicht scharf gezogen. Im Süden des Landes hört man das dem Sächsischen verwandte Thüringische, ja, bereits Anklänge an das Fränkische. Niedersächsisch spricht man im Harz und um Magdeburg, sogar bis in die Altmark hinein, während sich der Mansfeldische Dialekt wieder deutlich abhebt. Zum Martinstag singt man im Harz:

Marten, Marten, kimm heran,
klingel an de Büssen.
Alle Mäkens kriegt en Mann,
et mot gan und küssen.
Appeln un de Beeren,
de Nötte mögt wi geren.

Alle Anzeichen des Sächsischen jedoch weist die Mundart des Gebietes längs der Grenze des Landes Sachsen und an der mittleren Elbe auf. In Dessau macht beim Anblick eines netten Mädchens ein Freund den anderen mit den Worten aufmerksam: »Nu gugge da, die Bubbe da!« In Halle wird aus dem g ein etwas hart gesprochenes j. Dennoch,

HALLORE IN FESTTRACHT · Die Arbeiter in den Halleschen Salinen, die »Halloren«, lassen sich urkundlich bis in die Mitte des 17. Jahrhunderts zurück nachweisen. Bis in die Neuzeit genossen sie besondere Privilegien, zu denen neben ihrer festlichen Tracht auch besondere Bräuche gehörten, wie Begrüßung und Beglückwünschen des Landesherrn zu festlichen Anlässen.

WÖRLITZER PARK · Eine prächtige Gartenanlage im englischen Stil ist ebenso sehenswert wie die zahlreichen Schloßbauten von Wörlitz. Kleine und große Tempel, Pavillons, das Gotische Haus, Seen, Inseln und Standbilder gehören zu dem Park, in dem sich Goethe »wie in einem Märchen« fühlte. Der junge Anhalter Fürst ließ diesen Garten im englischen Stil anlegen.

wer könnte ein klares, scharf umrissenes Bild zeichnen? Sind es nicht oft Täler, ja, einzelne Ortschaften, die sich im Dialekt voneinander unterscheiden? Es ist auch hier wie überall, daß die heranwachsende Jugend die Mundart zwar noch versteht, sie selbst aber nicht mehr sprechen kann, und daß endlich die große, erzwungene Völkerwanderung um die Mitte unseres Jahrhunderts neue Elemente mitten in eine Siedlung und mitten in Familien getragen hat.

Werbeschlager Walpurgisnacht

Auch Volkslieder, Volkstänze und alte Bräuche sind selten geworden. Die durch Goethes Faust berühmt gewordene Walpurgisnacht auf dem Brocken wurde dann als Werbeschlager von geschäftstüchtigen Reiseunternehmern genutzt, dem sich die Einheimischen, die Bewohner des Harzes, nicht verschlossen, als mit den Gästen die begehrte Mark kam. In den Bergen konnten sich noch Reste alter *Trachten* in unsere Tage retten. Aber auch jene Frauen, in hellem Rock und karierter Bluse, die früher mit Körben auf dem Rücken ins Land hinauszogen, um Holzwaren zu verkaufen, sterben aus. Das Auto ist schneller und bequemer. Es hat auch die Fuhrleute bis auf ein paar Veteranen verdrängt. Sie waren noch vor nicht allzu langer Zeit eine stolze Zunft. Mit ihren dunklen Hüten, bunten Halstüchern, bis zur Mitte des Oberschenkels reichenden hemdartigen, weiten Jacken nach Russenart und den hohen Schaftstiefeln fuhren sie das Langholz aus den Harzwäldern ab. War die Saison vorbei, so verdingten sie sich und ihre Pferde draußen im Land, wo es immer Arbeit für sie gab. Die Bergleute lieben noch heute ihre schwarze Galauniform, auch wenn sie diese Tracht mit blinkenden Knöpfen, Degen und federbuschgekrönter Mütze nur noch zu Festtagen und besonderen Anlässen innerhalb ihres Arbeitsjahres tragen.
Wie in weiten Gebieten Mittel- und Norddeutschlands, geprägt von einer pietistischen Strenge aus Religion, menschlichem Charakter und Landschaft, konnte sich in Sachsen-Anhalt lauter Jubel karnevalistischen Treibens nicht durchsetzen. Zwar ziehen die Kinder an den beiden letzten Tagen der Faschingszeit mit Masken und Verkleidungen umher, aber von einer »Volksbewegung« närrischen Überschwangs kann nirgendwo gesprochen werden. Wie vor einem halben Jahrtausend gehen auch heute noch im Advent, zu Weihnachten und in der Silvesternacht Kurrendesänger durch die Straßen der Dörfer und Städtchen im höhergelegenen Landesteil. Helle Knaben- und tiefe Männerstimmen preisen Gott im Lied: »Lobet den Herren, den mächtigen König der Ehren!« Nicht nur eine gute Stimme, sondern auch ein unbescholtener Lebenswandel sind Voraussetzung für eine Mitgliedschaft in der Kurrende oder bei den Bergsängern. »Niemand schelte mir die armen Schüler«, hatte Luther gesagt. Damals war auch er für Almosen ein solcher Sänger gewesen. Um »Gottes Luhn« singen sie und – um eine Gabe, auch noch in unserer Zeit.

Tannenbäume zu Johannis

Tannen an Weihnachten – das gibt es überall. Aber mitten im Sommer? Das findet man nur im Harz. Dort werden sie zu Johannis (24. Juni) auf den Marktplätzen aufgestellt, allerdings ohne Silberschmuck, dafür aber mit einem etwas verspäteten Maigrün, mit Eierschalengirlanden, Blumen und Flieder. Das ganze Dorf oder Städtchen, selbst der gestrenge Herr Pastor und Lehrer, tanzt um den Baum und singt alte Lieder, deren Texte kaum noch jemandem verständlich sind. In die Sonnwendfeuer draußen vor den Orten oder auf den Höhen wirft man das duftende, goldgelbe Johanniskraut. – Eigentümlich sind die sogenannten »Käsehitschen«, keine Spezialität für den Gaumen, vielmehr ein Wintersportgerät für die Jugend. Ein viereckiger Kasten, unten offen, dient dem gleichen Zweck wie andernorts der Schlitten.
In der Mansfeldischen Gegend liebt man noch das »Platzen«, eine Art des Kegelns, die jedoch nur im Freien gespielt wird. Die neun Kegel sind weiter auseinander gestellt als sonst; hinter ihnen wird das Spielgelände durch eine starke Bohlenwand halbkreisförmig abgeschlossen. Die Kugel wird nicht gerollt, sondern geplatzt, geworfen.

Lehm und Stroh auf dem Teller

Man muß schon ein aufmerksamer Gast sein oder bewußt eine Speisekarte absuchen, um *Gerichte* und *Spezialitäten* eines Landes zu finden. Gastwirte machen es sich einfach, indem sie Allerweltsspeisen servieren.
Sauerkraut gibt es überall, in Westfalen mit Kartoffeln durcheinander gekocht, in Bayern mit Schweinernem, in Kassel mit Rippchen. Das echte Sauerkraut aber ißt man in Magdeburg und dort auf verschiedene Art: mit Schmalz und Weißwein, mit Äpfeln, Speck oder jeder Art von Fleisch. Es ist zwar eigentlich ein Winteressen, wenn es der Hausfrau an Frischgemüse fehlt. Aber es schmeckt zu jeder Jahreszeit, es schmeckt uns Deutschen so gut, daß es uns in verschiedenen fremden Ländern den Spitznamen »Krauts« eingebracht hat. In der Umgebung von Aschersleben gibt es die Spezialität »Lehm und Stroh«, Sauerkraut mit Erbsbrei, wie in Oberbayern. Brot in Würfel geschnitten, Nierentalg, Zwiebel und Pilze sind die Bestandteile einer sehr schmackhaften Köhlersuppe. Forellen aus den Harzbächen und Gerichte aus den verschiedenen Pilzen, Pfifferling, Hallimasch, Ziegenbart, Reizker und Herkuleskeule, sollte man sich nicht entgehen lassen. In Anhalt liebt man recht fetten Speckkuchen mit Eiern und Kümmel.
Thüringens »griene Kließe«, die ja ursprünglich im Vogtland zu Hause waren, bereichern den Küchenzettel im Süden des Landes. Brägenwurst und Bitterbier sind rund um Zerbst beliebt. An der Saale und unteren Unstrut trinkt man Wein, den dort gewachsenen. Halberstadt preist seine Würstchen, der Harz seinen Käse, und Salzwedel lobt seine Baumkuchen, deren glänzende Pracht bis zu einer Höhe von einem Meter aufgestockt werden kann.

Städte alter Kultur

Die Römersiedlungen im Westen und Süden Deutschlands, Köln, Trier, Aachen, Augsburg und Regensburg, sind zwar die ältesten Städte unserer Heimat, mit denen ein Hauch der Antike in das rauhe Germanien wehte. Aber mit der Völkerwanderung verlieren sie für Jahrhunderte Wert und Bedeutung. Ein Schwerpunkt deutscher Politik des Mittelalters weist nach Osten. Hier wachsen mit den Burgen und Kaiserpfalzen neue Orte, die bald zu lebhaften Handelsplätzen, kulturreichen Bischofssitzen und Residenzen werden. Romanische Kirchen und Dome zwischen Naumburg und Magdeburg, frühgotische Rat- und Wohnhäuser im Harz und an der Elbe, Zeugen der hansischen Blüte, Bürgerhäuser in Barock, wo die Brandfackel des Dreißigjährigen Krieges Altes zerstört hatte, alles Mosaiksteine eines großen Geschichtsbildes, die der Wanderer zu beiden Seiten seines Weges durch das Land findet.
Die über tausend Jahre alte Stadt *Quedlinburg* im nördlichen Vorland des Harzes ist als Stadt eine Schöpfung Ottos I., nachdem sie zuvor seinem Vater Heinrich als Fliehburg Quitilingaburg diente. Im 10. und 11. Jahrhundert war sie ein bedeutender Kulturmittelpunkt, dessen Spuren mit einer Fülle an Erscheinungen, Kaisern, Königen, Fürsten, Bischöfen und Äbtissinnen, man heute noch auf Schritt und Tritt begegnet. Wie schützend überragen Schloß und Dom auf steiler Höhe die Dächer. In der Krypta der Schloßkirche St. Servatii liegen die Gebeine Heinrichs und seiner Frau Mathilde.

MAGDEBURG · Zu den bedeutendsten Siedlungen des Mittelalters zählte die Stadt an der Elbe. Als Erzbistum wurde sie geistlicher Mittelpunkt des deutschen Ostens. Ihr von Otto d. Gr. erbauter romanischer Dom (Bild) wurde vom 13. bis zum 16. Jahrhundert im gotischen Stil umgebaut.

QUEDLINBURG · »... villa quae dicitur Quitilingaburg« heißt es in einer Urkunde aus dem Jahre 922. Hier stand ein Königshof Heinrichs. Über tausend Jahre ist diese Stadt an der Bode alt. Trutzig, wie eine beherrschende Burg, offenbaren sich Schloßberg und Dom dem Betrachter auf dem Strohberg.

HALLE AN DER SAALE · Die Landeshauptstadt und bedeutendste Industriestadt von Sachsen-Anhalt, das über tausend Jahre alte Halle, hat den Bombennächten des zweiten Weltkriegs nur wenig Blutzoll zahlen müssen. Die alte spätgotische Marienkirche mit der eigentümlichen Verbindungsbrücke zwischen den Türmen blieb unversehrt. Sie überragt als Wahrzeichen die schaffensfrohe Stadt.

Mit der aus dem 9. Jahrhundert stammenden Wipertikirche besitzt Quedlinburg den ältesten Steinbau im niedersächsischen Raum. Die Zugehörigkeit zur Hanse (bis 1477) beweist das gotische Rathaus mit dem Roland, Sinnbild städtischer Freiheit und Gerichtsbarkeit. Auf dem fruchtbaren Boden entwickelte sich in der Neuzeit eine weitum bekannte Blumen- und Samenzucht. Mehrere Werke der Metall- und chemischen Industrie haben sich hier niedergelassen.

Das Martyrium Magdeburgs

Magdeburg, eine lebendige Großstadt mit über einer Viertelmillion Einwohnern, blickt auf eine große Vergangenheit zurück. Eine äußerst günstige Verkehrslage, der Übergang über den Strom, und ihre Bedeutung als Kulturmittelpunkt für die Ostkolonisation machten die Stadt im Mittelalter zu einem der wichtigsten Plätze im Deutschen Reich. Lange Zeit hielt sich hier Otto der Große mit seinem Hof auf, und das von ihm gegründete Erzbistum wurde Episkopalkirche für zahlreiche Diözesen bis in den weiten Osten hinein. Das im Jahre 1183 aufgezeichnete Magdeburger Recht ist über Jahrhunderte hinweg in Polen so gültig wie in Ungarn und Böhmen, und die Rechtsentscheidungen des Magdeburger Schöppenstuhls werden stets anerkannt. Als Hansestadt gewinnt Magdeburg im Binnenland maßgebenden Einfluß. Aus jenen Tagen stammt auch das berühmte Kaiser-Reiterstandbild, dessen Schöpfung man einem Meister der Bamberger Schule zuschreibt. Über die Bedeutung der Gestalt sind sich zwar die Gelehrten nicht ganz einig, doch darf angenommen werden, daß es sich um Otto I. handelt.
Das Jahr 1631 fegte wie eine Todesgeißel über die damals große Stadt an der Elbe hinweg und hinterließ einen Trümmerhaufen, wie ihn erst der letzte große Krieg wieder schuf. Eine Feuersbrunst zerstörte die schöne Stadt. Aber damals wie heute resignierte man nicht. Magdeburgs Bürgermeister Otto von Guericke, dessen Name als der eines großen Physikers in die Geschichte eingegangen ist, leitete tatkräftig den Wiederaufbau der Stadt. So finden sich hier viele Bauten in Barock, wenn auch nicht in einem überschäumenden, jubelnd-süddeutschen, aber doch belebt und heiter, ganz im Gegensatz zu der Strenge des Nordens. Noch einmal war es ein Krieg, der 1945 ein Ruinenfeld, das größte des Landes, hinterließ. Wunderbare alte Giebelhäuser fielen den Bomben zum Opfer. Der romanisch-gotische Dom mit den Grabstätten Ottos des Großen und seiner Gemahlin grüßt jedoch wieder in seiner alten Schönheit über die Elbe hinweg. Magdeburg ist eine schaffensfrohe und lebensvolle Stadt. Neben einem großen Stahlwerk besitzt es eine weitverzweigte Industrie.

Wissenschaft und Technik

Hauptstadt des Landes Sachsen-Anhalt ist *Halle* an der Saale. Unter Karl dem Großen wurde hier im Jahre 803 die Grenzburg Halla errichtet. Wie die meisten Orte im Grenzgebiet zu den Slawen gewann auch Halle bald große Bedeutung als Handelsplatz, aus dem schließlich im Mittelalter ein reges Mitglied der Hanse wurde. Der Geist des selbstbewußten Bürgersinns gegenüber dem Landesherrn wird noch in der Gegenwart durch den Roland auf dem Marktplatz und den »Roten Turm« deutlich, beide dem frühen 16. Jahrhundert entstammend. Die Halloren, Arbeiter im Salzbergbau, haben ihre alten Sitten und Trachten bis in unsere Tage erhalten. Früher genossen sie das Privileg, das Staatsoberhaupt zu Neujahr mit Geschenken zu begrüßen.
Als am Ende des 17. Jahrhunderts Professoren und Studenten aus Leipzig in Halle eine Universität gründeten, begann für die Stadt das große Zeitalter der Wissenschaft, das noch heute in bedeutenden wissenschaftlichen Vereinigungen, wie der Deutschen Morgenländischen Gesellschaft und der Leopoldina, der alten Deutschen Gesellschaft der Naturforscher, seinen Ausdruck findet. Christian Thomasius, ein weltgewandter Naturrechtler, führte einen hartnäckigen Kampf um die Einführung der deutschen Sprache bei der Vorlesung. August Hermann Francke, ein Pfarrer aus Glauchau, gründete die nach ihm benannten, in aller Welt berühmten Stiftungen. Im Verein mit diesen beiden Männern vertrat Christian Wolff die Aufklärung in derart unbeugsamer Weise, daß ihn der preußische König im Jahre 1723 »unter Androhung des

Stranges« aus dem Lande wies. Erst 1740 ruft ihn sein Sohn Friedrich II. wieder zurück.
Die Hallenser dürfen sich glücklich preisen, den alten Stadtkern mit dem spätgotischen Dom (1520 bis 1536), die Marienkirche (1530 bis 1554) und die Moritzkirche, deren Baubeginn in das 12. Jahrhundert reicht, zu besitzen. Eine günstige Verkehrslage – schon in frühester Zeit kreuzten sich hier vierzehn Handelswege – und die umliegenden Salz- und Braunkohlelager machten Halle zu einem wichtigen wirtschaftlichen Zentrum. Verstärkt wird diese Bedeutung noch durch die nahe liegenden Städte, Brennpunkte der Industrie, Merseburg und Leuna; alles zusammen ein großes, fast unübersehbares Gebiet der rastlosen Arbeit, der Technik und des Verkehrs.

Stadt der 95 Thesen

Für alle Zeiten mit dem Namen eines der größten Deutschen, Martin Luther, verbunden bleibt *Wittenberg* an der Elbe, eine Gründung flämischer Kaufleute. Im Schatten ihrer hochgiebeligen Häuser ließ sich im Jahre 1502 eine Universität nieder. Fünfzehn Jahre später schlägt Luther seine 95 Thesen an die Schloßkirche und löst die von ihm in ihrer weltweiten Bewegung gar nicht beabsichtigte Reformation aus. Das in jener Zeit kleine Ackerstädtchen nützte seine Lage am Strom und wurde die Heimat zahlreicher Industrien. Noch immer erinnern alte Stätten, wie das Luther-Haus, das Haus Melanchthons und die Stadtkirche mit dem Altarbild von Lucas Cranach, an die große Zeit des ausgehenden Mittelalters und den Anbruch eines neuen Abschnitts der Geschichte.
Das anhaltische Rothenburg, wie sich *Zerbst* nennen darf, bot ein gut erhaltenes mittelalterliches Stadtbild. Ein Wehrgang, von Türmen und Toren unterbrochen, umgibt den alten Stadtkern. Sankt Nikolai war eine der größten Kirchen des norddeutschen Raumes.

NAUMBURG · Zu den größten Sehenswürdigkeiten in Deutschland gehört der St.-Peter-und-Paul-Dom mit seinen vier hohen Türmen, dem der Bamberger Dom zum Vorbild gedient hat. Neben dem herrlichen Bau aus dem 12. und 13. Jahrhundert die alte Dreikönigskapelle mit ihrem spitzen Dach.

UTA IM NAUMBURGER DOM · Im Chor des Domes hat ein unbekannter Künstler die Standbilder der Stifter und Thüringer Landgrafen in Stein gemeißelt. Die Figur der Uta, das bekannteste der Bilder, ist trotz aller geschichtlichen Treue zeitlos und von unfaßbarer Lebendigkeit geblieben.

Klangvolle Namen

Sachsen-Anhalt ist ein städtereiches Land. Diese Tatsache gilt zwar weniger für die Altmark und den Osten. Von Zeitz jedoch, jener Nase, mit der das Land nach Thüringen »hineinriecht«, über die dichte Besiedlung an Elster und Saale hinweg, bis an den Nordrand des Harzes reihen sich klangvolle Namen nebeneinander wie die Perlen einer Kette.
Zeitz an der Weißen Elster besitzt in seiner Moritzburg ein ehemaliges Bischofs- und Herzogsschloß. *Weißenfels* war Sitz der Herzöge von Sachsen-Weißenfels, die auf Neu-Augustusburg residierten. An den Turnvater Jahn erinnert *Freyburg*, kurz vor der Unstrutmündung. Das nahe gelegene Schloß Neuenburg entstand schon kurz nach der Jahrtausendwende. Alle Orte dieses Gebietes aber überragt an kultureller Bedeutung die bald tausendjährige Stadt *Naumburg*. Ihr Wahrzeichen, der im 12. Jahrhundert begonnene Dom, dessen vier Türme – zwei mit Spitzdächern und zwei mit Kuppeln – weit ins Land hinausgrüßen, beherbergt jene berühmten Stifterfiguren, Kunstschätze von einmaligem

SACHSEN-ANHALT
SALZWEDEL
WOLFSBURG
STENDAL
TANGERMÜNDE
LETZLINGER HEIDE
Jeetze
Elbe
Mittellandkanal
Elbe-Havel-Kanal
Autobahn
MAGDEBURG
BÖRDE
HALBERSTADT
BERLIN
POTSDAM

WERNIGERODE
BROCKEN
QUEDLINBURG
HARZ
GOLDENE AUE
EISLEBEN
HALLE
Saale
DESSAU
WITTENBERG
ANNABURGER HEIDE
Schwarze Elster
DÜBENER HEIDE
BITTERFELD
Mulde
TORGAU
Elbe
Autobahn
Weiße Elster
Unstrut
MERSEBURG
LEUNA
WEISSENFELS
LEIPZIG
FREYBURG
NAUMBURG
LÜTZEN
ZEITZ
RUDELSBURG
ERFURT
WEIMAR
JENA
MEISSEN
N

BLANKENBURG · Von den Harzwäldern umgeben, wurde Blankenburg in der Neuzeit ein viel besuchter Luftkurort. Lange Zeit war das über der Stadt thronende Schloß die Residenz des Herzogs Ernst August zu Braunschweig und Lüneburg. Von der Terrasse des Schlosses hat man nicht nur einen umfassenden Blick auf die Stadt, sondern auch auf die gegenüberliegende Teufelsmauer.

Wert. Nach dem Gedanken des Meisters sollen diese Figuren einzeln betrachtet werden. Daher wurden sie auch gleichmäßig über den Westchor des Domes verteilt. Ekkehard und Uta, die bekanntesten der zwölf Standbilder, sind Ausdruck einer edlen Würde, einer unkonventionellen und trotz religiöser Züge bewußten Erdennähe. Sie werden nicht umsonst immer gemeinsam genannt und abgebildet. Bei ihnen fließen Bewegung, Körperhaltung, Gesichtsbildung und adeliger Ausdruck zu vollendeter Harmonie zusammen. Sie sind nicht nur fürstliche Gestalten, sie sind die Personifikation jenes Menschen, der im Hochmittelalter für Kaiser und Reich an der Ostgrenze, der immer bedrohten und nur selten ruhigen, Wache hielt.

Bunter Kranz der Orte

Man könnte in jeder der kleinen Städte den Alltag verträumen, sich in jede verlieben und über jede ein dickes Buch schreiben: *Eisleben*, Geburts- und Sterbeort Martin Luthers, wo er in St. Petri-Paul getauft wurde und wo er von der Kanzel der spätgotischen Andreaskirche seine letzte Predigt hielt, *Sangerhausen* in der Goldenen Aue mit einem bezaubernden Rosarium, *Aschersleben* mit dem vielbesuchten Wilhelmsbad, *Blankenburg*, Luftkurort

DESSAU, NEUES THEATER · Eine der bedeutendsten Kulturstätten des Landes ist das neue Theater. Es wurde 1938 nach zweijähriger Bauzeit fertiggestellt. Im zweiten Weltkrieg brannte es aus, konnte jedoch 1949 wiedereröffnet werden. Seine Neuinszenierungen finden überall starke Beachtung.

im Harz. Wer kennt nicht *Wernigerode?* Das Hermann Löns als »bunte Stadt am Harz« besang, die Residenzstadt der Fürsten von Stolberg-Wernigerode mit dem aus dem 12. Jahrhundert stammenden Schloß und dem gotischen, schiefergedeckten Rathaus, das einst ein Tanzhaus war und über dessen Tür ein an tiefem Sinn reicher Spruch steht: »Einer acht's, der Andere verlacht's, der Dritte betracht's: Was macht's?« Wer bringt es fertig, mit der Hast unserer Tage durch *Halberstadt,* den alten Bischofssitz und Handelsplatz der Hanse, zu eilen, ohne den gotischen Dom zu besuchen?

Im Museum des stillen, abseitigen Städtchens *Stolberg,* wo man selbst zwischen den Häusern den Wald zu riechen glaubt, findet sich eine seltsame, einmalige Sammlung: zwanzigtausend Leichenpredigten aus drei Jahrhunderten. Einmal, im Jahre 1525, brodelte es in den Herzen der sonst so verträglichen Stolberger, als sie mit ihrem »Mordpropheten« Thomas Münzer, wie ihn Luther hieß, das Schloß stürmten und Freiheit forderten. Fünf Rädelsführer übergab der Graf dem Henker. Dann war wieder Ruhe, wenn auch unter dem alten Zwang.

Im Osten des Landes liegt die schöne und reiche Stadt *Dessau*, die alljährlich mit Festspielwochen das Andenken an Richard Wagner feiert, aber durch große Industriewerke auch den Erfordernissen des technischen Zeitalters verpflichtet ist. Das aus dem Jahre 1341 stammende Schloß (der Westflügel ist wieder aufgebaut), die Marienkirche, das Kalitzsche Haus, der »Ring« und die »Buden« am Großen Markt, Kolonnaden in holländischem Barockstil, wurden Opfer der Luftangriffe des letzten Krieges.

Das Renaissanceschloß Hartenfels in *Torgau* war einst Residenz der sächsischen Kurfürsten. In der Marienkirche ist Luthers Frau Katharina beigesetzt. In der weniger dicht besiedelten Altmark sind die meisten Städte im Schutze von Burgen entstanden. Fast alle sind kleine Landstädtchen geblieben, wie Kalbe, Klötze, Oebisfelde oder Osterburg. Dagegen hat sich *Stendal* zu einer lebhaften Mittelstadt und zu einem wichtigen Verkehrsknotenpunkt entwikkelt. Hier und in *Salzwedel* stellt man ein ausgezeichnetes Bier her. Gegen Ende des 18. Jahrhunderts, als man der Jeetze das zum Brauen notwendige Wasser entnahm, wurde jeweils vor den Brautagen in Salzwedel öffentlich verkündet: »Es wird hiermit bekanntgemacht, daß niemand in die Jeetze macht, denn morgen wird gebraut!«

Elend und Hundeluft

Das farbige Bild der Städte bietet eine kaum zu erschöpfende Fülle von Erscheinungen und Lebensformen. Denkt man dazu noch an die vielen teils verträumten, teils regsamen und fleißigen *Dörfer,* in denen rein landwirtschaftlich oder in Anlehnung an benachbarte Industrieorte gelebt und gearbeitet wird, so muß man dem Wort von Wilhelm von Kempen beipflichten, der Sachsen-Anhalt das »Land der Vielfalt« genannt hat.
Ein kleiner, heiterer Blick soll nicht versäumt werden, ein Rundgang durch ein paar kuriose Dorfnamen des Landes. – Da leben Leute in *Elend,* einem Harzdorf, das seinen Namen von einer von

REGENSTEIN · Auf den Ausläufern des Harzes, unweit von Blankenburg, türmt sich aus der beginnenden Ebene eine Felsenhöhe mit der vielleicht interessantesten Ruine Deutschlands, dem Regenstein, auf. Die Bauten dieser früheren Burg wurden zum größten Teil aus den Sandsteinfelsen herausgemeißelt.

DESSAU · Im Jahre 1213 spricht zum erstenmal eine Urkunde von Dessau. Bis zur Mitte des 19. Jahrhunderts war es eine kleine Residenzstadt. Dann begann durch die Industrialisierung ein jäher Aufstieg. Das 1901 erbaute Rathaus (Bild) ist ein Zeichen jener Zeit des Aufstrebens.

Burgwällen beschützten Elendsherberge bezogen hat, von der aus die Reisenden in die Fremde, ins Elend, gefahren sind. Das »elende« Dorf ist inzwischen zu einer begehrten Sommerfrische geworden. Um Zerbst herum finden sich *Güterglück* und *Hundeluft.* In den Wirtschaften von *Biere* bei Magdeburg wird man sicher auch genügend Biere zu trinken bekommen. Die Iden des März sind durch Cäsar berühmt geworden, das Dörfchen *Iden* bei Osterburg wird vermutlich keine Beziehung zu dem römischen Feldherrn und Staatsmann vorweisen können. *Vogelsang* im Walde freut auch den *Wildschütz,* beides Orte im Kreis Torgau. *Priester* ist ein geistlicher Beruf, aber auch eine Gemeinde nördlich von Leipzig. Wer sich in Bad Liebenwerda zur Kur aufhält, sollte die Gelegenheit wahrnehmen, seinem Schätzchen aus dem benachbarten Dorf *Oschätzchen* eine Ansichtskarte zu schicken; mit dem Poststempel könnte er gleich die Anrede verbinden.

Wolken ziehen drüber hin

Der Hauch der Romantik und die Sehnsucht nach friedlicher Stille sind der Zauber, der uns bei dem Gedanken an *Burgen* und *Schlösser* umgibt, ein Reiz, dem sich nur wenige verschließen können. Dabei waren jene Zeiten, in denen die Burgen erbaut wurden, alles andere als romantisch, friedlich und still. Nicht immer dienten die oft auf spitzen Bergkegeln errichteten Ritternester nur dem Schutz vor plötzlichen Slawen- oder Ungarneinfällen; oft, besonders im Spätmittelalter, waren ihre Herren selbst räuberische Kleinfürsten geworden, vor denen Handelsleute und Bauern zitterten.
Burgen gibt es im ganzen Lande. An der Saale, Unstrut und Elbe, auf den Ausläufern des Harzes und in der Altmark stehen sie auf steilen Klippen über den Flußtälern, auf einzelnen Kuppen oder auch mitten in der Stadt. Viele von ihnen gehen auf den »Burgenbauer« Heinrich zurück, der einen Waffenstillstand mit den Ungarn zur Befestigung

DIE SAALEBURGEN · »An der Saale hellem Strande stehen Burgen stolz und kühn ...« dichtete Franz Kugler. Seitdem ist dieses Lied im ganzen deutschen Volk bekannt und beliebt geworden. Von den Ausläufern des Thüringer Waldes bis zu ihrer Mündung südlich von Magdeburg reihen sich an den Ufern der Saale die Burgen wie die Perlen einer Kette, einmal auf hohen Felsen über dem Tal, dann wieder in der Ebene oder von Städten und Dörfern eingesäumt. Die berühmtesten Bauten aus dem Mittelalter in diesem Gebiet sind wohl die beiden Burgruinen der Rudelsburg (links) und der Saaleck (rechts). Über dem Solbad Kösen, kurz vor der thüringischen Grenze, stehen die beiden Burgreste aus dem 12. Jahrhundert. Im 14. Jahrhundert wurde die Rudelsburg als ein Schlupfwinkel übler Raubritter niedergebrannt und unbewohnbar gemacht. Heute sind beide Ruinen gern besuchte Orte an stillen Wanderwegen im Saaletal und auf den Höhen.

des Landes ausnutzte. Die meisten von ihnen sind also heute schon über tausend Jahre alt.

Wo die Saale das thüringische Land verläßt, errichteten die Markgrafen von Meißen im 12. Jahrhundert die *Rudelsburg*. Als Sperrfeste thront sie auf einem jähen Muschelkalkfelsen, 85 Meter hoch über dem Tal, über der »Thüringer Pforte«. Im Schatten ihrer Mauern dichtete hier Franz Kugler im Jahre 1822 das Lied von den stolzen und kühnen Burgen. Man kann die Rudelsburg nicht nennen, ohne gleichzeitig Burg *Saaleck* zu erwähnen, die nur wenige hundert Meter unterhalb die Landschaft beherrscht. Wie zwei Finger ragen die beiden Türme der Anlage, die einmal den Bischöfen von Naumburg-Zeitz gehörte, über Wald und Buschwerk rings um die Höhe hinaus.

Der Sprung in die Saale

Zwischen Saale und Unstrut gilt *Querfurt* als eine der wehrhaftesten Burgen, bereits unter Heinrich I. als Reichsburg bekannt. Nördlich davon schiebt sich ein Rücken in den Süßen See bei Eisleben vor, der jene bereits 860 urkundlich erwähnte *Seeburg* trägt. Im 16. Jahrhundert wurde sie in ein Schloß umgebaut. Bei Halle liegt auf dem östlichen Saaleufer Burg *Giebichenstein*, die lange Zeit Kaisern und geistlichen Fürsten als Wohnsitz diente. In ihren Verließen wurden Staatsgefangene festgehalten. Bekannt ist der kühne Sprung des thüringischen Landgrafen Ludwig in die Saale, mit dem er sich aus der Gefangenschaft befreite und den Beinamen »der Springer« verdiente. Heute sind auf Giebichenstein die Kunstgewerbestätten der Stadt Halle untergebracht.

Eine wohl schon in der Frühzeit vorhandene Fluchtburg wurde ebenfalls unter Heinrich I. in *Quedlinburg* erweitert. Mehrfach hat sie ihr Gesicht geändert, bis sie im 16. Jahrhundert als Renaissancebau ihre endgültige Gestalt erhielt. Sehr alt ist auch die Burg *Soltwedel* (Salzwedel), die 780 errichtet wurde. Sie sollte den nördlichen Raum der Altmark gegen die Wenden schützen. Mit der Verlegung der Reichsgrenze nach Osten schwindet ihre Bedeutung. Sie wird schließlich zu einer Residenz der Markgrafen umgestaltet, verfällt jedoch später und zeigt heute nur noch ihre Umrisse, die von einem Park

bedeckt werden. Die Ruine in *Kalbe*, Reste der im Dreißigjährigen Krieg zerstörten Burg, zeigt noch die Größe der bereits im 9. Jahrhundert erwähnten Bauten, die vor allem der Bevölkerung in Notzeiten Schutz bieten sollten. Im Selketal liegt Falkenstein, die einzige in alter Form erhaltene Ritterburg des Harzes, wo Eike von Repkow seinen »Sachsenspiegel« ins Niedersächsische umschrieb.
Es würde ins Endlose führen, wollte man auch nur die bedeutenden Burgen des Landes aufzählen. Jeder Herrscher, jeder geistliche Fürst baute sich an wichtigen Punkten seines Ländchens seine Burg. Sie wurde oft Anlaß zu Ansiedlungen und Städten, so die Burgen im Elbegebiet Werben, Osterburg, Arneburg, Stendal, Tangermünde, im Osten des Landes die Wasserburg Rosslau an der Muldemündung, die Burg Pouch, Eilenburg und Hartenfels bei Torgau.

Eine Viertelstunde genügte

Groß wie die Zahl der Burgen ist auch die Menge der Schlösser im Lande. Bischöfe und Fürsten haben sie errichten oder aus bereits vorhandenen Burgen ausbauen lassen. Wie ein noch ungeordnetes Puzzlespiel sieht das Gebiet von Sachsen-Anhalt auf den Karten im historischen Atlas während des ausgehenden Mittelalters und der beginnenden Neuzeit aus. Nur noch das Italien der Renaissance bildet ein »würdiges« Gegenstück solcher staatlichen Zersplitterung. Außerdem wechselten laufend die einzelnen Herrscherhäuser; Städte und ihre Umgebung wurden wie eine Ware verpfändet oder zwischen den Großen verschachert. Was heute noch Erzbistum Magdeburg war, wurde bald in Preußen »eingemeindet«, um dann, wie zur napoleonischen Zeit, Teil des Königreichs Westfalen zu werden. Im Raum zwischen Harz und Dessau konnte man jahrhundertelang nach jeder kurzen Reise mit der Postkutsche die Grenze eines anderen Staates überschreiten. Bezeichnend für die Situation ist das Geschehen am Hofe eines Kleinfürsten Mitteldeutschlands, bei dem ein französischer Emigrant in Ungnade gefallen war. »Mein Herr«, sagte ihm der Fürst, »ich gebe Ihnen vierundzwanzig Stunden Zeit, mein Land zu verlassen!« – »Hoheit sind zu gütig«, antwortete der Franzose, »wo doch eine Viertelstunde genügt hätte!«

MERSEBURG · Die Stadt und ihre Umgebung sind heute das unruhige Industrieherz Mitteldeutschlands. Nur das Schloß (Bild) und der Dom erinnern an die große Vergangenheit, als Merseburg bereits um die Mitte des 10. Jahrhunderts Bistum wurde und eine wichtige Aufgabe für den deutschen Osten erfüllte.

TANGERMÜNDE · Bis Ende des 15. Jahrhunderts war Tangermünde an der Elbe Residenz der Markgrafen von Brandenburg. Auch Kaiser Karl IV., König von Böhmen, hielt sich öfter hier auf. Zahlreiche charakteristische Backsteinbauten entstanden im ausgehenden Mittelalter.

Die oranische Erbschaft

Nun, die Fürsten wollten ihren großen Vorbildern in deutschen und fremden Landen nicht nachstehen. Sie planten daher ihre Schlösser, ob die Staatskasse voll oder leer oder gar schon mit Schulden belastet war. Mitte des 18. Jahrhunderts entstanden allein in und um Dessau fünf Schlösser: Mosigkau, Wörlitz, Georgium, Luisium und Groß-Kühnau. Die anhaltische Prinzessin Anna Wilhelmine wollte in *Schloß Mosigkau* nicht nur wohnen, sondern es auch als eine Art Museum für ihre umfangreiche Gemäldesammlung ausstatten. Der bei dem Alten Fritz unerwünschte Baumeister Knobelsdorff schuf 1753 bis 1757 einen repräsentativen Bau für die »oranische Erbschaft«, die Johann Georg II. durch seine Heirat mit der jüngsten Tochter Friedrichs von Oranien, Henriette Katharina, angetreten hatte. 250 Werke von Rubens, van Dyck, Rembrandt und anderen berühmten Künstlern gehör-

TORGAU · Das Renaissanceschloß Hartenfels war früher die Residenz der sächsischen Kurfürsten. Ein großes Wappen schmückt das Eingangstor. Dahinter ragt der charakteristische Turm auf. In der Marienkirche zu Torgau, einer der wenigen protestantischen Marienkirchen, ist Luthers Frau beigesetzt.

ten zur Hinterlassenschaft des Oraniers. In Schloß Mosigkau, dessen Gartensaal noch heute mit Bildern »tapeziert« ist, wurden dann viele vom »Alten Dessauer«, Fürst Leopold, der Lieblingstochter Anna Wilhelmine vermacht. Heute sind Schloß und Gemäldegalerie für Kunstfreunde aus vieler Herren Ländern zu einem Begriff geworden.

Schlicht und vornehm empfängt Schloß *Wörlitz* den Besucher. Von 1769 bis 1773 im Stil eines englischen Landhauses nach den Plänen von Friedrich Wilhelm von Erdmannsdorff erbaut, ist es ein Juwel von klassizistischer Reinheit. Goethe, der mehrfach in Wörlitz weilte, schrieb an Frau von Stein, er sei sehr gerührt, »daß die Götter dem Fürsten erlaubt haben, einen Traum um sich herum zu schaffen. Es ist wie ein Märchen.«

Drei Kunstzeitalter haben ihre Ausdrucksformen am *Merseburger Schloß* hinterlassen: Spätgotik, Renaissance und Barock. Bischof Thilo von Trotha ließ die ersten Gebäude, die ja seine Wohnung waren, an den Dom anhängen. So gehen beide Bauwerke ineinander über und verbinden sich trotz verschiedener Stile zu einer harmonischen Einheit. Nur bei näherem Betrachten der Portale, Erker, Fensterbögen und der mit verschiedenen Motiven geschmückten Giebel erkennt man die Arbeit von Meistern, die Jahrhunderte voneinander trennten. Ihre Namen haben sie uns nicht überliefert, nur die überall eingefügten Wappen ihrer bischöflichen Auftraggeber.

In gleicher Weise verschmolzen sind Stiftskirche und Burgschloß von *Quedlinburg.* Wie eine Festung thront dieser Komplex über der Stadt, alle Straßen und Gassen beherrschend. Frauen regierten hier; denn die Äbtissin des freien weltlichen Stiftes im Schlosse hatte als gefürsteter Reichsstand auf dem seit 1663 bestehenden Reichstag in Regensburg Sitz und Stimme. Quedlinburg, um diese Zeit fast zur Bedeutungslosigkeit herabgesunken, konnte den recht lebenslustigen Damen nicht viel bieten, selbst wenn man, nach den Worten einer Urkunde, 51 Mann Personal und – zwei Hofnarren hielt. 1813 wurde das ganze kostbare Inventar des Schlosses innerhalb von drei Tagen durch Jérôme, Napoleons Bruder und König von Westfalen, der für seinen Hofstaat riesige Summen benötigte, »versilbert«. Bis 1928 war das Schloß dann in staatlichem Besitz. Seitdem dient es der Stadt als Heimatmuseum.

Durch einen stillen Buchenwald, der winters wie sommers seine Reize hat, erreicht man *Schloß Blankenburg.* Man ist überrascht, wenn man auf der Höhe ins Freie tritt. Von der Terrasse bietet sich nicht nur ein wunderbarer Blick auf Stadt, Harzhöhen und die gegenüberliegende Teufelsmauer, sondern die verwunderliche Überraschung, daß dieses Schloß, das man so fern der Stadt wähnte, doch ganz zu ihr gehört, die Häuser wie eine Krone überragend, nicht protzig und feudalistisch, vielmehr ruhig, beinahe anspruchslos, mehr wie das respektable Heim eines zu Reichtum gekommenen Bürgers. Und doch war das Schloß lange Zeit der Wohnsitz des Herzogs Ernst August zu Braunschweig und Lüneburg.

In den *Klöstern* des Landes saßen einst eifrige Mönche. Sie christianisierten nicht nur, sie rodeten, bestellten die Felder und schrieben Chroniken und Urkunden. Im Harz waren solche Stätten besonders häufig: Wernigerode, Gernrode, Osterwieck, Ilsenburg, Gröningen und Frose. Auch am Unterlauf von Saale und Unstrut hatten sich Mönche, zum Teil schon Anfang des 9. Jahrhunderts niedergelassen, so in Alsleben, auf dem Petersberg in Halle, in Nienburg, Memleben und Roßleben. In der Altmark werden bis zum 13. Jahrhundert Arendsee, Kreverse, die Prämonstratenserklöster Leitzkau und Jerichow gegründet. Zisterzienser siedeln sich in Neuendorf bei Gardelegen an. Das in seinen kulturellen Leistungen bis in die Gegenwart fruchtbarste Kloster ist die ehemalige Zisterzienserabtei *Pforta* bei Naumburg, die Landesschule *»Schulpforte«.* Im 16. Jahrhundert vom sächsischen Kurfürsten säkularisiert, wurde die Anstalt mit Grimma und Meißen die führende Schule im mitteldeutschen Raum.

Welch ein Kontrast! Welch ein Weg menschlicher Geisteskraft durch zehn Jahrhunderte! Wo heute eines der größten Stickstoffwerke des Kontinents das Land und den Menschen in seinem Bann hält, in Merseburg, erhob sich vor tausend Jahren, in der Morgendämmerung deutscher Literatur, das erste

Friedr. Gottl. Klopstock
* 2. 7. 1724, † 14. 3. 1803
Dichter

Leopold von Ranke
* 21. 12. 1795, † 23. 5. 1886
Historiker

Karl von Clausewitz
* 1. 6. 1780, † 16. 11. 1831
General, Militärschriftsteller

Novalis (Fr. v. Hardenberg)
* 2. 5. 1772, † 25. 3. 1801
Dichter

Leuchten um ein Denkmal der Sprachgeschichte. Jahrhundertelang war man in der Bibliothek des Domkapitels »an einem Codex vorübergegangen, der ... nur kirchliche Stücke zu gewähren schien, jetzt aber, nach seinem Inhalt gewürdigt, ein Kleinod bilden wird, welchem die berühmtesten Bibliotheken nichts an die Seite zu setzen haben«. Mit diesen Worten leitete der bekannte Sprachwissenschaftler und Märchensammler Jakob Grimm eine aufsehenerregende Vorlesung vor der Akademie der Wissenschaft über »zwei Gedichte aus der Zeit des deutschen Heidentums« ein. Die *Merseburger Zaubersprüche*, wie sie bald offiziell genannt wurden, dürften um das Jahr 950 niedergeschrieben worden sein.

EISLEBEN · Eng verbunden mit dem Namen Martin Luther ist die Stadt im Mansfeldischen. Hier erblickte der Reformator das Licht der Welt und hier schloß er auch für immer die Augen. Auf dem Marktplatz, umgeben von Kirche, Rathaus und alten Häusern, hat man ihm ein Denkmal errichtet.

Feldherren und Geistliche

Sachsen-Anhalt darf sich stolz preisen, viele bedeutende Männer der Geschichte und des Geistes hervorgebracht zu haben. *Heinrich I.*, den Reichsgründer, haben wir schon oft genannt, ebenso seinen Sohn *Otto I.* (* 912 in Wallhausen an der Helme, † 973). Aus Ballenstedt im Harz stammt der erste *Markgraf von Brandenburg* (* um 1100, † 1170 in Stendal). *Friedrich Wilhelm von Steuben* (* 1730 in Magdeburg, † 1794) wurde Generalstabschef Washingtons und Reorganisator der amerikanischen Truppen. *Otto von Bismarck* (* 1815 in Schönhausen/Altmark, † 1898) sollte zu einem der bedeutendsten Staatsmänner Europas im 19. Jahrhundert werden.

Martin Luther (* 1483, † 1546) wurde in Eisleben geboren. Seine Eltern hatte die Not aus Thüringen vertrieben. Wenn er selbst dann wieder zum Studium nach Thüringen zurückkehrt und dort viele Jahre seines Lebens und Wirkens verbringt, so wurde doch Wittenberg zum Schauplatz seiner revolutionierenden Tat. Sein großer Widersacher, *Thomas Münzer* (* um 1490, † 1525), aus Stolberg stammend, wird als Rädelsführer der aufständischen Bauern bei Mühlhausen hingerichtet. Ihren größten Liederdichter findet die evangelische Kirche in dem in Gräfenhainichen bei Bitterfeld geborenen *Paul Gerhardt* (* 1607, † 1676).

Die »Magdeburger Halbkugeln«, mit denen man heute noch in den Physiksälen experimentiert, wurden von *Otto von Guericke* (* 1602, † 1686 in Hamburg) konstruiert. Die Untersuchungen des Bürgermeisters von Magdeburg über Luftdruck und spezifische Gewichte machten ihn zu einem der Wegbereiter eines neuen Weltbildes der Naturwissenschaften. *Johann Joachim Winckelmann* (* 1717, † 1768), der Begründer der Altertumswissenschaft, ist ein Stendaler Kind. Alter Hallenser ist der Philosoph der Aufklärung, *August Hermann Niemeyer* (* 1754, † 1828). *Friedrich Nietzsche* (* 1844 in Röcken, † 1900 in Weimar) wird einer der meist diskutierten Philosophen der Neuzeit, oft und heftig angegriffen und gleichzeitig mit seiner Lehre mißbraucht. In seinem wohl bekanntesten Werk

Friedrich Koenig
* 17. 4. 1774, † 17. 1. 1833
Erf. d. Schnellpresse

Otto von Guericke
* 20. 11. 1602, † 11. 5. 1686
Physiker

Georg Friedrich Händel
* 23. 2. 1685, † 17. 1. 1759
Komponist

Friedrich Nietzsche
* 15. 10. 1844, † 25. 8. 1900
Philosoph

»Also sprach Zarathustra« legte er seine Gedanken vom Übermenschen und der Ewigen Wiederkehr fest. Gesetzmäßigkeiten in Geschichte und Kultur sucht *Oswald Spengler* (* 1880 in Blankenburg, † 1936) zu finden.

Friedrich Gottlieb Klopstock (* 1724 in Quedlinburg, † 1803 in Hamburg) hat als Dichter des »Messias« und zahlreicher Oden die Gemüter seiner Zeit nachhaltig beeindruckt. Schon im Internat von Schulpforta hatte er den Plan gefaßt, dichterisch mit Homer und Milton zu wetteifern. *Friedrich von Hardenberg,* weit berühmt unter seinem Dichternamen *Novalis* (* 1772 in Oberwiederstedt, † 1801 in Weißenfels), hat in der Zeit seines kurzen Lebens mit dem Roman »Heinrich von Ofterdingen« und den »Hymnen an die Nacht« zwei großartige Werke der deutschen Literatur geschaffen. *Karl Immermann* (* 1796 in Magdeburg, † 1840) entfaltete hauptsächlich in Düsseldorf sein reiches dichterisches Werk, wo er bis zu seinem Lebensende wirkte. Der Dichter *Gottfried August Bürger* (* 1747 in Molmerswende, † 1794 in Göttingen) und der Komponist *Karl Loewe* (* 1796 in Löbejün, † 1869 in Kiel) sind beide Meister der deutschen Ballade. Die Lieder »Am Brunnen vor dem Tore«, »Im Krug zum grünen Kranze« oder »Das Wandern ist des Müllers Lust« kennt noch heute jeder. Ihren Dichter jedoch nur wenige. Es ist der Dessauer *Wilhelm Müller* (* 1797, † 1830).

Das Jahr 1685 schenkte dem Land einen überragenden Musiker, *Georg Friedrich Händel* († 1759) aus Halle. Oratorien, besonders der »Messias«, und eine Reihe von Opern haben sein Werk unsterblich gemacht. Franz Liszt nannte den Hallenser Liederkomponisten *Robert Franz* (* 1815, † 1892) »einen Fixstern der deutschen Lyrik«.

Die Fülle großer Persönlichkeiten zwingt zum Maßhalten. Namen müssen genügen, um die Erinnerung an ihre unvergänglichen Leistungen wachzurufen: Leopold von Ranke (* 1795 in Wiehe, † 1886 in Berlin), einer der universellsten Historiker, und sein Kollege Karl Lamprecht (* 1856 in Jessen, † 1915 in Leipzig), Samuel Schwabe (* 1789 in Dessau, † 1875), Entdecker der Periodizität der Sonnenflecken, Friedrich Koenig (*1774, †1833) aus Eisleben erfindet die Schnellpresse, Fritz Hofmann (* 1866 in Kölleda) den künstlichen Kautschuk, Wilhelm Weber (* 1804 in Wittenberg, † 1891), der mit Gauß zusammen neue Wege der Physik, so den elektromagnetischen Telegraphen, fand, Karl von Clausewitz (* 1780 in Burg, † 1831 in Breslau), der Militärschriftsteller, der Kolonialpionier Gustav Nachtigal (* 1834 in Eichstedt, † 1885) und Hermann Schultze-Delitzsch (*1808 in Delitzsch, † 1883 in Potsdam), Initiator des Deutschen Genossenschaftswesens.

Drehscheibe der Industrie

Fast 70 Prozent der Gesamtfläche des Landes sind landwirtschaftlich genutzt. Getreide, Kartoffeln, Zuckerrüben und Gemüse sind Hauptanbau auf den sehr ertragreichen Böden. Im 19. Jahrhundert konnten sich die bereits vorhandenen Kleinbetriebe sprunghaft erweitern, und zahlreiche neue Unternehmen siedelten sich an.

Begünstigt wurde die industrielle Entwicklung durch die Erschließung großer Braunkohlelager in der Magdeburger Börde, im Geiseltal bei Merseburg und um Bitterfeld. Schon vor Jahrhunderten hatte man in Halle Salz gewonnen. In der Neuzeit kam im Gebiet der Elbe, Saale, Unstrut und Bode der Abbau weiterer Stein- und Kalisalze hinzu. Von unschätzbarem Wert war die Entdeckung der Kalisalze als Düngemittel. Zentrum der damit gewachsenen Industrie ist seit Jahrzehnten Staßfurt. Noch immer ist der Bergbau im Harz, wo Eisenerz und Schwefelkies zutage gefördert werden, von Bedeutung, aber das Kupfer im Mansfeldischen tritt mehr und mehr in den Vordergrund. Alles aber überragen die chemischen Werke, die um Leuna einen Wald von Türmen, Schornsteinen und Fabrikanlagen errichtet haben. Von Halle zieht sich im Gefolge dieser Großindustrie saaleaufwärts eine Flutlichtstraße voll dynamischen Lebens der Arbeit: kochende, feuersprühende Öfen und Kamine, Werkshallen, aufblitzend von blauweißen Lichtstößen, hell erleuchtete Verwaltungsbauten, ratternde, voll beladene Güterzüge, elektrische Bahnen und Busse, die täglich ein Heer von Arbeitern befördern, behäbige Lastkähne auf Saale und Elbe und in der Höhe, jenseits der rauchigen Luft, Maschinen aus den großen Städten der Welt, die den Flughafen Halle-Leipzig in Schkeuditz bereits vor den Toren der Messestadt anfliegen.

Humor in Sachsen-Anhalt

Der Störenfried

Leopold von Ranke gönnte sich eine einzige Erholung: mit seinem Bruder, der Gymnasialdirektor war, an Sonntagnachmittagen griechische oder lateinische Klassiker zu lesen, statt die Zeit mit Unterhaltung zu vertun. Liebte er sonst schon möglichst wenig Besuch, so war er um diese Stunden mit seinem Bruder besonders ungehalten, wenn man ihn aufsuchte. Als ihm trotzdem mal ein junger Kollege seine Aufwartung machte und den großen Historiker fragte, ob er ihn denn auch nicht störe, knurrte Ranke: »Man stört mich immer. Aber nehmen Sie ruhig Platz!«

Das Kreiskrankenhaus

Am Bahnhof in Delitzsch erkundigt sich ein Fremder bei einem Gepäckträger: »Können Sie mir sagen, wo hier das Kreiskrankenhaus ist?« – »Kreiskrankenhaus?« überlegte der Mann, »nee, hammir nich. Unser Krankenhaus ist eckch. Awwer vielleicht meense den Gasometer?«

Wie soll das Kind heißen?

Auf dem Standesamt in Schkeuditz fragt der Beamte einen jungen stolzen Vater, der die Geburt eines Stammhalters anzeigt: »Nu, und wie soller denn heeßen?«
»Mer ham e gudn deutschn Namn, Dankward!« sagt der Vater.
»Nee — Dankward, is doch geen Name nich, Dankward is eene Berufsbezeichnung.«

Die Großmacht

Als Fürst Bismarck einmal in das Schönhauser Herrenhaus, seine Geburtsstätte kam, veranstaltete man zu seinen Ehren ein Fest. Die Prominenz des Ortes, aber auch alle Arbeiter des Gutes hatten sich eingefunden, um den hohen Gast und mit ihm zu feiern. Beim ersten Tanz forderte ihn traditionsgemäß die Großmagd des Herrenhauses auf. Sie war eine stämmige Person, die den »Eisernen Kanzler« mit hartem Griff im Kreise drehte. Als Bismarck schwitzend an seinen Tisch zurückkam, sagte er nach Luft ringend: »Donnerwetter, so hat mich noch keine Großmacht bewegt, wie diese Großmagd.«

Das Bienenorakel

Bei einem seiner Aufenthalte in Wörlitz unternahm Goethe mit dem Fürsten Leopold Friedrich Franz und dessen Gemahlin einen Spaziergang durch den Park. Goethe zeichnete, der Fürst las ein Buch und die Fürstin war mit einer Handarbeit beschäftigt. Ein müßiger Kavalier, der Goethe dauernd wie ein Wundertier begaffte und mit albernen Reden belästigte, begleitete sie. Schließlich wurde dies dem Dichter zuviel, und er rief: »Sehen Sie dorthin — ein Bienenschwarm. Man sagt, daß jeder, an dem ein Bienenschwarm vorbeifliegt, noch sehr lange das tun wird, was er in diesem Augenblick treibt.« Zur Fürstin gewandt, sprach Goethe weiter: »Die Fürstin wird noch viele schöne Sachen sticken, der Fürst zahllose gute Bücher lesen, ich selbst werde noch manche Zeichnung anfertigen . . .« Er unterbrach sich kurz und blickte den Kavalier an: ». . . und Sie, mein Kammerherr, werden auch weiterhin dem lieben Gott die Zeit stehlen!«

Er weiß, was schmeckt

Es ist Mai. Onkel Theo aus Mühlberg glaubt, seine Frühjahrsmüdigkeit mit einem Kuraufenthalt und kräftigen Moorbädern in Bad Liebenwerda vertreiben zu können. Am zweiten Tag seines Aufenthalts gibt es im Hotel Spargel, einen ganzen Berg voll Spargel. Onkel Theo, zum erstenmal eine solche Fülle des köstlichen Gemüses vor sich, zieht die Platte heran, schneidet mit kühnem Schwung alle Spargelköpfe ab und bugsiert sie mit dem Löffel auf seinen Teller. Der entsetzte Ober saust heran und flüstert mit einem Seitenblick auf die anderen Pensionsgäste: »Aber, mein Herr, Sie können doch nicht alle Köpfe an sich nehmen!«
Treuherzig antwortet Onkel Theo: »Nu, warum denn nich? Das dürftn Se doch ooch wissn, daß die Köppe 's Beste sin'.«

Angst vor der Therapie

Ein alter Zerbster Bierbrauer mußte sich eines Tages mit hohem Fieber ins Bett legen. Der Arzt, den er ins Haus kommen ließ, untersuchte ihn gründlich. »Na, mein Lieber«, sagte er und schrieb ein Rezept aus, »das ist nicht so schlimm. Das Fieber werden wir mit dieser Medizin bald weghaben.«
»Ooch, Herr Doktor, das ist recht«. meinte der Kranke, »nur fürcht' ich, daß auch der schöne Durst mit weggeht!«

Kultur zum Weinen

In Jesewitz bei Eilenburg hatte die »Wandernde Volksbühne« im Gasthaus zum Roß das Trauerspiel »Genovevas Leid und Glück« angekündigt. Die Vorstellung war ausverkauft. Kurz vor Beginn erschien jedoch der Direktor vor dem Vorhang und teilte den Besuchern mit: »Verehrtes Bublikum, vonwächn Erkrankung unsrer Haubtdarstellerin, wo die Genoveva schbielt, missmr den ganzen Schlamassel ausfalln lassn, 's hilft alles nischt!«
Heftiges Volksgemurmel und laute Proteste.
Der Direktor aber winkte ab und sagte: »Nu, mr sin bewächlich mit unserm Brogramm. Mr schbieln Romecho und Schulicha, wo ich den Romecho schbiele un meine Frau die Schulicha von dem Härrn Schäkeschbiere. Ihr wärds sähn, do gomm eich färmlich die Drän geborzelt vor lauder Riehrung, daß es sowas Scheenes an Kuldur iwerhaubt gähm dut uff der Wäld!«

Maschinenarbeit

Kronprinz Wilhelm beehrte die neue Klinik in Halle mit seinem Besuch, als dort eine Kapelle eingeweiht wurde. Unter den spalierbildenden Studenten erblickte er einen Studiker, dem in der Mensur das ganze Gesicht schwer zerhauen und geflickt worden war. Der Kronprinz wandte sich an den Direktor der Klinik, Geheimrat Volkmann: »Dieser Kopf hat Ihnen wohl viel Flickarbeit gemacht?«
»Ach«, antwortete der Chirurg, »solche Sachen werden bei uns nur noch mit der Maschine genäht!«

Rudolf Hagelstange *Das grüne Herz*

Das Land Thüringen zählt einmal räumlich zu den kleineren Ländern oder Provinzen des einstigen Deutschen Reiches, und zum andern kann es auch auf dem Feld der Historie nicht als eine markante Größe gelten, zumindest nicht in jenem uns noch heute geläufigen Verstand. Von den Organismen und Strukturen der größeren Nachbarländer geschützt, hat es seine eigene Art in der Stille entwickelt, ohne es dabei zu einer besonders auffälligen »Eigenart« zu bringen. Ein Schwabe, ein Friese, ein Bayer – das spricht offenbar fest umrissene Typen und Charaktere an. Ein Thüringer dagegen wird zunächst einmal gern mit den Sachsen in einen Topf geworfen, wohl weil die leicht singende thüringische Mundart dem Sächsischen nahekommt. Auf jeden Fall gilt er bei Nord- oder Süddeutschen gern als typischer »Mitteldeutscher«, ein mittleres, also unauffälliges Temperament.

Damit ist das Wort von der Mitte, vom Mann der Mitte, vom Mittelsmann gefallen, und wir wollen nicht zögern, es in vollem Umfang anzunehmen. Ein Blick auf die Karte bestätigt eine zentrale geographische Lage. Eine kurze Rückerinnerung – wir rufen uns die Namen Ekkehart, Luther, Bach und die Plätze Eisenach, Wartburg, Weimar ins Gedächtnis – machen uns bestimmte geistesgeschichtliche Schwerpunkte bewußt. Man mag den vor dem zweiten Weltkrieg gebräuchlichen Werbeslogan »Thüringen – das grüne Herz Deutschlands« mit Fug und Recht belächeln – er birgt in einer aufgebauschten Hülle ein Korn Wahrheit. Über das Grüne – die Landschaft des Thüringer Waldes – hinaus hat dieses Stück Erde Herz-Charakter, Innerliches, Besinnliches, geradezu Intimes; also Herzliches. Einige der schönsten und zu Herzen gehenden Gedichte deutscher Sprache sind in dieser thüringischen Landschaft entstanden.

Dieses Wohnen in der Mitte, diese Rolle des kleineren Stammes neben größeren, hat auch das Wesen des Thüringers gebildet. Er war nie den verhärteten Gegensätzen ausgesetzt, die Randvölkerschaften und Grenzstämmen oft ein so scharfes, unbedingtes Profil verleiht. Von der Mitte aus ist der Weg nach Süden gleich lang wie der nach Norden, und Trier und Königsberg scheinen von Erfurt oder Weimar aus gleich weit entfernt zu liegen. Und wie die Mitte Brücken schlägt, ausgleicht, die Extreme verbindet, so ist auch der Thüringer oft genug ein Mann der Mitte, ein Mittelsmann – im doppelten Sinne des Wortes: Er vermittelt zwischen Gegensätzen, und er legt sich ins Mittel. Er sucht also nicht nur den Ausgleich, den billigen Kompromiß – er will die Sache auch zu dem ihr dienlichen Ende bringen. Ratio und Gemüt, kluges Abwägen und herzwarmer Instinkt scheinen bei ihm gut ausbalanciert. Verträglichkeit zeichnet ihn aus.

Kein Zweifel: mit solcher Wesensart entspricht der Mensch der Landschaft, die er besiedelt. Sie kommt ihm gefällig entgegen, ohne steile Gebirgsschroffen, ohne reißende Ströme; sie ist offen und doch reich an Hügeln und Tälern; die Waldungen lassen immer wieder Äcker und Wiesen zu, und wenn auch ein beherrschender Strom fehlt – es gibt dafür um so mehr der Flüsse und Flüßchen, der Wald- und Gebirgsbäche mit den schmackhaften Forellen, der lauteren und frischen Quellen. Die Saale gilt zwar als Strom und wird in den Kommersliedern der alten Jenenser Studenten wegen ihrer Burgen viel besungen; aber ihr lieblicher heller Oberlauf unterscheidet sich nur wenig von den die Saale speisenden Nebenflüssen oder der Werra. Nicht ein heroisches, sondern ein poetisches Element ist diesen Gewässern eigen.

Dieses Selbstgenießerische, Versponnene eignet nicht nur den Flüssen und Bächen, auch die Schlösser und Burgen, die anderswo die Landschaft zu beherrschen suchen, scheinen hier bescheidener, »demokratischer« aufzutreten. Selbst die Wartburg, als die geschichtsträchtigste der Thüringer Burgen, gründet ihren Ruhm ja viel weniger auf herrschergewaltige Fürsten als auf gute Landesmütter und -väter wie die wohltätige Elisabeth oder den gastfreundlichen Friedrich den Weisen, der dem »Junker Jörg« Asyl gewährte. Ihr kriegerischer Ruhm erschöpft sich mit dem Sängerkrieg, mit dem Glaubensstreit Luthers und dem Freiheitsringen der in der Deutschen Burschenschaft zusammengeschlossenen nord- und mitteldeutschen Studenten. Nicht die Namen von Herrscherhäusern ruft die Wartburg in uns wach, sondern die Namen Bachs, Goethes oder Moritz von Schwinds. Und was wüßte man vom Ruhm der Weimarer Herzöge Besseres zu sagen als daß einer von ihnen, Karl August, Goethe, Wieland, Herder und Schiller an seinen Hof zu ziehen wußte und daß eine kleine Stadt im Herzen eines kleinen Landes als Brennpunkt deutschen Geistes in alle Welt ausstrahlte. So ohnmächtig die thüringischen Fürstentümer auch politisch waren, der Kunst waren sie Förderer und überall wohlgesonnen. Und der nachfolgende Bürger läßt sich in diesem Punkte auch nicht beschämen.

Daß es so gut wie keine Großstädte in Thüringen

STENDAL · Die regsame, größte Stadt der Altmark steckt voller alter Schönheit. Das Rathaus, das einstige Gildehaus der Gewandschneider, mit der Gerichtslaube und dem Roland davor sind Zeugen einer früheren Macht. Die stolzen Giebel der Bürgerhäuser aber überragt die doppeltürmige Marienkirche. Ein prachtvoller Lettner und eine reich geschnitzte Kanzel machen sie sehenswert. Auch der Dom, den man im 15. Jahrhundert an Stelle einer romanischen Kapelle erbaute, bewahrte schöne Schnitzwerke. Stendal, Geburtsort des Archäologen Winckelmann, ist Sitz der nach ihm benannten Gesellschaft.

WERNIGERODE · Im Rathaus, dem früheren Tanzhaus, steckt noch ein verhaltenes Schmunzeln der Zeit, als die lustigen Türmchen viel tanzfreudiges Volk sahen. Die HARZKUPPEN beherrschen das Bild der Landschaft.

BEI SAALDORF · Die mitteldeutsche Industrie benötigt viel Energie. Die aus den Gebirgen kommenden Flüsse haben daher ihre Kraft zu opfern, um der menschlichen Arbeit dienlich zu sein. Talsperren und Staustufen verwandeln das Bild der Landschaft, ohne jedoch deren Reize zu nehmen. QUEDLINBURG · Im nördlichen Harzvorland liegt die über tausend Jahre alte Stadt, in der bereits Heinrich I. eine Burg besaß. In ihren Straßen begegnet man auf Schritt und Tritt lebendigen Zeugen mittelalterlicher Baukunst. Die Abbildung zeigt das sogenannte Grünhagen-Haus, einen spätbarocken Patrizierbau am Markt.

gibt, darf nach alldem nicht verwundern. Diesem Lande der Selbstbescheidung und der Mitte sind Mittelstädte und kleine Städte angemessen. Und selbst dort, wo politische Regie großstädtische Allüren zu propagieren suchte, blieb im Grunde alles beim alten. Man entbehrte das Renommee und erhielt sich seine Eigenart. Großstädte gibt es ja viele in deutschen Landen, aber Eisenach, Weimar, Gotha, Arnstadt, Rudolstadt, Jena gibt es nur einmal. Und der Sinn des Thüringers für das Beschauliche und Intime macht sich augenscheinlich auch im Bereich von Handwerk und Industrie bemerkbar. Große Maschinen macht man anderswo, aber der Thüringer ist stolz auf die optischen Künste der Zeiss-Werke, und er liebt seine Glasbläser und seine Spielzeugschnitzer. Viel Heimarbeit wird dort geleistet von alters her – vor allem in den entlegenen Dörfern des Thüringer Waldes, die winters tief einschneien können und dennoch nicht von der Welt abgeschnitten sind; denn in allen Jahreszeiten hat die thüringische Mittelgebirgslandschaft ihre Reize, findet sie ihre Freunde.
Ihr gutes Klima ist nicht zuletzt Ursache für solche Freundschaft, in die sich alt und jung teilen. Der Schnee, der im Winter die Höhen und Täler bedeckt und sich an den Osthängen oft lange hält, macht den Thüringer Wald und den Harz, der zu einem Teil zu Thüringen gehört, zu idealen Wintersportplätzen. Nicht nur die Mitteldeutschen, auch die Norddeutschen, bis nach Berlin und Hamburg hinauf, hatten – als alle Deutschen noch freizügig reisen konnten – hier ihr Wintersportparadies, in dem jeder auf seine Kosten kommen kann, der maßvolle Schiwanderer wie der Bobfahrer, der Abfahrtsläufer wie der Schanzenspringer. Die Thüringer selbst haben sich ja gerade in der letztgenannten Sportart, im Spezialsprunglauf, in den letzten Jahren Weltruhm erworben: 1956 holte sich in Cortina der Thüringer Glass eine bronzene Medaille, und 1960 gar – bei den Olympischen Winterspielen im kalifornischen Squaw Valley – gewann der Thüringer Helmut Recknagel mit den weitesten und sichersten Sprüngen (und damit als erster Deutscher überhaupt in dieser Disziplin) eine Goldmedaille, damit die Springer Skandinaviens, der Sowjetunion und Österreichs hinter sich lassend.
Der Frühling kommt, wie überall, zuerst ins Flachland. Dann steigen die Flüsse und Flüßchen und rauschen geschwollen einher, als sei das ihre normale Art. Von den Höhen des Harzes und des Thüringer Waldes stürzen die Tauwasser, treten nicht selten dann im späten Februar oder im März über ihre Ufer, richten auch hier und dort einmal Schaden an – aber innerhalb weniger Tage halten sie wieder ihr thüringisches Maß, tränken die Täler und Auen (eine der fruchtbarsten trägt den prunkvollen Namen die »Goldene Aue«) und bringen die Welt zum Blühen. Und wenn der letzte Schnee auf den Bergen zerronnen ist, werfen die eigensinnigen Buchen das welke Laub ab und schmücken sich neu mit lichtem, fast durchsichtigem Grün. Die Birken prangen in neuem Flor; die Tannen setzen ihre jungen Sprossen an. Liliputwälder von Tausenden von Anemonen blühen am Boden des großen Waldes auf – die Wanderzeit beginnt und feiert Pfingsten vielleicht ihren leuchtenden Triumph. Die Welt scheint nicht nur verjüngt, sie scheint neu geboren.
Wenn dann der Sommer kommt, so mag er mäßig oder unmäßig sein – unter dem Laubdach der endlosen Wälder findet man Schatten gegen die heiße Sonne und gröbsten Schutz gegen Unwetter und Nässe. Auf federndem, laub- und nadelbedecktem Waldboden geht der Fuß wie auf einem Teppich, und die Lunge atmet die würzigste und reinste Luft, die die Erdkugel umgibt. Heimelige Wirtshäuser und schmucke Gaststätten warten der müden Einkehrer und halten auf großen Blechen den Kuchen bereit. Und nicht selten empfangen köstlich duftende Rauchschwaden den Wanderer am Weg: der Mann mit der berühmten Thüringer Rostbratwurst wartet auf die Verzehrer dieser wohlschmekkenden – und man ist gebeten, das durchaus wörtlich zu nehmen – Wegzehr. Im Harz und im Thüringer Wald zu wandern, das ist weiß Gott nicht nur des Müllers Lust. Und wenn sich im September dann das Laub zu verfärben beginnt – und in diesen Mittelgebirgen mischt sich Laub- und Nadelwald ja beinahe paritätisch – dann kann sich das Auge, das sich inzwischen am Grün satt gesehen hat, am Spiel der Farben berauschen. Dann flammen die Wälder auf und verbrennen in buntesten Tönungen. Die Melancholie baumloser Ebenen, die Monotonie des Hinsterbens der Natur kann in dieser wechselvollen, belebten, sich ständig verändernden Landschaft den Menschen eigentlich nie überwinden.
Vielleicht ist es dies: das Leben in einer schönen, weder eintönigen, noch heroischen Landschaft, das die Thüringer, ihr Wesen und ihren Charakter geprägt hat. Ein Leben des Maßes – in einem Land der Mitte.

HANNS CLEMENS LANG Thüringen

Eines der schönsten Lieder deutscher Zunge entstand in Thüringen, formte sich aus dem Erlebnis der thüringischen Landschaft heraus. An der Wand des kleinen Bretterhäuschens auf dem 860 m hohen Kickelhahn südlich von Ilmenau kann man seine wenigen Zeilen, wie sie Goethe am 2. September 1783 hinschrieb, noch heute lesen:

Über allen Gipfeln ist Ruh',
In allen Wipfeln spürest du
Kaum einen Hauch,
Die Vöglein schweigen im Walde,
Warte nur, balde
Ruhest du auch.

Kaum ein anderes Gedicht offenbart die Seele eines Landes in ähnlicher Weise. Wer sich einmal unter den Tannen, Fichten oder Rotbuchen Thüringens zur Rast niederließ, wird in sich Sprache und Melodie dieses grünen Herzens in Deutschlands Mitte vernommen haben. Und gerade von der Höhe jenes Berges ist ganz Thüringen von den Ausläufern des Erzgebirges bis über die Wartburg hinaus und zu den dunklen Rücken des Harzes im Norden zu überblicken.

Aus Geographiebüchern weiß man, daß Thüringen eine mitteldeutsche Landschaft mit über 15 000 Quadratkilometern Fläche und etwa zweieinhalb Millionen Einwohnern ist. Man lernt weiterhin aus diesen Büchern, daß der Thüringer Wald und das Thüringer Becken den Charakter der Landschaft bestimmen, daß schließlich das ganze Land keine geographische Einheit darstelle. Man spricht beim Thüringer Becken von zwei größeren Tiefebenen, der Goldenen Aue und dem Orlatal, von den Tälern und Einzugsgebieten der Flüsse Schwarza, Ilm, Wipper, Unstrut, Saale und Elster, und endlich von den kleineren Bergrücken inmitten dieses Beckens, Kyffhäuser, Finne, Hainleite und Gleichen. Mit dem Höhenzug des Thüringer Waldes nennt man gleichzeitig das sich daran nach Osten anschließende Schiefergebirge und den Frankenwald. Schließlich, um der Vollständigkeit willen, wird dieses Bild durch die Randgebiete im Süden, den Übergang ins fränkische Hügelland, die Rhön und das Werratal, und im Norden durch das Eichsfeld und die Ausläufer des Harzes abgerundet.

Millionen Jahre haben gebaut

Nichts aber paßt weniger zu Thüringen als die nüchternen Worte sachlicher Wissenschaft und unpersönlicher Statistiken. Thüringen muß man von der Landschaft, vom kleinen Wiesental, vom stillen Dorf, von Weimar oder einer anderen »kleinen Residenz«, von der Höhe seiner Waldberge und von der Weite seines Landes her erleben.

War der Thüringer Wald dereinst die große Völkerscheide im Herzen Europas, so ist er heute gleichsam das Rückgrat dieses Landes der Mitte. Fest mit ihm und durch ihn verbunden liegen die Landschaften zu beiden Seiten des Kammes, der in seiner Oberflächenform sehr mannigfaltig ist. Fast alle Millionenzeitalter dieser Erde haben an ihm gebaut, an ihm genagt, ihn niedergepreßt und wieder aufgerissen. Man braucht kein Geologe zu sein, um hier und im ganzen Thüringer Land das Buch der

SCHWARZBURG · Ein kleines Nest nur, wird der Unkundige sagen, wenn er erfährt, daß Schwarzburg noch nicht mal zweitausend Einwohner zählt. Wer aber einmal durch das Schwarzatal gewandert ist und sich plötzlich von dem Blick auf das Schloß und die sauberen Häuser überraschen ließ, wird den Ort nicht mehr vergessen.

Erdgeschichte verstehend zu durchblättern. Die ältesten Schichten des Urgebirges wurden abgetragen. In der Ebene draußen konnte sich der Abfall eines Meeres, Trias, Jura und Kreide, ablagern. Unter den Gleichbergen bei Hildburghausen und unter den Buckeln der Rhön liegt der Schiefer, die verschmorte Schlacke aus Vulkans glühender Esse. Buntsandstein im Norden, auslaufend in Löß und Schwarzerde der weiten thüringisch-sächsischen Bucht, und Muschelkalk im Süden, mündend in das fränkische Grabfeld und das Land am Obermain, erzählen von ihrem jungen, nur einige hundert Millionen Jahre alten Leben.

Eine Wanderung durch Thüringen gehört zu den großen und bleibenden Erlebnissen deutscher Landschaft, zum Schönsten, das Deutschland zu bieten vermag. Weltabgeschiedene, einfache Bleiben und weltnahe, luxuriöse Hotels wechseln ebenso wie breite Asphaltstraßen und verschlungene Wanderpfade. Auf den Höhen des Waldes mißt man eine mittlere Jahrestemperatur von 5 bis 6 Grad und bis zu 1400 mm Niederschläge, für die Ebene dagegen 9 Grad und 500 mm. An der Saale, Unstrut und in der Goldenen Aue wird es Anfang Mai bereits Frühling, während sich der Thüringer Wald dazu noch gut drei Wochen Zeit läßt.

Der Rennsteig – 170 Kilometer Waldmeer

Von Blankenstein, nördlich von Hof, bis Hörschel im Westen von Eisenach, von der Saale bis zur Werra verläuft der *Rennstieg* oder *Rennsteig*. Dieser schon 1330 als Jagdgrenze erwähnte Weg ist

THÜRINGER WALD AM INSELSBERG · Nur wenige deutsche Mittelgebirge dürfen sich rühmen, zu jeder Jahreszeit schön zu sein. Dazu gehört der Thüringer Wald. Selbst im strengen Winter ist eine Schifahrt über die Höhen mit dem weiten Blick — wie hier vom Inselsberg — ein gleich schönes Erlebnis wie eine Sommerwanderung.

OBERHASEL · Das Dörfchen in der Nähe von Rudolstadt weist keine historischen Bauten auf, es war auch nicht Residenz wie so viele Orte Thüringens. Was es aber vielen Plätzen voraus hat, ist seine herrliche Lage in einem Waldtal, fern allem Verkehr, wo man stundenlang auf einsamen Pfaden wandern und sich in einer reinen Luft erholen kann.

für Thüringen in ganz Deutschland zu einem Begriff geworden. Rund einhundertundsiebzig Kilometer Natur, wie sie reiner und köstlicher nicht sein könnte: ein Waldmeer aus Eichen, Buchen und Fichten, das den Wanderer mit seiner aromatischen Luft einhüllt. Enzian, purpurroter Fingerhut, Labkraut, Arnika und blaue Teufelskrallen streifen den Schuh. Moos und Wollgras verraten Hochmoore am Schneekopf. Wo sich der an Sagen reiche Wald zu einem Ausblick öffnet, wird das Auge von dem gelben Teppich der Trollblumen auf den Wiesen gefangen. Und dann im Winter: wenn in den Baumstämmen der Frost kracht und sich die Zweige der Tannen unter ihrer Schneelast bis zur Erde neigen. Wenn auf den einsamen Schiläufer, der seine Spur durch die weiße Wunderwelt zieht, von den Ästen feiner Pulverschnee rieselt und ihn die neugierigen Augen einiger Rehe verfolgen.

Das ist Thüringen und sein Wald – der Thüringer vermeidet es geflissentlich, von einem Gebirge zu sprechen. Und mit seiner höchsten Erhebung, dem 982 m hohen Beerberg, scheint der Höhenzug vor der Konsequenz der Tausendergrenze zurückzuschrecken. Eine Wochenwanderung von der Werra nach Osten: Im Strahlenglanz einer fast tausendjährigen Geschichte grüßt die Wartburg über der Stadt Luthers und Bachs. Im blauen Mittagsdunst verschwimmen die Basaltbuckel der Rhön und des oberhessischen Berglandes. Am *Großen Inselsberg*

SCHÄFER AUF DER RHÖN · Im Südwestteil Thüringens, dort wo sich die Grenzen dreier Länder treffen, hat das Land Anteil an der Rhön. Dieses ehemals vulkanische Gebirge hat einen eigenen, schwermütigen Charakter, im thüringischen Anteil vielleicht nicht so sehr wie auf bayerischem Boden. Die meist waldarmen Hochflächen, mit Mooren und Felstürmen bedeckt, sind wenig ertragreich, für einen Ackerbau nur selten geeignet. Das genügsame Schaf aber findet immer noch Nahrung genug. So gehören Hirte und Herde seit eh und je in das Bild dieser herben Landschaft.

mit seinem trutzigen Aussichtsturm, fünf Wanderstunden von Eisenach entfernt, muß man verschnaufen und den Rundblick über ganz Thüringen genießen: bis hinauf zu den fernen Bergen des Harzes, der dunklen und strengen Kulisse vor der anmutigen Weite der Tiefebene. Bald geht es wieder neuen Erlebnissen zu. Längst hat das Porphyrgestein zwischen den Reitsteinen und dem Schneekopf den Glimmerschiefer in der Umgebung des Gerbersteins abgelöst. Oberhof, vor einem halben Jahrhundert noch ein unbekannter Weiler, heute das Mekka aller großen und kleinen Freunde des weißen Sports, lädt zu kurzem Verweilen ein. Mit seinen Sprungschanzen, den Abfahrten aller Schwierigkeitsgrade, den Bob-, Schlitten- und Eisbahnen stellt es sich würdig in die Reihe der Wintersportplätze von internationaler Bedeutung. Aber auch Neuhaus am Rennsteig, wo das letzte Drittel dieses herrlichen Wanderweges beginnt, macht dem großen Winterkurort Konkurrenz. Zahlreiche seiner Söhne konnten sich selbst im Ausland unter den Ersten placieren, und seine Schikurse werden eifrig besucht.

Und schließlich der krönende Abschluß dieser Wanderwoche: das »Thüringer Meer«, die zu Beginn der dreißiger Jahre erbaute Saaletalsperre und die Hohenwarte-Talsperre jüngeren Datums. Gewiß, hier hat der Mensch die Landschaft umgeformt. Aber die Baumeister jener Sperren waren wirkliche Meister. Sie veredelten das Gesicht des Tales und schufen mit dem 28 km langen See, den die Sperrmauer bei Saalburg abschließt, ein neues Wunder auf dem Boden Thüringens. Kleine Seitenarme, große Buchten, Halbinseln, oft nur durch einen schmalen Landstrich mit dem Ufer verbunden, und tiefgrüne Wälder, deren Wurzeln bis an das lebenspendende Wasser reichen, sind heute das Ausflugsziel erholungsuchender Stadtbewohner geworden.

Für jeden alten Rennsteigfreund war es ehedem ungeschriebenes Gesetz, daß er zum Abschluß dieser Wochenwanderung seinen Stock in ein Wasser tauchte: in die flinken Wellen der Werra, wo sie im Westen das Thüringer Land verläßt, oder in die Saale und später in den ruhigen Spiegel des »Thüringer Meeres«. Je nachdem, wo er den Rennsteig verließ. Es war wie ein weihevoller Akt, bei dem man sich noch einmal den Segen der Natur erteilen ließ und Gott für dieses Erlebnis dankte.

Heimliche und anheimelnde Schönheit

Thüringens Landschaft hat nichts Überwältigendes und Zwingendes, keinen Strom, der hinaus auf die

SCHMALKALDEN · Die im Südwesten des Thüringer Waldes gelegene Stadt ist besonders durch die von Luther 1536 verfaßten Schmalkaldischen Artikel und den danach benannten Bund bekannt geworden. Das Renaissanceschloß stammt aus dem 16. Jahrhundert. Alte Festungswerke und Fachwerkhäuser erzählen von der Geschichte.

DIE LEUCHTENBURG · Auf halbem Wege zwischen Jena und Rudolstadt liegt wie eine Festung auf hohen Stützmauern das Städtchen Kahla mit einer fleißigen Kleinindustrie. In seiner Nähe erhebt sich auf einem schroffen Muschelkalkfelsen die tausendjährige Leuchtenburg, einst als eine Schutzbastion und als Ausgangspunkt für Unternehmungen gegen die Slawen und Ungarn errichtet, heute ein Wanderziel am Rande des romantischen Saaletales.

Meere der Welt führt, keine himmelragenden, hochalpinen Gipfel, keine Metropolen, auf deren Boulevards sich die internationale Prominenz ein Stelldichein gibt, und keine Flughäfen, von denen die Viermotorigen nach Rio oder Kalkutta starten. Thüringen ist ein Land der Mitte, ist Ausgleich zwischen Hast und Betriebsamkeit. Seine Bäche und Flüsse, Elster, Saale, Ilm und Unstrut fließen nach Norden, die Werra nach Westen, Itz und Rodach nach Süden. In der Mitte des Landes breiteten Erfurt als Blumenstadt und seine »großen Gärtner des Heiligen Römischen Reiches« ihren Blütenteppich aus. Fruchtbar sind die waldarmen Ufer der Gera und Unstrut. Hier stapft der Bauer hinter seinem Pflug durch die dampfenden Furchen. Baum- und Buschgruppen ziehen sich quer durch die wogenden Getreidefelder des ertragreichen Beckens. Weizen, Gerste und Zuckerrüben gedeihen in der Ebene. Hafer, Roggen und Kartoffel ducken sich im höher gelegenen Landesteil vor den nicht selten rauhen Winden, die über die Berge streichen, Für Saale und Unstrut gilt auch das Schwabenlied von den »Trauben im Unterland«. Der Wein aus thüringischen Reben ist würzig und herb. Man muß ihn nur einmal getrunken haben, langsam und bedächtig, dabei trockenes Brot kauend, und man weiß, warum er nicht wie seine Brüder von Mosel und Rhein in alle Welt verschickt wird: weil der Thüringer auf seinen Tropfen stolz ist und ihn selber trinkt, damit er nicht zu alt werde. Nur böse Zungen sprechen verächtlich von einer »sauren Brühe«. Im Thüringer Becken findet man nicht das Wuchtige und Mitreißende der Landschaft. So gehört auch das Unstruttal zu jenen Gebieten, die mancher Zeitgenosse gelangweilt durcheilt. Aber wer die Sprache der Natur zu deuten weiß, wird auch hier, auf der seit Jahrhunderten bestehenden Durchgangsstraße, manche heimliche und anheimelnde Schönheit zu finden wissen. Aus dem nicht ganz 500 m hohen Rücken des Kyffhäusers mit seinem gipshaltigen Zechstein haben die Wasser der Jahrmillionen tiefe Rillen und Höhlen gespült. In der Barbarossahöhle begegnet man zwar nicht dem »alten Kaiser Friederich«, aber vielen Säulen, Grotten und merkwürdigen Gesteinsfaltungen, einem Bilderbuch der Erdgeschichte.

Städte mit grüner Parkstola

Thüringens Landschaft – das sind die von den Höhen des Thüringer Waldes, des Frankenwaldes und des Harzes herabströmenden Gewässer, die in das Land tiefe Rinnen genagt haben. Am Rande dieser schluchtenartigen Täler von Saale, Unstrut und Werra türmen sich zerschundene Felsklötze und zackige Nadeln, auf denen Rittergeschlechter vor Jahrhunderten ihre »stolzen und kühnen Burgen« errichtet haben. Diesen Quellen, Rinnsalen, Bächen und Flüßchen, die erst jenseits der Thüringer Grenze zu Flüssen werden und die Sinnbilder für die ganze Vielfalt und Weite des Thüringer Beckens sind, hat Goethe ein stimmungsvolles Denkmal gesetzt:

Wo der Ilme Bach bescheiden
schlängelnd sich zu Tale gießt,
überdeckt von Busch und Weiden
halbversteckt sich selbst genießt . . .

Weiden und Erlen, Zierpflanzen und Blumengärten, Obstkulturen und Gemüsefelder, runde Hügelkuppen und lang hingestreckte Höhenrücken wie der massige Leib eines schlafenden Rindes, Haufendörfer und Rundlinge, im Schiefergebirge blaudunkelnd, draußen im Becken rotleuchtend, Städte mit einer grünen Parkstola umhängt, Höhlen und Grotten, wie jene berühmten bei Saalfeld, vermengen sich zu bunter Farbenlust auf der Palette Thüringens. Nicht allein Weimars verschlungene Pfade am Ilmufer, die Karl August und Goethe anlegen ließen, gehören zu einem romantischen, versonnenen Park. Sie sind nur ein Teil des großen Parkes Thüringen, dem selbst die Kunstbauten des Menschen, Verkehr, Technik und Industrieanlagen, nichts von seiner geruhsamen Urtümlichkeit nehmen konnten.

Gott mischt den Himmel täglich neu

Diese Landschaft, diese Worte – man könnte in den Verdacht der Schwärmerei und Übertreibung kom-

GERA · Bekannteste Stadt an der Weißen Elster ist die ehemalige Residenz der Fürsten Reuß, die auf dem im englischen Stil restaurierten Schloß Osterstein saßen, Gera. Die Altstadt, wie hier mit dem Blick auf den Rathausturm, ist, im Gegensatz zu den neuen Vierteln der Industrie, noch recht beschaulich.

men. Aber es soll ja nicht in Superlativen gesprochen werden, wie es sich der Sänger vom Rhein oder der Gipfelstürmer in den Wänden des Wettersteins erlauben könnte. Dieses Thüringen ist ein maßvolles, aber buntes, ein ausgewogenes, mehr das Herz als das Auge bewegendes Gartenland unter einem Himmel, den Gott täglich neu zu mischen scheint aus der Helle des munteren Frankenlandes im Süden und der bedächtigen Ruhe des endlosen Horizontes der Tiefebene, die man draußen im Norden zu ahnen vermag.

Südlichen Charakter trägt die Landschaft an der Werra und um Heldburg und Römhild, in jenem Zipfel, der zwischen den fränkischen Städtchen Königshofen und Rodach bis auf nicht ganz 40 km an Bamberg heranreicht. Bei Bad Salzungen gibt es, wie der Name schon sagt, reiche Salzlager. Mehr Bedeutung jedoch haben die westlich davon, nahe Vacha an der hessischen Grenze, liegenden Kalischätze. Ihr Abbau gibt vielen strebsamen Menschen Arbeit und Existenz. Bei Grimmenthal, im Südosten der alten Residenzstadt Meiningen, kreuzen sich in den vier Tälern seit eh und je die Handelswege zwischen Nord und Süd, West und Ost. Diese Handelswege wurden zu Straßen, und als man aus dem Südwesten Deutschlands eine Eisenbahnstrecke nach Berlin legte, wählte man diese von der Natur gegebene Möglichkeit, um hier die Linie Eisenach-Coburg zu schneiden. Mit seinen letzten größeren Erhebungen, den beiden Gleichbergen, über deren Sattel eine uralte Verbindungsstraße über Hildburghausen nach Süddeutschland führt, gleitet das fränkische Thüringen in das fränkische Bayern hinaus.

Pfahlbauer bei Weimar

Thüringen ist ein *altes Siedlungsland.* Reiche Funde aus der nächsten Umgebung von Weimar, die man im Museum bewundern kann, beweisen, daß dieses Gebiet bereits zur Steinzeit bewohnt war. Jene Menschen hausten – wie am Bodensee – in Pfahlbauten, die sie in Ufernähe eines großen Sees des Thüringer Beckens errichtet hatten. Auch in den zahlreichen Höhlen fand die Forschung Überreste menschlicher Behausung. Die Kelten, jenes Volk, das sich in der Bronzezeit vor allem diesseits der Alpen ausgebreitet hatte, drangen auch in das Land nördlich des Thüringer Waldes ein. Etwa zweihundert Jahre vor Christi Geburt sickerten germanische Stämme ein, vor allem die Hermunduren und die Chatten. Im Zuge der Völkerwanderung ließen sich dann noch Angeln und Warnen nieder, die ein bis 531 bestehendes Königreich gründeten. Für kurze Zeit besetzten die Franken thüringisches Gebiet, wurden jedoch nach knapp einem halben Jahrhundert von den aus dem Osten anstürmenden Slawen, den wendischen und sorbischen Volksgruppen, zurückgedrängt. Bis zum 10. Jahrhundert hatten diese Slawen die Saale nach Westen überschritten. Im Zuge der germanisch-fränkischen Machtentfaltung wurde Thüringen in das ostfränkische Reich einbezogen und bis an die Elster kultiviert. Burgen, Klöster, befestigte Siedlungen – in Saalfeld finden sich heute noch die Reste der im Jahre 806 errichteten Wehrburg – benötigten Raum und nutzbare Bodenfläche. Die großen Wälder wurden gerodet, Sümpfe trockengelegt und Durchgangstäler dem Handel erschlossen. Aus allen Richtungen strömten

GOTHA · Nur am Marktplatz erweitert sich die enge Altstadt von Gotha etwas. Am unteren Ende des abfallenden Platzes erhebt sich das Renaissance-Rathaus. Schloß Friedenstein, südlich der Stadt, war früher Residenz des Herzogtums Sachsen-Coburg-Gotha. Noch heute genießt die Landesbibliothek einen großen Ruf.

die Menschen herbei: Friesen und Schwaben, die sich vor allem am Südhang des Harzes niederließen, Hessen im Westen, Flamen, die sich die Gegend um Erfurt aussuchten, und vor allem Franken. Gerade dieser Stamm nahm nicht nur von dem südlichen Vorland Besitz – der Thüringer Wald wurde dabei zur Sprachgrenze –, sondern gründete auch in anderen Landesteilen eine Reihe von Orten, die bald zu wichtigen Handelsplätzen werden sollten, wie Nordhausen, Mühlhausen, Sangerhausen und die meisten der auf -hausen endenden Siedlungen. Aber erst im 13. Jahrhundert eroberte der Mensch auch die noch unwegsamen Gegenden des Gebirges und der abgelegenen Waldtäler.

Dem Heimatboden fest verbunden

Diese vielen Stämme, so sollte man meinen, hätten ein ebenso buntes Völkergemisch ergeben, wie es Thüringen politisch für viele Jahrhunderte war. Doch hat sich, mit Ausnahme des Landes rund um Altenburg, wo man einen großwüchsigen, etwas derben Menschenschlag antrifft, eine nahezu einheitliche Mischung gebildet. Die äußeren Kennzeichen des Thüringers sind mittelgroßer Wuchs, gesunde und nicht ganz helle Hautfarbe, oft etwas zartgliedrig, aber besonders widerstandsfähig. Der Bewohner des Waldes dagegen wirkt eckiger und kerniger, robuster und härter, wie ihn der Kampf gegen die Natur und die Tücken des Alltags geformt hat.

ARNSTADT · Im alten Schloß, der früheren Residenz der Grafen, ist heute das einzigartige Puppenmuseum untergebracht. Zum Straßenbild gehören die Liebfrauenkirche aus dem 13. Jahrhundert und viele hübsche Fachwerkhäuser. Schon im 8. Jahrhundert erwähnt, war Arnstadt geistlicher Besitz von Hersfeld und Utrecht.

SONNEBERG · Mit zwei Armen umschließt Südthüringen das Coburger Gebiet. In dem östlichen Arm liegt Sonneberg, in dem seit langem die Spielwarenindustrie zu Hause ist. Seit dem Mittelalter sind die Sonneberger Puppen überall gefragt. Den Fremden überraschen immer wieder verträumte Winkel und alte Gassen.

Von den benachbarten Sachsen erzählt man sich, daß sie besonders gemütlich seien. Wenn man auf den Bewohner Thüringens dieses Wort anwenden will, so sollte man lieber »gemütvoll« sagen. Offenherzig, freundlich, aufrichtig, aber auch kritisch begegnet man dem Fremden. Die Jenaer Studentenmutter umhegt und umsorgt ihre Schützlinge, als seien sie ihre eigenen Kinder, nicht weil sie auf die Miete angewiesen wäre, sondern weil es ihr eine Herzensangelegenheit ist, weil ein Fremder oder Gast eben zur Familie gehört. Wie sehr auch der Thüringer dem Frohsinn einer geselligen Runde aufgeschlossen ist und eine einmal geknüpfte Freundschaft heilighält, so bleibt er, vor allem im Thüringer Wald, dem Heimatboden fest verbunden. Im Gegensatz zu seinem sächsischen Nachbarn, den die Reise- und Wanderlust in alle Welt treibt, verläßt er nur aus triftigen Gründen die engere Umgebung. Noch vor einigen Jahrzehnten wurde ein junger Mensch in seinem Walddorf beinahe geächtet, wenn er sich irgendwo in der Stadt einen erträglicheren Lebensunterhalt suchte. Wer in die Fremde ging, hatte eben schon ein fremdes, abenteuerliches Blut in sich, hieß es, und paßte nicht mehr in die Dorfgemeinschaft.

Moß er fiedle, bis er stirbt

Johann Sebastian Bach stammt aus Eisenach, wo auch Luther in der Kurrende sang. Mit Kreuzburg verbindet sich der Name Michael Prätorius oder Schultheiß, wie er sich bürgerlich nannte. Gesang und eigene Kompositionen, Freude an der Musik und am Musizieren liegen dem Thüringer im

Blut. So scheint er dem Oberbayern etwas wesensverwandt zu sein.

Wer en Ongerwißbach sech well ernähre,
dr moß sammle Schwämm und Beere.
Wenn er keine mehr kenn finge,
moß er anfang Besen binge.
Und wenn's Reißig noch verdirbt,
moß er fiedle, bis er stirbt.

Vom Sängerkrieg auf der Wartburg kündet die Mär, von Ruhla weiß man, daß dort die Finkenzucht besonders gepflegt wird, in vielen Orten flötet ein Dompfaff in jedem zweiten Haus. Ein Sängerfest pro Jahr gehört zu jedem Dorf, das etwas auf sich hält. Und mehr als in anderen deutschen Ländern pflegt man noch heute die Hausmusik oder das Musizieren in einer größeren Gemeinschaft. Der aus Schlesien stammende Musikwissenschaftler Oskar Paul kam bei seinen Forschungen zu dem Ergebnis, daß der Thüringer – wohl mehr als andere deutsche Stämme – die Begabung besitze, über sein Volkslied hinauszuwachsen und bis in die höchsten Sphären der Musik vorzustoßen.
Während im nördlichen Landesteil der Einfluß des obersächsischen Stammes bemerkbar wird, der in allen Lebenslagen Kühlheit und Berechnung bewahrt, ist der Bewohner des Südens dem Franken verwandt, mehr der Lebensfreude, dem Humor und dem scharfen Witz, vor allem dem Mutterwitz, zugeneigt.
Feste müssen gefeiert werden, wie sie gerade anfallen. Jede Gelegenheit wird wahrgenommen. An einer Hochzeit nimmt das ganze Dorf lebhaften Anteil. Man ist eine große Familie, der Gastgeber von heute wird der Gast von morgen sein. Also nimmt man gern, weil man demnächst ebenso gern vom eigenen Tisch gibt. Diese Freigebigkeit und dieses unbedingte Ja zu herzlicher Daseinsfreude sind um so höher zu bewerten, als der Thüringer nie aus einem Füllhorn besonderer Gnade schöpfen durfte. Natur und Existenzkampf, kärglicher Verdienst durch mühselige Heimarbeit und erzwungene Bescheidenheit in vielen Dingen des täglichen Lebens machen ihn von Jugend auf genügsam und zufrieden mit dem, was ihm der Alltag zu bieten hat. Selbst der Frau wird keine Mußestunde geschenkt. Neben ihrer hausfraulichen Tätigkeit und der Betreuung einer vielköpfigen Familie – im Thüringer »Oberland« sind viele Kinder der Stolz aller Eltern – muß sie durch Heimarbeit, oft mit den älteren Mädchen und Knaben zusammen, ein paar Pfennige zusätzlich verdienen. Aber keine Frau resigniert. Zähigkeit, Beharrungsvermögen, strenge Kritik und eine fast sture Energie, den einmal eingeschlagenen Weg beizubehalten, ist ein weiterer Wesenszug des Thüringers.

LUCKA · Bereits zur Leipziger Tieflandsbucht gehört die Umgebung der kleinen Industriestadt Lucka, nördlich von Altenburg. Ihre evangelische Kirche ist das beste der wenigen Beispiele der Backsteingotik auf thüringischem Boden. 1307 wurde bei Lucka König Albrecht I. von den thüringischen Landgrafen geschlagen.

Nicht täglich Klöße, aber siebenmal in der Woche

Von den Städten abgesehen, wo früher in der Zeit der »kleinen Residenzen« nicht gerade Luxus, aber doch Wohlhabenheit herrschte, kannte der Großteil der Bevölkerung kein üppiges Leben. Der Tisch war und ist auch heute nicht reichlich gedeckt. Man muß sich zu bescheiden wissen. Wie aber die Not schon immer erfinderisch machte, so verstehen es auch die Hausfrauen in den ärmeren Gegenden, aus Kartoffeln, der Hauptnahrung, Gemüsen und Obst eine schmackhafte und kräftige Mahlzeit zu bereiten. Und Kartoffeln sind ja der wichtigste Bestandteil jenes Gerichtes, das als »Thüringer Klöße« überall bekannt und geschätzt ist. Dennoch wird der Kloß nirgends so gut schmecken wie am Tisch eines Thüringer Hauses. Bei der Zubereitung des Kloßes muß die Kartoffel mit der Hand gerieben werden; denn im fertigen Kloß sollen dann die feinen, hauchdünnen Fäden zu sehen und auf der Zunge zu kosten sein. Angeröstete Brot- oder Semmelstückchen im Innern lockern den Kloß auf. Besitzt dieser wohlgeformte Ball noch jenen fast unsichtbaren Hauch Grün, dann ist er echt, dann hat er neben seiner duftenden Frische jene auch das Auge ergötzende Form- und Farbgebung, die zu einer vollkommenen Speise gehört. »Klöße braucht es nicht jeden Tag zu geben, aber mindestens siebenmal in der Woche«, sagt der Thüringer Volksmund und läßt damit keinen Zweifel über seine Liebe zu diesem Gericht.

Bratworscht un Schwämm

Nicht minder berühmt sind Thüringens Rostbratwürste. Ihr hat man schon literarische Denkmäler gesetzt. Kein Wunder, wo sie bereits in ganz Deutschland berühmt ist.

Den knusperharten Rand geplatzter Häute,
den Saft, der die geschlitzte Semmel füllt!
Und wie sich dann das ganze Tal verhüllt
mit scharfem Dunst und Duft! Ach, Leute, Leute!

Friedrich Michael frohlockt, wenn ihm nach der Rückkehr vom Sonntagsspaziergang der Wohlgeruch frischer »Roßbratwürste« – so nennt man sie in Thüringen, obwohl sie mit einer Wurst aus Pferdefleisch nichts gemein haben – von irgendeinem Stand her um die Nase streicht. Eine echte Bratwurst darf nur auf einem Rost über Holzkohlenfeuer liegen. Ihr Fleisch muß grob zubereitet sein, und ihre Haut soll mindestens zweimal platzen, nicht zu weit, aber doch gerade genug, um den eigenwilligen Geschmack der Holzkohle wie eine zusätzliche Würze durchzulassen. Sie muß heiß und im Stehen gegessen werden. Die schmackhafte Thüringer Blutwurst ist dagegen mehr eine Spezialität von lokaler Bedeutung.
Wer Gaumen und Magen an einem weiteren Lekkerbissen ergötzen möchte, soll sich einmal Pilze servieren lassen. Zwischen Nordsee und Alpen wird man schwerlich eine Delikatesse gleicher Art antreffen. Die Wälder Thüringens sind nicht nur Gesundbrunnen, sondern auch bereitwillige Spender köstlicher Pilze. Körbe und Rucksäcke voll schleppt man nach Hause. Die »Schwämm« werden auf langen Sieben oder Brettern getrocknet, so daß sie bis spät in die Winterszeit haltbar sind. Ein leckeres Gericht aus Steinpilzen, Pfifferlingen oder Ziegenbart – wer es einmal genossen hat, dem wird schon beim Gedanken daran das Wasser im Munde zusammenlaufen. – In allen Lokalen Thüringens gibt es am Mittwoch und an Sonntagen Hefeplinsen – nicht nur in den Gaststätten. Man backt den Hefeteig mit Rosinen wie Eierkuchen, hellbraun und nicht dicker als die Breite eines Messerrückens. Die Speise wird mit Marmelade oder Zucker gesüßt.

Gewölk süßer und herber Düfte

Kein Thüringer würde seinen heimatlichen Kuchen gegen eine Wiener Sachertorte tauschen. Über jedem Dorf liegt am Wochenende ein feiner Duft. Er kommt aus den Bratröhren oder, besonders südlich des Thüringer Waldes, aus dem Backhaus der Gemeinde, wo von Mittag an reger Betrieb herrscht. Unter jedem Arm ein Kuchenblech, so eilen die Frauen die Dorfstraße entlang, werfen ein Bündel Reisig in die Glut des Backofens und warten bei einem Schwätzchen, bis das Produkt ihrer hausfraulichen Künste jene goldgelbe Farbe erhalten hat. Ein Gewölk süßer und herber Dünste schlingt sich um das Backhaus: Kuchen, groß wie Wagenräder, mit süßen, dicken Streuseln, mit Pflaumen und Zwetschgen, Äpfeln und verschiedenen Beeren, mit Mohn wie im nicht allzu fernen Egerland – Thüringen ist Deutschlands größter Mohnproduzent – oder mit Quarkkäse, mit Rosinen und Beerenmarmelade und gar mit Zwiebeln. Dem anfänglich skeptischen Fremden mundet gerade dieser Zwiebelkuchen besonders, den man auch in Württemberg häufig antrifft, wenn er frisch und warm vom Blech weg verzehrt wird. Denn »'s giht nich nur ums Asse, 's giht a um de Luft«.

LANGENSALZA · Über Reste der alten Stadtbefestigung blickt man auf die gotische Kirche von Langensalza. Die Kreisstadt zwischen Mühlhausen und Gotha wird beherrscht durch das aus dem 14. Jahrhundert stammende Schloß Dryburg. Eine heilkräftige Schwefelquelle hat Langensalza zu einem beliebten Badeort gemacht.

Man muß in Thüringen lange suchen, in ganz abgelegene Weiler und Gemeinden gehen, bis man noch Reste von Volkstrachten findet. Unser nüchternes Zeitalter mit den stets wechselnden Moden verdrängt Tradition und Brauchtum. Nur noch selten trifft man in der Umgebung von Altenburg einen betagten Bauern mit dem typischen kleinen Hut, einer dunklen Jacke und ledernen Bundhosen in Schaftstiefeln. Bei Schmalkalden trägt gelegentlich eine alte Frau ihre Tracht: dunkles Kleid mit vielen Unterröcken, darüber eine große, helle Schürze und eine Mütze mit bunten Bändern. Auch die letzten Reste dieses schönen Brauchs, so in der Gegend von Bad Liebenstein im Thüringer Wald, im Magdeltal und in der Rhön, werden bald in Vergessenheit geraten sein.

De Bosaune bianoh blasn

Im Ostteil Thüringens, an der Pleiße und Elster, um Altenburg, Gera, Weida und Greiz, spürt man die unmittelbare Nähe des sächsischen Nachbarn in Mundart und Aussprache des Hochdeutschen.

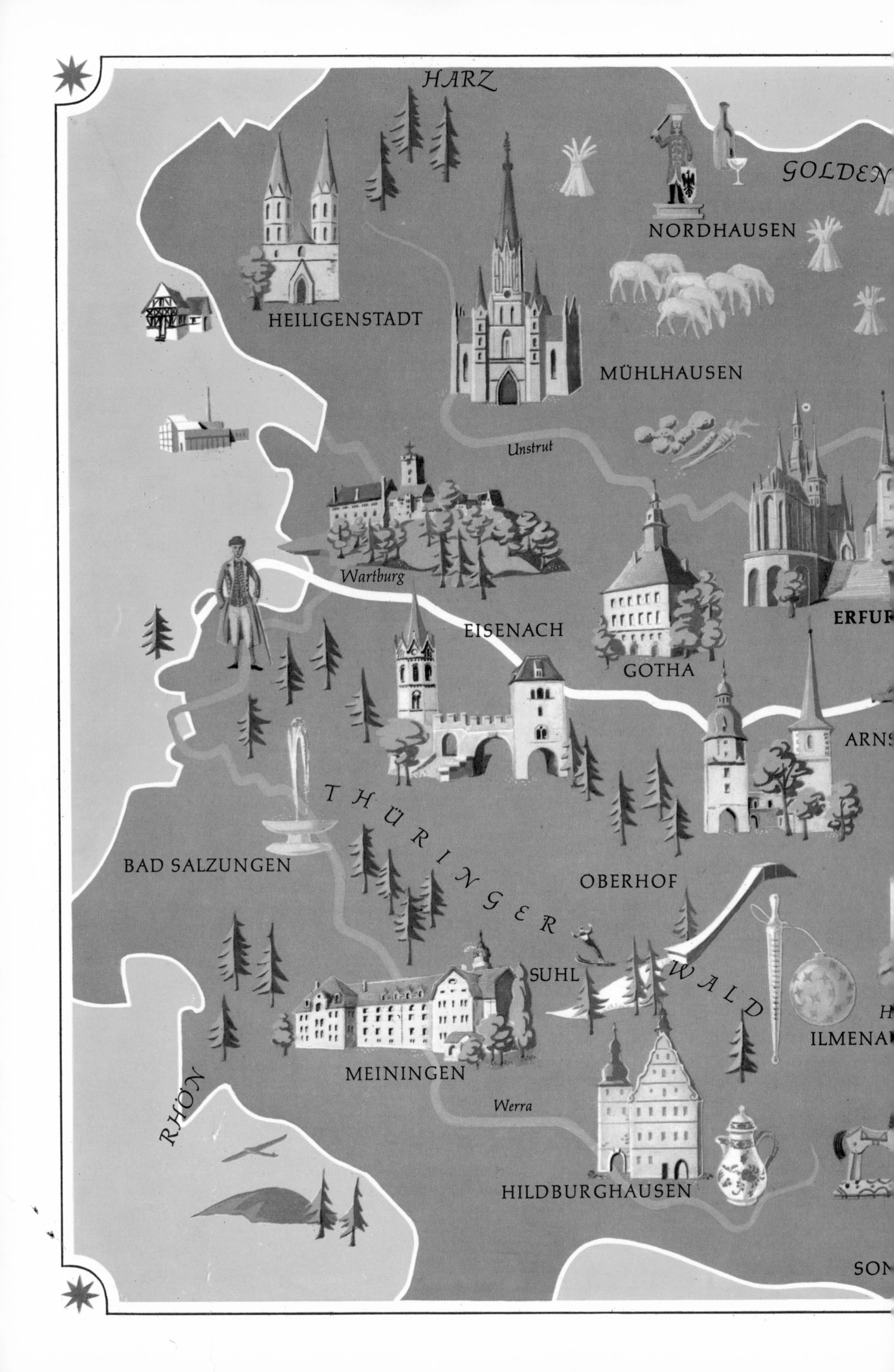

HARZ
GOLDEN
NORDHAUSEN
HEILIGENSTADT
MÜHLHAUSEN
Unstrut
Wartburg
EISENACH
GOTHA
ERFUR
ARNS
THÜRINGER WALD
BAD SALZUNGEN
OBERHOF
SUHL
ILMENA
MEININGEN
Werra
HILDBURGHAUSEN
RHÖN
SON

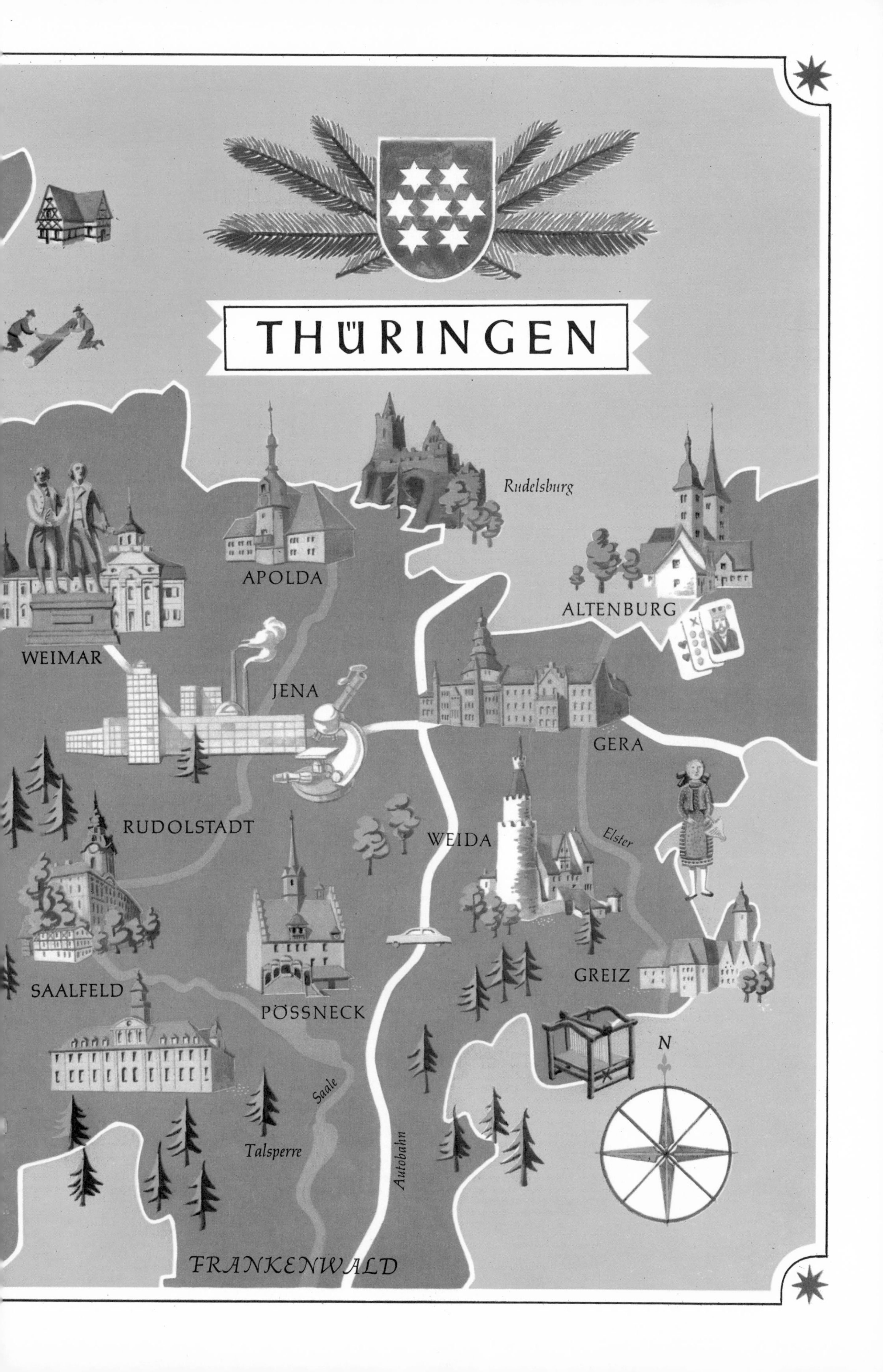
THÜRINGEN
Rudelsburg
APOLDA
ALTENBURG
WEIMAR
JENA
GERA
RUDOLSTADT
WEIDA
Elster
SAALFELD
PÖSSNECK
GREIZ
N
Saale
Talsperre
Autobahn
FRANKENWALD

Die Wörter sind weicher und klangvoller als in der Weite des Thüringer Beckens. Das Thüringische gehört, wie das Schlesische und Obersächsische, zur Gruppe der ostmitteldeutschen Mundarten. Selten wird man einen Unterschied zwischen stimmhaften und stimmlosen Konsonanten vernehmen, also zwischen d und t, b und p, g und k. Dennoch, wer wollte dem Thüringer gram sein, daß er stolz auf die größte Leistung deutscher Sprachgeschichte ist? Ein Thüringer war es, der die Sprache seiner Heimat zum Gemeingut aller deutschen Stämme werden ließ: Martin Luther.
Es gibt, vor allem in den Städten, eine Umgangssprache, die nicht mehr viel Urtümliches an sich hat und im Ohr eines Sprachforschers manchen Mißton erklingen läßt. Doch ist dies eine allgemeine Erscheinung, die in anderen Ländern Deutschlands gleichermaßen auftritt. Ein Gedicht aus der Rudolstädter Gegend haben wir im Abschnitt über die Musik schon kennengelernt. Bei Rentwertshausen, zum Fränkischen hin, knurrt der nach Hause wankende Stammtischbruder:

Bos is 'n dees?
De Baim sen schief, de Weech is grumm,
de Föß so schwär,
on drin im Kupf as scheh Gebrumm . . .

Ganz anders klingt es im Ostzipfel des Thüringer Landes. Man erzählt sich die Geschichte eines Posaunisten im Hoforchester des regierenden Herrn von Reuß zu Gera, der bei einer Probe von einem Gastdirigenten mehrfach ermahnt wurde, an einer Piano-Stelle der Partitur nicht so laut, sondern piano zu blasen. Schließlich wurde das dauernde Ermahnen dem Musikus zu dumm, und er fuhr den Dirigenten an: »Nu, hären Se, von wächn bianoh! Denken Se egal, wennch de Bosaune bianoh blasn gennde, wärch hier in Gera?« Sprach's und blies auch weiterhin falsch.

WARTBURG · Im vorderen Hof dieser für ganz Thüringen zum Wahrzeichen gewordenen Burg blickt man auf das große Ritterhaus mit dem erst in neuerer Zeit angebauten Erker. Hier liegt die Luther-Stube, wo der Junker Jörg die Bibel übersetzte. Dieser kleine Hof ist wohl der bekannteste Innenanblick der Burganlage.

Siebzehn richtige Residenzstädte

»An der Saale hellem Strande stehen Burgen, stolz und kühn«, singt man allgemein, seit Franz Kuglers Studentenlied zum Volkslied wurde. Dabei stehen jene Burgen nicht am Strande, sondern auf den Bergen aus Kalk, aus Schiefer und Porphyr hoch über den Ufern des Flusses. Und sie stehen nicht nur an der Saale, sondern ebenso an der Unstrut, der Werra, Wipper, Helme, ja an der Weißen Elster und auch überall, wo kein Fluß fließt.
Thüringen hat keine fest umrissenen Grenzen, wenigstens keine seit Jahrhunderten feststehenden. Und ein Thüringen als festen Bestand Deutschlands hat es nie gegeben, auch wenn es einmal ein thüringisches Stammesherzogtum, ein andermal eine Landgrafschaft gab. Auch heute hat man den Raum, den man ungefähr als Thüringen bezeichnen könnte, in drei Verwaltungsbezirke aufgeteilt. Nach dem ersten Weltkrieg schuf man einen Freistaat, in dem man acht Staaten vereinigte. Aber das im Mittelpunkt liegende Erfurter Gebiet, Schmalkalden und Suhl gehörten nicht dazu. Sie waren preußisch, obschon sie zu Thüringen gehörten und im Herzen des deutschen Herzens lagen. 1919 schloß sich das thüringische Coburg an Bayern an.
Das jahrhundertelange Durcheinander von Staaten, Ländern und Ländchen hatte dann auch zur Folge, daß Thüringen keine eigentliche Hauptstadt besaß, keine große Residenz, keinen geistigen, wirtschaftlichen und kulturellen Mittelpunkt. Hier regierte ein Herzog, dort ein Fürst, da ein Landgraf. Siebzehn richtige Residenzstädte kann man in Thüringen zählen, siebzehn Schlösser, die einmal einer regierenden Familie gehörten. Daneben noch die vielen Freien Reichsstädte. Und wenn die Menschen auch alle Thüringer Wurst und Klöße aßen, sie wohnten nur allzuoft in verschiedenen Staaten. Aber alle Einwohner fühlten sich als Thüringer, waren und sind stolz auf »ihre« Schlösser.
Über den Ufern der Flüsse gibt es Burgen, Trutz- und Schutzstätten – heute fast nur noch als Ruinen vorhanden – aus früherer Zeit, als die Saale noch ein Grenzfluß war. Wie gern haben sich die Kaiser dort aufgehalten, wie viele Pfalzen haben sie dort anlegen lassen!

Die Wartburg

Wenn heute die *Wartburg* als das Symbol einer deutschen Burg erscheint, so liegt das an Zufälligkeiten, die sie zum Mittelpunkt deutscher Geschichte werden ließ. Im Jahre 1067, als sich Kaiser Heinrich IV. um das Recht der Investitur stritt, kam Ludwig von der Schauenburg und ließ eine »Warte« errichten. Ursprünglich war sie nur eine Wehrburg. Doch Ludwigs Urenkel, Landgraf Hermann I., verlegte gegen Ende des 12. Jahrhunderts seine ständige Wohnung hierhin, ließ den Wehrbau zum Herrensitz aus- und umbauen. Er war kein guter Fürst, wenn man darunter einen Staatsmann und Politiker versteht. Aber er liebte die Kunst. Die Fahrenden »sangen und sagten« in seinem Fürstensaal, konnten in seinem Hause dichten und arbei-

SONDERSHAUSEN · An dem kleinen Flüßchen Wipper, unweit von Nordhausen, liegt die verträumte, ehemalige Residenzstadt Sondershausen. Rings um den Brunnen im Hof liegen die etwas strengen Gebäude des Schlosses, das im 16. Jahrhundert begonnen, zweihundert Jahre später aber erst fertiggestellt wurde. Vor dem Schloß finden im Sommer die Loh-Konzerte statt.

ten. Nie wäre Wolfram von Eschenbachs »Parzival« aufgezeichnet worden, wenn Hermann nicht seine Schriftkundigen damit beauftragt hätte. Herborts »Lied von Troja«, Veldekes »Eneide« sind hier gesungen worden. Und Walther von der Vogelweide sagte über den Herrn der Wartburg:

Der lantgrâve ist sô gemuot,
daz er mit stolzen helden sîne habe vertuot,
der iegeslîchter wol ein kenpfe waere.
mir ist sîn hôhiu fuore kunt.
und gulte ein fouder gutes wîes tûsent pfunt,
dâ stüende ouch niemer ritters becher laere.

Seit dieser Zeit kannte man die Wartburg in deutschen Landen. 1217 starb Hermann. Sein Sohn Ludwig war sparsam, ja geizig. Als Elfjähriger heiratete Ludwig die vierjährige ungarische Königstochter Elisabeth, die, als sie erwachsen war, ihre Aufgabe darin sah, die armen und kranken Einwohner Eisenachs zu pflegen. Ludwig verbot es ihr. Einst traf er sie, als sie mit einem zugedeckten Korb, der Lebensmittel enthielt, unterwegs zur Stadt war. Auf seine Frage nach dem Inhalt antwortete Elisabeth, daß es Rosen seien. Der mißtrauische Landgraf schaute nach und fand tatsächlich Rosen. Schon im Jahre 1235 wurde Elisabeth heiliggesprochen.
Um die Wartburg wurde es drei Jahrhunderte lang still. Dann, 1521, fand ein vogelfreier Junker Jörg auf der Wartburg Asyl, übersetzte dort in zehn Wochen ohne Wörterbuch und ohne Kommentar das Neue Testament ins Deutsche und legte damit den Grundstein zu einer gemeinsamen deutschen Hochsprache. – Wieder vergingen 300 Jahre. Studenten versammelten sich auf der Wartburg, wollten die Wiederkehr der Reformation feiern, befestigten die »Deutsche Burschenschaft«, riefen aus ehrlichem Herzen »Einigkeit und Freiheit«. Goethe nannte sie von seinem lieblichen Weimar her »seine lieben Brausköpfe«; er und sein Fürst stellten sich schützend vor sie, als die Reaktion die Jungen verfolgen wollte. Und wenn die Studenten auch damals nichts erreichten, sie legten auf der Wartburg die Saat zu dem Jahre 1848.
Die Wartburg wurde um 1860 renoviert. Der berühmte Erker mit seinen Butzenscheiben, der auf den Burghof hinausging, wurde neu hinzugefügt. Nicht die Forschung leitete die Wiederherstellung, sondern die Phantasie. Der Saal des Sängerkrieges erhielt – vollkommen stilwidrig – große Fenster. Eine Treppe wurde gebaut, die vorher nie existiert hatte. Im letzten Weltkrieg wurde die Burg, wenn auch nur geringfügig, beschädigt. Seit 1925 gab es Wiederherstellungspläne, die jetzt verwirklicht werden konnten, so daß der Herrensitz heute wieder sein altes Gesicht bekommen hat.

Der Fürst ist tot – es lebe der Fürst

Kaum jemanden zieht es in Weimar zu dem Schloß, obwohl es unter Goethes Leitung erbaut worden ist. Als Goethe 1775, von Karl August gerufen, in die Residenzstadt kam, war die Wilhelmsburg, der eigentliche Fürstensitz, gerade abgebrannt. Der Freund des Fürsten ließ sie um die Jahrhundertwende wiedererstehen, im klassischen Stil, mit einfachsten Mitteln. Im »Weißen Saal« lasen nicht nur Goethe und Schiller, sondern auch Herder und Wieland ihre Werke vor. Doch nicht nur die Wilhelmsburg, auch die ländlichen Schlösser gehörten dazu: Belvedere im Süden der Stadt, Ettersburg im Norden und auch Tiefurt, kaum ein Schloß zu nennen, weil es mehr einem ländlichen Gutshaus ähnelt,

HILDBURGHAUSEN · Die kleine Kreisstadt an der Werra im südlichen Landesteil war von 1684 bis 1826 Residenz der Herzöge von Sachsen-Hildburghausen. Der Marktplatz und die Innenstadt atmen heute noch den Geist jener Zeit der thüringischen Kleinfürstentümer vom ausgehenden Mittelalter bis in die jüngste Neuzeit.

WEIDA · Finster und drohend, einem Kirchturm im Äußeren sehr ähnlich, überragt der Bergfried der Osterburg das Städtchen Weida, das an dem gleichnamigen Nebenfluß der Weißen Elster liegt. An klaren Tagen hat man von seinen Zinnen einen Fernblick bis zu den Höhen des Thüringer Waldes und des Frankenwaldes.

aber als Sommersitz der Fürstin Anna-Amalie doch der Ort, wo des großen Dichters italienische Reiseerinnerungen liegen.
Es will uns heute scheinen, daß Thüringens Duodezfürsten ihre Daseinsberechtigung nicht durch Kriege und Politik bewiesen hätten, sondern durch das, was sie für die Kunst und damit für Deutschland taten. *Meiningen,* ehemalige Hauptstadt des Herzogtums Sachsen-Meiningen, ein verträumtes Städtchen von rund 24 000 Einwohnern, wird von dem herzoglichen Schloß Elisabethenburg beherrscht, das aus dem 16. und 17. Jahrhundert stammt, vor dem, nach Nordwesten weisend, das Theater liegt. Ein Theater, dessen Ensemble von 1874 bis 1890 durch ganz Deutschland zog und die deutsche Schauspielkunst zur Blüte führte.
Denken wir an *Sondershausen* am Südrand der Goldenen Aue, ehedem Hauptstadt des Fürstentums Schwarzburg-Sondershausen. Noch verträumter das Städtchen, dessen Landesfürst in seinem Schloß aus dem 16. Jahrhundert residierte und – dirigierte. Er hatte ein Orchester, er hatte eine Musikschule eingerichtet, deren Loh-Konzerte im Schloßpark Weltberühmtheit erreichten – und die Beliebtheit des Fürsten erhöhten. Sondershausen trauerte, als man ihn 1918 absetzen mußte, weil die Revolution das verlangte. Man mußte ein neues, demokratisches Staatsoberhaupt wählen – und man wählte ihn, den Fürsten, der allerdings aus politischer Weitsicht dankte. Oder gehen wir nach *Stolberg* an die Südhänge des Harzes, das zwar eigentlich nicht mehr zu Thüringen gehört, aber an der Thyra liegt, die dem Lande seinen Namen gab. In dem Schlosse ist vom Fürsten eine Schule für Kunsthandwerk eingerichtet worden, die noch heute floriert.

Der Kaiser hinter einer Feldsteinmauer

Von Stolberg ist es nicht weit nach *Tilleda,* einem Dörfchen, das aus einer Kaiserpfalz entstand, in der sich Barbarossa gern aufhielt, weshalb auch der südlich davon gelegene Kyffhäuser sein legendäres Grab wurde. Nicht weit davon entfernt die Pfalz Wallhausen, in der im Jahre 912 Otto der Große das Licht der Welt erblickte. Überhaupt die Kaiserpfalzen im Thüringer Land! Kein Geschichtsbuch, kein Erdkundebuch nennt sie heute noch. Kaum kann man von ihnen etwas erkennen, denn eine Feldsteinmauer genügte dem Römischen Kaiser Deutscher Nation oft als Schutz.
Natürlich gab es für die Burgen keinen einheitlichen Grundriß. Sie mußten den Gegebenheiten der Natur angepaßt werden, der Fläche, die eine Bergkuppe bot, der Festigkeit des Gesteins. Auch der Baustil war nicht einheitlich. Wie sollte er auch? Sind doch die thüringischen Burgen in ihrer Mehrzahl vom 10. bis ins 14. Jahrhundert hinein entstanden. Zwar kann man feststellen, daß vielfach kirchliche Stile auch bei ihnen Anwendung fanden, weil ja oft dieselben Baumeister Burgen und

MEININGEN · Herzog Georg II., dem die Kunst mehr als der Hofstaat bedeutete, erweckte das deutsche Theater zu neuem Leben. So wurde Meiningen zu einem Begriff in ganz Deutschland. Das 1909 nach einem Brand wiederaufgebaute Hoftheater trägt über dem Eingang die Worte: »Dem Volke zur Freude und Erhebung«.

Kirchen, vor allem aber auch Klöster schufen. Diese Klöster mit ihren Missionsaufgaben waren keine Klausuren, sondern eher Trutzburgen, weil die oft noch feindliche, heidnische Bevölkerung – im wörtlichen Sinne – Sturm gegen sie lief. Die besterhaltene Klosteranlage Deutschlands – Maulbronn in Württemberg – hat an ihrer nördlichen Ecke den Hexenturm, der ursprünglich nichts anderes war als der Bergfried, den man auf jeder thüringischen Burg findet, jenes Wahrzeichen, das den Wanderer von weitem grüßt und Auslug und letzte Zufluchtsstätte zugleich war. Oft ist der Turm weit in den Felsen hineingetrieben worden, weil er Lebensmittel aufnehmen mußte. Man brauchte Vorräte für eine mögliche Belagerung. Der Palas war zwar nicht klein, doch nie so prächtig, wie ihn die Romantik auf den Bildern eines Moritz von Schwind (er schuf im vorigen Jahrhundert die Bilderreihe in der Wartburg, die ihre Geschichte wiedergab) zeigt. Die Fenster waren winzig, um die Kälte fernzuhalten; denn man hatte keine Fensterscheiben. Auch die Kemenaten waren bar jeder Romantik. Sie waren in erster Linie Arbeitsräume der weiblichen Burgbewohner. Dort wurde gesponnen und gewebt, dort wurden Gemüse und Gewürze für den Winter getrocknet, dort wurden Heiltränke gebraut, wurde Fleisch eingesalzen und Wurst hergestellt. Gräben kennt hier keine Burg, der hohe Fels, der für kaum einen Gegner ersteigbar war, machte sie überflüssig. Man konnte den Feind ja von weitem erkennen. Der Wald, der heute alle Burgen idyllisch einkleidet, war damals, als sie militärischen Wert hatten, auf Hunderte von Metern am Berg abgeholzt.

SAALFELD · Wahrzeichen der Stadt ist die Burgruine des Hohen Schwarm, eine Anlage, die aus dem 12. Jahrhundert stammt. Trotz des Verfalls und der Düsterkeit ihres grauen Gemäuers wirken die beiden schlanken Ecktürme beinahe heiter und beschwingt. In der Nähe werden die berühmten Feengrotten viel besucht.

RUDOLSTADT · Die Stadt an der oberen Saale, Heimat von Justus Perthes, wird von der Heidecksburg überragt. Zuerst zum Kloster Hersfeld gehörend, wurde Rudolstadt von 1574 bis 1918 Residenz der Grafen und späteren Fürsten von Schwarzburg-Rudolstadt, nachdem hier die Grafen von Orlamünde regiert hatten.

Ruinen sind echter als Burgen

Das Geld ging aus, als das Reich an Macht verlor, als das Rittertum zerfiel, weil die Städte durch Handwerk und Handel an Macht gewannen. Die Burgen zerfielen, die Bohlen der Zugbrücken verfaulten, die Eisenketten verrosteten, die Dächer stürzten ein. Nur der tiefe Brunnen im Hof – oft hundert und mehr Meter tief in den Felsen getrieben -- erhielt sich wie auch die klafterdicken Wände. Sie überdauerten Jahrhunderte. Wo Burgen heute noch bewohnt sind, stammen in den meisten Fällen die Gebäude aus der Zeit der deutschen Romantik, die mehr aus ihrer eigenen Idee wiederaufbaute, als daß sie versuchte, das einmal Gewesene in der alten Form wiederherzustellen. So sind die Ruinen heute echter mittelalterlich als die Museen, Jugendherbergen und Gaststätten, die jetzt von den Bergen grüßen.

Wenn man heute *Schloß Osterburg* über Weida vom Tal aus erblickt, dessen dreistufiger Bergfried aus dem zwölften Jahrhundert einem Kirchturm ähnelt, so bleibt das gesamte Bild echt ritterlich. Zwar stammen die Wohngebäude aus den Tagen Luthers, doch die Form der Anlage stammt aus der Zeit des Rittertums. Die *Leuchtenburg* erhebt sich auf einem steil abfallenden Muschelkalkfelsen ober-

NORDHAUSEN · Die tausendjährige Stadt am Harz hat wie nur selten eine andere im Laufe der Geschichte ihre Herren wechseln müssen. Schwere Zerstörungen zu Ende des zweiten Weltkrieges haben hier vieles vernichtet. Die 700 Jahre alte Stiftskirche (auf dem Bild) und das Rathaus mit dem Roland blieben erhalten.

halb der Porzellanstadt Kahla. Zu ihr und ihren Grafen gehörte auch die spätere Freie Reichsstadt Jena. Nicht anders sieht die *Wachsenburg* bei dem Dörfchen Haarhausen südlich von Erfurt aus. Sie zählt mit der Ruine *Mählburg* (Gustav Freytags »Nest der Zaunkönige«) und der Ruine Gleichen zu den *Drei Gleichen,* die durch Sagen bekannt sind. Etwas großartiger wirkt *Burg Lauenstein* bei Probstzella, die, 915 von Konrad I. gegründet, im 14. und 16. Jahrhundert erweitert wurde. 150 m hoch liegt sie über dem Dorf. Spiralenförmig führt der Weg nach oben, und ihm folgen die Häuser der Bauern bis fast an die Burgmauer heran. Aus der Zeit Heinrichs I. stammt der *»Hohe Schwarm«* bei Saalfeld, eine ehrfurchtheischende Ruine, die von den beiden noch stehenden Türmen nur knapp überragt wird, in ihrer Fensterarmut gespenstisch wirkend, aber ein Wahrzeichen der Kaisermacht und Kaiserwürde.

Residenzen und ihre Schlösser

Wie die Reihe der Burgen kann man auch die der Schlösser fast ins Endlose fortsetzen. Fürsten haben diese Schlösser errichten lassen, die Landgrafen zu Thüringen, die Fürsten zu Schwarzburg-Sondershausen, zu Schwarzburg-Rudolstadt, die Fürsten der älteren Reuß-Linie und die der jüngeren Linie, die Fürsten zu Stolberg-Stolberg, zu Stolberg-Roßla, die Großherzöge von Sachsen-Weimar-Eisenach, und wie sie alle heißen.
Wie die Burgen ähneln sich auch die Schlösser. Bei den Burgen kann man allerdings die Wartburg als Prototyp nennen, bei den Schlössern ist das nicht möglich. Vielleicht kann man die *Heidecksburg* als den imposantesten Bau bezeichnen, der zugleich Beispiel für alle Schlösser des Landes ist. Rudolstadt war einst die Hauptstadt des Fürstentümchens Schwarzburg-Rudolstadt. Auf einem vorspringenden Ausläufer des Hainbergs, der beinahe bis an die Saale reicht, liegt dieses Schloß. Man kann nicht sagen, daß es die Stadt beherrscht, es ist vielmehr ein Teil von ihr. Im 18. Jahrhundert wurde es in schlichtem Barockstil erbaut. Lang ist die Front, die zu der vorgelagerten Terrasse hinweist. Die Gliederung besteht fast nur in den in drei Stockwerken übereinander angebrachten, vollkommen gleichen Fenstern. Auch das große Dach wird so unterteilt. Und wäre nicht der Turm in der Mitte, der mit Kupferplatten beschlagen, durch Zierfenster untergliedert und von einer Haube gekrönt ist, wäre nicht dieser Turm, kein Mensch vermöchte zu sagen, daß es sich hier um einen Barockbau handelte. Im Viereck sind die Flügel angeordnet, die fast im Quadrat den Schloßhof umschließen. Auch hier ist alles schlicht, schmucklos, einfach. Nur die Fenster der repräsentativen Räume tragen ein Gesims mit barocken Mustern. In der Mitte des Hofes steht ein Brunnen, der etwas von der überschäumenden Fülle des Barocks zeigt. Neben der fürstlichen Familie war die ganze Verwaltung des Fürstentums im Schloß untergebracht. Auch die Familien der Minister und Beamten wohnten hier, wie in einer großen Mietskaserne. Das Schloß Heidecksburg war ein reiner Zweckbau des Landesherrn, und das tut sich in seinem Äußeren und Inneren kund. Hier saß kein Tyrann, der seine Untertanen schröpfte, sondern einer, der für sie sorgte. Fast möchte man den Namen »Bürgerfürst« für ihn und die anderen thüringischen Herren finden. Sie waren und blieben durchweg zeit ihres Lebens Bürger ihres Landes.
In *Stadtilm* gibt es ein Schloß, das mitten in der

JENA · In Thüringens Universitätsstadt verbinden sich Tradition und Moderne zu einer glücklichen Gemeinschaft. Der gewaltige Komplex der Zeiss-Werke wird von dem 17stöckigen Hochhaus überragt. Auch die Universität hat für die moderne Forschung sieben neue Institute, darunter eine Erdbebenwarte, errichtet, die auf der Terrasse des Hausberges liegt.

Stadt am Marktplatz liegt. In seiner bescheidenen, zweigeschossigen Anlage mit kleinen Fenstern und einem Schrägdach erscheint es nicht anders als die Fortsetzung der rundum stehenden Bürgerhäuser. Als 1919 die fürstliche Herrschaft durch die demokratische Staatsform abgelöst wurde, baute man das Schloß ohne Mühe in ein Rathaus um. Und kein Besucher des Städtchens merkt, daß dieses Rathaus ein Schloß war.

Ein Hoftheater zu haben und – wenn man etwas mehr Geld hatte – daneben auch noch ein Orchester, das gehörte zum »höfischen Ton«. Da ist Greiz, die Hauptstadt des Fürstentums Reuß, ältere Linie. Hier, an der Weißen Elster, begannen viele Schauspieler ihre Laufbahn, die später an großen Bühnen im Reich endete. Und wenn man von Reger und Richard Strauß, den Komponisten, und Hans von Bülow, dem Dirigenten, spricht, so sollte man auch an Meiningen denken, wo beide gewirkt haben. Auch Gotha besaß ein berühmtes Privattheater. Das dortige Schloß Friedenstein sollte sich jeder ansehen, der nicht nach Paris reisen kann. Es ist genau, ja sogar mit sklavischer Akribie, dem Schloß von Versailles nachgebildet worden, wenn es auch viel kleiner ist und die Nachahmung sich nur auf die Fassade und die anderen von außen sichtbaren Teile erstreckt. Im Innern macht es einen soliden, einfachen Eindruck. Es stellt den Herrschern kein übles Zeugnis aus, daß sie es bereits nach sechzig Jahren aufgaben, selbst in die Stadt zogen und in ihrem Stammsitz eine Schule einrichteten. Durch Iffland, der in Gotha seine Laufbahn begann, ist das Fürstentum bekannter geworden als durch die Bauten des Herzogs.

Wenn man im ganzen Rahmen ihrer Residenzstädte die Schlösser betrachtet: Burgk in der Nähe von Schleiz, die drei Rokokoschlösser von Dornburg, Kühndorf bei Meiningen, wenn man im Altenburger Schloß das Spielkartenmuseum aufsucht oder das Stadtschloß in Eisenach, immer findet man in der Gesamtschau von Stadt und Herrschersitz den Hang zur Bescheidenheit. Oft sind die Bürgerhäuser, die Kirchen in den kleinen Städten und die Rathäuser viel kunstvoller, auffälliger und prachtvoller als die Schlösser.

Zwischen Alt und Neu

Zwar haben viele dieser Städte ihren alten Charakter in die Gegenwart herübergerettet. An anderen jedoch ist die Neuzeit nicht vorübergezogen. Handel, Wirtschaft und Verkehr ließen den Pulsschlag des technischen Zeitalters auch in Thüringen lebhafter werden. *Erfurt,* mit fast 200 000 Einwohnern die größte Stadt des Landes, nahm eine vielseitige Industrie in seinen Mauern auf, einen modernen Gegenpol zu der traditionellen Saatzucht und Blumenpflege. Hier vereinen sich Alt und Neu zu einer glücklichen Ehe. Schon im 8. Jahrhundert war Erfurt Bischofssitz. 1154 begann man den Bau des gotischen Domes, dessen Choransicht mit der benachbarten Severikirche ein in ganz Deutschland bekanntes Motiv bildet. In der blühenden Handelsstadt Erfurt wurde im Jahre 1392 die erste deutsche Voll-Universität gegründet, die bis 1817 Bestand hatte.

ERFURT · Symbol und Wahrzeichen der fleißigen und traditionsreichen Hauptstadt des Landes: Blumen vor den Silhouetten des Domes und St. Severi, einer mittelalterlichen Baugruppe, die zu den schönsten auf deutschem Boden gehört. Mit der Gründung des Petersklosters reicht Erfurts Geschichte ins 8. Jahrhundert zurück. Im Mittelalter besaß die Stadt 90 Kirchen.

Jena ist zweifellos eine der markantesten Städte Thüringens. Seine bald hunderttausend Einwohner leben, umgeben von einer ehrwürdigen Tradition des Geistes, im Banne weltberühmter Industrien. 881 wird die Stadt, damals zum Kloster Hersfeld gehörend, zum erstenmal urkundlich erwähnt. Weinbau und Handel bildeten den Haupterwerb der Bewohner im Mittelalter. Mit der Gründung der Universität im Jahre 1558, die zunächst im Dominikanerkloster ihr Heim fand, begann die große, geistige Blütezeit, die bis heute nichts von ihrem Ruf und ihrer Bedeutung eingebüßt hat. Als hier Schiller 1787 seine Antrittsvorlesung hielt, stiegen die Studenten, die im Hörsaal keinen Platz mehr fanden, mit Leitern an der Außenwand zu den Fenstern hoch oder jubelten von den überfüllten Gängen und Treppenhäusern aus ihrem vergötterten Dichter-Professor zu. Der später durch sein »Kommunistisches Manifest« und »Das Kapital« zum Revolutionär gewordene Karl Marx holte sich in Jena seinen Doktorhut. Die Stadtkirche, St. Michael, alte Bürgerhäuser, Buchhandlungen, Universitätsinstitute und – Schornsteine stehen nebeneinander, umschlungen oder verbunden durch die große Saaleschleife rund um die Altstadt.

Der alte Pulverturm hinter dem Johannistor gehört

genauso zu Jena, das Goethe ein »liebes, närrisches Nest« genannt hat, wie das mit 17 Stockwerken aufragende Hochhaus der Zeiss-Werke. Am Landgrafenberg wurden 1806 die preußischen Truppen von Napoleons Heer vernichtend geschlagen. Dann reihten sich die Studenten in Freikorps ein, während ihre folgende Studikergeneration 25 Jahre danach für die Republik demonstrierte.
Der Chemiker Schott gründete die Jenaer Glashütte, und Carl Zeiss begann in kleinen Werkstätten zu arbeiten, die bald zu einem Weltunternehmen werden sollten. Einen Trümmerhaufen hinterließ der zweite Weltkrieg. Jenas Bürger aber packten an und bauten ihre Stadt neu. Und wieder rauchen die vielen Schlote, werden Präzisionsgeräte in den weiten Werkhallen hergestellt. Durch die Straßen und über die nahe Autobahn mit dem Hermsdorfer Kreuz, wo sich die Nordsüd- mit der Ostwest-Strecke schneidet, rollen die schnellen Fahrzeuge der Neuzeit. In den Hörsälen und Seminaren der Universität fühlt sich die Forschung dem Geist großer Männer, wie Hegel, Fichte, Schelling und der Gebrüder Schlegel, verpflichtet. Stolz auf seine Vergangenheit arbeitet Jena für seine Zukunft.

Weimar – Krone voller Edelsteine

Weimar lebt immer noch im Banne jenes Geistes, der diese Stadt im 18. und 19. Jahrhundert zu einem einmaligen kulturellen Gipfel geführt hat. Der

WEIMAR · Obwohl Weimar durch die Herstellung zahlreicher Fabrikate in der mitteldeutschen Industrie eine führende Rolle spielt, ist es auch weiterhin seiner geistigen Tradition verpflichtet. Neben zahlreichen Museen und Archiven besitzt es in der Landesbibliothek mit ihren 200 000 Bänden einen wertvollen Schatz.

WEIMAR · Um die Wende des 18. Jahrhunderts zählte die Stadt Weimar knapp sechstausend Einwohner. Und doch sollte sie gerade zu dieser Zeit geistiger Mittelpunkt Deutschlands werden, als Herzog Karl August 1775 Goethe zu sich berief. Das Schloß Belvedere diente den Herzögen von Weimar als Sommerresidenz.

Kern der Altstadt ist klein. Am Museum vorbei führt der Weg in das klassische Weimar: Hof- und Garnisonskirche St. Jakob mit der letzten Ruhestätte von Lucas Cranach und Christiane Vulpius. Bis zur Überführung in die Fürstengruft war auch Schiller hier beigesetzt. Durch alte, winklige Gassen kommt man zum Nationaltheater mit dem berühmten Denkmal der Dichterfürsten. Die kunstsinnige Herzogin Anna-Amalia wohnte gegenüber im Wittums-Palais, und nur ein paar Häuser weiter war Schiller zu Hause. Am Markt fallen die prächtige Hofapotheke und das Gasthaus »Zum Erbprinzen« in seinem alten Stil auf. Unmittelbar dahinter reckt sich der hohe Turm des Residenzschlosses empor. In seinen Dichterzimmern lebt die Erinnerung an die Glanzzeit Weimars. Dem Schlosse gegenüber liegt der Fürstenplatz mit dem Fürstenhaus, einem Barockbau, dem Roten und Gelben Schloß und der Bibliothek. Und wieder sind es nur ein paar Schritte bis zum Wohnhaus der Frau von Stein. Der Weg zur Ilm, von der Goethe sagt:

Meine Ufer sind arm, doch höret die leisere Welle,
Führt der Strom sie vorbei, manches unsterbliche Lied,

geht durch den Park, wo sich der Dichter ein »Denkmal des guten Glückes« setzte. Hier klingt noch das »unsterbliche Lied« im gotischen Tempelherrenhaus, in der Grotte und im Gartenhaus mit seinem steilen Dach und den weißen Wänden:

Übermütig sieht's nicht aus,
hohes Dach und niedres Haus . . .

Den Genius ahnend, der diese stille Stätte noch heute umwebt, vorbei am Denkmal von Franz Liszt, kommt man zum Schloß Belvedere. Kavalierhäuser flankieren die Einfahrt zu diesem schönsten Barockbau der Stadt. Das Goethe-Haus am Frauenplan mit dem Nationalmuseum, die Häuser Nietzsches und Liszts und das Goethe-Schiller-Archiv jenseits der Kegelbrücke sind weitere Edelsteine in der Krone Weimar.
Die genialen Menschen, das wird man nicht leug-

WEIMAR · Das Großherzogliche Schloß mit seinem weithin sichtbaren, markanten Turm ist nur eines der an denkwürdigen Gebäuden reichen Stadt. In Weimar tagte 1919—1920 die Nationalversammlung. Mit der hier beschlossenen Verfassung begann die Weimarer Republik, ein Abschnitt deutscher Geschichte.

nen, wachsen über ihre Heimat hinaus, legen aber ihre Ursprünglichkeit nur selten ab. Der künstlerische Sinn des Thüringers drückt sich auch in den Leistungen seiner Großen aus. Es ist bezeichnend für dieses Land der Mitte, daß es keine bedeutenden Militärs und Politiker hervorgebracht hat. Heinrich Raspe war der einzige Thüringer, der deutscher König wurde. Thüringens Söhne wurden Poeten, Musiker und Pädagogen. Schon um 1200 erlebt das Land seine erste geistige Blütezeit: Minnesang und Heldenepos mit Walther von der Vogelweide und Wolfram von Eschenbach. Ihre Wiegen standen zwar im Süden des Reiches, aber am Hofe eines Thüringers, auf der Wartburg, erklangen ihre Lieder.

»Schier in 14 Tagen durch ganz Deutschland«

Zu den größten Deutschen zählen *Martin Luther* und Johann Sebastian Bach. Der Reformator ist zwar im Jahre 1483 in Eisleben, im Mansfeldischen, geboren. Aber er ist ein echter Thüringer. Seinen Vater Hans hatte die Sitte der Erbteilung von Möhra bei Eisenach zum Broterwerb in den Bergbau getrieben. Nach den Jahren der Kindheit wurde Martin Luther erst nach Magdeburg und dann, 1499, zur Schule nach Eisenach geschickt, wo er sich sein Brot durch Kurrendesingen und Betteln verdienen mußte, bis ihm Frau Ursula Cotta ein Heim bot. Als er zwei Jahre später die Universität Erfurt bezog, sollte er eigentlich Rechtswissenschaft studieren. Aber schon bald geriet er in den Bann der Humanisten Crotus Rubianus und Johannes Lang. 1502 wurde Luther Baccalaureus, drei Jahre später Magister; inzwischen hatte er sich zunächst mit dem damaligen »studium generale«, scholastischer Philosophie und Theologie, beschäftigt. Zur Überraschung seiner Freunde trat er am 17. Juli 1505 in das Erfurter Augustinerkloster ein, um nach zwei Jahren zum Priester geweiht zu werden. 1508 findet man ihn an der Universität von Wittenberg, 1515 als Doktor der Theologie. Der Ablaßmißbrauch hatte Luther schon vorher auf das Kampffeld getrieben. Der allgemeinen Sitte folgend, zur Kirchweihe neue Publikationen zu vertreiben, heftete auch er am Vorabend der Wittenberger Kirmes seine 95 Thesen an die Türe der dortigen Schloßkirche. Der Erfolg dieser Schrift überraschte Luther

ALTENBURG · Das monumentale Schloß, an dem man neun Jahrhunderte lang gebaut hat, überragt die am weitesten im Osten liegende Stadt Thüringens. Dieses Schloß, das trotz seiner verschiedenen Baustile als einheitlicher Komplex wirkt, beherbergt das Spielkartenmuseum, das angelegt wurde, nachdem Altenburg für jeden Skatfreund zu einem festen Begriff geworden war. Friedrich Barbarossa gründete 1172 das Bergerkloster, dessen Türme als »Rote Spitzen« bekannt sind.

Johann Sebastian Bach
* 21. 3. 1685, † 28. 7. 1750
Komponist

Heinrich Schütz
* 8. 10.1585, † 6. 11. 1672
Komponist

Alfred Edmund Brehm
* 2. 2. 1829, † 11. 11. 1884
Zoologe

Louise von François
* 27. 6. 1817, † 25. 9. 1893
Erzählerin

wohl selbst am meisten: »Dieselben liefen schier in 14 Tagen durch ganz Deutschland; denn alle Welt klagte über den Ablaß.« Aus dem zuvor treuen Diener der Kirche war der Reformator geworden, aus einem Mönch ein Großer der Welt- und Kirchengeschichte. Die Ereignisse in Luthers Leben drängten sich: Auseinandersetzung mit der römischen Kurie, öffentliche Disputationen, Schriften und Traktate, Vorladung vor den Kaiser in Worms, Reichsacht und Exil auf der Wartburg, Übersetzung der Bibel, Bezähmung der Fanatiker, Verehelichung, Bauernkrieg und immer wieder theologische und schriftstellerische Arbeit. Am 18. Februar 1546 stirbt Martin Luther in seinem Geburtsort mit dem festen »Ja« zu seiner Lehre auf den Lippen. Wehklagen und Glockengeläut tönen durch alle thüringischen Orte, durch die der Trauerzug mit den sterblichen Resten des Reformators führt.

MÜHLHAUSEN · Wie eine weiße Filigranarbeit überragen die Spitzen der hochgotischen, fünfschiffigen St.-Marien-Kirche die Dächer der vor über 700 Jahren angelegten Neustadt, nachdem Mühlhausen bereits 775 fränkische Siedlung war. Aus den Tagen des Mittelalters stammt die noch weitgehend erhaltene Stadtbefestigung.

Wohltemperiertes Klavier und Zupfgeigenhansl

Nicht minder universell sollte das Wirken *Johann Sebastian Bachs* werden. Der 1685 in Eisenach geborene Komponist schuf nicht nur sein Wohltemperiertes Klavier, ergreifende Kirchenmusik, Messen und Fugen, seine bedeutendsten Werke, die Matthäus- und die Johannespassion, sondern spielte vor den Fürsten seiner Zeit. Wenn auch nicht an seinen Ruhm heranreichend, so waren doch über fünfzig weitere Mitglieder der Familie Bach als Komponisten, Musiker und Dirigenten überdurchschnittlich begabt.
Die Wiege des Schöpfers der deutschen Musik, *Heinrich Schütz* (Sagittarius), stand 1585 in dem kleinen Ort Köstritz bei Gera († 1672 in Dresden). Neunzehn Bände umfaßt sein gesamtes musikalisches Werk, darunter Italienische Madrigale, die Oper »Daphne«, Psalmen und Auferstehungshistorie. Er war der erste Große im deutschen Sprachgebiet, der seinen deutschen Texten die von Martin Luther geformte Sprache zugrunde legte. Zu den Musikern zählen noch der mit Bach befreundete *Georg Philipp Telemann* und in unserer Zeit der Arzt *Hans Breuer.* Er gab zu Anfang unseres Jahrhunderts den »Zupfgeigenhansl« heraus, in dem er, selbst begeisterter »Wandervogel«, alle jene Lieder sammelte, die bei Jugendgruppen bis heute gesungen und gespielt werden.

Poeten und Erzieher

In Jena erblickte 1735 *Johann Musäus* das Licht der Welt († 1787 in Weimar). Als Märchendichter hatte er sich durch seine eigene spöttisch-humorvolle Art bald einen Namen gemacht. »Die Geschichten von Rübezahl« wurden sein bekanntestes Werk.

GOETHES GARTENHAUS IN WEIMAR · Im stillen Park am Ufer der Ilm steht am Rande eines großen Wiesenplans das Gartenhaus des Dichters. Hier wohnte Goethe im Sommer, hier arbeitete er, hatte Freunde um sich und träumte hinüber zum Haus der Frau von Stein. Eine hohe Hecke umgibt den seltsamen Bau mit seinem hohen Dach und seinen weißen Wänden. Der Genius, der dieses äußerlich unscheinbare Gebäude belebte, macht uns das Heim des unsterblichen Mannes wert. Kaum jemand, der Weimar einen Besuch abstattet, wird es versäumen, zu diesem Hause zu pilgern.

DIE WARTBURG · Auf einem letzten Vorsprung des Thüringer Waldes erhebt sich die Wartburg, eines der bekanntesten Symbole deutscher Geschichte, berühmt als Schauplatz des »Sängerkrieges« in Richard Wagners »Tannhäuser«, als der Ort, an dem Luther das Neue Testament übersetzte, und durch das Wartburgfest der Deutschen Burschenschaften im Jahre 1817. – EISENACH · Eingebettet in die grünen Wogen der bewaldeten Höhen liegt die strebsame Stadt mit ihrer reichen Vergangenheit.

INSELSBERG · Durch die Felsengewölbe des Torsteins führt der schönste Wanderweg auf den Inselsberg, eine der höchsten Erhebungen des Thüringer Waldes. Auf der wohl am meisten besuchten Höhe des ganzen Bergzuges erhebt sich ein Aussichtsturm, von dessen Plattform sich ein Blick bietet, wie er im deutschen Mittelgebirge nicht schöner sein kann: vom hessischen Bergland über die Rhön und Nordfranken bis weit hinein in die Thüringische Ebene mit ihren Dörfern und Städtchen, Burgen, Parklandschaften, Wiesen und schier endlosen Getreidefeldern bietet sich das Land, wie es viele Lieder besingen.

WURZBACH IM FRANKENWALD · Mit Nordbayern teilt sich Thüringen in den Frankenwald, das Verbindungsglied zwischen Fichtelgebirge und Thüringer Wald. Seine Dörfer und Kleinstädtchen, wie hier Wurzbach, haben meist schiefergedeckte Dächer. Auch die Wände der Häuser sind häufig zum Schutz gegen Wind und Wetter mit dem Rohstoff der Frankenwaldberge, dem Schiefer, beschlagen, der in großen Brüchen aufgebaut wird.

RANIS · Mittelpunkt des großen Saaleknies ist die bedeutende Industriestadt Pößneck an der Strecke Saalfeld-Gera. Ganz in ihrer Nähe liegt Ranis, das sich kaum von vielen anderen Orten Thüringens unterscheidet. Wie an zahlreichen Plätzen wurde auch hier vor tausend Jahren eine Schutzburg gegen den Feind aus dem Osten errichtet. Nach einer Zerstörung in späterer Zeit neu erbaut, grüßt die Burg, schon mehr eine Schloßanlage im Renaissancestil, mit einem wuchtigen Bergfried von einer steilen Felsenbastion über die Dächer des Ortes ins Land hinaus. Die Burgmauer umläuft die ganze Berghöhe.

DER KYFFHÄUSER · Aus der Ebene ragt der Höhenzug des sagenreichen Kyffhäuserberges empor. THÜRINGISCHE RHÖN · Das Dreiländergebirge Rhön gewinnt im thüringischen Teil durch sein mildes Klima mehr Lieblichkeit.

IM FRANKENWALD BEI EBERSDORF · Verbindungsglied zwischen dem Thüringer Wald und dem Fichtelgebirge ist der Frankenwald. Der größte Teil dieses Mittelgebirges, das im Döbra-Berg mit über 700 Metern seine höchste Höhe erreicht, liegt auf bayerischem Boden. Der Anteil Thüringens beschränkt sich auf die Gegend um Lobenstein und die Saale-Talsperren. Wenn auch der Frankenwald nicht an die landschaftliche Schönheit seiner beiden Nachbargebirge heranreichen kann, so bieten seine Wälder und Höhen doch vielen Menschen, die Einsamkeit und Stille suchen, genug Möglichkeiten der Erholung.

Johann Friedr. Böttger
* 4. 2. 1682, † 13. 3. 1719
Entdecker d. Porzellans

Martin Luther
* 10. 11. 1483, † 18. 2. 1546
Reformator

Carl Zeiss
* 11. 9. 1816, † 3. 12. 1888
Feinmechaniker

Ernst Abbe
* 23. 1. 1840, † 14. 1. 1905
Physiker

Der aus Weimar stammende *Ludwig Bechstein* (1801 bis 1860) ist einer der berühmtesten deutschen Erforscher, Sammler und Herausgeber von Volksmärchen und Sagen geworden. Neben seinen deutschen Märchenbüchern wurden die vier Bände »Sagenschatz und Sagenkreise des Thüringer Landes« zu seinem Hauptwerk. Der große Volkserzähler Thüringens wurde *Otto Ludwig* (1813 bis 1865). Auf Grund der Erfolge kleinerer Opernkompositionen erhielt er ein Meininger Stipendium. Seiner Feder entstammen »Der Erbförster«, »Die Makkabäer« und »Die Heiderethei und ihr Widerspiel«. Er starb in Armut und Not. Goethes Schwager Christian Vulpius (1762 bis 1827 in Weimar) mit damals überall »verschlungenen« Räuberromanen und Wilhelm Heinse (*1749 in Langenwiesen, † 1803 in Aschaffenburg) mit dem Roman »Ardinghello«, der das Künstlermilieu schildert, standen im Schatten der Großen ihrer Zeit. *Luise von François,* 1817 in Herzberg an der Elster geboren, († 1893 in Weißenfels), aus einem alten hugenottischen Adelsgeschlecht, schrieb weitverbreitete, auch heute noch gelesene Romane, wie »Die letzte Rekkenburgerin« oder »Frau Erdmuthens Zwillingssöhne«. *Rudolf Baumbach* (*1840 in Kranichfeld, † 1905 in Meiningen) wurde Schöpfer von Wander- und Studentenliedern und Meister der Butzenscheibenlyrik.

Meister Eckart, um 1260 in Tambach geboren, Prior der Dominikaner zu Erfurt, später einer der bedeutendsten Magister Theologiae Sacrae an den Universitäten von Paris, Straßburg und Köln, wurde durch seine Predigten in deutscher Sprache der erste große Volksbildner. Fast vierhundert Jahre später schrieb der Generalsuperintendent *Kromeyer* seinen Weimarer »Schulmethodus«. *Ernst der Fromme,* Fürst zu Gotha, forderte 1642, inmitten der Wirren des Dreißigjährigen Krieges, die unbedingte Schulpflicht der Jugend vom 5. bis zum 13. Lebensjahr. *Friedrich Fröbel* (* 1782 in Oberweißbach, † 1852 Marienthal), holte sich bei Pestalozzi Anregung und Ausbildung zu seinem späteren Wirken, der Erziehung des Kindes im vorschulpflichtigen Alter und der Schaffung von Kindergärten. *Bernhard Heinrich Blasche* (* 1766 in Rudolstadt, † 1830 in Waltershausen) führte als erster den Werkunterricht ein. In die Reihe großer Erzieher gehört auch *Eugen Diederichs* (1867 bis 1930), der, neben seinem Beruf als Verleger und Buchhändler, zu den Initiatoren der Jugendbewegung zählt.

Friedrich Preller, dessen Odysseebilder hauptsächlich im Museum von Weimar zu sehen sind, ist Eisenacher (1804 bis 1878). Sein Schüler Edmund Friedrich Kanoldt kommt aus Großrudestedt (1845 bis 1904). Lucas Cranach (* 1472 in Kronach), der 1553 in Weimar verschied, ist nur von mütterlicher Seite her ein Thüringer.

Wo soll man bei der Darstellung bekannter Thüringer eine Grenze ziehen? Es müssen ihre Namen genügen, um die Erinnerung an ihre Werke und Taten wachzurufen. *Alfred Brehm* (*1829 in Ren-

WEIMAR · Am 4. September 1857 wurde vor dem Deutschen Nationaltheater das von Ernst Rietschel geschaffene Denkmal der Dichterfürsten enthüllt. Beide Figuren, Goethe und Schiller, halten gemeinsam einen Lorbeerkranz. Rietschels Schiller-Kopf gilt allgemein als die beste Darstellung des berühmten Dramatikers.

thendorf): Brehms Tierleben, *August von Kotzebue* (*1761 in Weimar), *Johann Thienemann* (* 1863 in Gangloffsömmern, † 1938 in Rossitten): Gründer der Vogelwarte in Rossitten, die Ärzte *Christoph Wilhelm Hufeland* (* 1762 in Langensalza, † 1836 Berlin) und der »alte Heim«, *Ernst Ludwig Heim* (* 1747 in Solz bei Meiningen, † 1834 in Berlin), *Anselm von Feuerbach* (* 1775 in Hainichen bei Jena, † 1833 Frankfurt) und sein gleichnamiger Sohn, *Johann Friedrich Böttger* (* 1682 in Schleiz, † 1719 Dresden): Erfinder des Porzellans in Europa, *Nicolaus von Dreyße* (1787 bis 1867 in Sömmerda): Erfinder des Zündnadelgewehrs, und die Männer der Wirtschaft: *Carl Zeiss* (* 1816 in Weimar, † 1888 in Jena), *Ernst Abbe* (*1840 in Eisenach, † 1905 in Jena) und *Friedrich Otto Schott* (1851 bis 1935), der Klavierbauer *Karl Bechstein* (* 1826 in Gotha, † 1900 Berlin), dessen Name heute noch die besten Flügel der Welt schmückt.

Goethes Genius ist in Weimar heute noch lebendig. Des Dichters Vorfahren stammen aus dem sächsisch-thüringischen Raum. Als Hufschmied saß der Urgroßvater, Hans Christian Goethe, in Mansfeld. Als *Johann Wolfgang von Goethe* (* 1749 in Frankfurt, † 1832 in Weimar) einer Einladung folgend, an den Hof von Weimar kam, war ein entscheidender Schritt in seinem Leben getan. In Herzog Karl August fand er nicht nur den Freund, sondern auch einen Mann mit Charakterstärke und weit über die Bürokratie eines kleinen Fürstenhofes hinausreichender Schau und Energie. So sagt dieser Fürst kurz nach der Berufung Goethes, als er die Widerstände einiger Neider in seiner Umgebung spürte: »Einsichtige wünschen mir Glück, diesen Mann zu besitzen. Sein Kopf, sein Genie ist bekannt. Einen Mann von Genie an anderem Ort gebrauchen, als wo er selbst seine außerordentlichen Gaben gebrauchen kann, heißt ihn mißbrauchen. Das Urteil der Welt, welches vielleicht mißbilligt, daß ich den Doktor Goethe in mein wichtigstes Kollegium setze, ohne daß er zuvor Amtmann, Professor, Kammerrat oder Regierungsrat war, ändert gar nichts.« In Goethe erhält nicht nur die deutsche Dichtung ihren größten Repräsentanten und ihre universellste Erscheinung, sein Geist und sein Wirken prägten den Hof zu Weimar und das ganze Thüringen.

Der große Dramatiker *Friedrich von Schiller* (* 1759 in Marbach, † 1805 in Weimar) kam als junger Professor der Geschichte nach Jena. Den Dichter der »Räuber« empfingen seine Studenten mit beispiellosen Ovationen und Kundgebungen. Bald verband ihn eine innige Freundschaft mit Goethe, die bis zu seinem Lebensende währte. Zum Goethe-Kreis gehörte auch *Christoph Martin Wieland*, 1733 in Oberholzheim bei Biberach geboren, Dichter, Philosoph, Übersetzer Shakespeares und Herausgeber des »Deutschen Merkurs«.

Die letzten elf Jahre seines Lebens verbrachte der Mecklenburger Fritz Reuter in Eisenach. Hier schrieb er »Dörchläuchting« und »De Reis na Konstantinopel«. Sein Sterbehaus wurde zum Reuter-Museum. Auch der Hildesheimer *Börries Freiherr von Münchhausen* beschloß seinen Lebensabend in Thüringen. Auf Schloß Windischleuba bei Altenburg starb 1945 der Erneuerer der deutschen Balladendichtung. August Trinius (* 1851 in Schkeuditz, † 1919 in Waltershausen), Friedrich Lienhard (1865 bis 1929), Kurt Kluge (1886 bis 1940) und Paul Schreckenbach (1866 bis 1932) sind weitere Meister der Feder, die in Thüringen oder durch Werke über Thüringen bekannt wurden. *Renate Fischer* (1851 bis 1925) ist in Rudolstadt gestorben. Sie ist die klassische Darstellerin des thüringischen Volkslebens geworden.

Christbaumschmuck aus »der Lausch«

Gewiß, außer den gewaltigen Werken der optischen und Glasindustrie in Jena entstand kein umfassendes, zusammenhängendes Industriegebiet, wie etwa an der Ruhr oder in Sachsen. Der Thüringer ist bodenständig und abwägend. Dieser Charakterzug äußert sich auch in seinen wirtschaftlichen Unternehmungen. Die Werke liegen, fast stets nach ihrer Produktion getrennt, in verschiedenen Städten. Und auch hier überwiegt der Hang nach kleineren, aber gesunden Betrieben.

Rund um Nordhausen, Langensalza, Mühlhausen, Sondershausen und in den Waldgebieten herrscht die Holz- und Textilindustrie vor, zu der später noch die Metallverarbeitung kam. Besonders um Lauscha herum konzentrierte sich die Herstellung von Glas und Glaswaren. »In der Lausch« findet sich fast in jedem Haus die Gebläselampe. Hier arbeitet die ganze Familie, besonders in den Herbsttagen, wenn es gilt, Schmuck für viele tausend Christbäume in aller Welt fertigzustellen.

Sonneberg und seine Umgebung – auch Ilmenau, Ohrdruf und Schleiz – leben fast ausschließlich von Spielwaren, Sonneberg besonders von Puppen, für die Lauscha die Augen liefert.

Im Hinblick auf den Wandel, den die Güterproduktion im Laufe der Jahrhunderte durchmachte, ist die wirtschaftliche Entwicklung der thüringischen Stadt Ruhla interessant: Vor neunhundert Jahren war der Ort als Waffenschmiede bekannt. Als die Feuerwaffen aufkamen, begann man in Ruhla mit der Herstellung von Messern. Friedrich der Große holte sich die Meister weg, so daß man sich erneut umstellen mußte. Man »roch« die Konjunktur. Also produzierte man Tabakpfeifen aus Holz, Meerschaum und Ton. Aber bald waren Zigarren und Zigaretten mehr gefragt, und in Ruhla sah man sich nach einem neuen Erwerbszweig um. In Verbindung mit den Zubehörteilen, die man für Waffen und Schlösser anfertigte, ging man zur »Ruhlaer Volksuhr« über, die sich bald durch ihren niedrigen Preis und ihre Zuverlässigkeit den Markt eroberte.

In Eisenach, Erfurt und Nordhausen liefern die Fließbänder in den Werken Kraftfahrzeuge. Apolda glänzt mit Textilien und Wirkwaren: Strümpfen, Kleidern, Tüchern und Strickwaren. Weida hat sich auf Teppiche, Läufer und Juteerzeugnisse festgelegt. Suhl und Zella-Mehlis bekamen durch Waffen und Klingen Weltruf.

Humor in Thüringen

Dabeigewesen

Als sich der Kurfürst Friedrich Wilhelm von Hessen nach den Revolutionsjahren 1848 entschloß, seinen Landtag einzuberufen, trat auch der Dorfbürgermeister Michael aus dem Kreise Schmalkalden als Abgeordneter die weite, damals noch recht beschwerliche Reise nach Kassel an. Während seiner Abwesenheit verfolgte seine Frau zu Hause die Landtagsberichte des Wochenblattes, in der Hoffnung, den Namen ihres Mannes und das, was er gesagt, gedruckt zu finden. Aber vergeblich. Nach seiner Rückkehr erzählte sie, daß sie alles im Blatt gelesen, seinen Namen aber vergeblich gesucht habe und knüpfte daran die bange Frage: »Bas soogst du dann no?« Darauf die Antwort: »Lees nöre genaü, boo da städd ›und es erhob sich ein allgemeines Gemurmel‹, da war ich dabei.«

Biano

Der Weimarer Hofmusikus Fischer pflegte seine Schüler über die Vortragsbezeichnungen folgendermaßen aufzuklären: »Paßt emal auf, ihr Kerle! Wenn een p (er sagte natürlich: b) dasteht, das heeßt biano, dann spielt ihr leise. Und wenn zwee p dastehen, dann spielt ihr noch leiser. Aber wenn drei p dastehen, dann spielt ihr so leise, daß mer gar nischt hört; aber e bißchen muß mer doch hören.«

Der Ton macht die Musik

Max Reger dirigierte das Meininger Hoforchester. Nach dem Konzert unterhielt sich eine zu Besuch weilende junge Verwandte des Fürstenhauses recht herablassend mit ihm. Sie erkundigte sich besonders eingehend nach den Flötensoli, die ihr anscheinend gefallen hatten. Überklug fragte sie den Meister: »Sagen Sie, Herr Hofrat, machen die Musiker diese Töne mit dem Mund?« Reger antwortete trocken: »Das will ich aber stark hoffen, Hoheit!«

Europa nicht gefragt

Ostheim, Sondheim und Nordheim vor der Rhön bildeten bis 1920 eine thüringische Exklave im bayerischen Bezirksamt Mellrichstadt. Die Bewohner dieser Städtchen und Dörfer waren treue Untertanen ihres Hauses Sachsen-Meiningen. Als kurz nach dem siebziger Krieg ein junger Lehrer bei der Gemeinde den Antrag zur Anschaffung einer Europakarte für den Erdkunde- und vaterländischen Unterricht stellte, erhielt er nach einigen Tagen vom Bürgermeister das Ergebnis der Gemeinderatssitzung mitgeteilt: »Härr Lährer, mer sen us einig im ganzä Rat. Ä Kardn för Euroba brauchn mer net. Die junge Leut bleibe dehäm. Mer Alte fahrn höchstensmal nach Meininge nei. Un den Weech kenne mer. Boo mer scho net nach Bayern fahrn wolln, braucht erscht recht käner nach Euroba ...«

Klöße sind besser als Musbrot

Wie jedes Jahr lieferte der Bauer Anton Kreekel aus Kumbach dem Stadtinspektor in Rudolstadt um die Allerheiligenzeit herum fünf Zentner Kartoffeln ins Haus. Es war ein sehr rauher und kalter Herbst. Auf dem Gipfel des Kulm lag bereits der erste Schnee. Als sich Kreekel zum Aufwärmen in der Küche des Herrn Stadtinspektors niederließ, senkte die Hausfrau gerade einen Berg Klöße in das dampfende Wasser.
»Käne Lust aufn Kluß?« fragte die Frau Stadtinspektor.
»Dankschehn! Ech hab ju mei Musbrot gegasse. Ech hab kän Honger.«
»Nu, dann trönk einen! — Wie giht's derhäme, Anton?«
»Oh, merschtenteels gut!«
Die Hausfrau und Kreekel erzählten sich von allem möglichen, bis die Klöße fertig waren und wie samtene Ballen auf dem kochenden Wasser schwammen. Mit einem Sieblöffel legte sie die Frau in die große Schüssel, fertig zum Mittagessen. Der Herr Stadtinspektor würde jeden Augenblick eintreffen.
Der Gesprächsstoff zwischen der Hausfrau und Kreekel war längst ausgegangen. Plötzlich fragte Anton in das Schweigen hinein: »Was hat Ihr em gesaht? Ob 'ch a baar Kließe asse wollt?«

Im alten Weimar

Die Gräfin Marschall in der Scherfgasse im alten Weimar, eine witzige alte Dame, besaß zwei Kutschwagen, den einen für günstiges Wetter, den anderen für Regen und Dunkelheit. Falls sie nun den zweiten wünschte, pflegte sie ihrem Kutscher die Weisung zu erteilen: »Johann, das Nachtgeschirr, es trippelt schon!«

Auf die Sprache kommt's an

In einer Wirtschaft in Saalfeld sitzen ein paar Handwerker. Einer von ihnen liest Nachrichten aus der Zeitung vor. »Die Franzosen«, sagt er abschließend, »die schreiwn Bordeaux on schprechn 's Bordo. Dös soll änne Schbrache sei? Om Gotts willn!«
»Dös ös nischt besundres«, ruft einer aus der Runde dazwischen, »dös han mr bei ons a. Mr schreiwn Kartoffelklöße on schbrechn 's Ardäpfelkließe.«

Bülow kannte sich aus

Unter Herzog Georg II. wurde Meiningen auf kulturellem Gebiet groß und bedeutend. Das Wort des Fürsten bewahrheitete sich, »daß die Welt noch von dem kleinen Meiningen reden werde, auch wenn nur Bummelzüge dort halten«. Als ersten berühmten Kapellmeister seines Hoforchesters verpflichtete er Hans von Bülow.
Nach dem ersten großen und erfolgreichen Konzert lud der Herzog seinen Kapellmeister ganz privat zu sich ein. »Nu, mein Guter«, begrüßte er den Musiker, »was darf ich Ihne fer ä Wein bringe lasse?«
»Den Ew. Hoheit zu trinken pflegen«, antwortete von Bülow.

Leben lassen

Ein biederer Jenaer Messerschmied huldigte treu dem Wahlspruch: »Leben und leben lassen«. Hatte einmal der Fleischer X ein Hackemesser bei ihm gekauft, so erhielt seine bessere Hälfte sofort den Auftrag: »Morchen holste dei Fleesch beim Fleescher X«, oder hatte der Löwenwirt bei ihm sein Messer schleifen lassen, ging er noch am selben Abend in den Löwen zu einem Dämmerschoppen. – Eines Tages kam sein Sohn Franz schmunzelnd aus dem Laden in die Werkstatt und sagte: »Vadder, de Bezirkshebamme Maier hat die Nagelschere schleefe lasse, willste ihr nu ooch was zukomme lasse?«

Bruno E. Werner *Zauber der Erinnerung*

Von manchen Plätzen und Ländern bleibt uns eine Melodie, ein Geruch oder ein Bild im Herzen haften. Bei einigen wenigen jedoch ist es ein Zauber, der, aus der Erinnerung auftauchend, Melodie, Geruch und Bild in sich schließt, und zwar mit einer solchen Intensität, daß man geneigt ist, zu glauben, hier wäre Magie im Spiel. Gewiß trifft dies öfters bei Ländern, Orten und Plätzen zu, an denen die Erinnerungen unserer eigenen Jugend hängen, aber es scheint doch immer wieder, als wäre diese Magie nichts anderes als das Numinosum selbst, das eben mit einigen dieser Plätze verbunden ist.
Der Name »Sachsen«, das heißt jenes Landes, das die Form eines rechtwinkligen Dreiecks zeigt, dessen Hypotenuse die Nordgrenze der Tschechoslowakei bildet, beschwört keinerlei Geheimnis, so wenig wie der Name anderer Industrieländer und Landschaften. Wohl aber tauchen bei seiner Nennung einer oder der andere jener Orte und Plätze auf, mit denen ein eigentümlicher und völlig unverwechselbarer Zauber verbunden ist. Zugleich spürt man, daß auch das Wesen der Sachsen selbst durchaus nicht auf die Formel einer enträtselten und zuweilen bis zur Trivialität reichenden Alltagsvernunft zu bringen ist, wie es manchem wohl scheinen mag.
Damals wußten wir noch nichts von Caspar Friedrich und alles von Karl May aus Radebeul. Wir waren vier und manchmal fünf und fuhren Sonntag nachmittags vierter Klasse in die Sächsische Schweiz. Wir waren fünfzehn oder sechzehn Jahre alt, der Student Hans lehrte uns Seil knoten, Klettern, die Tricks, und was die Hauptsache war, die innere Haltung. Vier Jahre später lebte nur noch einer von der Partie, aber damals vor dem ersten Weltkrieg marschierten wir mit schweren Rucksäcken von der Fähre bei Rathen oder irgendwo zwischen den Schrammsteinen in die grünen Waldgründe.
Ringelnattern, Blindschleichen, ein klopfender Specht, die Felsen stiegen aus Laub und dunklen Nadeln mit aufeinandergetürmten gewaltigen runden Blöcken, mit glatten, steilen Wänden und senkrechten Mauern, in deren Rinnen Wasser floß und tropfte. Die Felsen hießen »Die große Gans« und »Die Lokomotive«, »Der Winklerturm« oder »Der Teufelsturm«. Sie stiegen gleich Fabelwesen hoch hinaus über Gestrüpp und Schlinggewächse, und wenn wir zu ihren Füßen auf körnigen Sandplatten zwischen Farnkräutern lagerten, schienen sie uns riesenhaft gleich Dolomiten, unten im feuchten Dunkel, oben im flirrenden Sonnenlicht.
Und was hieß und bedeutete es, wenn wir mit unseren Kletterschuhen und Seilen mit zerschrundenen Beinen und blutenden Händen keuchend und mit eines Klimmzuges letzter Kraft schließlich oben standen auf der höchsten Zinne des Felsenturms und zwischen den Steinbrocken nach der Blechkassette suchten, die das Gipfelbuch enthielt, in das wir uns nun eintragen durften. Und dann blies man die Luft aus und zündete sich die Gipfelzigarette an, und tief unter uns und rundherum atmete die grüne Welt, aus der sich andere rötliche Sandsteine erhoben. Die Wipfel der Tannen und Fichten, der Birken und Buchen wogten unter uns, und in der Ferne sah man den Lilienstein, den Tafelberg, der als stumpfer Kegel über dem Dunst schwebte. Und dazwischen schlängelte sich silbern die Elbe.
Wir wußten nichts von dem Romantiker Friedrich und nichts von der Aufzeichnung Immermanns, daß man hier hinter diesen sonderbaren Gesteinsbastionen, Bögen und Brücken »das Elementarische ganz klar« hindurchfühle. Aber wir empfanden ähnliches, ohne ihm Worte leihen zu können, und wir spürten, daß die Bezeichnung »Sächsische Schweiz« mit ihrer Verniedlichung dieser Welt nicht angemessen war. Gewiß gab es die Bastei, das Prebischtor, den Lichtenhainer Wasserfall, den man für ein paar gesammelte Groschen zum Absturz bringen konnte (ein mit Wasser gefüllter Bottich wurde oben umgekippt). Es gab dort Postkartenbuden, eiserne Geländer und auf Schritt und Tritt Automaten und montierte Fernrohre.
Aber es gab auch jene geheime grüne Welt, in die die Sonntagsausflügler nicht eindrangen, wo wir Erbsensuppe kochten und Eier in die Aluminiumpfanne schlugen, und wo es Kerle gab, wie den verrückten Amerikaner Oliver Perry, der eine halbe Flasche Rotwein austrank, sich dann minutenlang mit dem Kopf nach unten ans Seil hängte, um sofort darauf wie eine Fliege an der glatten Wand emporzuklettern. Er war einer der vielen Amerikaner, die vor dem ersten Weltkrieg in Dresden lebten, und er hatte das Klettergebiet entdeckt. Später sperrte man ihn infolge des vielen Alkohols in die Heilanstalt auf dem Sonnenstein ein, wo er ein Gitter herausbrach, die steile Felswand hinunterrutschte und ins erste Wirtshaus ging. Hier fingen ihn zwei Pirnaer Polizisten. Er ließ sich willig zurückbringen, aber als er über die Elbbrücke ging, hob er die beiden Wachtmänner ruhig am Kragen über das Geländer und ließ sie dann in die Elbe fallen. Natürlich nahm es ein trauriges Ende mit

ihm, aber es war nicht trauriger als das des anderen großen Kletterhelden, der nach vergnügter Feier in der Silvesternacht mit gewöhnlichen Stiefeln einer Wette halber den Kamin der »Großen Gans« hinaufkletterte. Er stürzte oben aus der vereisten Wand.

Es geht ein eigentümlicher Zauber von dieser Felslandschaft aus, aber wer auf den Straßen der Ausflügler und Touristen hinfährt, der sieht nichts als ein paar romantische Felsenecken, und er findet nicht den Schlüssel zum Eingang, hinter dem das Geheimnis verborgen liegt.

Einmal um die Weihnachtszeit zwischen Mulde und Schwarzwasser hinauf in das verschneite Erzgebirge, vorbei an geduckten Fachwerkhäusern mit steilem Giebel und mit dick weißwattierten Schieferdächern. Hinter den Eisblumen der Fenster leuchtet das Licht der niedrigen Stuben, Schlitten mit Schellengeläut gleiten vorüber, die Tannen biegen ihre vereisten, schneebedeckten Zweige bis zur Erde. Auf dem kleinen Marktplatz – war es in Aue, war es in Schwarzenberg? – steht ein hohes, sich drehendes funkelndes Gebilde, die Weihnachtspyramide. Vor der Einführung des Christbaums drehten sich in den armen Hütten unter der Kerzenwärme die handgeschnitzten volkstümlichen Figuren, in zwei oder drei Miniaturstockwerken, die Hirten und die Schafe, und darüber die heilige Familie und die Könige aus dem Morgenland, farbig bemalte, steifgliedrige Figürchen mit grünem Fuß. Hier, vor unseren Augen, waren sie nun lebensgroß mit hohen Schneehauben auf ihren Hüten und wurden vom elektrischen Kraftwerk getrieben. Es war, als hätte sich wieder bei dieser nüchternen, armen Bevölkerung ein eigentümlicher, sächsischer Spieltrieb geäußert mit dem bastelnden Feierabend-Hang dieses Volkes zu allerlei Zauberkünstler-Apparaturen, Spieluhren und Dosen und auf Grund von stählernen Federn, werkelnden Gerätchen, kleinen, während eines Menschenlebens im Zimmer aufgebauten, mechanisch bewegten Bergwerken – kurz mit Automaten aller Art, diesen Zauberwerken der Romantik, die die Sachsen an die Schwelle zum technischen Zeitalter gestellt haben und die noch einmal einen rührenden Rückblick in eine allmählich versinkende magische Welt erlauben.

Bei Anton am Elbufer vor den Toren Dresdens spielt E. T. A. Hoffmanns »Märchen vom goldenen Topf«, und wenn allgemein spürbar von einer Stadt Sachsens Magie und Zauber ausgeht, so ist es das alte Dresden. Hier sprach Herder vom »deutschen Florenz«, was der Stadt einen jener verniedlichenden Namen gab, an denen Sachsen nicht arm ist. Aber die Eigenart dieser Stadt bedurfte solcher Vergleiche nicht. Die Melodie, die über ihr liegt, von den Loschwitzer bis zu den Rädmitzer Höhen, ist die eigene Musik eines mitteldeutschen Barock, mit den sich im Strom spiegelnden Türmen, Kuppeln und Terrassen.

Das Bild dieser Stadt zu beschwören, hieß von eh und je die Vergangenheit wieder heraufholen, die Festlichkeit des fürstlichen Barocks, mit den Palais, der Hofkirche, dem Zwinger, dem heiteren Schwung der Brücken über dem Strom. Von der vitalen Galanterie Augusts des Starken bis zum genialischen Sohn des Leipziger Polizeiaktuars Wagner, der mit seinem »Rienzi«, dem »Fliegenden Holländer« und dem »Tannhäuser« die Zeitgenossen erregte, bis er als Revolutionär steckbrieflich verfolgt Dresden verlassen mußte, und noch einmal kurz vor Ausbruch des ersten Weltkrieges, den ahnungsvollen, hintergründigen Abgesang auf die barocke Welt, die erste Aufführung des »Rosenkavalier« in der Hofoper.

Heute indessen, nach der Vernichtung des alten Dresden im zweiten Weltkrieg, muß jede Beschwörung dieser Stadt den Charakter einer Elegie bekommen. Doch von neuem ist nunmehr der Zwinger erstanden, wieder wandert man durch die Säle der Semperschen Galerie, vorbei an den Bambini und Madonnen von Mantegna und Raffael, noch schwingen die Brücken sich wie einst über dem Strom, auch wird eine neue Welt über die Sentiments der Vergangenheit beherzt hinwegspringen. Aber die alte Stadt Dresden hatte ein so einzigartiges Gesicht, daß sie – solange noch ein Lebender sich ihrer erinnert – nimmermehr Vergangenheit und Geschichte werden, sondern umflorte Gegenwart sein wird.

Zu oft verbirgt sich in diesem Land Sachsen hinter der Oberfläche ein anderes, bei der Landschaft wie bei den Menschen. Die Urbanität, die Betriebsamkeit, die rationalistische, sächsische »Helle«, die Vigilanz dieses Volkes, die Gelassenheit des sächsischen nil admirari, sich von nichts und niemand imponieren lassen, verhüllt einen anderen Zug, der von untergründigen Kräften gespeist wird. Man spürt dann, daß die – nennen wir sie – »Leibnizsche Komponente« nur eine Seite des sächsischen Wesens ist. Die umfriedete Monade mit Häuschen, Deckchen, Zwiebelmuster, Gartenzwergen und umzirkelten Beeten – man konnte ihnen noch im Krieg begegnen, wo sächsische Regimenter in Stellung lagen –, die in ihrer prästabilierten Harmonie im Einklang mit sich, den andern und der göttlichen Vernunft lebt, ist gewiß eine Seite von dem Wesen dieses deutschen Stammes. Die andere äußert sich in einem eigentümlichen Sinn für Selbstironie, im Höhendrang, zuweilen in Schadenfreude, die sich bis zur Schadenfreude gegen sich selbst steigert, und damit einen künstlerischen Zug enthüllt.

Aber damit wird zugleich der dämonische Zug im Wesen dieses Mischvolkes spürbar, der Zug, der Sachsen zu einer deutschen Genieecke bestimmte, der zuweilen in seinen großen Söhnen sichtbar wird und der erkennen läßt, daß hier in der Urheimat des homo faber sich noch immer ein irrationales Moment verbirgt, das aus unversickerten Quellen bewässert wird. Im Herzen dieser liebenswürdigen Landschaft und seiner Menschen, diesen Kindern der Göttin der Vernunft, schlummert das Geheimnis.

KARL RAUCH Sachsen

Das heutige Sachsen umfaßt jenen Landschaftsraum, der vom ursprünglich kursächsischen Gebiet, das von der böhmischen Grenze bis nördlich von Wittenberg reichte, nach dem Abschluß des Wiener Kongresses als Torso übrigblieb. In der sich dem Bewußtsein markant einprägenden Form eines unregelmäßigen Dreiecks erstreckt es sich zwischen Brandenburg und Böhmen von der thüringischen Grenze bis zum Lausitzer Hügelland, das Schlesien berührt. Seine südliche Grenze zieht sich, gegen den rauhen »böhmischen Wind« schroffe Abwehren aufdämmend, vom *Fichtelgebirge* im Westen über das *Elstergebirge* und anschließend auf dem *Erzgebirgskamm* zum *Elbsandsteingebirge* bis zu den Hängen des *Isergebirges* hin.

Nach Böhmen zu fällt das *Erzgebirge* steil ab, dessen höchste Erhebung im sächsischen Bereich der *Fichtelberg* (1218 m) mit dem an seinem Fuße gelegenen Städtchen Oberwiesenthal und dessen Umgebung den Mittelpunkt eines idealen mittelgebirgischen Wintersportgeländes bildet. Der Kamm selbst hält sich im Durchschnitt bei 800 m Höhe und wird nur noch von einigen anderen Gipfeln, wie Auersberg, Bärenstein, Geising und Scheibenberg, überragt. Hauptbestand der Bergwaldungen sind Fichte und Eberesche, die hier »Vogelbeerbaum« genannt wird. Heidelbeeren, Preiselbeeren, Pilze und graugrüne Flechten bilden die übrige Vegetation der Wälder, die von prächtigem Wiesenland unterbrochen werden, während die Äcker durchweg mager und karg sind.

OYBIN · Der steilwandige Bergstock überragt das Tal des Zittauer Gebirges mit dem Kurort gleichen Namens. Auf dem Gipfel befinden sich die Ruinen einer 1315 erbauten Felsenburg und einer Klosterkirche der Zölestiner, die 1365 erbaut wurde, 1577 niederbrannte und 1681 durch einen Felssturz zerstört wurde.

Kleine Dörfchen und abgelegene, sehr vereinzelte Hütten und Holzhäuschen mit Schindeldach kennzeichnen den Grenzbereich. Eine wohltuende, zum Ausruhen einladende Stille liegt über den Wiesen, auf denen die vielen Arnikablüten und das leuchtende Gelb der Trollblume vorherrschen. Und es kann einem passieren, daß man da außer einem vereinzelten Grenzwächter bestenfalls ein altes Kräuterweiblein bei seiner Sammeltätigkeit trifft. Fast am westlichen Ende des Gebirges liegt der Kranichsee, ein Hochmoor zwischen Moos und düsterem Tümpelgewässer, wo man auf seltene Pflanzen stößt, auch medizinisch zu verwendende Kräuter. Droben entspringen kühle Bäche und Gerinnsel, die durch tief und schroff eingesenkte Täler abfließen und sich allmählich zu Flüssen zusammenfinden, wie Zschopau und Flöha. Aber selbst in dieser Abgelegenheit hat die im nördlichen und mittleren Teile des Landes durchgreifende Industrialisierung den ursprünglichen Charakter strichweise schon anzunagen begonnen.

Elstergebirge und Flachland

Im südwestlichen Landeszipfel, dem eigentlichen *Elstergebirge,* ist nahezu alles Wald. Nur jene sehr typischen, die Talschluchten der Elster und Göltzsch überspannenden, mehrstöckig gebauten Eisenbahnbrücken ermöglichen dem Fernverkehr Durchbrüche. Überall aber wahren und sichern breite und schmale, idyllische und romantische Berge, Schluchten und Klüfte noch dazwischen liegende naturbehütete Stücke und Fetzen und hindern die ständig anwachsenden Städtchen, Städte und Werkanlagen, die natürliche Landschaft zu überrennen.

Durch die bizarren Felsbildungen der *Sächsischen Schweiz* bricht sich die Elbe, Deutschlands zweitgrößter Strom, ihr Bett und durchzieht das Land leicht diagonal in südnördlicher Richtung. Auf eine deutlich im Geographischen begründete Weise wird damit die spezifische Mittellage zwischen West und Ost betont. Kenner wollen auch von daher die wohltemperierte Ausgeglichenheit des sächsischen Wesens herleiten.

Im Gegensatz zum Gebirge im Süden und dessen

ZITTAUER GEBIRGE · Blick von der Lausche nach Norden. Als südlicher Teil des Lausitzer Berglandes bildet der Gebirgszug die Grenze nach Böhmen. Er erhebt sich wallartig um durchschnittlich 300 Meter über den Norden des Berglandes. Durch das teilweise bewaldete Gebiet zieht im Tal der Görlitzer Neiße ein uralter, einst sehr bedeutender Verkehrsweg, auf dem schon in vorchristlicher Zeit Bernstein von der Ostsee ins Böhmische Becken transportiert wurde.

einstmals völliger Undurchdringlichkeit sind die nördlichen Landesteile von jeher frei zugänglich gewesen, haben Flüsse und Heerstraßen Verkehr und Handelsaustausch ungewöhnliche Vorteile geboten. Zwischen Elster, Mulde und Elbe gibt es auf die Leipziger Bucht hin, ebenso wie um die Hohburger Berge und östlich der Elbe bei Großenhain und dem Laußnitzer Hügelland weite Strecken fruchtbaren Ackerbodens. Wohl haben gerade die Leipziger Auenlandschaft, bekannt als Paradies der Nachtigallen, und das Pleißental sehr vieles von ihrer landschaftlichen Lieblichkeit eingebüßt, aber wie im Elbtal neben aller Industrialisierung bei Potschappel und Freital der Lommatzscher Grund sich freigehalten hat, so dauert weiterhin ein reiches und abwechslungsvolles Naturleben zwischen all den Tausenden von kleinen Seen in der Lausitzer Tiefebene an, die sich bis zur Neiße hin ausdehnt.

Das seit der Mitte des neunzehnten Jahrhunderts vom Agrarland zum hochindustrialisierten »mitteldeutschen Revier« gewordene Sachsen ist trotz einer teilweise hektischen Entwicklung dennoch an kaum einer Stelle zur »Kultursteppe« geworden. Es hat die bunte und abwechslungsreiche Fülle seiner landschaftlichen Reize bewahrt. Von der höchstgelegenen Stadt Deutschlands, Oberwiesenthal (900 m), bis nach Strehla, das knapp 90 m hoch dicht an der nördlichen Grenze Sachsens liegt, ist es ein sehr ansehnliches Gefälle. Zwischen Mulde und Elbe reihen sich fruchtbare Getreide- und Rübenäcker weithin aneinander um Wurzen, Oschatz und Lommatzsch, aber auch um Döbeln lagert sich uraltes Bauernland.

Die Lausitz

Weiter östlich bei Zeithain und Königsbrück gibt's ausgedehnte Heide- und Sandstriche. Stille Heidedörfer säumen die Straßen. Kiefernwälder reichen bis nach Kamenz und in die wendische Lausitz.

Hier nisten in völliger Ungestörtheit inmitten einer von alters her blühenden Teichwirtschaft Störche und Reiher. Hier können Kundige die anderswo längst ausgestorbenen Großtrappen in den Feldern aufspüren, hier beherrscht die den Tag scheuende Sumpfohreule ihr angestammtes Revier, hier nisten auf geknickten Rohrhalmen über dem Sumpfwasser oder im struppigen Weidendickicht ganze Kolonien von Trauerseeschwalben.

Uralte Findlinge lassen den Grenzbereich nordischer Gletscherausläufer erkennen. Im Südosten kann man im Hochwald um Oybin und in der Nähe der eigenartigen Sandsteinfelsen des Scharfensteins und der Jonsdorfer Orgel den Auerhahn bei der Balz belauschen. Wer von da aus nach Westen zum Valtenberg vordringt und weiter südwestlich zur Elbe stößt, gelangt ins romantische Tal der Wesenitz, kann von dort ins Elbsandsteingebirge und

FICHTELBERG · Der Gipfel, der in der Nähe der tschechischen Grenze liegt, ist mit 1218 Metern der höchste Berg des nördlichen Erzgebirges und darüber hinaus ganz Sachsens. Auf der Spitze befindet sich eine Wetterwarte (Bild). Zu seinen Füßen erstreckt sich der Wintersportplatz Oberwiesenthal.

ELBSANDSTEINGEBIRGE · Das Gebirgsland ist in seinem Zentrum eine verwirrende Anhäufung der bizarrsten Felsformen. Typisch für seine Randzonen sind die sogenannten Ebenheiten und darüber die „Steine", tafelförmige, steilwandige, einzeln stehende Berge wie der im Hintergrund sichtbare Lilienstein.

seine mächtigen Wälder aufsteigen, die von den Puppenspielern her bekannte Burg Hohnstein besuchen oder auch, wenn ihn danach gelüstet, sich längs der Elbe ergehen und gemächlich stromabwärts pilgernd das fruchtbare Lößnitztal erreichen.

Das angenehmste Klima findet man im Elbtal nördlich Pirna und um Dresden (Jahresmittel etwa 9 Grad). Zum Bergland hin wird es zunehmend rauher. Das Erzgebirge selbst ist zudem noch sehr niederschlagsreich.

Landnahme in der Mark Meißen

Auf dem ursprünglichen Waldboden des späteren Obersachsen, dessen Kernstück die *Mark Meißen* gewesen ist, haben die Wettiner ihre Hausmacht begründet, hat Otto der Städtegründer (1156 bis 1190) durch Unterwerfung und Zivilisierung der sorbisch-wendischen Urbevölkerung, von der es heute nur noch in den östlichen Landesteilen geringfügige Überbleibsel gibt, der Germanisierung den Boden bereitet und den Silberbergbau ins Leben gerufen. Hier wurde im elften Jahrhundert Dresden gegründet. Hier hat Heinrich der Erlauchte (etwa 1215 bis 1288) dem Meißnischen Lande das westwärts benachbarte Sumpfgebiet des Pleißner und des Osterlandes hinzugewonnen.

Von diesem, von Burgen und wehrhaften Höfen beschützten Land zwischen Saale und Neiße, Grenzwacht des Reichs gegen Böhmen und ein aufstrebendes Polen, schrieb im 13. Jahrhundert der in Magdeburg ansässige Minorit Bartholomäus Anglicus: »Es hat starke Städte und Flecken und starke und befestigte Burgen. Sein Volk ist begütert mit Reichtümern, Feldfrüchten, Vieh und Bergwerken. Und es ist ein Volk von großer Tapferkeit, Schönheit und anmutiger Schlankheit, dazu ein gütig gesinnter und friedlicher Volksstamm, der von Natur in allem weniger Wildheit besitzt, als das sonst bei Deutschen üblich ist.«

Mannhafte Bauern- und Handwerkergeschlechter aus den anliegenden Ländern im Westen und Südwesten strömten schon im 10. Jahrhundert in das Grenzland an der Elbe und führten die Kultur zur ersten großen Blüte. Wenn auch in späteren Jahren durch die hinzustoßenden Strömungen aus dem schlesischen Raum und vom Brandenburgischen her der unmittelbare Grenzlandcharakter Sachsens merkbar an Gewicht verlor und das Land seine eigentümliche Bestimmung als »Brücke« zu formen begann, bis sich im sächsischen Stammescharakter schließlich die Rolle des Austausches und einer fruchtbaren Vermittlung durchgesetzt hat, so ist bei aller flutenden Angleichung doch der Gedanke einer sichernden Abwehr, wie ihn die Anlage der frühen Dorfkirchen durchweg auch heute noch erkennen läßt, stets wach geblieben.

Erzgebirgler, Oberlausitzer, Meißner, Osterländer und Vogtländer hoben sich früh schon klar und bewußt voneinander ab und hielten an ihrer besonderen böhmisch-schlesischen, oberpfälzischen oder thüringisch-hessischen Herkunft fest, wenn sie auch zunehmend in ein umfassend sächsisches Stammesgefüge eintraten. Die Elemente des Bergbaus lenkten den aufwachsenden Humanismus hier zu einer betont naturwissenschaftlich-technischen Entwicklung. Aus dem Bergbau brachen früh bereits soziale Gegensätzlichkeiten hervor. Dazu kommt, daß von jeher eine bewaldete Gebirgsgrenze die Tendenzen des Sinnierens, des Absonderns und des Revoltierens unter dem einfachen Volke zu fördern pflegt. Die Gedanken der Reformation mußten auch aus diesem Grunde hier einen besonders gut vorbereiteten Boden finden.

Bereits im Jahre 1447 und später wieder zwischen 1495 und 1500 ist es zu teilweise umfangreichen Streiks gekommen. 1518 erzwangen sich die aufbegehrenden sächsischen Bergleute eine regelrechte »Bergordnung«. Das Volk murrte auch sonst öfter gegen die oberen Stände. Die Anhängerschaft Thomas Münzers soll gerade im Erzgebirge sehr groß gewesen sein.

Der *sächsische Mensch* ist besonders hellhörig für alles Pädagogische. Für die höheren Stände haben sich in jahrhundertelanger Tradition die berühmten drei großen sächsischen Fürstenschulen Meißen, Grimma und Pforta bewährt. Als Goethe in Leipzig studierte, schrieb er die oft zitierten Verse:

Mein Leipzig lob' ich mir,
es ist ein Klein-Paris
und bildet seine Leute.

Höflichkeit und Bildung gehören eng zusammen. Wer beide besaß und sie recht zu verbinden wußte,

BAD SCHANDAU · Inmitten des Elbsandsteingebirges liegt Bad Schandau an der Elbe als letzte Stadt auf sächsischem Boden vor der Grenze der Tschechoslowakei. Darüber erheben sich die wildzerklüfteten, steilen Felsen der Sächsischen Schweiz, des schönsten Teiles des Elbsandsteingebirges, eines beliebten Urlaubsgebietes. Bad Schandau hat eisenhaltige Mineralquellen. Es ist durch eine Flußschiffahrtslinie mit Dresden verbunden.

wurde schon früher »galant« genannt, und der »galante Sachse« wurde seit der Zeit der Soldatenkönige oft und gern gelobt. Das gesellschaftlich feine Leipzig war für weite Teile Europas zu Napoleons Zeiten und auch später noch tonangebend. Junge vornehme Engländerinnen kamen bis zu Anfang des 20. Jahrhunderts häufig für einige Jahre in gepflegte Dresdner Pensionate.

Das sächsische Schulwesen galt im 19. Jahrhundert und auch zu Anfang des 20. den anderen deutschen Ländern als überlegen. In den aufgeweckten Jahren der experimentierenden Schulreform nach dem ersten Weltkrieg hat die sächsische Lehrerschaft, allen voran der »Leipziger Lehrerverein« weitreichende Schulreformen praktiziert und eine beispielhafte pädagogische Experimentierfreudigkeit bekundet.

Immer ist der rationale Geist in Leipzig und Dresden wach und rege gewesen. Stärker romantisierende poetische Talente strömten wesentlich nur über die Lausitz aus dem schlesischen Raume ein.

SOSA-TALSPERRE · Die im Jahre 1951 nach knapp dreijähriger Bauzeit fertiggestellte Talsperre dient der Trinkwasserversorgung der Uranbergbaustadt Aue und ihrer Umgebung. Die Sperrmauer ist 200 Meter lang und 60 Meter hoch. Der Stausee faßt sechs Millionen Kubikmeter Wasser.

Hier hatte auch die Welt des Märchens von alters her ihren festumrissenen Platz, während es dafür im Erzgebirge wenig Entfaltungsmöglichkeit gab. Dort wie auch im Vogtland kam die Sage weit breiter und fülliger zur Geltung. Am lebendigsten waren im sächsischen Raum immer die Wiedergängersagen, dazu solche von Hexen und Zauberern, Kobolden und Drachen.

Öfter kreisen *Sagen* und *Legenden* um auffällig geformte Felsbildungen, so den »Kuhstall« in der Sächsischen Schweiz, die Greifensteine bei Ehrenfriedersdorf. Mit den rußigen Gestalten der Pechsieder und Köhler verbindet sich vielerlei sagenhaftes Geraune, wird jedoch zugleich auch die Historie bildhaft. Köhler sind es gewesen, die jene wettinischen Prinzen retteten, die der Raubritter Kunz von Kaufungen aus dem Altenburger Schloß entführt und in der berühmten »Prinzenhöhle« bei Hartenstein im Erzgebirge versteckt hatte. In anderen Berghöhlen, zwischen Felsen und Wäldern geistert die historische Gestalt des berüchtigten Raubschützen Karl Stülpner.

In den ärmlichen Hütten und Häuschen um Schneeberg, Annaberg, Olbernhau, Schwarzenberg, Seiffen, um nur einige der Gebirgsstädtchen zu nennen, die durch ihre rege Heimindustrie bekannt geworden sind, mag die starke *Sangesfreudigkeit* der Erzgebirgler einmal ihren Anfang genommen haben. Nach dem beendeten Tagewerk der gemeinsam am großen Tisch emsig bastelnden Familie wird am Abend in frohem Verein eines der landesüblichen Feierabendlieder angestimmt, von denen viele, z. B. »Vergaß dei Haamit net« und »'s is Feierohmd ...«, von Anton Günther (1875 bis 1937) aus Gottesgab stammen.

Awer geen Gummer nisch

Der Erzgebirgler neigt auch stark zu geruhsamer Besinnlichkeit, aus der in der Advents- und Christfestzeit eine zart-wehmütige, andachtsvolle Innigkeit aufsteigt, die der robustere und öfter zu Streitigkeiten aufgelegte Vogtländer weniger kennt.

Der oft belächelte *sächsische Dialekt* ist in den einzelnen Landstrichen verschieden. Er klingt in Dresden, wenn man ihn unverfälscht hört, mitunter noch breiter als in Leipzig, von wo er betriebsam, meist ziemlich entstellt und übersteigert, literarisiert worden ist. In der Chemnitzer Gegend greift er schon stark ins Erzgebirgische hinein.

»Sächsisch lernen« dürfte einem Fremden ungemein schwerfallen. Wichtiger Ausgangspunkt dabei ist jedenfalls, so weit wie möglich, vorn zu sprechen, ganz dicht an den Zähnen. Ohne alle Anspannung sprechen, Worte und Silben unbekümmert ineinander rutschen lassen, ungeregelt und unwillkürlich leicht singende Sprünge in den Tonlagen sich vollziehen lassen, Akzente vernachlässigen und eine geruhsame Behäbigkeit an den Tag legen!

»Versuchen Sie's mal, mei Gudster, 's wärd Ihn schwärlich geling', awer geen Gummer nisch: wänn Sä's bardedu woll'n, gänn Sä hier in jed'n Lad'n, wenn sä Lust d'rzu griech'n, iewerall rumgriech'n! Un bild'n Sä sich bloß nisch inn, härn Sä, daß ich Sä will uff dä Schibbe nähm, nee, ich, was mich angeht, ich mag Sä eejendlich ganz gud leid'n. Warum dänn och nisch? Un nu lä'm Sä scheen wohl und märgn Sä sich bloß eens: sei Awerchen, nu was woll'n Sä denn – sei Awerchen hat nu ämal alles im Lä'm! Da gann ooch unsereens wärglich nischt dran ändrn. Nee, wärglich nisch!«

Der sächsische Dialekt entspricht genau der menschlichen Haltung des Sachsen: sich mit allem und jedem abzufinden, was das Leben mit sich bringt, und – was auch immer geschehen mag – darüberzustehen. Von einem Königlichen Hoflieferanten aus der Wettiner Straße in Dresden wird erzählt, daß er seinen Lebensabend durch eine Reise rund um den Globus zu verschönern gedachte. Doch das Passagierschiff, mit dem er den Indischen Ozean zu überqueren gedachte, ging in einem Wirbelsturm unter, wobei der wackere Sachse, bevor er ein Rettungsboot besteigen konnte, über Bord gespült wird und schrecklich viel Salzwasser schluckt. Während er sein graues Haupt sinken läßt, sich dem Unabänderlichen hingebend, sagt er mit letzter Kraft noch: »Tscha, eejendlich hadd'ch mich scha d'rheeme woll'n verbrenn'n lass'n!«

Der Oberlausitzer spricht sehr viel mehr aus dem Gaumen heraus. Seine l und r rollen weit von hinten her. Aus dem Gaumen hervor klingt auch das Vogtländische, es sprudelt seine ans Bayerische erinnernden doppelten Umlaute (üö usw.) hastig, hüpfend, erregt und geradezu wild, verschluckt und überspringt besonders gern Vorsilben, poltert und überanstrengt sich. Das »Arzgebargsche« erfaßt man am besten, wenn man den Klöpplerinnen bei ihrem die Arbeit begleitenden Singen zuhört.

Gebräuche im Jahresablauf

Das Hauptfest des Jahres war und ist die *Kirmes*. Aber auch den Ausklang des Faschings mit den Fastnachtskrapfen, Brezeln und dem von Gesang begleiteten Ascheabkehren von Haus zu Haus am Aschermittwoch hat die dörfliche und kleinstädtische Jugend stets gern und eifrig betrieben. Leipzig kennt als traditionelles Gaudium der Kinder im September den Tauchschen, eine alte Erinnerung an eine Fehde, die die Stadt dereinst gegen das Nachbarstädtchen Taucha wohl mehr heiter als ernsthaft auszutragen hatte. In Dresden gibt's die »Vogelwiese«; Jahrmärkte und Schützenfeste gibt's allerorten.

Der Nikolaus ist nur in den katholischen Bezirken der Lausitz bekannt, die anderen Teile des Landes halten es mehr mit dem Knecht Ruprecht. In der Adventszeit weht ein festliches Raunen weithin durchs Land. Holzgeschnitzte Bergleute und Engel mit Lichtern, Räuchermännchen mit Räucherkerzeln, Pflaumenkerle, stehende und schwebende Engelsfiguren aus Holz oder Zinn, dazu Krippen mit anbetenden Hirten und Tieren, oft von aus Holzspänen gefertigten Bäumchen und ganzen Wäldern umgeben, bunte Spieldosen mit sich dre-

BRAUNKOHLENABBAU · Die mächtigen Flöze des wichtigsten mitteldeutschen Bodenschatzes erstrecken sich von Grimma, Zeitz und Weißenfels im Südosten nach Nordwesten bis ins östliche Harzvorland. Sachsen hat vor allem zwischen Leipzig und Borna Anteil an den Braunkohlelagern. Die Kohle — etwa die Hälfte der Weltförderung an Braunkohle — wird in großen Tagebauen gefördert. Rund 90 Prozent der Elektrizität Mitteldeutschlands werden in Kraftwerken erzeugt, die Braunkohle verheizen.

BAD ELSTER · Im südlichsten Zipfel Westsachsens liegt der größte Kurort des Landes, Bad Elster, am Oberlauf des gleichnamigen Flusses. Eine große Zahl von Mineralquellen (im Bild die Moritzquelle) und Moorbädern bietet Behandlungsmöglichkeiten für Herz- und zahlreiche andere Krankheiten.

henden Aufbauten und kunstvolle Weihnachtspyramiden treten rechtzeitig, ehe der Winter einbricht, von den Bergen herunter ihre Reise an.
Ihr Zauber spart kein sächsisches Haus aus, und häufig tragen diese zierlichen Gebilde emsiger häuslicher Betätigung weit in alle Welt, über den Ozean und zu anderen Kontinenten die frohe Botschaft: Es weihnachtet sehr!
Volkstrachten leben erwähnenswert nur noch – und auch da spärlich – in der Lausitz. Die Spitzenklöpplerinnen im Erzgebirge sind darauf bedacht, an ihren weißen, mit Spitzen durchsetzten Schürzen festzuhalten. Nur in Bruchstücken lebt die erzgebirgische Bergmannstracht als Berufskleidung weiter. Tschako – an Festtagen mit Federaufputz –, dunkle lange Hose mit breitem und halblangem Schurz, weißes Jackett mit bunten Aufsätzen und auch die eigenartige weiße Hose mit dem schwarzen Knieüberhang kann man gelegentlich eines festlichen Umzugs noch sehen. Wer dergleichen noch besitzt, hütet es sorglich und ehrt das alte Stück wie ein Prunkgewand.

Bliemchengaffee und Christstollen

Das *Nationalgetränk* der Sachsen ist und bleibt der Kaffee. Der dünne »Bliemchengaffee« gehört freilich ins Bereich der üblen Nachrede, aber richtig ist, daß »ee Schälchen Heeßer« zu jeder Tageszeit bekömmlich ist, nur »scheen sieße muß'r sinn . . .«, eine gute Portion Zucker gehört hinein. Im Vogtland gibt es an Sonntagen so oft wie irgend möglich jene »grünen Klöße«. »*Leipziger Allerlei*« ist schon lange international geworden. Pulsnitz bei Dresden liefert vortreffliche »Pfeffernüsse«. Als stammeseigenes Mittagessen erfreut sich der »Speckkuchen« großer Beliebheit, zu dem natürlich auch eine gute Tasse Kaffee gehört. Er muß ofenfrisch und noch warm gegessen werden. Die Familien der kleinen Häusler im Erzgebirge, aber auch die alten Leineweber in der Lausitz, wenn es solche noch gibt, begnügen sich mehrmals in der Woche mit Pellkartoffeln und Leinöl.
Dresdner Christstollen gehören allen anderen voran zur sächsischen Weihnachtsbäckerei. Leipziger »Lerchen« sind ein beliebtes Kaffeegebäck. In Meißen gibt es statt dessen »Fummeln«. Lommatzsch liefert vortreffliche Gänse. Aus den Lausitzer Teichen stammen die fettesten Karpfen. In aller Welt bekannt und bei Kennern hochgeschätzt ist der weiße Schneeberger Schnupftabak.

Elbflorenz

Dresden, die alte Landeshauptstadt Sachsens, ehemalige Residenz der albertinischen Linie des Hauses Wettin, ist noch weit über das Jahr 1000 hinaus nichts weiter als eine bescheidene Siedlung wendischer Fischer gewesen und hat erst zu Anfang des 13. Jahrhunderts Bedeutung gewonnen. Klimatisch durch seine Lage sehr begünstigt, dehnt es sich inmitten einer großen Park- und Gartenlandschaft an beiden Elbufern aus, harmonisch gegliedert in Alt- und Neustadt, die durch neun Brücken miteinander verbunden sind.
Die Wettiner haben vom 15. Jahrhundert ab alles

ERZGEBIRGISCHE PYRAMIDE · Die Anfertigung von Spielzeug und Weihnachtsschmuck ist im Erzgebirge weit verbreitet. Eine besondere Spezialität sind die reichgeschmückten Pyramiden mit ihren geschnitzten, lustig bemalten Figurengruppen. Im Luftzug brennender Kerzen dreht sich das Flügelrad an der Spitze.

DRESDEN · Dieser Blick auf das alte Dresden vor den Verwüstungen von 1945 zeigt links hinter der Augustusbrücke die Brühlschen Terrassen mit der Kunstakademie und dem Ständehaus, dahinter die mächtige Frauenkirche, in der Mitte die Hofkirche und das Schloß, rechts das Opernhaus vor dem Turm der Kreuzkirche.

nur Denkbare getan, um die Stadt schön, reich und beispielhaft auszugestalten. Im Laufe des 18. Jahrhunderts formte sich unter August dem Starken das eigentliche Gepräge des Stadtbildes in der glanzvollen Fülle des Barock. Neben dem königlichen Schloß, dem Marstall und dem Großen Garten samt Palais entstanden Japanisches Palais, Frauenkirche, Dreikönigskirche, altes und neues Rathaus. In vierhundert Meter Länge erhebt sich überm Elbufer als Abschluß eines ausgedehnten Gartens die Brühlsche Terrasse, die auch die »Pforte Europas« genannt wird. Graf Brühl, der erste Mann am Hofe Augusts III., hat sie errichtet. Zwinger und Grünes Gewölbe sammelten reiche Kunstschätze von ungeheurem Wert. Die »Sixtinische Madonna« Raffaels bildet den Glanzpunkt der Gemäldegalerie. Architektonisch gab Matthes Daniel Pöppelmann (1662 bis 1736) der Stadt durch den Bau des Zwingers und anderer bedeutender Gebäude ihr leichtbeschwingtes, festliches Gepräge. Er hat auch die Augustusbrücke errichtet, die von der Altstadt her zur östlich der Elbe liegenden Neustadt führt. Man darf ihn den Schöpfer von »Elb-Florenz« nennen, wie es in aller Welt rühmend genannt worden ist.

DRESDEN, HOFKIRCHE · Die katholische Hofkirche, die nach Kriegszerstörungen wiederaufgebaut wurde, erinnert daran, daß Kurfürst August der Starke 1697 zum Katholizismus übertrat, als er in Personalunion König von Polen wurde. Sie ist zwischen 1738 und 1755 durch G. Chiaveri erbaut worden.

Viele bewahren das prächtige Stadtbild mit den gleißenden Türmen über dem breiten Stromband der Elbe in sich als die wohl schönste deutsche Stadtansicht. Es war einmal ...

In der Nacht auf Aschermittwoch des Jahres 1945 wurde die stolze Stadt binnen knapp zwei Stunden nahezu völlig in Schutt und Asche gelegt. Diese Zerstörung übertraf alles, was sonst deutsche Städte während des zweiten Weltkrieges an gewaltsamen Verheerungen getroffen hat.

Weltberühmt ist auch die Dresdener Kunstakademie – Lehr- und Bildungsstätte namhafter Bildhauer und Maler. Dresden besitzt außerdem eine Technische Hochschule.

Mit den Augen eines Dichters

In seinem Buch »Als ich ein kleiner Junge war« besingt Erich Kästner noch einmal die vergangene, einmalige Schönheit Dresdens:

KAMENZ · Die an der Schwarzen Elster gelegene Geburtsstadt Lessings hat sich mit der Katechismuskirche (1350) und der Marienkirche bis heute Zeugen aus alter Zeit bewahrt. Das Bild zeigt den Marktplatz mit dem Rathaus und einem historischen Brunnen.

»Wenn es zutreffen sollte, daß ich nicht nur weiß, was schlimm und häßlich, sondern auch, was schön ist, so verdanke ich diese Gabe dem Glück, in Dresden aufgewachsen zu sein. Ich mußte, was schön sei, nicht erst aus Büchern lernen. Nicht in der Schule, und nicht auf der Universität. Ich durfte die Schönheit einatmen wie Försterkinder die Waldluft. Die katholische Hofkirche, George Bährs Frauenkirche, der Zwinger, das Pillnitzer Schloß, das Japanische Palais, der Jüdenhof und das Dinglingerhaus, die Rampische Straße mit ihren Barockfassaden, die Renaissance-Erker in der Schloßstraße, das Cosel-Palais, das Palais im Großen Garten mit den kleinen Kavaliershäusern und gar, von der Loschwitzhöhe aus, der Blick auf die Silhouette der Stadt mit ihren edlen, ehrwürdigen Türmen – doch es hat ja keinen Sinn, die Schönheit wie das Einmaleins herunterzubeten!
Mit Worten kann man nicht einmal einen Stuhl so genau beschreiben, daß ihn der Tischlermeister Kunze in seiner Werkstatt nachbauen könnte! Wieviel weniger das Schloß Moritzburg mit seinen vier Rundtürmen, die sich im Wasser spiegeln! Oder die Vase des Italieners Corradini am Palaisteich, schrägüber vom Café Pollender! Oder das Kronentor im Zwinger! Und dann die Kavaliershäuschen, die das Palais im Großen Garten flankierten! In einem von ihnen, so dachte ich als junger Mann, würdest du fürs Leben gern wohnen! Womöglich wirst du eines Tages berühmt, und dann kommt der Bürgermeister, mit seiner goldenen Kette um den Hals, und schenkt es dir, im Namen der Stadt. Da wäre ich dann also mit meiner Bibliothek eingezogen. Morgens hätte ich im Palaiscafé gefrühstückt und die Schwäne gefüttert. Anschließend wäre ich durch die alten Alleen, den blühenden Rhododendronhain und rund um den Carolasee spaziert. Mittags hätte sich der Kavalier zwei Spiegeleier gebraten und anschließend, bei offenem Fenster, ein Schläfchen geleistet. Später wäre ich, nur eben um die Ecke, in den Zoo gegangen. Oder in die Große Blumenausstellung. Oder ins Hygienemuseum. Oder zum Pferderennen nach Reick. Und nachts hätte ich, wieder bei offenem Fenster, herrlich geschlafen. Als einziger Mensch in dem großen, alten Park. Ich hätte von August dem Starken geträumt, von Aurora von Königsmarck und der ebenso schönen wie unglücklichen Gräfin Cosel.
Ja, Dresden war eine wunderbare Stadt. Ihr könnt es mir glauben. Und ihr müßt es mir glauben! Keiner von euch, und wenn sein Vater noch so reich wäre, kann mit der Eisenbahn hinfahren, um nachzusehen, ob ich recht habe. Denn die Stadt Dresden gibt es nicht mehr. Sie ist, bis auf einige Reste, vom Erdboden verschwunden. Der zweite Weltkrieg hat sie, in einer einzigen Nacht und mit einer einzigen Handbewegung, weggewischt. Jahrhunderte hatten ihre unvergleichliche Schönheit geschaffen. Ein paar Stunden genügten, um sie vom Erdboden fortzuhexen. Das geschah am 13. Februar 1945. Achthun-

LEIPZIG, RATHAUS · Die Messestadt ist mit rund 600 000 Einwohnern die größte Stadt Mitteldeutschlands. Sie hat als Zentrum von Handel und Industrie große Bedeutung. Zur Messezeit steht das Alte Rathaus am Markt inmitten des Verkehrs. Es wurde im Jahre 1556 durch H. Lotter erbaut.

LEIPZIG, HAUPTBAHNHOF · Der Leipziger Hauptbahnhof – ähnlich wie in anderen großen Städten ein Kopfbahnhof – ist das Zentrum des mitteldeutschen Eisenbahnverkehrs. Er wurde 1909 bis 1915 erbaut und nach Kriegszerstörungen wiederhergestellt. Auf seinem fast 270 m langen Querbahnsteig münden 26 Gleise.

dert Flugzeuge warfen Spreng- und Brandbomben. Und was übrigblieb, war eine Wüste. Mit ein paar riesigen Trümmern, die aussahen wie gekenterte Ozeandampfer ...«

Buch- und Messestadt

Der Einwohnerzahl nach ist *Leipzig* in der nordwestlichen Landesecke immer die größte sächsische Stadt gewesen. Es besitzt als Messe- und Handelsplatz, als bedeutendster Umschlagplatz des europäischen Büchermarktes historischen Ruf, war lange Zeit Hauptsitz des Buchhandels und des graphischen Gewerbes und Metropole der internationalen Pelzverarbeitung. Es ist Sitz einer der ältesten deutschen Universitäten und hat eine viele Jahrhunderte alte musikalische Tradition, deren über den Erdball verbreiteter Ruhm im jubilierenden Namen des großen Thomaskantors gipfelt: Johann Sebastian Bach (1685 bis 1750). Landschaftlich sehr viel weniger reizvoll als Dresden, liegt Leipzig ungemein verkehrsgünstig und war schon im 13. Jahrhundert ein wichtiger Schnittpunkt der großen Handelsstraßen. Die kaiserlichen Messeprivilegien sind im 15. und 16. Jahrhundert regelmäßig erneuert worden. Die Universität besteht seit 1409. Auf der Pleißenburg, der früheren Stadtbefestigung, fand 1519 die Disputation zwischen Luther und Eck statt.

CHEMNITZ ist die drittgrößte Stadt Sachsens und ganz Mitteldeutschlands, im Vorland des Erzgebirges. Hier ist vor allem der Maschinenbau zu Hause. Das Neue Rathaus wurde vor dem ersten Weltkrieg mit dem aus dem Jahre 1496 stammenden Alten Rathaus zu einer schönen Einheit verschmolzen.

Längst nicht so prächtig wie Dresden, aber höchst ansehnlich und reich wurde es nach dem Friedensschluß von 1648 wiederaufgebaut. Alte Handelshöfe zeugen heute noch davon. Sie sind fast alle durch Passagen gekennzeichnet. Handel und Messe förderten das Gasthausgewerbe nachdrücklich. »Auerbachs Keller« gewann durch Goethes »Faust« weit mehr als ein lediglich literarisches Ansehen, im alten »Kaffeebaum« wurde der erste Kaffee auf deutschem Gebiet ausgeschenkt. In der Leipziger Ebene wurden im Oktober 1813 die Truppen Napoleons von den verbündeten Preußen, Österreichern und Russen geschlagen. Der wuchtige Bau des Völkerschlachtsdenkmals erinnert an jene Tage, die den Auftakt zur Befreiung der deutschen Länder vom Joch des Korsen bildeten.

Bei aller vorherrschenden und den Charakter der Stadt prägenden Bedeutung des Handels, für dessen Anwachsen seit Anfang dieses Jahrhunderts der Hauptbahnhof und der im Norden der Stadt gelegene Flugplatz wesentlich beigetragen haben, die Leipzig auch heute als den großen mitteleuropäischen Knotenpunkt bestätigen, haben Universität, Gewandhaus, Thomasmotetten und Kunstakademie von jeher dafür gesorgt, daß neben Handel und Verkehr auch das Musische nicht zu kurz kam. Nach der Reichsgründung von 1871 wurde dicht am Ufer der Pleiße das Reichsgericht erbaut.

LEIPZIG, DEUTSCHE BÜCHEREI · Leipzig ist seit alters die Hochburg des deutschen Verlagswesens gewesen. In der vom Börsenverein des Deutschen Buchhandels im Jahre 1912 begründeten Deutschen Bücherei werden alle deutschsprachigen Veröffentlichungen des In- und Auslandes gesammelt.

Unter Lassalle, Bebel und dem alten Liebknecht formten sich etwa seit 1840 im aufgeschlossenen und werktätigen Leipzig die ersten eigenständigen Zusammenschlüsse der Arbeiterorganisationen. Die von jeher fortschrittliche Stadt richtete auch die erste Frauenhochschule in Deutschland ein. Einmalig in der Welt und unübertroffen ist über Jahrhunderte hin der Ruf Leipzigs als Buch- und Druckerstadt. Die Anlage der Stadt ist heute noch in der typischen Art kolonisatorischen Städtebaus deutlich erkennbar: in der Mitte der große Markt mit dem Alten Rathaus, gleich daneben die Alte Börse am Naschmarkt, von wo aus nordsüdwärts die Peters-, westostwärts die Grimmaische Straße ihren weitläufigen Ausgang nehmen. Rings um die für die heutige Betrachtungsweise winzige Innenstadt erstreckt sich die Promenade als breiter Grün- und Schmuckanlagenring genau dort, wo im Mittelalter die Stadtmauer verlief. Unmittelbar diesem Ring angelagert wurde später der riesige Augustusplatz mit Oper, Universität, Museum der Künste und Hauptpostamt als erste neuzeitliche und sehr zielstrebige Ausweitung. Im Südosten ist um die Jahrhundertwende das neue Messegelände mit seinen riesigen Ausstellungshallen entstanden, während im Westen weite Grünflächen liegen.

Sachsens drittgrößte Stadt ist *Chemnitz,* die dem Erzgebirge leicht vorgelagerte Industriestadt, die auch geographisch zwischen Dresden und Leipzig eine harmonische Mitte hält. Chemnitz ist ein alter und sehr bedeutender Platz des Lokomotivenbaus. Der sehr fleißigen werktätigen Bevölkerung sind ständig aufweckende Impulse vom Gebirge her zugeflossen. Rasch anwachsender Reichtum der großen Fabrikanten förderte hier ein vorbildliches Mäzenatentum, das leicht an die großen Traditionen der Hansestädte erinnert. Diesem humanen Geist dankt die Stadt ein sehr beachtenswertes Museum und die Grundlagen einer sehr gepflegten Theater- und Musikkultur.

Wie die Küchlein um die Henne lagern sich um

FREIBERG · Die »Goldene Pforte«, das 1235 geschaffene Portal des in seiner gegenwärtigen Form aus den Jahren 1484 bis 1501 stammenden Doms, gehört zu den Kostbarkeiten der deutschen Kunst. Freiberg, eine Gründung von Harzer Silberbergleuten, beherbergt die älteste Bergakademie der Welt (1765 gegründet).

WURZEN · Schon über tausend Jahre ist die Stadt an der Mulde alt. Ihr bedeutendstes Bauwerk ist der Dom, in seiner ursprünglichen Anlage aus dem Jahre 1114 eine spätromanische Pfeilerbasilika (1932 restauriert). Das Schloß (im Bild) war zeitweise Sitz der Bischöfe von Meißen.

Chemnitz zahlreiche Städte und Städtchen, in deren Vielfalt auffällige Industriespezialisierungen mit den charakteristischen Wesenszügen der landwirtschaftlichen Kreisstadt wechseln. Das alte *Freiberg* war von früh an das Zentrum des Bergbaus. Der ertragreiche, inzwischen längst bedeutungslos gewordene Silberabbau war die Quelle des großen Vermögens und jener Macht, die den prahlend stolzen Worten in Justinus Kerners Ballade vom friedlichen Wettstreit der deutschen Fürsten »einst zu Worms im Kaisersaal« zugrunde liegen:

»Herrlich«, sprach der Fürst von Sachsen,
»ist mein Land und seine Macht,
Silber hegen seine Berge
wohl in manchem tiefen Schacht.«

Die berühmte »Goldene Pforte« am mehrfach erneuerten Dom mag als letztes Zeugnis jenes Reichtums gelten. Heute ist an die Stelle des Silberabbaus die Urangewinnung getreten. Freiberg ist Sitz einer Bergakademie, während Tharandt eine staatliche Forstakademie besitzt. Das höher und landschaftlich bevorzugt gelegene *Markneukirchen* hat eine in aller Welt geschätzte Produktion von Musikinstrumenten entwickelt. *Oberschlema* unterhält ein sehr bedeutendes Blaufarbwerk. Daneben ist das Städtchen, ähnlich wie Brambach, bekannt als wirksames und vielbesuchtes Radiumbad. Herrlich zwischen Wäldern eingebettet, bietet das Staatsbad *Elster* mit seinen Heilquellen Jahr für Jahr vielen Besuchern Linderung und Heilung.

BAUTZEN · Die Stadt am hohen Ufer der vor der »Alten Wasserkunst« (Bild) aufgestauten Spree, die hier aus dem Lausitzer Bergland austritt, ist das Zentrum der Oberlausitz. Sie wird von der Ortenburg, einer Grenzfestung aus dem Jahre 957, überragt, die zeitweise Residenz der böhmischen Könige war.

Lausitzer »Städtebund«

Eine Art Hansebund im Kleinen zwecks straffer Festigung des Handelns und zur gemeinsamen Sicherung schlossen im Jahre 1346 die »Sechsstädte« der Lausitz Bautzen, Kamenz, Löbau, Zittau, Görlitz und Lauban. Unter ihnen kommt die größte Bedeutung der erhöht über den Ufern der Spree gelegenen alten Befestigung *Bautzen* zu. Dieses wunderschöne Städtchen hat bis auf den heutigen Tag mit wuchtigen Mauern, stattlichen Türmen und alten, sich behaglich um deren Mauerwerk lagernden Bürgerhäusern sein mittelalterliches Gesicht in seltener Reinheit bewahrt. In dem die Dächer hoch überragenden Petridom besitzt die Hauptstadt der Lausitz ein wohltuendes altes Zeugnis konfessioneller Verträglichkeit: in ein- und demselben Kirchenschiff und unter dem gleichen Dach halten Katholiken und Protestanten ihre Gottesdienste.
Dort, wo in der südöstlichen Landesecke schlesisches und böhmisches Gebiet aneinanderstoßen, liegt Zittau. Herrnhut, dicht dabei, ist Sitz der Brüdergemeine, jener pietistischen Gründung des Grafen Zinzendorf (1700 bis 1760), der die evangelischen Heidenmissionen ins Leben gerufen hat.

Domstadt – Binnenhafen – Braunkohle

Im Kern des sächsischen Landes befinden wir uns, wenn wir uns vom Dampfer von Pirna oder Dresden aus elbabwärts tragen lassen. Majestätisch thront auf den Höhen der hügelig ansteigenden Stadt *Meißen* als wahrhafte Stadtkrone die spätgotische Albrechtsburg mit dem Dom. Dessen Stifterfiguren (Otto I. mit Gemahlin) stammen von der Hand des Naumburger Meisters. Dank der Erfindung des Porzellans durch den Alchimisten Johann Friedrich Böttger (1682 bis 1719) unter August dem Starken entstand die Meißner Porzellanmanufaktur, deren kunstvolle Erzeugnisse die sächsischen Kurschwerter und das weltbekannte Zwiebelmuster kennzeichnen. Weiter stromab rafft kurz vor der Landesgrenze der Binnenhafen des Industriestädtchens *Riesa* allen sächsischen Gewerbefleiß zur Vorbereitung des Transports in alle Welt zusammen. Südöstlich dehnt sich mit Weizen-, Roggen- und Rübenfeldern die große Kornkammer Sachsens aus. Oschatz und Döbeln sind einige ihrer betriebsamen Zentren.
Porphyrabbau beim Rochlitzer Berg, einer letzten Erhebung inmitten des weiten Flachlandes der Leipziger Tieflandbucht, hat *Rochlitz* zu gedeihlichem Aufschwung geholfen. Weiter nördlich von Borna nach Böhlen und Rötha bis unmittelbar an den Rand der südlichen Vorstädte Leipzigs, hat der Braunkohlenabbau das Geruhsame der Auenlandschaft während der letzten Jahrzehnte so gut wie völlig durchwühlt und zerstampft.
Die in der Frühzeit hier ins Kolonialland zuwandernden deutschen Bauern haben sogleich begonnen, das ungeformte Haufendorf slawischer Struktur durch betont wehrhafte Rundlinge abzulösen. Diese lagerten sich jeweils mit allen Gehöften um die Wehr- und Trutzkirche als den organisch festigenden Mittelpunkt. In den zu Anfang zweckbetont wehrhaft und nüchtern erbauten Dorfkirchen hat sich sehr bald schon durch reiches Schnitzwerk der kunstfertige Sinn der Zuwanderer betätigt. Neben einfachem Mauerwerk sind teilweise auch schmucke kirchliche Fachwerkbauten erhalten geblieben. In den späteren Jahrhunderten kam es in der inneren Ausgestaltung zu bewundernswerten Decken-, Wand- und Gestühlschnitzereien.
Zu den Rundlingen kamen im Laufe der Zeit vor allem in den ebenen Gegenden die Hufendörfer, die mit systematischer Regelmäßigkeit rechts und

AUGUSTUSBURG · Das Schloß, etwa 520 m hoch im Erzgebirge zwischen Zschopau- und Flöhatal über der Stadt Augustusburg (früher Schellenberg) gelegen, wurde 1568 bis 1572 im Auftrag des Kurfürsten August I. von H. Lotter erbaut. In der Schloßkirche befindet sich ein berühmtes Altarbild von Lucas Cranach d. J.

MORITZBURG BEI DRESDEN · Nach Pöppelmanns Plänen ließ von 1722 bis 1730 August der Starke einen vorhandenen Bau des Herzogs Moritz umgestalten. Eine Schar bekannter und erprobter Architekten, Baumeister, Bildhauer und Maler fand hier ein reiches, schöpferisches Betätigungsfeld. Einmalig wird man Moritzburg auch deshalb nennen können, weil die Baufläche, im Gegensatz zu anderen Schlössern jener Zeit, und die vorhandenen Ecktürme zu einer unabänderlichen Form zwangen. Aus der Landzunge, auf der das alte Schloß stand, machte man eine Insel und sicherte sich damit die spielerische Wirkung des Wassers ringsum, auf das die Barockzeit nur ungern verzichten wollte.

BASTEIBRÜCKE MIT DEM LILIENSTEIN · Eine geologische Formation von außergewöhnlicher Schönheit, wie sie in ganz Mitteldeutschland einmalig ist, findet sich in der Sächsischen Schweiz. Wo die Elbe auf ihrem Weg vom Süden das Gebirge durchbricht, haben sich die Urgesteine in den Jahrmillionen der Erdgeschichte verwaschen lassen und Felsentürme gebildet, wie man sie sonst nur in den Dolomiten antrifft. Von der vielgerühmten Bastei, die auch ein Klettergebiet mit allen Schwierigkeitsgraden darstellt, geht der Blick über das Land hinweg auf die bekannte Bergform des Liliensteins.

LEIPZIG, GOHLISER SCHLÖSSCHEN · 1755—1756 ließ der Leipziger Kaufmann Richter sein Gut Gohlis als Schloß ausbauen.
DER ZWINGER IN DRESDEN, 1711—1722 von Daniel Pöppelmann gebaut. Hier der Blick auf das Kronentor.

DER FICHTELBERG · Das von Norden her allmählich ansteigende Erzgebirge hat den Charakter einer sanftgewellten Hochfläche. Nur wenige Berge treten im Landschaftsbild stärker hervor. Bei ihnen handelt es sich meist um die Reste abgetragener Basaltdecken. Sie kommen besonders im nördlichen Vorerzgebirge vor. Der Wald, der das Gebirge einst völlig überzog, ist durch Rodung seit dem Mittelalter auf die höchsten Erhebungen und die Talhänge zurückgedrängt. Der Boden wurde trotz des kühlen Klimas weitgehend unter den Pflug genommen, doch sind die Erträge gering. Das Erzgebirge gipfelt auf sächsischer Seite im Fichtelberg (1213 m).

links der Straßen und Flußläufe angesetzt wurden. In Höhenlagen entstanden, geländebedingt, Reihen- und Zeilendörfer, die sich im Erzgebirge, ganz auffällig aber in der Lausitz (die Weberdörfer) häufig in stundenlanger Ausdehnung an beiden Seiten der Durchgangsstraße hinziehen und oft ganz ineinander übergehen. Typische Streusiedlungen haben sich in der Nachbarschaft des Gebirgskamms entfaltet.

Burgen und Kaiserpfalzen

Burgen gehören zum Grenzland. Sie sind in der Mark Meißen als erste Wahrzeichen an der Elbe und an anderen markanten Stellen erbaut worden. Klar und herrlich strahlte bereits in der Frühe des 10. Jahrhunderts die Meißener Albrechtsburg über die Elbe weithin ins Land: Wehr und Schutz für alle, die dem kaiserlichen Vormarsch nach Osten willig gefolgt waren. Im elften und zwölften Jahrhundert entstanden längs der Elbe und ihres wichtigsten Zuflusses, der Mulde, die Burgen Strehla und Belgern an wichtigen Furt- und Übergangsstellen, denen sich Colditz, Rochlitz, Grimma, Leisnig und Wurzen zugesellten. Als sich später die Undurchdringlichkeit der Waldungen lockerte, kamen – dem Gebirgskamm vorgelagert – die Anlagen und Burgen von Zwickau, Chemnitz, Zschopau und Wolkenstein hinzu.

ZWICKAU · Die Großstadt besitzt eine ausgedehnte Industrie. Sie ist das Zentrum des sächsischen Steinkohlenbergbaus. Bekannt ist auch die Fahrzeugindustrie. Links neben dem Rathaus erinnert das Gewandhaus (Bild), heute Stadttheater, an die einst bedeutende Tuchmacherei. Es wurde 1522 bis 1526 errichtet.

PLAUEN · Die Spitzen- und Tuchmacherstadt Plauen am Oberlauf der Weißen Elster ist der Hauptort des Vogtlandes. Das Alte Rathaus (Bild) wurde 1470 erbaut und nach einem Brand 1548 erneuert. Rechts ist ein Teil des Neuen Rathauses sichtbar, das 1912 bis 1923 angebaut worden ist.

Am südlichen Lauf der Elbe wuchsen die Festungen Königstein und Pirna auf, dazu auch Liebethal an der Wesenitz, Liebstadt an der Seidewitz und Dohna im Müglitztal. Es folgen Paßburgen, wie Schwarzenberg, die heute noch mit Hofgarten und Kirche die kleine Stadt überragt und behütet. Mylau im Vogtland besitzt noch äußerst stattliche Reste einer Kaiserpfalz, die Karl IV. (1346 bis 1378) im Zuge seiner Eroberungen schlesischer und brandenburgischer Landesteile und der Lausitz erbauen ließ.
Etwa aus derselben Zeit dürfte Schloß Kriebstein an der Zschopau stammen, unweit des Städtchens Waldheim tief in hohes Felsenstück eingewuchtet. Auch das Schloß Wechselburg mitsamt der behäbigen Schloßkirche, die Feste Gnandstein und das alte Schloß Glauchau am nordwestlichen Rande, Scharfenstein inmitten des Erzgebirges. Von den Wettinern wurden, großangelegt und fast immer von leichten oder stärkeren Bodenerhebungen aus das Land überschauend, unweit von Chemnitz die Augustusburg, über der Zschopau bei Frankenberg die Sachsenburg und weiter im Osten das Jagdschloß Moritzburg mit seinem ausgedehnten Waldrevier gebaut.

Schlösser

Bald nach dem Ende der Ritterzeit verschwindet die wehrhafte Panzerung. Wälle, Türme und Zinnen braucht man nicht mehr. Die Zugbrücken fallen. Befestigtes Mauerwerk öffnet sich einer wohlgefälligen Luft- und Lichtzufuhr. Burgen wandeln sich in *Wohnschlösser,* richten sich auf Behaglichkeit ein, und die Baumeister wenden ihr Augenmerk fortschreitend der Ästhetik zu, dem Schönen, dem Künstlerischen. Sie beziehen die Plastik in ihre Be-

BURG KRIEBSTEIN · Hoch über dem Tal der Zschopau liegt die Burg in der Nähe der 1927 bis 1930 erbauten Zschopau-Talsperre, deren Stausee 11,5 Millionen Kubikmeter Wasser faßt. Die 1382 zuerst erwähnte wehrhafte Burg stammt in ihrer heutigen Form aus dem 16. Jahrhundert.

tätigung ein. Beispielhafter Zeuge dieses Wandels ist südlich von Dresden, anmutig und heiter, beschwingt und nahezu tänzerisch, das königliche Lustschloß Pillnitz: ein wahres Juwel, in dessen Räume während des Krieges und auch in den Jahren danach Teile der Dresdner Gemäldegalerie umgesiedelt worden sind.

Als ländliche Zeugen des Barock wurden nach der Drangsal des Dreißigjährigen Krieges, der Sachsen aus Tausenden von Wunden bluten ließ, schmuckvolle Herrensitze in der Lausitz, an der Elbe, im Vorland des Erzgebirges, in der Lommatzscher Pflege und in der näheren und weiteren Umgebung von Leipzig und Chemnitz – auch im Vogtland – errichtet. Manches dieser Schlösser hat sich zu einer Art von bescheidenem Musenhof entwickelt. Auf diese Weise sind kulturfördernde Stätten entstanden, die wie Schloß *Siebeneichen* bei Meißen oder das kleine Schloß *Crostewitz* bei Leipzig geistvolle Anregungen vermittelten und ein mitunter sehr aktives Mäzenatentum entwickelten. Rilkes sehr kluge Freundin, Helene von Nostitz, wirkte vor dem romantischen Schloßteich im Crostewitzer Rittergutspark bei sommerlichen Freilichtaufführungen klassischer Dramen mit. Das war eine großartige Form, echte Geistesbildung auf das Land zu tragen. Es hat im 18. und 19. Jahrhundert Ähnliches häufig auf sächsischen Burgen, Schlössern und Herrenhäusern gegeben.

Auch *Wasserburgen* kennt das sächsische Land; so die aus dem 12. Jahrhundert stammende Feste Mechelgrün im Vogtland, Zschorna im Elbeland, in dessen in Haus, Wasser, Wiese und Wald wohlig vereinter Stille Graf Wolf Dietrich von Beichlingen, der Großkanzler Augusts des Starken, nach dem Verlust seines glänzenden Amtes in aller Altersgebrochenheit einen aufrichtenden Trost fand, sowie das im rein klassizistischen Stil sich in würdevoll horizontaler Bauweise wirksam vor Wasser und Garten ausstreckende Königswartha in der Lausitz, das ursprünglich den aus Böhmen stammenden Pannewitzens gehört hat.

Weltseligkeit im Damenstift

Ein steinernes Gedicht möchte man das Fräuleinstift *Joachimstein* nennen. Sein Bau entstammt der noblen Geste eines Kammerherrn aus dem Anfang des 18. Jahrhunderts. Es ist alles andere als eine stille Heimstatt unterstützungsbedürftiger, alleinstehender Damen. Im prunkvollen Zusammenklang jubilieren hier Bauwerk, erlesene Plastiken und dem Rokoko zugeneigte, spielerische gärtnerische Künste in reiner Weltseligkeit. Heiterkeit lächelt in jedem Winkel der Alleen, des Parks, der Pavillons und Brücken.

Im westlichen Vorlande des Erzgebirges zeugt Schloß Lichtenwalde vom reichen Leben einer bewegten Vergangenheit, die sich real und bildhaft

ZITTAU · Die Stadt liegt im äußersten Südosten Sachsens an der Görlitzer Neiße, die heute provisorisch die Ostgrenze Mitteldeutschlands bildet. Zittau beherbergt eine mannigfaltige Industrie. Vor dem zwischen 1840 und 1845 errichteten Rathaus steht auf dem Marktplatz der Rolandsbrunnen.

PILLNITZ · Die weitläufige Schloßanlage am rechten Ufer der Elbe südöstlich von Dresden war seit 1765 die Sommerresidenz des sächsischen Hofes. Daniel Pöppelmann, der Schöpfer des Zwingers, erbaute am Elbufer das Wasserschloß (1720) und das Bergschloß (1723). Beide sind durch eine Terrasse mit dem Fluß verbunden. Zwischen 1818 und 1826 wurde das Neue Palais im pseudojapanischen Stil errichtet. Pillnitz wurde nach 1945 der Aufbewahrungsort wesentlicher Teile der Dresdener Gemäldegalerie und anderer Sammlungen.

vollendet hat und zeitenüberdauernd heute noch mit dem Blühen und Leuchten des gepflegten Parks und der vielgestaltigen Gärten am Leben hält.
Klöster bestehen im Mutterlande des Protestantismus nur noch wenige. Vor der Reformation barg allein die Stadt Leipzig mehr als sieben, an deren Existenz lediglich noch einige Namen von Gäßchen in der Innenstadt erinnern. Mächtiger Zeuge jener alten romanischen Wehrhaftigkeit, die auch das Mönchstum benötigte, ist die Klosterruine von Großenhain. Liebenswert grüßt den Beschauer die noch aus dem 15. Jahrhundert stammende evangelische Hauptkirche von Kamenz, die Wirkungsstätte von Lessings Vater. Bei Grimma erinnert die Ruine des Nonnenklosters Nimbschen an die Nonne Katharina von Bora, die von hier entfloh und später die Ehegefährtin Martin Luthers und die Mutter seiner Kinder wurde.

Dichter und Literaten

Im Halbdunkel früher sächsischer Entwicklung steht eine markante Gestalt: Graf *Wiprecht von Groitzsch* (* 1124 in Pegau, Todestag ungenau). Er hat über seinen Tod hinaus noch in Spielmannslied und Heldensage fortgelebt.
1646 wurde in Leipzig *Gottfried Wilhelm Leibniz* geboren († 1716 in Hannover), Philosoph, Jurist, Politiker, Historiker, Theologe, Mitbegründer der Differentialrechnung, genialer Schöpfer der Monadenlehre und Begründer der Preußischen Akademie der Wissenschaften. Was dieser bedeutendste deutsche Denker des 17. Jahrhunderts als Uranliegen sächsischen Wesens in vielen philosophischen und mathematischen Manifestationen klassisch formulierte, wird artverwandt später vom 1729 in Kamenz zur Welt gekommenen Pfarrerssohn *Gotthold Ephraim Lessing* († 1781 in Wolfenbüttel) in Dichtung und Literaturkritik bahnbrechend weitergetragen. Er hat die deutsche Dichtung von barocken Aufblähungen und Provinzialismen befreit, ihre Abhängigkeit vom französischen Einfluß gebrochen und dem nationalen Selbstbewußtsein im Künstlerischen den Weg bereitet. Der Weltgeist Lessing atmet in allem, was er schrieb, Toleranz und Streben nach allseitigem Verstehen.
Zwei sächsische Pfarrerssöhne haben den großen Schatz des evangelischen Kirchenlieds aufs Vortrefflichste bereichert: *Paul Gerhardt* (1607 bis 1676) verdanken wir die Lieder »O Haupt voll Blut und Wunden«, »Befiehl du deine Wege« und »Nun ruhen alle Wälder«. Von *Paul Fleming* (1609 bis 1640), dem nach einer weiten und aufreibenden Reise nach Moskau und Persien sehr früh schon Verstorbenen, stammt das Lied »In allen meinen Taten«. – Der Fabeldichter *Johann Fürchtegott Gellert* (1713 bis 1791), ein maßgeblicher Förderer der Aufklärung, wurde in Verbindung mit dem aus Ostpreußen an die Universität Leipzig gekommenen Johann Christoph Gottsched (1700 bis 1766) zum tatkräftigen Förderer jener mannhaft kühnen Friederike Karoline *Neuber(in)*, die aus dem Vogtland stammte (1697 bis 1760) und das deutsche Bühnenwesen aus dem profanen Nachäffen des Kas-

HERRNHUT · Das Zwergstädtchen zwischen Zittau und Löbau ist der Hauptsitz der Herrnhuter Brüdergemeine, einer pietistischen evangelischen Freikirche, die 1722 unter dem Schutz des Grafen Nikolaus von Zinzendorf auf dem nahe gelegenen Gut Berthelsdorf gegründet wurde. Im Bild der Vogtshof von 1730.

Christian Thomasius
* 1. 1. 1655, † 23. 9. 1728
Philosoph

Gottfried Wilhelm Leibniz
* 1. 7. 1646, † 14. 11. 1716
Philosoph

Johann Gottlieb Fichte
* 19. 5. 1762, † 29. 1. 1814
Philosoph

Gotth. Ephraim Lessing
* 22. 1. 1729, † 15. 2. 1781
Dichter

perlspiels zu befreien und auf ein eigenständig-künstlerisches Niveau zu heben verstand. – *Theodor Körner* aus Dresden (1791 bis 1813) wurde ein begeisterter Angehöriger des Lützowschen Freikorps und besiegelte die Schwurworte seiner jugendlich-leidenschaftlichen Freiheitslieder im Kampf gegen Napoleon mit dem Tode.

In Hohenstein-Ernstthal wurde 1842 *Karl May* geboren, jener seltsame Einzelgänger der Weltliteratur, der als unbedeutender Vielschreiber beschimpft worden ist, aber heute wie zu seinen Lebzeiten von der Jugend begeistert verschlungen wird. Sein »Winnetou« wurde in alle Weltsprachen übersetzt. In Radebeul, wo er sich einen wildromantischen Indianer-Wohnsitz während der letzten Jahre seines Lebens errichtet hat, ist er 1912 gestorben. – *Joachim Ringelnatz* lautete das poetische Pseudonym des aus Wurzen stammenden *Hans Bötticher* (1883 bis 1934). Er trat als Kabarettist auf und trug seine aus Rauhbeinigkeit, Komik, hintergründiger Melancholie und echter Herzenswärme gemischten Bänkellieder und Moritaten des »Kuttel Daddeldu« ganz persönlich vor.

Richard Wagner ist der zweite große Name, der auf musikalischem Gebiet das Geistesbild Sachsens prägt. Im Mai 1813 wurde der spätere Herr der

HUBERTUSBURG · Das bei Wermsdorf zwischen Grimma und Oschatz gelegene Schloß wurde 1721—1724 errichtet und erhielt seine heutige Form 1743—1751 durch den Oberlandbaumeister Christian Knöffel. Hier wurde am 15. Februar 1763 durch den Frieden zwischen Preußen, Sachsen und Österreich der Siebenjährige Krieg beendet.

Bayreuther Festspiele in Leipzig geboren. Gibt es wohl einen stärkeren Kontrast als Bach und Wagner? Und wie grundverschieden sind die Mittel, deren sich jeder von ihnen bedient! Nicht weniger dröhnend als seine häufig ins Pathetische und Schwülstige sich übersteigernde Musik, schlug Wagners Lebenslauf mehrfach grelle Töne an. Der junge Hofkapellmeister sieht sich aus politischen Gründen im Jahre 1849 zur Flucht von Dresden nach der Schweiz genötigt, wird von dort durch den romantischen Bayernkönig Ludwig nach München berufen und vollendet im Jahre 1872 den gottähnlichen Traum seiner eigenen Daseinsromanze im Hause »Wahnfried« in Bayreuth.

Liederzyklen von Rang komponierte der glühende Romantiker *Robert Schumann* aus Zwickau (1810 bis 1856). Heinrich Schütz (1585 bis 1672), der den Weg aus den Höhenregionen einer artistischen Hochrenaissance zur glaubenserfüllt dienenden Kantorei fand, wirkte lange Jahre als Hofkapellmeister in Dresden.

Gedacht werden muß hier auch des großen Orgelbaumeisters *Gottfried Silbermann* aus Frauenstein im Erzgebirge (1683 bis 1753). Kein anderer deutscher Orgelbauer seiner Zeit war ihm vergleichbar. 46 heute noch in Sachsen tätige Orgelwerke stammen aus seiner Werkstatt.

Malerei und Plastik

Max Klinger, ein geborener Leipziger (1857 bis 1920), wurde von seinem malerischen Monumentalstil, der besonders in der Aula der Leipziger Universität sichtbar geworden ist, dazu gedrängt, mit zeitgemäßen Mitteln die Kunst der farbigen Plastik, wie die Antike sie geübt hat, zu erneuern. Sohn der Stadt Leipzig war auch *Schnorr von Carolsfeld* (1784 bis 1872), der an der Dresdner Kunstakademie wirkte und sich der Schule der Nazarener anschloß.

In Pegau wurde 1806 der eigenwüchsige *Ferdinand von Rayski* geboren († 1890 in Dresden), ein ausgesprochener und hochbefähigter Porträtist holländisch-englischer Schule, in dessen Bildern sich der Impressionismus vorankündigte. Der die medizinische Praxis mit der Philosophie verbindende *Carl Gustav Carus* (* 1789 in Leipzig, † 1869 in Dresden) betätigte sich – universaler Geist klassi-

Adrian Ludwig Richter
* 28. 9. 1803, † 19. 6. 1884
Maler und Zeichner

Karl May
* 25. 2. 1842, † 30. 3. 1912
Schriftsteller

Heinrich von Treitschke
* 15. 9. 1834, † 28. 4. 1896
Historiker

Friederike Karol. Neuber
* 9. 3. 1697, † 30. 11. 1760
Schauspielerin

scher Prägnanz – auch als romantischer Landschaftsmaler und als Schriftsteller. Er gehörte zu den vertrauten Freunden des aus Greifswald stammenden (dort 1774 geborenen) Caspar David Friedrich, der seit 1798 in Dresden gewirkt hat. Reinster, reifster und volkstümlich innigster Repräsentant sächsischer Malkunst ist der Dresdner *Ludwig Richter* (1803 bis 1884). Ursprünglich Zeichenlehrer an der Meißner Porzellanmanufaktur, war er nachher Akademieprofessor in seiner Vaterstadt. Er illustrierte in emsigem Fleiß weite Teile der deutschen Literatur – bei Goethes »Erlkönig« beginnend und bei Grimms Märchen noch lange nicht endend.
Balthasar Permoser, der aus Traunstein stammt (1651 bis 1732), gilt mit vollem Recht als Meister des Dresdner Barock. Nahezu alles, was der Dresdner Zwinger an plastischem Schmuckwerk darbot, wurde von ihm geschaffen.
Sächsischen Geblüts ist *Ernst Rietschel*, der aus Pulsnitz stammt (1804 bis 1861). Er schuf das Wormser Lutherdenkmal und eines der berühmtesten Wahrzeichen der Stadt Weimar: das Goethe-Schiller-Denkmal vor dem dortigen Theater. Neuere plastische Meister sächsischer Herkunft sind *Johannes Schilling* aus Mittweida (1828 bis 1910), der das Niederwalddenkmal bei Bingen geschaffen hat, dem die Quadriga auf dem Dresdner Opernhaus und die Gestalten der Tageszeiten vor der Brühlschen Terrasse zu danken sind, sowie *Georg Kolbe*. 1877 in Waldheim geboren, ursprünglich Maler, hat er sich unter dem Einfluß von Rodin und Tuaillon der Bildhauerei zugewandt und lebte seit der Jahrhundertwende in Berlin; seinen Ruhm begründete die berühmte, scheinbar frei im Raum schwebende »Tänzerin« von 1912, die heute in Berlin steht. Das Frankfurter Beethoven-Denkmal kann man als Krönung seines Schaffens bezeichnen. Er starb 1947 in Berlin.

Wissenschaft

Der Jurist und Philosph *Christian Thomasius* (1655 bis 1728) war der erste Hochschullehrer, der seine Vorlesungen in deutscher Sprache hielt. Er begann damit 1687 und hat seit 1688 unter dem Titel »Monatsgespräche« die erste wissenschaftliche Zeitschrift in deutscher Sprache erscheinen lassen. Er erstrebte die Befreiung der Wissenschaften von der Vorherrschaft der Theologie und der Scholastik, die Freiheit des Gewissens, Forschens und Denkens und führte einen unerbittlichen Kampf gegen Folter und Hexenprozesse.
Sohn eines Bandwirkers aus der Lausitz war *Johann*

GNANDSTEIN · Das im Anfang des 14. Jahrhunderts unter Verwendung einer älteren Anlage errichtete Schloß gehörte einst den Herren von Einsiedel, die in der sächsischen Geschichte eine bedeutende Rolle spielten. Seit 1807 herrschte hier als Schloßherrin die Pflegeschwester Theodor Körners, an dessen Aufenthalt in Gnandstein im Jahre 1813 ein Denkstein erinnert. In der Kapelle des Schlosses befindet sich ein Altar des Meisters Peter Breuer.

Richard Wagner
* 22. 5. 1813, † 13. 2. 1883
Komponist

Robert Schumann
* 8. 6. 1810, † 29. 7. 1856
Komponist

Anton Philipp Reclam
* 28. 6. 1807, † 5. 1. 1896
Verlagsbuchhändler

Theodor Körner
* 23. 9. 1791, † 26. 8. 1813
Dichter

Gottlieb Fichte (1762 bis 1814), der nach einem Theologiestudium radikal aufklärerische Tendenzen verfocht. Seit 1806 stand er an führender Stelle im Kampfe gegen die napoleonische Bedrückung. Seine »Reden an die deutsche Nation« entflammten die akademische Jugend. Von einer geschichtsphilosophischen Grundlage her entwickelte er vielfältige Kritiken an den bestehenden Verhältnissen und hat Hegel, Feuerbach und Marx sehr anregend beeinflußt. – Der aus Meißen (1755 bis 1843) gebürtige *Samuel Hahnemann,* von Haus aus Arzt, hat die Naturheilkunde und, diese weiterführend, die Homöopathie begründet. – Neben dem thüringischen Ranke dürfte der Dresdner *Heinrich von Treitschke* (1834 bis 1896) als einer der bedeutsamsten Historiker des 19. Jahrhunderts zu nennen sein. In seiner »Deutschen Geschichte« proklamiert er die unvergänglichen Werte des deutschen Volkstums, den Vorrang des Staates gegenüber allen übrigen Lebensformen.

Der Staatswissenschaftler und Politiker *Friedrich Naumann* (* 1860 in Störmthal bei Leipzig) ist heute leider weithin schon vergessen worden. Er kam von der Inneren Mission her, trat mit Energie und kluger Voraussicht für eine bessere Sozialpolitik ein, gründete die Zeitschrift »Die Hilfe« und erstrebte in enger Zusammenarbeit mit Freunden und Schülern auf demokratischer und sozialer Grundlage eine Erneuerung von Staat und Wirtschaft. Er ist Mitbegründer der Deutschen Demokratischen Partei gewesen, hat während des ersten Weltkrieges das Programm einer mitteleuropäischen Wirtschaftsgemeinschaft entwickelt und starb 1919 in Travemünde.

Entdecker und Erfinder

»Genau nach *Adam Riese«* heißt es im Volksmunde in allen deutschen Gauen, wenn man mit aller Gewißheit erhärten will, daß eine soeben vorgenommene Rechnung auch wirklich stimmt. Der Mann, dessen Name so zitiert wird, hat nun keineswegs das Rechnen erfunden, aber dieser gebürtige Franke (1492 bis 1559) kam im Jahre 1525 als Bergbeamter nach Annaberg, wo es ihm oblag, von Staats wegen die Berechnungen zu überprüfen, und hat nach klaren pädagogischen Prinzipien die ersten Lehrbücher der einfachen und komplizierten Rechenkunst herausgebracht. Im selben Annaberg wirkte jahrzehntelang auch *Barbara Uttmann* (1514 bis 1575), deren großes Verdienst es ist, daß sie, als der sächsische Bergbau in der Mitte des 16. Jahrhunderts stark zurückging, den Frauen und Töchtern der brotlos gewordenen Männer das Spitzenklöppeln beibrachte und auf diese Weise eine Hausindustrie ins Leben rief, die erzgebirgischen Fleiß in aller Welt bekannt werden ließ.

Dem von 1723 bis 1788 in Dresden lebenden Astronomen *Johann Georg Palitzsch* gebührt die Ehre, 1758 den berühmten Halleyschen Kometen entdeckt zu haben, jenen mit bloßem Auge erkennbaren Himmelswiedergänger, der etwa alle 76 Jahre unseren Nachthimmel erhellt.

Der Chemnitzer Stadtarzt und spätere regierende Bürgermeister *Georgius Agricola* (1494 bis 1555) gilt als eigentlicher Wegbereiter der Mineralogie, des Berg- und Hüttenwesens. Ein Freund Goethes – *Johann Heinrich Cotta* – gründete gegen Ende des 18. Jahrhunderts die Forstakademie Tharandt bei Dresden, ließ den gesamten sächsischen Staatswald neu vermessen, besorgte eine durchgreifende Entwässerung der Moore und Sümpfe und führte eine neuartige Waldbewirtschaftung ein, die in aller Welt Schule gemacht hat. Der aus Thüringen Stammende (1763 bis 1844) hat mit Goethes Stuttgarter Verleger lediglich den Namen gemeinsam.

Innerhalb der bürgerlichen Aristokratie der Stadt Leipzig spielt ein Unternehmerstand eine ganz besondere Rolle: Es sind die großen Meister des Buchdrucks, die Buch- und die Musikverleger. Erstrangige Namen aus diesem Kreise sind Breitkopf, Brandstetter, Poeschel, J. J. Weber, Brockhaus, Göschen, Hirzel, Teubner und Reclam.

Als letzter in der Reihe der bedeutenden Persönlichkeiten Sachsens stehe hier der Name des Mannes, der 1884 in Schneidemühl geboren wurde und den als führenden Kopf des inneren Widerstands Hitler nach dem mißglückten Attentat des 20. Juli 1944 verhaften und im Februar 1945 in Plötzensee bei Berlin hinrichten ließ: *Carl Goerdeler.* Er ist von 1930 bis 1937 Oberbürgermeister der Stadt Leipzig gewesen. Als Protest gegen die Ächtung unserer jüdischen Mitbürger und wegen der Entfernung des von der Leipziger musikalischen Tradition nicht abzulösenden Denkmals des Komponisten Felix Mendelssohn-Bartholdy hat er dieses Amt niedergelegt. Goerdeler hinterließ ein politisches Testament, dessen inneren Gehalt zu erfüllen ein Auftrag bleibt.

Die Industrie eroberte Sachsen

Die Begründung des Deutschen Zollvereins, die Einführung des Eisenbahnverkehrs und die etwa zur gleichen Zeit erfolgte Eröffnung der Dampfschiffahrt auf der Elbe rückten das Land in völlig veränderte Verhältnisse. Sie brachten für Gewerbe und Handel einen geradezu ruckartigen Aufstieg. Der Agrarstaat vollzog den Sprung ins aufbrechende Industriezeitalter mit einem Elan, der alle anderen Länder hinter sich ließ. Regsamkeit, Gewerbefleiß und das Erfassen der völlig verwandelten Möglichkeiten machten Sachsen binnen weniger Jahrzehnte zum verkehrsdichtesten, dazu auch zum industriereichsten Land Deutschlands.
Im östlichen Teile wurden Dresden, Pirna und Riesa zu wichtigen Handelsplätzen, in der westlichen Hälfte neben Leipzig auch Chemnitz, Plauen und Zwickau. Um Zwickau und im Plauenschen Grund bei Dresden begann die Steinkohlenförderung. Braunkohlenfelder wurden bei Leipzig, um Zittau und in der nördlichen Lausitz erschlossen. Die Erzeugung von elektrischem Strom stieg an. An die Stelle des Silberabbaus traten Kobalt und Nickel als neue Ertragsquellen.
Die erleichterten Transportmöglichkeiten brachten dem Holzschlag in den Bergen erweiterte Absätze. Holzschleifereien und Schneidemühlen entstanden, dazu große Werke für Papierfertigung und -verarbeitung. Seiffen wurde zum Zentrum der Holzspielwaren. Auf dem Wege über die Eisenbahnen konnten mehr und mehr Rohstoffe von außerhalb zur Weiterbearbeitung herangebracht werden. Maschinen, Strumpf- und Wollwarenwirkerei, Lokomotiven- und Waggonbau, Fabrikation von Gardinen und Spitzen, Tüchern und farbigen Schals, jeder Art von Kleidungsstoffen, Teppichen, Teppichwirkereien, Motoren- und Kraftwagenwerke reihten

GROSSSCHÖNAU · Die kleine Industriestadt Großschönau liegt in einem Tal inmitten des Zittauer Gebirges, ganz dicht an der tschechischen Grenze, unterhalb der Lausche, der höchsten Erhebung des Gebirgszuges, die 793 m hoch ist. Die Kirche (im Bild) wurde im Jahre 1705 erbaut. Ihre nächste Umgebung trägt noch einen ausgeprägt dörflichen Charakter.

sich eines ans andere. Anfertigung von Tisch- und Bettwäsche, Posamenten- und Uhrenfabrikation traten hinzu, Ziegelbrennereien, Steingut- und Schamotte-Werke entstanden.
Blüthner und andere brachten in Leipzig eine die Welt erobernde Pianoforteindustrie in Gang. Die Rauchwarenbörse vervielfachte ihre Umsätze. Dresden steigerte die Produktion von Möbeln, optischen Instrumenten, Zigaretten und pharmazeutischen Artikeln. Die beiden großen Städte wetteiferten in Schokolade- und Pralinenproduktion.
Längst vor dem ersten Weltkrieg war Sachsen zum mitteldeutschen Industrierevier geworden. Die von Boden und Klima her begünstigten Gebiete um Wurzen, Oschatz, Lommatzsch und Bautzen ließen auch die landwirtschaftliche Erzeugung mit Hilfe ertragsfördernder Anbaumethoden zu ansehnlicher Steigerung kommen. Das hochindustrialisierte Sachsen behielt nicht nur seine agrarische Leistungskraft, sondern erhöhte sie noch. Die nördlichen Bezirke erzeugen vornehmlich Weizen, Roggen und Zuckerrüben, das Gebirge Hafer und Gerste. Kartoffeln werden überall angebaut. Frühgemüse, Spargel, Erdbeeren und Obst züchtet die Lößnitz. Bei Dresden und Leipzig bestehen zahlreiche Großgärtnereien. Die zuzeiten des Kurfürsten Vater August (1526 bis 1586) begonnene großzügige Obstbaupflege wird emsig weiterbetrieben.

GÖLTZSCHTALBRÜCKE · Die 580 m lange und über 80 m hohe Brücke überspannt bei Netzschkau das Tal der Göltzsch, eines kleinen Zuflusses der Weißen Elster. Über die Brücke führt die Eisenbahnlinie Leipzig—Reichenbach—Plauen. Der Viadukt wurde als Ziegelbauwerk zwischen 1845 und 1851 errichtet.

MEISSEN · Die Stadt, seit 929 das älteste geschichtliche Zentrum des heutigen Sachsens, liegt an der Elbe auf einer Reihe von Hügeln am Nordrand des Dresdener Elbtalkessels. Ihr alter Mittelpunkt, die Albrechtsburg mit dem Dom (Bild), erhebt sich auf dem Schloßberg steil über dem Strom. Der 1912 erneuerte gotische Dom stammt aus dem 13./14. Jahrhundert; die Albrechtsburg wurde zwischen 1471 und 1485 erbaut. Im Südosten Meißens befindet sich die berühmte Staatliche Porzellanmanufaktur, die 1710 gegründet wurde. Dieser Blick über die Elbe hinweg auf den vielgliedrigen und türmereichen Komplex, der nicht nur zum Wahrzeichen der Stadt wurde, sondern auch die ganze Landschaft beherrscht, gehört zu den eindrucksvollsten Bildern deutscher Städte.

Humor in Sachsen

Nudelmiehle kennt er ooch nich

Ein Fremder ist in Leipzig vom Hauptbahnhof mit der Linie 12 bis zur Karl-Tauchnitz-Brücke gefahren. Nicht weit vom Neuen Rathaus soll sich die Makkaronifabrik befinden, deren Inhaber er einen Besuch abstatten möchte. Er geht quer über die Straße und fragt einen Einheimischen höflich nach dem Weg zu dieser. Der Sachse hört zu, nickt erst, schüttelt dann bedauernd den Kopf und sagt: »Dud m'r wärglich leed, mei Kudster, awer das weeß ich sälber nisch.« Weil ihm nichts anderes übrigbleibt, geht der Fremde in südlicher Richtung aufs Reichsgericht weiter. Nach etlichen hundert Metern hört er hinter sich laut rufen. Er wendet sich um und erkennt den Sachsen, den er soeben vergeblich gefragt hat; und weil dieser ihm winkt, bleibt der Fremde tiefgerührt und erwartungsvoll stehen. »Nun?« fragt er den Herangekommenen und vernimmt die höflichen Worte: »Heern Se mal, Se meenen wohl dee Nudelmiehle, was? Ich meecht's vermuten, awer mir dud's wärglich schräcklich leed, das gann ich Se nämlich ooch nich sach'n.«

Der Betthimmel

August der Starke war durch einen herabfallenden Betthimmel verletzt worden. Als man dies dem Satiriker Kästner erzählte, rief er aus: »Gerechter Himmel!«

Das Klavierspiel

Rudolf G. Binding erzählte gern ein Jugenderlebnis aus seiner Vaterstadt Leipzig. Als Sohn des bekannten Strafrechtlers hat er in der Stadt an der Pleiße den größeren Teil seiner Schuljahre verbracht. Bindings wohnten in einem mehrstöckigen Hause in der Emilienstraße im zweiten Stock zur Miete, und nach dem Mittagessen, bevor er sich an seine Hausaufgabe machte, pflegte Binding junior alltäglich ein Stündchen Klavier zu üben. Da passierte es eines Tags, daß inmitten dieser musischen Beschäftigung die Schelle an der Wohnungstür heftig dröhnte. Draußen stand das Hausmädchen aus dem dritten Stock und sagte in fließendem Sächsisch: »Ach, äntschuldschen Se, dä gnädsche Frau iss grank und braucht Ruä.« Gehorsam wurde das Klavier zugetan — und der Knabe Binding begab sich an eine ruhigere Beschäftigung.

Nach einer guten Stunde erdröhnte die Schelle wieder, und abermals stand da das Mädchen von oben. Freundlich lächelnd und bescheiden erklärte es: »Ach, äntschuldschen Se, Se dürfen nu gärne weiderschpiel'n. De gnädsche Frau iss gerade ähm geschtor'm . . .«

Zeichensprache

Ich fuhr von Dresden nach Leipzig zusammen mit einem Herrn, mit dem ich ein paar Worte über das Öffnen der Fenster oder so was Ähnliches gewechselt hatte, als auf einer Zwischenstation ein paar ersichtlich taubstumme Leute einstiegen; ihre Taubstummheit war an ihrer lebhaften Gebärdensprache sofort zu erkennen. – Mit großer Freude begrüßten sie den Herrn mir gegenüber, der zu meinem Erstaunen nun ebenfalls in beweglicher Zeichensprache sich mit ihnen angelegentlich unterhielt. – Als sie bald darauf wieder ausgestiegen waren, sagte mir der Herr, daß er Taubstummenlehrer und die Ausgestiegenen alte Schüler von ihm seien.– »Da bedauern Sie gewiß, daß sie so bald wieder ausgestiegen sind?« fragte ich. – »Ach nein«, sagte er. »Wissen Sie, ich kann den sächsischen Dialekt nicht vertragen!«

Ein rechtes Tischgespräch

Friedrich August III., der letzte sächsische König, der für seinen andauernden Durst geradeso bekannt war wie für seinen unverwüstlichen Humor, achtete in keiner Weise auf das Entsetzen seiner höfischen Tischgesellschaft, als ihm einmal an der Mittagstafel das neuerstandene und dem Munde noch nicht recht eingepaßte künstliche Gebiß plötzlich in die Suppe fiel, die er gerade löffelte. Ungeniert griff er nach der Prothese, hielt sie hoch, schaute sie verdrossen an, warf sie in die Suppe zurück und rief: »Blödes Ding, dann friß alleene!«

Nichts über Höflichkeit

Geheimrat Thiersch, der große Leipziger Chirurg, fragte bei der Prüfung überraschend einen etwas begriffsstutzigen Studenten: »Stellen Sie sich vor, Sie sezieren einen menschlichen Körper und spüren ganz plötzlich, daß der Kerl noch lebt. Was tun Sie?«

Darauf der Kandidat: »Natürlich werde ich mich zunächst einmal in aller Höflichkeit bei dem Herrn entschuldigen!«

Hochzeitsreise

»Nu, Garle, wo gomms denn du her?« – »Ich bin uff der Hochzeitsreese.« – »Nu, wo haste denn deine Frau?« – »Das is es ja ähm bei uns Volksschullehrern: For zwee langts allemal nich.«

Schulausflug nach Vorschrift

Eine Chemnitzer Schulklasse macht den traditionellen Ausflug zum Schloß Augustusburg. Als nach dem ausgedehnten Anmarschweg alle miteinander den Burghof erreicht haben, ruft der Lehrer: »Mah alles herkomm'! Eindricke sammeln!«

Der »Geenig« und der Altphilologe

Bei Friedrich August, dem »Geenig«, bedankte sich ein Gymnasialprofessor im Zuge einer gemeinsamen Audienz von mit landesväterlichen Auszeichnungen Dekorierten für den ihm verliehenen Orden. – »Na Sie«, redete Majestät ihn an — in einer Mischung aus leutseliger Huld und dem Versuch, seine vollendete Teilnahmslosigkeit zu verbergen, »sinn Se eejendlich Neuphilologe oder Altphilologe?« Der Mann war Altphilologe, schlank, hager und trug einen mächtigen Vollbart. Der König quittierte ihm: »So sähn Se ooch aus!«

Braungebrannt

Im Dezember des zweiten Schuljahres lernte die Klasse das Weihnachtslied »Ihr Kinderlein kommet«, in dem der Vers vorkommt: »Die redlichen Hirten knien betend davor«. – »Was sind denn redliche Hirten?« – Keiner der Sieben- und Achtjährigen wußte, was »redlich« bedeutet – »ehrlich« hätte man wahrscheinlich gewußt, aber redlich? Nur der Schlauste der Klasse konnte sich etwas denken und meldete sich: »Die Hirten waren braungebrannt.«

WURZEN
LEIPZIG
DÖBELN
OSCHATZ
SCHLOSS
GRIMMA
Weiße Elster
LEISNIG
N
W
O
S
COLDITZ
GNANDSTEIN
KRIEBSTEIN
ROCHLITZ
FREIBERG
GLAUCHAU
CHEMNITZ
Zschopau
AUGUSTUSBURG
STEIN
ZWICKAU
Zwickauer Mulde
ZSCHOPAU
GEYER
MARIENBERG
MYLAU
ALTSCHÖNFELS
Autobahn
SCHWARZENBERG
PLAUEN
MECHELGRÜN
ANNABERG
ERZGEBIRGE
SOSA
FICHTELBERG
Weiße Elster
FICHTEL-
GEBIRGE
BAD ELSTER

JAGDSCHLOSS MORITZBURG
KAMENZ
MILKEL
Spree
HEYNITZ
Autobahn
DRESDEN
STOLPEN
BAUTZEN
JOACHIMSTEIN
Elbe
HOHNSTEIN
Görlitzer Neiße
IRNA
WEESENSTEIN
ELBSANDSTEIN-
GEBIRGE
GLASHÜTTE
LAUSITZER GEBIRGE
ZITTAU
AUENSTEIN
BÄRENSTEIN
GEBIRGE
SACHSEN

HANS FRANCK

Mecklenburg

Jemand – ich glaube, es war Bismarck –, jemand hat einmal gesagt: Wer den Weltuntergang ohne Schädigung überstehen wolle, der müsse nach Mecklenburg ziehen; denn dort merke man das öffentliche Geschehen erst ein Jahrhundert später als auf der übrigen Erde.

Es gilt zu fragen: Handelt es sich bei diesem Ausspruch um einen billigen, auf Lachen berechneten Witz, dessen nähere Betrachtung nicht lohnt? Oder ist es ein ernsthafter Scherz, der durch Übertreibung auf Mißstände hinweisen und zu ihrer Besserung beitragen will? Obwohl, vielleicht auch: weil ich gebürtiger Mecklenburger bin und meine Heimat ungemein liebe, läßt sich von mir das Eingeständnis nicht vermeiden: Das Letztere trifft zu. Mecklenburg ist bis in die neue Zeit hinein äußerst beharrlich geblieben, so daß es neben unberechtigten Bewitzelungen berechtigte Bespöttelungen hat erfahren müssen.

Über eines jedoch sei im voraus Klarheit hergestellt: Nicht auf dem Gebiete der Kultur war Mecklenburg rückständig. Denn es hat zu dem geistigen Werden des Deutschtums durch überragende Männer schöpferische Beiträge geliefert, die gleicherweise erstaunlich wie bewundernswert sind. Man mag über die im engeren Sinne dichterische Leistung Fritz Reuters (* 1810 in Stavenhagen, † 1874 in Weimar) und die wissenschaftliche Stichhaltigkeit der Altertumsforschung Heinrich Schliemanns (* 1822 in Neubukow, † 1890 in Neapel) urteilen wie man will. Aber daß sie hochbedeutsame Persönlichkeiten sind, wird mit Grund niemand leugnen können. Von den beiden Heerführern Blücher (* 1742 in Rostock, † 1819 in Krieblowitz) und Moltke (* 1800 in Parchim, † 1891 in Berlin) steht jener durch seine Urwüchsigkeit dem Mecklenburgischen näher als dieser, der dafür die höchste Höhe der Geistigkeit mit seinen Schriften und Briefen erklomm. Den Warener Volkskundler Wossidlo und den Luftschiffbauer Zeppelin, der zwar in Konstanz geboren ist, aber einem alten mecklenburgischen Geschlecht entstammt, sollte man nicht vergessen, obwohl jener seine Leistungen durch Schrulligkeiten und Vollständigkeitssucht gefährdete, dieser mit der Starrheit seiner Fahrzeuge eine Idee vertrat, die sich als falsch erwies und daher längst begraben wurde. Auf dem Gebiete der Musik freilich sind Mecklenburg – im Gegensatz zu Mitteldeutschland, insbesondere Thüringen – keine überragenden Künstler beschieden gewesen. Denn den Schöpfer der unverwüstlichen »Martha«, den Opernkomponisten und Theaterintendanten Friedrich von Flotow (* 1812 in Teutendorf, † 1883 in Darmstadt), wird man mit Fug nicht dazu rechnen dürfen. Dem »Frisia non cantat« kann ohne Bedenken die Abwandlung »Obotritia non cantat« an die Seite gestellt werden. Und auch mit der Malerei sind die Mecklenburger in den Bezirken des Mittleren und Liebenswürdigen verblieben. So nahe Georg Kersting (* 1785 in Güstrow, † 1847 in Meißen) den beiden erstrangigen Pommern Philipp Otto Runge und Caspar David Friedrich mit einzelnen Bildern auch kam, weder durch den Umfang noch durch das Gewicht seines Werkes kann er ernsthaft mit ihnen verglichen werden. Wohl aber darf Mecklenburg mit Ernst Barlach (* 1870, † 1938) ein Doppelgenie, einen Bildhauer und Dichter von außerordentlicher Bedeutung, für sich in Anspruch nehmen. Barlach wurde zwar 1870 zu Wedel im Holsteinischen geboren, wuchs zu Ratzeburg im Lauenburgischen auf. Aber der vom Jugendstil Herkommende hat weder in Paris noch in Rom, weder in Hamburg noch in Berlin seine endgültige eigentliche Form gefunden. Erst während der achtundzwanzig Jahre, die er in Güstrow lebte, kam er zu sich selbst. Die Gestalten seiner Plastik und Dichtkunst, seiner Holzschnitte und Steinzeichnungen wurden nicht zufällig in Mecklenburg, sondern wesenhaft durch Mecklenburg das, was sie sind: Geschöpfe, die sich ganz zwar niemals vom Erdboden lösen, aber deswegen nicht im Schweren und Dumpfen beschlossen bleiben, sondern sich den Blick und damit die Sehnsucht bewahren für den gestirnten Himmel. Neben diesem eingewanderten Genie haben Talente wie Johann Heinrich Voß (* 1751 in Sommersdorf, † 1876 in Heidelberg) und Heinrich Seidel (* 1842 in Perlin, † 1906 in Berlin) einen schweren Stand. Aber jener hat mit seinen Idyllen und seiner Homer-Übersetzung sich für immer in das Buch der deutschen Literaturgeschichte eingetragen, dieser neben dem gemütvollen »Leberecht Hühnchen« die Dachkonstruktionen des Anhalter Bahnhofs in Berlin geschaffen. Und wenn auch die Bauschöpfungen Mecklenburgs an keinen weltgültigen Einzelnamen gebunden sind, vielmehr volkhafte Leistungen darstellen, so ist doch ihre Eigenart dermaßen unverkennbar, ihre Vollendung dermaßen bedeutsam, daß sie bei einer künstlerischen Gesamtwertung Deutschlands nicht übersehen werden dürfen. Die mecklenburgische Backsteingotik hat ebenso reiche wie reine Ausprägung erfahren. Bei den Toren (wie bei denen mit angebauten Wichhäusern von Neubrandenburg) ist es bemerkenswert, daß ungewöhnliche Leistungen nicht nur in den großen und mittleren Städten anzutreffen sind. Giebelhäuser, Kirchen suchen an Schönheit und Vollendung ihresgleichen. Manche mecklenburgische Dorfkirche übertrifft an Monumentalität und Originalität nachempfundene kirchliche Bauten großer Gemeinden. Auch die zahlreichen Schlösser im Lande stellen einen Beitrag zu der Baukunst Deutschlands dar, der nicht leicht überbewertet werden kann. Dabei ist nicht an das Schweriner Schloß der Fürsten des Landes gedacht. Denn dieses – im vorigen Jahrhundert um seines Prunkes willen viel bewundert – ist längst als eine fragwürdige Nachahmung bodengemäßer französischer Kunst erkannt und selbst da, wo es – wie mit seinem Renaissanceteil – echt ist, nicht auf eigenem Grund gewachsen. Wohl aber sind es die strohgedeckten Bauernhäuser, deren Zweckmäßigkeit und Schönheit kein eingeführter Baustil auf dem Lande jemals wieder erreichen konnte. Wahrlich, auf dem Gebiete der Kultur braucht Mecklenburg den Vorwurf der Rückständigkeit nicht als berechtigt hinzunehmen!

Anders aber liegen diese Dinge auf dem Gebiete der Zivilisation. Mit seinem öffentlichen Leben, seinen gesellschaftlichen Verhältnissen, seinen politischen Einrichtungen ist Mecklenburg tatsächlich bis in die neueste Zeit ein rückständiges Land gewesen. Und zwar in einem Maße, daß mein liberal gesonnener Vater zu sagen pflegte: »Wi maschiern noch hunnert Milen achter dei Russen«; will sagen: hinter jenem östlichen Riesenreich, wo der Zarismus uneingeschränkte Macht besaß und mit der Knute Millionen zur Ermöglichung seines Herrendaseins in einem menschenunwürdigen Zustand niederhielt. Denn wie stand es damit in Mecklenburg? Ein grelles Schlaglicht auf diese Zustände werfen folgende Tatsachen: Zu Anfang des 19. Jahrhunderts verfügte der Wariner Drost Suckow, daß in seinem Amt die gesetzlich erlaubten Prügel nicht mehr mit der Peitsche sondern mit einem »kleinen Röhrchen auf das bloße Hemd« verabfolgt werden sollten. Man schritt gegen ihn ein, weil er es wagte, die durch das Alter geheiligte landesübliche Peitsche abzuschaffen. Suckow erwiderte, daß Mecklenburg der einzige Staat in Deutschland sei, der sich erlaube, die barbarische Knutenpeitsche auf die Rücken seiner gutmütigen jungen Landleute zu bringen. Er sandte der Regierung eine gerichtlich erlaubte riesige Knute ein und fügte das in seinem Amt verwendete »kleine Röhrchen« bei. Suckow hatte Erfolg. Durch Regierungsverordnung wurde die grobe Peitsche abgeschafft und das dünne Röhrchen vorgeschrieben. Dies also im 19. Jahrhundert!

Wenn auch die Leibeigenschaft schließlich – und zwar 1820 – selbst in Mecklenburg aufgehoben wurde, so daß der Gutsherr nicht mehr das gesetzliche Recht hatte, seine Tagelöhner aus irgendwelchen ihm notwendig erscheinenden Gründen in dem seiner Meinung nach angebrachten Maße zu züchtigen, so war mit dieser Aufhebung die durch wirtschaftliche Umstände bedingte Hörigkeit keineswegs überwunden. Genau betrachtet wurde sie erst durch den Weltkrieg von 1914 bis 1918 ins Wanken gebracht und durch den Weltkrieg von 1939 bis 1945 hinweggefegt.

Vorsintflutlich

Die sozialen Zustände der kleinen Städte in den Hintergassen – den Wallstraßen und Baracken – sowie der Dörfer in den Einliegerhäusern und Tagelöhnerkaten waren vorsintflutlich. Man gibt, um glaubhaft zu machen, daß tatsächlich Menschen vielfach schlechter und unwürdiger gehalten wurden als Pferde und Hunde, zweckmäßiger Weise ein wirkliches Beispiel. Als ich nach einem jahrzehntelangen Umweg über Hamburg und Düsseldorf in den zwanziger Jahren unseres Jahrhunderts, also vor einem Menschenalter, in die Heimat zurückkehrte, besaßen die Tagelöhner der umliegenden Güter noch keine Aborte. Sie mußten ihre Notdurft auch bei Wind und Wetter, bei Schnee und Eis, bei Nacht und Nebel auf dem Misthaufen verrichten. Ich gab einem Gutsherrn gegenüber meiner Entrüstung wegen dieses Mißstandes Ausdruck. Der vierschrötige Herr antwortete – nicht etwa lachend oder gar zynisch, sondern ernst und sachlich: »Warum mit den menschlichen Exkrementen der Tagelöhner erst einen Umweg über Aborte machen? Wie bisher kommen sie für die zweckentsprechende Verwendung auf dem Acker schneller zu ihrem Bestimmungsort, dem Misthaufen. Und gehaltvoller! Das heißt, wenn sie nach der Ablieferung jedesmal sorgfältig zugedeckt werden! Was die Kerle, so oft ich es ihnen auch einbläue, leider immer wieder unterlassen.« Er hat kurz vor dem zweiten Weltkrieg, in den dreißiger Jahren unseres Jahrhunderts, seinen Gutstagelöhnern dann doch auf Parteibefehl Aborte bauen müssen, der vierschrötige Herr. Sie wurden an die Rückseite der Katen wie Vogelnester angebackt.

Noch rückständiger als auf menschlichem und sozialem Gebiet blieb Mecklenburg in politischer Hinsicht bis in unser Jahrhundert hinein. Nichts aber hat dem Lande soviel Belächeln und Bedauern, soviel Spott und Hohn eingebracht wie die tatsächlich mittelalterlichen öffentlichen Einrichtungen. Noch als der erste Weltkrieg ausbrach, hatte Mecklenburg keine, den gewandelten Verhältnissen entsprechende, durch Gesetz und Recht bestätigte Verfassung, keine aus freien Wahlen hervorgegangene Volksvertretung. Es besaß als einziger Bundesstaat des Bismarck-Reiches bis 1918 eine altständische Verfassung. Diese ging bis in das 13. Jahrhundert zurück und wurde 1755 endgültig durch den Landesgrundsätzlichen Erbvergleich als rechtmäßig bestätigt. Mecklenburg war somit regiert von dem Großherzog, der über die absolute Macht verfügt hätte, wenn der Ständische Landtag, der mit ihm regieren sollte, aber meistens gegen ihn regierte, nicht vorhanden gewesen wäre. Diese Körperschaft, auf die das Wort Parlament und nun gar Volksvertretung anzuwenden man sich scheut, tagte alljährlich abwechselnd in den Landstädten Sternberg

LUDWIGSLUST · Aus der zweiten Hälfte des 18. Jahrhunderts stammt die ehemalige Sommerresidenz. Um das von den Architekten Busch und Barca erbaute Schloß, eine planvolle, einheitliche Anlage, wurde fünfzig Jahre später der barocke Park in einen Garten nach englischem Stil umgewandelt.

und Malchin. Beileibe nicht in Schwerin! Dort wäre man unterirdischen höfischen Einflüssen ausgesetzt gewesen. Auch war es, um die eigene Machtvollkommenheit zu betonen und die wohlbegründete Selbständigkeit hervorzukehren, durchaus in der Ordnung, daß nicht die Landtagsmitglieder zu ihrem Fürsten gingen, sondern dieser seine Vertreter in ihre Sitzungen schickte. Gegeneinander kämpften unablässig, also nicht nur bei den parlamentarischen Tagungen, die »Landschaft« – die zur Hauptsache aus Bürgermeistern bestehenden Vertreter der Städte –, die »Ritterschaft« – die Gutsbesitzer, die von einer bestimmten Hektarzahl ihres Besitztums an ohne weiteres landtagsberechtigt waren – und die vom Großherzog bestimmten Abgesandten des nicht landtagsberechtigten Domaniums, jenes Landesteiles, der den Großherzögen erbeigentümlich gehörte oder im Laufe der Jahrhunderte durch mehr oder minder rechtmäßige Maßnahmen, wie Säkularisierung der Klöster nach der Reformation, zugefallen war; damit, wenn der Landtag diese verweigerte, hinreichend Einnahmen aus der Landwirtschaft und Forstwirtschaft zu der Weiterführung der kostspieligen Schweriner Hofhaltung zur Verfügung ständen.

Es hat im Laufe des 20. Jahrhunderts nicht an ernstlichen Bemühungen gefehlt, auch Mecklenburg eine zeitgemäße Verfassung zu geben, wie alle anderen Staaten des Deutschen Reiches sie längst besaßen; auch das mecklenburgische Volk für mündig zu erklären und ihm die Möglichkeit zu verschaffen, sein Geschick durch ein freigewähltes Parlament selber zu bestimmen. Wenn all diese Versuche, selbst die ernsthaften Bemühungen der Revolution von 1848, scheiterten und erst ein Weltkrieg kommen mußte, um die veralteten politischen Einrichtungen hinwegzufegen, so lag das nicht an den Fürsten des Landes. Freilich, auch die Großherzöge Mecklenburgs hätten trotzdem 1918 wie sämtliche anderen deutschen Herrscher abdanken müssen. Aber sie – oder wenn nicht sie, dann ihre obersten juristischen Berater – hatten das Kommende vorausgesehen und als eines der Mittel seiner Abwendung die Schaffung einer Verfassung und die Aufrichtung einer Volksvertretung in Szene zu setzen versucht. Auch die »Landschaft« – das liberale Bürgertum – war zeitgerechten Reformen geneigt. Aber alle Versuche dieser Art scheiterten an dem Widerspruch der »Ritterschaft«, des mit wenig Ausnahmen konservativen, beharrungssüchtigen, machtbesessenen Großbesitzertums. Sagte doch einer von ihnen in aller Offenheit: »Es kommt – Gott soll uns behüten! – nicht darauf an, ob das Neue zweckmäßiger ist als das Alte, sondern darauf, das Bestehende um jeden Preis zu erhalten.« So bekam Mecklenburg erst 1920 die langumkämpfte demokratische Verfassung.

»Bei uns bleibts immer so.«

Wie diese Dinge lagen, hat mit aller Schärfe der Dichter Hoffmann von Fallersleben erkannt und unbekümmert ausgesprochen. Der war um demokratischer Gesinnung willen seiner Breslauer Professur entbunden worden. Von Land zu Land, von Stadt zu Stadt wurde er durch Ausweisungsbefehle gehetzt. Der Fluchtweg führte ihn von Oranienburg nach Leipzig, von Frankfurt nach Mannheim, von Heidelberg nach Soden, von Bingen nach Wiesbaden, von Lahr nach Schaffhausen, von Offenbach nach Oranienburg. Schließlich begab Hoffmann von Fallersleben sich nach Mecklenburg. Dort mußte er endlich Ruhe finden. Denn in Mecklenburg wußte man sicherlich noch nicht, was Demokratie sei und konnte ihn also wegen demokratischer Gesinnung nicht ausweisen. Tatsächlich gewährte ein freiheitlich gesinnter Mann, Dr. Samuel Schnelle, Herr zu Buchholz, dem Dichter Unterkunft und versicherte: Der Zugereiste könne auf dem Stück Erde, das ihm – Samuel Schnelle – gehöre, so lange verbleiben, wie er – Hoffmann von Fallersleben – wolle. Denn ein mecklenburgischer Gutsbesitzer unterstehe nicht der Polizei, sondern er sei nur dem Obersten Landesherrn verantwortlich. Aber man hatte eine falsche Rechnung aufgemacht. Die Regierung ver-

ELBBRÜCKE BEI DÖMITZ · Außer der Seeküste besitzt Mecklenburg nur im Südwesten eine natürliche Grenze: die Elbe. Straße und Bahn überqueren bei Dömitz den Strom, der hier keine sichtbare Grenze ist. Denn die Gestalt und der Charakter der Landschaft auf beiden Ufern unterscheiden sich nicht voneinander.

SEENPLATTE BEI FELDBERG · Die eiszeitlichen Gletscher aus Skandinavien haben mit ihren gewaltigen Kräften die Landschaft Mecklenburgs geprägt. Ihre ausgehobelten Tiefen haben sich mit Wasser gefüllt und so die Seenplatte geschaffen. Über das fruchtbare Land hinweg geht der Blick in die Weite.

langte zu wissen, wie Schnelle dazu komme, einen »Ausländer« bei sich aufzunehmen? Der Gefragte antwortete: Einem landtagsfähigen mecklenburgischen Gutsbesitzer stehe nach den geltenden Gesetzen das Recht zu, »Ausländer« auf dem erbeigentümlichen Hofe zu hausen und zu herbergen. Die Regierung konnte dieses Recht nicht bestreiten, betonte aber, es seien zwei Bedingungen daran geknüpft: Entweder müsse der Aufzunehmende einen vermögensrechtlichen Anteil an dem Gut nachweisen oder eine ortsübliche Beschäftigung ausüben. Da das Erste bei einem abgesetzten Professor nicht der Fall sein könne, sei zu berichten, welchen ortsüblichen Gutsdienst dieser täglich gegen Entgelt ausübe. Schnelle schrieb zurück: »Bei uns zu Lande wird es teilweise leichter, sich in andere Weltteile als von einem ritterschaftlichem Gute auf das nächste zu begeben oder von einer Stadt in die andere überzusiedeln. Das klingt abenteuerlich, ist aber doch, wie jeder Mecklenburger weiß, buchstäblich wahr. Und dazu ist Mecklenburg das volkärmste Land in Deutschland. Im übrigen ist Hoffmann von Fallersleben zwecks Ausübung einer ortsüblichen täglichen Arbeitsfunktion gegen Entgelt als Kuhhirte angestellt.« Da er zur Unterstützung von Dr. Samuel Schnelle einen Hütejungen erhielt, so konnte der Kuhhirte und Hintersasse Hoffmann von Fallersleben unter dem Knick der Buchholzer Viehweide ungestört dichten. Die ersten Verse, welche er niederschrieb, lauteten:

Wir sind mit dem zufrieden,
Mit dem, was uns beschieden
Die gute alte Zeit.
Was ihr auch sprecht und schreibet,
Der Mecklenburger bleibet
Ein Mecklenburger stets.
Hali, halo, halihalo!
Bei uns bleibts immer so.

Der Großherzog aber konnte seine Empörung, daß er einem Dr. Schnelle unterlegen war, nicht bemeistern. Er rief den Landtag zur Hilfe. Dieses Mal sprang man dem Fürsten bei. Denn den adeligen Rittergutsbesitzern war es schon lange ein Fleck auf dem Schilde der Standesehre, daß sich in ihrer Mitte ein demokratischer Mann, obendrein mit dem Vornamen Samuel, befand. So wurde unter dem 11. Juli 1845 ein für diesen Fall zurechtgeschneidertes Gesetz erlassen und, damit es paßte, seine Geltung auf den Beginn des Jahres – also bis vor die Ankunft des Dichters! – zurückdatiert. Dieses Gesetz bestimmte: Es seien hinfort nur noch landesherrliche Naturalisationen in Mecklen-

PLAU · Wo die Elde das südliche Seengebiet verläßt, liegt die kleine Stadt. Ihre stattliche, gedrungene Kirche stammt aus dem 13. Jahrhundert. Ein ehernes Taufbecken aus dem Jahre 1570 gehört zu ihren wertvollen Schätzen, die sich bis in unsere Tage hinein erhalten haben. Noch ganz dörflichen Charakter besitzt die stille Partie am Ufer des Flusses.

burg erlaubt. Ausgenommen der eine Fall, daß jemand sich ein Rittergut kaufe, womit er selbstverständlich ohne weiteres heimatrechtlicher Mecklenburger werde. Da jedoch weder der entlassene Professor noch sein Beschützer imstande waren, diese Ausnahmebedingung zu erfüllen, so mußte der verseschreibende Kuhhirte nun auch Buchholz und damit Mecklenburg verlassen. Hoffmann von Fallersleben schnitt sich einen Haselstecken aus der Knickhecke und wanderte, ungewissen Zielen zu, davon. Zornbebend schwang der Dichter den Stekken um sein Haupt. Dann lachte er laut auf und sagte vor sich hin: »Old-Mecklenburg for ever«; das ist: Alt-Mecklenburg für immer. Während des Weiterwanderns entstand jenes vom Hohn zum Humor schwingende Gedicht, mit dem Hoffmann von Fallersleben seine mecklenburgischen Erlebnisse zusammenfaßte:

»Der Vorsänger (mutig, laut, aufreizend):

Wir Mecklenburger sind nur Herrn und Knechte
Nichts als die Luft ist uns gemein.
Gleich sollten sein die Pflichten und die Rechte.
Wir sollten freie Bürger sein.

Der Chor (zaghaft, leise, beschwichtigend):

Dat ginge wohl alles, doch geht et man nich,
Dat litt' jo, dat litt' jo de Ridderschaft nich!

Der Vorsänger (fortissimo):

Wir sprechen Deutsch und haben nie erfahren,
Was Fortschritt und Gemeinsinn ist.
Soll uns denn ewig Gott davor bewahren?
Sind wir denn reif zu keiner Frist?

Der Chor (pianissimo):

Dat ginge wohl alles, doch geht et man nich,
dat litt' jo, dat litt' jo de Ridderschaft nich!«

In der Tat: Die Ritterschaft, die landtagsmäßige Vertretung der Großgrundbesitzer litt es nicht, ließ es nicht zu, daß Mecklenburg in der Entwicklung seiner wirtschaftlichen und sozialen, seiner öffentlichen und politischen Zustände Schritt hielt mit der inneren und äußeren Weiterbildung seiner Verhältnisse. So hatte Bismarck – oder wer es sonst war – nur zu sehr recht mit dem ebenso grimmigen, wie humorigen Ausspruch: Wer den Weltuntergang ohne Schädigung überstehen wolle, der müsse nach Mecklenburg ziehen; denn dort merke man das öffentliche Geschehen erst ein Jahrhundert später als auf der übrigen Erde.

Wie Mecklenburg zu Mecklenburg wurde

Diese Verhältnisse stellen – genauer betrachtet – weder eine ausgefallene Sonderbarkeit noch eine unbeeinflußbare Zufälligkeit dar. Sie sind zunächst einmal das vielfach bedingte Ergebnis jener Folge von Geschehnissen, die wir mit dem Namen Geschichte zusammenfassen. So gilt es nunmehr, durch einen unvoreingenommenen Überblick festzustellen, wie Mecklenburg als Volkstumsgebilde und Staatswesen zu Mecklenburg wurde.

Das Land war ursprünglich von Germanen bewohnt. Als diese im Verfolg der Völkerwanderung dem Drange mancher anderen germanischen Stämme nach dem helleren, wärmeren, leichter bezwingbaren Süden folgten, da fluteten Slawen in den menschenverdünnten, zum Teil sogar menschenleeren Raum ein. Es bedurfte keiner langwierigen Kämpfe, um das Gebiet zwischen der Elbe und Oder, zwischen der Ostsee und Elde als eigen zu gewinnen. Die Wilzen besetzten den Osten, die Obotriten den Westen des Landes. Aus dem zuletztgenannten Stamme ist jenes Fürstengeschlecht hervorgegangen, das nahezu anderthalb Jahrtausende Mecklenburg beherrschte. Die obotritischen Stammesführer hausten zunächst auf der »Mikilinborg« zwischen Wismar und Schwerin; auf jener »Großen Burg«, die später dem ganzen Lande seinen Namen gab. Mehr als ein halbes Jahrtausendlang blieben darin sowohl die wendischen Bewohner als auch die wendischen Fürsten unbehelligt. Denn sie hatten nur an sich genommen, was rechtens niemand weiterhin als sein Eigen beanspruchte.

Das änderte sich von Grund auf infolge jener süd-

MALCHOW · An dem See gleichen Namens, der mit dem Müritzsee, dem größten mecklenburgischen Binnengewässer und dem zweitgrößten Deutschlands, durch das Flüßchen Elde verbunden ist, liegt das nicht ganz zehntausend Einwohner zählende Städtchen Malchow. In dem verträumten Ort wurde bereits 1298 ein Augustinerinnenkloster gegründet. Über den See hinweg hat man einen reizvollen Blick auf den spitzen Turm der Stadtkirche und die Dächer der Häuser.

lich der Alpen erlittenen germanischen Niederlagen, die den Traum Karls des Großen vom Heiligen Römischen Reich Deutscher Nation zerstörten, und durch die zahlenmäßige Zunahme bei den Ausgewanderten, die nun neues Land zum Gewinnen ihrer Nahrung benötigten. Die Germanen fluteten also wieder über die Elbe, und damit auch nach Mecklenburg, zurück. Sie beanspruchten als ihr ursprüngliches Eigentum, was sie freien Willens verlassen hatten. Träger der Idee, daß auf immer nur im Osten freies fruchtbares Land für die Deutschen zu gewinnen sei, war der Sachsenherzog Heinrich der Löwe. Er setzte an die Stelle des Karolingertraumes und des Hohenstaufentraumes von dem Reich diesseits und jenseits der Alpen den Fürstentraum von dem deutschen Reich diesseits und jenseits der Elbe. Gewitzigt durch die Erfahrungen auf den italienischen Schlachtfeldern, schwebte ihm ein Reich vor, das zwar verschiedene Stämme, ja verschiedene Völker enthalten könnte, aber nur Stämme und Völkerschaften eines, des germanischen Blutes. Die andersblütigen Slawen müßten aus den Ländern, deren Besitz sie sich in einer schwachen Stunde der ursprünglichen Bewohner angemaßt hätten, entfernt und bis hinter die Oder, ja bis hinter die Weichsel zurückgetrieben werden. Wenn sie nicht freien Willens gingen, mit Gewalt!
So kamen die Germanen, die durch eigenen Entschluß das Land aufgegeben hatten, mit Feuer und Schwert zurück, um wiederzugewinnen, was gemäß feststehender Überzeugung ihr Eigentum gewesen und geblieben war. In ihren Fahnen führten die Sachsen und Franken und Westfälinger das Zeichen des Kreuzes. Es ist nicht so, als ob das Christentum nur Deckmantel für die Eroberung, nur Verbrämung für die Herrschsucht gewesen wäre. Viel echter, wenn auch überschwänglicher Glaube wirkte sich in dem ersten, gen Osten gerichteten Kreuzzug ebenfalls aus. Aber religiöse Ansprüche der alleinigen, in Rom beheimateten Kirche und das nach Machtausbreitung drängende westliche Herrschertum arbeiteten zu beiderseitigem Vorteil Hand in Hand. Jedenfalls wurden zur Sicherung des eroberten, den heidnischen Slawen abgenommenen Gebietes nicht nur Schutzburgen für das Heer gebaut, sondern auch Bistümer zur Bezwingung des alten und zur Sicherung des neuen religiösen Glaubens. Denn falls man durch die Religion nicht die Herzen gewann, waren auf die Dauer alle Siege des Schwertes vergeblich. Man legte Städte an, errichtete die Bistümer Ratzeburg und Schwerin, gründete die Zisterzienser-Klöster Doberan und Dargun, deren Mönche Lehrmeister der bäuerlichen Kolonisten in sinnvollerer und also ertragreicherer Bestellung des Bodens wurden, baute Dome und Kirchen.
Die Kämpfe wogten hin und her. Sie waren sehr blutig. Besonders in Mecklenburg. Denn dort herrschte der kraftvolle Obotritenfürst Niclot. Schließlich aber wurde er doch besiegt und im Jahre 1160 in der Nähe seiner Burg Werle, wohin er sich zurückgezogen hatte, hinterrücks getötet. Da seine Söhne den Kampf gegen die Germanen nicht fortsetzen konnten oder wollten, gehörte seit dieser Zeit Mecklenburg zum Deutschen Reich. Pribislav der Zweite, ältester Sohn Niclots, unterwarf sich Heinrich dem Löwen. Er ließ sich taufen und erhielt den größten Teil des Landes von dem Sachsenherzog als Lehen zurück. Freilich: als Lehen! Während der Obotritenherrscher Niclot ein freier Fürst gewesen war, wurde Pribislav der Vasall eines mächtigen Herrschers. Und Vasallen sind seine Nachkommen geblieben; Vasallen eines Fürsten, eines Staates, eines Staatenbundes. Bis in das zwanzigste Jahrhundert hinein. Anfangs auf der Mikilinborg in Nähe des heutigen Dorfes Mecklenburg, später in Suerin, dem heutigen Schwerin. So daß seit 1170, zu welcher Zeit der Mecklenburgische Herrscher als deutscher Reichsfürst aner-

kannt wurde, ein germanisiertes Land jahrhundertelang durch Herrscher wendischen Blutes regiert wurde.
Die Slawen wichen vor der Übermacht germanischer Waffen und der Überstärke römischen Glaubens gen Osten zurück. Trotz des unbestrittenen Sieges der vermeintlichen Rückkehrer vermochten die von Westen Kommenden nicht, die vor Jahrhunderten von Osten Gekommenen völlig aus dem Lande zu verdrängen. Ein beträchtlicher Teil von ihnen blieb auch nach der Niederlage zurück. In den unwirtlichen Gegenden Mecklenburgs fanden Teile der slawischen Bevölkerung den sicheren Unterschlupf vor der Vernichtung durch die Heere der Blondhaarigen, die um ihrer Erhaltung willen auf die erschlossenen fruchtbaren Teile des Landes angewiesen waren. Die Zurückgebliebenen, deren Vielstämmigkeit man immer häufiger und unwidersprochener mit der Bezeichnung »Wenden« zusammenfaßte, haben sich bis zur Gegenwart in dem Heidegebiet der Grauen Gegend unvermischt erhalten, so daß man sie immer noch von den Nachkommen der dritten Besiedelung Mecklenburgs als Nachkommen seiner zweiten Besiedelung unterscheiden kann: durch ihr Aussehen (kleine Gestalt, blauschwarzes Haar, östlicher Schnitt des Gesichtes) und durch ihr Verhalten (ungemeine Zähigkeit, auffällige Behendigkeit, unermüdlicher Fleiß, staunenswerte Anspruchslosigkeit).

Einst Kolonialland, nicht Grenzland

Mecklenburg ist also jahrhundertelang Kolonialland gewesen. Wohl bemerkt: Kolonialland! Nicht: Grenzland. In einem Grenzland, wie etwa in Elsaß-Lothringen, wechselt die politische Führung, tritt von der Zweisprachigkeit – wenigstens in amtlichen Bezirken – bald die eine, bald die andere Sprache hervor, werden die Schulen heimatkundlich und geschichtsmäßig umgekrempelt. Aber die Bevölkerung bleibt an ihrem Ort, verändert sich durch den äußeren Anstrich in ihrem Wesen nicht. Von der Kolonisation wird mehr oder minder das landbeherrschende Volk mit Waffen der Hand und des Geistes ausgerottet. Wo man es jedoch bestehen läßt, muß es dem eingedrungenen Volk, das sich stärker erwiesen hat, als Hörige, als Sklaven dienen und hat nachweislich nur noch den Zweck, für den Nutzen der Eroberer dazusein. Das ist bei der Germanisierung Mecklenburgs jenen aus den Osten Gekommenen widerfahren, die nicht über die Oder, über die Weichsel zu fliehen vermochten, nicht die Kraft aufbrachten, sich in kleineren, durch Unfruchtbarkeit und Abgelegenheit geschützten Bezirken zu sammeln und gegenseitig zu stützen.
Es liegt auf der Hand, daß in einem Gebiet, das als Kolonialland – wie Mecklenburg – sein Volkstum, seinen Glauben wiederholt wechselt, längere Zeit nötig ist, damit Kultur und Zivilisation in die Tiefe ihre Wurzeln treiben, kräftige Zweige, zahlreiche Blüten und üppige Früchte entwickeln. Der wiederholte Wandel, die Sorge, daß in absehbarer Zeit die Tonne erneut umgekehrt und das unterste wieder nach oben befördert wird, das kaum benennbare, oft nicht einmal spürbare und doch vorhandene Zittern vor dem Ungewissen lähmt die Entschlußkraft zu frischem Beginnen. Wie es gang und gebe ist, daß jemand, ohne ernsthaften Widerspruch zu erfahren, sagt: »Ja, wenn ich das Haus, den Garten, das Land nicht nur gepachtet hätte, sondern sie mein Eigen wären, dann wollte ich für mich oder für meine Kinder mit unbeugsamem Mut, mit unlähmbarer Kraft alles umgestalten nach bestem Vermögen.« Es nutzt wenig, falls man darauf hinweist, daß selbst der festeste Besitz nur Lehen ist, das Gott in jeder Minute zurückfordern kann und sicherlich in der Todesstunde tatsächlich zurückfordert. Selbst das herrliche Wort Martin Luthers: »Wenn ich wüßte, daß morgen die Welt unterginge, würde ich heute noch mein Apfelbäumchen pflanzen!« auch dieses Wort wird wohl wegen seiner bildlichen Schönheit gepriesen, als Lebensleitsatz anerkannt, aber wer handelt danach? Tatsache ist jedenfalls, daß – wie in allen Kolonialländern – auch in Mecklenburg die begrenzte Entwicklung der Kultur und die langsame Entfaltung der Zivilisation mitbedingt sind durch die Unsicherheit, wer es morgen beherrschen und mit inneren Verpflichtungen vor seinen Staatswagen spannen werde. Dieses beirrende und verwirrende Gefühl haben die seit dem Beginn des Mittelalters bodenwüchsig gebliebenen Stämme – wie Westfalen und Niedersachsen, Bayern und Franken, Schwaben und Alemannen – nicht kennengelernt. Denn selbst als die napoleonische Flut über sie hin brauste, sind sie nur politisch umgestimmt, nicht aber aus dem Lande vertrieben worden. Und sie haben im Tiefsten immer gewußt, daß die Fremdherrschaft keinesfalls Jahrhunderte

TETEROW · Mecklenburg ist reich an stillen Ackerstädtchen, wo sich kleine Häuser wie schutzsuchend um eine Kirche scharen und sich hinter Mauern und Türmen verkriechen. Teterow hat wie fast jeder Ort des Landes auch seinen eigenen See, in dem sich Kirche und Dächer spiegeln.

GRABOW · An der Neuen Elde, südostwärts von Ludwigslust, liegt das Städtchen Grabow. Wie viele Orte des Landes ist es ein stiller, verträumter Ort mit alten Bauten. Mittelpunkt des Marktplatzes ist das Fachwerk-Rathaus, dessen Treppenaufgang und Fenster reich mit farbenfrohen Blumen geschmückt sind.

bleiben, sondern – wenn nicht in Jahren, dann doch in Jahrzehnten – abrinnen werde. Kolonialland jenseits der Elbe: aus den Veränderungen sowie den Ungewißheiten, die diese geschichtliche Tatsache ergab, ist das Werden und Wesen Mecklenburgs in vielfacher Hinsicht zu erklären.

Neuerdings aber Grenzland

Seit dem unglückseligen Ausgang des zweiten Weltkrieges jedoch ist Mecklenburg aus dem Kolonialland, das es seit Jahrhunderten war, ein Grenzland geworden. Die überwiegend germanische, zum geringfügigen Teile wendische Bevölkerung ist im Lande geblieben. Aber weit mehr Bewohner als fortgegangen sind, kamen aus dem Osten hinzu. Während eines Zeitpunktes, da man anfangen konnte zu glauben, es sei Ruhe und Endgültigkeit zurückgekehrt, wurde Mecklenburg vor die ungemein schwierige Aufgabe einer neuen Wesenswandlung gestellt. Viele Tausende von Umsiedlern führte der Krieg ihm zu. Keine Stadt – kein Dorf, keine Straße – ja, an mancher Stelle kein Haus blieb von dem Zustrom dieser unfreiwilligen Flüchtlinge verschont, die in manchen Fällen nicht viel mehr mitbrachten als das nackte Leben, die Kleider auf dem Leibe, die Frau und die Kinder.
Zunächst galt es zu helfen. Das ist, abgesehen von unwichtigen Ausnahmen, in weitem Maße geschehen: durch Hergabe des dringend Benötigten an Essen und Trinken, an Bekleidung und Beschuhung, durch Beschaffung von Wohnraum unter eigenem, oft schmerzlichem Verzicht, durch Eingliederung in den Arbeitsgang. Aber damit war das Entscheidende bei weitem nicht getan. Es mußte noch die schwierigere Aufgabe des Ausgleichens, des Angleichens verschiedenen Volkstums geleistet werden. Jetzt zeigte sich folgendes: Westliche Beobachter betonten früher gerne den östlichen Einschlag im Wesen und Charakter des Mecklenburgers. Aber als in Scharen die reinen Ostdeutschen kamen, jahrelang blieben: da wurde durch die nebeneinanderstehenden, oft auch aufeinanderprallenden Gegensätze offenbar, wieviel größer als der östliche Einschlag in dem Mecklenburger die westlichen Wesensteile sind. So daß höchstwahrscheinlich – wenn der Krieg das Rad nicht herumgerissen hätte – die unter Heinrich dem Löwen begonnene Germanisierung Mecklenburgs im Laufe eines weiteren Jahrhunderts völlig gelungen wäre. Jedoch in dem zum Grenzland gewordenen Mecklenburg war dem überwiegend westlich bestimmten Volkstum mit Pommern, Westpreußen, Ostpreußen, Schlesien soviel östliches Volkstum zugeführt worden, daß nun – im Gegensatz zu früher, wo das Fremde mit Schwert und Feuer vertrieben oder ausgerottet wurde – die von der Geschichte geforderte Leistung darin bestand: das Gegensätzliche aufzunehmen, als wesensberechtigt anzuerkennen und durch Einbeziehung in das Eigene innerlich zu überwinden.

Stirbt das Plattdeutsch?

Gegenwärtig liegen die Dinge also folgendermaßen: Manches, was bisher die unverkennbare und unbestreitbare Wesensart des Mecklenburgers ausmachte, ist durch das Aufnehmenmüssen anderen Volkstumes bedroht, ja in seinem Fortbestand gefährdet. Das gilt vor allem von dem, was überall den entscheidenden Lebensnerv des volkstümlichen Wesens ausmacht: von der Sprache. Nun, das Plattdeutsch ist in Mecklenburg mit dem Tod gezeichnet. Plattdeutsch ist ja nicht – wie Sächsisch und Schwäbisch, wie Bayerisch und Rheinisch – ein Dialekt, eine Abänderung des Hochdeutschen. Es bedeutet diesem gegenüber eine besondere Sprache, die an einem bestimmten Punkt der Entwicklung eine andere, eine eigene Richtung eingeschlagen hat als das Hochdeutsche. Die Sprache des Mecklenburgers aber war bis in unser Jahrhundert hinein plattdeutsch. Daß ihm durch Kirche und Schule und Behörden an einigen Zweigen das Hochdeutsch aufgepfropft wurde, konnte von seinem entwicklungsfähigen Leben nichts Entscheidendes fortnehmen. Weil man auch solche Dinge am eindrucksvollsten durch ein lebendes Beispiel nachweist, so darf ich in diesem Zusammenhang wohl von mir reden.
Die Sprache meines Elternhauses war plattdeutsch. Zwar wollte meine Mutter das Hochdeutsch bei uns einführen. Aber mein Vater lehnte es auf das entschiedenste ab, mit seinen Kindern »gäl«, das ist: gelb, zu schnacken. Ich habe also bis zu meinem vierzehnten Jahr plattdeutsch gesprochen, nur plattdeutsch. Das Hochdeutsch habe ich auf der Schule erlernt; wie eine fremde Sprache, wie Latein und Französisch. Dies hatte für jemanden, der ein Schriftsteller geworden ist, und zwar ein ausschließlich hochdeutscher Schriftsteller, manche Nachteile. Es hat viel Mühe und Arbeit gekostet, die zweite Sprache so sehr als eigen zu gewinnen, daß sie sich für die Dichtung willig und fähig erwies. Es brachte aber auch einen großen Vorteil mit sich. Die hochdeutsche Sprache erhielt sich dadurch, daß sie nicht ohne weiteres hingenommen

werden konnte, sondern immer aufs neue umworben, errungen, erliebt werden mußte, frischer und lebendiger. Die Sprache meiner Kinder ist hochdeutsch. Sie haben – wie ich das Hochdeutsch – im Laufe ihrer Jugend das Plattdeutsch als zweite, ihnen fremde Sprache erlernen müssen und es geschafft, diese völlig zu beherrschen. Meine Enkel sind dem Plattdeutschen entwachsen. Sie wollen es nicht mehr lernen. Und selbst wenn sie wollten, würden sie im gegenwärtigen mecklenburgischen Sprachraum dies kaum noch vermögen. Ich aber spreche im Traum und auch bei Tag, wenn das Gefühl mit mir durchgeht, noch heute plattdeutsch.
Da die Entwicklung so im unbedrängten Mecklenburg verlief, wieviel größer ist die Gefahr des Unterganges für das Plattdeutsch in einem Lande geworden, das von einer Flut anderssprachiger Einwanderer überschwemmt wurde! Nun versichern die Umsiedler freilich immer wieder, sie könnten das Plattdeutsch zwar nicht sprechen, aber sie verständen es durchaus. Zum Beweis dieser Behauptung wird alsdann der Hinweis angeführt: Sie vermöchten die Werke Fritz Reuters zu lesen und sich daran herzlich zu erfreuen.
Wie steht es um die Bekundung einer solchen sprachlichen Angleichung? Obwohl man das Gegenteil glauben möchte, muß mit Nachdruck festgestellt werden: Fritz Reuter ist in diesem Fall ein fragwürdiger, um nicht zu sagen: ein schlechter Zeuge. Einmal: Reuter schrieb sein Plattdeutsch nicht mit plattdeutschen, den echten Klang wiedergebenden oder doch andeutenden Schriftzeichen. Um des besseren Verständnisses, leider auch in manchem um der billigeren Wirkung willen, benutzte er die hochdeutsche Schriftweise. Zum anderen: Es ist vielleicht zu weit gegriffen, aber nicht leicht von der Hand zu weisen, wenn in neuerer Zeit von genauen Kennern seiner Werke und des Plattdeutschen behauptet wird: Fritz Reuter habe Hochdeutsch gedacht. Erst hinterher sei das hochdeutsch Gedachte von ihm bei dem Niederschreiben, zum Zwecke des Niedergeschriebenwerdens in das Plattdeutsche übersetzt worden. Es halte denn auch einer strengen Nachprüfung in bezug auf seine Echtheit vielfach nicht stand. Diese These erhielt eine unvermutbare Stütze dadurch, daß die vor einigen Jahren aufgefundene erste Fassung der »Stromtid« hochdeutsch geschrieben war und den Titel trug: »Herr von Hakensterz«. Man mag zu diesen Behauptungen stehen, wie man will, soviel ist gewiß: Das echtere mecklenburgische Plattdeutsch schrieb John Brinkmann. Der urtümlichere, kompromißlosere, die Widergabe des Klanglichen auch mit der Schrift anstrebende Dichter Mecklenburgs war John Brinkmann. Diesen aber vermögen die ostdeutschen Einwanderer, so sehr sie sich auch darum mühen, nicht – wie Fritz Reuter – zu lesen, geschweige denn als Gestalter des Mecklenburgischen zu verstehen.
Das Plattdeutsche, ich sagte es schon, ist durch die Vermischung mit wesensfremdem Sprachgut vom Tod bedroht. Wird es – ohnehin schon seit der Jahrhundertwende siech – der Einflößung des

ROSTOCK · Fast die Hälfte aller Gebäude der Hauptstadt Mecklenburgs wurde im zweiten Weltkrieg zerstört. Auch das berühmte Steintor, ein Wahrzeichen der Stadt, wurde schwer beschädigt. Heute ist aber der trutzige Turm wieder in seiner alten Schönheit aufgebaut.

Hochdeutschen erliegen? Wenn es geschehen sollte, dann verliert das Mecklenburgertum einen gewichtigen Teil seiner Eigenart. Denn die Sprache eines Volksstammes ist nicht lediglich der Ausdruck für bestimmte Eigentümlichkeiten seines Wesens, sondern sie ist zugleich in manchem dessen Nährboden. Wird die Gefahr, daß im Laufe der Entwicklung das Plattdeutsche ausstirbt und damit der Mecklenburger einen Teil seines Wesens verliert, nicht abzuwehren sein? Die Zeichen stehen schlecht. Jedoch es hieße das Zeitgeschehen überbewerten, wenn man den inneren Kräften eines geschichtlich und landschaftlich bedingten Stammes die Möglichkeit abspräche, sich auch den größten, von außen kommenden Widerständen gegenüber in seiner Reinheit zu erhalten. Dauernd schädigen und damit die Gefahr seiner Zerstörung heraufbeschwören, kann ein Volksstamm nur sich selber. Durch Irrewerden an dem Eigenen, durch Treulosigkeit an dem Erbe der Väter, durch Liebedienerei vor den Götzen der Zeit. Von welcher Seite auch immer Gefahren drohen, ernsthaft kann also Mecklenburg nichts Übles geschehen, wenn der Mecklenburger stets ein Mecklenburger bleibt, wenn er sich seine besonderen, nicht zufällig gewordenen Eigenarten in allem Bedeutsamen erhält.
Aber nicht nur jene Gewordenheiten, die wir Geschichte nennen, sind für das Wesen einer Landschaft und die Eigenart seiner Bewohner im ent-

OBERWIESENTHAL · Der Wintersportplatz am Fuße des Fichtelberges ist die höchste Stadt Deutschlands, 914 Meter.
BAUTZEN · Vom Schloßturm aus bietet sich dieses Bild auf den Dom und die Dächer der Stadt.

KEILBERG · Über die Grenze schweift der Blick zum Keilberg, der höchsten Erhebung des Erzgebirges, der sich bereits auf böhmischem Boden befindet. Als ein ganz sanfter, breiter Rücken steigt der Keilberg – ähnlich wie der Fichtelberg auf der sächsischen Seite – auf 1243 Meter. Der höchste Teil des Gebirges ist fast unbewaldet. Er stellt ein ideales Wintersportgelände mit hervorragender Gelegenheit zu weiten, erholsamen Schiwanderungen dar. Nach Süden fällt das Erzgebirge mit stark zerfurchtem Hang in steilen Stufen um 500 bis 600 Meter zum Egertal und ins Teplitzer Becken ab.

444 NEUBRANDENBURG · Ähnlich wie in Franken finden sich in Mecklenburg viele Städtchen und Dörfer, umsäumt von mittelalterlichen Mauern und Türmen. Jedoch haben diese Tore meist den typischen nord- und mitteldeutschen Stil der Backsteingotik. Als bedeutendes Werk der Stadtbefestigung erhielten sie neben ihrer taktischen und massiven Anlage vielfach künstlerische Ausgestaltung. Dies zeigt sich besonders schön am »Neuen Tor« von Neubrandenburg, einem der berühmten vier Tore, das um das Jahr 1400 errichtet wurde und reichen figürlichen Schmuck aufweisen kann.

scheidenden Maße bestimmend. Hinzukommen die Gegebenheiten der Natur, die der Mensch zwar durch mancherlei Eingriffe verändern, aber nicht verwandeln kann, weil sie an keine Zeit gebunden sind. Die drei überzeitlichen Wirkung-Mächte, die Mecklenburg und das Mecklenburgertum zu dem, was beide heute darstellen, haben werden lassen, heißen: Der Wald, das Wasser und die Erde.

Der Wald

Der Wald war und ist von ihnen am stärksten bedroht. Zunächst einmal: Der Krieg und die Nachkriegszeit haben auch in Mecklenburg dem einst unübersehbaren und unerschöpfbaren Baumbestand tiefe Wunden geschlagen. Aber diese lassen sich – wenn auch nicht in Jahren, so doch in Jahrzehnten – durch planvolle Aufforstung und sorgsame Hege heilen. Es ist daher als ein erfreuliches Zeichen der Gesundung des Landes anzusehen, daß nach Zeiten des Raubbaues mit beidem – der Aufforstung und der Hege – ernsthaft wieder begonnen wurde. Dabei leisten die Forstmänner – vom betagten Meister, bis zum jungen Lehrling – unschätzbare Dienste. Die Jäger sind ja immer noch ein fest in sich geschlossener Stand, der an seiner besonderen Kleidung und seiner besonderen Sprache nicht aus Eigensinn oder Eitelkeit festhielt, vielmehr zur Betonung der Tatsache, daß die Bewältigung der ihnen gestellten überzeitlichen Aufgaben nur durch innere Verbundenheit über die Geschlechter hinweg möglich ist. Denn man kann einen Wald zwar in kurzer Zeit vernichten, einen Wildbestand in begrenzter Zeit ausrotten; aber man benötigt die zwanzigfache, die dreißigfache Zeit, um den früheren Zustand wiederherzustellen. Zum anderen: Weit gefahrvoller als die Kriegsschäden ist der Kahlschlag, der – vermeintlich zugunsten höherer Erträge der Landwirtschaft – vorgenommen wurde. Aber es bricht sich mehr und mehr die Erkenntnis Bahn, daß die Entwaldung eines Landes unvermeidlich zur Versteppung führt. Rücksichtslos angewandt, nützt sie der Landwirtschaft nicht. Sondern sie schadet da, wo sie helfen sollte. So steht zu hoffen, daß der gegenwärtige Wald flächenmäßig erhalten, forstmäßig aufgefüllt wird.

WISMAR · Nach Rostock ist Wismar der bedeutendste Hafen des Landes. Neben den modernen Anlagen der Neuzeit hat sich aber auch noch der alte Hafen in unsere Tage hinein erhalten. Hier liegen wie seit Jahrhunderten die kleinen Fischerboote und Kähne, geborgen im Schatten alter Häuser.

WISMAR · Um den Marktplatz mit seinem Brunnenhaus scharen sich alte Häuser. Links das ehedem besonders beliebte Lokal »Alter Schwede«. Vor dem zweiten Weltkrieg wurde dort der Brauch hochgehalten, daß man für den Preis von einer Mark von dem bestellten Gericht so viel essen konnte, wie man wollte.

Noch immer sind weite Teile des Mecklenburger Landes von Wald bedeckt. Es gibt zwar, infolge der Kriegsschäden, herabgewirtschaftete Baumbestände. Aber daneben gedeihen weit größere, im wesentlichen unberührt gebliebene Waldgebiete, die sich von denen, die Vätern und Vorvätern in vielfachem Sinne zugute kamen, kaum unterscheiden. Abgesehen von der unfruchtbaren Grauen Gegend, der Rostocker und der Jabeler Heide, wo nach wie vor die Kiefer überwiegt, ist der mecklenburgische Wald von Laubbäumen bestanden. Namentlich in Küstennähe findet man unermeßliche Buchenwälder. Riesige Eichen, die mehrere Männer nicht zu umspannen vermögen, haben sich über die Jahrhunderte hinweg erhalten. Zum Teil unter Mithilfe des Naturschutzgesetzes. Birken und Erlen, Pappeln und Eschen fehlen nicht. Noch immer vermag das Land ausreichend mit den Lungen der Wälder zu atmen, so daß sein Leben bewahrt, seine Gesundheit erhalten, seine Eigenart bestehen bleiben kann. Der Wald hat Mecklenburg und den Mecklenburger zu einem beträchtlichen Teile nicht nur werden lassen, er wird sie auch – wenn sein Leben geachtet und geehrt bleibt – gemeinsam mit den anderen überzeitlichen Wirkung-Mächten weiterhin erhalten.

Das Wasser

Das Wasser nahm von Mecklenburg in zweifacher Weise Besitz. Zunächst durch die Ostsee, die von den Ländern verschiedener Nationalitäten umgeben ist. Das Meer verblieb nicht etwa da draußen irgendwo vor der Küste als etwas Fremdes, das mit dem Lande nichts zu schaffen hatte. Es griff im Laufe der Jahrhunderte auf die Erde über. Es tut das auch weiterhin ständig; an jedem Tag und in jeder Nacht. Das Klima Mecklenburgs mit seinem milden Winter, seinem späten Frühling, seinem ge-

MECKLENBURG
OSTSEE
HOLSTEIN
SCHLESWIG-
POMMERN
NIEDERSACHSEN
BRANDENBURG
BRANDENBURG
WARNEMÜNDE
DOBERAN
ROSTOCK
WISMAR
LÜBECK
GÜSTROW
Warnow
Recknitz
DARGUN
TETEROW
MALCHIN
STAVENHAGEN
FRIEDLAND
SCHWERIN
WAREN
NEU-
BRANDEN-
BURG
Elde
PARCHIM
Plauer
See
Müritz
BOIZENBURG
LUDWIGSLUST
NEUSTRELITZ
N
Elbe

dämpften Sommer und seinem leuchtenden Herbst wird von dem Meer mitbestimmt. Bis weit in das Land hinein kann man, wenn der dienstwillige Wind ihm zuhilfe kommt, es mit jedem Heben der Brust einatmen und sich daran erfrischen. Auf Grund dieser ständigen engen Verbindung ist das Meer für Mecklenburg zweimal geschichtebestimmend gewesen.

Das eine Mal wurde alles daran gesetzt, daß der Traum von dem Ostsee-Imperium, darin Mecklenburg ein gewichtiger Bestandteil werden sollte, sich verwirklichte. Aber weder die Könige Dänemarks noch die Könige Schwedens noch die Herzöge Mecklenburgs gelangten zu dem Ziel ihrer Wünsche. In wechselvollen Kämpfen, die sich durch vier Jahrhunderte hinzogen, fiel die Entscheidung zugunsten Deutschlands. Die Dänen, die nach Mecklenburg griffen, wurden 1227 bei Bornhöved entscheidend geschlagen und aus dem Lande getrieben. Als Mecklenburg nach dem Norden trachtete, gelang es Herzog Albrecht dem Zweiten zwar, seinen Sohn Albrecht den Dritten auf den schwedischen Thron zu setzen. Aber auch diese Herrlichkeit dauerte nur begrenzte Zeit. Sie verlief dadurch besonders schimpflich für Mecklenburg, daß Albrecht der Jüngere in die Gefangenschaft einer Frau geriet, die er als hosenlose Fürstin verspottet hatte. So gingen die Schweden zum Vormarsch über. Gustav Adolf eroberte das Land und setzte 1631 die von Wallenstein vertriebenen mecklenburgischen Herzöge als seine Vasallen wieder ein. Auch dem Traum des großschwedischen Reiches blieb die Erfüllung versagt. Mecklenburg wurde nicht einem der nördlich der Ostsee gelegenen Reiche einverleibt. Es verblieb in dem Verbande der Südküstenstaaten. Ihre Bestätigung fand die Entscheidung der Waffen erst im Westfälischen Frieden. Aber selbst dadurch wurde noch keine reinliche Trennung herbeigeführt. Mecklenburg mußte die Stadt Wismar mit den Ämtern Poel und Neukloster an Schweden abtreten. Wenn dieses daraus auch keinen greifbaren Nutzen zog, weder in politischer noch in wirtschaftlicher Hinsicht, das formelle Recht auf Wismar, die ihm vorgelagerte Insel und das ihm angeschlossene Hinterland hat Schweden bis zum Jahre 1903 behalten. Erst im gegenwärtigen Jahrhundert, als es längst sinnwidrig geworden war, ist es gelöscht; ein groteskes, aber nicht zu übersehendes Zeichen dafür, wie tief der Traum des Reiches rund um die Ostsee von den nordwärtigen Umwohnern Besitz ergriffen hatte.

Das andere Mal waren es wirtschaftliche Gründe, durch welche die Ostsee für das Geschick Mecklenburgs bestimmend geworden ist. Die Hanse hatte in Wismar und in Rostock zwei mächtige Bundesstädte, die ihre Bestrebungen förderten und rückwirkend von ihr gefördert wurden. Bis nach Wiborg in Finnland und Nowgorod in Rußland, bis nach Englands, Frankreichs, Spaniens, Flanderns Küsten griffen die Fangarme auch des mecklenburgischen Hanse-Handels aus. Von der Kulturhöhe, dem Reichtum, dem Glanz, der Schaffenskraft dieser Zeit legen Wismar und Rostock noch heute auf Schritt und Tritt Zeugnis ab: durch die Pracht ihrer Giebelhäuser, durch den Glanz ihrer Märkte, durch die Schönheit ihrer Kirchen. Es ist für uns heute, da diese allsonntäglich fast leer bleiben, nahezu unfaßbar, daß Wismar, obwohl es nur einen Bruchteil der gegenwärtigen Einwohnerzahl besaß, drei mächtige Gotteshäuser zur Bekundung und Erhaltung des religiösen Glaubens notwendig hatte. Man braucht buchstäblich nur um die Ecke zu gehen, schon gelangt man von einem Gotteshaus zum anderen. Und wenn die drei Kirchen auch in ihrem Grundwesen durch die Verwendung des Backsteins und die Benutzung nordischer Bauformen Verwandtes haben, so ist doch jede von ihnen ein ausgeprägtes eigenes Wesen. Sankt Nicolais Hauptschiff steht an Höhe dem des Kölner Domes wenig nach. Sankt Marien ruht mit ihrer Ausgeglichenheit in sich selber. Sankt Georgen sprengt alle üblichen Maße durch eine an Wildheit grenzende Kraft. Sein turmloser, fensterkarger Giebel hat an echter Monumentalität unter den nordischen Kirchen kaum seinesgleichen. Als Ernst Barlach mit seinen freundnahen Besucher Theodor Däubler bewundernd davor stand, warf dieser sich überwältigt auf die Erde und sprach himmelan Verse seines ebenfalls maßlosen Epos »Das Nordlicht«. Der körperlich kolossale Dichter an der Erde liegend, der winzige Bildhauer daneben stehend: ein

DOBERAN · Im Jahre 1171 wurde das bedeutendste Zisterzienserkloster Mecklenburgs gegründet. Die Kirche — Ende des 13. Jahrhunderts neu gebaut — besitzt eine reiche Innenausstattung (Bild), zu der besonders der doppelseitige Kreuzaltar, das Sakramentshäuschen, Gestühl und Fürstengräber gehören.

Friedr. Frhr. von Flotow
* 26. 4. 1812, † 24. 1. 1883
Komponist

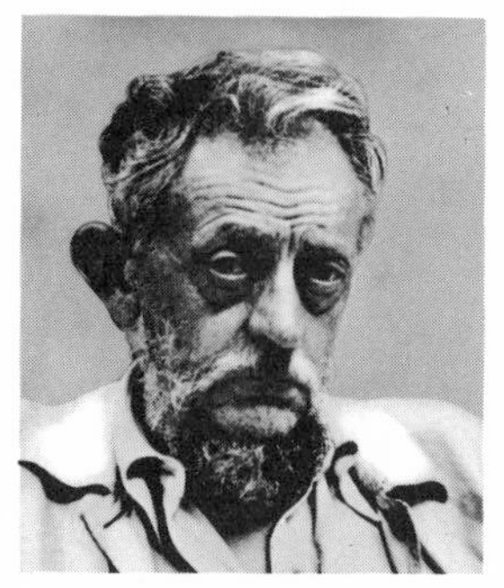

Ernst Barlach
* 2. 1. 1870, † 24. 10. 1938
Bildhauer und Graphiker

Fritz Reuter
* 7. 11. 1810, † 12. 7. 1874
Dichter

Heinrich Seidel
* 25. 6. 1842, † 7. 11. 1906
Dichter

ebenso sonderbares wie bezeichnendes Bild! Heute ist – durch Bomben des zweiten Weltkrieges zerstört – die Marienkirche eine Ruine, die Georgenkirche dem Einsturz nahe, die einzigartige Fürstenschule nicht mehr vorhanden. Nur die Nicolaikirche blieb erhalten. Aber selbst himmelanklagende Reste zeugen von der Höhe und dem Reichtum einer Kultur, die – meerbedingt – in ebenso überraschend kurzer Zeit emporschoß wie zusammensank. Was von Wismar gesagt wurde, gilt – zum Teil in erhöhtem Maße – auch von Rostock. Dessen Reichtum preist ein mittelalterlicher Vers folgendermaßen:

Seven Doren tho Marien Karcke
Seven Straten van de groten Marckte,
Seven Dhore, so daer gaen tho Lande,
Seven Kopmans bruggen by den strande,
Seven Torne so op den Radthusz staan,
Seven Klocken die daar daalychen slaan,
Dat syn de Rostocker Kennewarten.

Auch hier hat von dem Kulturgut der mittelalterlichen, auf das Meer angewiesenen Blütezeit der Krieg nur einen Bruchteil – darunter erfreulicherweise die größte und schönste der Kirchen: Sankt Marien – und die bereits 1419 gegründete Universität übrig gelassen. Aber schon die Reste der siebenmalsieben Kennewarten, lies: Kennzeichen Rostocks genügen, um die Kraft und Lebendigkeit einer versunkenen Zeit zu bezeugen, die zu schmähen sehr leicht, die zu erreichen oder gar zu übertreffen äußerst schwer ist und bleiben wird.
Mindestens ebenso bedeutsam, wenn nicht noch bedeutsamer als das Meer sind für die Eigenart und die Lebensgestaltung Mecklenburgs seine Seen. Dabei ist nicht in erster Hinsicht an die großen Gewässer gedacht, wie Müritz und Schweriner See, Plauer und Kummerower See; obwohl die beiden ersten – wenn man vom Bodensee absieht – zu den größten in Deutschland zählen. Wohl aber sind wesensbestimmend für Mecklenburg die kleinen Seen, die den einen der beiden Höhenzüge, die das Land von Ost nach West durchziehen, mit ihrem Glanz erhellen, mit ihrem Leuchten verschönen. Ihrer sind so viele, daß man sie nicht zu zählen vermag. In manchen Gegenden Mecklenburgs besitzt nicht nur jede Stadt ihren, sondern jedes Dorf seinen See. Sofern Stadt oder Dorf nicht darauf Anspruch haben, mehrere Seen ihr ausschließliches Eigentum zu nennen. Beispielsweise hat Schwerin – »die Stadt der Seen und Wälder« – nahezu ein halbes Dutzend für sich beschlagnahmt.
Welch ein Unterschied zwischen diesen norddeutschen Wassern der Ebene und den süddeutschen Seen der Gebirge! Diese sind scharf gerandet. Die Berge spiegeln sich in ihrem dunklen Gewässer. Jene hingegen gehen in die Erde über. Selbst da, wo das vermittelnde Rohr fehlt, weiß man vielfach nicht: Hat der See schon aufgehört und das Land begonnen, oder nimmt der See noch seine Rechte wahr, die ihm durch das Land nicht bestritten werden? So kann sich auf den Gebirgsseen kein eigentliches Naturleben entwickeln. Sommergäste lassen sich durch Angestellte der Fremdenindustrie auf den berühmtesten von ihnen gegen teure Bezahlung umherfahren. Sie bewundern mit lauten, womöglich vom Widerhall der Berge zurückgeworfenen Ausrufen ihre Schönheiten. Nur zum geringen Teil werden sie inne, wieviel näher dies – mit norddeutschen Augen gesehen – dem Ansichtskartenhochglanz ist als der unermeßlich wechselnden Farbverhaltenheit der Natur. Gerade diese aber beherrscht ausschließlich, während des ganzen Jahres, die mecklenburgischen Seen. Das Rohr – im Winter fahlgelb, im Sommer saftgrün, im Herbst rotgolden – ist der Unterschlupf für unerschöpfliches Leben, das sich immer von Neuem auf die weite Fläche der spiegelnden Seen hinauswagt. Noch jeder – gleichviel, aus welchem der weiten Gebiete unseres Vaterlandes er stammte – jeder, der sie an einem warmen Frühlingsabend miterlebte, die große Liebessymphonie des Wassergetieres, ist von ihrer Vielfalt und Eindeutigkeit, ihrer Kraft und Freudigkeit überwältigt worden. Wasserhühner locken mit durchdringendem »Zapp – zapp!« einander unaufhörlich. Haubentaucher schäkern mit aufgereckten Hälsen, sich gegenseitig schnäbelnd, als könne des Liebens niemals ein Ende werden. Die Rohrdommel stößt, bis in die fernsten Weiten vernehmbar, ihre dumpfen, fast schaurigen Rufe aus. Die Frösche bleiben unbeirrbar bei ihrem in Passacaglienform gehaltenen Baßthema: einförmig und gerade dadurch das Gan-

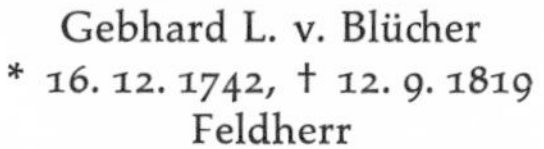

Gebhard L. v. Blücher
* 16. 12. 1742, † 12. 9. 1819
Feldherr

Helmuth von Moltke
* 26. 10. 1800, † 24. 4. 1891
Preuß. Oberbefehlshaber

Heinrich Schliemann
* 6. 1. 1822, † 26. 12. 1890
Archäologe

Otto Lilienthal
* 9. 5. 1848, † 9. 8. 1896
Flugpionier

ze tragend und verbindend. Die Lüfte schweigen. Die Wasser betätigen sich nur durch geheimnisvolles, kaum vernehmbares und dennoch bedeutsames Rauschen. So erhält das Ganze einen orphischen Klang, der über allem und zugleich in allem ist. Nur noch Tage, vielleicht nur noch Stunden wird es dauern, dann übertönt vom Land her die Nachtigall hoch oben mit ihrem bald süßen, bald schmetternden Gesang den vielstimmigen naturhaften Liebeschor der Wassertiere. Denn es ist nicht so, daß durch das Rohr, das vom Land herkommt, und die Gräben, welche die Seen als Boten ihrer Macht in das Land vorschicken, Erde und Wasser ineinander übergehen. Sie vereinigen sich, ja, man darf es in solchen Frühlingsnächten und an manchem nebelschweren Herbstabend ungescheut aussprechen: Erde und Wasser, Land und Seen vermählen sich, damit das urtümliche Leben, wenn nicht gemehrt, dann doch erhalten bleibt, über die Zeiten hinweg und trotz der Willkür der Menschen. Es hat einige Jahre gegeben – sie liegen noch nicht weit zurück –, da wurde von der Regierung befohlen, die Wasserhühner und Haubentaucher auszurotten. Beauftragte feile Seelen bringen in solchem Betracht alles fertig. Hat doch Schopenhauer die Statistik jene Wissenschaft genannt, die mit Zahlen lügt. Regierungsbeauftragte des ewigen, zwölf Jahre währenden Reiches errechneten also flugs, wieviel Tonnen Fische – mithin menschliche Nahrungsmittel – die Wasservögel auf den mecklenburgischen Seen jahraus, jahrein verschlängen. Man ging ihnen daher mit allen erdenklichen Waffen und Vernichtungsmitteln zuleibe. Aber auszurotten vermochte man die geflügelten Fischräuber nicht. Vielleicht haben die schwarzen Scharen der Bleßhühner noch nicht jenen Umfang und jene Dichte wieder erreicht, die sie früher besaßen. Aber die Zahl der Haubentaucher scheint größer zu sein als ehedem. Und es kam eine andere Zeit, da vernichtete man, statt sie zu fangen, die Fische. Man warf – durch Kriegsbräuche verroht – Tellerminen in die Seen. Zu vielen Hunderten schwammen wenige Minuten später die durch den Luftdruck getöteten Fische oben auf dem Wasser. Man konnte mit den Händen, mit Keschern soviel von der Beute, wie man wollte, ins Boot heben und, was man nicht wollte, verkommen lassen. Indessen die Fische hat man durch solchen barbarischen Mord ebenfalls nicht auszurotten vermocht. Der Fischreichtum in den mecklenburgischen Seen ist zurückgegangen, aber noch immer beträchtlich. Die Fischer fahren denn auch nach wie vor mit Erfolg auf die Seen hinaus. Nicht mehr im Ruder- oder Segelboot, im Wrickkahn oder gar im Einbaum, sondern mit Motorfahrzeugen. Aber sie sehen nicht viel anders aus als ihre Vorfahren; und sie bedienen sich im Wesentlichen der gleichen Geräte: der Reuse und der Bunge und des Schleppnetzes, das im Sommer durch das freie Wasser der Seen, im Winter unter dem Eis entlang bis zu den Waaken gezogen wird. Und auch der Sportangler kann – obwohl er es aus Gründen des Aberglaubens meistens tut – im allgemeinen über seinen Fang nicht klagen. Falls er gut ausgerüstet ist und aus langjähriger Erfahrung weiß, wo »dei Boors bitt«.

Die Erde

Nicht ganz zufällig hat Mecklenburg in manchen kargeren Gegenden Deutschlands lange Zeit hindurch als das Land gegolten, darinnen Milch und Honig fließen. Wenn dieser Segen auch in manchem naturbedingt war, ohne Arbeit und Mühe ist er selbst während der sogenannten guten alten Zeit den Mecklenburgern nicht zugeflossen. Allerdings handelte es sich bei dieser Fruchtbarkeit nicht um jene Übersteigerungen unnatürlicher, man ist versucht zu sagen: widernatürlicher Art, wie beispielsweise die Magdeburger Gegend sie hat erdulden müssen. Die mecklenburgische Erde blieb im Gegensatz zu der genannten Börde davor bewahrt, zur Erhöhung der landwirtschaftlichen Erträgnisse chemisch ausgebeutet, mit künstlichen Fruchtbarkeitsmitteln ausgesogen und bis in den letzten Winkel gerodet zu werden. Trotz der auch an ihr vorgenommenen Modernisierung der Produktion ließ man der Natur ihr Recht und beging nicht den Fehler, sich durch unsinnige Anwendung zweckvoller Mittel, durch gewissenlosen Raubbau um das Erstrebte zu bringen. Knicks beispielsweise sind keine Überflüssigkeiten, keine Landvergeudungen sondern Zweckmäßigkeiten, Landnutzungen, die als Brutstätten für insektenvertilgende Vögel und Schutzwände gegen Vereisung des Bodens den

Fruchtgewinn erhöhen. Denn die Einkünfte von den gewonnenen kahlgeschlagenen Flächen muß man vielfach wieder ausgeben, um künstlich das Ungeziefer zu vertilgen, Wege und Felder durch kostspielige gezimmerte Wände zu schützen. Noch immer jedoch gibt es in Mecklenburg beträchtliche Strecken Landes, wo die Erde nicht nur in ihrem Naturzustand sondern fast in ihrem Urzustand bis auf den heutigen Tag erhalten ist. Ob dies aus überlegener Erkenntnis oder aus unnennbarem Gefühl heraus geschah, tut nichts zur Sache. Ausschlaggebend ist das Erreichte.
Einst war auch das mecklenburgische Land Allmende. Es gehörte allen, war Besitztum der Gemeinde. Mit dem Erstarken der Persönlichkeitskraft und der dadurch bedingten Vermehrung des Persönlichkeitsrechtes ging – anfangs mit Ausnahme von Wald und Wasser, Weide und Wiese – die Erde in den Besitz einzelner über: der Fürsten, der Gutsbesitzer, der Bauern. Durch das Bauernsterben infolge des allgemeinen Aufstandes und des Dreißigjährigen Krieges wie durch das rücksichtslose Bauernlegen mittels Geld und Waffen, verschob sich das Besitztum der Erde immer mehr zugunsten einiger Feudalherren und zuungunsten der Bauern. Kein Land – außer Ostelbien – hat in gleichem Maße so wenigen gehört wie Mecklenburg. Mehr als die Hälfte seines Bodens war in der Hand adeliger Besitzer.

Vielfältig umgeformt

Der Industrialismus hat auch in Mecklenburg das Landleben vielfältig umgeformt. Die Geschehnisse der Welt kommen nicht mehr – wie ehedem – nach hundert Jahren in das Land der Obotriten. Die Verbindungen mit dem Draußen sind so vielfältig geworden, die Schnelligkeit und Leichtigkeit der Nachrichtenübermittlung bis in das einsamste Dorfhäuschen haben dermaßen zugenommen, daß die frühere Abschließung keinesfalls aufrechterhalten werden kann. Kein Sämann schreitet mehr über die Felder.
Die Drillmaschine hat ihm die Arbeit abgenommen, und sie macht es nicht nur schneller als er sondern auch besser. Kaum noch sieht man den Bauern, der aus der Zinkmulde heraus »Schiit« auf die Saat wirft. Der Düngerstreuer schafft es um vieles leichter. An einigen Stellen ist man – auch mit seinen Leistungen nicht mehr zufrieden – dazu übergegangen, den künstlichen Dünger vom Flugzeug aus auf die Erde zu stäuben. Die Rüben werden nicht mehr von kriechenden Arbeiter- und Arbeiterinnenscharen verzogen. Zwar kann der einzelne die kleine Handhacke auch jetzt nicht entbehren. Aber man sitzt zweireihig auf einem zweckmäßig eingerichteten Fahrgestell und läßt sich über die riesige Fläche durch einen Traktor ziehen, statt sie mit schmerzenden Knien abzukriechen.

Ein neues Volkstum?

Ist ein neues Volkstum in Mecklenburg entstanden? Nein. Ist es im Entstehen begriffen? Vielleicht. Ist damit zu rechnen, daß diesem neuen Volkstum sein eigenes, sein mecklenburgisches Gesicht erhalten wird? Ja.
Nun denn, durch die geschilderten zeitlichen und überzeitlichen Einwirkungen, durch die unvergänglichen Wirkung-Mächte wurde der Mecklenburger so, wie man ihn kennt und mit einem gewissen Recht in manchem bespötteln darf, jedoch – aufs Ganze gesehen – auch lieben muß. Er ist langsam – aber beständig, dumpf – aber gründlich, schwerfällig – aber treu, umständlich – aber verläßlich, schweigsam – aber wahrhaftig, vorteilsüchtig – aber hilfsbereit. Wenn von einem Volksstamm mit begründetem Recht gesagt werden kann, daß man auf das Wort irgendeines beliebigen seiner Angehörigen Häuser bauen kann, so trifft es auf den Mecklenburger zu. Mag einem seine Zurückhaltung auch manchmal als Mißtrauen erscheinen oder gar Mißtrauen sein, sobald er – wie man hier zu sagen pflegt – warm geworden, also sein Gefühl in den Denkprozeß eingeschossen ist, gibt es kaum irgendwo sonst einen getreueren Gefährten und unermüdlicheren Helfer als ihn. Ein Norddeutscher? Freilich. Aber nicht ein Norddeutscher schlechthin. Denn er ist im Wesen vielfach anders als der Hannoveraner, der Westfale, der Oldenburger und der Friese. Näher als ihnen steht er dem Holsteiner, wenn er auch nicht dessen Aufgeschlossenheit und Lebendigkeit hat, ja sogar dem Holländer, obgleich er nicht über dessen Lebensbreite und Weltverbundenheit verfügt. Der Mecklenburger ist – und wird es hoffentlich trotz aller Gleichmacherei unserer Tage bleiben – ein Mensch völlig eigenen Gepräges.
Gewiß, jeder Mensch – sofern er nicht ein ausgeprägter Lump oder ein entwurzelter Weltenbummler ist – liebt seine Heimat, liebt das Land seiner Väter und Vorväter. Aber es bestehen verschiedene Grade und Arten dieser Liebe. Denn wie es Stauden gibt, die sich nur schwer oder gar nicht verpflanzen lassen, die an dem neuen Ort erst nach Jahren oder überhaupt nicht zu blühen beginnen, so gibt es auch Menschen, die außerhalb ihres Kinderlandes nicht völlig einwurzeln und daher an lebenslangem uneingestandenem oder offen bekundetem Heimweh kränkeln, ja eingehen. Zu dem Menschenschlag, der schwer, unter Umständen überhaupt nicht, verpflanzt werden kann, beziehungsweise verpflanzt werden darf, gehört der (beileibe nicht ausgestorbene) Mecklenburger alten Schlages. So gilt von ihm denn auch in erhöhtem Maße der Schluß eines meiner mecklenburgischen Gedichte, das lautet:

Vertriebest du aus deinem Tag
die Heimat Stück für Stück,
bei Nacht, mit deines Herzens Schlag,
kehrt sie in dich zurück.

Sie ist in deinem letzten Hauch,
ist in dem Blick, der bricht.
Denn ließest du die Heimat auch –
die Heimat läßt dich nicht.

Humor in Mecklenburg

Dat Farken

Körling, ein noch nicht schulpflichtiger mecklenburgischer Jung, hat mit mehreren Altersgenossen auf der Straße gespielt. Im Schneematsch. Die Spuren dieses Spieles sind an seiner Hose und Joppe, an seinen Händen und Backen sehr deutlich erkennbar.
Als Körling ungewaschen und ungebürstet die Stube betritt, ruft der Vater entsetzt: »Wat is denn mit di los? Du sühst jo uut as'n Farken!«
Körling zieht es vor zu schweigen.
Der Vater fährt den armen Sünder an: Ob er ihn verstanden habe?
Körling verzieht keine Miene. Noch gar öffnet er den Mund.
Der Vater faucht: »Du weeßt woll nich, wat'n Farken is?«
»Doch«, antwortet mit der Unschuld seiner fünf Jahre Körling. »Weet ick. Een Farken is dat lütt Kind von'n groot Swiin.«
Worauf der Vater es vorzieht zu schweigen.

»Ick bünn dei Schah . . .«

Der Großherzog von Mecklenburg, in Gesellschaft des deutschen und des russischen Kaisers, die seine Gäste waren, traf in der Nähe von Friedrichsmoor auf einen einsamen Bauernwagen. Er hielt an, und indem er dicht an das blanke, wohlgenährte Gespann herantrat und dem Handpferd über die Mähne fuhr, forderte er den Bauern ohne nähere und sonderliche Gründe auf, sie eine Strecke Weges mitzunehmen. »Mit Verlöw«, erwiderte der Bauer, der nur eben nickte, »dei Peer sünd min! Un wän is hei?« – »Ich bin der Großherzog. Das solltest du eigentlich wissen!« – »Dat is'n gaud Geschäft«, bekräftigte der Bauer, »dat will ick löben, dat holl man fast!« Und mit der Peitsche langsam und gemächlich von einem auf den anderen zeigend und sich schneuzend: »Un wän is hei?« – »Der Kaiser!« – »Un hei?« – »Der Zar! Du kannst es mir schon glauben!« – »Ein Düwel öwern annern«, entschied hier unser Mann, »ick bün dei Schah von Persien! Denn stiegt man upp!«

Rinkieken

Hannis und Hinnerk — zwei biedere, aber mit Geistesgaben nicht übermäßig gesegnete Leute vom Lande — sind in die Stadt gefahren, um Erzeugnisse von Feld und Garten zu veräußern und für das erlöste Geld notwendige Einkäufe zu machen. Alles hat ausgezeichnet geklappt. Da es für die Heimfahrt noch zu früh ist, beschließen beide, sich etwas zu gönnen und auch einmal ins Kino zu gehen. Warum nicht? Pferd und Wagen sind beim Gastwirt wohlversorgt. Saufen mögen sie als sparsame Hausväter nicht. Also: ins Kino! An der Kasse fordert Hannis zwei Karten. Die billigsten natürlich. Die Kassiererin — es handelt sich um die erste, mäßig besuchte Nachmittagsvorstellung — schlägt vor, doch bessere Plätze zu nehmen. Etwa Balkon! Erste Reihe! Hinnerk fragt, ob man von dort aus besser sehe. Die Blondgefärbte antwortet: Das sei doch nicht wesentlich. Aber man sitze dort bequemer. Viel bequemer als unten. Hannis erklärt, es käme ihnen nicht aufs Sitzen, sondern aufs Sehen an. Die allerbilligsten Plätze! Dicht vorm Bettlaken! Keine oben auf'm Balkon!
Nach dem Beiprogramm beginnt der Hauptfilm zu laufen. Eine Badezimmerszene blendet auf. In der Wanne sitzt eine Diva. So wie man im Bad zu sitzen pflegt. Oberwärts ist also mehr zu sehen, als die beiden Dörfler von fremden Frauen zu sehen gewohnt sind. Weiteres verdecken die Kacheln der Badewanne. Plötzlich stößt Hannis seinen Nachbar an und flüstert: »Man sport doch ümmer anne verkiehrt Stell.«
Hinnerk fragt: »Woans meenst du dat?«
»Je«, stellt Hannis fest, »wenn wi dei düern Kort'n baben upp'n Balkon nahm'n haarn, denn künn'n wi nu inne Baarwann rinkieken.«

Vater und Sohn

Die Familie K. war ausgezeichnet durch hervorragende Tüchtigkeit in der Landwirtschaft, durch Freude an leiblichen Genüssen und durch eine gottgesegnete Faulheit. Vater K. sitzt mit seinem Sohn Päuling an einem Sommernachmittag auf dem Hof. Der Vater sagt: »Päuling, da kommt de Kuhnhahn (Puter).« – Päuling: »Ja, Vadder.« – Vater: »De Kuhnhahn will drinken.« – Päuling: »Ja, Vadder.« – Vater: »Päuling, de Kuhnhahn geiht to de Watertunn.« – Päuling: »Ja, Vadder.« – Vater: »Päuling, de Kuhnhahn kann rinfallen.« – Päuling: »Ja, Vadder.« – Vater: »Päuling, he is rinnefallen.« – Päuling: »Ja, Vadder.« – Vater: »Wenn ick nich so ful wier, dann hau'k di ene runner.«

Zwischenruf

Ein bekannter Güstrower Advokat machte mit dem Männergesangverein Güstrow einen der üblichen Ausflüge nach der Nachbarstadt Sternberg. Zum Abschluß des Tages hielt er eine Ansprache. Er hatte aber nicht nur tüchtig gesungen, auch dem Alkohol reichlich gehuldigt, und er begann: »Als wir heute morgen abfuhren, ahnten wir noch nicht... als wir heute morgen abfuhren, ahnten wir noch nicht...« Ein drittes Mal begann er, da ertönte eine Stimme: »wie besapen wi abends wieren.«

Geschwätzig

Ein Fischerehepaar sitzt an einem friedvollen Sonntagabend beim Sonnenuntergang vor seiner Kate und schaut auf das fast stille Meer. Nach langem Schweigen sagt die Frau: »Wie scheun is dat hüt.« Nach einer Stunde antwortet der Mann: »Dat markt man ock, ohne to snacken.«

Friedrich Bischoff *Schlesiens unverlierbares Erbe*

Als unsere Urvorderen im zwölften und dreizehnten Jahrhundert zu friedlicher Landnahme von den schlesischen Fürsten aus dem polnischen Haus Piast gerufen wurden, wuchsen unter den harten Händen der Ankömmlinge nicht nur die Dörfer und die Städte in den gerodeten Gemarken. Unter ihrer Fäuste Arbeit – im friedlichen Nebeneinander mit den slawischen Leuten im Lande – wuchs auch ein Neues, Unwägbares herauf. Was sie neben ihrem Gerät, Axt, Pflugschar und Meißel ins Siedelland mitgebracht hatten, ihr Herkommen aus dem ersten Frühling des Reiches, das Maß ihrer heimischen Städte und Dörfer, ihr deutsches Recht, ihre Vorstellung von christlichem Brauch und eigener Anschauung, von Himmel und Erde, wie es in Sage und Lied umgeht – das alles verwuchs in allmählichem und zögerndem Werden, indes sie pflügten, bauten und rodeten, in Vermählung mit Schau und Brauch ihrer slawischen Nachbarn zu einem neuen Bild der Welt, wie sie von dort aus gesehen werden mußte.

So wie das Dreisilbenwort »Schlesien«, das aus slawischem und deutschem Laut gebildet ist, zu dem wurde, was all ihr Leben, Haus und Hof und Familie als irdische Heimat umfaßte, so verwandelten sich auch die in Trecks hierher gezogenen Franken, Hessen, Thüringer, Niedersachsen und Flamen unmerklich zu einem neuen Volkszweig am breiten Stamme des deutschen Volksbaumes. Der Hausgiebel sah vielleicht gestern noch hessisch aus, aber der nächste Hof, der gebaut wurde, zeigte schon in der alten Bauweise ein Beigefügtes, eben das schlechthin und unerklärlich Schlesische.

Wie es die Dinge packte, so fuhr es in die Seelen. Herkommen und Hiersein, Altes und Neuerfahrenes verwoben sich zu einer vertieften Anschauung. Aus ihr bildete sich mit wachsender Schöpferkraft, was uns für immer wohl Heimatrecht in der Welt des deutschen Geistes erwirkt hat.

In der Umkehrung dieses Vorgangs sehe ich heute bei uns allen, den Nachfahren, getragen vom verpflichtenden Erbe, die Aufgabe: Aus Überlieferung und treu zu Bewahrendem, verkettet mit dem leidvoll Erfahrenen aus jüngster Vergangenheit, die Wesensgestalt unseres Schicksals neu hervorzubilden.

Dreimal haben Geist und Schöpferkraft aus schlesischem Geblüt entscheidend verändernde Wirkung ausgeübt. Wie im Kaleidoskop sich die Figuren und Farben ändern, so haben sie neue Denkbilder, Gleichnisse und Harmonien in die Welt getragen. Mit dem Jahrhundert des Barocks, dem siebzehnten, das mit Fug und Recht das schlesische Jahrhundert genannt wird – also nur rund vierhundert Jahre nach der Landnahme – hob es an. Während der Maler Michael Willmann in die Kuppeln der Kirchen und Klöster sein himmlisches und irdisches Elysium aufglühen ließ, gab der Vorläufer, Martin Opitz aus Bunzlau, der deutschen Poesie die Satzung und den neuen Takt an. Er weist mit seinem Wirken schon auf das große Ziel hin, die deutsche Einheitssprache im Gedicht hervorzubilden. Ihm zur Seite, Schulsprachmeister wie er, aber schon gültiger Meister des Wortes, tritt Friedrich von Logau, auf dessen Epigramme Lessing neu hinwies und die unsterblich geblieben sind bis auf den heutigen Tag.

Ehrfürchtig sollten wir dem Klang dieser Worte nachlauschen: Umschlossen von diesem prangenden Zeitgewölbe, wie eine Perlmuttschale rauschend, klingen Vers und Lied des »Cherubinischen Wandersmannes« Angelus Silesius und des großen Andreas Gryphius von Angst und Lebenspein geschliffene Sonette, die in ihrer apokalyptischen Deutungskraft eigentlich erst uns Heutigen ganz nahekommen. Und dann steht, um nur noch einen, den größten aus der quellenden Fülle der Zeit zu nennen, am Beginn des achtzehnten Jahrhunderts Johann Christian Günther, der in die Zukunft wies. Man nennt ihn einen Vorläufer Goethes. Er wird es nur insoweit, als in ihm zum ersten Male die unverhüllte Seele, allerdings eine allerärmste, schon im Jugendfrühling auslöschende Seele, ganz ohne verhüllenden Zeitzierat in Lust und Qual sich preisgibt und offenbart.

Mit Günthers Tod beginnt nach einer Epoche unbändigsten Formwillens das tiefe Atemholen, in der Peintners Breslauer Universität erstand, die als Jesuiten-Kollegium erbaut wurde und in deren gewölbten hohen Fensterflügeln der Oderstrom sich spiegelt, als wolle er die barocken Maße in sein Wellenspiel zaubern.

Ein großes Atemholen, sagte ich, hob an. Aber ich vergesse nicht, daß während dieses schöpferischen Einatmens zum achtzehnten Jahrhundert hinüber in Oberschlesien sich Unerhörtes vollzog. Im Wald- und Heideland Oberschlesien, wo bei Tarnowitz schon seit langem Erzgruben aufbereitet waren, gibt der Graf von Reden, der Wirtschaftsbeauftragte des preußischen Friedrich, damals dem oberschlesischen Bergbau das Zeichen. Es scheint mir typisch für unser Werden in der Zeit, daß ein aus dem Hannoverschen stammender, später sich so sehr dem Schlesischen zugehörig fühlender Adliger, noch höfisch geprägt, sich als Beamter dem preußisch-nüchternen Sinn unterstellt, der nun, nach erfolgreich beendeten schlesischen Kriegen, allenthalben dem nach Innen gewandten, manchmal ins Sektiererische ausschweifenden Seelenangesicht des Schlesiers auch einen Zug ins Praktisch-Reale hinzufügt.

Aus dem fiebrigen Prozeß steigen geniale Emporkömmlinge auf. Da ist der dämonisch getriebene Karl Godulla, der später nach seinem Tode hier in der Sage weitergeistert wie drüben im Riesengebirge seit Urzeiten der gemütlichere Rübezahl. Während der Tagelöhnersohn und Krüppel – Godulla also – und der nüchterne Bürgerssohn Franz Winkler in Umrissen bereits Oberschlesiens Aufstieg in die Weltwirtschaft bestimmten und im Zuge dieser Entwicklung sich das soziale Gefüge des ganzen Landes verändert, geschieht es im gleichen Landstrich, aber von ihm durch das rauschende Waldland bei Ratibor wie ins Geheimnis geschlossen, daß erneut ein Schlesier die geistige Strömung seiner Zeit verändert.

In Lubowitz bei Ratibor wird 1788 Joseph von Eichendorff geboren. Ihn, den Vollender des romantischen Liedes und unsterblicher musikalisch-spielerischer Erzählungskunst, nimmt die Landschaft seines Kindheits- und Jugenderlebnisses – Schloß, waldverdunkeltes Odertal und ferner Beskidenglanz – für sein ganzes Leben gefangen. Wieder ein Vollender und Vollendeter im Aufgang einer neuen Zeit. Sein silbergrünes Waldhorn liegt wohl noch heute verzaubert im Waldgrund bei Lubowitz. Und es mag geschehen, was da will: Wer diesen unvergänglichen Ton der Seele als ein Schlesier gefunden, der baut noch heute mit uns und für uns alle an unserem geistigen Reich, das wir halten und unermüdlich mit all unserer Kraft auswölben wollen, um Raum zu haben für unserer Seele Atemzug.

Seit 1900 weiß man allenthalben ungefähr, daß Breslau, Stadt am Strom, mit dem Dom und der Kircheninsel auf dem Sande so etwas wie ein südöstlich entstiegenes Vineta voller Traum und Leben sein muß. Nun begreift man allerorten den Weg des Schlesiers, der ebenso ein von der Realität ergriffener Werkelmann wie ein grübelnder Gottsucher sein kann, weil man Hauptmanns »Emanuel Quint, der Narr in Christo« kennengelernt hat. Und man hat auch im dunklen Waldreich des Riesengebirges »Pippa« tanzen sehen und in des Dichters Weber-Drama die soziale Not der Zeit verstehen gelernt und erschüttert verspürt, daß die alte Ordnung langsam fortwelkt und der schlesische Dramatiker, der Weltgeltung erlangt hat, nach einem neuen Wege des Mit- und Füreinander auf dieser Erde sucht.

Der Alte vom Berge, über achtzig Jahre, Gerhart Hauptmann, der schlesische Merlin, hatte sein geliebtes Dresden im Bombenhagel einer einzigen Nacht zerstampft gesehen. »Bin ich noch in meinem Hause?« hat Gerhart Hauptmann später in seiner Sterbestunde drängend und ängstlich geforscht und gefragt. »Bin ich noch in meinem Hause?« Und mir will scheinen, als hätte der seherische Mann, der in dem Augenblick starb, da Schlesien zugrunde ging, im Sterbenswort auch das Ganze gemeint, nicht nur sein eigenes, sondern das ganze große schlesische Lebens- und Heimathaus, in dem Millionen Traum, Arbeit und Leben hatten.

Wir müssen es hinnehmen, daß es in seinem materiellen Gefüge zerstört ist. Aber wir sollten alle daran werken und schaffen, diejenigen, die noch die Schrecken der Austreibung im Blute tragen und all die anderen, die schon als Generationen in die Zukunft hineinwachsen, daß es in seinem geistigen Bestand erhalten bleibe. So wie es den Altvorderen bezeugt wurde durch die großen schöpferischen Geister, sollte es, fortwebend in den Jungen und Jüngeren, ewig gültige Heimat haben als die Sage von dem verlorenen Land, das seine Seele in Generationen nicht verlor.

GERHART POHL

Schlesien

In Schlesien liegt einer der sieben schönsten Punkte der Erde. Kein Geringerer als Alexander von Humboldt hat das festgestellt. Es ist der *Rosengarten* im Bober-Katzbach-Gebirge.
Von dort ist ein einzigartiger Rundblick über Schlesien zu erleben: über den Kamm des Riesengebirges mit dem anschließenden Isergebirge im Südwesten, über das Waldenburger Bergland, Eulengebirge und Heuscheuer im Südosten, über die weiten fruchtbaren Ebenen im Osten und Norden mit dem Oderstrom.

Das Bergland der Sudeten

Durch die Mährische Pforte, einen Talpaß zwischen Sudeten und Karpaten im äußersten Südosten Oberschlesiens, steigt allmählich eine Bergwelt an. Sie ist als »die schlesischen Gebirge« allgemein bekannt. Schicht türmt sich über Schicht in vielfältig verwinkelten Zügen bis an die Grenze des eigentlichen Hochgebirges (Schneekoppe 1605 Meter). Danach löst sich ebenso allmählich Schicht von Schicht, bis hinter Bad Flinsberg im Isergebirge die letzte sanfte Hügelwelle in der Zittauer Bucht verebbt.
Am mährischen Lieselberg, wo der Oder-Strom entspringt, hebt ein andersartiger »Strom« aus Granit, Schiefer, Porphyr, Kreidesandstein, Erz und Kohle an. Sein erster Höhepunkt ist der Altvater mit der Habsburgwarte, einem Aussichtsturm, dessen Name an die österreichische Epoche Schlesiens unter den Habsburgern erinnert. Im Nordwesten schließen sich die dicht bewaldeten einsamen Adlerberge an.
»Grafschaft« heißt das Kesselland, das wie eine Halbinsel in die Tschechoslowakei hineinragt, wegen seiner ehemaligen deutschen Regentschaft unter Böhmen seit 1534 und weiterhin als historische Überlieferung unter Preußen seit 1742.
Das Glatzer Kesselland hat durch »seinen« Fluß und die es umschließende Bergwelt eine eigenartige Schönheit. Der Fluß ist die Glatzer Neiße. Sie durchzieht das ganze Land, durchbricht bei dem bekannten Wallfahrtsort Wartha das Eulengebirge und fließt in zwei mächtigen Bögen über Ottmachau mit seinem imposanten Stausee und die Stadt Neiße, in der Eichendorff gestorben ist, in die Oder.
Die Hauptgebirge des Glatzer Landes sind der zerklüftete Tafelberg, der Heuscheuer, das Habelschwerdter Gebirge, das waldreiche Glatzer Schneegebirge, die lieblichen Reichensteiner Berge, das ehemalige Webergebiet des Eulengebirges, wo Gerhart Hauptmanns Drama »Die Weber« spielt, und der »Grafschaft« vorgelagert, in die Oderebene weit hinausgeschoben: der Zobten. Auf dem Gipfel des kegeligen Bergs hat einst ein Kultheiligtum des Germanenstammes der Silingen gestanden. Daher stammt der alte Name Siling für den Berg wie der Name Schlesien überhaupt.
In nordwestlicher Richtung löst sich der steinerne Wall der Sudeten noch einmal auf. Das liebliche Waldenburger Bergland hat durch die moderne Industrie viel von seiner früheren Eigenart eingebüßt. Hochöfen, Grubenanlagen und Fabriken aller Art prägen heute das Bild des Landes. Auch die riesigen Abraumhalden, die »Gebirge« eigener Art bilden, die aufgeschütteten hohen Bahndämme, Tunnels, abgesprengten Kuppen und die auf den Höhen angelegten Arbeitersiedlungen sind Kennzeichen eines modernen Industriereviers.
Das Kernstück der Sudeten ist das Riesengebirge. Was es vor fast allen deutschen Gebirgen auszeichnet, ja in seiner Art einmalig erscheinen läßt – es sind die Vielfalt seiner Formen und Farben, ihr jäher Wechsel und die fast »unwirkliche« Gewalt seiner großen Natur. Der Kamm des Riesengebirges ist ein Reich des Traumes, des Schreckens und der Größe. In rund fünfzehnhundert Meter Höhe zieht sich der von dem kahlen Kegel der Schneekoppe überragte, fast ebene, breite Bergrücken viele Kilometer hin. Sommers ist die Landschaft durch riesige Geröllhalden, Hochmoore, Knieholzbüsche und das ewig gelbe Steppengras gekennzeichnet. Im Winter ist sie ein einziges gigantisches Schneemeer fast polaren Gepräges. Der Kamm ist das eigentliche Reich des Berggeistes Rübezahl, dessen tolle Abenteuer und Zaubereien durch die Erzählungen von Prätorius, Musäus und Carl Hauptmann in ganz Deutschland bekannt sind.
Doch nicht nur Größe und Schrecken – auch die verträumte Anmut ist ein Kennzeichen des Riesengebirges. Durch blaugrünen Hochwald schnüren silberig die Bächlein. Über das vielfältige Grün von Moosen, Farnen, Jungholz hinweg schweift der Blick in einen stillen Grund des böhmischen Landes, wo sich durch saftige Triften ein Rinnsal talwärts windet. Das Rinnsal ist die Elbe.
Nordwestlich von Schreiberhau geht das Riesengebirge kaum merklich in das etwas niedrigere Isergebirge über. Auch hier regiert in unheimlichen Hochmooren und dem Bruchland der Wälder der Berggeist Rübezahl. In dieser reizvollen Landschaft entstanden viele Kurorte. Bad Warmbrunn im Vorland des Riesengebirges mit seinen vielberufenen

WALDENBURGER BERGLAND · Das liebliche Bergland wird durch eine etwas düstere Insel unterbrochen, aus der Schlote und Fördertürme hervorquellen. Das Waldenburger Land ist das bedeutendste Kohlenrevier Niederschlesiens. Die Stadt Waldenburg selbst besitzt neben einer Bergschule zahlreiche Eisenhütten und Porzellanfabriken.

»warmen Wassern« gehört zu den ältesten. Auch Bad Flinsberg im Isergebirge mit den sieben Stahlquellen wird bereits im 18. Jahrhundert genannt. In neuerer Zeit sind die Luftkurorte Krummhübel-Brückenberg, Agnetendorf, wo Gerhart Hauptmann wohnte, und Schreiberhau, der Wohnsitz von Carl Hauptmann, Hermann Stehr und Werner Sombart, berühmt geworden. Die deutschen Bobmeisterschaften sind jahrelang in Krummhübel, die Schi-Slalom-Meisterschaften des Frühlings an den Nordhängen des Kleinen Teichs oberhalb Brückenberg ausgetragen worden.

Das Stromtal der Oder

Die Oder ist »der westlichste Steppenfluß Europas« genannt worden. Tatsächlich ist sie ein Tieflandstrom mit schwachem Gefälle wie Don oder Weichsel. Das bringt die Gefahr rascher Versandung mit sich und verlangt die Anlage der in das Flußbett vorgetriebenen Dämme, der sogenannten »Buhnen«, zur Regelung der Strömung.
In den Moospolstern einsamer mährischer Nadelwälder rinnen Wasserfäden zusammen und werden ein Bach des Lieselbergs. Der Bach erhält Zufluß von beiden Seiten, wird zum Fluß Oder, der bei der Stadt Oderberg die schlesische Grenze erreicht, und fließt von dort als die Achse Schlesiens in breitem Stromtal durch die ganze Provinz. Die Oder ist die größte Wasserstraße des deutschen Ostens. Ihre ruhmreiche Leistung für die Wirtschaft dankt sie der Mitarbeit ihrer neunzehn »kleinen Brüder«, der Nebenflüsse, die ihr die Wassermassen zuführen. Jedes Schulkind in Schlesien hat ihre Namen auswendig herzusagen vermocht: die neun rechts der Oder einmündenden – Ostrawitza, Olsa, Ruda, Birawka, Klodnitz, Malapane, Stober, Weide, Bartsch – und die zehn von links kommenden – Oppa, Zinna, Hotzenplotz, Glatzer Neiße, Ohle, Lohe, Weistritz, Katzbach, Bober mit dem Queis und die Görlitzer Neiße.
Die linken Nebenflüsse mit dem Süd-Nord-Geström führen der Oder das meiste Wasser zu. Fünf von ihnen haben ihren Ursprung in den Sudeten. So wirkt das Bergland an dem Stromtal Schlesiens ganz entscheidend mit.
Man stelle sich einmal vor, Schlesien besäße die Oder nicht – was wäre aus dem Land geworden? Ohne diesen großen Wasserweg hätte sich das oberschlesische Industrierevier, das zweitgrößte Deutschlands nach dem Ruhrgebiet, so wenig entwickeln können wie die alte »Haupt- und Residenzstadt« Breslau mit ihrem intensiven Handel, ihren vielfältigen industriellen Produktionen und ihren anerkannten Kulturleistungen. Auch Glogau, Frankfurt an der Oder und Stettin, ja Berlin, das durch den Oder-Spree-Kanal und den Oder-Havel-Kanal (Hohenzollernkanal) den Großschiffahrtsweg zur Ostsee erreicht, sind ohne Schlesiens Strom in ihrer gegenwärtigen Gestalt nicht denkbar.
O/S – welcher Deutsche kennte diese »Zauberfor-

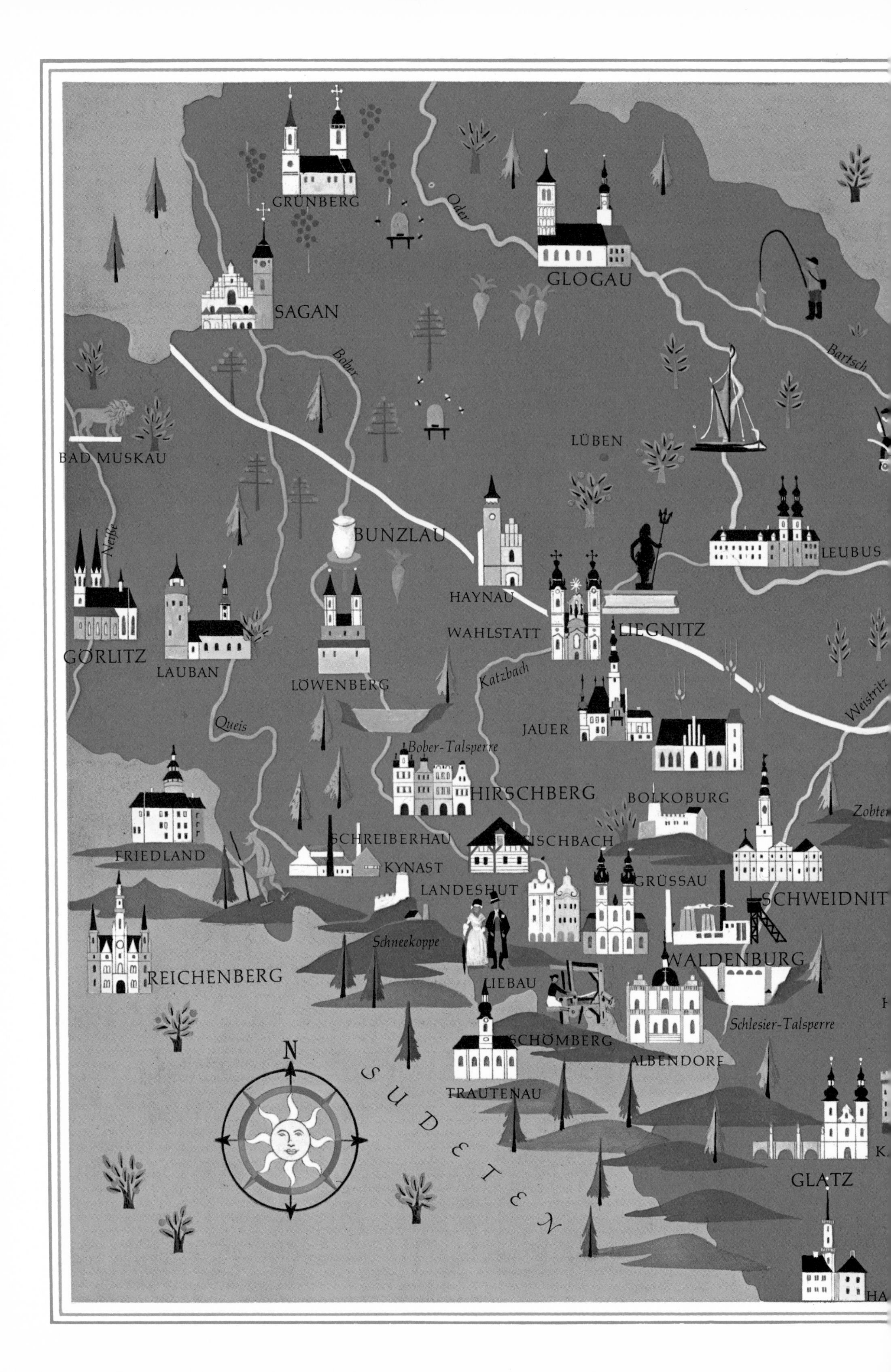

GRÜNBERG
SAGAN
Oder
GLOGAU
Bober
Bartsch
BAD MUSKAU
LÜBEN
Neiße
BUNZLAU
LEUBUS
HAYNAU
WAHLSTATT
LIEGNITZ
GÖRLITZ
LAUBAN
LÖWENBERG
Katzbach
Queis
JAUER
Weistritz
Bober-Talsperre
HIRSCHBERG
BOLKOBURG
SCHREIBERHAU
FISCHBACH
FRIEDLAND
KYNAST
LANDESHUT
GRÜSSAU
SCHWEIDNIT
Schneekoppe
WALDENBURG
REICHENBERG
LIEBAU
Schlesier-Talsperre
SCHÖMBERG
ALBENDORF
N
TRAUTENAU
SUDETEN
GLATZ

SCHLESIEN
GOSCHÜTZ
OELS
BRESLAU
NAMSLAU
KREUZBURG
Stober
BRIEG
Oder
OPPELN
BEUTHEN
GLEIWITZ
ANNABERG
NEISSE
PATSCHKAU
KÖNIGSHÜTTE
LEOBSCHÜTZ
COSEL

mel« nicht, die amtliche Bezeichnung für Oberschlesien?
O/S bedeutet lohende Feuer unter rußgrauem Himmel, sirrende Turbinen und Förderräder, lärmende Dampfhämmer, quietschende Loren und die endlosen Gleisfelder der Verschiebebahnhöfe, überall mit Anschlußgleisen zu der nahen Oder.
Schlesiens Städte sind an dem großen Strom entstanden: Ratibor, Oppeln, Brieg, Breslau, Glogau – alle in einer Zeit, als es noch keine Industrie gab, die meisten schon im 13. Jahrhundert. Die weiten fruchtbaren Ebenen Nieder- und Oberschlesiens im Stromtal haben ihre »süßen« fruchtbaren Böden der Oder zu danken. Die riesigen Getreidefelder, Kartoffeln-, Rüben- und Rapsgewende und die smaragdenen Wiesenflächen für Heumahd und Viehkoppel kennzeichnen den Segen der Oder. »Kornkammer Preußens« hat man das Land genannt. Tatsächlich ist es mehr – eine der großen Nahrungsquellen Mitteleuropas. Sogar ein paar Rebenhügel gibt es in dem gesegneten Land. Im wettergeschützten Grünberger Bogen des Flusses gedeiht ein trinkbarer Wein – der nördlichste Europas.

Die Schönheit des Stromtals

Was macht den Zauber der Oder aus? Es sind nicht Sehenswürdigkeiten, wie andere deutsche Ströme sie aufweisen mit burgengekrönten Bergen und romantischen Durchbrüchen. Es sind Schönheiten, die sich vielleicht nur dem enthüllen, der hier zu Hause ist: die stille Unberührtheit ihrer streckenweise wie eine Urlandschaft anmutenden Ufer etwa mit den oft bis ans Wasser reichenden Eichen- und Buchenwäldern, die sich im langsam dahinziehenden Wasser spiegelnden Silhouetten friedlicher kleiner Ortschaften und betriebsamer großer Städte, der melancholisch stimmende Reiz alter, verborgener Wälle ehemaliger Grenzburgen oder die im Sommerglast goldgelb leuchtenden Sandflächen in den Uferbuchten, an denen die lange Kette der kohlebeladenen Oderkähne still vorübergleitet. Es gibt auch Höhepunkte in dieser Landschaft. Ein Blick vom Weinberg über Kloster Leubus etwa, wo der große Maler Michael Willmann (1630 bis 1706) eine Weile gewohnt hat, auf das durch ihn weltberühmt gewordene Barockkloster und den Oderstrom mit unermeßlichen Wäldern, Auen und dem blauen Kegel des Zobtens in der Ferne gehört zu den Landschaftsbildern, die man nicht vergißt.
Rechts der Oder breiten sich Schlesiens große alte Forsten aus, deren Stämme und Schnittholz der Strom zu den Verbrauchern trägt. Dort sind im Bruchland der oberschlesischen Malapane wie der niederschlesischen Bartsch die letzten Wildgebiete Deutschlands mit kostbarem Getier zu finden. Weißes Damwild, Riesenhirsche, Blaufüchse, Kormorane und andere seltene Vögel haben sich in den unzugänglichen Sumpfgebieten erhalten. Fasanen und Rebhühner gibt es zu Zehntausenden. Die Karpfenzucht in den zahlreichen Waldteichen von Trachenberg-Militsch gehört zu den Besonderheiten des Odertals.
Der Stausee von Ottmachau ist vor einem knappen Menschenalter noch eine fruchtbare Talaue der Glatzer Neiße gewesen. Heute ist der Riesensee mit dem wunderbaren Blick auf die Sudeten eine der großen Wasserreserven für die Oderschiffahrt in regenlosen Sommern. Auch die Stauseen des Riesengebirges von Mauer und Boberröhrsdorf sind nicht ohne Reiz. Schließlich sei des natürlichen Schlesiersees bei Glogau gedacht, des »Schlesischen Meers«, wie die Romantiker ihn nennen – eines 33 Quadratkilometer großen waldumsäumten zauberhaften Gewässers, das seine Existenz durch unterirdisches Geström ebenfalls der Oder dankt.

Schlesische Menschen sind voller Widerspruch

»Ich bin getuppelt (gedoppelt); das konnte mir gleba« (glauben). Das Wort vom »Gedoppeltsein« spricht Jau, eine lustige Person in Gerhart Hauptmanns Komödie »Schluck und Jau«. Es kennzeichnet das Wesen des schlesischen Menschen. Viele Schlesier sind »gedoppelt«, das heißt zwiegesichtig oder in sich voller Widerspruch. Sie haben ein »Alltagsgesicht« für die Wirklichkeit des Daseins, die sie kraftvoll zu meistern verstehn, und ein »Sonntagsgesicht« für die Überwirklichkeit der Seele, des Geistes, der Gläubigkeit.
Woher kommt diese Eigenart, die den anderen deutschen Stämmen oftmals schwer verständlich ist? Die Schlesier sind die Nachfahren von Siedlern

OBERSCHLESISCHER KUMPEL · Kohlengeschwärzt von der Arbeit unter Tage hat der oberschlesische Kumpel tagaus, tagein mitgeholfen, das reichste und ergiebigste Steinkohlengebiet Deutschlands zu erschließen und seine reichen Schätze der europäischen Wirtschaft zuzuführen.

GROSSER TEICH IM RIESENGEBIRGE · Der Große Teich im Riesengebirge hat einen kleinen Bruder, von dem man sich die folgende Sage seiner Entstehung erzählt: Eines Tages fühlte Rübezahl das Bedürfnis, ein kühlendes Bad in seinem Bergreich zu nehmen. Also stiefelte er über die Bergkuppen zu dem Großen Teich, der zwischen sanft abfallenden Hängen in der Sonne glitzerte. Aber Rübezahl war ja eine riesige Gestalt, und die Teichbadewanne war selbst für seine Ausmaße zu klein. So suchte das Wasser nach einem Ausweg und lief über den Rand hinweg den Hang hinunter. Dort sammelte es sich in einer Mulde zu einem noch heute bestehenden See, der Kleiner Teich genannt wird.

aus den alten deutschen Kernländern der Mitte, des Westens und des Südens. Thüringer, Franken, Hessen und Pfälzer, später Altbayern, Alemannen, Tiroler, Schweizer und Flamen sind vom 12. Jahrhundert an in das fruchtbare Land geströmt, das seit der Völkerwanderung fast ohne Bewohner war. Sie alle haben ihr angestammtes Wesen und ihren heimatlichen Dialekt in das Neuland mitgebracht.
Bei der Ankunft der ersten Treckwagen sah Schlesien traurig aus. Ein Zisterziensermönch aus dem Kloster Leubus hat es in seiner Chronik beschrieben: »Keine Stadt im ganzen Land, Gestrüpp und Bruch rings um die Tore des Klosters, kein Salz, kein Eisen, keine metallene Münze, keine guten Kleider, nicht einmal Schuhe hatte das Volk und weidete die Herden.« Die armseligen Hirten, die sich nach dem Abzug der Germanen dort festgesetzt hatten, waren Slawen. Insgesamt zählten sie niemals mehr als zwanzigtausend. Von dem Land, meist Urwald und Heide, war kaum ein Fünftel unterm Pflug. Als Pflug diente noch der primitive hölzerne Hakenpflug der Urvölker.

Mündiges Siedlervolk

Die Deutschen kamen mit dem Eisenpflug. Sie stammten aus geschlossenen Gemeinden mit einer festen inneren Ordnung. Sie rodeten Wald, bauten feste Häuser für Mensch, Vieh und Ernte, bildeten Gemeinschaften, die sich später zu Dörfern entwickelten und machten das Land urbar. Rund dreihunderttausend Deutsche sind dem »Ruf der Wildnis« gefolgt. Sie haben innerhalb dreier Generationen in rund hundert Jahren Schlesien in ein blühendes Land verwandelt. Die zwanzigtausend ansässigen Slawen haben sie nicht vertrieben, sondern sich mit ihnen vermischt. So ist der neue deutsche Stamm der Schlesier entstanden. Seine Eigenart ist durch Sprache, Volkscharakter, Sitten und Brauchtum ausgewiesen.

»Gelaberte« Sprache

Man sagt, die Schlesier »laberten«. Darin ist ein Korn Wahrheit. Insonderheit die Landbevölkerung spricht weitschweifig, wortreich und betulich. Fragt etwa ein Fremder, ob dieser Weg nach Rogelwitz führe, wird die Antwort des Schlesiers nicht ja oder nein lauten. Vielmehr wird er sagen: »Nun freilich kommen Sie nach Rogelwitz. Aber, wissen Sie, viele Straßen führen nach Rom, wie man so sagt. Da wäre zum Beispiel da drüben der Pusch (Wald). Da hinter Hampel-Bauer seinem Gehöft – da ist auch ein hübsches Wegel. Und drüben bei dem alten Forsthaus – da stoßen Sie auf die alte Straße. Sehn Sie, das hat eben Rogelwitz mit dem berühmten Rom gemeinsam. Verfehlen – nee, verfehlen kann man's nicht.« So etwa hört sich das schlesische »Labern« an. Es ist vielfältig, verschlungen, aber anschaulich in den Einzelheiten und nicht ohne Humor.
Wird das Gespräch in einem der vier Grunddialekte mit ihren vielen Varianten – Gebirgsschlesisch mit der Glatzer Sonderart, Heideschlesisch (im Odertal), Neiderländisch (auf der rechten Flußseite) oder Oberschlesisch (in harter Sprechweise mit geringen slawischen Einschüssen) – geführt, muß der Fremde kapitulieren. »Fragen« heißt im Glatzer Dia-

SCHNEEGRUBENBAUDE · Wie ein verzuckertes Märchenschloß erhebt sich die Schneegrubenbaude mit dem Turm der Wetterwarte über den bizarr geformten, in die Schneegruben hinausragenden Wächten. Die Gegend der Schneekoppe ist als ideales Wintersportgebiet eine Landschaft voller Ursprünglichkeit.

lekt »freen« – gegen »fräun« auf Neiderländisch. Merkwürdigerweise verstehen die Schlesier der unterschiedlichen Dialekte einander ausgezeichnet. Jeder nennt den seinigen »schlesisch«, und jeder bezweifelt, daß der des anderen überhaupt schlesisch ist. Das »richtige« Schlesisch wird doch nur in Goschütz gesprochen, meint der Goschützer. Und der Trachenberger, Hirschberger, Liegnitzer ist der gleichen Meinung, was »seinen« Dialekt angeht. »Richtig« spricht man nur in der »Heemte«, dem engeren Heimatbezirk. Bei allgemeinen Aussprachen – etwa in der Eisenbahn, auf den Märkten oder gar bei einer Erbteilung einer verzweigten Familie – stellt sich heraus, daß alle einander haargenau verstehen. Da gibt es auf einmal die eine geliebte Mundart mit vielen ergötzlichen Spielarten.

Sind die Schlesier Träumer?

Das mündige Siedlervolk aus vielen deutschen Stämmen hat einen eigenartigen vielschichtigen Charakter entwickelt. Gewiß sind die Schlesier schwerfällig, gleichzeitig aber intelligent, wach und arbeitsam. Dennoch bleiben sie im Grunde ihres Wesens die vielberufenen »Spinner«, also träumerische, versonnene, beseelte und gleichzeitig gutmütige Menschen mit dem Hang zum Pessimismus. »Der Charakter der Schlesier ist wie eine Volksversammlung, die erregt debattiert und keine Resolution faßt. Noch in jedem Entschluß und Gefühl stört diese tausendfältige Problematik den ruhigen sicheren Ablauf und bestimmt zugleich die wesentliche Eigenart des ganzen Stammes: seine Veränderungssucht, seine zähe, fast kindliche Liebe zur Scholle und sein künstlerisches Talent.«

So hat der schlesische Epiker *Hermann Stehr* (1864 bis 1940) die tausendfältige Problematik im schlesischen Volkscharakter beschrieben. Aus ihr stammen die schöpferischen Leistungen vieler Schlesier. Der Widerspruch im eigenen Wesen erzeugt das Mißtrauen des Schlesiers gegen jede Art von Dogma, seinen Hang zur Mystik und die trotzige Kraft zum Durchhalten in den Stürmen des eigenen Daseins wie der Geschichte, wobei er seltsamerweise immer pessimistisch bleibt: »Mir armen Mann bleibt nichts erspart«, heißt es bei ihm oder: »Bei meinem Pech werden die Kartoffeln wieder versaufen.«

In der Spinnstube

Die alten dörflichen Spinnstuben haben bis zum Beginn des 20. Jahrhunderts bestanden. An den Winterabenden versammelte man sich in einer Küche vor dem knackenden Kienfeuer im Herd. Links saßen die Mädchen, rechts die jungen Männer und in der Mitte die Wirtinnen »unter der Haube«, also die verheirateten Frauen. Da wurde fleißig Flachs gesponnen, aber auch viel erzählt – alte Legenden, die vom Rübezahl, von der Wasserfee, den Nikkelmännern, Gruselgeschichten und Liebesabenteuer, aber auch »das Neuste aus der Zeitung«.

Meine Großmutter, geboren 1839, hat berichtet, wie sie in der Spinnstube von der Gründung des Deutschen Reichs zu Versailles erfahren hat. Schwager Gotthold, der an einem eiskalten Wintertag des Jahres 1871 aus Breslau gekommen war, erstattete Bericht. Die Rädchen schnurrten, die Rocken drehten sich, die Spindeln mit dem fertigen Faden wuchsen. Die Nachkommen der Siedler spürten im Flackerlicht des Kienfeuers das große Ereignis: daß sie der größeren Gemeinschaft der Deutschen eingegliedert waren. Vorher waren sie »böhmisch« gewesen, Untertanen des Herrschergeschlechts der Luxemburger, die von Prag aus Mitteleuropa regierten, später Untertanen der Kaiser aus dem weltberühmten Haus Habsburg und schließlich die Untertanen der zunächst wenig beliebten Hohenzollern aus dem armseligen Berlin in »Brandenburgs Sandbüchse«.

Mystische Stammesanlage

Das Brauchtum weist viele mystische Züge auf. Der Schlesier achtet weniger auf den Tag als auf das »Zeichen«. (»Zwingel gibt ein Zeichen«, heißt ein Roman des Heimatschriftstellers H. Ch. Kaergel). Die »Unglückstage« sind der 1. April, der 1. August und der 1. Dezember. An diesen Tagen ist Judas geboren (1. 4.), der Teufel »vom Himmel geworfen« (1. 8.) und das alttestamentliche Sodom versunken (1. 12.).

Das »Lümpeln« in der Silvesternacht ist allgemeiner Brauch: Unter vier Tassenköpfen werden Kohle, Brot, Geld und Lumpen verborgen. Sie bringen in den folgenden Vierteljahren Tod (Kohle), normales Dasein (Brot), Wohlstand (Geld) oder Un-

SCHLESISCHE HEIDELANDSCHAFT · Vielfältig ist die schlesische Landschaft. Neben fruchtbaren Ebenen, bewaldeten Gebirgsketten und vielen Flußläufen gibt es auch, besonders im nordöstlichen Landesteil, Gegenden mit dem Charakter einer Heidelandschaft, mit Kiefern und anspruchslosen Gräsern, mit Bauernkaten und Schafherden.

glück (Lumpen). Auch Ostern gehört zu den Tagen der Vorbestimmung. Man holt vom Dorfbach das Osterwasser. Davon werden die Mädchen unwiderstehlich: Sie finden ihren Mann.
Zu den altschlesischen Bräuchen gehört auch das »Sommersingen« zu Lätare. Kinder aller Schichten schmücken eine Weidenrute mit bunten Bändern, in Breslau »Schmackoster« (geschmückter Osterbaum) genannt, hängen einen Leinensack um und ziehen singend von Haus zu Haus: »Sommer, Sommer, Sommer, ich bin ein kleiner Pommer (Pinner = Kind), ich bin ein kleiner König, gebt mir nicht zu wenig, laßt mich nicht zu lange stehn, ich muß ein Häuschen weitergehn« oder: »Wir kommen 'rein in dieses Haus, das Unglück woll'n wir jagen 'raus, den Segen woll'n wir bringen, das lass' uns Gott gelingen!« Diese Verse werden in den vier schlesischen Dialekten mit ihren vielfältigen Varianten gesungen. Die also Besungenen bringen die vorbereiteten Gaben herbei: Zuckerzeug, Schokolade, Kuchen, Eier, auch Geldstücke für die Kinder der Armen.
Zum Brauchtum gehören die *Trachten:* Röcke, Mieder und Hauben für die Frauen; Gehröcke, »Vatermörder« (Kragen), die Rundhüte und Schnallenschuhe für die Männer, den schwarzen »Amtsstab« nicht zu vergessen, so einer des Schulzenamtes für würdig befunden ist. Studiert man die schlesischen Trachten, so wird man feststellen, daß sich in ihnen Elemente der deutschen Kernländer mit der schöpferischen Phantasie der ursprünglichen Neusiedler unauflöslich vermischt haben.

Schwärtelbraten und Tschisti mit Punkt

Die Schlesier essen und trinken gern und gut. Ihre Küche ist ein Kunterbunt aus der gesamten deutschen Speisekarte mit böhmischen, österreichischen und polnischen Bestandteilen. »Schlesisches Himmelreich«, das aus Rauchfleisch, Backobst, vielerlei Gewürzen und Kartoffelklößen besteht, ist ebenso slawischen Ursprungs wie »Karpfen polnisch«, der in einer Tunke aus zwölf bis neunzehn Zutaten, wie Bier, Honig, Fischkuchen, Rosinen, Zimt, gekochte heimatliche Fisch.
Andere Gerichte wie »Schwärtelbraten« (Schwartenbraten) weisen auf Süddeutschland und Österreich hin, was durch die Beigabe der Klöße bestätigt wird. Auch der »Böhmische Kloß« aus Mehl, gerösteten Semmelwürfeln, Ei, Salz und Selterswasser, und die Wiener Marillenknödel (Aprikosenklöße) sind als schlesische Heimatgerichte seit vielen Generationen bekannt. Beliebt sind die verschiedenen Arten von Lebkuchen, also Pfeffer- und Honigkuchen: die Warthaer Bauernbissen, die Liegnitzer Bomben, das Neißer Konfekt. Sonntagskuchen des Schlesiers sind der Streuselkuchen, die »Mohbabe« (Mohnkuchen) und die Sandtorte.
Schlesische Biere sind schon im 17. Jahrhundert bis nach Italien exportiert worden, so der »Schöps«, ein Klosterbier aus Schweidnitz, an das noch der berühmte Schweidnitzer Keller im Rathaus zu Breslau erinnert. Später sind die Brauereien von Haase und Kipke in Breslau und von Haselbach in Namslau allgemein bekannt geworden. Ursprünglich hat man das schlesische Bier in den Kleinbetrieben der »Kretschmereien« (Dorfgasthäuser) gebraut. Solche Kretschmereien mit eigenen Braurechten haben sich auch in den Städten bis heute erhalten.
Die niederschlesischen Kräuterschnäpse verdanken ihr Entstehen dem eigenartigen Laborantenwesen, wohl einem Restbestand der Alchimistenzeit. Krummhübel im Riesengebirge, das von zwei aus Prag entlaufenen Studenten der Medizin um 1700 gegründet sein soll, mischte aus der Gebirgsflora Heilsalben und Essenzen und braute köstliche Liköre, die sich bald allgemeiner Beliebtheit erfreuten: den blauen Blütenenzian (im Gegensatz zu dem gelben bayerischen Wurzelenzian), Habmichlieb aus einer seltenen Hochgebirgsblume, Teufelsbart aus der Berganemone, »Kroatzbeere« aus Brombeeren, zumeist im Glatzer Bergland kultiviert, und den berühmten Stonsdorfer, der nach einem Dorf im Riesengebirge benannt ist.
Die Oberschlesier entwickelten den Branntwein, dessen beste Sorten wie Whisky schmecken. In ihren Schankstuben, Destillen genannt, gibt es phantasievolle Mischungen wie »Tschisti mit Punkt«, Korn mit einem Tropfen Himbeersaft, und »Gestreiften mit Dynamit«, eine geheimnisvolle Mischung schwersten Kalibers.

Essen und Trinken, ja, jede Form von Sinnenfreude zeichnen die berühmten schlesischen Märkte aus: den Breslauer Kindlmarkt vor Weihnachten, den Talsackmarkt zu Hirschberg, den berühmten Gorkauer Heiratsmarkt, das sommerliche Johannisfest in Breslau und die vielen »Tippelmärkte«, Topfmärkte mit den Produkten der Topfmacherstadt Bunzlau, Jahrmärkte und Wochenmärkte.

Die Dörfer Schlesiens

Die deutschen Siedler haben ihr großes Kulturwerk westlich von Haynau und Jauer begonnen, etwa dort, wo heute die niederschlesischen Heiden grünen. Sie sind wahrscheinlich die Straße von Leipzig über Görlitz nach Liegnitz und Breslau entlanggezogen, die man von alters her die »Hohe Straße« genannt hat. Die Ortsnamen dieser Gegend, wie die des Saganer, Sprottauer und Bunzlauer Gebiets, sind allesamt deutschen Ursprungs – mit älteren »Namensvettern« in Thüringen, Franken oder Hessen. In den niederschlesischen Kreisen Löwenberg, Schönau und Hirschberg erwecken knapp zehn Prozent Siedlungsnamen slawische Erinnerungen; der Rest von neunzig Prozent ist deutsch. Im Kreise Landshut gibt es überhaupt nur deutsche Ortsnamen.

Die Besiedelung ist zunächst von der Lausitz aus erfolgt. Die späteren Städte Löwenberg, Goldberg, Neumarkt, Breslau und Ohlau bezeichnen ihre Richtung. Der zweite Stoß im 13. Jahrhundert erschloß das Ottmachauer Bistumsland in Südwestschlesien unter Bischof Lorenz. Diesem deutschen Kirchenfürsten ist auch die frühe Besiedelung des oberschlesischen Waldgebiets auf der rechten Oderseite zu danken.

Das Riesengebirge, ja die Sudeten überhaupt sind erst während des Dreißigjährigen Kriegs von deutschen Bauern besiedelt worden, die mit Weib und Kind und Vieh vor den plündernden Heeren flohen und sich in den menschenleeren Bergen versteckten. Nur Schreiberhau im Riesengebirge scheint älter zu sein. Dort ist eine Glashütte bereits im Jahre 1366 bezeugt. Überdies sind Tiroler Holzknechte von den Stammesfürsten früh herbeigeholt worden. Auf sie dürfte das oberdeutsche Wesen und Brauchtum der Riesengebirgler zurückzuführen sein.

Jahr der Entscheidung

Das Jahr der Entscheidung in der Siedlungsgeschichte Schlesiens ist das der Mongolenschlacht auf der »Wahlstatt« bei Liegnitz 1241 gewesen. Dort ist später das gleichnamige Kloster zur Erinnerung an dieses Ereignis gebaut worden. Das schwere Opfer der Schlesier vom 9. April 1241 hat ihre Gleichberechtigung im deutschen Stammesgefüge endgültig gefestigt. Nach 1241 ist in Schlesien der solide Grund damals moderner Land-, Teich- und Waldwirtschaft gelegt worden, auf dem der spätere Wohlstand aus überregionalem Handel und einheimischer Industrie sich verhältnismäßig rasch entfalten konnte. So ist der Holzgroßhandel mit seinem Flößerwesen auf Narew, Bug und Weichsel nach Preußen-Deutschland im wesentlichen das Werk wohlhabender schlesischer Bauern gewesen.

Die Vorfahren dieser »Bauern-Millionäre« haben das eigenhändig gerodete und kultivierte Land zumeist nach fränkischen Hufen untereinander aufgeteilt. Die Hufe, ein altdeutscher Begriff, kennzeichnet den Anteil einer Bauernfamilie an dem Gesamtareal eines Dorfes, wobei das nichtgerodete alte Waldgebiet und die inzwischen geschaffenen Weiden zunächst Eigentum der Gemeinde (Allmende) geblieben sind.

Wie wurde der neue Boden verteilt?

Ein Locator, den man nach gegenwärtigem Sprachgebrauch als »Manager« bezeichnen könnte, hat die Kolonisten seiner engeren Heimat zusammengerufen, den Bau der neuen Siedlung mit festen Häusern, Ställen und Scheunen organisiert und die Akkerlose des inzwischen urbar gemachten Landes an die einzelnen Bauern verteilt.

Dafür ist er zum ersten Schulzen oder Schultheiß des Dorfes ernannt worden. Seine eigene Wirtschaft ist die »Erbscholtisei« (erbliche Schulzenwirtschaft) geworden, weil dieser die Zins- und Pachtfreiheit »für alle Zeiten« und überdies die Fischerei- und Mühlengerechtsamkeit, die Brotbank und die

VOLKSTANZ · Zur Kirmes, Hochzeit oder Kindtaufe, als Tanz um den Maibaum und zum Erntedankfest waren die heimatlichen, überlieferten Volkstänze bei alt und jung beliebt. Der Dorfanger diente dann als Tanzfläche. In der Sonne leuchteten die bunten Trachten, die wehenden Schürzen und Rockschöße, die Bänder und Halstücher der tanzenden Paare. Die Freude an Farbe und Bewegung wird durch das flatternde Sacktuch der Burschen betont.

SCHLESISCHE WEBER · Versteckt in Tälern und an Berghängen liegen die schlesischen Dörfer, oft weit ab vom Verkehr und von der Möglichkeit, sich in Industriezentren den Lebensunterhalt zu verdienen. Auch der Boden ist karg und ernährt oft nur knapp den kleinen Bauern und seine Familie. So sah man sich schon vor Jahrhunderten nach einer Nebenbeschäftigung um. Und der Webstuhl kam in die Wohnungen. Seit ehedem ist das schlesische Leinen in der Aussteuertruhe ein Stolz der jungen Braut gewesen.

Fleischbank, also die Versorgungsmonopole, zuweilen auch das Gastwirtsrecht, der Betrieb des Dorfkretschams, eingeräumt wurden.
Die Dorfhäuser in Schlesien sind fast ausschließlich fränkischen Ursprungs. Das Haus im Stromtal der Oder ist einstöckig, das im Sudetengebiet zumeist mehrstöckig. Nur die alten Gebirgsbauden sind durchweg einstöckig und aus Holz gewesen, während für die Bauernhäuser der Ebenen vielfach Steine mitverwendet wurden.
Die Dorfstraße ist kurz und breit. Sie bildet einen unbebauten Grasplatz, den Anger, zumeist mit einem Tümpel für die Enten und Gänse. Die Siedlung ist mit einer dichten Hecke umschlossen, so daß für Ein- und Ausgang nur die eine Straße zu benutzen ist. Auch diese ursprünglich slawischen Siedlungen sind in wenigen Jahren deutsch geworden. In dem Straßendorf Tschechnitz an der Oder haben 1417 die Hälfte und 1456 nur noch ein Drittel der Bauern slawische Vornamen gehabt. Spätestens um 1500 sind alle Namen deutsch, und zwar ohne jede »amtliche« Unterdrückung, aus freier Entscheidung der Namensgeber, Eltern oder Paten.
Neben den vielen vom Ursprung her deutschen Waldhufedörfern und den wenigen ursprünglich slawischen, später slawisch-deutschen Straßendörfern, die vom 16. Jahrhundert an ebenfalls rein deutsche Dörfer sind, hat es in den schlesischen Gebirgen noch die uralte Form der Bauden, also der Einzelhöfe in Verbund mit einigen anderen Einzelhöfen gegeben. Groß-Iser und Karlsthal um eine erloschene Glashütte im Isergebirge und die Riesengebirgsorte Strickerhäuser, Baberhäuser, Forstlangwasser, ja wahrscheinlich auch der später vielbesuchte Luftkurort Brückenberg mit der weltberühmten Schrotholzkirche Wang, die aus Norwegen stammt, sind ursprüngliche Baudensiedlungen gewesen. Die Gemeinde Brückenberg hat bis 1938 amtlich »Gebirgsbauden« geheißen.

Das Jahrhundert der Städtegründungen

Beinahe alle Städte Schlesiens sind im 13. Jahrhundert entstanden – rund drei Generationen nach dem ersten großen Siedlerstrom. Deshalb sind sie alle deutschen Ursprungs. In einem einzigen Jahrhundert sind nicht weniger als 63 Städte in Schlesien gegründet worden. Die ältesten sind Goldberg und Löwenberg. Neumarkt bei Breslau ist ursprünglich ein winziger slawischer Marktflecken mit ungefähr 300 Einwohnern gewesen. Es hat als dritter niederschlesischer Ort das deutsche Stadtrecht erworben, das ebenfalls deutsche Locatoren organisierten. »Neumarkter Recht« ist in den nächsten Jahrzehnten das Modell für die Stadtgründungen der deutschen Kolonisten. Daneben hatte das alte Magdeburger Stadtrecht Geltung.
Manche dieser überraschend gegründeten Städte sind bald wieder verödet – so Hundsfeld bei Breslau, Schawoine bei Trebnitz, Nikolstadt bei Liegnitz. Ihnen fehlte das für jede Stadt notwendige Hinterland. Andere sind aufgeblüht, weil sie geographisch richtig gewählte Zentren der Gewerbe waren, deren die Bauern in der Nachbarschaft bedürfen. »A Klempner, Schneider, Schuster, Viktualienhändler und Posamentenladen möchte halt sein wie auch a studierter Herr Notar, vom Dukter (Arzt) ganz zu schweigen« (Altschlesisches Bauernwort).

»Haupt- und Residenzstadt«

Dank seiner unvergleichlichen Lage am Doppel-Arm der Oder und an den uralten West-Ost-Straßen des Handels, der »Salzstraße« von Triest, Wien nach Warschau-Moskau-Peking und der »Hohen Straße« von Mitteldeutschland, wird *Breslau* die Haupt- und Residenzstadt des schlesischen Landes.
Breslau wurde im Jahre 1261 gegründet und ist um das riesige Rechteck des Ringes gewachsen, das allein 24 Morgen zählt. Dieser ist schon im 13. Jahrhundert angelegt. Die Gründer aus dem neuen Siedlerstamm haben ein untrügliches Gefühl für die Entwicklungsmöglichkeiten ihrer Stadt gehabt. Davon zeugt auch das Rathaus in seiner großartigen Gotik. Breslaus damaliger Fürstbischof Franz Ludwig, die »hochwürdigen Chorherren«, die geistlichen Herren von St. Matthias, und der weltliche Adel

BRESLAU, RATHAUS · Dieser gotische Bau, vor dem man in früheren Zeiten vor allem in den Vorweihnachtstagen aus Lebkuchenständen und Verkaufsbuden heraus in unverfälschtem Schlesisch zum Verweilen angehalten wurde, ist heute mehr denn je zum Symbol der schlesischen Heimat und seiner Hauptstadt überhaupt geworden.

haben die herrlichen Bauten des Stadtkerns ausführen lassen.

Ein reichliches Jahrhundert später ist Breslau »fritzisch«. Der Preußenkönig Friedrich der Große baut seine Breslauer Residenz im klassizistischen Stil. Langhans schafft das Grabmal des Generals Tauentzien, das Schadow mit einer Reliefplatte verziert. Vom Breslauer Schloß erläßt zwei Generationen später König Friedrich Wilhelm III. den berühmten »Aufruf an Mein Volk« gegen Napoleon. Das Staatsdokument bezeichnet den Beginn der Freiheitskriege.

Bald danach hebt das Zeitalter der Maschine an. Dampfkraft und Elektrizität schaffen neuen Wohlstand und die Bewegung riesiger Menschenmassen vom Land in die Städte. Breslau wird Großstadt. Die Fabriken sind um den alten Stadtkern gewachsen. Die Oderschiffahrt erschließt Oberschlesien. Eisenbahnen begünstigen den Handel nach Osteuropa, dem Balkan und dem Orient. Breslau wird die größte Handelsstadt des deutschen Ostens. Der neue wirtschaftliche Wohlstand belebt die Wissenschaften und die Künste. Die »Haupt- und Residenzstadt« wird ein Zentrum des deutschen Geistes im Osten.

Industriestädte Oberschlesiens

Vom Wirtschaftlichen her ist der Aufstieg der oberschlesischen Industriestädte ebenso rasch erfolgt wie der Breslaus, wenn auch rund zwei Jahrhunderte später. Auch sie haben das Stadtrecht früh erhalten, doch ist ihre Bedeutung durch Generationen noch gering. Um 1750 hat Beuthen fast ausschließlich aus Schrotholzhäusern bestanden, die den knapp 2000 Einwohnern gehörten.

Der Aufstieg Oberschlesiens beginnt mit der preußischen Zeit. Friedrich der Große hat die Möglichkeit erkannt, die in den Bodenschätzen des Landes liegen. Mit dem Ausbau der großen Wasserstraße Schlesiens und dem Beginn des Maschinenzeitalters wächst der Industrieraum von Gleiwitz, Beuthen, Hindenburg, Königshütte, zu dem geopolitisch auch Kattowitz gehört, das im Jahre 1922 an Polen abgetreten wurde.

Aus langgestreckten primitiven Siedlungen mit alten Stadtrechten entstehen die modernen Städte mit mehr als 100 000 Einwohnern. Ihre großzügige Gliederung und ihre modernen Bauten ergeben das Bild der typischen Industriereviere, wie sie im niederschlesischen Bergwerksgebiet um Waldenburg und an der Ruhr zu finden sind.

Das rasche Wachstum der Industrie hat den Großstädten des oberschlesischen Reviers den Stempel aufgedrückt. Moderner Verkehr durchflutet die Hauptstraßen mit ihren glänzenden Läden, Kaffeehäusern, Hotels und Kinos. Die kulturelle Entwicklung hingegen hat nicht »Gleichschritt« halten können, was aus dem verschiedenartigen Rhythmus des Materiellen und des Geistigen zu erklären ist. »Peutem« (Beuthen) etwa, wie schon die ersten fränkischen Siedler das slawische Dörfchen Bytum genannt haben, besitzt zwar Stadttheater, Museum, Konservatorium und höhere Schulen. Doch die einheimischen Künstler und Gelehrten von einigem Rang sind zumeist nach Breslau oder Berlin weitergezogen.

Die eigentliche altoberschlesische Kultur ist in den ländlichen Bezirken mit ihren uralten Schrotholzkirchen, ein paar herrlichen Schlössern, den oft bunten Dorfhäusern, den malerischen Trachten zu finden, wie sie in Schönwald bei Gleiwitz getragen werden. Auf dem Lande ist auch noch eine bodenständige Volkspoesie lebendig.

Die vier Oderstädte

Vier größere Städte Oberschlesiens liegen direkt an der Oder. Sie stammen aus der Mitte des 13. Jahrhunderts und sind nach Magdeburger Stadtrecht begründet.

Oppeln ist im Mittelalter die größte Stadt Oberschle-

BRESLAU, JAHRHUNDERTHALLE · Im Nordosten der Stadt liegt das an modernen öffentlichen Bauten reiche Viertel Neu-Breslau. Im Ausstellungsgelände des Scheitniger Parks erhebt sich der Riesenkuppelbau der Jahrhunderthalle, die Zentrum vieler Veranstaltungen, besonders der Sängerfeste, war.

siens gewesen. Später hat sich das Bevölkerungsgefälle südostwärts in die Industriestädte verlagert. Die katholische Pfarrkirche, die Minoritenkirche und ein paar schöne Barockhäuser zählen zu den bedeutendsten Bauwerken Oberschlesiens. In der Minoritenkirche ist der letzte Piasten-Herzog beigesetzt. Als Hauptstadt Oberschlesiens hat Oppeln ein regeres Kulturleben als der Bergwerksbezirk. Das fast gleichgroße *Ratibor* hat mehr den Charakter einer Handelsstadt. Die alte Handelsstraße nach Wien und Ungarn ist durch die Stadt gegangen. Später haben sich Industrien hier angesiedelt: Maschinenbau, Elektrodenstifte, Schuhe, Hüte, Seife und Tabak. *Cosel* ist schon 1155 bezeugt. Das Städtchen hat im Wechselspiel der Geschichte viel Unglück erlitten. Seine Bedeutung ist geographisch begründet. In Cosel mündet der Klodnitzkanal, die Wasserstraße des »Reviers«, in die Oder und bildet den größten Binnenhafen Oberschlesiens.
Brieg liegt am linken Oderufer zwischen Oppeln und Breslau. Sein ältestes Bauwerk ist die spätgotische Pfarrkirche St. Nikolaus mit der berühmten schlesischen Barockorgel von Michael Engler. Das Brieger Schloß ist ein Juwel der schlesischen Renaissance. Durch seine Gartenkulturen ist die Stadt von eigenartiger Schönheit.

Abseits des großen Stroms

Abseits der Oder liegen Neiße, Patschkau, Leobschütz und Kreuzburg.
Neiße ist wohl die schönste Stadt Oberschlesiens. Wegen ihrer 31 Kirchen und Kapellen (bei 35 000 Einwohnern!) wird sie »das schlesische Rom« genannt. Die schönsten Bauwerke dürften die alte Ratswaage, das spätere Kämmereigebäude und der Rathausturm sein. Das kleine *Patschkau* in der Nachbarschaft, »Stadt der Türme und Mauern«, ist ein Stück lebendiges Mittelalter mit Wehrturm, Stadtmauern und -toren. Die Johanneskirche, ein spätgotischer Backsteinbau mit einem herrlichen Renaissance-Altar, ist eine der wenigen erhaltenen »Wehrkirchen« des Mittelalters. *Leobschütz* am Rande der Sudeten ist die wahrscheinlich älteste Stadt Oberschlesiens (gegründet 1107) und allzeit ein schönes altertümliches Landstädtchen geblieben. Seine frühgotische Pfarrkirche und die Patrizierhäuser im Stil der Renaissance sind bekannt. *Kreuzburg* auf der rechten Oderseite an dem Flüßchen Stober ist die letzte geschlossen deutsche Stadt südlich des polnischen Sprach- und Staatsraums. Der Handel zwischen Slawen und Deutschen hat Kreuzburgs bescheidenen Wohlstand geschaffen. Kreuzburg ist die einzige evangelische Stadt Oberschlesiens.

Niederschlesische Städte an der Oder

Glogau, bereits 1010 bezeugt, ist die Stadt des großen Barockdichters Andreas Gryphius. Der spätgotische Backsteinbau des Doms bildet das würdige Gehäuse für eine der größten Kostbarkeiten des Abendlandes, die »Madonna mit dem Schleier« von Lucas Cranach. In Glogau ist 1845 Arthur Graf von Posadowski-Wehner geboren, der als erster

NEISSE · Neben dem Neißer Konfekt ist die Stadt an dem gleichnamigen Fluß für ihr einmalig schönes Kämmereigebäude berühmt. In der Sonne glitzern goldene und farbige Verzierungen an der zum Marktplatz weisenden Giebelfront und fesseln den Besucher auch heute noch durch ihre überwältigende Schönheit.

Staatsmann die Altersversorgung der Arbeiter und die Wohnungsfrage in ihrer zukunftweisenden Bedeutung erkannt hat. In der preußischen Zeit ist die Stadt Garnison und Festung gewesen. Westlich von Glogau liegen die Landstädtchen *Beuthen* und *Neusalz.* Zur Unterscheidung von dem »großen Bruder« in Oberschlesien wird Beuthen an der Oder scherzhaft »Kuhbeuthen« genannt. Neusalz ist ursprünglich eine riesige Salzsiederei und später ein Salzhandelsplatz gewesen. Erst Friedrich der Große hat der Siedlung Stadtrecht verliehen (1743). In Neusalz haben die zugewanderten Mitglieder einer böhmischen Brudergemeinde eine der größten Garnfabriken Europas entwickelt.
Die Stadt *Grünberg* liegt nicht an der Oder, vielmehr in dem weiten fruchtbaren Hügelland zwischen dem Oderknie vor Crossen und dem unteren Bober. Sie ist der Mittelpunkt des Grünberger Weinbaus, den schon im 13. Jahrhundert fränkische und flämische Siedler dort betrieben haben. Der Grünberger Wein aus eingeführten rheinischen, Tiroler und böhmischen Reben ist besser als sein Ruf, der Sekt ist ersten Ranges. Im übrigen gehört Grünberg zur Zeit der Baumblüte zu den schönsten Städten Schlesiens.

Von Heide- und Bergstädten

Was nicht zum Oderraum gehört, ist den Gebirgen zugeordnet. *Liegnitz,* inmitten der Heide, atmet von

Norden her Oderluft. Südwärts hat es »Sehnsucht nach den Bergen«. Die Goldberger Höhen im Vorland des Riesengebirges sind nicht fern.
Liegnitz ist nach der Mongolenschlacht entstanden und als Agrar- und Handelsstadt rasch gewachsen. Im 14. Jahrhundert haben seine Bürger eine riesige Umfassungsmauer mit dreißig Wehrtürmen geschaffen. So sind sie der Raubritter Herr geworden und haben Wohlstand entwickeln können. Die wichtigsten Gebäude der Stadt sind die katholische Johanneskirche von 1294, die 1720 im Stil des Barock erneuert wurde, die evangelische Peter-Paul-Kirche, ein gotischer Bau des 14. Jahrhunderts, das barocke Jesuiten-Kollegium und das ebenfalls barocke Alte Rathaus. Die Stadt mit ihren 75 000 Einwohnern war in wirtschaftlicher, kultureller und gesellschaftlicher Sicht eine der lebendigsten. Die kulturell lebhafteste war *Görlitz*. Ihre Musikfeste, die oft von Furtwängler geleitet wurden, sind vor dem Krieg berühmt gewesen. Die Stadt wird von der Görlitzer Neiße durchflossen, sie liegt herrlich zwischen Landeskrone, Königshainer Bergen und Görlitzer Heide. Inmitten ausgedehnter Parkanlagen wurde sie großzügig gebaut. In der Altstadt sind Reste von Wehranlagen, der Kaisertrutz und die schönsten Bauten der Frührenaissance, wie Rathaus, Biblisches Haus, Schönhof und Patrizierhäuser, erhalten. In Görlitz ist Jacob Böhme gestorben.

HIRSCHBERG · Der Fremdenverkehrsort am Zusammenfluß von Zacken und Bober ist nicht nur durch seine kunsthistorisch wertvolle Gnadenkapelle bekannt, sondern auch durch seinen einmaligen Marktplatz, der neben seiner typisch schlesischen Anlage geschlossene Laubengänge um den ganzen Ring herum besitzt

GÖRLITZ · Am Fuße der 425 m hohen Landeskrone überrascht die alte Stadt Görlitz durch Meisterstücke künstlerischer Gestaltung des Mittelalters. Wehrtürme der Stadtbefestigung sind in das später geformte Stadtbild mit einbezogen. Görlitz wurde bereits um 1200 gegründet.

Westlich von Görlitz liegen in schönem Vorgebirgsland die Städtchen *Lauban* und *Greiffenberg*, deren Taschentücher in der ganzen Welt verkauft wurden. An Schönheit vermag es *Hirschberg* fast mit Görlitz aufzunehmen. Seine Lage an Bober und Zacken mit dem Riesengebirgskamm im Hintergrund darf großartig genannt werden. Von Hirschberg geht der Fremdenstrom in das Riesengebirge. Der schönste Platz der Stadt ist der Ring mit den Laubengängen – ein unverfälschtes Stück des alten Österreich. Im Mittelalter ist die Stadt durch die Zunft der Schleiermacher, welche die Hofschleier für fast alle europäischen Fürstenhäuser schufen, reich geworden. Davon zeugen die barocken Gruftbauten auf dem Friedhof der »Gnadenkirche«, deren es insgesamt sechs in Schlesien als Zugeständnis an die Evangelischen nach dem Vertrag von Altranstädt (1707) gibt. In unmittelbarer Nähe liegt Bad Warmbrunn, dessen Heilquellen und Holzschnitzschule, begründet von dem Tiroler dell'Antonio, weit bekannt sind. Von ähnlichem altösterreichischem Charakter wie Hirschberg sind die benachbarten Kleinstädte *Schmiedeberg* mit dem Nepomuk auf der Eglitzbrücke, *Schömberg* mit den berühmten Weberhäuschen »Die zwölf Apostel« und *Landeshut*, ein Zentrum der schlesischen Leinenproduktion. Boberaufwärts liegt *Bunzlau*, die Stadt der »Tippelmacher«, der Topfmacher. Die Tonlager in den nahen Höhenzügen haben die Entwicklung der Töpferei gefördert. Bunzlauer Steingut mit der braunen Außenlasur und den oft kunstvollen Ornamenten ist seit dem 16. Jahrhundert berühmt.

SCHWERIN · In der ältesten Stadt Mecklenburgs wurde auf den Resten eines früheren Schlosses in der Mitte des 18. Jahrhunderts ein Neubau errichtet, dessen vieltürmige Anlage im See das Stadtbild beherrscht.

OSTSEESTRAND · Über das ganze Land Mecklenburg ist eine Vielzahl von Seen verstreut. Aber mehr noch als ihre stillen Ufer ist der weite Strand der ruhigen Ostsee als Ferienparadies beliebt. Gerade hier, in Heiligendamm, wurde das erste deutsche Seebad eingerichtet. Seit jener Zeit strömen jährlich viele tausend Urlauber aus dem Binnenland an die mecklenburgische Küste, um in Sand und Wellen notwendige Erholung von der Arbeit und neue Kraft für den Alltag zu finden. In der warmen Jahreszeit zieht sich dann eine fast endlose Kette von Körben, Liegestühlen und Sandburgen am Wasser entlang.

DIE SCHNEEKOPPE · Über 1600 Meter hoch ragt Schlesiens höchster Berg, zugleich auch die höchste Erhebung des Riesengebirges, in die Wolken. Auf seinem Gipfel trägt er die Laurentiuskapelle, eine Wetterwarte und mehrere Bauden. Nach Süden fällt er zum Riesengrund, nach Norden zum Melzergrund ab. Zahlreiche Sagen haben sich um das Riesengebirge und seinen größten Berg gerankt. Hier ist das Reich des alten Rübezahl, hier locken Berggeister, wenn die Herbststürme um die Gipfel toben. Der Berg besitzt bereits alpinen Charakter. Schon weit unterhalb des Gipfels ist die Baumgrenze, und nur noch genügsame Gräser fristen ein bescheidenes Dasein an den felsigen Hängen. Charakteristisch für dieses Gebiet ist die häufige violette Färbung des Gebirges.

OPPELN · Auf halbem Wege zwischen Ratibor und Breslau liegt die ehemalige Hauptstadt Oberschlesiens, Oppeln. Die Verkehrsader des Landes, die Oder, hier noch nicht der majestätische Strom wie an ihrem Unterlauf, aber doch schon wichtigste Wasserstraße Schlesiens, passiert das reizvolle Panorama der Stadt, die trotz vieler Zerstörungen im zweiten Weltkrieg immer noch ihren alten Charakter bewahrt hat. Oppeln war stets eine schaffensfreudige Industriestadt mit zahlreichen Werken der Zementherstellung, der Holz- und Metallverarbeitung, wozu noch wichtige Tabakbetriebe kamen.

LIEGNITZ · Durch die Schlacht auf der Wahlstatt wurde 1241 das Abendland vor dem Mongolensturm gerettet. In unmittelbarer Nähe des alten Kampfplatzes liegt die Gartenstadt Liegnitz, die von den Schlesiern auch »Gurkenstadt« genannt wird. Die Türme der barocken Johanniskirche sind weithin sichtbar.

Sagan, ebenfalls am Bober gelegen, lebt im Bewußtsein der Deutschen vornehmlich durch sein Schloß. Es ist der Mittelpunkt eines alten Fürstentums mit einem wechselvollen Schicksal. Böhmische, sächsische, brandenburgische Herzöge waren seine Besitzer. Kaiser Ferdinand II. hat es Wallenstein geschenkt, der während des Dreißigjährigen Kriegs den großen Astronomen Johannes Kepler dorthin holte. Später ist die riesige Standesherrschaft an die Herzöge von Kurland und durch Heirat schließlich an die Familie Talleyrand-Périgord gefallen.
Das schön gelegene *Schweidnitz* zwischen Eulengebirge und Zobten erschließt das Waldenburger Bergland von Nordosten her. Seine katholische Pfarrkirche besitzt den höchsten Turm Schlesiens. Ein Museum erinnert an den Flieger Manfred von Richthofen, dessen Familie in dem nahen Striegau mit der uralten Peter-und-Pauls-Kirche (begonnen 1253!) beheimatet ist.
Waldenburg ist ein Gemenge von Industriesiedlungen, die mit der Zeit städtischen Charakter angenommen haben. Es ist der Mittelpunkt des niederschlesischen Grubenwesens. Mit Gottesberg, Fellhammer, Dittersbach und Altwasser ist es zu einer Stadtmasse verschmolzen. Seine industrielle Bedeutung beruht auf Steinkohlenbau, Eisenhütten, elektrischer Energieversorgung, Ferngas, Porzellanfabriken und Stickstoffwerken.

Kleinstädte im Neiderland

Östlich der Oder gibt es keine einzige große oder auch nur mittlere Stadt. Die Kleinstadt kennzeichnet das Neiderland.
Einige davon haben besondere Bedeutung: das idyllische *Trebnitz,* wo die heilige Hedwig ein Kloster errichtete, *Oels* mit dem berühmten Schloß der Hohenzollern und *Trachenberg* am Rande eines urwaldähnlichen Gebiets mit dem Barockschloß der Fürsten Hatzfeld. Hier wurde vor den Befreiungskriegen die »Konvention von Trachenberg« zwischen Preußen, Österreich und Rußland zur Niederringung Napoleons abgeschlossen.
Die Orte selbst sind stille Landstädtchen mit Sägewerken, Zuckerfabriken, Getreide- und Fischhandlungen, die von der Karpfenzucht im Militsch-Trachenberger Teichgebiet leben. Ihre Holzauktionen, Vieh- und Pferdemärkte sind bekannt. Ob man weiter Prausnitz, Winzig, Wohlau, Guhrau nennt – es ist der nämliche Typ der fränkischen Kleinstadt mit dem Ring im Stadtkern, den beiden Pfarrkirchen und den Durchgangsstraßen in Feld oder Wald hinaus.

Blick über die Sudeten

Die Betrachtung der Städte und Dörfer Schlesiens wollen wir nicht abschließen, ohne einen Blick über den Kamm der Sudetengebirge geworfen zu haben: Südlich der schlesischen Landesgrenze liegen Gebiete, die in ihrem geschichtlichen Werdegang und ihrer kulturellen Eigenart vielfältig mit dem benachbarten Schlesien verbunden sind.
Die Stadt *Gablonz* an der Görlitzer Neiße, am Südfuß des Isergebirges gelegen, ist durch ihre weltbekannte Glasindustrie als »Schmuckstadt« berühmt geworden. Etwa zehn Kilometer nordwestlich von Gablonz liegt *Reichenberg,* der kulturelle Mittelpunkt der Sudetendeutschen. Eine vielgestaltige Holz-, Metall- und Papierindustrie ist in Reichenberg angesiedelt. In *Königgrätz,* der Stadt an der

ZWÖLF APOSTEL IN SCHÖMBERG · Die alte Webersiedlung, von den Grüssauer Zisterziensern gefördert, ist in ihrer Art einmalig. Die über einen Laubengang hinwegreichenden Holzgiebel ergeben in ihrer Geschlossenheit und Gleichmäßigkeit ein eigenartig anmutendes Bild. Peinliche Sauberkeit zeichnet auch diese schlesische Siedlung aus.

BUNZLAU · Auf jedem schlesischen Küchenbord befindet sich ganz bestimmt ein Bunzlauer Topf. Denn diese Stadt, nahe der tschechischen Grenze, ist seit alters für ihre Töpferwaren, das »Bunzlauer Gut«, bekannt. Die Spitze des Rathausturms krönte seit langer Zeit der preußische Adler. Von der Linie Dresden—Breslau zweigen in Bunzlau zahlreiche Nebenbahnen ab. Auch die Autobahn führt in der Nähe vorbei.

Adlermündung in die Elbe, wird von alters her der Musikinstrumentenbau gepflegt. Eine gotische Kathedrale aus dem 14. Jahrhundert ist wohl der bemerkenswerteste Bau dieser wegen der Schlacht zwischen Preußen und Österreich (1866) in allen Geschichtsbüchern genannten Stadt. In *Jägerndorf,* einem ehemaligen schlesischen Fürstentum, schufen fleißige Hände weithin bekannte Orgeln. *Troppau* an der Oppa und *Mährisch-Ostrau* beherbergen Eisenverhüttungsindustrien, Mährisch-Ostrau gilt darüber hinaus als Zentrum eines Steinkohlenbergbaugebietes.

Die südschlesischen Städte Jägerndorf und Troppau gehören zu den ältesten Stadtgründungen im sudetendeutschen Raum. Sie entstanden schon vor dem Jahre 1230. Das südschlesische Gebiet wurde 1742 vom Kernland getrennt, als dieses an Preußen fiel, und blieb bei Österreich.

Das Netz der Burgen

Die meisten Burgen Schlesiens sind nach der Mongolenschlacht entstanden. Der Sieg von 1241 hat mit einem neuen breiten Siedlerstrom viele deutsche Ritter in das Land gebracht. Sie sind die Schöpfer der Ritterburgen. Viele Burgen sind im Bergland zu finden. Auf schwer zugänglichen Kuppen oder Felsen ist das auffällig dicke Mauerwerk mit winzigen Türen und Fenstern und den rechteckigen oder runden Türmen angelegt. Die Burgen dienten zunächst nicht als Wohnstätten, obwohl die Familien der Ritter darin lebten, sondern wurden aus Gründen der militärischen Sicherheit angelegt. Das gilt besonders für die wenigen »Wasserburgen« in schwer zugänglichen Sumpfgebieten des Odertals.

Ein wohldurchdachtes Netz dieser ritterlichen Anlagen hat das Land gegen Überfälle schützen sollen. In geographisch günstigen Fällen ist es geglückt. Einige Burgen sind niemals erobert worden. Andere haben mehrmalige Zerstörungen während der Hussitenkriege und im Dreißigjährigen Krieg erlitten. Die ursprünglichen Wehranlagen sind später wohnlich ausgestaltet und um Vorhöfe und Ringwälle erweitert worden, sofern der Raum dafür vorhanden war. Die im Vorland der Gebirge erbauten berühmtesten Burgen sind der Greiffenstein, der Kynast, die Bolkoburg, die Kynsburg, die Gröditzburg und Burg Schweinhaus. Burg Tost am Rande der Tarnowitzer Höhen in Oberschlesien hat im 18. Jahrhundert Eichendorffs Vater gehört. Andere Burgen haben sich im Laufe der Zeit zu feudalen Schlössern entwickelt, so der Fürstenstein der Adelsfamilie Hochberg-Pleß.

Alle Ritterburgen Schlesiens sind nach sächsischem Vorbild gebaut worden. Die sogenannten »Festen Häuser« sind große Türme aus dicken Mauern, Privatfestungen der Ritter für ihre Familien und deren Dienstleute. In Trachenberg und Boberröhrsdorf bei Hirschberg sind noch alte Turmfesten vorhanden.

Burg *Greiffenstein,* bereits im 12. Jahrhundert gegründet und damit wohl die älteste Burg Schlesiens, liegt auf dem gleichnamigen Felsen bei Greiffenberg. Die Burg hat den Hussiten, den Heeren im Dreißigjährigen Krieg und noch dem preußischen Eroberer in den drei Schlesischen Kriegen widerstanden. Seit dem 18. Jahrhundert ist sie allmählich verfallen, da ihr geschichtlicher Auftrag erfüllt war. Unweit Hirschberg bei Hermsdorf liegt der steile Granitkegel des *Kynast.* Die Burg darauf hat den

GLATZ · Über die malerische statuengeschmückte Brücktorbrücke führt der Weg in die Stadt mit der gewaltigen, von Friedrich dem Großen angelegten Felsenfestung. Glatz selbst wurde 1275 gegründet und gelangte unter österreichischer und preußischer Herrschaft zu großer Blüte.

Grafen Schaffgotsch gehört. Einer ihrer Besitzer ist Hans Ulrich, der Vertraute Wallensteins, gewesen, der während des Dreißigjährigen Kriegs in Regensburg enthauptet wurde. Die berühmte Kynast-Sage von Kunigunde und den Freiern mit den Todesritten auf der Mauer haben Theodor Körner und Friedrich Rückert dichterisch dargestellt. Auch der Kynast ist seit langem eine Ruine.
Bolkoburg und Burg *Schweinhaus* in nachbarlicher Nähe des Gebirgsvorlandes sind ebenfalls verfallen. Im 13. Jahrhundert haben sie große Bedeutung gehabt. Beide sind von den Mongolen zerstört und nach dem Sieg von Wahlstatt neu errichtet worden. Die Bolkoburg wie die Kynsburg im Waldenburger Bergland sind nach der Entartung des mittelalterlichen Rittertums im 15. Jahrhundert gefürchtete »Raubritternester« gewesen, bis es den erstarkten schlesischen Städten zuviel geworden ist und sie mit ihren Bürgerwehren diese Schlupfwinkel zerstört haben. Burg Schweinhaus, vom schlesischen Volksmund liebevoll »das alte Säuhäusel« genannt, ist erst Ende des 18. Jahrhunderts verfallen. Bis 1769 haben die Ritter von Schweinichen dort friedlich gelebt, deren einer, der trunkfeste Hans von Schweinichen, im 17. Jahrhundert seine lebensfrohen und kulturhistorisch interessanten »Denkwürdigkeiten« niedergeschrieben hat.
Um 1500 hat die Ritterzeit ihr Ende gefunden. Die Feuerwaffe hat sich entwickelt. Damit sind die stärkste Rüstung wie die festeste Mauer erledigt. Den neuen Flachfeuerwaffen, Kanonen genannt, hat keine dieser Burgmauern zu widerstehen vermocht. Im übrigen ist lautlos und zunächst kaum bemerkt an die Stelle der mittelalterlichen Naturalwirtschaft das Geld getreten. Damit haben die

DAS RIESENGEBIRGE · Der rund fünfzehnhundert Meter hohe, breite und sanftgerundete Höhenzug bildet das Kernstück der Sudeten, des Schlesien im Süden begrenzenden Gebirgswalls. Anmutige, weite Wälder, unheimliche Hochmoore und im Winter eine dicke Schneedecke verleihen ihm den Reiz stiller, einsamer Größe.

OPPELN · Einen der wichtigsten Oderhäfen besitzt die alte Herzogsresidenz Oppeln, die man gerne die »grüne Brückenstadt an der Oder« nennt. Vor dem Aufblühen des oberschlesischen Industriegebietes war Oppeln der bedeutendste Platz dieses Landesteiles. Überragt wird die Stadt von der Stadtpfarrkirche.

Städte des Bürgertums gesiegt. Der Ritter kann nur fortleben, wenn er das Gesetz der Epoche erfaßt. Er muß »wirtschaften«, seine ererbten Äcker und Wälder bestellen. Damit beginnt das Zeitalter der Rittergüter und der Schlösser.

Hundert »wirkliche« Schlösser

Schlesien besitzt rund hundert Schlösser von geschichtlicher, künstlerischer oder anekdotischer Bedeutung. Auch die übrigen dreihundert oder vierhundert werden vielfach »Schlösser« genannt, obwohl sie einfache Gutshäuser sind.
Die »wirklichen« Schlösser sind tatsächliche Herrensitze, einige nach Größe, Pracht und Geschmack wahrhaft fürstlich. Der Schloßbau im 16. Jahrhundert ist eine Art »Aufsprengen« der mittelalterlichen Burganlage. Das Düstere verschwindet. Die Mauern werden dünner und eleganter, die Fenster groß, die Portale mächtig. Die engen dunklen Kemenaten der Burgen verschwinden. In riesigen Räumen regieren Sonne und Licht. Die Renaissance hat Schlesiens Adelssitze gründlich umgestaltet. Immer prächtiger werden die Portale, geräumiger die Arkadenhöfe, höher die Gewölbe der Eingangshallen, lichter die Säle und Schlafgemächer. Das uralte Piastenschloß in Brieg ist ein Beispiel dieser Umgestaltung im vollendeten Stil der schlesischen Renaissance, deren Künstler zumeist Italiener waren. Gleichzeitig sind die Renaissance-Schlösser in Öls (Besitz der Hohenzollern), Liegnitz, Falkenberg, Carolath an der Oder in der Nähe des Schle-

siersees und Grafenort in der Grafschaft Glatz entstanden.
Die mit dem Dreißigjährigen Krieg einsetzende Epoche des Barocks hat das Gesicht Schlesiens endgültig geprägt. Nicht nur die Klöster zeigen es augenfällig, auch die Kirchen, die Rathäuser und anderen Amtsgebäude, die Bürgerhäuser, ja selbst bescheidene Dorfgebäude werden von der großen Welle des Barocks erfaßt. Bald ist ganz Schlesien beschwingt von Österreichs wesenseigener Baugesinnung. So ist der unvergängliche österreichische Kern Schlesiens entstanden.
Die Schlösser als Sitze der Herrenschicht, die dem Wiener Hof vielfältig verpflichtet war, haben durch ihr Beispiel die Entwicklung zur Baugesinnung des Barocks hin gefördert. Das spätere Talleyrand-Schloß in Sagan ist ein Beispiel dafür, obwohl es in seinem gegenwärtigen Stand kein Barockschloß mehr ist. Auch ein Flügel des Fürstensteins, das Schloß der Fürsten Hatzfeld in Trachenberg (von Hakner begonnen, von dem jungen Langhans vollendet), die Schlösser von Kotzenau, Briese, Obergläsdorf sind aus dieser Baugesinnung entstanden.
Nun steht nicht mehr die Sicherheit, sondern die Schönheit im Mittelpunkt des Empfindens. Die alten Burghöfe werden zu Parks umgestaltet. Die Bastionen wandeln sich in Terrassen. Niemand denkt mehr an Verteidigung und Schutz, vielmehr an das zeitgerechte Leben der Repräsentation, wie es in dem bewunderten Prag und Wien üblich ist. Die Standesherren sind reich und selbstsicher geworden. Folgerichtig wird der gepflegte Park – oft von riesenhaftem Ausmaß – die sinnvolle Umgebung des Schlosses. Der Park wird zum »Raum«. Bunte Blumenbeete bilden die Ornamente dieser Pracht. Auf Balustraden stehen die Götter der Antike. Auch allegorische Gestalten der Jahreszeiten, Lebensalter oder Tugenden halten Einzug in die Landschaft.
Die üppigen Wasser des schlesischen Landes werden als natürlicher Bach oder gestauter Teich, als springende Fontäne oder sinkende Kaskade in die Parks der Schloßbesitzer einbezogen. In den beheizten Orangerien gedeihen in Kübeln Apfelsinen- und Zitronenbäumchen, Lorbeer, Myrte und Oleander. Den Sommer über schmücken sie die Terrassen, Hallen und Säle des Schlosses. Es ist so eindrucksvoll, daß es selbst die Bürger der Städte und die größeren Bauern nachahmen. Die Säle der Barockschlösser sind prunkvoll ausgestattet. Alles ist repräsentativ und zugleich bequem. Der Orientteppich, Gemälde alter Meister, die Prachtmöbel – oft Auftragsarbeiten an schlichte Kleinstadttischler – haben die Säle dieser Schlösser zum zeitgenössischen »Ereignis« gemacht.
Die barocken Parks kennzeichnen – in geschichtlicher Reihenfolge – die Schlösser von Kleinkotzenau (Grafen Maltzahn), Schlanz (Grafen Eulenburg) und – sie alle weit überbietend – das weltberühmte des Fürsten Pückler-Muskau beiderseits der Görlitzer Neiße. Das in Schlesien herrschende Barock ist in das Rokoko, die ausschweifende »Muschelverzierung« (rocaille) der Franzosen umgebogen und damit aufgelöst worden. Das Breslauer Stadtschloß, das gewaltige viertürmige Schloß von Camenz, gebaut von Schinkel, und das bescheidenere von Goschütz sind Kennzeichen der Übergangszeit zum preußischen Klassizismus, dem eigentlichen Element der neuen Berliner Herrschaft über Schlesien. Nur die Parks sind barock geblieben.
Im 19. Jahrhundert sind die bescheidenen Adelssitze von romantisierendem Charakter aufgekommen. Bezeichnend dafür ist das zunächst dem Feldmarschall Gneisenau, später den Hohenzollern, schließlich einer Familie Rudolph gehörende Schloß Erdmannsdorf im Hirschberger Tal. Die große Zeit des Schlosses ist die der Preußenkönige gewesen. In der Hohenzollernzeit haben die Brüder Humboldt und viele andere führende Männer des Zeitalters dort ihre Sommerferien verlebt. König Friedrich Wilhelm III. hat den aus Glaubensgründen vertriebenen Zillertalern aus Tirol Teile seines Ritterguts zur Ansiedelung überlassen. Daran erinnert noch heute das dem Schloß Erdmannsdorf benachbarte Dorf Zillerthal im Tiroler Stil.
Ein Überblick über die Schlösser und Herrensitze Schlesiens ergibt das charakteristische Bild des »Getuppelten«. Vierhundert Jahre Baugeschichte zeigen die Polarität von Wien und Berlin, die durch das sächsische Element im Nordwesten des Landes, der Oberlausitz, noch reicher wird. Etwa zehn dieser

GRÜSSAU · Im Jahre 1242 gründeten Zisterziensermönche hier ein Kloster, das sich um Kultur und Verbesserung der Lebensweise vieler Weber, Bau der »12 Apostel« und der »Sieben Brüder« im benachbarten Schömberg, verdient gemacht hat. Die Kirche, Inneres und Fassade, ist ein Juwel des Barocks.

ALBENDORF · Ein wundertätiges Marienbild wird in der als Tempel Salomons gebauten Wallfahrtskirche von Albendorf verehrt. Wie eine Basilika in einer Stadt des Balkans überragt sie den Ort, den noch 95 Kapellen ringsum auf den Hügeln umgeben, zu denen die Wallfahrer pilgerten.

Schlösser gehören zum dauernden Bestand der Kunstgeschichte.

Schlesisches »Kloster-Barock«

Die Klöster Schlesiens sind älter als die Schlösser. Sie entstanden in ihrer zumeist noch primitiven Urform als kirchliche Niederlassungen im neuen Rodeland schon vor der Mongolenschlacht.
Sieben gehen auf die Herzogin Hedwig, Gemahlin des Trebnitzer Herzogs Heinrich I., zurück: Trebnitz, Himmelwitz, Rauden, Heinrichau, Camenz, Grüssau und Wahlstatt. Alle sind Gründungen des katholischen Ordens der Zisterzienser. Die ersten Mönche und Nonnen sind Ausländer aus West- und Südeuropa und Deutsche aus den Rheingebieten und aus Böhmen gewesen. Slawen sind nicht vertreten. So ist der Mönch der »Leubuser Chronik« ein Italiener gewesen.
Die älteste mönchische Niederlassung in Schlesien ist Kloster *Leubus.* Es ist von Benediktinern aus Frankreich schon 1053 gegründet. Die »Schwarzen Mönche« sind allerdings nicht an der Oder geblieben, obwohl die Lage des Klosters von besonderer Schönheit ist. Ihr Abzug um die Mitte des 12. Jahrhunderts nach Lublin in Polen ist historisch verbürgt. Wenige Jahre später – 1175 – haben die Zisterzienser, die ursprünglich ebenfalls Benediktiner waren, die Niederlassung neu besiedelt. Die meisten dieser Mönche sind Deutsche gewesen. Der Piastenherzog Boleslaw der Lange, dessen Familie mütterlicherseits von der Saale stammte, hat ihnen die Mittel für den ersten festen Klosterbau gegeben. Später hat die heilige Hedwig auch dieses Kloster mit reichen Privilegien ausgestattet, so daß Leubus mit seinem riesigen Landbesitz zu den reichsten und mächtigsten Zentren Schlesiens gezählt hat. Seine wirtschaftliche und kulturelle Bedeutung als Lehrer der armen slawischen Hirten wie der späteren deutschen Bauern kann kaum hoch genug eingeschätzt werden. Das trifft auch auf die anderen frühen Klostergründungen zu.
Das heutige Riesenkloster in einer barocken Herrlichkeit ist nach dem Dreißigjährigen Krieg entstanden. Die gotische Stiftskirche ist älter. Leubus ist das kunstgeschichtliche Ereignis geblieben, das es von Anbeginn für viele Generationen gewesen ist. Michael Willmann, dem diese Klosterkirche wie die von Grüssau, Heinrichau, Himmelwitz, Rauden, Camenz und Wahlstatt ihre künstlerische Vollendung danken, hat gewußt, warum er sich gerade »Mahler in Leubus« nannte.
Kloster *Grüssau* im Vorland des Riesengebirges ist kleiner, aber lichter und farbiger als Leubus. Es wurde ein Jahr nach der Mongolenschlacht gegründet. Wer von den Bergen hinabsteigt, wird die Klosterkirche mit ihren beiden mächtigen Türmen im Ziedertal der sonst schlichten Ebene als Ereignis empfinden. Aus dem »goldenen Zeitalter« des Klosters unter Abt Michael Rosa in der zweiten Hälfte des 17. Jahrhunderts stammt die benachbarte Josefskirche in strengem Frühbarock mit einem großartigen Freskenzyklus von Michael Willmann.

KLOSTER LEUBUS · Zisterziensermönche gründeten am Ufer der Oder im Jahre 1175 das Kloster, das bei der Kolonisierung des Ostens eine wesentliche Rolle spielte. Zur habsburgischen Zeit wurde es unter dem Einfluß von Jesuiten — im 17. Jahrhundert — im barocken Stil umgebaut.

Angelus Silesius
* 25. 12. 1624, † 9. 7. 1677
Dichter

Martin Opitz
* 23. 12. 1597, † 20. 8. 1639
Sprachreformer

Jos. Frhr. von Eichendorff
* 10. 3. 1788, † 26. 11. 1857
Dichter

Gustav Freytag
* 13. 7. 1816, † 30. 4. 1895
Dichter

Zum Fünfgestirn des großen schlesischen Kloster-Barocks gehören neben Leubus, Grüssau, Heinrichau noch Wahlstatt und Trebnitz.

Über dem Stückchen Erde in einer Hügelwelle der fruchtbaren Liegnitzer Heide, wo nach der Mongolenschlacht der tote Sieger Heinrich II. gelegen hat, ist nach dem Willen seiner Mutter die Gedächtniskirche in Wahlstatt errichtet worden. Die Zisterzienser haben auch sie betreut. Die endgültige Form hat das zweitürmige Gotteshaus durch den Barockbaumeister Georg Dientzenhofer zu Beginn des 18. Jahrhunderts erhalten. Seit 1838 ist in dem aufgelassenen Kloster eine preußische Kadettenanstalt untergebracht gewesen, deren ehemalige Schüler Hindenburg und Richthofen sind.

KIRCHE WANG · Nahe bei Brückenberg im Riesengebirge wird man plötzlich vom Anblick einer seltsam anmutenden Holzkirche überrascht. Es ist die Kirche Wang, die in Einzelteilen aus Norwegen hierher transportiert und im Jahre 1844 zusammengebaut und in ihrer Originalform aufgestellt wurde.

In einem sanften Tal des Katzengebirges liegt inmitten herrlichen Buchenwalds das uralte Kloster *Trebnitz* mit dem Grab der Schutzpatronin Schlesiens. Die ersten Nonnen sind aus Kitzingen am Main dorthin gekommen. Nach Leubus ist Trebnitz der umfangreichste Klosterbau. Stilistisch ist er nicht so einheitlich wie die anderen vier Barock-Klöster. Im Dreißigjährigen Krieg zerstört, verdankt das Kloster seine eindrucksvolle neue Gestalt der Baugesinnung des 17. und 18. Jahrhunderts. Nur die kleine Hedwigskapelle stammt aus dem 13. Jahrhundert. Sie ist ein kostbares Dokument der Frühgotik. Hier ist die Gruft der heiligen Hedwig, die ein Italiener in schwarzem Marmor großartig gestaltet hat. Das Münster, Hedwigskirche genannt, hat barockes Gepräge. Vor dem Hochaltar sind Heinrich I. und Conrad von Feuchtwangen, einst Hochmeister des Deutschen Ritterordens, beigesetzt. Nach wechselvollem Schicksal ist das Kloster im 20. Jahrhundert Mutterhaus der Borromäerinnen und Krankenhaus geworden.

Die großen Namen

Die tausendfältige Problematik im Volkscharakter hat nicht nur das künstlerische Talent des Schlesiers bestimmt, wie Hermann Stehr festgestellt hat. Auf allen Gebieten menschlichen Wissens, Wirkens und Formens gibt es große Leistungen, die von Schlesiern hervorgebracht worden sind. Dabei wird immer wieder ein Gegensatz sichtbar, der charakteristisch für das Land und seine Menschen ist. Greifen wir zwei große Schlesier des 17. Jahrhunderts, der beginnenden Reifezeit schlesischen Wesens, heraus: Martin Opitz und Jacob Böhme.

Martin Opitz, der aus Bunzlau stammt (* 1597, † 1639 in Danzig), ist der »Praeceptor Germaniae«, der »Lehrer Deutschlands« genannt worden, weil er in seinem berühmten »Büchlein von der deutschen Poeterey« (1624) das damals neue Hochdeutsch statt des Lateinischen als Verssprache verlangte und in seinen Gedichten verwendete. Der »Boberschwan« – Bunzlau liegt am Bober – ist der Begründer der ersten schlesischen Dichterschule: einer der größten Literaten des deutschen Sprachgebiets.

Wie vollkommen anders ist sein zeitgenössischer Landsmann *Jacob Böhme* aus Alt-Seidenberg bei

Andreas Gryphius
* 11. 10. 1616, † 16. 7. 1664
Dichter

Willibald Alexis
* 29. 6. 1798, † 16. 12. 1871
Dichter

Paul Keller
* 6. 7. 1873, † 20. 8. 1932
Dichter

Gerhart Hauptmann
* 15. 11. 1862, † 6. 6. 1946
Dichter

Görlitz (* 1575, † 1624 in Görlitz)! Während Opitz als gelehrter Sekretär in der Welt der Mächtigen des Dreißigjährigen Krieges lebte, ist Böhme ein einfacher Schuhmacher mit autodidaktischer Bildung. Beide sind in ihrem Schaffen echte Schlesier. Der Literat hat die schlesische Gelehrtenkunst mit dem Ehrentitel des deutschen Dichters geschaffen, der theosophische Mystiker die »Unio mystica«, die Vereinigung des Menschen in seinen begnadeten Stunden mit Gott. Alles Gottsucher- und Tatmenschentum im schlesischen Raum geht letztlich auf Böhme und Opitz zurück.

Zu ihren schöpferischen Nachfahren gehören der Dichter des »Cherubinischen Wandersmanns« *Angelus Silesius* (Johann Scheffler aus Breslau, * 1624, † 1677 ebd.), der Meister des deutschen Hochbarocks *Andreas Gryphius* (* 1616 in Glogau, † 1664 ebd.), dessen Dichtungen etwa die Elegie »Tränen des Vaterlandes« und das Lustspiel »Die geliebte Dornrose«, noch heute bekannt sind, der bereits genannte *Friedrich von Logau* (* 1604 in Brockhut bei Nimptsch, † 1655 in Liegnitz) mit »Teutsche Sinngedichte dreitausend« und einer der größten deutschen Lyriker überhaupt, *Johann Christian Günther* (* 1695 in Striegau, † 1723 in Jena), dessen beste Gedichte zum ewigen Besitz der deutschen Literatur zählen.

Ein großer Schlesier vollkommen anderer Strebung ist *Georg von Giesche* (* 1653 in Schmartsch bei Breslau, † 1717 in Breslau). Er darf als der deutsche Pionier der »Galmeigräberei« angesprochen werden. Galmei ist das spätlateinisch-deutsche Wort für Zinkerz. Giesche ist der Schöpfer der Zinkerz-, Bleierz- und Steinkohlegewinnung in Oberschlesien. Ein Gutteil des schlesischen Reichtums geht auf diesen ersten Galmeigräber des 17. Jahrhunderts zurück. *Karl Godulla* (* 1781 in Makoschau in Oberschlesien, † 1848 in Breslau), der im Gegensatz zu Giesche aus den untersten Volksschichten stammte, hat zwei Generationen später dessen Werk weitergeführt. An seinem Lebensabend um 1840 ist er der »oberschlesische Zink- und Kohlenkönig« gewesen. Wahrscheinlich war er zu dieser Zeit der größte Zinkindustrielle Deutschlands und Europas.

Das 19. Jahrhundert ist die große Zeit Schlesiens. Da leben *Josef Freiherr von Eichendorff* (* 1788 auf Schloß Lubowitz, † 1857 in Neiße), einer der bedeutendsten Lyriker deutscher Sprache, und der Berliner Lokomotiven-Schöpfer *August Borsig* (* 1804 in Breslau, † 1854 in Berlin).

In der ersten Hälfte des Jahrhunderts wirken ferner der Maler-Dichter *August Kopisch* (* 1799 in Breslau, † 1853 in Berlin), Entdecker der Blauen Grotte auf Capri, und der Dichter-Komödiant *Karl von Holtei* (* 1798 in Breslau, † 1880 ebd.), dessen Sinnspruch »Suste nischt ock heem« (sonst nichts als heim) und dessen Lied vom Mantel »Schier dreißig Jahre bist du alt« allgemein bekannt sind.

Da wirken der evangelische Theologe und Philosoph *Friedrich Schleiermacher* (* 1768 in Breslau, † 1834 in Berlin) in Berlin, der ursprünglich revolutionäre Schriftsteller und spätere Burgtheater-Intendant in Wien *Heinrich Laube* (* 1806 in Sprottau, † 1884 in Wien), der Romanschriftsteller *Willibald Alexis* (W. Häring, * 1798 in Breslau, † 1871 in Arnstadt/Thür.), Autor des berühmten Romans »Die Hosen des Herrn von Bredow«, und der ausgezeichnete Dichter, Schriftsteller und Politiker *Gustav Freytag* (* 1816 in Kreuzburg O/S, † 1895 in Wiesbaden), dessen Roman »Soll und Haben« und Lustspiel »Die Journalisten« unvergessen sind.

TALSPERRE GOLDENTRAUM · Die vielen zur Oder hineilenden Gebirgsbäche, die sich zur Zeit der Schneeschmelze in reißende Flüsse verwandeln konnten, wurden durch die Anlage zahlreicher Talsperren gezähmt. Eine von ihnen ist der reizende Stausee von Goldentraum, inmitten der Berge und Wälder.

Fried. E. D. Schleiermacher
* 21. 11. 1768, † 12. 2. 1834
Theologe

August Borsig
* 23. 6. 1804, † 6. 7. 1854
Techniker

Adolf von Menzel
* 8. 12. 1815, † 9. 2. 1905
Maler

Ferdinand Lassalle
* 11. 4. 1825, † 31. 8. 1864
sozialist. Politiker

In derselben Epoche entwickelte sich der politische Publizist *Friedrich Gentz* (* 1764 in Breslau, † 1832 in Weinhaus bei Wien) zum vertrauten Berater des großen österreichischen Staatsmanns Klemens Fürst von Metternich, schuf *Carl Gotthard Langhans* (* 1732 in Landeshut, † 1808 in Grüneiche) das Brandenburger Tor, legte der legendenumwobene Edelmann und Weltreisende *Hermann Fürst von Pückler* (* 1785 in Muskau, † 1871 in Branitz) seine weltberühmten Parks in Muskau und Branitz an, wurde *Friedrich Wilhelm Riemer* (* 1774 in Glatz, † 1845 in Weimar) der »Kanzler« des greisen Goethe und von diesem mit der Herausgabe der letzten Schriften und des Nachlasses betraut, entdeckte der Physiker *Johann Wilhelm Ritter* (* 1776 in Samitz bei Hagnau, † 1810 in München) die ultravioletten Strahlen.

Auf die Neuzeit zu

Auch die zweite Hälfte des 19. Jahrhunderts bis zur Mitte des 20. hat viele große Schlesier hervorgebracht. *Guido Graf von Henckel, Fürst von Donnersmarck* (* 1830 in Breslau, † 1916), einer der größten Grund- und Grubenbesitzer der Welt mit einem Privatvermögen von einer runden Milliarde Goldmark, hat das moderne Wirtschaftsleben in Schlesien entscheidend mitgestaltet. *Paul Ehrlich* (* 1830 in Strehlen, † 1916 in Homburg v. d. H.) hat in Gemeinschaft mit dem Japaner Hata das Heilmittel der Syphilis »Salvarsan« entwickelt und dafür den Nobelpreis erhalten, der Politiker *Ferdinand Lassalle* (* 1825 in Breslau, † 1864 in Genf) ist der Gründer des »Allgemeinen deutschen Arbeitervereins« geworden, aus dem die SPD hervorging, der Zeichner *Adolf von Menzel* (* 1815 in Breslau, † 1905 in Berlin), der wegen seiner geringen Körpergröße am Berliner Hof »die kleine Exzellenz« genannt wurde, hat die Zeit Friedrichs des Großen gültig illustriert. Dem Mediziner *Albert Neisser* (* 1855 in Schweidnitz, † 1916 in Breslau) ist der Nachweis des Lepra-Bazillus gelungen, der Chemiker *Fritz Haber* (* 1868 in Breslau, † 1934 in Basel), Direktor des Kaiser-Wilhelm-Instituts zu Berlin, hat die Ammoniak-Synthese (Haber-Bosch-Verfahren) entdeckt und dafür den Nobelpreis erhalten.

Ein weiterer Nobelpreisträger ist *Gerhart Hauptmann* (* 1862 in Obersalzbrunn, † 1946 in Agnetendorf). Er darf als der größte dramatische und epische Dichter Schlesiens, ja als einer der größten deutschen bezeichnet werden. Seine wichtigsten Werke »Die Weber«, »Florian Geyer«, »Fuhrmann Henschel«, »Der Biberpelz« und »Rose Bernd« sind allgemein bekannt.

Auch sein älterer Bruder *Carl Hauptmann* (* 1858 in Obersalzbrunn, † 1921 in Schreiberhau) und der ehemalige Lehrer *Hermann Stehr* (* 1864 in Habelschwerdt, † 1940 in Oberschreiberhau) haben als mystische Dichter bleibende Geltung errungen. Carl Hauptmanns bedeutendste Werke sind der Roman »Einhart der Lächler«, das Drama »Die armseligen Besenbinder« und das »Rübezahlbuch«. Hermann Stehr ist der Schöpfer des »Begrabenen Gott«, des »Heiligenhof« und der »Maechler-Trilogie«.

Fremde Mitgestalter

Ein großes reifes Kulturwerk wird niemals von den »Einheimischen« allein geschaffen. Das klarste Beispiel dafür ist Berlin. Auch in Schlesien haben große Menschen aller Stände und Berufe oftmals ihr Leben lang gewirkt – zum Segen des Landes und Volkes und schließlich wohl auch zu eigenem Glück. Diejenigen, die lange Zeit dort geblieben sind, haben schlesische Züge angenommen.

Wer hielte die *heilige Hedwig* (* 1174 in Andechs, † 1243 in Trebnitz), einstmals Gemahlin des Herzogs Heinrich I., nicht für eine echte Schlesierin? Das schlesische Volk hat sie zu seiner Schutzpatronin gewählt. Die schlesischen Katholiken wallfahren zu ihrem herrlichen Grabmal in Trebnitz. Ihr Sohn, Herzog *Heinrich II.*, ist im Abwehrkampf der Schlesier gegen die Mongolen bei Liegnitz im Jahre 1241 gefallen. Und dennoch ist die Herzogin Hedwig eine gebürtige Tirolerin. Auch der berühmte »schlesische Minnesänger« *Herzog Heinrich IV.* (13. Jahrhundert) von Pressela (Breslau), der durch die »Manessische Handschrift« unsterblich geworden ist, ist kein gebürtiger Schlesier, ebensowenig der Mitschöpfer des humanistischen Stils in Schlesien, *Johann von Neumarkt* (* um 1310, † 1380), der ein Böhme war.

Auch der eigentliche Schöpfer der schlesischen Barockmalerei, dem die berühmten Altargemälde in den Klosterkirchen von Leubus und Grüssau zu danken sind, hat Schlesien als Wahlheimat angesehen. Von Geburt ist *Michael Willmann* (* 1630, † 1706), der »schlesische Raffael«, wie die begeisterten Zeitgenossen ihn nannten, Ostpreuße (aus Königsberg), hat aber mehr als sein halbes Leben in Schlesien verbracht, wo er in dem geliebten Kloster Leubus gestorben und begraben ist.

Die großen Architekten beinahe aller deutschen Stämme haben in Schlesien gebaut, die österreichischen Barockmeister Fischer von Erlach, Lukas von Hildebrand und deren einheimische und fremde Schüler, der Meister des preußischen Klassizismus Karl Friedrich Schinkel; der geniale Vorläufer der Moderne Hans Poelzig. Manche von ihnen haben lange Zeit in Schlesien gelebt, so Poelzig als Lehrer und späterer Direktor der Breslauer Kunstakademie. Die weltberühmte Josefinenhütte bei Schreiberhau im Riesengebirge, die das wahrscheinlich beste Kalk-Kali-Glas Deutschlands in kristallener Klarheit, in herrlichen Farbflüssen und mit prachtvollen Schliffen hergestellt hat, verdankt ihre Leistung dem Sudetendeutschen *Franz Pohl* (* 1813 in Harrachsdorf, † 1884 in Josefinenhütte). Er ist der Wiederentdecker der verlorenen altvenezianischen Technik der Netz- und Millefiorigläser.

Die schlesische Gelehrsamkeit ist von manchen Fremden gefördert worden. Der berühmte »schlesische Graf« *Ludwig von Zinzendorf*, der die Brüdergemeinen von Herrnhut mit ihren Tochtergesellschaften in Schlesien schuf, ist ein Sachse gewesen (* 1700 in Dresden, † 1760 in Herrnhut). *Johann Praetorius* (Hans Schultze), dem die erste Aufzeichnung der schlesischen Rübezahl-Sagen zu danken ist, stammt aus der Altmark (* 1630 in Zethlingen, † 1680 in Leipzig) und hat als Magister in Leipzig gewirkt.

Auch der Komponist *Carl Maria von Weber*, ein gebürtiger Holsteiner (* 1786 in Eutin, † 1826 in London), der die deutsche romantische Oper vollendet hat, hat einige Jahre in Schlesien gewirkt. Zunächst ist er Opernkapellmeister in Breslau gewesen, anschließend hat Prinz Eugen von Württemberg ihn als Musikdirektor in seine oberschlesische Sommerresidenz, das reizend gelegene Carlsruhe (bei Oppeln) geholt. Dort ist »Der Freischütz« entstanden.

Die Landesuniversität zu Breslau und die Landesbühnen in Breslau, Liegnitz, Beuthen, vor 1922 auch Kattowitz, haben »Gastspiele« von Nichtschlesiern oft über Jahrzehnte hin erlebt. Wer nennt die Namen aller der Gelehrten und Künstler, die in Schlesien wirksam geworden und zu hohem Ruhm gelangt sind? Viele hundert Künstler der Neuzeit aus allen deutschen Ländern haben ihre Laufbahn in Schlesien, insonderheit in Breslau, begonnen. Von ihnen wie von den anderen »Arbeitern im Weinberg« der Kunst, den Malern, Bildhauern, Architekten, Musikern und den bedeutenden Journalisten hat eine starke mitgestaltende Kraft auf Schlesien gewirkt. Die großen Schlesier in ihrer Wirkung auf Deutschland kann man ohne die Wechselwirkung der anderen Deutschen auf Schlesien nicht darstellen.

GLASSCHLEIFER · Schlesische Glaswaren sind seit Jahrhunderten berühmt und begehrt. In kleinen und großen Betrieben, besonders in der Josephinenhütte, wurden kunstvolle Arbeiten, aber auch Gegenstände für den täglichen Gebrauch in Küche und Haushalt mit der dem Schlesier eigenen Sorgfalt hergestellt.

Ein hervorragendes Wirtschaftsgebiet

Dank der Ergiebigkeit seiner Land-, Forst- und Teichwirtschaft darf Schlesien als eines der glücklichsten Wirtschaftsgebiete Deutschlands, ja wohl ganz Europas angesehen werden. Vor Beginn des zweiten Weltkriegs hat es außer der eigenen Bevölkerung von 4,7 Millionen noch 2,5 Millionen Menschen zu ernähren vermocht. Die Kernstücke seiner Landwirtschaft sind die fruchtbaren Löß- und Schwarzerdegebiete der Liegnitzer Heide zwischen dem Zobten, Jauer und Breslau, nördlich davon bis an das Katzengebirge, südlich von Glogau, rund um Oppeln und die ertragreiche Hochfläche zwischen Neustadt und Leobschütz.

Die Agrarverfassung ist recht verschiedenartig gewesen. Die »Herrschaft mit ihren Gutsdörfern kleinerer Bauern und Landarbeiter, die Dörfer freier Groß- und Mittelbauern und die »Kolonien« kleiner Bauern im Berg-, Wald- und Sumpfland, darunter Siedlungen ehemaliger preußischer Soldaten, wechseln in bunter Folge einander ab. Der Kreis Militsch-Trachenberg weist den Großgrundbesitz der Fürsten Hatzfeld, einige Rittergüter bürgerlicher Pächter und Besitzer, Bauernwirtschaften von 300 bis 50 Morgen und Kleinsiedlungen auf.

Viehzucht, Roggen, Weizen, Hafer, Gerste, Mais, Kartoffel und Rübe kennzeichnen Schlesiens Landwirtschaft. Die Zuckerrübe ist lange Zeit »schlesische Rübe« genannt worden, weil der Berliner Franz

N
OSTSE
Hiddensee
ALTENKIRCHEN
Stubbenkammer
RÜGEN
SASSNITZ
Der Dolmen
POMMERSCHE BUCHT
STRALSUND
GRIMMEN
GREIFSWALD
WOLGAST
SWINEMÜNDE
HORST
DEMMIN
WOLLIN
Usedom
STETTINER HAFF
ELDENA
GREIFENBERG
GOLLNOW
ANKLAM
STETTIN
NEUBRANDENBURG
PASEWALK
NEUSTRELITZ
STARGARD
GREIFENHAGEN
KOLBATZ
Pommern * Westpreußen
Oder
Plöne
PYRITZ
EBERSWALDE
ODERBRUCH
WARTHEBRUCH

Leba
Lupow
RÜGENWALDE
LAUENBURG
STOLP
Stolpe
KÖSLIN
SCHLAWE
BÜTOW
Wipper
OLBERG
Radüe
REPTOW
BELGARD
Persante
GRENZ=
SCHIVELBEIN
BAD POLZIN
KONITZ
POMMERSCHE SEENPLATTE
SCHLOCHAU
MARK
IENWALDE
DEUTSCH KRONE
FLATOW
POSEN=
SCHNEIDEMÜHL
BROMBERG
WESTPREUSSEN
SCHÖNLANKE
KREUZ
UCH
W. PROBST

Karl Achard auf seinem Gute Cunern bei Wohlau den Anbau im großen Stil begonnen und den Rübenzucker entwickelt hat, der Deutschland vom tropischen Rohrzucker unabhängig machte.
Die Forstwirtschaft ist »Herrenwirtschaft« genannt worden, weil die Wälder zumeist dem Adel, später dem Staat oder einigen großbürgerlichen Unternehmern gehörten. Der für Süddeutschland bezeichnende »Bauernwald«, das Forstgebiet der Einzelbauern einer Gemeinde, ist in Schlesien selten. Ein dichtes Netz von zumeist mittleren oder kleinen Sägewerken – der Kreis Hirschberg im Riesengebirge besitzt deren 26 – verarbeitet den jährlichen Einschlag. Neben dem üblichen Bau- und Tischlerholz werden Grubenstempel zur Abstützung der Schächte und Schleifholz hergestellt. Die schlesische Holzindustrie hat nicht nur Mittel-, West- und Norddeutschland, sondern auch Belgien und Frankreich beliefert. Die Zellstoffindustrie ganz Deutschlands ist weitgehend mit Schleifholz versorgt worden. Auch die Papier- und Pappeindustrie Schlesiens ist ohne den Holzreichtum nicht zu denken. Die Leistungen der großen Zellstoffwerke im Kreise Hirschberg haben die deutsche Wirtschaft belebt.
Die Teichwirtschaft, vornehmlich in Nordschlesien (Trachenberg-Militsch) und um Liegnitz (Hagenau), ist mittelalterlichen Ursprungs. Karpfenzucht hat überall zur Klosterwirtschaft gehört, die ihre schmackhafte Fastenkost selbst erzeugte. Später ist sie vielfach verfallen. Der Betrieb auf sumpfigen Wiesenflächen, die zu bewässern und wieder zu entwässern sind, ist mühsam. Die zähen Schlesier haben sie fortgeführt und durch neue Anlagen modernisiert. In den letzten Jahrzehnten haben sie die kleinköpfigen fleischreichen Karpfen gezüchtet. So ist es dazu gekommen, daß vor 1939 jeder zweite Weihnachtskarpfen einer deutschen Familie aus Schlesien stammte.
Hierher gehört auch das seit dem Mittelalter blühende Braugewerbe, dessen Biere weit über die Provinz hinaus bekannt sind.
Mit der Goldsuche hat die schlesische Industrie begonnen. Die Edelmetall-Vorkommen haben viele deutsche Siedlersöhne zur Goldwäscherei getrieben. Goldberg, Silberberg und die vielen Orte mit -seiffen (waschen) als Endsilbe sind die lebendigen Zeugen dieser frühen Schatzsucher. Was dabei tatsächlich herausgekommen ist, scheint nicht bedeutend gewesen zu sein, obwohl Sagen phantastische Funde melden. Dennoch ist die zunächst abenteuerliche Arbeit nicht vergeblich gewesen. Die Schatzsucher sind auf das Raseneisenerz in den Sudeten, bei Sprottau, in den Urwäldern der Malapane und der Bartsch gestoßen. So sind die ersten Eisenhämmer, Vorformen der eisenverarbeitenden Industrien, entstanden.
Die Tonwaren aus Bunzlau, die späteren Großbetriebe für feuerfeste Steine (Schamotte) in Sarau bei Breslau, das Gebrauchsporzellan in Waldenburg und Königszelt gehen ebenfalls auf die Goldsucher zurück. Auch die Natursteine – Granit bei Strehlen, Schiefer des Zobtengebiets, ein edler Marmor bei Kuntzendorf, Bergkristall, Achat und Amethyst im Riesengebirge – sind von den Schatzsuchern entdeckt worden.
Die Handweberei in den Sudeten hat früh begonnen. Sie hat unzähligen Kätnern Elend und wenigen Unternehmern Reichtum gebracht. Gerhart Hauptmann hat das Thema in seinem Drama »Die Weber« auf die Bühne gebracht.
Aus den tragischen Anfängen ist die Gewebe-Industrie Schlesiens erwachsen, die Weltruhm erworben hat. Die Baumwollindustrie um Schweidnitz, die Wollindustrie in Liegnitz, die Leinenindustrie längs der Sudeten umfaßt insgesamt 180 Fabriken mit rund 100 000 Arbeitern. Die Firmen Dierich, Kramsta, Grünfeld haben ihre Produkte über alle sieben Meere der Welt erfolgreich verfrachten können. Ein einziges Laubaner Werk hat täglich 20 000 Taschentücher hergestellt, deren fernste Benutzer in Neuseeland und Korea seßhaft sind. Und Breslau ist bis 1945 das unumstrittene Zentrum der Damenmäntel-Industrie gewesen: jede dritte deutsche Frau hat einen »Breslauer« Mantel getragen.
Voran steht die Kohle, die in Oberschlesien und bei Waldenburg gefördert wird. Sie ist eine der großen Quellen des Wohlstands. Der soziale Aufstieg breiter Schichten des ober- und niederschlesischen Volkes ist dem »schwarzen Diamanten« zu danken.
Eisen- und Zinkindustrie ist nur in Kohlegebieten möglich. Das haben der nordwestdeutsche Graf Reden und der oberschlesische Pferdejunge Godulla früh begriffen. Sie wußten, daß in Schlesien die größten Vorkommen Europas an Eisen, Zink und Blei liegen. Ein Drittel der Roheisen-, Stahl- und Walzwerkprodukte Schlesiens stammte bis 1945 aus Schlesien selbst. Die Schwerpunkte der verarbeitenden Industrien in Breslau und Görlitz sind damit versorgt worden. Die Metallbetriebe, von denen einige Weltruf genießen, haben von den Breslauer Messen aus den gesamten Südostraum Europas versorgt. Lokomotiv- und Waggonfabriken, Uhrenfabriken, die Herstellung von Dieselmotoren, landwirtschaftlichen Maschinen, Elektrogeräten, Metallfolien, Wassermessern und chirurgischen Instrumenten kennzeichnen das schlesische Industriepotential.
Das alles wäre ohne Schlesiens vorbildliche Energiewirtschaft nicht zu leisten gewesen. Die Stromerzeugung hat 1939 an der Spitze aller deutschen Länder östlich der Elbe gestanden. Die elektrische Energie wird zu fünf Sechsteln durch die Steinkohle und zu einem Sechstel durch die Talsperren gewonnen. »Schlesische Elektrizität«, eine Riesengesellschaft mit Zulassung an vielen deutschen Börsen, und »Ferngas Waldenburg« mit Leitungen bis in entlegene Riesengebirgsbauden haben nicht nur die Industrie, sondern auch die moderne Landwirtschaft gefördert.
Es sollte, wenn von Schlesien die Rede ist, jeder Deutsche eine Anschauung haben des »zehnfach interessanten Landes – dieses sonderbar schönen, sinnlichen und begreiflichen Ganzen«, wie Goethe das eigenartige, reiche und vielgesichtige Land Schlesien genannt hat.

Humor in Schlesien

Klassenwahl nach Farbe

Der Motza-Gottl, der mit bürgerlichem Namen Gottlieb Motz hieß, war ein Original aus Steineiffen im Riesengebirge. Ein »Audiak«, wie man in Schlesien sagt. Als er — vor 1900 war's — die erste Eisenbahnfahrt seines Lebens auf der neuen Strecke nach Görlitz unternehmen wollte, trat er an den Schalter. »Lauban«, sagte er. Der Beamte fragt: »Welche Klasse?« Und der Motza-Gottl: »Nu, halt Stellenbesitzer-Volk, mechta ma sprecha.« Da wurde der hinter dem Schalter ungehalten: »Ich meine die Sorte des Billetts.« Der Audiak war nicht aus der Ruhe zu bringen. Er fragte: »Welche Sorten hätten Sie denn?« Und der Beamte witzig: »Grüne, braune und graue« (II., III. und IV. Klasse, die es damals noch gab). — »Gebense grau; das schmutzt nich aso«, meinte der Motza-Gottl gemütlich.

Über Schlackenwerth ins Himmelreich

Der schlesische Graf Schaffgotsch kam durch den Tod eines Oheims in den Besitz der Herrschaft Schlackenwerth in Böhmen. Vorbedingung war, daß er zur katholischen Religion übertrat. Graf Schaffgotsch teilte Friedrich dem Großen mit, daß er die Erbschaft antreten wolle und den Religionswechsel vornehmen müsse. Darauf schrieb ihm der König: »Viele Wege führen zum Himmelreich; Euer Liebden haben den über Schlackenwerth eingeschlagen. Ich wünsche eine glückliche Reise!«

Trumpf und Triumph

Die Bauern von Nippern sind als »Spielratten« berüchtigt. »Schlesische Lotterie«, »Mauscheln« und »Schafkopf« ist ihre Leidenschaft, die manchen an den Rand des Abgrunds gebracht hat. Das gefällt dem Pfarrer natürlich nicht. Er geht am Ostersonnabend in den Kretscham und ruft die Spieler zur Ordnung. »Fang deine Predigt mit ›Trumpf aus!‹ an, dann kommen wir in die Kirche, und du kriegst dein Opfergeld«, ruft ein Betrunkener. Der Pastor stimmt fröhlich zu. Früh ist die Kirche voll. »Trumpf aus!« beginnt der Geistliche die Osterpredigt. »So, liebe Christen, heißt es bei den Gottlosen. Ich aber rufe Triumph aus. Triumph! Denn unser Heiland ist auferstanden.« Die Spielerratten waren einigermaßen betreten, spendeten überreichlich und schworen sich selbst Besserung.

Einseitiger Verkehr

Von einem schlesischen Prediger ging das Gerücht, er verkehre mit Geistern. Friedrich der Große beschied den guten Mann zu sich und fragte: »Kann Er Geister beschwören?« – »Zu Befehl, Majestät, aber sie kommen nicht!«

In alter Freundschaft

Ein Mann spricht Gerhart Hauptmann in Berlin an: »Entschuldigen Sie, heißen Sie nicht Hauptmann?« Der Dichter, dessen Drama »Die Weber« gerade Triumphe erlebte, nickt freundlich. — »Mensch, Gerhardel, kennst du mich nicht mehr? Ich bin doch dein Mitschüler, der Müller-Emil, Versicherungsvertreter, verheiratet, drei Kinder. — Und was ist eigentlich aus dir geworden?«

Der Mann will zahlen

Der Kretschmer (Gastwirt) Girock aus Karoschke sitzt, die Hände in den Taschen, am warmen Kachelofen und sinnt vor sich hin. »Simulieren« nennt man es in Schlesien. Sein einziger Gast, ein Reisevertreter, verlangt die Rechnung. »Weib, kumm amal!« ruft der Girock in die Küche. »Der Moan will zahl'n. Und ich hoa groade de Hände in der Toasche.«

Die Ausrede

In einem kleinen Städtchen Oberschlesiens geschah es, daß ein Rechtsanwalt von seinem Pfarrer gestellt und gefragt wurde, warum man ihn seit Wochen nicht in der Kirche gesehen habe. Schlagfertig antwortete der Angeredete: »Nehmen Sie es mir nicht übel, aber ich sitze lieber in meinen Akten und denke an die Kirche, als daß ich in der Kirche sitze und an meine Akten denke!«

Freuden des Familienlebens

Die Hampel-Philomena ist »a zänkisches Luder«. Das jedenfalls meint ihr freundlicher Ehemann. Als einmal wieder der Haussegen besonders schief gehangen hat und nach endlosem Palaver die Hampeln in den Kuhstall abgerauscht ist, sagt der zwölfjährige Gustel seufzend: »Voata, wie hibsch kennten mer beede leben, hätten mer de Mamma nich kennengelernt.«

Auf die Hose kommt's an

Am Fahrkartenschalter verlangt eine Frau ein Billett und ein Kinderbillett nach Breslau. Sagt der Beamte: »Aber liebe Frau, Ihr Junge hat ja schon lange Hosen an.« Die Frau darauf schlagfertig: »Geht's bei der Bahne jetze nach a Hosen? Da fährt der Junge fer voll und ich halt of Kinderbillett.«

Die Braut im Bett

Der Pfarrer eines oberschlesischen Dorfes wartet in der Kirche auf die Hochzeiter. Die Trauzeugen sind erschienen. Auch der Bräutigam erscheint — wenn auch reichlich verspätet. Der Pfarrer wird wütend: »Ich stehe hier schon eine halbe Stunde. Wo bleibt die Naska?« Der Bräutigam ist hochrot. Schweißperlen stehen auf seiner Stirn. Schließlich stammelt er: »Herr Pfarrer, wenn's erlaubt wär, mechte ich mir erlauben, ob nicht kann Trauung sein im Hause wie bei feine Leute?« Der Pfarrer fragt ungehalten nach dem Grund. »Die Naska liegt nämlich im Bette«, erwidert der Bräutigam aufgeregt. »Das Luder Storch hat nicht warten können.«

Den Kohl gerochen

Auch verstecktes Eigenlob deckte Kardinal Bertram unbarmherzig auf. Bei einer Wallfahrt erzählte ihm ein Ordensmann von einer seiner Predigten im Freien, bei der sogar ein Hase herbeigeeilt sei und gelauscht habe. Trocken bemerkte der Kardinal: »Ja, der Hase hat eben den Kohl gerochen!«

Mit Behagen

Bei einer Tischgesellschaft wurde dem schlesischen Komiker Beckmann ein Platz zwischen den Schwestern Auguste und Charlotte Hagn angewiesen. Beckmann machte sich seinen Tischnachbarinnen bekannt und sagte schmunzelnd: »Zwischen A. Hagn und C. Hagn kann man nur mit ›Behagen‹ sitzen!«

Klaus von Bismarck *Meine Heimat*

So du nicht Maler bist und ein Porträt im Sinne hast, so siehst du deiner eigenen Mutter nicht stetig prüfend ins Angesicht. Du betrachtest nicht ihre Hände und ihr Wesen, so lange sie selbstverständlich da ist. Vielmehr sind es die selteneren Augenblicke des Schmerzes, der lauschenden Freude und Dankbarkeit, in denen sich uns das Wesen einer nahen und heimatlichen Gestalt so erhellt und erschließt, daß sich die Züge tief einprägen.
Über Pommern, mein Heimatland, habe ich so horchend und forschend besonders im Frühjahr 1945 nachgedacht. In diesem Augenblick durchmaß ich als Soldat die Strecke von Leba zum Darß noch einmal auf dem Seewege.
In diesen Tagen ahnte ich mit vielen anderen nicht, wo meine Gedanken die Familie in den Menschen bewegenden Kriegswirren suchen sollten. In meinem Heimatdorf, Kniephof am Zampeltal, würden jetzt bald die Maikäfer um die dunkle Kastanie am Hause schwirren. Mein ältester Junge konnte jetzt wohl den alten Kinderreim ein wenig abgewandelt singen:

»Maikäfer flieg,
der Vater ist im Krieg;
die Mutter treckt aus Pommerland,
Pommerland ist abgebrannt;
Maikäfer flieg!«

Die Ostsee glänzte, als wir Stubbenkammer passierten. Einige fröhlich-bunte Fischersegel waren sogar draußen. Aber die Gedanken um dies Pommerland und seine Menschen waren grau vor Schmerz und Sorge: Du offenes, jetzt stellvertretend besonders leidendes Land deutscher Geschichte!
Mein Großvater holte sich seine Frau aus Hessen, mein Vater aus Berlin und ich selbst aus der Neumark. Es ist überliefert, und ich erfuhr es selbst, wie es sehen und auf das Wesen einer Landschaft horchen lehrt, einer geliebten Frau das Land, in dem sie einmal Wurzel schlagen soll, zu beschreiben. In diesem Augenblick kommt im Mitdenken für den Nächsten eine herbe Kargheit des pommerschen Heimatlandes in den Blick.
Da gibt es hin und wieder an der Bahn oder sonst am Weg auf die Heimat zu Strecken öder Kiefernheide. Viele Ackerbürger- und Kreisstädtchen mit ihrem Kopf-Pflaster und ihren Scheunen-Vierteln empfehlen sich nicht sogleich. Ein altes gotisches Tor, einige Giebel aus der Hansezeit und die wuchtige Kirche machen den nüchternen, herben Eindruck ebensowenig für jedermann wett wie die Badeanstalt am freundlichen See.
Da gibt es im Sommer in den sandigeren Gegenden durchsichtigen Roggen hinter einer Kieskuhle, weite menschenleere Flächen von Kartoffelblüten, deren kräftige Reinheit nur den landwirtschaftlichen Fachmann anspricht.
Da gibt es im Winter schneeverwehte Feldwege, von Kopfweiden gesäumt, die sich im Abenddämmern melancholisch von der blankgefrorenen Schneekruste abheben.
Aber an der Hand einer liebenden Frau oder in ähnlichen Augenblicken lauschender Freude haben viele mit mir gelernt, wie reich dies manchmal karg erscheinende Pommernland ist. Denn gleich hinter der Kiefernheide führt der Weg aus mahlendem Sand in ein liebliches, fruchtbares Flußtal.
Mit seinen Eichen, Erlen und Fichten, mit Rohr und Wiesenschaumkraut ist es ein leuchtendes Stück Schöpfung, das Glück, Freude und Lobpreis Gottes wiedergibt. Die breite Eichenallee führt durch Koppeln und Wiesen an der Dorfschmiede vorbei zum heimatlichen Gutshof.
In der Kreisstadt lernst du sehen, wie der Geist des Landratsamtes viel gediegener ist als der architektonische Stil des Gebäudes. Denn es sieht aus wie viele Postämter, Wehrbezirkskommandos und Bahnhöfe in Preußen. Das die Kreisverwaltung bergende Gebäude mag auch an eine Villenstraße anschließen, die den Grunewald-Villenstil des 19. Jahrhunderts mit Erfolg imitiert.
Aber geh' in die preußischen Amtsstuben des Kreises, wärme dich im Winter auf im Bahnhof der kleinen Station, hole Rat ein bei der Kreissparkasse, sieh in das verschlagen-drollige Gesicht des brummelnden Milchfahrers und du lernst vom zuverlässigen Dienst pommerscher Menschen für das Allgemeinwohl.
Gewiß, die Erzeugnisse der Elysium-Brauerei aus Stettin konnten bei bestem Willen nicht die verfeinerten Genüsse einer Großstadt ersetzen. Aber es gibt noch andere Anzeichen von Kultur, als klassische Bildung und großstädtische Zivilisation. So kannst du deine junge Frau und mit ihr alles, was Schutz braucht, pommerschen Menschen getrost anvertrauen. Es sind gute, väterliche Hände, die dort die Drillmaschine gesteuert haben und in Vorpommern heute noch steuern. Es sind gute mütterliche Gebärden, die sich auf der Dorfweide über die goldgelben Gössel und das zum Bleichen ausgelegte Leinen beugten.

Es ist kein Land blitzenden Geistes, kühner Unbekümmertheit oder bestechender Schönheit. Aber es hat viel gütige Männlichkeit wachsen lassen und mütterliche Nüchternheit. Diese protestantische Landschaft hat auch keine bekannten Heiligen hervorgebracht. Aber die Gestalt eines pommerschen Schäfers mit Strickzeug und weißem großem Hund könnte als Schutzpatron dieses Landes gelten.

Die Aufgabe eines Bürgermeisters oder eines Offiziers, eines Gutsherren, Treckerführers oder Försters so wahrnehmen wie ein von Gott gegebenes Hirtenamt, das ist bestes, kräftiges Erbteil der Pommern.

Wie können wir unseren Kindern, auch wenn sie nicht mehr in Pommern geboren sind, so von diesem Land erzählen, daß die Herkunft dieses Erbes für sie lebendig wird? Es sollte nicht zunächst eine Stunde der Wehmut, sondern der Dankbarkeit sein. Sie lehrt, wie die Liebe, sehen und annehmen.

Warum sollen wir beim Erzählen nicht mit dem kleinen Schweden Nils Holgersson und den Wildgänsen über Pommernland reisen? Schweden ist ohnehin ein nahes Gegenüber.

Laß also die großen ernsthaften Vögel gen Norden auf dem Handelsweg des Bernsteins oder der Römer das Odertal entlangziehen, folge ihnen über dem Stettiner Hafen hoch in klarer Luft. Sieh sie über dem Haff schweben und laß bei deinem Erzählen die weißen Häuserkästchen der Ostseebäder unter dem Flugkeil aufleuchten.

Reise mit den Gänsen zum Wotschwin-See oder folge der Stolpe. Und während der Rast: laß den für uns mitreisenden kleinen Knirps beim Flachs-Braken oder beim Backen um einen alten Dorfbackofen schleichen und dem Gelächter der Frauen lauschen; laß ihn auf Fischer hören beim Netzeflicken.

Oder was soll uns hemmen, die Erzähl-Reise für unsere technisch interessierten Kinder einmal ungehindert von heute trennenden politischen Grenzen mit dem Flugzeug zu unternehmen?

Steige auf am Saaler Bodden und richte nach einer Schleife über Ahrenshoop den Kurs nach Osten. Jetzt kannst du einmal alle wichtigen Häfen aufsuchen oder wie auf dem Geschichtsatlas die Klöster der ostdeutschen Kolonisation in ihrer geographischen Lage entdecken: Bergen, Eldena, Cammin, Kolbatz und Belbuck. Fliege den einen oder anderen Kurs mit deinen Kindern bis Lauenburg und zurück. Lehre sie so mit den Schwingen der Gänse oder des Flugzeugs Dankbarkeit für dieses Erbe.

Wenn wir unseren Kindern, von der Phantasie beflügelt, so von Pommern erzählen, werden sie begreifen, in welcher Weise dies fruchtbare Land unsere und ihre Muttererde ist. Sie werden etwas davon aufnehmen, daß Pommern als eine stille Landschaft im bunten Kranz der deutschen Länder einst nicht nur für das ganze Deutschland einen wichtigen Beitrag zur Ernährung geleistet hat, sondern bis heute im besten Erbteil seiner Menschen etwas ist wie kräftiges, von Gott besonders gesegnetes Roggenbrot.

ERNST KRIENITZ Pommern

Pommerns Landschaft prägten Land und Meer. Sie geben die volltönende Dominante ab, die sich nie überhören läßt weder in der Ferien- und Ernteglück ausstrahlenden Sommerszeit noch im Winter, wenn Tage und Nächte von klirrendem Frost widerhallen. Die Luft geht frisch und schmeckt nach Salz.

Will man in Erfahrung bringen, woher es kommt, daß Pommern keineswegs so reizlos und langweilig ist, wie nur Ahnungslose annehmen, so muß schon Schulweisheit her. Das freundliche Land macht es uns leicht, das nötige Rüstzeug zu erwerben, mit dem sich seine Struktur abzirkeln läßt.

Die Oder, Pommerns Strom, bietet die erste Hilfestellung an. Von Süden her stößt sie in den pommerschen Raum hinein, bringt Parnitz und Reglitz mit, bevor sie sich in das Haff ergießt, Peene, Swine und Dievenow in ihren Sog mit hineinnehmend – das Ganze eine Nord-Süd-Achse.

Die gewichtige Ost-West-Achse erscheint in den beiden gewaltigen Ablagerungsgürteln der vorgeschichtlichen Schutt- und Geröllhalden, die von den Gletschern der Eiszeit von Skandinavien her nach Pommern verfrachtet und dort abgeladen worden sind. »Moränen« sagt der Geologe für diese Erdhaufen und -felder, aus denen die flachere, stets bis ans Meer reichende »Grundmoräne« gebildet wird, und dahinter, in fast gleichbleibendem Abstand von der Küste und immer ihrem Schwunge folgend, die stattliche »Pommersche Endmoräne«, der sogenannte »Pommersche Landrücken«.

Die Grundmoräne, sandig, lehmdurchsetzt und zuweilen moorig, beginnt an der mecklenburgischen Grenze und füllt zunächst das Peenegebiet. Das Weizackerland bei Pyritz und nördlich davon die Buchheide bei Stettin bilden gewissermaßen die Brücke nach Ostpommern, wo der im allgemeinen ebene Landstrich in der Kösliner Gegend von der kuppigen und welligen Endmoräne gekreuzt wird und den *Gollen,* eine bewaldete große Anhöhe, entstehen läßt. Es kommt dabei für eine Tiefebene, wie die geographische Bezeichnung des gesamten norddeutschen Raumes lautet, zu beträchtlichen Bodenerhebungen, die südlich von Bütow bis zu einer Höhe von 250 Metern ansteigen.

Je weiter wir das Endmoränengebiet nach Westen zurückverfolgen, desto milder wird das Gepräge der Landschaft, lieblicher als anderswo in Pommern. In der Gegend von Polzin, wo die Schmelzwasser der Eiszeit sich zu freundlichen Seen stauten, folgt dem Komparativ der Superlativ. Der Baedeker setzt vor die Benennung »Pommersche Schweiz« drei Sterne, als ob der Kontrast noch schärfer betont werden soll, den das jüngste pommersche Gebiet abgibt: der breite, auf den Südhängen des langgestreckten Endmoränengürtels allmählich zum Netzebruch hin abfallende Komplex, der nun ab 1938 die Bezeichnung »Südostpommern« trägt. Seine zunächst noch bewegten Formen haben den für moränenbeeinflußte Bildungen typischen kuppigen Charakter. Dann aber wird das Land flach und flacher, sandiger, immer »brandenburgischer«, bis es den fruchtbaren, grenzenden Grünlandstreifen des Netzebruches erreicht. Alles in allem bildet auch das pommersche »Neuland« ein in sich geschlossenes und natürliches Stück Erde.

Pommern wäre damit gezeichnet. Die Landschaft

MEER UND MENSCH gehören an der Küste zusammen. Der feinsandige, breite Strand, der silbrig begraste Dünenstreifen, an den sich die Häuser inmitten freundlicher Gärten anschmiegen oder hinter dem sie vor Wind und Wetter Schutz suchend sich ducken, ihren Bewohnern aber dennoch den Ausblick auf die weite, freie, offene See belassend — Das ist Pommern.

KREIDEFELSEN BEI STUBBENKAMMER sind in ihrem blendenden Kontrast zu der farbig schimmernden See und dem dunklen Grün der Buchen das Einzigartige von Deutschlands größter Insel, Rügen, die, buchtenreich, mit üppigen Feldern und dichten Wäldern bedeckt, auch sonst reich an landschaftlichen Schönheiten ist.

selber hat, wie sie vor Tausenden von Jahren entstanden ist, den Griffel geführt. Es hat sachliche, klare Konturen gegeben und einen Rahmen, in den nun Einzelheiten sich einfügen lassen wie in die Felder bunter Kirchenfenster.

Der Kampf mit dem Meer

Machen wir den Anfang mit der *Inselgruppe,* die der vorpommerschen Küste vorgelagert ist. Die ohnehin durch fast unzählige Bodden und Wieken stark profilierte Gliederung des Küstenstreifens erhält durch sie eine zusätzliche beruhigende Markierung. Und ist es nur das? Wie schön gewirkte Brücken leiten sie hinüber zu dem großen, unendlichen blauen Teppich der Ostsee, Sprungbretter für den urlaubsfreudigen Feriengast, Landungsstege für den Seefahrer schon in frühester Zeit, Eilande der Einsamkeit, wo die Zwiesprache mit den Elementen schweigend sich vollzieht.
Die zweinamige Halbinsel an der westlichen Ecke Vorpommerns, *Darß* und *Zingst,* ruft Erinnerungen wach an einen bizarr geformten Strand, den die See im Laufe der Jahre tief in den Wald zurückgedrängt hat und immer weiter zurückwirft. Wenn der Kampf zwischen dem Meer und der pommerschen Erde an einer Stelle verbissen geführt wird, dann hier. Der Sieger ist ausgemacht. Der Dünengürtel ist nur noch ein schmales Band.
Was das Meer an der Breitseite des Schlachtfeldes wegnimmt, behält es jedoch nicht. An der Ostspitze der Halbinsel, dem *Bock,* wo von Norden her schon die Insel *Hiddensee* mit dem *Gellen* herüberlangt, legt es ab, was es in dem ungleichen Kampf erobert. Zusehends fast gewinnt die Verlandung an Raum.
Der Eindruck der Unberührtheit ist von imponierender Gewalt. Was soll, was will der Mensch hier? Den ohnmächtigen Zuschauer spielen? Unheimlich ist die Stille und magisch zugleich, macht stumm und beredt. Wir suchen nach Vergleichen in der Zwiesprache unserer Sinne mit der Natur und finden sie in den Träumen unserer Knabenjahre, da wir Robinson lasen, dessen Insel im fernen Ozean wir nun gefunden zu haben meinen.

Das Inselpaar

Wie gesprächig ist dagegen das Inselpaar *Usedom-Wollin,* fast aufdringlich in der Fülle seiner Schönheiten: prächtige Laub- und Nadelwälder, liebliche Landseen, reizende Hügellandschaften an den tief sich in den Sand einbreitenden Buchten des Achterwassers, von alters her bequem erreichbar durch natürlich gewachsene Zufahrtsstraßen. Aus den Fischerdörfern an der offenen See entwickelten sich rasch bekannte Badeorte: *Zinnowitz, Ahlbeck, Heringsdorf* auf Usedom; beiderseits der Mündung der Swine das Tor zur Ostsee, *Swinemünde,* und ein wenig weiter östlich, wo die Dünen zur Steilküste aufsteigen, ein »Höhepunkt« sommerlichen Wohlbehagens in Sand und Sonne, *Misdroy* schon auf der Insel *Wollin.*
Hier sollte man einen Blick unter die pommersche Erde tun. Ausgrabungen in den dreißiger Jahren förderten mitten auf dem Markt der kleinen Stadt Wollin, nach der die Insel ihren Namen hat, Reste eines stattlichen Handelsplatzes zutage, der von den Wissenschaftlern lange gesucht worden war: das von den Dänen im 12. Jahrhundert zerstörte Jumneta, die alte Jomsburg der Wikinger, die »größte und volkreichste« Stadt des damaligen Europa. Was aber lag näher als die Vermutung, Jumneta, das von den Slawen Julin genannt wurde, bevor es bei der Erhebung zur Stadt den Namen Wollin erhielt, sei das märchenhafte Vineta, das dann nicht, wie die Sage berichtet, als sündige Stadt ins Meer sondern im Verlauf eines erbitterten Existenzkampfes in Schutt und Asche versunken ist.

Rügen, das »krönende Diadem«

In dem Kranz der Inseln, die die pommersche Küste wie ein krönendes Diadem zieren, ist *Rügen* – mit 970 Quadratkilometern übrigens die größte deutsche Insel – der weithin leuchtende Edelstein. Buchten, Sunde und meerweite Binnenwasser strahlen eine verwirrende Schönheit aus. Die blendend weißen Kreidefelsen, die es sonst nirgends in Deutschland gibt, zusammen mit dem schimmernden Blau der See und die hoch über dem Meer auf dem weichen, weißen Gestein thronenden dunklen Wälder ergeben ein ungeahntes Farbenspiel, das unbeschreibliche Schönheit entfaltet, wenn an milden,

AM LEBASEE, dem großen Achterwasser Hinterpommerns, vor dem die Lonskedüne ihr verderbenbringendes Spiel treibt, alljährlich 12 m ostwärts in den See hineinwandernd. 42 m lang, 150 m hoch übersandet sie die sich ihr entgegenstemmenden Wälder und begrub unter sich Dorf Lonske, das ihr den Namen gab.

sonnigen Herbsttagen das Laub der Buchen, Eichen, Eschen bunt zu werden beginnt und in den klaren Fluten seinen Widerschein findet.

Welcher Farbton fehlt hier, wenn man, 140 Meter über dem Meer, vom *Königsstuhl* herabschaut auf die See, die sich kaum noch zu bewegen scheint? Ist es das Schwarz? Man schreite hinein in den Wald, der das Plateau deckt, und hinüber zum pechfarbenen *Herthasee*, der, den schlafenden Blick in die Tiefe gesenkt, von Sagen und Mythen aus uralter Zeit träumt, von Wikingern und Germanen, die die keltische Urbevölkerung einst ablösten, oder von dem vierköpfigen Wendengott Swantevitt, der die Wotanherrschaft antrat, bis er selber von den Dänen entthront wurde.

Auf den Feldern dahinter findet man noch vereinzelt breit sich wölbende Grabstätten von Fürsten und Königen jener Tage, die unter mächtigen Quadersteinen ruhen. Mehr als zweihundert solcher Hünengräber zählte man noch um die Wende des letzten Jahrhunderts, knapp zwei Dutzend sind es heute. Furchende Pflugschare ebneten ein, was ihnen im Wege stand und wühlten bestenfalls ein paar Steinwerkzeuge ans Tageslicht.

Sollen wir jetzt schon von den Menschen sprechen, die sich in manchem so eigen aufführen: in ihrer Tracht, wenn uns Mönchsgut in den Sinn kommt, in ihrer Wohnweise mit den malerischen, schilfgedeckten Häusern, vor denen die langen Schwengel der Ziehbrunnen auf und nieder gehen, in ihrer behäbigen, etwas schwerfälligen Art, in ihrer nimmermüden Sorge um Tier und Land?

Auf *Hiddensee* bezaubert die Unbegrenztheit. Meer und Land sind nicht mehr allein. Als neue Komponente tritt das Firmament hinzu. Das Weite und Breite des pommerschen Raumes erfährt die dritte Dimension und wird zur Vollkommenheit.

Das mag Schlesiens Dichter Gerhart Hauptmann bewogen haben, sein »Haus am Meer« sich hier zu bauen, hier auch den Platz für das letzte Haus auf dieser Erde zu wünschen im vorweggenommenen Bekenntnis des Pauluswortes, das er in seiner zerlesenen Bibel wenige Tage vor seinem Tode sich mit rotem Stift noch anmerkte, und das dann auch der Grabrede zugrunde gelegt wurde, als man ihn am 29. Juli 1946 bei Sonnenaufgang der Erde der geliebten Insel übergab: »Ich kenne einen Menschen, der ward entzückt in das Paradies und hörte unaussprechliche Worte, welche kein Mensch sagen kann« (2. Kor. 12,4). Ja – Hiddensee ist ein Paradies, in dem die Vielfalt der Natur verwirrend ist, und es fällt schwer, zurückzufinden zu den Schönheiten, die vor den Füßen liegen: unzählige Muscheln, große, kleine, glatte, runde, graue, blaue, rosarote; Kiesel in allen Farben, Seltenheiten, wie Donnerkeile, Klappersteine und ab und zu ein Stückchen Bernstein; Meersenf, Meerkohl, Salzkraut, Sonnentau und Glockenheide, Stock- und Löffelenten, Grabgänse mit schwarzem Schopf, Sturm-, Lach- und Silbermöwen.

Ein fast menschenleeres Land

So still und weit wie auf Hiddensee ist es nur noch an der Küste *Hinterpommerns.* Den scharf geprägten Kontrast zu der Weite der offenen See, über die bis über die Kimmung hinaus die Leuchtfeuer von

DER STRAND BEI REWAHL, etwa in der Mitte zwischen Swinemünde und Kolberg im Kreise Regenwalde gelegen und nur 2 km von der berühmten Kirchenruine Hoff entfernt, — bezeichnend für das Intime und Familiäre des Strandlebens, das Badegäste und Gastgeber miteinander verband in den kleineren der mehr als 30 Badeorte der hinterpommerschen Küste.

Schmolsin und Jershöft des Nachts ihre Strahlenbündel huschen lassen, bildet der feinkörnige Sand, der wie aus den großen Stundenuhren unseres Herrgotts auf den breiten Strand geflossen zu sein scheint und die Ewigkeit in das flüchtige Spiel hineinnimmt, das der Wind hier treibt mit den gefürchteten Wanderdünen bei Leba, diesen Sandmassen, die, vom Winde bewegt, ganze Wälder verschlingen. Und hinter dem Strand dehnen sich landwärts Feld und Wald, eine wahrhaft bewegte Landschaft, in der bei aller Weite der Blick unverloren bleibt. Dafür sorgen die bewaldeten Kuppen, die wie große dunkle Vorhänge den Blick versperren hinüber zu den nächsten, noch ausgedehnteren Kartoffel- und Rübenfeldern, Roggen- und Weizenschlägen.

Ein fast menschenleeres Land ist Hinterpommern von jeher gewesen. Wer es nicht lieben will und kann, wird es monoton nennen, dann aber auch das Jubilieren der Lerchen über den großräumigen Feldern überhören, auf denen zur Saat- und Erntezeit die breiten Kolonnen der Männer und Frauen sich durch nichts in ihrer Arbeit stören lassen. Ihren Rhythmus erhält die Landschaft von einem gemächlichen Auf und Ab der Bodenwellen. Eine Windmühle, die Nähe eines Dorfes anzeigend, schlägt den Takt dazu, bis sie, vom vielen Drehen müde, des Abends ihre Flügel ermattet in den Schoß legt.

Von den Höhen der Linie Dramburg-Rummelsburg lohnt es, den Blick nach Süden zu lenken in die *neupommerschen* Kreise Schlochau, Flatow, Deutsch-Krone, Arnswalde, Friedeberg und Netze. Im Regenschatten liegen sie zwar, den der vorgelagerte Moränenhöhenzug verursacht, sind deshalb auch nicht so gesegnet wie das altpommersche Land, ärmlich aber werden sie nur dem flüchtigen Auge erscheinen. In den ausgedehnten Nadelwäldern, zwischen den mit viel Kolonistenfleiß bestellten Kartoffel-, Roggen- und Haferfeldern, ruhen verschwiegene, fischreiche Seen, die sich bereits in vorgeschichtlicher Zeit aus den Schmelzwassern des Nordlandeises gebildet haben und den besinnlichen Charakter des Landes liebevoll betonen.

Auf der Nordseite des Moränengürtels, den Blick der Küste zugewandt, herrscht infolge der stärkeren Niederschläge prächtiger Mischwaldbestand vor, der mit lieblichen Feldern wechselnd den mittelpommerschen Raum zu einer ausgesprochen freundlichen Landschaft werden läßt. Die Felder bleiben bei alle dem, was sie auch in Hinterpommern sind: Kornkammern für die Städte, in denen die Schlote rauchen und die Industrie ihre Heimstatt hat.

An der Oder

In der Gegend von Polzin wird das Neben- und Durcheinander von Feld, Wald, Wiese häufiger. Die Landschaft versucht es einem übergroßen Park gleichzutun, der sich bis in die Gegend von Stargard hinzieht und bei Pyritz an das fruchtbare Gebiet grenzt, dessen Name »Weizacker« Flurname und Wertmarke in einem ist.

Wir stehen an der Oder mit ihren schilfgesäumten Ufern, zwischen denen der Strom langsam dem Haff entgegenfließt. Das saftige Grün überwiegt jetzt, das auch für *Vorpommern* in den Niederungen der Peene, Tollense und Trebel so charakteristisch ist. Der Boden auf den Feldern, die sich an die sanften Hänge anlehnen, ist lehmig und schwer.

BAUERNHAUS AUF DEM DARSS, der westlichsten der pommerschen Inseln — das verrät das Kettenrad des Ziehbrunnens. Weißgetüncht, schilfbedacht, behäbig und heimelig — Kennzeichen für die Bauweise der Fischer- und Bauernhäuser an der ganzen pommerschen Küste — eine Spielart des Niedersachsenhauses.

Wenn im Herbst die Milde lange anhält, der Altweibersommer mit den betauten Spinnenfäden die abgeernteten Felder wie mit einem feinen silbernen Schleier überzieht, und die Kastenwagen mit der Fracht der guten pommerschen Kartoffeln den Kellern und Mieten zufahren, – und wiederum, wenn in den meist kurzen Frühjahren die Feldbestellung ihren Anfang nimmt, bietet sich dem Auge ein ungewohntes Bild dar: nicht »viere lang« sondern »dreie breit« geht es über die Äcker. Neben die beiden Stangenpferde wird ein drittes angespannt, den Segen des Feldes sicher zu bergen, den Boden für die Aussaat vorzubereiten.

Menschen an der Küste

Land und Meer sind auch für das Wesen des Menschen im Land am Meer bestimmend gewesen und geblieben. Von der Weite des Landes und dem weiten Meer stammt die Offenheit, das Natürliche des pommerschen Menschen her. Hier finden der Hang zum Nachdenklichen und die Neigung dem, was man empfindet, lange und gemächlich nachzublicken, ihre Ankergründe. Von Schwere möchte man sprechen, wie sie sich in der Statur des Pommern zu erkennen gibt, wäre das nicht zu stark aufgetragen, und ruhevolle Behäbigkeit andererseits zu wenig.

Wind und Wetter haben ihre Hand im Spiel. Die Arbeit auf See ist nicht selten mit Unbehagen verknüpft. Man muß Ausdauer, Zähigkeit und Fleiß besitzen, will man sie bewältigen. Zähigkeit, Fleiß und Ausdauer sind auch die unerläßlichen Voraussetzungen für eine ersprießliche Bearbeitung des pommerschen Bodens, den die Gletscher aus Skandinavien als Gastgeschenk einst zurückließen. Land und Meer in Pommern sind Prägekräfte nicht nur des Landes sondern auch des Menschen.

»Der Pommer ist im Winter so stur wie im Sommer«, heißt ein geflügeltes Wort, das – so scheint es – den Pommern lieblos treffen möchte. Zielte es auf schwere und zuweilen auch grobe Gemütsart, es wäre nicht ganz unrichtig; sie gehört zu ihm, findet aber eine Erklärung. Das Klima in Pommern ist rauh; die Luft geht scharf das ganze Jahr über. »Ein Mann von rechter, deutscher Art trägt seinen Pelz bis Himmelfahrt. Drei Tage nach Johann zieht er ihn wieder an«, heißt's in Pommern, und man will damit sagen, daß das unzeitige Hervorholen des wärmenden Kleidungsstückes nicht nur ein Akt von Lebensklugheit sei. Lebensweisheit drückt es aus: auf daß die Seele und der gute Kern, der in jeder rauhen Schale sitzt, keinen Schaden nähmen! Das Herz soll nicht frieren. Freundlichkeit und Gutmütigkeit möchte man nicht nur selber spenden, sondern auch erfahren. Das leben schon die Jüngsten. »Lat man, Froillein«, sagt der sechsjährige Fritzing, als die Lehrerin wieder einmal Anlaß hatte, Klage zu führen über die üblichen, betrüblichen Erscheinungen im Dasein eines Schülers, der lieber noch spielt oder vielleicht auch nicht aufpassen konnte, weil vorzeitige Pflichten in Hof und Garten ihn bereits müde machten: »Lat man, Froillein! Ostern kümmt uns' Edelgard in Schaul; dei is noch väl dömlicher!«

DAS STETTINER TOR IN PYRITZ, der Weizackerstadt, wird unter den vielen mittelalterlichen Türmen als einer der wuchtigsten hervorgehoben, die in pommerschen Landen errichtet worden sind. Mühelos trägt der vierschrötige Unterbau das kraftvolle, von vier Rundtürmen flankierte Achteck des Helmes.

Die »Lust, zu fabulieren«

Daß der Pommer zuweilen übers Ziel hinausschießt, ist das bei der Weite des Landes nicht ganz natürlich? Er weiß das übrigens selbst und treibt damit recht gerne seinen Spaß, vor allem dann, wenn die Stunde des Seemannsgarnes kommt. Erfindet der erste die Geschichte von den dressierten Seehunden, die die Heringe in die Stellnetze treiben und die mit der zappelnden Fracht bis zum Rand gefüllten Boote auch noch an Land ziehen, dann hilft nur eins: mithalten und von Lachsen (geräucherten natürlich) berichten, die jeden Morgen ans Fenster klopfen und um belegte Brötchen betteln. – Vorweggenommener Surrealismus? Nein, lieber Leser, Freude an humorigem Erzählen, »Lust, zu fabulieren«, die auch den Mönchsguter Brauch von der Herstellung wasserdichter Strümpfe ersann. Ik vertell Sei dat rasch. Dei Reddevitzer stift'n 'n Aol mit'm Swanz an 'ne Wand, mak'n em 'n Schlitz twüschen de Oogen un ketteln (kitzeln) em so lang, dat hei vör Lachen ut de Haut führen deit, un far'ig sün dei Strümp.

Im täglichen Leben wird daraus die Art, die Dinge trocken und nüchtern bei Namen zu nennen. Wie's ist, so ist's. Nur immer offen und geradezu! Das war auch der Pfarrer des Dorfes Ziethen. Als die be-

BRESLAU · Neben der überall bekannten Giebelfront des Rathauses gehört auch der Blick über die ruhig dahinfließende Oder auf die Dominsel zu den großen Bildern der schlesischen Hauptstadt. Die Domkirche, der Mittelpunkt des schon im Jahre 1000 bestehenden Bistums, war der erste Steinbau auf der Insel. Im 13. Jahrhundert bezeichnete man die Breslauer Diözese als die »goldene«, eines der führenden kirchlichen Herrschaftsgebiete des Deutschen Reiches. Hier, auf den drei großen Oderinseln, liegt die Altstadt, das schon in früheste Zeiten zurückgehende erste Siedlungsgebiet Breslaus.

SCHLESISCHE TRACHT · Vor allem auf dem Lande und in den Berggegenden Schlesiens wurden gerne Trachten getragen. GÖRLITZ · In die vielen Laubengänge und Straßen blicken die Türme der Peter-Paul-Kirche.

BLICK INS NEISSETAL · In seinem Oberlauf durcheilt der Fluß eine der schönsten Landschaften des deutschen Ostens. Das dicht besiedelte Tal zwischen Zittau und Görlitz wird von waldreichen Höhenzügen eingerahmt, von denen aus sich unvergeßliche Blicke über das Land hinweg auf Bilder von beinahe südlicher Lieblichkeit bieten. Laub- und Nadelwälder ziehen sich über die Berge hin, Wiesen und Ackerland bedecken den Talboden und schmucke Städtchen und Dörfer zeugen von dem Fleiß und der nie versiegenden Arbeitskraft des schlesischen Menschen, der auch im Neißetal wichtige Industriestätten angelegt hat.

DAS BAUM-TOR IN CAMMIN mutet durch den Anbau des eigentlichen »Tores« romantisch an, gehört jedoch mit dem wohlausgewogenen Verhältnis von rechteckigem Fundament und kraftvollem Rund des Aufsatzes zu den schönsten Zeugen schlichter Wehrtürme aus der Blütezeit mittelalterlicher Bautätigkeit in Pommern.

nachbarten Anklamer, die wegen des auf Platt gespendeten Gotteswortes allsonntäglich das Kirchlein von Ziethen für sich in Anspruch nahmen, wiederum vollzählig unter der Kanzel der Dorfkirche saßen, obwohl sie soeben die Bewerbung des beliebten Predigers um die vakante Pfarrstelle der Stadt abgelehnt hatten, da war das Maß voll, und sie mußten diese Predigt entgegennehmen: »Ji Anklamiten! Ji sün kamen tau hüüren den Paster von Ziethen. Aewerst der Paster von Ziethen ward juch Anklamiten wat schieten. – Amen!«

Pommersches Platt

Das ist nicht nur die kürzeste Predigt, die wohl je gehalten worden ist. Das ist auch unverfälschtes Platt, das in Pommern alle Schichten und Stände verbindet, das alle lieben und – übten. Mehr und mehr zieht sich der Dialekt – wie überall – auch in Pommern in das Haus und das Herz der Menschen aus dem Volke zurück. Dort läßt sich das Sprachgemüt, das man dem Platt in seiner einfachen, schlichten, fröhlichen, gedankenvollen und ernsten Art nicht absprechen kann, und das sie bis in das Innerste ihres Wesens hineingenommen hat, pflegen. Wie könnte es sonst die tiefsten Empfindungen eines schlichten Menschenherzens mit soviel Innigkeit aussprechen?
Frohen Sinn, frohe Feste – sollte es so etwas überhaupt geben in einem Lande, wo Bescheidenheit und Pflichttreue sich die Hand reichen, wo die Fischersfrau dem Gast, der den Kartoffeln mehr zuspricht als dem Fisch, den Weg der Sparsamkeit weist »man nich so väl Tüfften (Kartoffeln); dei kosten Geld«. Eine Hochzeit bei den Fischern auf Hiddensee und erst recht eine Hochzeit im Weizackerland – nicht unter acht Tagen. Hochzeitsgäste im Weizacker – das ganze Dorf, und Festesfreude und -glanz werden noch unterstrichen durch die farbenfrohe Tracht der weitgefältelten Röcke und die buntgestickten Mieder mit den flatternden Bändern. Und das Hochzeitsmahl – wie es ein festlich gestimmtes Haus erwartet!

... und das Leibgericht

Für den Alltag genügt natürlich ein einfaches »Bodding«, wie man das gutbelegte Butterbrot nennt. »Plum'n un Klüt« (Pflaumen und Klöße) oder weiße Bohnen mit Apfelstücken und dem Fett des ausgelassenen Specks zusammengekocht, das sind pommersche Leibgerichte. Und kommt erst die Zeit des Schlachtens, dann kommt die Zeit der süßen Blutwurst mit Rosinen statt der Speckwürfel. Wie köstlich für einen pommerschen Gaumen! Noch köstlicher, wenn um den Martinstag Gänseblut in Strömen fließt. Dann gibt es die aus Mehl, Rosinen und dem hellroten Vogelblut geformten klopsgroßen Bällchen, die »Tollatschen«. In Scheiben geschnitten und aufgebraten – welche Delikatesse! »Swartsu'r« wird aus dem Gänseklein gekocht, und aus der Gänsebrust entsteht die nach Art eines Rollschinkens zubereitete »Spickbost«. Die Krone aller Essen: zwei von Klein und Brust befreite Tiere ineinandergeschoben und knusprig gebraten, so kommt er auf den Tisch – der »pommersche Gausbraden«, alle viere von sich streckend und verzehrt nach der Spielregel: pro Mann einen Vogel.

»Dei Hiering kömmt!«

Naht die Zeit, in der der Hering zieht, packt die Fischer das Fangfieber jedes Jahr neu. Alles Tun ist ein einziges Warten und Ausschauhalten. Selbst während des Gottesdienstes bleiben die Türen der Fischerkirchen offen. Taucht dann der silberglänzende Zug der Fische auf, unterbricht der Ruf »Dei Hiering kümmt« Predigt und Choralgesang, und alles stürzt zu den Booten. Der festlichste Arbeitstag des Jahres ist da. Seit der Motorisierung der Zeesener mit ihren großen Kuttern kommt das wohl kaum noch vor. Man stellt dem Fisch auf hoher See nach. Die Küstenfischer haben das Nachsehen und müssen nun auf andere Art zupacken. Mit ihren durchs Knütten und Flicken der Netze geschickten Händen weben und knüpfen sie Teppiche. Die Lubminer Fischerteppiche sind weithin bekannt geworden und werden als Kostbarkeit geschätzt.
Der Festtag des Dorfes ist der Erntedanktag. Frömmigkeit und Freude, Dankbüschel und Erntekranz verkünden der Schnitter Meisterstück, das am Tage des »Anschnitts« mit dem »Binden« beginnt. Das »Binden« ist ein alter Brauch der sonst nur auf dem Hof beschäftigten Frauen.

Alfred Döblin
* 10. 8. 1878, † 28. 6. 1957
Schriftsteller

Ernst Moritz Arndt
* 26. 12. 1769, † 29. 1. 1860
Schriftsteller, Historiker

Philipp O. Runge
* 23. 7. 1777, † 2. 12. 1810
Maler

Caspar David Friedrich
* 5. 9. 1774, † 7. 5. 1840
Maler

Während der Gutsherrin der Arm mit frischgemähten Halmen umwunden wird, spricht die Frau des Vormanns den Bindespruch und erhält nun zusätzlichen Lohn für die zusätzliche Arbeit. Die Männer erbitten sich das Aufgeld erst nach Abschluß der Körnerernte. Dann ziehen sie vors Gutshaus und führen den »Ulle«, ein gefräßiges Wesen aus der Fabel, in Gestalt einer Strohpuppe mit sich: »Hier, leiw Herre, is de Ulle. Hei kann sik nich länger im Felde upholle. De Herre wull so fründlich sin, un schenke dem Ulle 'n düchtigen in!«
In den Städten ist bis auf das »Stiepen«, das die Kinder bewahren, aller alter Brauch dahin. Eine Birkenrute schwingend stürzen sie am Ostermorgen ins Schlafzimmer der Großen: »Stüp, stüp. Osteree! Giwst du mi keen Osteree, stüp ik di dat Hemd entwee«, lautet der vergnügliche Vers, mit dem die bunten Ostergaben zusammengetrommelt werden.
Mit historischen Vorgängen verknüpft ist in Stralsund der »Wallensteintag«, eine Erinnerung an die ergebnislose Belagerung durch den größten Feldherrn jener Zeit und gefeiert als Volksfest mit einer fröhlichen Umseglung des im Strelasund gelegenen, damals von den kaiserlichen Truppen bereits eroberten *Dänholm*, über dessen Rückkehr zur Stadt man sich alljährlich noch immer freut. Die Greifswalder begehen Anfang August acht Tage lang den »Schwedenulk«, gleichfalls ein Volksfest mit Karussells und Würfelbuden, daß ihnen die Zeit nicht aus dem Gedächtnis komme, da sie schwedische Untertanen waren in einer gemütlichen Zeit.
Ein Brauch mit großer Heimlichkeit ist das auf Rügen gefeierte »Lüttenweihnacht«, das in der Stille der Morgendämmerung der vorweihnachtlichen Zeit den Tieren in den Ställen, in Wald und Feld und am Strand bereitet wird. Ein Bäumchen – niemand darf wissen woher – wird mit Kerzen für die Kreaturen aufgestellt, weil sie als erste sich über die Geburt des Heilands freuten. Lüttenweihnacht, weil es die Kinder feiern, weil es ein kleines, ein verborgenes Fest ist. Wer weiß das noch?

Die Großen des Landes

Der bekannteste und größte unter ihnen ist der Greifswalder *Caspar David Friedrich* (1774 bis 1840), der bedeutendste Meister der romantischen Landschaftsmalerei, der in seine Bilder viel von dem Suchenden und Sinnenden des Pommern hineinzudichten wußte. Sein Zeitgenosse *Philipp Otto Runge* (1777 bis 1810) aus Wolgast steht ihm in nichts nach, ein Philosoph mit Pinsel und Farbe, der träumerische Gedanken vom Werden und Vergehen alles Lebens in seine schönen Bilder bannte, der hervorragendste Porträtmaler der romantischen Epoche. Ein dritter Meister der Malerei ist der in Lübeck 1509 verstorbene *Bernd Notke* aus dem Dorfe Lassan bei Greifswald, zugleich einer der angesehensten Bildschnitzer, der mit seinem für die Bischofskirche in Stockholm gefertigten St. Georg eine der erhabensten Darstellungen des Drachentöters schuf, die das Abendland kennt.
Zeitgenosse Notkes ist der Reformator Pommerns, der 1483 in Wollin geborene *Johann Bugenhagen*, namhafter Theologe und Gelehrter, Mitarbeiter Luthers bei der Bibelübersetzung.
Daß die Pommern »gute Officiers« seien, hob Friedrich der Große in einer Charakteristik des pommerschen Menschen ausdrücklich hervor. Zwei der tüchtigsten Soldaten des Landes haben sich für ihn bis zum letzten Atemzug geschlagen: der mit 74 Jahren bei Prag (1757) gefallene *Graf von Schwerin* (1684 bis 1757) aus Löwitz bei Anklam und

DAS INNERE DER FISCHERKIRCHE WAASE AUF UMMANZ zwischen Hiddensee und Rügen birgt bei aller Schlichtheit bedeutende Seltenheiten: Kalkmalereien wie sonst nur in dänischen Dorfkirchen und einen Schnitzaltar.

Heinr. v. Stephan
* 7. 1. 1831, † 8. 4. 1897
Generalpostmeister

Rudolf Virchow
* 13. 10. 1821, † 5. 9. 1902
Mediziner

Johann Gustav Droysen
* 6. 7. 1808, † 19. 6. 1884
Historiker

Friedrich Graf v. Wrangel
* 13. 4. 1784, † 1. 11. 1877
Heerführer

Ewald von Kleist, Dichter melancholischer Verse zugleich, der sein väterliches Gut Zeblin unweit Köslin nicht wiedersehen sollte und mit 44 Jahren bei Kunersdorf (1759) blieb. Stettiner ist »Papa Wrangel«, wie der Volksmund den Preußischen Generalfeldmarschall *Friedrich Graf Wrangel* (1784 bis 1877) nennt, dessen soldatische Begabung im Laufe der Zeit von den vielen in ihrer Urwüchsigkeit so drastischen Anekdoten überschattet wurde.

Drei Offiziere von Rang, drei Künstler von hohen Gnaden – drei Mediziner auch, die unter die Großen ihres Faches einzureihen sind: der Anatom *Rudolf Virchow* (1821 bis 1902) hat den Namen der kleinen Stadt Schivelbein in Hinterpommern mit in die große Welt genommen, *Theodor Billroth* (1829 bis 1894) ging von der Rügenschen Kreisstadt Bergen an die Donau nach Wien, bewundert als großer Chirurg, dem die erste Krebsoperation gelang, und der – hätte die Musik in dem Konflikt, in dem es um die Medizin oder die Kunst der Töne ging, die Oberhand behalten – sich mühelos in die vorderste Reihe der Cellisten hätte spielen können. Künstlerisch begabt auch *Carl Ludwig Schleich* (1859 bis 1922) aus Stettin, dessen unterhaltsame Selbstbiographie »Besonnte Vergangenheit« heute bekannter ist als die von ihm entdeckte Lokalanästhesie, mit der sich Operationen ohne Narkose schmerzlos durchführen lassen.

DER RATHAUSGIEBEL IN STARGARD gehört zu den architektonischen Einmaligkeiten des Landes und legt von der Wohlhabenheit der alten Hansestadt Zeugnis ab. Mit dem feingegliederten Maßwerk der Stuckverzierungen bildet er eine Zierde barocker bürgerlicher Baukultur aus der Mitte des 16. Jhdts.

In das Verzeichnis der Großen Pommerns gehörten noch viele Namen. Nennen wir wenigstens noch *Heinrich von Stephan* (1831 bis 1897), den Stolper Schneidermeisterssohn und späteren Generalpostmeister, den Begründer des Weltpostvereins; *Franz Mehring* (1846 bis 1919) aus Schlawe, der als Anhänger Lassalles frühzeitig zur Politik kam, eine Literaturgeschichte und die erste namhafte »Geschichte der Sozialdemokratie« schrieb und schließlich sich in die Reihen des Spartakusbundes stellte; den Arzt und Dichter *Alfred Döblin* (1878 bis 1957) aus Stettin, dessen Roman »Berlin Alexanderplatz« eine der großartigsten Schilderungen Berlins genannt zu werden verdient; Rudolf Dietzen (1893 bis 1947) aus Greifswald, feiner Beobachter der kleinen Leute und ihrer Schicksale, der seine Bücher unter dem Pseudonym *Hans Fallada* herausgab und mit dem Roman »Wer einmal aus dem Blechnapf frißt« in die große Literatur gehört. Schließlich: Heinrich Georg Schulz (1893 bis 1946) aus Stettin, bekannt unter dem Namen *Heinrich George,* der »Götz von Berlichingen« der deutschen Bühne zwischen den beiden Weltkriegen, einer der größten Charakterdarsteller überhaupt, Pommer mit Seele und Leib.

Eine auch noch so kurz gehaltene Aufzählung von Namen darf den Wahlpommern *Carl Loewe* (1796 bis 1869) nicht auslassen. Mit ihm, der aus Halle nach Stettin kam, ist der Name Pommern in die Musikgeschichte eingeschrieben. Über vierzig Jahre hat er als Musikdirektor in Stettin gewirkt, wo er das Werk seiner volkstümlichen Balladen geschaf-

STRALSUND · Gegenüber der Insel Rügen, die durch einen Damm zu erreichen ist, liegt die größte Stadt des westlichen Pommerns. Mit der Nikolaikirche ist die aus dem 14. Jahrhundert stammende Marienkirche (Bild), die wie eine Burg die Stadt überragt, das bedeutendste sakrale Bauwerk von Stralsund. Die vielen Tore und Türme der Backsteingotik und zahlreiche alte Häuser vermitteln ein echtes mittelalterliches Bild, das sich trotz bedeutender Industrie in die Neuzeit hinein bewahrt hat.

fen und gesungen hat. In Kiel verstorben und beigesetzt, ist sein Herz neben der Orgel, die fast ein halbes Jahrhundert unter seinen Händen erklang, in eine der großen Säulen in der Jakobikirche eingemauert worden, wie er es bestimmt hat.

Wie wohnt man in Pommern?

Wir haben das Land durchwandert, seinen Bewohnern ins Auge und Herz geschaut. Bleibt zu berichten, wie der Pommer im Laufe der wechselvollen Geschichte seines Landes sich in dieser Welt eingerichtet hat. Im Jahre 1124 reiste Bischof Otto von Bamberg mit missionarischem Auftrag in das Land ein. Damals setzte die segensreiche Durchdringung Pommerns, in dem Stämme aus dem Osten sich angesiedelt hatten, mit der inzwischen hochentwikkelten Kultur des Westens ein. Mönche kamen, Bauern aus Niedersachsen und Westfalen, Bürger und Kaufleute. Kirchen wurden gebaut und Klöster, Städte gegründet. Das nach dem Vorbild des niedersächsischen Bauernhauses gefügte *pommersche Bauernhaus* wurde in Anger- und Hufendörfern errichtet, die nun mit den für die slawische Siedlungsweise bezeichnenden Rundlingen in der Landschaft abwechselten.

Die Männer aus dem Westen brachten die Kenntnis von der Herstellung und Verwendung des Ziegels mit. An die Stelle des Feldsteins, der zunächst als Baumaterial gedient hatte, wie es die Kirchen in Tribohm bei Franzburg oder die von Kirchbaggendorf bei Grimmen heute noch anschaulich machen, trat der aus Lehm gebrannte Stein. Mit den neuen Ziegeln entwickelten die Baumeister in den Städten in erstaunlicher Selbständigkeit die *pommersche Backsteingotik.*

Die Stralsunder Kirchen legen das sprechendste Zeugnis dafür ab, vor allem die Marienkirche. Die Monumentalität dieses Baues scheint nur eines anzustreben: die Betonung des Erdhaften. Weder die hohen Fensterdurchbrüche, die die Schwere der Mauern nur beleben aber nicht auflösen, stehen dem entgegen, noch tun das die Türme von St. Marien oder von andern gotischen Kirchen im pommerschen Raum, mögen sie noch so schlank erscheinen und einem Fanal gleich in den Himmel steigen, wie etwa der Nikolaikirchturm in Greifswald. In ihrer Gesamtheit bleiben die Türme durch den schweren, massigen Unterbau, der oft mehr als die Hälfte des ganzen Turmes einnimmt, der Erde verbunden. Erst in den Helmen gelingt die Überwindung des Irdischen, und der in den Himmel zielende Bewegungsrhythmus muß noch überwältigender gewesen sein, bevor Blitz und Brand die nadelartigen, steil ansteigenden Turmspitzen zerstörten. So spiegelt sich in den großen Kirchen viel von der zähen und nüchternen Kolonistenarbeit wider, die in Pommern geleistet worden ist, und die ihre Kraft aus der irdischen Wirklichkeit nahm, sich jedoch vollzog mit dem Blick auf den, der ewig über allem menschlichen Streben waltet.

Landkirchen

Erschließung des Landes lautete der Auftrag an die Mönche. Auf dem Lande begannen sie damit und

RÜGENWALDE, die Stadt der »Spickbrüste« und der vorzüglichen Wurstwaren, spielte in der Geschichte Pommerns einst eine bedeutende Rolle als Residenz von nicht weniger als 14 pommerschen Herzögen. Klappbrücken, wie hier über die Wipper, sind bezeichnend für die an den Küstenflüssen liegenden Orte.

STETTIN, DIE LANDESHAUPTSTADT, mit dem hochragenden Wahrzeichen der Jacobikirche, deren mächtige Westfassade ursprünglich durch einen Doppelturm gekrönt werden sollte. Im Hintergrund links der Vierkantturm der Schloßkirche und die beiden Türme des Herzogsschlosses; im Vordergrund das barocke Berliner Tor von 1725 inmitten der Anlagen des Walles der alten Festung, nach deren Aufhebung 1873 der Weg zur Großstadt und zum Großhafen frei wurde.

in den Siedlungen bauten sie die ersten Kirchen. Altenkirchen und Schaprode auf Rügen scheinen die ältesten zu sein. Daß sie unförmiger als ihre Geschwister in den Städten sind, bedarf kaum der Erklärung. Erfahrene Baumeister fehlten ebenso wie erfahrene Arbeitskräfte, von den Mitteln ganz zu schweigen. Dennoch sind auch sie eingewiesen in den großen Bauauftrag, den der Kolonistengeist erteilte. Das Dach ist tiefer heruntergezogen, faßt die aufwärtsweisenden Linien zusammen und deckt nicht nur sie sondern auch die zuweilen überraschenden Kuppelgewölbe im Innern, wie etwa in dem schon erwähnten Kirchbaggendorf. Immer aber sind sie, auf niedrigen Anhöhen inmitten der kleinen, armen Dörfer errichtet, unter alten mächtigen Linden, stimmungsvolle Stätten eines tiefen, ländlichen Friedens und voll von Eigenheiten und Schönheiten.

DAS MÜHLTOR IN STOLP, hinter dem die chorlose Schloßkirche sichtbar wird, ein rechteckiger Saalbau mit gotischem Treppengiebel im Osten und achteckigem, zierlich-schlankem Barockturm im Westen, gehört dem späten Mittelalter an und fällt durch das schlichte und regelmäßige stolze Blendwerk auf.

Klöster und Dome

Wenig später als Otto von Bamberg holten die Dänen, über Rügen einbrechend, zu dem gleichen Vorhaben aus und verschafften sich in Bergen auf Rügen und in dem zwischen Stargard und Greifenhagen gelegenen Kolbatz mit der Gründung von *Klöstern* den notwendigen Rückhalt. Eine dritte Welle kolonisatorischer Bemühungen ging gegen Ende des 14. Jahrhunderts mit dem Deutschritterorden über das Land. In Bütow haben sich eindrucksvolle Burganlagen erhalten, deren Erbauer die Ritter waren.

Aus der Frühzeit kirchlicher Bautätigkeit stammen auch die beiden großen *Dome* in Cammin und Kolberg. Der pompöse Bau in Cammin verdankt seine Entstehung dem bei der Zerstörung Wollins mit eingeäscherten ersten pommerschen Bischofssitz. Der großartigen dreischiffigen Hallenkirche in Kolberg wurden im Laufe der Zeit wertvolle Kunstschätze anvertraut.

Der Bürger baut

An profaner Baukunst ist aus der gotischen Epoche wenig mehr erhalten als die prächtige Giebelfront am Markt zu Greifswald und die Schauwand des Stralsunder *Rathauses,* beide aus dem Anfang des 15. Jahrhunderts, beide markante Zeugen des Wohlstandes, der durch die Hanse in die Städte Pommerns gekommen war, infolge der häufigen Fehden mit machtvollen Neidern aber nicht gesichert werden konnte. Erbfolgeschwierigkeiten im Hause der Herzöge taten ein übriges. Teilungen des Landes waren an der Tagesordnung und hinderten einen beharrlichen Aufschwung. Daß die 1456 erfolgte Gründung der *Universität Greifswald* Bestand hatte,

die nicht nur als geistige Metropole des eigenen Landes sich höchstes Ansehen verschaffte, erscheint wie ein Wunder und führte schließlich dazu, daß sie die »älteste preußische Universität« wurde, als das 1648 an Schweden verlorene Pommern 1814 bei der Neuordnung Europas auf dem Wiener Kongreß Preußen zugesprochen wurde.
Was aber war seit der Mitte des 15. Jahrhunderts nicht über Pommern hereingebrochen! Zwar hatte es unter der Regierung des 1523 verstorbenen Bogislav X. die Segnungen eines tüchtigen Regenten erfahren, hatte sich auch frühzeitig der Reformation angeschlossen. Der Dreißigjährige Krieg hatte jedoch schwer auf ihm gelastet, und als Friede wurde, war »Pommerland« wirklich »abgebrannt«. Das Auf und Ab erklärt vieles. Mögen die *Bürgerhäuser* aus dieser Zeit auch die schön geschwungenen Barockfassaden aufweisen oder den reich gegliederten Stil der norddeutschen Renaissance. Es sind nur wenige, die von sich reden machen: die beiden schönen, mit Maßwerk reich gezierten Rathausgiebel von Cammin und Stargard. Alles andere aus dieser Zeit gibt sich so ganz pommersch; einfach und schmucklos bis zur Kargheit.
Türme und Tore, zum Teil älter als die Giebelhäuser, zieren die Ansichten so mancher Stadt und künden noch immer von dem Gemeinsinn und mannhaften Mut ihrer Erbauer. Das Großartigste wird man jedoch in der Vereinigung von kraftvoller Wehrhaftigkeit und einem vollendeten künstlerischen Gefühl zu erblicken haben, in den mannigfaltigen schönen Formen dieser Bauten, die vom einfachen und nur durch seine architektonische Grundform wirkenden bis zum vielfach gegliederten und einladenden Tor reichen. Was davon überhaupt auf uns gekommen ist, kann nur als ein Rest des ursprünglichen Reichtums angesehen werden, den Straßen- und Stadterweiterungen aus dem 19. Jahrhundert übrigließen.

KLOSTER ELDENA bei Greifswald ist mit der zu Beginn des 15. Jhdts. erbauten Westfassade seiner Abteikirche auch als Ruine eines der schönsten Zeugnisse für den Bauwillen und die Baukunst der Zisterzienser, die im Gefolge Ottos von Bamberg nach Pommern kamen und Klöster und Städte gründeten.

GREIFSWALD · Der gedrungene Turm der gotischen Marienkirche überragt die alte Stadt, in der im Jahre 1456 die älteste preußische Universität gegründet wurde, die bis heute ihren Ruf als vorzügliche Hochschule behalten hat. Das Bild gibt einen Eindruck von dem ehrwürdigen Charakter der Stadt.

Siedlungsland

Die große Wendung zum Wohlstand in Pommern setzte mit der preußischen Epoche ein, als 1725 die zwischen Peene und Oder gelegenen Gebiete an Preußen kamen, gekennzeichnet bei allem Aufschwung durch Sparsamkeit und Bescheidung auf das Nötige und Zweckmäßige. Friedrich der Große sorgte vor allem dafür, daß aus unbedeutenden Siedlungen sich schmucke Kolonistendörfer entwickeln konnten, wie das nach dem Landesherrn in Friedrichshuld umbenannte Billerbeck im Kreise Rummelsburg zeigt. Zugleich mit den Büdnern und Bauern, die auf den neuen und oft zweibahnigen Dorfstraßen ihrer Arbeit flott nachgehen konnten, wurden Handwerker angesiedelt, in dem genannten Friedrichshuld sogar Weber, die den Flachs, der auf dem ärmlichen Boden reichlich gedieh, in Damast zu verwandeln verstanden mit selbsterfundenen, meist naiven und doch formschönen Jagd- und Tiermotiven.
Mögen in diesen Siedlungsplänen des Königs und in seiner Bauernschutzgesetzgebung sich Anzeichen für die Beseitigung des sogenannten Bauernlegens zu erkennen geben, aus der Welt geschafft wurde das zwangsweise Auskaufen der Bauern erst durch die fünfzig Jahre später durchgeführten Reformen des Freiherrn vom Stein. Inzwischen jedoch waren gerade durch die egoistischen und nach heutigen Begriffen abscheulich unsozialen Maßnahmen die landwirtschaftlichen Großbetriebe entstanden, die aus dem Osten die Kornkammer Deutschlands machten, und die wir als *Rittergüter* zu bezeichnen pflegen mit den Gutshäusern des Adels.

DIE MARIENKIRCHE IN KÖSLIN, der Hauptstadt des östlichsten Regierungsbezirkes Pommerns, nimmt mit der dreifachen Staffelung von Turm, Schiff und Chor und den einzelbedachten Kapellnischen der Seitenschiffe eine Sonderstellung ein und betont die gotische Eleganz noch durch eine zierliche Turmhaube.

Burgen und Schlösser

Die festen *Burgen*, in denen sich die von Borcke, Dewitz, Kameke, Puttkammer, Zitzewitz und viele andere seßhaft gemacht hatten, als sie von den Mönchen gerufen oder mit den Ordensrittern ins Land eingeritten waren, standen längst nicht mehr. Burg Wildenbruch südlich Greifenhagen und der runde Turm der Wasserburg Landskron bei Anklam erinnern wohl noch an diese Zeit. Aus den befestigten Plätzen waren inzwischen *Schlösser* geworden, das stattlichste ohne Zweifel Stettin, das allerdings aus einem Kloster zum Herzogsschloß umgewandelt worden war, im Renaissancestil aufgeführt, und nun den einzigen bedeutenden Kirchenbau aus der Zeit nach der Reformation aus dem Jahre 1575 in seinen Mauern beherbergte. Tützpatz, Schwerinsburg, Kummerow und Krangen gehören etwa in die gleiche Zeit, auch Spyker auf Rügen, der Sitz des Schwedenmarschalls Carl Gustav Wrangel, der dem Umbau des Schlosses von 1650 mit den vier runden Ecktürmen sicher einen im Stil seines heimatlichen Stammsitzes Skokloster nachgebildeten, heimatlichen Anflug geben wollte.
Doch erst die Schlösser aus der Zeit des Spätbarocks und noch mehr die nun schon als Herrensitze zu bezeichnenden und frühklassizistische Merkmale annehmenden *Gutshäuser* aus der preußischen Epoche prägen den Stil des pommerschen Landhauses. Zweckmäßigkeit dominiert und bereitet die Aufgeschlossenheit vor, in der Schinkels Bauberatung wiederholt zu spüren ist wie bei den Schlössern in und um Putbus, beim Jagdschloß Granitz, für das sogar eine Skizze des späteren Königs Friedrich Wilhelm IV. vorliegt, oder bei dem vor den Toren von Stettin gelegenen Haus Tilebein, in dem Carl Loewe fast sein gesamtes Balladenwerk im Kreise der Freunde des Hausherrn aus der Taufe hob.
Gerade aber das sollte man bei dem Gedanken an die *Herrensitze* in Pommern nicht vergessen, daß in ihnen Menschen saßen, die nicht nur den sich anbahnenden Wandel des Sozialgefüges von der Gutsherrschaft zur Gutswirtschaft vollziehen halfen und damit den Aufschwung Pommerns zur »Nährprovinz« beschleunigten. Sie nahmen an der Kultur nicht minder Anteil, sammelten und pflegten Kunstschätze, wie jedem Bericht über Schloß Stargordt und so manches andere Gut zu entnehmen ist. Wie sehr der Adel mithielt, gestaltend teilzunehmen, zeigt Schloß Pansin am auffälligsten, dessen Fassaden – man muß hier schon den Plural wählen – Baustile aus dem 15. bis 19. Jahrhundert zu einem höchst malerischen und harmonischen Gesamteindruck vereinigen.
In Preußens große Zeit fallen die großen Leistungen des pommerschen Adels. Dem Lande den Rükken kehren (wie die Großen aus Kunst und Wissenschaft es tun mußten, weil das Land zu einfach war, um ihnen den Widerhall zu bieten, den sie brauchten) konnte er nicht. Er war an den Boden gebunden und ihm seit Jahrhunderten ver-

DIE TURMFRONT DES MARIENDOMES IN KOLBERG, der Vaterstadt Nettelbecks, stammt aus dem 14. und 15. Jahrhundert; der Baubeginn des Gotteshauses reicht bis zur Stadtgründung 1255 zurück. Der fünfschiffige Kirchenbau wurde im Laufe der Zeit zu einer Sammelstätte bedeutender kirchlicher Kunst.

DIE HÜTTE »KRAFT« IN STOLZENHAGEN-KRATZWIECK, bereits 1895 oderabwärts bei Stettin errichtet, entwickelte sich zu einem der größten Industriewerke des Landes, die durch bequeme und billige Wasserwege begünstigt und mächtig gefördert das Wirtschaftspotential Stettins und des Landes immer stärker anhoben.

pflichtet. Er mußte schon die neuen Entwicklungsmöglichkeiten aufgreifen, die sich boten, und nach alter Pommernart – er packte zu.

Landwirtschaft

In den folgenden anderthalb Jahrhunderten bis zum Ausbruch des letzten großen Krieges nahm die Landwirtschaft Pommerns einen bedeutsamen Aufschwung. Widmete sich der Großgrundbesitz vornehmlich der Steigerung des Getreide- und Hackfrüchteanbaues, so ergänzten die Kleinbauernbetriebe das planmäßige Vorhaben der Güter aufs glücklichste durch intensive Viehzucht und Viehwirtschaft.

Eine vor allem mengenmäßige Steigerung erfuhr die pommersche Agrarwirtschaft im Jahre 1938 durch die Eingliederung des nunmehr »Südostpommern« benannten Gebietes, dessen Entstehung eines der letzten Kapitel pommerscher Geschichte bildet und infolgedessen eine knappe zusammenfassende Darstellung beanspruchen kann.

Die Grenzmark

Nachdem Anfang der zwanziger Jahre unseres Jahrhunderts durch die Verträge, die den ersten Weltkrieg abschlossen, der »polnische Korridor« tief in den deutschen Osten hineingeschnitten wurde, blieben von den Provinzen Westpreußen und Posen nur geringe Teile unter deutscher Verwaltung – die vormals westpreußischen Kreise Schlochau und Flatow und Deutsch-Krone sowie ein kleines Stück des zur Provinz Posen gehörenden Kreises Birnbaum, nämlich der in der Zeit Friedrich des Großen entwässerte und vorbildlich kultivierte Netzedistrikt. Unter dem Namen »Grenzmark« hatte man diese Gebiete zusammengefaßt und damit einen alten geschichtlichen Begriff neu belebt, der sich bis ins frühe Mittelalter zurückverfolgen läßt und eine erste Blüte zur Zeit des Deutschritterordens zu verzeichnen hatte, mit welcher Epoche denn auch in Schneidemühl und an manchem andern Platz die stattlichen Kirchenbauten entstanden. Als Grenzland gegen die slawischen Nachbarn, mit denen man sich im eignen Lande so gut zusammenlebte, wie es im alten Pommern auch geschehen war, und eine heimattreue Bevölkerung gründete, hatte das Land zwischen Warthe und Netze viel aushalten und letzte schwere Schläge während des polnisch-schwedischen Krieges von 1700 bis 1720 und im Nordischen Kriege einstecken müssen. Das hat die Menschen geprägt, die still und duldsam ihrer Arbeit nachgingen. Friedrich der Große hat sich des Landes sorgend angenommen, die agronomischen Chancen, die Sand und Bruch dort boten, erkannt und ein Kulturland erstehen lassen, das von den Gebieten östlich seines Einflusses bei gleichen Bedingungen vorbildlich abstach.

Doch nicht nur Restbestände der ehemaligen Provinzen Westpreußen und Posen wurden für das neue Südostpommern herangezogen. Um einen selbständig funktionierenden und vor allem auch einen seinem Umfang nach angemessenen Verwaltungsbezirk zu bilden, wurden die beiden nordöstlichen Kreise der Provinz Brandenburg, Arnswalde und Friedeberg, hinzugezogen, und auch das aufnehmende Land Pommern gab zwei Kreise, Dramburg und Neu-Stettin, ab. So hatte Pommern nun neben den beiden alten Regierungsbezirken Stettin und Köslin einen neuen dritten mit Schneidemühl als Amtssitz, der sich der Agrarstruktur Altpommerns gut einfügte. Sprungartig stiegen die landwirschaftlichen Produktionsziffern im letzten Jahr vor dem zweiten Weltkrieg an. Allen Erzeugnissen voran steht die Kartoffel. Hackfrüchte und Zuckerrüben folgen, und auch Getreide aller Art macht von sich reden.

Reichtümer des Landes

Für die Saatkartoffel wurden die Kreise Dramburg und Naugard führend, für das Getreide lenkte die in Stettin gegründete »Anstalt für Saatzucht« die Aufmerksamkeit auf sich und konnte Methoden und Erfahrungen weit über die Landesgrenzen einsetzen. Die *Viehbestände* lagen im Vergleich zu andern Provinzen ungewöhnlich hoch: über eine Million Stück Rindvieh, über zwei Millionen Schweine, fast sechs Millionen Stück Federvieh einschließlich der guten pommerschen Gänse waren die Jahresbilanzen bis 1939. Fast 2000 Klein- und Großbetriebe, von denen mehr als hundert über 1000 Hektar Nutzfläche besaßen, brachten das zustande.

Gut durchforsteter reicher Waldbestand führte zu einer einheimischen *Holzindustrie* mit Zellulose, Papier und Pappefabrikation. Eine Zündholzfabrik entstand in Zanow in Ostpommern. Hauptsitz der Industrie war Stettin geworden, wo zwei bedeutende Werften, der »Vulkan« und die »Oderwerke«, gebaut werden konnten.

Alles das konnte in dem weitverzweigten *Hafengebiet* errichtet werden, in dem Oderkähne, Schlepper, Schaluppen, Fracht- und Passagierschiffe die Verbindung untereinander und mit der Welt herstellen.

SCHLOSS STARGORDT am Ufer der Rega darf als Musterbeispiel preußisch-pommerschen Baustils hingestellt werden. Graf Borcke, preußischer Generalfeldmarschall, ließ den vorklassizistischen Bau um 1720 aufrichten.

DIE KIRCHE VON BELGARD an der Persante liegt am Südostausgang eines fast quadratischen Marktplatzes, der vielen pommerschen Städten eigen ist. Der kaum gegliederte Unterbau des Turmes ist ebenfalls bezeichnend für die ostpommerschen Kirchen und trägt hier eine reizvolle achteckige Barocklaterne.

Im Lande nach Industrie zu suchen, ist vertane Mühe. Es hat andere Aufgaben. Der *Bodenreichtum* an Lehm begünstigte allenfalls die Errichtung großer Ziegeleien.

Stettin erwähnen heißt, auch von der Fischerei und dem Fischmarkt reden, mit den Fischfrauen hinter den Bottichen mit den zappelnden Flundern, Schollen, Lachsen, Heringen, Stinten, Aalen – je nach Jahreszeit – und von der *Heringsbörse,* an der die billigste aller Fischarten in jeder nur erdenklichen Form gehandelt wurde. Das Probieren des Matjes wurde alljährlich ein Fest, wenn das Kosten und Taxieren losging: den zarten Fisch bei den Schwanzflossen je eine zwischen Daumen und Zeigefinger genommen und in forschem Schwung einmal herumgeschleudert, daß er einen vollen Kreis beschreibt, zwischen den Händen des Probierers, der die gefaßten Flossen während des Kreisens des Fisches kräftig auseinanderreißen muß. Der Erfolg ist verblüffend. Zwei Filets liegen auf dem bereitgestellten Teller. Pro Fisch einen Klaren, und man kann Dutzende vertilgen. – Marinadenfabriken gab es in großer Zahl. Handel und Wandel gedieh.

Ja, auch der *Wandel.* Schon kurz nach 1800 entstand das kommerziell betriebene Badewesen in den Küstenorten, denen sich Städte mit Sol- und Moorbädern anschlossen. Eine beachtliche Fremdenindustrie konnte ausgebaut werden, die ungezählte Menschen anlockte und den Namen Pommern überall hintrug.

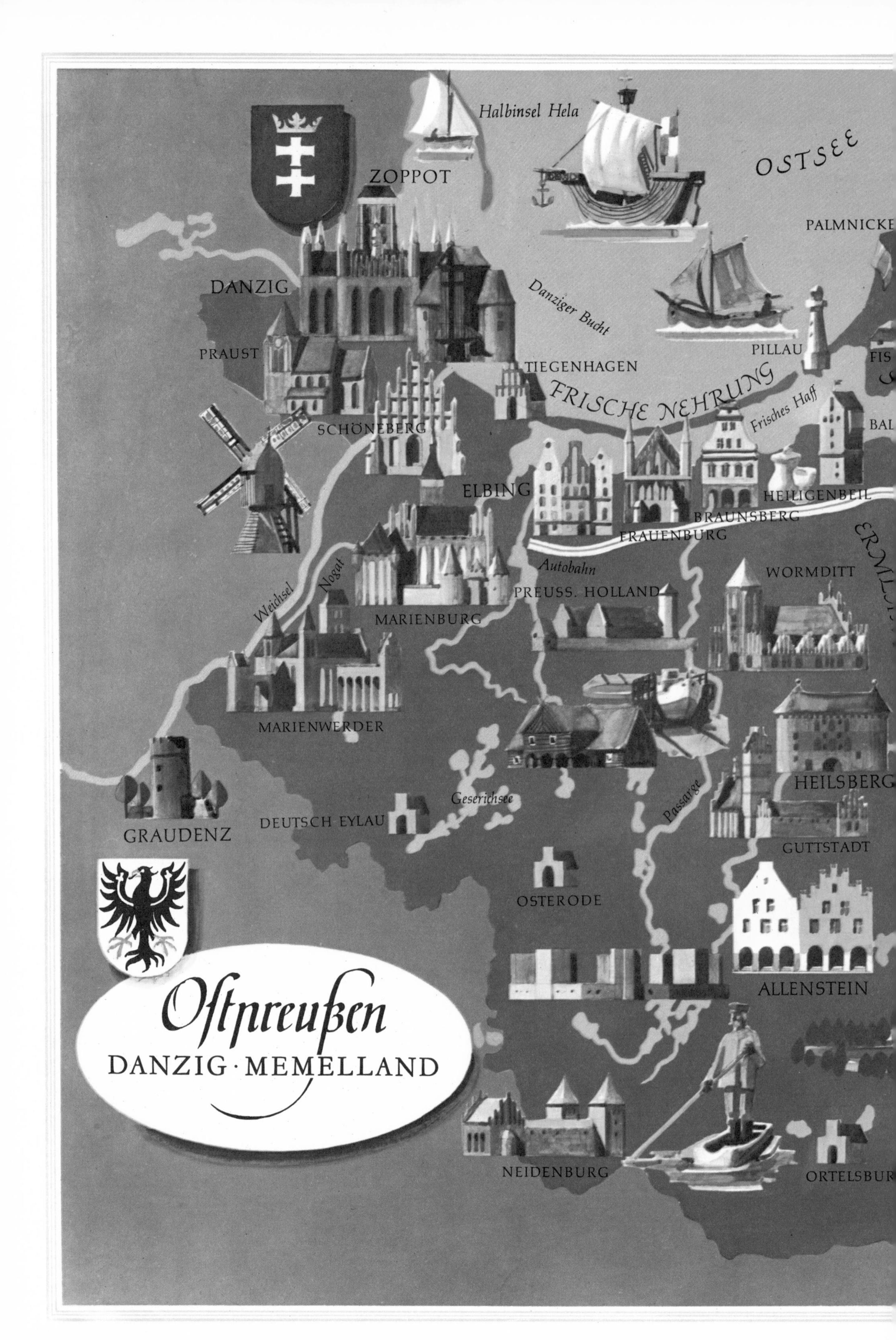

Halbinsel Hela
OSTSEE
ZOPPOT
PALMNICKE
DANZIG
Danziger Bucht
PRAUST
PILLAU
TIEGENHAGEN
FIS
FRISCHE NEHRUNG
Frisches Haff
SCHÖNEBERG
BAL
ELBING
HEILIGENBEIL
BRAUNSBERG
FRAUENBURG
Autobahn
WORMDITT
PREUSS. HOLLAND
Weichsel
Nogat
MARIENBURG
MARIENWERDER
HEILSBERG
Geserichsee
Passarge
DEUTSCH EYLAU
GRAUDENZ
GUTTSTADT
OSTERODE
ALLENSTEIN
Ostpreußen
DANZIG · MEMELLAND
NEIDENBURG

MEMEL
SCHWARZORT
NIDDEN
KURISCHE NEHRUNG
PILLKOPPEN
HEYDEKRUG
CKEN
CRANZ
ROSSITTEN
SARKAU
MEMELLAND
Kurisches Haff
Russ
EN
AND
TILSIT
LABIAU
Memel
KÖNIGSBERG
RAGNIT
CHARAU
Pregel
WEHLAU
GEORGENBURG
ARTENSTEIN
Alle
INSTERBURG
Alle
HEILIGELINDE
GUMBINNEN
TRAKEHNEN
RASTENBURG
Angerapp
RÖSSEL
ANGERBURG
Mauersee
GOLDAP
LÖTZEN
NIKOLAIKEN
MASUREN
N
LYCK
W
Spirdingsee
W. PROBST
O
JOHANNISBURG
S

Humor in Pommern

Karl war schlauer

Als die Pastoren noch das Amt des Schulinspektors versahen, ließen sie sich keineswegs nur in der Religionsstunde blicken. Im Kreise Regenwalde läßt der hohe Herr von den Kleinsten Zahlen an die Tafel schreiben. Karl ist dran und schreibt »28«, und der Pastor liest »zweiundachtzig«. Karl schaut verdutzt und malt weiter. »65« steht an der Wand; doch der Inspektor spricht »sechsundfünfzig«. Karl wendet sich zu denen auf der letzten Bank: »Hei will mi narren«, und fixing schreibt er »66«. Der Pastor stutzt und hüllt sich in Schweigen, in das Karl, nun triumphierend, hineinplatzt: »Kiek, nu kann hei nich mihr.«

Die Funktion der Milz

Schivelbeins großer Sohn, der berühmte Pathologe Rudolf Virchow, hatte Examensprüfungen der Medizinstudenten abzunehmen. Einen der Kandidaten fragte er, was er von der Funktion der Milz wisse. »Das ist mir leider entfallen, Herr Professor! Gestern wußte ich es noch.« »So ein Pech«, meinte Virchow. »Der einzige Mensch, der es je gewußt hat — und ausgerechnet der muß es vergessen!«

Pommersche Höflichkeit

Ein Badegast in Vitte auf Hiddensee ging jeden Morgen von seiner Sommervilla quer über Fritz Gaus Grundstück zum Badestrand. Da kommt Fritz Gaus ihm entgegengestürzt: »Wenn Sei hier nochmal räwergahn, schlag ich Sei mit'n Knüppel vör'n Kopp!« – »Meinen Sie mich?« fragte der Badegast ganz verwundert. – »Ja, wat hebben Sei äwer min Grundstück tau pedden?« – »Entschuldigen Sie. Das konnte ich leider nicht wissen.« – »Dorum segg ick Sei dat jo ok in'n Gauden!«

Trauriger Abschied

Daß man tagelang halbnackt am Strande liegen und in der gleichen Kleidung in der frischen Seeluft herumlaufen kann, wollte noch nach dem ersten Weltkrieg einem richtigen Küstenbewohner nicht in den Sinn. Das wären Unverstand und unverantwortlicher Leichtsinn. Das fröhliche »Auf Wiedersehn!« beim Abschied einer jungen Großstädterin vom Heringsdorfer Urlaub beantwortete der freundliche, gastgebende Fischer mit einem traurigen »Nä, Froillein! Sei kamen nich wedder! Sei starwen den Winter öwer an Rheumatismich!«

Notwendiger Berufswechsel

Bevor Professor Münter auf den Lehrstuhl der Botanik in Greifswald berufen wurde, übte er die Praxis eines einfachen Landarztes in dem durch seine Ruine weithin bekannten Eldena (in unmittelbarer Nähe der pommerschen Universität) aus. Den Grund für den Berufswechsel soll folgendes Erlebnis abgegeben haben; so hat er es wenigstens erzählt: Eines Tages kommt der Pastor der Gemeinde mit einem armseligen, völlig verhungerten Mann in die Sprechstunde. »Dies ist unser Totengräber«, stellt der Seelenhirte vor. »Solange Sie hier praktizieren, hat er noch keinen Pfennig verdient. Dagegen muß ich protestieren.« — »Ja, da hebben Sei ook een gaudes Recht dartau«, sagt der Doktor, »und ik möt nu woll wegtrecken.« — »Und wollen Sie dort ebenfalls schuldig werden, daß der Totengräber verhungert?« — »Nä —, dann will ik man ieligst ümsatteln.«

Donnernde Huldigung

König Friedrich Wilhelm IV. war auf Huldigungsfahrt durch Pommern, und sein dankbares Volk errichtete ihm überall beim Einzug in die Städte geschmückte Ehrenpforten. – Als er aber in Stettin die Oder überschritt, leuchtete ihm von der Lastadie herüber auf einem Spruchband der Gruß entgegen:
In Vorderpommern freudig aufgenommen,
tönt aus dem hintern Dir ein donnerndes Willkommen.

Energische Stralsunder

Während der Belagerung Stralsunds durch Wallenstein Anno 1629 soll sich zwischen den Unterhändlern des kaiserlichen Generals und den Bürgern der Stadt am Sund folgender Disput abgespielt haben, als die Ratsherren zunächst aufgefordert wurden, Lösegeld zu zahlen. »Dat heben wi nich!« Auf die Drohung, dann müßten sie eine Besatzung hinnehmen, kam die Antwort: »Dat don wi nich!« und des Feldherrn Gezeter »Lumpenhunde!« wiesen die zurück mit einem »Dat sün wi nich!«

Stephans Nase

Generalpostmeister Stephan liebte es, Dienststellen überraschend zu inspizieren. Der Leiter eines gerade inspizierten Postamtes schickte dem Kollegen am Nachbarort ein Telegramm »Stephan unterwegs — steckt Nase in alles«. Nur wenig später traf ein Rücktelegramm ein: »Nase schon drin — Stephan.«

Zum Kaufmann geeignet

»Papa Wrangel« erscheint zur Gratulationscour beim Kronprinzen, dem ein dritter Sohn (der früh verstorbene Prinz Waldemar) geboren war. Die Kronprinzessin läßt den Kleinen hereinbringen, und stolzerfüllt legt sie ihn Wrangel in den Arm. Vater Kronprinz macht Konversation und fragte leutselig: »Was soll er nur werden? Wilhelm muß Soldat werden; Heinrich soll zur Marine. Ob ich ihn wohl Kaufmann werden lasse?«
»Das wird das Richtige sein, Majestät! Mir hat er schon besch . . .«

Ehrlicher Schwindler

Hein hat die Schulzeit hinter sich und geht nach alter Familientradition zur See. Seine erste Arbeit an Bord ist das Einscheren der Flaggenleine am Vormast. Der Kapitän betrachtet Hein, der das obere Ende des Mastes von Deck aus mit den Augen betastet, recht mißtrauisch und fragt: »Büst du ok schwindelfrei, Hein?« — »Ne-i«, lautet die Antwort, »leugen kann ik düchtig!«

Knifflige Sache

De oll gries Polizist Kreuger kümmt nah't Rathuus un mellt bi'm Stadtschriewer: »Herr Sekertär, in de Säbenhauerstraat liggt en dodig Pierd.« – »Es heißt nicht Säbenhauer-, sondern Segebadenhauerstraße. Wie oft soll man Ihnen das sagen! Setzen Sie sich hin und geben Sie einen schriftlichen Bericht.« – De Polizist sett't sick hin, un bi't Schriewen breckt em de Angstschweit ut. Nah'ne Wiel fröggt hei zach: »Herr Sekertär, woans ward Säbenhauerstrat schräwen?« – »Das ist Ihre Sache«, brummte de Schriewer. – Kreuger grüwelt wedder ne Tiedlang, bet hei endlich upsteiht un sick den Mantel antreckt. – »Sind Sie schon fertig?« fröggt de Stadtschriewer. – »Ne. Ich will blot hengahn un dat Pierd in de Lange Strat trecken.«

AGNES MIEGEL

Ostpreußen

Danzig. In alten Märchen und Liedern ist eine der schönen Königstöchter die allerschönste. Stolz und Ruhm der ihren, nie alternd in der heiteren Klugheit ihres leidgeprüften Herzens, hält sie, umworben und umkämpft von mächtigen Freiern, dem einmal Erwählten über Trennung und Not die Treue.
So, o Danzig, erscheinst du uns – deinen Kindern und deinen Geschwistern! An der milden Bucht der Weichselgoten lagst du, turmgekrönt, im Purpur deiner alten Backsteinkirchen, deren Glockenspiel uns grüßte, wenn das Schiff unter dem dunklen Riesenhaupt des »Großen Krans« anlegte. Heimatlich blickten Brücke und Fachwerkspeicher über die Mottlau, Wiedersehensglück erfüllte uns beim Durchschreiten des Torbogens, der schmalen Beischlaggassen, über deren Giebel die kantige Wucht des mächtigen Turms der Marienkirche ragte. Wie das Betreten eines geschmückten Festsaals war es immer wieder, wenn man in die helle Geschlossenheit des Langen Marktes bog, und vor der prunkenden Front des Artushofs am Neptunbrunnen die Langgasse hinunterblickte von Tor zu Tor und dein starkes, lebensvolles Herz spürte, du alte Hansestadt, in dem Getriebe tätigsten Lebens, das noch in schwerer Zeit durch deine Mauern flutete. Uns erschienst du nie düster oder der Vergangenheit nachträumend, so ehrfürchtig du auch das Alte bewahrtest, als dein Lebenswille die Enge der Wälle sprengte und neue Straßen an den grünen Hügelhängen emporklommen. Jungem Leben blieb deine Altstadt immer noch erhalten, wie ihre Vorväter sie gesehen.
Aus einem dieser wabendunklen Kontore schritt Paul Benecke, der Sohn der See, und führte die Flagge Danzigs, ihre Krone und ihr Kreuz, auf zwei Meeren zum Sieg. An einer jener Eichentüren stand Martin Opitz auf dem Beischlag und bat um Obdach vor der Pest, die seine schlesische Heimat verheerte. Zu seinen Gastfreunden bettete er sich unter die Fliesen von Sankt Marien, mit seinem letzten Lied sich vertrauensvoll, wie die auferstehenden Gläubigen auf Memlings Altarbild, der Gnade empfehlend, die aus goldenem Strahlenkranz lächelte, der Schönen Maria seiner Heimat gleich.
So sah schon Chodowiecki, als er seine greise Mutter besuchte und das vielfältige Leben seines Danzigs im Stift festhielt, die heitere Rokokoeleganz in den Sälen der »Ehrbaren Kaufleute«, wie sie immer noch das Uphagen-Haus bewahrte. Nie verbürgerlichte es zu der trinkfrohen Gemütlichkeit der Kramer- und Schifferstuben, wo das Lebenselixier des »Goldwassers« aus dem »Lachs« und der »Kurfürstliche« dem Bordeaux und Burgunder Stand hielten – aber dieses Patrizierhaus erstarrte auch nie zur Museumskälte. Die Testamentsbestimmung, die noch nach anderthalb Jahrhunderten die Erben zwang, hier den Jahrestag zu begehen und auch zu übernachten, bewahrte dem schönsten Haus Danzigs immer noch einen Hauch kunstfreundlichen Lebens.
Schöner aber als seine zarte Vornehmheit war es doch, wieder in der hellen Langgasse zu dem hohen Rathausturm aufzublicken, die mozartische Anmut seiner edlen Maße zu spüren, den zum Himmel steigenden Lobgesang dieses schlanken Turmes auf seine Stadt: auf die Kirchen und Tore Danzigs, auf ihre Giebel und Speicher. Auf den Silberschmuck ihrer Flüsse und Hafenbecken, auf ihr abendliches Lichtergeschmeide an den Hügeln. Auf den Wimpelgruß ihrer Schiffe, das Heulen ihrer Dampfer, das Hämmern ihrer Werften! Auf den Frieden der von ihr beschützten Dörfer auf den Deichen und in der reichen Niederung mit den uralten Bauernkirchen! Auf die vierfache Kette ihrer alten Lindenalleen, an die sich Töchter und Nachbarn reihten, Langfuhr und das verträumte Oliva mit der lichten Klosterkirche und dem Heckenfrieden seines Schloßparks. Wo oben am Buchenwald die letzten der »Höfe« lagen, einst die geschmückten Villengärten reicher Barockherren, in deren bewahrter Gastlichkeit noch Adele Schopenhauer glücklichste Jugendtage verlebte.
Ostpreußen. Was dachten unsere Geschwister im Süden und am Rhein bei deinem Namen, Heimat? Sie sahen undeutlich ein sehr fernes Land, unscheinbar, neblig und kalt. Wohl, wenn sie mit dem weißen Schiff über die stürmische See kamen, wollte es zuerst so scheinen. Aber anders war es, wenn der überlange Zug sie hertrug, der so viel seltener hielt, als sie es aus ihrem Land gewohnt waren. Manch einem mag in der endlosen Kette der Kiefernwälder das alte Ostlandlied eingefallen sein: ». . . und als er in die Heide kam, die grüne, grüne Heide kein Ende nahm«, denn die Heiden des Ostens sind nicht rotblühende Einsamkeit, sie sind immer noch der weite, wilde Wald, der seinen alten Namen bewahrte. Dann blinken Seen auf, Alleen führen zu stillen Gutshöfen, weite, weite Felder wogen – und nun klingt in das Rattern des Zuges ein langgezogenes, ehernes Klirren. Sandufer glänzen aus dem Gestänge herauf, Wasser blitzt unten, breit und

still, der Zug rollt über die lange Weichselbrücke. Das Klirren verstummt, und unten ist nichts als die brütende, wohlbestellte Fruchtbarkeit des grünen Werders, deltaspitz zwischen die beiden Ströme gelagert. Wieder beginnt der Gesang des Eisens, Heimkehrlied für die Kinder des Ordenslandes. Am Nogatufer drüben steigt die *Marienburg* auf. Durch das graue Gitterwerk der Doppelbrücke sucht der Blick das vertraute Bild: die beiden wuchtigen, spitzzipfligen Türme des Nogattors, die langgestreckten Mauern der Burg, der Vorburgen, der Wehranlagen, und die unter blinkendem Dach und Turm im dunkelglühenden Purpur ihres Backsteins aufsteigende, fensterbunte, gewaltige Westfront des Hochschlosses.

Diese Burg, der keine andere sich an Größe, an Wucht und Herrlichkeit vergleichen kann, ist das Eingangstor des Ordenslandes Preußen. Auf seine Felder, auf die lindengesäumten Straßen, über die gesegnete Niederung bis zu den blauen Höhen Elbings blickt aus der schmalen Nische des hohen Kapellenchors, strahlend im Morgenlicht, das riesige Mosaikbild der Gottesmutter, der Patronin dieses Landes, das ihre ritterlichen Diener neu erweckten aus langem Dornröschenschlaf, in den es versank, als Goten und Gepiden, vom Schwarmfieber der Wanderung erfaßt, fortzogen zum lockenden Süden. Als das Tief auf der Frischen Nehrung versandete, als Trusos Bucht verschlickte, die Handelsstadt der Goten und ihrer prussischen Erben weder Nordlandsdrache noch Wikingerschiff mehr kannte. Aber noch lebt das Vogelparadies des verlandenden Drausensees. Noch wahrt *Elbing* in einer seiner großen Schulen den Namen seiner Urmutter Truso. Und die stämmigen Kinder Elbings, der Stadt der Schiffszimmerleute, der Handwerker und Kaufherrn, nahmen alten Ruhm als Verpflichtung. Sie trugen das Stillerwerden nach großen Hansetagen in weiser Bescheidung, pflegten ihr schönes Stadtbild, hielten die vornehmen schmalen Giebelhäuser und Höfe in Stand, liebten ihren Markt und das alte, rote Markttor, ihren Elbing, ihre Werften, ihr Haff und seine schönen Ufer und gingen gerne in ihre riesenhohen Kirchen, unter deren Fliesen Ratsherr und Schöpper, Schotte und Londoner Kaufherr schliefen.

Niederdeutsch sprachen die Elbinger in ihren Späßen, ihren Heimatgedichten, wie in ihren alten Chroniken. Niederdeutsch sprachen die Bauern und die Arbeiter am Hafen, sprachen die blonden Kahnschiffer auf den breiten Lommen, die die überreiche Obsternte der milden Haffufer zu Markt trugen. Weißrosig schäumten die heiteren Abhänge von Panklau bis Cadinen im Frühling. In die Vorfreude auf die Sommerferien kamen von hier die ersten Kirschen. Wenn die Buchenwälder oben herbstlich flammten, das Birkenlaub wie Gold vor der Haffbläue rieselte, dann war diese ganze Küste der Garten des Schlaraffenlandes. Dann stieg von den Kähnen der Weinhauch edelster Apfelsorten, stärker als Fisch- und Rauchdunst, und mischte sich mit dem Heuduft und dem des Wassers. Auf hohem Ufer hinter Cadinen, wo die Buchen den ernsten Kiefern Platz machten, verhallte das behagliche Platt. Oberdeutsche Laute klangen. Hier begann das *Ermland*. Hier sangen die Glocken der alten Ordenskirchen bis zur Passarge bei Braunsberg und tief ins Land hinein immer noch den Lobgesang der Schutzpatronin des Ordenslandes. Hier, in den stillen Räumen der alten Domherrn, um den türmebekränzten Dom von Frauenburg, lebte noch gottgeweihtes Studium wie zu der Zeit, da Kopernikus einer der Ihren war.

Er, der Sohn Thorns, der im schönen Bischofsschloß zu Heilsberg, bei seinem Oheim aufwuchs, der kluge Verwalter seiner Kurie, der berühmteste Astronom, der sein weltbewegendes Werk in seiner deutschen Muttersprache schrieb, der große Arzt. Als solchen verehrten ihn Große und Geringe, so zeigt ihn sein Bild mit dem Maiglöckchen in der Hand – Zeichen des Arztes, der Gift zum Heiltrank wandelt. Seine Grabstätte ist vergessen. Sein Werk lebt, ewig wie die Gestirne, es lebt sein letztes Gebet.

Wie das Land sich dehnt bis zum seenreichen Oberland, zum ansteigenden Masuren. Wie die Niederung den Holländern und Friesen Strom und Deich zu wahren gab, so kam das Ermland seinen oberdeutschen Siedlern mit fettem Acker, mit Buchenwald, Bachgrund und lieblichen Höhen entgegen, und rauschender All. Erinnerung an fränkische und schlesische Heimat verging mit dem Heimweh, als dies grüne Herzland ihr immer ähnlicher wurde. Als von den roten Kirchen der kleinen Städtchen Mittags- und Avegeläut zu den Laubengängen der Giebelhäuser um den Markt ging, als an baumbestandnen Landwegen Kruzifix und Feldschrein unter bienendurchsummten Linden ragten, als Hof an Hof, sauber und reich wie die der Niederung, alle die geschlossene Geborgenheit des rechteckigen fränkischen Hofs zeigten.

Im buntblühenden Garten mit dem Bienenstand, auf Bleichplatz und Hof war das Reich der Frau. Nicht nur im Haus, wo das Spinnrad schnurrte, der Webstuhl klappte, – denn hier, wie einst in Schlesien, blühte der Flachsbau. Im Hof gackerte und krähte es, wuselte es gelbwollig um Glucke und Pute. Es schwamm weiß und graubunt auf dem Dorfteich und Bach, es wurde von den Kindern im hallenden Herbstwind über glänzende Stoppeln getrieben, durch die überklare östliche Luft, es antwortete schreiend dem Ruf der Wildgänse, der wilden Schwäne und Reiher, die oben durch gläserne Bläue südwärts flogen.

Aber nur Sonntagskinder hatten um Bartholomä den Storch in weißen Geschwadern aufsteigen gesehen! Er, der Adebar, gehörte zu jedem Gehöft, zu reichem Laubenhaus wie strohgedeckter Fischerhütte im kinderreichsten deutschen Land! Er nistete auf Telegrafenstange und Chausseebaum wie auf dem Rathausdach der Stadt. Wo er brütete, wohnte das Glück. Dem Hof und Gut, das er mied, fehlte das höchste, der Kindersegen!

Er war der bestaunte Märchenvogel für fremden Stadtbesuch. Aber wer selbst vom Land stammte, der freute sich an ihm wie an den weiten wogenden Roggenschlägen. Kam er gar aus der Marsch, dann sah er mit Bewunderung die großen, durchgezüchteten, schwarzbunten Herden in den grünen Weidegärten, und mit Staunen in den Koppeln

DANZIG · Reichtum und Schönheit dieser Stadt werden durch kaum ein anderes Bild besser verdeutlicht als durch den Blick auf die Wahrzeichen: Krantor und Marienkirche im Hintergrund. Die eigentliche Blüte, die in das Hinterland ausstrahlte, brachten nicht nur der Orden und die Hanse, sondern auch die Zeit des Frühbarocks. Damals entstanden alle jene Prachtbauten am Langen Markt und in der Frauengasse, Juwelen, wie sie nur wenige deutsche Städte vorweisen konnten.

die edlen Mutterstuten mit ihren Fohlen, wie die geliebten »Hietscherchen« sich spielerisch im Gras wälzten, an der Mutter sogen, hinter ihr herliefen und wie die Kälbchen auf der Jungviehweide davonstoben, wenn der Kleinbahnzug vorüberratterte. Wer ist schöner von beiden, wer ist dir lieber – dein Fohlen oder mein Kälbchen? Uralte Kinderfrage am Zaun, wo die Weidenpfeife schrillt. Wer ist schöner, wer ist kostbarer – mein Trakehner oder dein Kaltblüter? Uralte Bauernfrage über die Gartenhecke beim Pfeifengequalm der beiden alten Besitzer. Wer kann es entscheiden von den Söhnen dieses Landes zwischen Weichsel und Memel? In den starken Kaltblütern des Oberlandes und Ermlands lebte immer noch das Blut der schweren Rosse der Ordensschweiken, die Botschaft von Burg zu Burg trugen, auf denen die Weißmäntligen in die Schlacht ritten. In dem schlanken Trakehner lebte neben dem Erbe der fremden Beschäler immer noch etwas von der schweifenden Anmut, der zähen Ausdauer des Steppenpferdes. Die Nüstern seines

DANZIG · Ein ungewöhnliches Bild bieten die alten Straßen der Stadt, wie die Frauengasse oder der Lange Markt. Als der Wohlstand der Bürger auch nach äußerer Ausdrucksform schaute, wurden die Kellerzugänge der alten Häuser in »Beischläge« verwandelt, kleine mit Gitter und Brüstung umgebene Eingangsterrassen.

schönen Hauptes, hager wie das eines Geisterrosses, tranken schon vor tausend Jahren die winddurchklungene, nach Wasser und Gras duftende Luft der östlichen Ebene. Aber wenn auch unter seiner Mähne noch Träume von südlich heißen Ländern lebten, oder von ferner, westlicher Inselluft – dies grüne Land hier war seine Heimat geworden, wie die seiner Züchter. Ihm gehörten die Koppeln der Gutshöfe, ihm die Wiesen an Inster und Pregel, ihm die Eichenalleen von Trakehnen. Ihm allein kam der Elchbrand zu, Wahrzeichen des Grenzlandes, das im sumpfigen Erlenwald noch das breitschauflige Urwild hegte, das einst wie das Wildpferd zur hohen Jagd noch der Nibelungenrecken gehörte.

An Herde und Fohlenkoppel vorüber, an unübersehbarem Roggenfeld, ging der Weg durch die alleeartigen Landstraßen Ostpreußens von einem Gau der alten Prussen zum andern. An das schöne Ermland schloß sich der alte Bartengau, der einst den heiligen Hain trug, und das behäbige reiche Natangen, der südlich des Pregels gelegene Bruder des Samlands. Es hieß von alters, daß die Natanger zwar die stärksten aller Preußen wären – aber ansonst nahe Verwandte des Meisters Hildebrand, und alle Schnurren, die man diesem nachsagt, waren in Domnau so gut daheim wie in Schildburg. Sie haben dem Ostpreußen, der so viel lieber lacht als weint, über viele schwere Tage geholfen. Nicht zuletzt den Natangern selbst, die neben Heidenstein und Zwergenzimmer im Grafenschloß noch anderen Ruhm bewahren – aus den Tagen, als die Posaune des Todesengels bis zu dem Kirchturm dröhnte, auf dem der fremde Eroberer stand und über das verschneite Schlachtfeld blickte.

Denn es scheint ganz gleich, wo die Kriegsfackel entbrannte – ob fern im Süden oder Westen, ob das Unheil im Südosten aufstieg, wie die weißgoldenen Gewitterköpfe überm reifenden Roggenfeld –, immer ging ihr Feuer verheerend über dies abseitige deutsche Grenzland. Immer fraß es Mensch und Kreatur, grüne Welt und was Menschenhand erbaute. Immer blieben Zerstörung und Verarmung zurück.

Wozu nun noch der Ring schützender Burgen über

ELCH AM STRAND · Muß man nicht beinahe erschrecken vor der Größe und Urkraft dieses Tieres? Fühlt man hier nicht ein Überbleibsel des Urlebens? Es ist so, kein Tier unserer Heimat verkörpert in gleicher Weise Kraft der Natur und Erhabenheit der Schöpfung wie der Elch. Er, der Herr der Wälder und des Strandes, zieht gelassen seines Weges, fern aller Scheu und Angst, die seinen kleinen Artgenossen, den Rehen, eigen ist. Er wurde zum Symbol Ostpreußens, des starken, naturhaften Landes.

den kleinen wohlangelegten Städten mit den übergroßen Marktplätzen, diese »festen Häuser«, die sich vor die weitgeschwungene Ostgrenze legten, die ausgebreitet wie ein Lindenblatt in der weiten Ebene lag?

»Neue Söhne«

Es war des Soldatenkönigs herber Mund, dessen Strenge selbst die Seinen fürchteten, der für dies arme verkommende Land Worte »einer sonderlichen Liebe« fand, der ihm neue Kinder erweckte. Und in einer ganz neuzeitlich geplanten und durchgeführten Kolonisation das deutsche Grenzland von der Memel bis zu den Seen Masurens deutscher Art und Sitte erhielt, als er die vertriebenen evangelischen Salzburger nach Ostpreußen rief.
Wohl hatten seine Vorfahren schon die Niederländer und Mennoniten in dies Land gerufen, hatten den Reformierten, die mit der Aufhebung des Edikts von Nantes ihre Heimat verloren, hier eine neue gewährt. Glaubensgenossen aus der Schweiz und Pfalz waren ihnen gefolgt, und überallhin auch die erwerbstüchtigen Schotten. Aber sie alle kamen vereinzelt oder in kleinen Trupps. Dies war wohlgelenkte Einwanderung Tausender »neuer Söhne«.
Vorläufig blies ihnen in dem verheißenen »milden Vaterland« der nadelscharfe Ostwind entgegen, der hier im frostklaren Frühling Acker und Brache ausdörrt. Aus blauspiegelnden Teichen und Gräben, an deren Weidenufer noch Eisbrocken hingen, stieg Todeskälte. Doch die müden Pilger waren froh, endlich ans Ziel zu kommen. Sie legten ihr Bündel nieder, prüften die Erde des grauen Ackers, waren dankbar für das schirmende Dach, für das Ackergerät und die kleine Kuh im Stall. Waren dankbar, als die ersten Salzburger Kinder die weißgekalkte Wand anschrien und hofften in Gottvertrauen, daß diesem Kind und seinen Nachkommen in diesem Land, wo alle einträchtig beieinander lebten, wieder Land und Herde, Roß und Reichtum beschieden sein würde. Aber es dauerte wieder reichlich zweihundert Jahre, bis zähem Bauernfleiß das gegeben wurde. Bis in den grünen Wiesen an der Inster die edelsten Pferde gingen, die großen Herden weideten mit Vaterstieren, herrlich wie Tiergötter versunkener Völker, und bis dieses Land mit den von Bienen dröhnenden Lindenkuppeln über den Gutshöfen zu dem Land wurde »da Milch und Honig fließt« – dem Kanaan, das die Ahnen erträumten auf der langen Wanderung.
Ob er es so erhoffte, der alte König, als er dies heimatlos gewordene Gebirgsvolk vor dem Elend der Zerstreuung bewahrte durch seinen Ruf? Als er mitten auf dem zugigen Marktplatz seiner neuen Stadt Gumbinnen saß, das gichtige Bein auf dem Holzschemel und die hübschen Häuser rundum mit den Plänen und Rissen auf seinem Schoß verglich und das Wort sprach: »Menschen erachte ich for den größten Reichtum.«
Das waren nun die Städte, die dieser Reichtum füllte: neben *Gumbinnen*, sozusagen ihrer Haupt-

TANNENBERG · Das 1927 eingeweihte Tannenberg-Denkmal erinnerte an die in der Umgebung des gleichnamigen Ortes 1914 erfolgte siegreiche Schlacht durch Hindenburg über die russische Narew-Armee. Fünf Jahrhunderte zuvor war hier im Jahre 1410 das Deutschordensheer von den Polen und Litauern geschlagen worden.

SAMLANDKÜSTE · Wer hoch über dem Strand und der See zwischen Birkengebüschen und Heidekraut sitzen und in den blauen Himmel hinein träumen kann, wird gerne auf die Vorzüge des Lebens in einer großen Stadt verzichten. Die Samlandküste gehört zu den schönsten Landstrichen Ostpreußens. Hier, wie in den Masuren, findet das Auge noch urtümliche Natur. Und doch haben schon vor Jahrtausenden die Menschen hierher ihre Schritte gelenkt. Bis in den Orient gingen die Handelswege, auf denen das begehrte »Gold des Meeres«, der Bernstein, transportiert wurde, um dort schöne Frauen zu schmücken. »Elektron« nannten ihn die Griechen, und mit den »Elektronen« kehrte das Wort in neuer Bedeutung wieder zu uns zurück.

stadt mit dem Salzburger Hospital und der Kirche, *Goldap*, mit See und Moränenhang darüber, heimatlich für die letzten Alten wie das rauschende Wasser der Rominte und die Seesker Berge. Da waren die hübschen Marktstädte und die großen Dörfer, von denen das mit ihrer ältesten Kirche später den Namen Salzburgs trug. Und da war vor allem *Tilsit*! Tilsit, das schöne, heiter-wohllebige, an der mächtigen breiten Memel, mit dem Kiengeruch der Holzplätze von Splitter, mit dem Fiedellied der Flissaken auf den endlosen Holzflößen, mit Musikfesten und schönsten Spazierwegen auf dem hohen Ufer nach Eisseln und Ragnit. Tilsit, wo neben dem Platt, das nun auch die Kinder all der »Neuen« redeten, schon die uralte Sprache der Niederungsbauern auf den Zwiebelkähnen, der Fischerwirte in den stillen Haffdörfern klang, in der die blonden Frauen mit der festen Zöpfekrone sangen, wenn sie im Boot ihre Gemüse, ihre Butter, ihre Webwaren zu den sauberen Marktständen brachten. Nicht das feine Leinen oder gar den schöngemusterten Aussteuerdamast der Salzburger Hausweber – nein, derberes Gewirk mit prachtvollen Mustern, oft bunt wie die blühenden Haffwiesen, wie ihre schmalen Schürzenbänder, ihre vielfaltigen langen Röcke. An ihren weißen Strohdachhäusern auf den Deichen duftete der Holunder, in den endlosen Wiesen zwischen den Flußläufen dufteten die Heuberge stärker als sonstwo im Land. Nirgends lag der Schnee des östlichen Winters unterm pfeifenden Ostwind so tief und glatt, nirgends glitt der Schlitten so übers dicke Eis wie hier, weit und rasch wie einst der des Großen Kurfürsten! Und im Norden, wo das rauchige Abendrot der Johannisnacht stand, lag Memel. Weit hinter Dünenzug und Haffbläue, weit noch hinter der Windenburger Ecke, der die schweren Kähne mit den geschnitzten Wimpeln zuschwammen.

FISCHMARKT IN HEYDEKRUG · Im Memelland, nahe der Rußmündung, eines Armes der Memel, liegt das Städtchen Heydekrug. Sein Fischmarkt vollzieht sich meistens sehr unkompliziert. Die Fischer fahren mit ihren Booten bis vor die Häuser und verkaufen direkt von Bord aus ihre Ware an die Hausfrauen.

Die Hauptstadt Königsberg

Wen es aber in Tilsit oder Labiau oder in einem der großen Kirchdörfer nach den Freuden der Großstadt gelüstete, nach Einkauf und Schaufensterbestaunen, der setzte sich am besten, mit reichlichem

Eßvorrat eingedeckt, auf einen der kleinen Dampfer und fuhr durch Wiesengrün und Himmelsbläue und alle Wunder des Wassers, durch Kanal und Gräben, durch die Deime, den Wallgraben des Samlands, durch den Pregel an Dampfer und Dorf, an Gutsgarten und Ordenskirche, an Holzplatz und Fabrik vorbei – begleitet von Segelboot und Paddelboot – auf Königsberg zu!

Königsberg. Du warst meine Vaterstadt, die Hauptstadt, das Herz deines Landes, wie es nicht einmal Breslau und deine Schwester Danzig waren! Schweres Schicksal deutete schon der Platz, der dir bestimmt war im rauhen Pregeltal. Wind brauste um dein mächtiges Schloß. Wind trug Abend- und Mittagschoral vom Turm über die lebensquirlend alte Stadt.

Wer zu dir kam, Königsberg, und aus dem neuen Bahnhof auf den östlich-weiträumigen Platz trat, den grüßte auf umbuschtem Hügel eine noch dörfliche Barockkirche mit windgetragenem Gerichtsengel auf schlankem Turm. Wenn er dann durch die Langgassen, die vorstädtische und die kneiphöfische, wanderte, an der Grünen Brücke vor der grauen Bürse über den weiten Hafen sah, auf Hochseedampfer und riesige neue Speicher, wenn er dann durch die Handelsinsel ging, die »City« war, so gut wie die Londoner, und von der Krämerbrücke drüben den herrlichen Giebelschwung der uralten Fachwerkspeicher erblickte – wenn immer näher das einzigartige mächtige Bild des Schlosses vor ihm aufwuchs, mit dem kantigen, schlanken roten Turm über der Wucht des barocken Südgiebels, über Wipfelgrün, Mauer und Kaiserstandbild über dem flutenden brausenden Lebensgewirr, das aus der Gassenenge bergauf und bergab drängte –, dann mußte er etwas von dem starken Lebenswillen, von dem Ernst und der Größe dieser letzten deutschen Großstadt spüren.

Aber was bedeutete dieser Weg für uns, deine Kinder? Für uns warst du der Weg zum Ahnenschrein unseres Stammes! Als da oben nur die Eschen und Eichen auf dem Berg rauschten, da hatte auf der sumpfigen Insel der heilige Adalbert am letzten Tag seines gesegneten Lebens Messe gelesen vor den weißblonden prussischen Schiffern, dort, wo sich jetzt der Dom erhob. Schlicht und demütig in den Grund gesunkener Beter, barg er doch in seinem purpurnen Mantel Hochmeister und Herzöge, Krieger und Räte und an der Nordwand des stillen Hofs, wo die Kastanie vor der alten Universität blühte, schlief unter schönem Pfeilerbaldachin der größte Sohn der Stadt – Immanuel Kant. Längst waren die alten Patrizierhäuser rundum zu Kontoren und Kleinbürgerwohnungen geworden. In der Magistergasse wußte keiner mehr was von Simon Dach, der das schönste plattdeutsche Liebeslied, Anke von Tharau, gedichtet hat, oder von dem Organisten Heinrich Albert, der es zum frohen Hochzeitsreigen vertonte und so viele schöne Choräle schrieb. Das alte Predigerhaus war längst einem Neubau gewichen. Aber noch genossen seine Geistlichen in der Stadt besonderes Ansehen, noch hießen sie für uns »der Domchen«. Immer noch führten sie am Palmsonntag die längste Schar dunkler Jungenpaare und weißgekleideter Lämmchen über den Domplatz – den der vornehme Bau der alten Reichsbank wie einen Saal abschloß –, beim Gedröhn der Glocken zu dem weitoffenen Domportal und beim Silberlied der Orgel an den goldfunkelnden Altar.

Wie feierlich still lagst du an solchem Feiertagsmor-

KÖNIGSBERG, GRABMAL KANTS · Ein schlichter Säulenanbau am Dom umgibt die letzte Ruhestätte des größten Sohnes der Stadt. Immanuel Kants Philosophie hat über die Grenzen Deutschlands hinaus gewirkt. Er zählt zu den einflußreichsten und umstrittensten Denkern der letzten zwei Jahrhunderte.

PILLAU · Am Ende des Königsberger Seekanals liegt der Hafen Pillau. Hier durchbricht die Frische Nehrung die Meeresenge und verbindet sich mit der Ostsee. Am südlichsten Zipfel der Samlandküste, wo seit eh und je der Bernstein gefunden wird, sendet der Leuchtturm sein Licht hinaus auf das Meer.

KÖNIGSBERG · Ostpreußens Hauptstadt war zugleich Deutschlands östlichste Großstadt. Kaum ein anderes Bild als dieses, der jedem Königsberger vertraute Blick über den Kaiser-Wilhelm-Platz zum Schloß und dem Schloßturm, zeugt mehr von dem echt deutschen Charakter der Ostpreußen-Metropole.

gen, du alte Stadt! Aber wie bunt und laut trieb der Alltag durch deine Gassen, wo um jede der alten Hügelkirchen ihre eigene, unverwechselbare Welt lebte, wie um jede der alten Brücken, deren Namen auch noch die steingepflasterten Kais bewahrten, so gut wie die Tyskebrücke in Bergen. Da war die Fischbrücke, wo uns der Tisch so reich gedeckt war von der wasserblinkenden Heimat, von See und Seen, Haff und Fluß, an den Ständen der Gildefischer, den Kähnen und Buden. Da waren am Zwiebelsteig die Trödelbuden an den alten Schwibbtoren, die Heringsbuden, da lag vor den Wohnkähnen der Niederunger im Herbst der ganze bunte, unerschöpfliche Kartoffel- und Gemüsesegen bis aufs Pflaster.

Bernstein und Marzipan

Kindesglück und Stolz erfüllte uns, wenn wir geduldig am Geländer lehnten, wartend, daß die alten Brücken ihre dunklen Flügel aufschlugen, um Hochseedampfer und Haffsegler, um Schleppzug und Holztraft durchzulassen. Fühlten wir uns dann nicht als Kinder der Hanse, so gut wie die blonden Ansgartöchter? Waren nicht unser das alte Speicherviertel der Lastadie, die redenden Wappen der Speichermarken, unser die neuen großen, blanken Hafenbecken im grünen Wiesenvorland? Die neuen Fabriken dort, die riesenhohen Silos, durch die im Sog unerschöpflich die Goldflut des Getreides rann, die dunklen Linsenplättchen, die gelben und grauen Erbsen? Kamen nicht aus unseren Forsten diese herrlich flammenden Schlieper, als Edelholz gehandelt an fernen Märkten? (Von andern, weniger wohlduftenden Handelsartikeln zu schweigen!) Und war nicht unser seit den Tagen von Ur ein Welthandelsartikel, den die Vorsehung nur uns allein geschenkt und im Schatzturm des Samlandes, an der umbrandeten Küste wie Sagenhort verbarg – der Bernstein? Glückbringende, heilende Kette des Fischerkindes, reichtumkündende »Krallen«-kette niedersächsischer Bäuerin, Halsgeschmeide verschollener Königinnen im Grabhügel, Ehrenkette chinesischer Palasteunuchen, Schmuck blonder Lieblingskamele dunkelgesichtiger Wüstenfürsten, nun wieder aufs schönste verarbeitet von Künstlerhand unseres Stammes.

TILSIT, LUISENBRÜCKE · Viele Jahre war Tilsit eine Grenzstadt, als man nach dem ersten Weltkrieg das Memelland vom Deutschen Reich löste. Zur Erinnerung an die preußische Königin wurde die Brücke über die Memel nach ihr benannt. Mit der Errichtung der Ordensburg im 15. Jahrhundert begann Tilsit eine historische Rolle zu spielen. Im Tilsiter Frieden von 1807 verlor Preußen seine Gebiete in Polen mit dem Großherzogtum Warschau an Rußland und Frankreich. Sehenswert ist das barocke Rathaus der Stadt.

ZOPPOT · Fast im Angesicht Danzigs entwickelte sich aus dem einstmals unscheinbaren Ort nicht nur das »Hausbad« des Ostens, sondern ein Platz von internationalem Rang. Wer sich zur besseren Gesellschaft rechnete, mußte mehrere Male in Zoppot gewesen sein, den längsten Steg Deutschlands gesehen (im Bild Mitte und links) und ein Spielchen im Kasino gemacht haben. Wie andere Kurorte von großer Bedeutung war auch Zoppot eine Stadt mit sauberen, erstklassigen Häusern und wundervollen Promenaden.

Aber gaben wir der Welt nicht noch eine Gabe, sozusagen als Weihnachtsgeschenk – unser »Königsberger Marzipan«? Keine bläßliche Scheibe, keine Mandelwurst in Schokoladenhülle, nein, das süße Stilleben unserer »Sätze« mit knusprig braunblankem Rand um das Fruchtbild auf weißem Zuckerguß, zierliches Teekonfekt und das »Herz«, das auf keinem bunten Teller unterm Weihnachtsbaum fehlen durfte. Und war nicht auch dies eine Industrie, die unseren Ruhm bis ans »äußerste Meer« trug? Seeluft, Fisch und Süßes geben Durst, und so hatten wir wie alle Hafenstädte auch beste Möglichkeiten, ihn zu löschen. Was dem Bremer sein Ratskeller, das war uns das »Blutgericht« im Schloßhof mit den berühmten Rotweinen in seinen geschnitzten Fässern, die schon E. T. A. Hoffmann so sehr geschätzt hatte. Dort, wie in den anderen Rotweinstuben (denn wer trank früher bei uns Weißwein, den edlen Yquem ausgenommen?) und in den berühmten Bierstuben, wie in den ebenso berühmten Fleckkellern gab es, fett, säuerlich und majorangewürzt das (oder den) »Königsberger Fleck«! Bekömmlich nur für ostpreußischen Magen, der es mit einem seiner heimischen Schnäpse, dem »Bärenfang«, dem »Pillkaller«, dem »Masurenkaffee« hinunterspülte. Oder auch mit richtigem starkem Kaffee, den es in den zahlreichen Konditoreien ebenso vorzüglich gab, wie er aus den Kaffeekellern an den Märkten duftete.

Königsbergs Universität

Fröhlichster aller Markttage war immer der Pfingstsonnabend, wenn der Kneiphof nach Maien, nach Kalmus, nach Flieder duftete, wenn von jedem Stand, von jedem Mast die grünen Birkenzweige wehten. O Glück, dann bergauf zu wandern durch den hellen Morgen, den steilen Weg an dem schönen Ostflügel des Schlosses hin, an der alten Wache, am Schlüter-Denkmal, am Schloßtor vorüber, einmal hineinzugucken in den herrlichen Schloßhof nach der Kirche drüben, nach der Brautkutsche vor ihrem Portal, nach der taubenumflatterten Galerie – und dann am Schloßteich zu sitzen und die Kastanienblüten der alten Gärten in seinem dunklen Wasser widergespiegelt zu sehen. Über die alte Holzbrücke nach dem schönen Platz zu wandern, wo nachbarlich neben dem Opernhaus, hinter dem Denkmal auf dem Rasenteppich mit dem Blumenrand, der helle Schinkel-Bau der Universität leuchtete. Die »Albertina«, die geistige Tochter des klugen Herzogs, die sich so viel lebenskräftiger erwiesen hatte als die Kinder seiner späten Ehen. Die seinen Ruhm noch lebendiger wahrte als die Schätze seiner Silberbibliothek, als die Reste seiner Bernsteinsammlung und seine schönen Räume im Schloß den des kunstsinnigen Sammlers. Immer lebt sein Name fort in dieser letzten großen Hochschule des deutschen Ostens (in der es, wie zu seinen Tagen, immer noch ein »Collegium musicum« gab). Heiß-

BERNSTEINFISCHER · An der Samlandküste zwischen Pillau und Brüsterot liegt das reichste Bernsteinfundgebiet. Schon vor über zweitausend Jahren holten sich hier die Händler des Altertums jenen wertvollen Schmuck, jene Tränen, die vor Jahrmillionen die Wälder weinten, bevor sie starben.

GREIFSWALD · An einer Bucht, die der Greifswalder Bodden in das Land hineinschiebt, liegt, durch das Flüßchen Ryck mit dem Hafen Wieck verbunden, die alte Universitätsstadt, deren Alma mater 1456 gegründet wurde. Die roten Dächer vieler Häuser aus vergangenen Zeiten überragt die gotische Marienkirche. Im Jahre 1241 wurde Greifswald gegründet, bereits 1278 war es Mitglied der Hanse.

HIDDENSEE · Im Westen von Rügen liegt die langgestreckte Insel Hiddensee. Funde aus vorgeschichtlicher Zeit beweisen eine uralte Besiedlung. Im Jahre 1296 wurde als Tochterniederlassung von Neuenkamp ein Zisterzienserkloster gegründet. Die Zerstörungskraft des Meeres hat von den Bauten jedoch nur noch geringe Reste hinterlassen. Eng verbunden ist die Insel mit dem Namen Gerhart Hauptmanns. Hier hat der große Dichter seine letzte Ruhestätte gefunden.

RÜGEN · Durch den Strelasund wird die größte deutsche Insel vom pommerschen Festland getrennt. 1936 wurde sie durch den Rügendamm mit Stralsund verbunden. Von Saßnitz an der Nordostküste führt eine Eisenbahnfähre nach Trälleborg in Schweden. Die mit Ausnahme einiger Höhen und Erhebungen, darunter der berühmten Stubbenkammer, aus flachem Land bestehende Insel ist durch ihre zahlreichen Buchten und Strandflächen schon immer ein beliebtes Ziel von Badegästen und Erholungssuchenden gewesen, die hier frohe und ruhige Sommertage verbringen können.

DANZIG · Zu den berühmtesten deutschen Städten zählt das nach dem ersten Weltkrieg zum Freistaat gewordene Danzig. Seine reichen Bauten aus der großen Vergangenheit, die mit der ersten urkundlichen Erwähnung 997 begann, wurden fast alle in den Schreckenstagen des Kriegssturmes 1945 zerstört. Viele Wahrzeichen der Stadt, das Krantor, die Marienkirche und prächtige Häuserfronten im Baustil der Gotik und Renaissance wurden in der Zwischenzeit wieder aufgebaut oder sollen im alten Gewand wieder erstehen, wie es die Abbildung zeigt.

NIDDEN · Das Gelb der Dünen und des Strandes, das Grün der Wälder und das Blau des Meeres sind die Farben der Samlandküste, mit der Ostpreußen weit in die See hinausragt. Aus dem kleinen Fischerdorf Nidden, in dessen Umgebung sich seit Jahrtausenden der vielbegehrte Bernstein findet, wurde ein gern besuchter Urlaubsort. Die Umgebung und die schmucken Häuser trugen zu der Bezeichnung »Italienblick« wesentlich bei. NARMLER FISCHER · Auf dem weiten Strand werden Boote und Netze für die nächste Ausfahrt instandgesetzt. Dabei müssen alle Mitglieder der Familie mithelfen.

FRAUENBURG · Am Frischen Haff, südwestlich von Braunsberg, liegt das Städtchen Frauenburg. Es war nach Einwohnerzahlen gesehen, nie sehr volkreich — vor Ausbruch des zweiten Weltkriegs zählte es gerade etwas mehr als dreitausend Bewohner. Dennoch besitzt es wertvolle Denkmäler. Schon der Blick vom Haff (Bild) über die im Wasser liegenden Baumstämme hinweg zeigt ein wuchtiges Panorama, das von dem Steildach des aus dem 14. Jahrhundert stammenden gotischen Domes beherrscht wird. Domherr war hier einst der große Nikolaus Kopernikus.

ersehntes Ziel aller Jugend der berühmten Gymnasien war es, nach bestandenem Abitur drei Tage lang in der roten Samtmütze auf den Bummel zu gehen, die Brust besteckt mit den goldenen und silbernen »Alberten«, den kleinen Wappenbildern des Universitätsgründers, Zeichen der Berechtigung, an ihr zu studieren! Um dann doch, jugendselig und fernebegierig, zuerst einmal hinunterzufahren zu einem unvergeßlichen Semester am Neckar, an der Isar, im Schwarzwald. Dann erst, stiller und gereifter, heimzukehren zu den Lehrsälen dieses klassischen Baus, zu den alten Instituten, den immer wieder aufgestockten Kliniken, zu dem Tempelfrieden der neuen Anatomie, draußen unter den alten Bäumen des Grünrings, der die Stadt umgab, und von heißem Kolleg, vom eiligen Mahl an der Mensa in der eingeengten Palästra fortlockte zu weiten Sportplätzen, zu kühlen Teichen, zu schönsten Wegen auf den alten Wällen.

WANDERDÜNE · Unvergeßlich für jeden bleibt eine Wanderung durch die Dünenlandschaft, die sich nirgends in Deutschland von gleicher Größe bietet. Feiner Sand, in steter Bewegung durch den Wind gehalten, rieselt unter den Füßen dahin und verdeckt bald wieder die Spuren der Schuhe.

Der Ruf des Ostens

Von Semester zu Semester mehr lernten es die Kinder dieses Landes und die Jugend, die immer zahlreicher über die Weichsel hierherfand – was es an Verpflichtung bedeutete, gerade dieser Universität an immer bedrohter Grenze anzugehören. Wohl, einen Kant gab es nur einmal. Nur einmal wurde im Pfarrhaus von Juditten, neben der alten Ordenskirche, ein Gottsched geboren, nur einmal hielt der vollbusige Taufengel in der Mohrunger Stadtkirche die Schale über die runde Stirn und die dunklen Brauen des zukünftigen Hofpredigers Herder. Kaum eines der klugen jungen Gesichter, die im Wandelgang an der Bronzetafel mit dem Bild des Erforschers der »Flora prussica« vorbeieilten mit Aktentasche und Kollegheft, zeigte die verschwärmte Versonnenheit eines Hamann oder etwas vom skurrilen Witz des Dichters des *»Kater Murr«*. Aber von dem bestirnten Himmel der deutschen Wissenschaft – wie viele Sterne haben hier gestrahlt! Wie viele unserer Großen haben hier studiert, wie viele gelehrt und geheilt, Weise und weise Ärzte, geliebt und verehrt von dankbaren Herzen in Stadt und Land und weit über die Grenze hinaus! Zögernd waren manche dem Ruf hierher gefolgt, in das ferne Ostland, dessen gastliche Wärme sie bald spürten. Daß es ein Ruf gewesen in tieferem Sinn, das fühlten sie erst ganz in der bunten kleinen Aula oder in der neuen großen, wenn sie ihr letztes Kolleg lasen. Um fortzuziehen zu verlockendem Lehrstuhl in der Ferne oder in alte mildere Heimat. Oder um hier oben mit liebgewordenen Fremden auf den letzten Weg zu einem der alten Friedhöfe zu warten, deren Schönheit schon Humboldt ergriffen hatte.

Immanuel Kant
* 22. 4. 1724, † 12. 2. 1804
Philosoph

Arthur Schopenhauer
* 22. 2. 1788, † 21. 9. 1860
Philosoph

Simon Dach
* 29. 7. 1605, † 15. 4. 1659
Dichter

E. T. A. Hoffmann
* 24. 1. 1776, † 25. 6. 1822
Dichter

Vielleicht aber wußte ihr Herz es längst in den stillen Ferientagen an der See, in einem dieser zuerst belächelten, bescheidenen Stranddörfer, wo man nun, wie kinderreiche Kollegen und Einheimische, alljährlich sein festes Sommerlager bezog. Sei's im grünen Neuhäuser, nah der alten Ordensburg Lochstädt am blauen Haff und dem Seehafen *Pillau*, sei's an der schluchtenreichen schönen Steilküste oder am breiten Sandstrand von Neukuhren bis Cranz, hinter dessen langem Seesteg mit seinem heiteren Getriebe der verwunschene Nehrungswald begann, mit dunklen Kiefern hinter ersten Dünen, mit irisdurchflammtem Sumpf, mit dem hopfendurchwachsenen Bruchwald, aus dessen Erlen der Elch sah. Wo der moorige Wiesenfluß mit weißem Dampfer zur Fahrt übers Haff rief, durch perlmutterne Bläue, die sich wie ein Meer weitete, immer beschirmt und bedroht von dem ansteigenden Wall der Dünenkette. Wo dem rauschenden Schiff das Geleit der Möwen folgte, wo fern über den Dünen wie Rauch Stare und Krähen schwebten, wo jetzt durch mondhelle Herbstnacht die Schwärme der Wandervögel über die Vogelwarte zogen. Wo *Nidden*, verlassen vom bunten Volk der Sommergäste und Maler, unter seinen Kiefern noch auf einen späten Gast wartete, der eine Abendfahrt zu den Elchen machen wollte oder eine Frühwanderung in Schöpfungsmorgenstille zur toten Düne, wo der singende Seewind den Sand harkte und drüben, über dem Wiesensaum der Niederung, die rote Herbstsonne aus brauendem Nebel stieg.

Frühherbst auf der Nehrung

Frühherbst – das war die richtige Zeit hier auf der *Nehrung* für die Besinnlichen. So wie es der späte Frühling hier am Haff für die Jugend war. Wenn kaum erst Besucher aus den Städten und noch niemand »von oberwärts« hier aufkreuzten, wenn Dorf und Düne, Wald und Wiese nur den Einheimischen und wenigen Getreuen gehörte. Wenn aus dem blühenden Faulbaum am Ufer, wo das Schilf hell und jung wie hohes Gras wehte, die Sprosser schlugen, wenn man nicht schlafen mochte in der Klarheit dieser Nächte, wo über dem dunkelblauen Haff die ferne Dünenkette grünlich hell schimmerte und der Duft des jungen Laubs berauschte wie Birkenmet. Wo einen früh Wipfelrauschen und Vogellied weckte und fortlockte durch das Auf und Ab der Waldhügel zu den grünen Wiesenmulden zwischen Kiefern und Vordüne, wo unter den jungen Pappeln mit dem noch rötlichen Laub und unter den dunklen Erlen die Horste der weißen Pi-

MARIENBURG · Von kaum einer anderen Burg an Wucht und Schönheit übertroffen, erhebt sich die gewaltige Marienburg über dem Ufer der Nogat, Symbol für die große, wechselvolle Geschichte des deutschen Ostens. Im Jahre 1280 errichtete die Weichsel-Komturei des Deutschen Ritterordens hier ihre erste befestigte Anlage. Nachdem sie 1309 Residenz des Ordens geworden war, wurde das Hochschloß gebaut, das im Remter seinen erhabensten Ausdruck fand. Zum mächtigsten Profanbau wurde dann der Hochmeisterpalast.

Joh. Christ. Gottsched
* 2. 2. 1700, † 12. 12. 1766
Dichter

Nikolaus Kopernikus
* 19. 2. 1473, † 24. 5. 1543
Astronom

Dan. Nik. Chodowiecki
* 16. 10. 1726, † 7. 2. 1801
Maler und Graphiker

Emil Adolf v. Behring
* 15. 3. 1854, † 31. 3. 1917
Mediziner

rola ihr Sterngesicht öffneten. Süßester, frühlingsfrischer Duft schönster Nehrungsblume, unvergeßlich und keinem anderen vergleichbar, süßer noch als der Mandelduft der rosigblühenden Linnäaranke im sonnegesprenkelten Waldgrund an heißem Sommertag, lieblicher als der Zitronenhauch des kleinen Frauenflachses im Frühherbst am Triftweg des langgestreckten Fischerdorfs, über den unter dem Schatten der Sturzdüne die schwarzweiße Herde heimwärts wandert am Haff wie die Kühe Pharaos.
Wunderreiches schmales Dünenland zwischen salzener See und süßem Wasser – was war schöner als du in dieser gläsernen Herbstklarheit, in der unirdischen Farbigkeit des ostpreußischen Septembers? Nur das Rieseln des glänzenden Sandes, nur das Blinken des spiegelnden Wassers gab Antwort: Tausendmal schöner ist jetzt Masuren!

Schönes Masurenland

Masuren! Lange nur von uns geliebt, lagst du an deinen Seen, geborgen in deinen unermeßlichen Wäldern, wie zu den Tagen, da dort der Hifthornruf jagdfroher Galinderfürsten und das Geläut ihrer Meute schallte, da die Jagdfalken der Ordenskomture über der Heide aufstiegen, die Axt der Zeidler aus bienendurchsummtem Waldgrund scholl. Ach, immer lockte der Spechtruf der Holzfälleraxt, der Harzduft der Kiefern, der schwelende Teerrauch, lockte die Süße deines Beerenteppichs, der unerschöpfliche Fischreichtum deiner Seen und das Lied deiner blonden Schnitterinnen wölfische Gier zu dir, Masuren!
Aber immer wieder nach Blut und Brand warst du unser, schöne Skomandstochter im Silberschmuck, im grünen Kranz, unter der rauschenden Erntekrone! Glücklich die Jugend, die dich wandernd durchstreifte, durch goldrieselnde Alleen an weitem Gutshof, an Feldsteinscheuer, an hellem Grafenschloß in grüner Parkstille vorüberkam, uralte Holzkirchen sah und geschnitzte Pferdehäupter oder Zwillingsschlangen über schöngefügtem Holzwerk der Giebel an altem Bauernhaus. Die am Spinnrad, am Webstuhl gastfreundlicher Bäuerin noch Wort und Weise alten Volkslieds lernte, das jenseits der Weichsel hundert Jahre und mehr verklungen war.

Noch nicht lange war die Stille und Schönheit dieses Seenlandes unseren Geschwistern über der Weichsel vertraut. Wohl trug jeder Sommer in endlosen Ferienzügen vom Rheinland her die Frauen und Kinder derer, die in vergangenen Notjahren dem Ruf der Westprovinzen nach fleißigen Arbeitern in die Bergwerke und Fabriken gefolgt waren, in die Heimat zu den gastfreundlichen Großeltern und Verwandten – aber »Heimat ist immer schön«,

ALLENSTEIN · Wälder und eine freundliche Hügellandschaft des ostpreußischen Landrückens umgeben den Verkehrsknotenpunkt im Südwesten. Das großartige Schloß mit dem prächtigen Remter (Bild) aus den Zeiten der Kolonisation ist eine besondere Sehenswürdigkeit. Der trutzige Turm überragt weithin die Stadt.

TRAKEHNER · Im Hauptgestüt Trakehnen, das zum Kreis Stallupönen gehört, wird seit 1725 jene wertvolle Pferderasse gezüchtet, die Ostpreußens Namen in aller Welt bekannt gemacht hat. Aus der Kreuzung vom Landpferd mit Arabern und englischem Vollblut wird ein Warmblut-Pferd gewonnen, das sich durch Anspruchslosigkeit auszeichnet und als Überwinder weiter Strecken früher besonders als Kavalleriepferd verwendet wurde.

dachten die andern, wenn diese Ferienreisenden von Masuren erzählten. Immer noch, als schon die weißen Dampfer über die Seen kreuzten, reiste der Westdeutsche »in die Masuren«, wie der Engländer »in das Tirol« fuhr. Aber wir freuten uns, daß sie kamen, wir waren alle gleichstolz auf unser Südland, wir wußten ja, wie viele vergrämte, von Kummer und Sorge zu früh gealterte Gesichter wir aufblühen sahen, wenn der Friede dieser sanften Hügel, die Klarheit dieser Seenspiegel, die Geborgenheit dieser endlosen Wälder sie getröstet hatten, als sie an dem Grab standen, um dessentwillen sie hergekommen waren. Wir freuten uns über die, welche zu dem kleinen Forsthaus am Wald kamen, in dem der geboren war, der »Von Wäldern und Menschen« dieses Landes berichtet hatte – und dem es doch beschieden war, ferne im Gebirg zu sterben. Und wir sahen mit den Augen eines liebenden Gemütes, das nicht müde wurde, ihr Leben zu belauschen und zu schildern, deren Lärchensporn blühen im Park von Guja, und die weißen Schwäne aufsteigen aus seinem See. Wir genossen das Glück der Wandertage noch einmal an seinen Bildern und denen unserer andern Landsleute, die immer wieder die Ursprünglichkeit dieser Wälder bannten, mit Mensch und Kreatur, um sie dem Alter und dem von der Heimat Fortgewanderten zu erhalten.

Glücklich die Jungen, die im schlanken Segelboot, im Faltboot über Seen und Kanäle glitten, abends wie Wildschwäne durch rauschendes Schilf in geborgene Bucht bogen, und wie Waldgetier unterm Wurzelnest der Kiefern im Zelt schliefen, gewiegt von Wipfelrauschen und Nachtvogelruf, von Herbstgestirnen bewacht.

Aber glücklich auch, wer im weißen Dampfer von Norden her über das Wasser kam, von See zu See – alle gleich in ihrem Frieden, jeder doch unverwechselbar in Ufersaum und Klarheit. Weit, weitab lag Unruhe der Menschenwelt, lag Hast und Not. Nur vorübergleitend wie Traumbild sah nahe Heimat in diese lichte Verwunschenheit. Lötzen war da – aber weiß und glitzernd in tiefem Schnee, mit der Flucht der weißen Segelschlitten über spiegelndem Eis. Pfingstlich blühender Flieder vor alter Festungsmauer, Holunderblüte vor roter Ordensburg. Da war der sonnengesprenkelte Weg unter den Eichen von Steinort, da war mückendurchsummte, noch sommergrüne Einsamkeit in stillem Inselhain. Allzugroße Marktplätze breiteten sich, greise Ordensburgen beschützten stille Ackerstädtchen. Unterm Regenbogen auf dunkler Gewitterwand stand die doppeltürmige helle Wallfahrtskirche von Heiligelinde im Duft des jungen Grüns des Marienmonds. Rot wie ein Krebs lag Lyck im Wiesenufer am See.

Aber alles glitt vorüber, wie das Spiegelbild der weißen Wolken im Wasser, zerfloß wie die Spur des Tauchers, verwehte wie Gräser und letzte Blumen am nahen Wiesenufer des Kanals, der sich nun wieder weitete zum silbernen Glanz des Niedersees, in dem die grünen Inseln schwammen. Und zum Abschied sahst du zwischen den Erlen zu uns auf, zauberhaftestes aller Wasser unserer Heimat, braunäugige Krutinna!

Augen, glänzend und klar wie die deinen, haben in unsere geblickt zu frühem Abschied, leuchten aus der Erinnerung wie diese Seen aus dem Wälderdunkel, schlafen unter den hohen Holzkreuzen auf deinen Hügeln, umkämpfter Süden unseres Heimatlandes. Es blickt ein Kreuz aus Kieferngrün über den weiten See bei Jägernhöhe, es steht ein Kreuz an dem kantigen roten Turm, der über Tannenberg und Frögenau blickt. Es steht ein schwarzes Kreuz, das christliche Kreuz des Leides und der Bewährung, in deiner weißen Fahne, du altes Ordensland, du über alles von uns geliebte, große, unvergeßliche Mutter, du deutsches Ostpreußen!

Humor in Ostpreußen

Zeichensprache

Ein selbst für ostpreußische Verhältnisse äußerst wortkarger Bauer hat einen neuen Knecht eingestellt und vereinbart mit ihm die Regeln des Verkehrs: »Friedrich, wenn ich so mach'« — und er winkt mit dem Finger —, »dann kommst.« — »Dann passen wir gut zusammen«, sagt der Friedrich, »wenn ich nämlich so mach'« — er schüttelt den Kopf —, »dann komm' ich nich.«

Himmlische Hilfe

In Masuren verdient sich einer mit seinem einspännigen Wagen durch Steinefahren das Brot. Dabei geht ein Rad herunter. Er versucht umsonst, die Achse anzuheben und das Rad wieder aufzusetzen. Nach verschiedenen Versuchen stemmt er sich noch einmal gegen den Hebebaum und ruft: »Help de läwe Gott un alle singe Engelkes!« Es gelingt und sogar so gut, daß der Wagen ganz schief nach der andern Seite übersteht. Da meint unser Masur: »Na, na, man nich alle von ene Sied!«

Trost

Die Tochter eines Gutsbesitzers war von ihrem Bräutigam verlassen worden; die Waschfrau tröstete sie: »Fräuleinchen, Sie denken, Verheiratetsein is scheen. Is gar nich. Jetzt wo mein Karl tot is, geh ich jeden Sonntag auf den Friedhof und begieß' ihm. Is viel scheener.«

Unfehlbares Rezept

Nachdem einem Ehepaar das zwölfte Kind geboren war, sagte der Mann: »Nu is aber Schluß, ich zieh' auf de Lucht (den Boden).« Darauf die Frau: »Wenn Du meinst, daß das könnt' helfen, würd' ich ja mitziehen.«

Eingewickelt

Auf dem Gut erschien der Amtsrichter und wollte ein Pferd kaufen. Man wurde handelseinig und setzte sich zum Skat hin. Der Amtsrichter hatte Pech und verlor und verlor. Es wurde später Abend, bis der Schlitten vorfuhr. Der Hausherr stopfte liebevoll die Pelzdecke um den Amtsrichter fest. Darauf der Amtsrichter vergnügt lachend: »Mein Lieberchen, jetzt haben Sie mich glücklich dreimal eingewickelt; das erstemal beim Pferdehandel, das zweitemal beim Skatspiel und das drittemal in die Pelzdecke!«

Ängste

Bei schwerem Gewitter haben zwei Buben unter einer Getreidehocke Schutz gesucht. Nach einem starken Donnerschlag seufzt der eine: »Kömmst ut de Angst nich rut — im Sommer die Gewitters, im Winter de School.«

Behandlung erfolgreich, Patient tot

Ein Königsberger Droschkenkutscher, in den Wartezeiten seines Berufes ein eifriger Zeitungsleser, staunt über die Berichte, daß Hungerkünstler wochenlang ohne Nahrung auskommen und beschließt, sowas auch an seinem Gaul zu versuchen. Nach acht Tagen geht das Pferd ein. Sinniert der Kutscher: »Schade, schade, nu hatt' ich ihm soweit, da sterbt das Tier.«

Der Widerruf

Zu keiner Zeit war der alte Bauer Karl mehr in Wut, als wenn er wieder einmal an die Gemeinde Steuern bezahlen mußte. Einmal platzte ihm der Kragen, und er erklärte lauthals, das alles sei kein Wunder, denn die Hälfte des Gemeinderats seien Ochsen. Der Bürgermeister war begleiflicherweise über diese öffentliche Kennzeichnung nicht erfreut, klagte; Bauer Karl wurde verurteilt, seine Beleidigung durch eine öffentliche Erklärung zu widerrufen. An die Gemeindetafel schlug er einen Zettel mit folgender Erklärung an: »Ich erkläre hiermit, daß die Hälfte des Gemeinderats keine Ochsen sind.«

Spott mit Beleibten

Der dicke Landrat, im strengen Winter entsprechend eingehüllt, versucht vergeblich, sich in sein Auto zu zwängen. Ruft ihm ein Bürger ohne allen Untertanenrespekt zu: »Ei vielleicht nackicht und mit jriene Seif' einschmieren, vielleicht jeht dann.« — Einen anderen Rat bekam eine dicke Dame, die einen Gutsarbeiter fragte, ob sie durch diese kleine Tür in den Gutspark komme. Der Befragte taxierte die Dame, überlegte und sagte: »Vielleicht quer.«

Beitrag zur Rechtschreibung

»Paß auf«, sagt der Vater zu seinem Sprößling, »das ist doch ganz einfach: was du packen kannst, schreibst groß, was nicht, schreibst klein. Also: die Katz' sitzt hinterm Ofen; die — kannst nicht packen, schreibst klein, Katz' — kannst packen, also groß, sitzt — klein, hinterm — den kannst packen, schreibst groß, Ofen — kannst nicht packen, weil er heiß ist, also klein.«

Schlechter Rat

Auf der Königsberger Straßenbahn bemerkt der Schaffner, wie ein Mann noch während der Fahrt nach rückwärts abspringen will. »Nach links, nach vorwärts«, ruft er ihm warnend zu. Doch der läßt sich nicht raten, springt in seiner Richtung ab, fällt prompt auf den Hintern, ist damit aber sehr zufrieden und schreit dem Schaffner nach: »Du Dammelskopp hast wohl gewollt, daß ich sollt' auf die Freß' fallen!«

Mißverstanden

Die Uhr ging schon auf Mitternacht, als ein fremder Gast im Kreuz das Alleinsitzen satt hatte und versuchte, mit dem schon sehr lebhaften Stammtisch ein paar Worte zu wechseln. Mit mühsamer Zunge stellte er sich vor: »Verzeihen Sie, Benduhn!« Darauf vom Stammtisch die gemütliche Antwort: »Das schad nuscht, wir sind auch all e bißche!«

Notwendige Kenntnisse

Auf der Reise nach Ostpreußen fragt in der Bahn ein Berliner einen eingeborenen Landwirt, was man denn als gebildeter Mensch eigentlich von Ostpreußen wissen müsse. – »Wenn Sie nach Ostpreußen kommen, müssen Sie unbedingt was vom Bullen ›Winter‹ wissen. Eventuell auch was von Kant. Wenn Sie aber außer ›Winter‹ auch noch die Bullen ›Anton‹ und ›Prinz‹ kennen, dann können Sie Kant ruhig weglassen!«

REGISTER

Die in Schrägschrift gesetzten Zahlen
geben die Seitenzahl einer Schwarz-Weiß-Abbildung, mit F die eines Farbfotos an.

Auf der gegenüberliegenden Übersichtskarte geben die Zahlen unter dem Namen des Landes die Seitenzahl des jeweiligen Länderkapitels an.

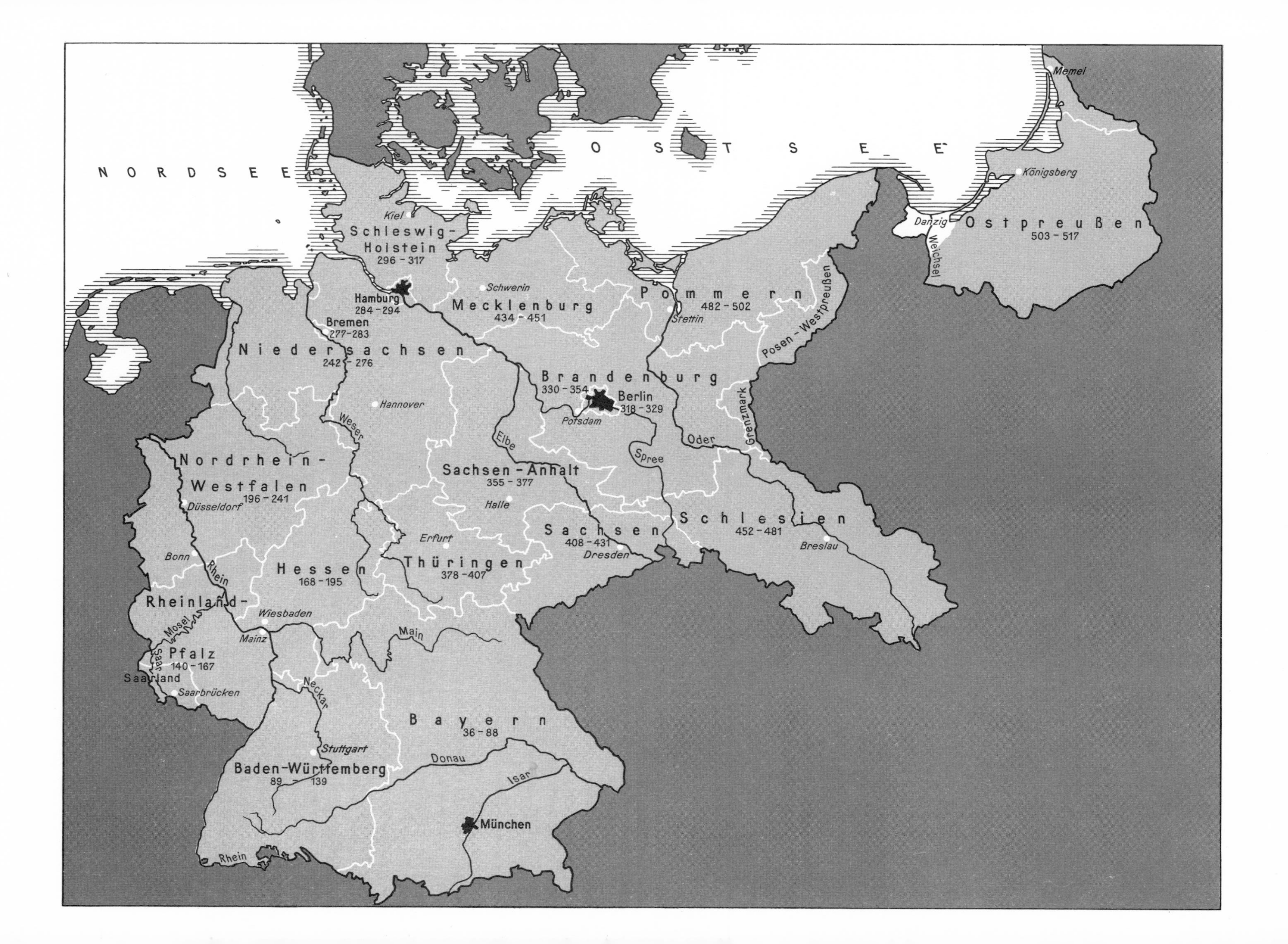

NORDSEE
OSTSEE
Memel
Königsberg
Danzig
Weichsel
Ostpreußen
503 - 517
Kiel
Schleswig-Holstein
296 - 317
Schwerin
Hamburg
284 - 294
Bremen
277-283
Mecklenburg
434 - 451
Pommern
482 - 502
Stettin
Posen - Westpreußen
Niedersachsen
242 - 276
Brandenburg
330 - 354
Berlin
318 - 329
Potsdam
Grenzmark
Oder
Spree
Elbe
Hannover
Weser
Nordrhein-Westfalen
196 - 241
Düsseldorf
Sachsen-Anhalt
355 - 377
Halle
Schlesien
452 - 481
Breslau
Sachsen
408 - 431
Dresden
Erfurt
Thüringen
378 - 407
Bonn
Rhein
Hessen
168 - 195
Rheinland-Pfalz
140 - 167
Wiesbaden
Mosel
Mainz
Main
Saar
Saarland
Saarbrücken
Neckar
Bayern
36 - 88
Stuttgart
Donau
Baden-Württemberg
89 - 139
Isar
München
Rhein

QUELLENHINWEISE

Für die Gestaltung der Seiten »Humor in . . .« wurden mit freundlicher Genehmigung der betreffenden Verlage folgende Werke zu Rate gezogen: K. F. Baberadt: »Das Frankfurter Anekdoten-Büchlein«. Vlg. Dr. Waldemar Kramer, Frankfurt a. M., 4. Aufl. 1941. — P. E. Eiffe: »Splissen und Knoten«. Hera-Vlg., Wilhelmshaven, 6. Aufl. 1951. — »Berliner Luft«. Hrsgb. H. Götz. C. Bertelsmann Vlg., 1959. — »Humor aus Ostpreußen«. Gräfe und Unzer Vlg., München, 1956. — A. Kippenberg: »Geschichten aus einer alten Hansestadt«. Insel Vlg., Wiesbaden, 1936. — »Ostdeutsches Anekdoten- und Historienbuch«. Hrsgb. und bearb. von Dr. R. Mai. Vlg. Volk und Heimat, München. — K. Rauch und Chr. M. Schröder: »Heilige Heiterkeit«. Bechtle Vlg., Eßlingen a. N., 1955. — H. Schöffler: »Kleine Geographie des deutschen Witzes«. Vlg. Vandenhoeck & Ruprecht, Göttingen, 1960. — W. v. Scholz: »Das Buch des Lachens«. Wilhelm Goldmann Vlg., München, 1955. — »Denn lach man, Jung«. Hrsgb. K. Schulz. Gräfe und Unzer Vlg., München, 1959. — Der Vlg. Hoffmann und Campe, Hamburg, stellte uns eine Reihe von Anekdoten zur Verfügung. — Verschiedene Anekdoten wurden mit freundlicher Genehmigung der Rechtsträger folgenden Werken entnommen: E. Garvens: »Der fröhliche Jungfernstieg«. Ludwig Appel Vlg., Hamburg, 2. Aufl., 1959. — A. Hinrichs: »Rund um den Lappan«. Gerhard Stalling Vlg., Oldenburg. — K. Lerbs: »Der lachende Roland«. Friedrich Trüjen Vlg., Bremen, 1948.

Der Horst Erdmann Verlag, Herrenalb/Schwarzwald — West-Berlin, gab seine Zustimmung, daß Hans Franck im Länderkapitel Mecklenburg dem Abschnitt »Wald«, »Wasser« und »Erde« Teile aus seinem Aufsatz »Mecklenburg und die Mecklenburger« zugrunde legte, der zum erstenmal in dem Band »Mysterium Heimat«, Städte und Landschaften im deutschsprachigen Raum — Geschildert von achtundsechzig zeitgenössischen Autoren, gesammelt und herausgegeben von Günther Birkenfeld, erschienen ist.

Der Verlag Kurt Desch, Wien-München-Basel, gab seine Zustimmung, daß Hermann Missenharter im Länderkapitel Baden-Württemberg den Abschnitten »Schäferlauf in Markgröningen«, »Halls silberner Pfennig«, »Originellster Marktplatz«, »Ritterstift auf isolierter Berghöhe«, »Heiße Quellen an der Oos«, »Weltgefühl der Gotik« und »Bäche in den Straßen« Teile aus seinem Aufsatz »Baden-Württemberg« zugrunde legte, der zum erstenmal in dem Band »Deutschland, ein apartes Reisebuch« erschienen ist.

Das im Abschnitt »Mit den Augen eines Dichters« des Länderkapitels Sachsen zitierte Buch »Als ich ein kleiner Junge war« von Erich Kästner ist im Verlag Dressler, Berlin, erschienen.

BILDNACHWEIS

FARBFOTOS: Dore Bartcky, Frankfurt/Main (3); Erich Bauer, Karlsruhe; Bavaria-Verlag, Gauting vor München (3); C. Bertelsmann Verlag, Gütersloh (10); Bleicke Bleicken, Kampen/Sylt; Hans Brockmöller, Bremen; Deutsche Lichtbild-Gesellschaft Paul Freydank K. G., Berlin; Dr. Bernhard Grzimek, Frankfurt/Main; Hans Hartz, Hamburg (36); P. W. John, Berlin; Lothar Kaster, Frankfurt/Main (9); Hanns Kipp-Sprüngli, Hamburg (2); Farbbild-Archiv Korsch Verlag, München (15); S. Lauterwasser, Überlingen/Bodensee (3); Robert Löbl, Bad Tölz (4); Dr. Oswaldt, Berlin (2); Dr. Pampuch, Kitzingen; Popp-Verlag, Heidelberg (2); Rahning, Bünde/Westf. (4); Hans Retzlaff Tann/Rhön; roebild, Frankfurt/Main (5); Walter Röder, Würzburg; Hans Saebens, Worpswede (2); Richard Schaeffer, Gütersloh; Toni Schneiders, Lindau-Schachen (8); Dr. Schultze-Naumburg, Fallingbostel; Otto Stork, Mülheim/Ruhr (2); Hans Wagner, Vlotho (14); Hed Wiesner, Bremen (2); Dr. Paul Wolff & Tritschler, Frankfurt/Main; Winfried Zellmann, Berlin (2); Zentrale Farbbild-Agentur, Heidelberg (13).

SCHWARZ-WEISS-FOTOS: Otto Angermayer, München (7); Archiv für Kunst und Geschichte, Berlin (80); Associated Press, Frankfurt/Main; BASF, Ludwigshafen (Kortokraks & Ließ, Ludwigshafen), Dore Bartcky, Frankfurt/Main (4); Erich Bauer, Karlsruhe (5); W. Bauer, Husum; Bavaria-Verlag, Gauting vor München (19); Bayerische Bild GmbH., München (2); Heinrich von der Becke, Berlin; C. Bertelsmann Verlag, Gütersloh (74); Erhard Bethke, Gütersloh (2); Willi Beutler, Hamburg; Brockmöller, Bremen (3); Hans Brodt, Lindenfels (5); Bundesbildstelle Bonn (3); Dr. Harald Busch, Frankfurt/Main (2); H. Clausing, Garmisch; Colorgraphische Verlagsanstalt Werner Muszinski, Heidelberg (3); Conti-Press, Hamburg; Cramers Kunstanstalt, Dortmund; Dr. Otto Croy, München (4); Deutscher Kunstverlag, München; Fritz Eschen, Berlin; Erich Fischer, Hamburg (5); Dr. H. W. Gewande, Berlin; Carla Glaeser, Baden-Baden (5); Archiv Gräfe und Unzer Verlag, München (2); Leo Gundermann, Würzburg (12); Otto Hagemann, Berlin; Ruth Hallensleben, Wiehl/Bez. Köln (4); Hans Hartz, Hamburg (15); Harzwasserwerke, Osterode; E. Hase, Frankfurt/Main (2); Robert Häusser, Mannheim (7); Heimatbund der Anhaltiner in Goslar (2); F. u. E. Heimhuber, Sonthofen; Historia-Photo, Berlin (24); Historisches Bildarchiv Lolo Handke, Bad Berneck (12); Robert Holder, Urach (7); Photo Holtmann, Stuttgart; Institut für Film und Bild, Wissenschaft und Unterricht (Foto Werner Muszinski), München (2); Karl-Enoch Jacobs, Berlin; Sepp Jäger, Frankfurt/Main (2); P. W. John, Berlin (4); Peter Keetman, Breitbrunn/Chiemsee; Hans Kenner, Bad König; K.-H. Klubescheidt, Gütersloh; Hubert Koch, Pinneberg (6); Peter Koepke, Bergen/Rügen; Martin Lagois, Nürnberg; Landesbildstelle Berlin; Landesverkehrsverband Württemberg, Stuttgart (7); S. Lauterwasser, Überlingen/Bodensee (9); Robert Löbl, Bad Tölz (4); Lohöfener, Bielefeld; Max Löhrich, Gröbenzell (12); Walter Lüden, Hamburg (3); Mauritius Verlag, Mittenwald (6); Gebr. Metz, Tübingen; Reinh. Müller, Hamburg; Orgel-Köhne, Berlin (2); Österreichische Nationalbibliothek, Wien (3); Ilse Päßler, Gelsenkirchen; Willy Pragher, Freiburg (3); Hans Pusen, Coppenbrügge; Walter Raschdorff, Bremerhaven; A. Renger-Patzsch, Wamel-Dorf üb. Soest; Eduard Renner, Frankfurt/Main (2); Hans Retzlaff, Tann/Rhön (7); Hans Reuter, Köln; roebild, Frankfurt/Main (2); Foto-Röder, Würzburg; Hans Saebens, Worpswede (28); August Sander, Köln; Pressebild-Agentur Schirner, Berlin; Egon G. Schleinitz, Seeshaupt/Starnberger See (2); Helga Schmidt-Glassner, Stuttgart (2); Toni Schneiders, Lindau-Schachen (24); Schöning & Co., Lübeck; Walter Schröder, Frankfurt/Main (22); Foto Schurig, Remscheid-Lennep; Dolf Siebert, Düsseldorf; Siemens & Halske, Berlin; Staatl. Landesbildstelle Hamburg (2); Staatl. Landesbildstelle Hessen (2); Stadt Herne, Bücherei des deutschen Ostens (Willy Vogt, Heidelberg: 5; Heinz Blum, Heidelberg: 5); Stadt Kiel; Stadt Marl: Foto Werner Lücke; Hugo Steindamm, Frankfurt/Main; Otto Storck, Mülheim/Ruhr; Dr. Wolf Strache, Stuttgart (7); Ellen Traubenkraut, Ettringen; Ullstein Verlag, Berlin (27); Ferd. Urbahns, Eutin (2); Verkehrsverein Bremen: Aero-Lux; Hans Wagner, Vlotho (43); Volkswagenwerke, Wolfsburg; Photo Wehmeyer, Hildesheim; Hed Wiesner, Bremen (2); Ludwig Windstoßer, Stuttgart (15); Dr. Paul Wolff & Tritschler, Frankfurt/Main (16).

VERZEICHNIS DER FARBFOTOS